Rolf Steininger / Michael Gehler (Hrsg.)

ÖSTERREICH IM 20. JAHRHUNDERT

Ein Studienbuch in zwei Bänden

Vom Zweiten Weltkrieg bis zur Gegenwart

Band 2

Mit Beiträgen von

Thomas Albrich

Günter Bischof

Klaus Eisterer

Michael Gehler

Robert H. Keyserlingk

Franz Mathis

Oliver Rathkolb

Manfried Rauchensteiner

Rolf Steininger

BÖHLAU VERLAG WIEN · KÖLN · WEIMAR

Gedruckt mit Unterstützung durch
das Bundesministerium für Wissenschaft, Verkehr und Kunst und
das Bundesministerium für Unterricht und kulturelle Angelegenheiten.

Umschlagentwurf: Tino Erben, Cornelia Steinborn

Umschlagfoto: Die Unterzeichnung des Staatsvertrages am 15. Mai 1955
im Belvedere. Archiv des Karl-von-Vogelsang-Instituts, Wien.

Die Deutsche Bibliothek – CIP-Einheitsaufnahme

Österreich im 20. Jahrhundert : ein Studienbuch in zwei
Bänden / Rolf Steininger/Michael Gehler (Hg.). – Wien ; Köln
; Weimar ; Böhlau.
ISBN 3-205-98310-6
NE: Steininger, Rolf [Hrsg.]
Bd. 2. Vom Zweiten Weltkrieg bis zur Gegenwart. – 1997
ISBN 3-205-98527-3

© 1997 by Böhlau Verlag Ges.m.b.H. und Co.KG., Wien · Köln · Weimar

Gedruckt auf umweltfreundlichem, chlor- und säurefreiem Papier.

Satz: Zehetner Ges. m. b. H., A-2105 Oberrohrbach
Druck: TLP, Ljubljana, Slovenia

INHALT

VORBEMERKUNG DER HERAUSGEBER

Im Mai 1993 hat das Institut für Zeitgeschichte der Universität Innsbruck den ersten Österreichischen Zeitgeschichtetag in Innsbruck organisiert. In zahlreichen Panels und Diskussionen sind unterschiedliche Aspekte der österreichischen Zeitgeschichte behandelt worden. Dabei wurde deutlich, wie aktiv die Forschung in diesem Bereich ist; ein Blick auf die ausgestellten Bücher bestätigte diesen Eindruck. An Einzeldarstellungen war und ist kein Mangel. Es wurde aber auch deutlich – und so auch von Studierenden und Lehrern bedauert –, daß ein Studienbuch, in dem zentrale Themen der österreichischen Geschichte des 20. Jahrhunderts behandelt werden, fehlt. Das hat uns in den bereits vorhandenen Überlegungen bestärkt, ein solches Projekt weiterzuverfolgen. Das Ergebnis legen wir hiermit vor.

In 21 Beiträgen behandeln ausgewiesene Kenner ihres Faches jene Themen, die in der Regel im Unterricht, in Vorlesungen, Seminaren und Prüfungen zur Sprache kommen. Jeder Autor stellt ein Thema allgemein vor, das anschließend analysiert und interpretiert und mit ausgewählten Dokumenten und ausführlichen Literaturhinweisen ergänzt wird. Abschließend werden Fragen und Thesen formuliert, die als Angebot zur weiterführenden Diskussion dienen, d. h. noch einmal zur Reflexion der Thematik anregen sollen. Das Buch wendet sich in erster Linie an Studierende, Lehrer und Erwachsenenbildner, ist aber auch für jeden an der Geschichte Österreichs Interessierten konzipiert, der in einem raschen Zugriff erste Informationen erhalten möchte. Im ersten Band geht es um die Entwicklung von der Monarchie bis zum Zweiten Weltkrieg, im zweiten vom Zweiten Weltkrieg bis zur Gegenwart. Erstmals wird im Rahmen dieser Überblicksgeschichte Österreichs im 20. Jahrhundert auch die Südtirolfrage ausführlich behandelt. Südtirol wurde zwar nach dem Ersten Weltkrieg Italien als Kriegsbeute zugeschlagen, aber es war und ist in vielfacher Hinsicht ein österreichisches Thema.

Unser Dank gilt den Kolleginnen und Kollegen, dem Böhlau Verlag und unseren Sekretärinnen Ulrike Scherpereel und Eva Plankensteiner, die wie immer den Computer professionell bedient und den Herausgebern mit Rat und Tat zur Seite gestanden haben, sowie Frau Mag. Eva Pfanzelter für die Durchsicht der Chronologien.

Innsbruck, im Juni 1996

Robert H. Keyserlingk

1. NOVEMBER 1943: DIE MOSKAUER DEKLARATION – DIE ALLIIERTEN, ÖSTERREICH UND DER ZWEITE WELTKRIEG

1. Einleitung

Das 1938 besetzte Österreich wurde 1945 von den Alliierten befreit und im weiteren Verlauf als neu errichteter unabhängiger Staat anerkannt. Bis Mitte der achtziger Jahre waren sich Historiker, Politologen, Völkerrechtler und Politiker einig, daß diese Lesart die Österreichpolitik der Alliierten im Zweiten Weltkrieg genau widerspiegelte. Diese offizielle Interpretation schien in öffentlichen Erklärungen, diplomatischen Dokumenten und vor allem in der Moskauer Dreimächte-Deklaration bezüglich Österreich fest verankert zu sein.[1]

Die Frage der Haltung der Alliierten gegenüber Österreich während des Krieges schien geklärt, und es bestand kaum ein Anreiz, sie neu aufzurollen. Und dennoch blieb einiges offen: Warum kategorisierten die Westmächte österreichische Flüchtlinge als „feindliche Deutsche" und nicht als verbündete österreichische Flüchtlinge? Warum wurden einige Österreicher, sogar Österreicher jüdischer Abstammung, als „gefährliche Ausländer" interniert? Warum wählten die Außenminister anläßlich ihrer ersten Kriegskonferenz in Moskau 1943 gerade Österreich als erstes und einziges Land, für das sie eine entschlossene Nachkriegspolitik formulierten? Wie paßte diese politische Erklärung zum sonst ausschließlich militärstrategischen Charakter dieser Konferenz? Warum wurde Österreich nach 1945 nicht als ein befreites, sondern vielmehr als ein besiegtes, feindliches Land behandelt? Denn Österreich war nach dem Zweiten Weltkrieg genauso wie das besiegte Deutschland in vier Besatzungszonen der Siegermächte aufgeteilt. Viele Amerikaner waren sich zum

Beispiel nicht darüber im klaren, ob sie in Österreich nun als
Befreier einmarschierten oder nicht.[2] Warum veranlaßten
Kriegsdokumente der Alliierten, die nach 1945 veröffentlicht
wurden, einen scharfsinnigen österreichischen Gelehrten der
Diplomatiegeschichte schließlich zur Frage, ob die Alliierten
während des Krieges in bezug auf Österreich überhaupt eine
konsequente Politik verfolgt hätten? Welchen Einfluß hatte
die Politik des Kalten Krieges oder der Wunsch der Österreicher nach Abgrenzung vom Dritten Reich auf die grundsätzliche Meinung, daß die Alliierten während des Krieges das
besetzte Österreich enthusiastisch unterstützt hätten?[3]

In den späten siebziger und achtziger Jahren erhielten
Wissenschafter nach und nach Zugang zu den offiziellen anglo-amerikanischen Archiven. Erste Untersuchungen darüber, wie die Regierungen der Alliierten österreichische
Flüchtlinge im Zweiten Weltkrieg behandelten, bestätigten,
daß diese Regierungen zwischen Österreichern und Deutschen wenig Unterschiede machten.[4] In weiterer Folge zeigte
sich, daß das ambivalente Verhalten der Alliierten gegenüber
den Österreichern und Österreich stärker ausgeprägt war als
angenommen.[5] Parallel dazu ergaben neue Untersuchungen
über die anglo-amerikanische psychologische Kriegführung
während des Zweiten Weltkrieges, daß die britischen und
amerikanischen Militärstrategien stark vom Gesichtspunkt
der Moral und des Kampfgeistes beeinflußt waren.[6]

Im vorliegenden Beitrag wird die Ansicht vertreten, daß die
Moskauer Deklaration von 1943 nicht wirklich politischer Natur, sondern eigentlich das Resultat von Strategien der psychologischen Kriegführung war. Geheim gehaltene anglo-
amerikanische politische Einschätzungen des zukünftigen
Status von Österreich waren weiterhin einheitlich negativ.
Offizielle Stellen und Politiker schrieben den Staat Österreich
im Jahre 1938 ab und akzeptierten, daß dieses Österreich
sowohl *de facto* als auch *de iure* zu einem integrierten Bestandteil des Deutschen Reiches geworden war. Sie teilten die
pessimistische Meinung mit vielen Österreichern, daß die Demokratie und Unabhängigkeit dieses Landes nicht existenz-

fähig seien, und waren sich einig, daß ein österreichischer Staat nach dem Krieg wieder zu einer Gefahr für die Stabilität in Europa werden könnte. Aus diesem Grund hielten sie im besten Falle eine stark eingeschränkte österreichische Unabhängigkeit innerhalb eines größeren politischen Staatengefüges nach dem Krieg für möglich. Diese politischen Ansichten wurden jedoch geheim gehalten, was in der Öffentlichkeit weitaus positivere Eindrücke über Österreichs Staatlichkeit entstehen ließ, die für Zwecke der psychologischen Kriegführung auch dienstbar gemacht werden konnten. Im Jahre 1943, als die Alliierten durch Italien in nördliche Richtung vorstießen, war man der Meinung, daß die Opposition in Österreich gegen das NS-Regime in Zunahme begriffen sei, und glaubte, sich dies für die eigenen militärischen Zwecke gegen den Feind zunutze machen zu können. Die Moskauer Deklaration von 1943 über Österreich paßte genau zu dieser militärischen Absicht, nämlich als Werkzeug, um Aufstände in Österreich zu entfachen bzw. zu unterstützen. Dieses Vorhaben schlug zwar fehl, doch da nichts über die negativ lautenden politischen Ansichten der Alliierten bezüglich Österreichs Unabhängigkeit oder deren militärische Pläne für einen österreichischen Aufstand an die Öffentlichkeit drang, nahm diese im Grunde kriegspsychologisch und militärstrategisch intendierte Deklaration später einen neuen, d. h. dauerhaft politisch interpretierten Charakter an.

2. Der „Anschluß" 1938 ist als Faktum akzeptiert

Die allgemein akzeptierte Meinung lautet wie folgt: Auch wenn sich die westlichen Regierungen vor dem Anschluß 1938 Österreich gegenüber scheinbar etwas kühl verhalten hatten, sprachen sie sich – im Rahmen ihrer Möglichkeiten – sehr gegen den brutalen Akt der Besetzung Österreichs durch NS-Deutschland aus. Als die Briten ihre Wiener Gesandtschaft in ein Generalkonsulat umwandelten, das der

Berliner Botschaft unterstellt war, sprachen sie davon, daß
die harte Realität die Ursache dafür sei, daß sie sich konklu-
dent verhielten, so als ob Österreich als Staat von der Landkarte Europas verschwunden wäre. Mit diesen Verlautbarungen gaben sie zu verstehen, daß sie sich der illegitimen
NS-Machtergreifung in Österreich eigentlich widerwillig
beugten.[7] Die Vereinigten Staaten folgten diesem Beispiel,
allerdings mit der Behauptung, daß dieser Schritt rein „technischer" und „praktischer" Natur und ohne rechtliche Konsequenzen sei.[8] Danach war über Österreich tatsächlich nur
mehr wenig zu hören, wenn auch in öffentlichen Erklärungen
hin und wieder Formen der moralischen Unterstützung zu
finden waren.

Während des ganzen Krieges schienen amerikanische Völkerrechtsexperten darauf hinzuweisen, daß die Vereinigten
Staaten den Anschluß bzw. das Verschwinden des Staates
Österreich niemals akzeptiert hatten. Daher schien Österreich als ein besetzter, zur Zeit nicht funktionierender Staat
betrachtet zu werden.[9] Im Jahre 1943 machten die drei
Hauptalliierten Österreich gegenüber dann eine überraschend klare Zusage. In einer eigenständigen Erklärung bezüglich Österreich am Ende des Außenministertreffens in
Moskau wurde der Anschluß von 1938 für „null und nichtig"
erklärt und die Befreiung sowie die Wiedererrichtung eines
unabhängigen Staates Österreich versprochen. Diese Moskauer Deklaration galt von diesem Punkt an als Beweis für
die wohlwollende Kriegspolitik der Alliierten bezüglich
Österreich und als Basis für ihre Präsenz in diesem Land
nach 1945 und während des Kalten Krieges.[10]

Diese Doktrin wurde so auch 1946 in einer vom US-Depart-
ment of State herausgegebenen Presseaussendung, anläßlich
des ersten offiziellen Besuchs des neuen österreichischen Außenministers Karl Gruber in den USA, wiederholt. Demnach
sei Washington immer hinter Österreich gestanden: „In praktischer Hinsicht waren die USA zwar gezwungen, aufgrund
der durch den Anschluß herrschenden Lage, bestimmte administrative Maßnahmen zu ergreifen; sie vermieden jedoch

konsequent alle Schritte, die *de iure* als Anerkennung der
Annexion Österreichs durch Deutschland hätten betrachtet
werden können." Die USA waren demzufolge immer für die
Wiedererrichtung eines freien, unabhängigen und demokratischen österreichischen Staates gewesen.[11]

Neuere Studien ergeben jedoch ein weit differenzierteres
Bild. Spätestens 1937 waren in Großbritannien und in den
Vereinigten Staaten neue Männer in der Außenpolitik aktiv,
die keine Absicht zeigten, sich mit Hitler auf eine Konfrontation einzulassen.[12] Es ist weithin bekannt, daß Anhänger der
Beschwichtigungspolitik („Appeasement") im Foreign Office
das Sagen hatten. Der in den USA erst kurz vorher ernannte
Leiter der neuen Abteilung des State Departments für europäische Angelegenheiten, Jay Pierrepont Moffat, war in bezug auf internationale Angelegenheiten „Realist". Er beabsichtigte, Hitler zu besänftigen, ihn nicht durch sinnlose Gesten zu verärgern und mit Blick auf europäische
Angelegenheiten neutral zu bleiben.[13] Es war ziemlich unwahrscheinlich anzunehmen, daß er bezüglich des weit entfernten Österreich einen festen Standpunkt vertreten würde.
Als im März 1938 der Anschluß erfolgte, riet sogar Henry
Stimson (Begründer der sogenannten Stimson-Doktrin, die
besagte, daß illegal erfolgte politische Veränderungen nicht
anerkannt werden sollten) Secretary of State Cordell Hull im
Vertrauen, das Ereignis zu ignorieren und abzuwarten, was
die Briten tun würden. Seiner Ansicht nach sei die Republik
Österreich nie existenzfähig gewesen. Hull und Moffat waren
über diesen Rat hoch erfreut.[14]

Sobald die Briten beschlossen hatten, den Anschluß anzuerkennen, machten sich die Amerikaner daran, diesem Beispiel
– wenn auch in einer öffentlich nicht so eindeutigen Art – zu
folgen. Moffat bereitete den Abschlußtext für den amerikanischen diplomatischen Bericht und die Presseaussendung vom
5. April 1938 über den Anschluß Österreichs vor. Er verbarg
bewußt die wahre Ansicht der Regierung, nämlich daß auch
für die Amerikaner der Anschluß eine akzeptierte Sache war.
Aus diesem Grund vermittelte der amerikanische Bericht den

Eindruck, daß die US-Regierung Deutschlands *de facto* Herrschaft in Österreich nur „aus praktischen Gründen" und äußerst widerwillig anerkannt hätte.[15] Hull gab jedoch diese
Täuschung dem Generalstaatsanwalt gegenüber vertraulich
zu; Österreich hatte seit dem Anschluß aufgehört, als Staat zu
existieren und war Deutschland einverleibt worden, das nun
sowohl *de facto* als auch *de iure* die Souveränität über dieses
Gebiet ausübte.[16] Sowohl Briten als auch Amerikaner gestanden einander im Vertrauen ein, daß Österreich ihrer Ansicht
nach als Staat von der Bildfläche verschwunden war, eine
Tatsache, die für sie kaum überraschend war. Die britische
Diplomatie hielt mit gewisser Befriedigung fest, daß sie sich
mit den Amerikanern in bezug auf die Anerkennung des Anschlusses einig waren, sie aber wie gewöhnlich die ersten und
dabei die ehrlicheren gewesen seien.[17]

Obwohl beide Länder nach 1938 einige administrative
Richtlinien erließen, in denen scheinbar zwischen Österreichern und Deutschen unterschieden wurde, galten die Österreicher umgehend als deutsche Staatsbürger und, sobald der
Krieg erst einmal begonnen hatte, als „feindliche Ausländer".
Diese nationale Kategorisierung blieb bis zum Ausbruch des
Krieges und sogar danach aufrecht.[18] Sogar österreichische
jüdische Flüchtlinge galten als feindliche Ausländer, und einige von ihnen wurden sogar als „gefährlich" eingestuft und
in den USA interniert. Das State Department war besonders
daran interessiert, Österreicher in die Kategorie „deutscher
Staatsbürger" einzuordnen und ihre Freilassung zu verhindern. Als dies in einem Fall angefochten wurde, akzeptierte
das State Department seine Niederlage, indem es vorzog, den
Entscheid eines unteren Gerichtshofes anzunehmen, demge-
mäß diese einzelne Person freigelassen werden sollte, anstatt
den allgemeinen Rechtsstatus von Österreichern als feindliche Ausländer durch einen für sie möglicherweise negativen
Entscheid des Obersten Gerichtshofes anzutasten.[19] Bei jenen, die bereit waren, Österreicher anders als Deutsche zu
behandeln – zumindest für Propagandazwecke –, machte
sich schnell Ernüchterung breit. Sowohl in Großbritannien

als auch in den Vereinigten Staaten verloren staatliche Stellen bald den Glauben daran, daß die Exilösterreicher für die alliierten Kriegsbemühungen von Nutzen sein könnten, zumal diese ständig in Rivalitäten und Querelen untereinander verwickelt waren.[20] Wenngleich Roosevelt engsten Kontakt mit den Familienmitgliedern der im Exil lebenden Habsburger, insbesondere mit Otto von Habsburg pflegte, scheiterten dessen Pläne zur Aufstellung einer eigenständigen österreichischen Freiwilligeneinheit innerhalb der amerikanischen Armee äußerst kläglich.[21]

3. Der Faktor Österreich in den alliierten Planungsstäben 1942–1944

Fest entschlossen, dieses Mal ein politisches Nachkriegsvakuum zu verhindern, begann man mit der Planung von Friedensregelungen für die Zeit nach dem Zweiten Weltkrieg schon kurz nach der Kriegserklärung Hitlers. Als die Amerikaner Anfang 1942 konkreter mit der Nachkriegsplanung einsetzten, gingen sie im Fall Österreichs erstaunlich rasch vor. Lange bevor die Planer ernsthaft begonnen hatten, sich mit dem deutschen Problem auseinanderzusetzen, stand die westliche Grundhaltung für das Nachkriegsösterreich bereits fest.[22] Österreich wurde als Schlüssel für eine Lösung der Probleme in Südosteuropa bzw. des Donauraumes angesehen und durfte auf keinen Fall noch einmal zu einer Bedrohung für die Stabilität dieser Region Europas werden. Die Wiederherstellung der Unabhängigkeit Österreichs galt aufgrund seiner negativen Erfahrungen in der Zwischenkriegszeit und der nicht hoch genug eingeschätzten eigenen Nationalität kaum als realistische Lösung. Mitte 1943 hatte sich die britische Regierung darauf geeinigt, daß die beste Nachkriegslösung für das krisengeschüttelte Österreich innerhalb einer Donaukonföderation liegen müßte.[23] Unterdessen waren die Amerikaner unabhängig davon zum gleichen Schluß gelangt. Österreich hatte in den Jahren 1919 bis 1938 als Staat ver-

sagt, und kaum einer wollte diesen nach dem Krieg als solchen wieder aufbauen. Der amerikanische Undersecretary of
State, Sumner Welles, hatte die ziemlich idealistische Vorstellung, daß es an der Zeit wäre, eine Art „Vereinigte Staaten von Europa" nach dem Krieg ins Auge zu fassen, etwa
nach dem Beispiel der ersten dreizehn Bundesstaaten der
heutigen USA. Die Planungsstäbe im Rat für Auswärtige
Angelegenheiten und im State Department in Washington
waren sich einig, daß die Donauregion am meisten von einer
Art regionalen Föderation profitieren würde, in die sich
Österreich einfügen könnte. Auch Experten des State Departments schlugen schließlich Anfang 1943 vor, daß Österreich in eine Art Donaukonföderation integriert werden sollte. Gesetzt den Fall, daß alle anderen Lösungen fehlschlagen
sollten, wäre es besser, Österreich würde an ein demokratisches Nachkriegsdeutschland angeschlossen und nicht allein, als unabhängiger Staat existieren.[24]

Sobald die amerikanische Nachkriegsplanung den Grundriß ihrer Donauföderationslösung erstellt hatte, wurde dem
Präsidenten eindringlich empfohlen, die Nachkriegspläne
mit den anderen Alliierten zu koordinieren und der Öffentlichkeit nahe zu bringen. Im Hinblick auf die negativen Folgen des Ersten Weltkrieges waren sie sich der Gefahr bewußt, die eine Aufschiebung der politischen Gespräche bis
nach einer Invasion Europas oder der Niederwerfung NS-
Deutschlands mit sich bringen würde.[25] Präsident Roosevelt
weigerte sich jedoch, die Allianz gegen die Achsenmächte
durch die Eröffnung politischer Diskussionen dieser Art noch
während der kriegerischen Auseinandersetzungen zu gefährden. Er betonte nachdrücklich, daß das Hauptziel darin bestehe, den Feind zu bekämpfen, anstatt Grenzprobleme auf
der ganzen Welt zu lösen. Damit müßte man seiner Meinung
nach bis zu einer Nachkriegsfriedenskonferenz warten.[26]
Während also die Österreichpläne der Briten zu einer forma-
len Politik wurden, erfüllten die Pläne der Amerikaner in
bezug auf Österreich und andere Länder bestenfalls die
Funktion eines regierungsinternen Leitfadens. In Unkennt-

nis der offiziellen Haltung bezüglich Österreich glaubte die amerikanische Öffentlichkeit weiterhin, daß ihre Regierung Österreich eifrig unterstützen würde. Dieser Eindruck in der Bevölkerung wurde noch verstärkt, als die Außenminister der Drei Mächte am 1. November 1943 plötzlich die Moskauer Deklaration bekanntgaben. Darin wurde öffentlich die Befreiung und Wiedererrichtung Österreichs versprochen, und die Österreicher wurden dazu aufgerufen, die Beseitigung des NS-Regimes so gut wie möglich zu unterstützen.

Propaganda und politische Kriegführung   die Demoralisierung des Feindes – spielten im Zweiten Weltkrieg eine größere Rolle als im Ersten. Der Westen hatten aus diesem Krieg bzw. aus Hitlers frühen Siegen im Zweiten Weltkrieg die falschen Konsequenzen gezogen. Auch westliche Experten waren der Meinung, daß das deutsche Heer im Jahre 1918 hinter den Fronten durch den Zusammenbruch der Moral seitens der Zivilbevölkerung – wie es die Dolchstoßlegende vorgab – in die Knie gezwungen worden war. Hitler hatte politische Macht und seine frühen Schlachten mittels Propagandatechniken, psychologischer Kriegführung und politischem Terror einschließlich seiner „fünften Kolonne" gewonnen. Die Schlußfolgerung daraus war, daß Sieg oder Niederlage bei modernen Kämpfen, die auch die Masse der Bevölkerung involvierten, von der Stärke oder Schwäche der Moral hinter und an der Front abhingen. Mit politischem Druck oder militärischen Drohungen und Wirtschaftsblockaden in Kombination mit einer aktiven und systematisch angelegten Propagandakampagne – dies alles unter der Bezeichnung politische oder psychologische Kriegführung – war man in der Lage, den Feind tödlich zu treffen.[27]

Aufgrund der militärischen Vormärsche der Alliierten in Italien und den Niederlagen der Deutschen in der Sowjetunion im Zuge der Entwicklung der Jahre 1942/43 legten anglo-amerikanische Strategen für psychologische Kriegführung den Combined Chiefs of Staff – CCS (Vereinte Stabschefs) nahe, daß die Zeit für einen neuen psychologischen Angriff auf die Nationalsozialisten reif sei. Der erhoffte Zusammenbruch der Moral der Deutschen wurde für wahrscheinlich gehalten.[28] Amerikanische Militärstrategen vertraten die Meinung, daß rein militärische Mittel nicht reichen würden, um die „Festung Europa" einzunehmen. Ein baldiger Sieg über die Deutschen wäre nur dann in Reichweite, wenn deutsche Niederlagen auf dem Schlachtfeld zu einem Zerfall der Moral im Deutschen Reich und in seinen Satellitenstaaten führen würden.[29] Während des Sommers 1943 begannen sowohl Geheimdienste als auch Presseagenturen, Meldungen über die gesunkene Moral der Deutschen zu verbreiten.[30] Britische Strategen für psychologische Kriegführung waren sich einig, daß es höchste Zeit war, sich den sich weiter verschlechternden psychologischen Zustand des Feindes zunutze zu machen.[31] Experten der Kriegspsychologie in den USA kamen auch zu dem Schluß, daß die deutsche Moral knapp vor ihrem endgültigen Zusammenbruch stand.[32] Als sich die Alliierten dem Raum Österreich von Italien aus näherten und eine Reihe von Bombenangriffen starteten, schienen die Voraussetzungen optimal, um die angeschlagene Moral in diesem Land auszunützen.[33]

Das Ziel der Moskauer Deklaration bestand nicht darin, die konkrete politische Nachkriegsplanung der Alliierten für Österreich festzulegen, sondern sie diente als militärstrategisch motivierte Propagandawaffe, um in Österreich Aufstände herbeizuführen. Als die Alliierten im Jahre 1943 durch Italien nach Norden vorrückten, glaubten sie, daß es ihnen ohne innere Unterstützung in Österreich nicht gelingen würde, die Verteidigungslinien in den Alpen zu durchbrechen und den Krieg rasch zu beenden. Deshalb entwarfen britische Strategen für psychologische Kriegführung einen Plan zur Bekämpfung der Nationalsozialisten. Demzufolge sollte den Österreichern eine Reihe äußerst positiver Versprechungen gemacht werden, in der Hoffnung, sie dadurch zu einem Aufstand gegen das NS-Regime zu bewegen.[34] Gleichzeitig akzeptierte das britische Kabinett ein zweites, vollkommen anderslautendes Dokument, in dem die pessimistischen politischen Ansichten Londons Österreich betreffend umrissen wurden. Die Propagandaversprechen der politischen Kriegführung wurden vom Außenministerium so weit wie möglich abgeschwächt, da man sich an eine ähnliche psychologische Kampagne im Jahre 1918 erinnerte, die später als politisches Programm zur Zerstörung der österreichisch-ungarischen Monarchie interpretiert wurde. Der Schlußentwurf stellte folglich einen eigenartigen Kompromiß zwischen propagandistischen Versprechungen und politischen Abschwächungen dar, was bei späteren Beobachtern zu Verwirrung führte.[35] Als die amerikanischen Planungsstäbe den britischen Entwurf der Moskauer Deklaration für Österreich diskutierten, war ihnen klar, daß sich ein militärisches Ziel dahinter verbarg, und dieses sich in bezug auf Österreich von ihrer eigenen, viel weniger optimistischen politischen Vorgangsweise unterschied.[36]

Während der Konferenz versuchte Anthony Eden erfolglos, politische Fragen einschließlich des österreichischen Nachkriegsstatus zur Sprache zu bringen.[37] Hull war jedoch von Roosevelt nicht ermächtigt, politische Angelegenheiten zu erörtern und weigerte sich, diese zu diskutieren, während Molotows Hauptbeweggründe militärischer Natur waren.[38] Folglich sprachen die Außenminister nur vage über die Grenzen Österreichs und kamen überein, daß dessen Nachkriegsstatus „eine Angelegenheit war, über die im Rahmen eines späteren, allgemeinen Abkommens entschieden werden sollte".[39] Als Österreich dann formell auf der Tagesordnung stand, bezog man es in die militärischen Diskussionen im Zusammenhang damit ein, wie Deutschland am besten besiegt werden könnte.[40] Wenn die alliierte Deklaration die erste große politische Entscheidung bezüglich Südosteuropa nach dem Krieg hätte sein sollen, so wären doch genauere Vorbereitungen vor der Konferenz und anschließende Debatten zu erwarten gewesen. Doch genau das Gegenteil war der Fall. Die alliierten Staatsmänner und Diplomaten stellten keine Bemühungen an, die Deklaration aufzusetzen. Sie überließen es einem Planungsausschuß, diese Aufgabe auf der Basis des britisch-amerikanischen Entwurfes durchzu-

führen. Das amerikanische Mitglied dieses Ausschusses war
der Rechtsberater des amerikanischen State Departments,
Green Hackworth, der die Vorstellung eines unabhängigen
Nachkriegsösterreich bei Sitzungen des Planungsstabes für
Nachkriegsangelegenheiten ablehnte.[41] Die Endversion
wurde dann den Ministern vorgelegt und ohne weitere Beratungen sanktioniert.[42] Bevor die Erklärung am Ende der
Konferenz übrigens äußerst rasch und beinahe automatisch
angenommen wurde, war sie weder in einem vertraulichen
amerikanischen Bericht über das Moskauer Außenministertreffen erwähnt worden, noch gab jemand der Anwesenden
einen Kommentar über die Endfassung ab.[43]

Während Hulls Moskau-Aufenthalt teilte sein Stellvertreter Stettinius den Kabinettsmitgliedern mit, daß die Außenminister in Moskau keine politischen Entscheidungen treffen
würden.[44] Secretary of War Henry Stimson glaubte, daß militärische und nicht politische Entscheidungen Vorrang hätten. Bezug nehmend auf die Erklärung hielt er in seinem
Tagebuch fest, daß die Minister in Moskau die Wiedererrichtung Österreichs „scheinbar überhaupt nicht im Sinn gehabt
haben".[45] Nach der Rückkehr aus Moskau teilte Hull dann in
Washington der Presse mit, daß die Erklärung nicht der offiziellen politischen Vorgangsweise entspräche, sondern, wie
er sagte, „in Wirklichkeit ein Propagandatrick sei". Es gebe
in Österreich „definitive Manifestationen gegen die deutschen Nazis, die sich für sie als beschämend herausstellen
könnten". Einige seiner Kollegen waren der Meinung gewesen, „daß eine gewisse Einschüchterung in praktischer Hinsicht hilfreich sein könnte".[46] Hull deutete damit indirekt
darauf hin, daß die Erklärung kein politisches Gewicht hatte.
Der Öffentlichkeit, die in diese streng geheimen Treffen der
Außenminister und Machenschaften der Funktionäre nicht
eingeweiht war, konnte man es nicht übelnehmen, daß sie
das Dokument als eine offensichtliche politische Absichtserklärung interpretierte.

4. Veränderte Kriegskonstellation 1945/46

Letztendlich verwirrte die Moskauer Deklaration nicht nur die öffentliche Meinung, sondern versagte auch in militärisch-strategischer Hinsicht. Allen Welsh Dulles vom Büro des Office of Strategic Services (OSS) in Bern gestand im Jänner 1944 deprimiert ein, daß die Erklärung „keine tiefgreifenden Auswirkungen auf das Land" habe. Sie war undurchsichtig und ließ die Österreicher weiterhin darüber im unklaren, was von ihnen erwartet wurde, solange sie unter der strengen Polizeikontrolle der Nazis standen.[47] Angesichts der Tatsache, daß die Bevölkerung nicht zu Aufständen in der Lage war, stimmten die Combined Chiefs of Staff (CCS) der Behauptung widerwillig zu, daß die Erklärung in Österreich keine Wirkung zeige. Die Österreicher mißtrauten den Alliierten mindestens genauso wie den Deutschen und blieben Gefangene in einer Welt voll harter militärischer Fakten und strenger NS-Kontrollen, die wirksame Widerstandsbewegungen unwahrscheinlich machten. Im Laufe des Jahres 1944 verlagerte sich der Hauptkriegsschauplatz auch weg von Österreich. Daher wurde das Land für die militärisch-psychologischen Pläne unwichtig, die für die 1944 stattfindende Invasion Europas entworfen wurden. Folglich sollte Österreich im Denken alliierter, d. h. anglo-amerikanischer Planungsstäbe bis zum Ende des Krieges ein Bestandteil des Deutschen Reiches bleiben.[48]

Ein zusätzlicher Faktor, der die Hoffnung der Alliierten auf einen Aufstand der Österreicher untergrub, war ihre gewandelte Ansicht bezüglich der NS-Moral während des letzten Kriegsjahres. Der militärische Widerstand der Deutschen Wehrmacht war, trotz einer Reihe schwerer Niederlagen, bemerkenswert zäh. Deren Hartnäckigkeit ließ darauf schließen, daß die Moral der Nationalsozialisten viel stärker war als angenommen wurde. Als der Krieg seinem Ende zuging, machten die Strategen für psychologische Kriegführung paradoxerweise eine abrupte Kehrtwendung: Statt der kolportierten gebrochenen NS-Moral wurde nun das genaue Gegen-

teil regelrecht zum Dogma erhoben. Der Offiziersputsch vom
20. Juli 1944 schlug bekanntlich fehl, wodurch die Naziführung weiter die Kontrolle behielt.[49] Trotz der schwindenden
Macht der NS-Führung im Jänner 1945 schätzten die CCS,
daß der Widerstand der Nationalsozialisten stärker werden
würde, da die Streitkräfte auf ihrem Rückzug den Vorteil der
inneren Linie ausnützen könnten – eine Annahme, die sich
später als völlig falsch herausstellte. Noch einen Monat vor
Ende des Krieges stellten die CCS die Theorie auf, daß die
Nazis aufgrund ihres fanatischen Durchhaltevermögens immer noch zu großen militärischen Leistungen fähig wären.
Das Rückzugsgebiet für den letzten, gleichsam wagnerianisch gedachten Endkampf sollte die sogenannte Alpenfestung in Österreich sein. Hitler würde sich mit bis zu 100
Divisionen in langfristig vorbereitete, uneinnehmbare Stellungen zurückziehen, von wo es beinahe unmöglich wäre, ihn
zu vertreiben, während die deutsche Bevölkerung hinter der
Front eine Art Guerillakrieg führen würde. Der Sieg könnte
demnach noch in weiter Ferne liegen.[50] Als dann eine französische und zwei amerikanische Armeen letzten Endes die
sagenumwobene Alpenfestung angriffen, stießen sie kaum
mehr auf nennenswerten Widerstand. Die Zahl der Opfer
durch LKW-Unfälle war höher als die der Kriegsgefallenen.
Ohne sich um große Ansammlungen mit größtenteils passiven deutschen Truppen zu kümmern, drangen die Amerikaner in das Land ein und stießen außerhalb von Wien auf die
Sowjets, die allerdings schon mehrere Wochen zuvor in
Österreich einmarschiert waren.[51] Der Besatzungsplan der
Vier Mächte, der zuvor in der Londoner European Advisory
Commission (EAC) angenommen worden war, wurde durchgeführt.

Innenpolitische Einflüsse in den USA machten die amerikanische Österreichpolitik noch verworrener. Im März 1943
gab der Kongreß eine Studie darüber in Auftrag. Herbert
Wright, ein angesehener Professor für Internationales Recht
am Stimsonian Institut, schrieb zusammen mit seinem Forschungsassistenten, dem ehemaligen österreichischen Pro-

fessor der Rechtswissenschaft, Willibald Plöchl, einen langen
Bericht, der besagte, daß die USA das besetzte Österreich
und dessen Wiedererrichtung nach dem Krieg stets unter-
stützt hatten. Als der Bericht schließlich Anfang 1944 vom
Kongreß veröffentlicht wurde, verwies er auf die Moskauer
Deklaration als zusätzlichen Beweis für Amerikas Haltung.[52]

Etwa zur gleichen Zeit erkannte Roosevelt allmählich, daß
er aus wahltaktischen Gründen doch etwas über die amerikanische Politik im Hinblick auf den Nachkriegsstatus Europas sagen müßte. Dabei sollte der Eindruck erweckt werden,
daß er sich mit dieser Frage auseinandersetzen würde, zumal ein wachsendes Interesse seitens der Öffentlichkeit und
vor allem der Republikaner an internationalen Nachkriegs-
regelungen immer deutlicher wurde. Sogar ehemalige Isola-
tionisten der Republikanischen Partei, wie zum Beispiel das
einflußreiche Mitglied des Senatsausschusses für Auswärtige
Angelegenheiten, Arthur Vandenberg, waren mit dem Ansu-
chen um Zusammenarbeit in dieser Angelegenheit an die
Regierung herangetreten. Durch die Annahme der Mackinac
Charta im September 1943 hatte die Republikanische Partei
erstmals ihre Unterstützung für eine amerikanische Teilnahme an einer internationalen Nachkriegsorganisation zugesagt.

Hull nahm also die Verhandlungen mit dem Senatsaus-
schuß für Auswärtige Angelegenheiten auf, um dessen Zustimmung zu der etwas vagen Politik der Regierung zu erhalten. Hierbei erkannte er schnell, daß die Moskauer Deklaration in den Vereinigten Staaten politisch von Nutzen sein
könnte.[53] Dies war sicherlich ein Grund, warum Hull trotz
seiner Krankheit als Leiter der amerikanischen Delegation
nach Moskau gesandt wurde und nicht Sumner Welles, der
im letzten Moment, zum Teil aufgrund kursierender Gerüch-
te über seine homosexuellen Aktivitäten, fallengelassen wurde.[54] Als Teil der Kampagne zur Schaffung einer Außenpolitik beider Parteien, und um Roosevelts Wahlgegner Thomas
Dewey den Wind aus den Segeln zu nehmen, beantwortete
Hull 1944 Senator Vandenbergs Frage bezüglich der Öster-

reichpolitik äußerst positiv. Er spielte geschickt auf Wrights beinahe vergessene Kongreßstudie und die Moskauer Deklaration mit der Behauptung an, daß die Regierung den Anschluß nie anerkannt habe und stets für ein freies und unabhängiges Österreich eingetreten sei. Er berief sich dabei auf die Stimson-Doktrin der rechtlichen Nichtanerkennung und ging sogar so weit, die Atlantik-Charta von 1941 erstmals auf Österreich anzuwenden.[55] Diese mit Leichtigkeit erfolgte Neuinterpretation der amerikanischen Österreichpolitik muß mit den realen, vertraulich behandelten Ansichten der US-Regierung verglichen werden.

Infolge der zunächst angelaufenen und dann fehlgeschlagenen Initiativen der psychologischen Kriegführung und spezifischer inneramerikanischer Interessen wurden die Pläne für eine Besetzung Österreichs erst sehr spät beschlossen. Von ihrer Konzeption her waren sie ziemlich undurchsichtig. Erst gegen Ende des Krieges faßte Roosevelt auch eher widerwillig den Entschluß, daß sich die Vereinigten Staaten an einer Besetzung Österreichs beteiligen sollten. Mitte 1944 akzeptierte er dann überraschend das Prinzip einer geringfügigen amerikanischen Beteiligung daran. Sowohl seine Joint Chiefs of Staff als auch sein Botschafter in London, John Winant, der Amerika bei der EAC vertrat, hatten ihn zu dieser Entscheidung gedrängt,[56] woraufhin die USA ein pro forma Sonderkommando in Wien einrichteten. Das State Department wußte von diesen Regelungen seitens des Präsidenten zuerst überhaupt nichts. Hull wurde erst vom britischen Botschafter darüber informiert.[57] Erst im Dezember 1944 gab der Präsident den anglo-sowjetischen Wünschen zu einer vollständigen Dreimächte-Besetzung Österreichs nach, woraufhin das Militär in Italien mit den Vorbereitungen für eine amerikanische Zone in Österreich beginnen konnte.[58] Aufgrund der übermäßigen Eile und der Verwirrung im Hinblick darauf, wie denn die amerikanische Österreichpolitik tatsächlich auszusehen habe, erhielten die amerikanischen Truppen in Italien auch noch im März 1945 keine näheren Informationen bzw. Aufschlüsse im Hinblick auf ihren zukünftigen Einsatz.[59]

Als das Interesse an Österreich seitens des Präsidenten sowie der Öffentlichkeit Ende 1944 zunahm, mußten sich die Militärs anstrengen, um endlich herauszufinden, welcher Politik sie folgen sollten. Österreich wurde für die Vereinigten Staaten im Europa der unmittelbaren Nachkriegszeit zwar urplötzlich zu einem strategisch äußerst wichtigen Gebiet, doch die konkrete politische Vorgangsweise blieb weiterhin unklar. Trotz großer Bedenken, was die Zukunft Österreichs betraf, bezog man sich auf die beinahe schon in Vergessenheit geratene Moskauer Deklaration. Die Vereinigten Staaten sollten nun als „Befreier" in Österreich einmarschieren, um das besetzte Land als „freien Staat" zu errichten.[60] Politische Funktionäre zeigten jedoch inoffiziell weiterhin nur wenig Überzeugung, was Österreichs antinationalsozialistische Vergangenheit und seine Existenzfähigkeit als unabhängiger Staat nach dem Krieg betraf. Ein Anfang 1944 erstelltes Dokument des OSS stützte sich auf die traditionellerweise negative Österreichpolitik des State Departments. Durch Nichtbeachtung der Moskauer Deklaration wurde in dem Bericht sogar behauptet, daß sich die Alliierten über die Zukunft Österreichs immer noch nicht politisch festgelegt hätten. Österreich habe 1938 aufgehört zu existieren, und es gebe weder genügend nationale, wirtschaftliche noch politische Gründe, die hoffen lassen würden, daß ein neugegründetes Österreich ein politischer Erfolg werden könnte. Sollte Österreich besetzt werden, so müßte dies im Hinblick auf einen Anschluß an irgendeine andere, größere föderative Struktur geschehen.[61]

Trotz des Übergangs zu einer „positiveren" offiziellen Österreichpolitik des State Departments im Jahre 1944 folgten ihr die Planer nur widerwillig. In einem Bericht vom Juni 1944 wurde immer noch davor gewarnt, daß ein wiedererrichtetes Österreich leicht zu einem „internationalen Mündel" werden könnte und eine „anfängliche" Unabhängigkeit nach dem Krieg keine endgültige Entscheidung gegen ein zukünftiges föderatives Zusammenleben mit seinen Nachbarn sei. Wenn die Verfassung des Jahres 1920 wieder in

Kraft gesetzt würde, so würde dies nur temporär aus rein
praktischen Gründen erfolgen.[62] In einem wichtigen Planungsdokument des State Departments vom September 1944
wurde die Frage gestellt, was denn die Moskauer Deklaration wirklich bedeute, ohne dazu eine klare Lösung vorzuschlagen. Ein Anschluß an ein demokratisches Deutschland
wurde sogar einer völligen Unabhängigkeit Österreichs vor-
gezogen.[63]

Noch Anfang 1945 bestanden sowohl das State Department
als auch das Foreign Office immer noch darauf, daß die Alliierten keinerlei Verpflichtungen gegenüber Österreich eingegangen wären.[64] Man sprach weiterhin auch von einer kurzen, temporären Besetzung, während der Status Österreichs
jederzeit durch politische Entscheidungen verändert werden
könnte.[65]

Infolge dieser Verwirrung, was die politischen Ziele betraf,
wurden auf Österreich generell die gleichen Kapitulations-
und Besatzungsbedingungen angewandt wie auf Deutschland. In militärischer Hinsicht wurden also beide Länder
gleich behandelt, und das trotz gegenteiliger, halbherziger
offizieller Erklärungen. Noch im August 1945 sprach das
US-State Department von der Anerkennung Österreichs als
einem politischen Akt, der aus rein praktischen Gründen
erfolgt war.[66]

Das NS-Deutschland war zwar besiegt worden, unter den
Kriegsalliierten begannen sich aber neue Spannungen zu entwickeln, die vor allem in den deutschen und österreichischen
Besatzungszonen ausgetragen wurden. In den Streitereien
ging es um die Bildung der Renner-Regierung, was die westlichen Alliierten anfangs für einen sowjetischen Schachzug
hielten und auch deswegen ablehnten. Eine weitere Quelle
ernsthafter Meinungsverschiedenheiten bildeten die Reparationszahlungen und Besatzungsrechte in Österreich. Unter
diesen veränderten Umständen war es nun durchaus nützlich, auf die Moskauer Deklaration als rechtliche und politische Basis für die Besetzung Österreichs zu verweisen. Würde
man nämlich Österreich als „befreit" betrachten, so müßte es

an die Sowjets keine Reparationszahlungen leisten. Wenn der
Fortbestand des Landes durch den Anschluß nicht unterbrochen worden war, dann könnte man die alte österreichische
Verfassung einfach wieder in Kraft setzen und dadurch das
auf Verfassungsgesetze bezogene Vetorecht der Sowjets für
ungültig erklären. Durch dieses neue Programm könnte auch
die Zuwendung Österreichs zum westlichen Lager erreicht
werden. Dadurch gab man den Österreichern die Hoffnung,
daß der Westen sie gegen die Ansprüche der Sowjets unterstützen und sie von der Verantwortung für ihre NS-Vergangenheit lossprechen würde. Im Jahre 1948 teilte die US-Militärregierung ihren eigenen Beamten mit: „Ihre Regierung
[U.S.] betrachtet aus diesem Grund die österreichische Regierung während der Zeit des Anschlusses als eine Art Marionet-
tenregierung und deshalb für nicht verantwortlich für Handlungen, die vom Nazi-Regime bzw. seinen Vertretern begangen
gen wurden."[67] Hierzu läßt sich sagen, daß offenbar eine
Portion historischen Revisionismus in bezug auf Österreich
als nützlich betrachtet wurde, um der Kompromißlosigkeit
der Sowjets entgegenzuwirken.[68] Aus den gleichen pragmatischen Gründen verbargen nun auch die Briten mittels der
Moskauer Deklaration ihre zu Kriegszeiten erfolgte Anerkennung des Anschlusses sowie ihre Pläne zur Bildung einer
Donaukonföderation, der auch Österreich angehören sollte,
und ihren weiter andauernden Kriegszustand mit Österreich.
Erst 1947, nach sehr ausführlichen Darlegungen der österreichischen Bundesregierung, beendeten die Briten und ihre Do-
minions den Kriegszustand mit Österreich. Somit wurde es
nicht mehr als feindliches Land behandelt.[69]

5. Zusammenfassung

Obwohl sich die offiziellen anglo-amerikanischen Stellen
während des Krieges insgeheim darüber einig waren, daß
Österreich zu einem Bestandteil des NS-Reiches geworden
war und seine Zukunft nicht in der Unabhängigkeit, sondern

innerhalb einer föderativen Struktur liegen würde, hörte die
Öffentlichkeit über weite Strecken doch eine andere Geschichte. Es schien, als ob die Regierungen der Alliierten den
Anschluß nicht anerkannt hätten und bereit gewesen wären,
Österreicher während des Krieges anders zu behandeln als
Deutsche und dabei Österreich als besetztes und demokratisches Land zu unterstützen. Der Optimismus der Moskauer
Deklaration, die in Wirklichkeit aus rein militärisch-propa-
gandistischen Gründen abgefaßt worden war, erschien als
erstrangiges politisches Dokument der Regierungschefs, welche diese Meinung noch unterstützten. Aus größtenteils
wahltaktischen Gründen präsentierte sich auch Roosevelt
1944 als Verfechter der österreichischen Sache. Seine Zustimmung zu einer amerikanischen Besatzungszone im Dezember 1944 verstärkte dieses Bild noch. Letztlich wurde
Österreich jedoch beinahe gleich wie Deutschland erobert
und besetzt. Die Besatzungsmächte waren sich über ihre
Mission in Österreich immer noch nicht im klaren. Aus diesem Grund schwankte die Politik der Alliierten auch nach
1945 immer noch stark zwischen der Behandlung Österreichs als eine Art ehemaliger „Provinz" des Dritten Reiches
und der Anerkennung als unabhängigem Staat. Daß der sich
nach 1945 bald abzeichnende Kalte Krieg die offiziellen Stellen der Alliierten dazu veranlaßte, sich auf die Moskauer
Deklaration als Basis für ihre politische Unterstützung der
österreichischen Sache zu beziehen, stellt einen Fall von historischen Revisionismus aus Gründen des politischen Prag-
matismus dar. Die Bundesregierung in Wien sah keine Veranlassung, dieser Ansicht nicht zuzustimmen.

1 Gerald Stourzh, Geschichte des Staatsvertrages 1945–1955. Österreichs
   Weg zur Neutralität, Graz – Wien – Köln 1985³, S. 4; Robert E. Clute,
   The International Legal Status of Austria 1938–1955, Den Haag, 1962;
   Stephan Verosta, Die internationale Stellung Österreichs. Eine Samm-
   lung von Erklärungen und Verträgen aus den Jahren 1938–1947, Wien
   1947; Fritz Fellner, Die außenpolitische und völkerrechtliche Stellung
   Österreichs 1938 bis 1945. Österreichs Wiederherstellung als Kriegsziel
   der Alliierten, in: Erika Weinzierl/Kurt Skalnik (Hrsg.), Österreich. Die

Zweite Republik, Bd. 1, Graz – Wien – Köln 1975, S. 53–90; K. Marek, Identity an Continuity of States in International Public Law, Genf 1969; als Indikator dafür, daß die Anerkennung von neuen Regierungen weniger mit Moral oder der Stimson-Doktrin zu tun hat, siehe L. T. Galloway, Recognition of Foreign Governments. The Practice of the United States, Washington 1978.

2	David R. Whitnah/Edgar L. Erickson, The American Occupation of Austria: Planning an Early Years, Westport-Connecticut 1985.

3	Vgl. Fellner, Die außenpolitische und völkerrechtliche Stellung Österreichs 1938 bis 1945.

4	Robert H. Keyserlingk, The Canadian Government's Attitude Towards German Canadians in: World War Two, *Canadian Ethnic Studies* 14 (1984), S. 16–29; Ders., „Agents Within the Gates: The Search for Nazi Subversives in Canada During World War II, in: *Canadian Historical Review* 66 (1985), S. 211–239.

5	Robert H. Keyserlingk, Anschluß oder Besetzung: Der „Anschluß" Österreichs 1938–45 aus der Sicht der USA, in: *Zeitgeschichte* 9 (1982), Heft 4, S. 126–140; Ders., Austrian Restoration an Nationalism: A British Dilemma During WW II, in: *Canadian Review of Studies in Nationalism* 9 (1982), S. 279–296; Ders., Grundsatz oder Praxis: Kanada und Österreich, in: *Zeitgeschichte* 10 (1983), S. 227–239; Ders., Austro-Hungary's Revival During WW II. Anglo-American Planning for the Danube Region, in: *Etudes danubiennes* 3 (1987), Heft 1, S. 54–65.

6	Robert H. Keyserlingk, "Canadian an the 'Good Germans' in World War Two", in: K. Gürttler (Hrsg.), Kontakte, Konflikte, Konzepte, Montreal 1980, 21–43; Ders., Otto Strasser, Churchills Strategie der nationalen Erhebungen, 1940–42, in: *Vierteljahrshefte für Zeitgeschichte* 31 (1983), S. 614–645.

7	Viscount Halifax an Neville Chamberlain, 11. 3. 1938, Großbritannien, Außenministerium, Documents on British Foreign Policy 1919–1939, Dritte Reihe, London 1949, S. 21–22; Großbritannien, The Parliamentary Debates. The House of Lords, Bd. 108, 16. 3. 1938; Clute, International Legal Status of Austria, S. 97–98; vgl. auch Thomas Angerer, Die französische Österreichpolitik vor dem „Anschluß" 1938, in: *Vierteljahrshefte für Zeitgeschichte* 40 (1992), Heft 1, S. 29–59; Michael Gehler/Wolfgang Chwatal, Die Moskauer Deklaration über Österreich 1943, in: *Geschichte und Gegenwart* 6 (August 1987), Heft 3, S. 212–237; Günter Bischof, Die Instrumentalisierung der Moskauer Erklärung nach dem 2. Weltkrieg, in: *Zeitgeschichte* 20 (November/Dezember 1993), Heft 11/12, S. 345–366.

8	U.S. Department of State, Press Releases, Bd. 1, S. 133, 19. 3. 1938; Außenminister Cordell Hull an den deutschen Botschafter, Washington, 5. 4. 1938, Foreign Relations of the United States (im folgenden FRUS), Diplomatic Papers, Bd. 2, 1938, S 483 484; auch in: Robert Langer, Seizure of Territory: The Stimson Doctrine and Related Principles in Legal Theory and Diplomatic Practices, Princeton 1969, S. 162.

9	Anfangs schienen die zwei Wörter „Besetzung" und „Annexion" austauschbar. Eine Unterscheidung zwischen den beiden Bezeichnungen ergab sich erst später. Quincy Wright, The Denunciation of Treaty Violators, in: *American Journal of International Law* 32 (1938), S. 526; U.S.

Congress, House documents 10845 und 477, Herbert Wright und Willibald Plöchl (Hrsg.), The Attitude of the United States Towards Austria,
Washington 1943; Herbert Wright, The Legality of the Annexation of
Austria by Germany, in: *American Journal of International Law* 38
(1944), S. 621.

10 Clute, The International Legal Status of Austria; Verosta, Die internationale Stellung Österreichs; Langer, Seizure of Territory; Manfried Rauchensteiner, Der Sonderfall. Die Besatzungszeit in Österreich 1945 bis
1955, Graz – Wien – Köln 1979, S. 15–23; Bezüglich der Abkehr der
Vereinigten Staaten von diesen Prinzipien, siehe L.T. Galloway, Recognition of Foreign Governments.

11 Zitat aus dem U.S. Department of State, Marjorie M. Whitman, (Hrsg.),
Digest of International Law, Bd. 5, Washington 1960, 900–901; Karl
Gruber, Between Liberation and Liberty. Austria in the Postwar World,
New York 1962, S. 80–83.

12 Robert Dallek, Beyond Tradition, in: The Careers of William E. Dodd and
George Messersmith, in: *South Atlantic Quarterly* 66 (1967), S. 233–234;
Kenneth Moss, George S. Messersmith: An American Diplomat in Nazi
Germany, in: *Delaware History* 44 (1982), S. 236–249; George F. Kennan,
Memoirs 1925–1950, Boston 1967, S. 66, 83–84; Frederic L. Propas,
„Creating a Hard Line Towards Russia: The Training of State Depart-
ment Soviet Experts, in: *Diplomatic History* 8 (1984), S. 225–226; Arnold
A. Offner, American Appeasement. United States Foreign Policy an Ger-
many 1933–1938, New York 1976, S. 234–238.

13 Nancy H. Hooker (Hrsg.), The Moffat Papers. Selections from the Diplomatic Journals of Jay Pierrepont Moffat 1919–1943, Cambridge, MA.
1956, S. 146 und 183.

14 Tagebucheintrag vom 24. 3. und 4. 4. 1938. Henry Stimson Diaries,
Bd. 28, Box 27, Akt 9, Stimson Papers, Yale University.

15 Außenminister Cordell Hull an den deutschen Botschafter, Washington,
5. 4. 1938, in: FRUS Diplomatic Papers, Bd. 2, 1938, S. 483–484; Jay P.
Moffat Tagebucheintrag vom 5. 4. 1938, Diplomatic Journal, Moffat Papers, Harvard University.

16 Hull an den Attorney General, 27. 4. 1939. National Archives, RG 59,
Washington, D.C., Central Decimale File 763.72113/2838.

17 R. Protokoll vom 27. 6. 1942, Attitude of the United States to Austria,
Foreign Office (FO) S. 371. Public Record Office, London FO 371,
30942.

18 Im Jahre 1939 gab es in den USA 40.000 österreichische Flüchtlinge, vgl.
Helene Maimann, Politik im Wartesaal, Wien 1975 und Franz Goldner,
Das einsame Gewissen. Die österreichische Emigration 1938 bis 1945,
Wien 1972; Lord Halifax an das Foreign Office, 1. 3. 1942, PRO, FO 371,
C2281/1304/18.

19 R.W. Flournoy Memorandum, 27. 8. 1942. NA, RG 59,
740.00115EW39/7960; Robert H. Keyserlingk, Austria in World War II.
An Anglo-American Dilemma, Montreal 1988, S. 89.

20 C. W. Cannon Memorandum, 19. 11. 1942, an Division of Foreign Activity
Correlation to Adolf Berle, gleiches Datum. NA, RG 59, 863.01/11-19442;
Anthony Eden, geheimes Foreign Office Dokument, 18. 6. 1941. Free
Austrian and Free German Movements. PRO, FO 371, C4523/2951/18.

21 War Department Memorandum, 29. 8. 1942. NA, RG 59, 811.2221/307; Adolf Berle Memorandum, 3. 9. 1943. Franklin D. Roosevelt Library, Hyde Park, Adolf A. Berle Papers, 58.

22 Das Council on Foreign Relations begann bereits im Jahre 1939 mit der Nachkriegsplanung. Einige dieser Experten wurden 1942 ins State Department geholt, um dort ihre Arbeit fortzusetzen. Harley Notter, Postwar Policy Preparation 1939–1945, Washington 1949. Für die britische Planung siehe Robert H. Keyserlingk, Arnold J. Toynbee's Foreign Research an Press Service, 1939–43, and its Post-War Plans for South-East Europe, in: Journal of Contemporary History 21 (1986), S. 539–58; Ders., Austrian Restoration and Nationalism. A British Dilemma During World War II, in: Canadian Review of Studies in Nationalism 9 (1982), S. 279–296; Ders., The Rehabilitation of the Austro-Hungarian Empire. British Postwar Planning in the Second World War, in: Hungarian Studies Review 23 (1986), S. 63–74; Guy Stanley, Great Britain and the Austrian Question, unveröffentlichte Dissertation. London 1975; Reinhold Wagnleitner, Großbritannien und die Wiedererrichtung der Republik Österreich, phil. Diss. Salzburg 1975.

23 Am 25. 5. 1943 traf die britische Kriegsregierung bezüglich Österreich folgende Entscheidung: „There was general agreement that we should aim at a Central European or Danubian group centred in Vienna ...". PRO, CAB 65/34, 25. 5. 1943, WM 86 (43), 92–93, 218; Canon Memorandum, 23. 9. 1943, Evaluation of the British Foreign Office Secret Paper, The Future of Austria [...]. NA, RG 59, 863.014/29.

24 Political Planning Committee, Department of State, 556, chronologisches Protokoll 8, 4. 1942. NA, RG 59, Harley Notter Papers, 58.

25 Beatrice Berle und Travis B. Jacobs (Hrsg.), Navigating the Rapids 1918–1971. From the Papers of Adolf A. Berle, Bd. 2, New York 1973, Tagebucheintrag vom 2. 2. 1943, S. 431.

26 Gier Lundestad, American Non-Policy Towards Eastern Europe, Oslo 1978, S. 76.

27 David Stafford, „The Detonator Concept: British Strategy, SOE an European Résistance after the Fall of France, in: Journal of Contemporary History 10 (1975), S. 231–248, und Britain an the European Résistance 1940–45, London 1980; Thomas C. Sorensen, The World War. The Story of American Propaganda, New York 1968; Charles Cruikshank, The Fourth Arm. Psychological Warfare 1938–1945, London 1977; Robert H. Keyserlingk, Political Warfare Illusions, in: Dalhousie Review 61 (1981), S. 71–92.

28 1943 CCS Protokoll. FDR, FDR Papers, Map Room, 27.

29 CCS, Defeat of the Axis Powers in Europe, 17. 5. 1943; Joint Staff Planners, Comparison of Various Post-Husky Operations in Relation to Allied Air Capabilities; Joint Chiefs of Staff, S. 223, 3. 7. 1943, Estimate of the European Situation 1943–1944; European-Mediterranean Area, und 4. August 1943, Joint Chiefs of Staff, S. 438, 4. 8. 1943, in: U.S. Joint Chiefs of Staff (JCS) Records, Teil 1 (1942–45), European Theater, Film 1, Paul Kesaris, hrsg. v. Frederick, Maryland 1938.

30 Germans Are Deserting, in: New York Times, 20. 9. 1943; U-Boat Mutinies Reported Growing, ebd., 4. 10. 1943.

31 J. Wheeler-Bennetts 54 Seiten langer Bericht „On What to Do With

Germany," 30. 6. 1943, und „The Dismemberment of Germany," 13. 10. 1943. PRO, FO 371, 34459, C6683 und C12101.

32 Joint Intelligence Committee, Morale in Germany, 22. 9. 1943. FDR, 18–23, Hopkins Papers, S. 227.

33 OSS Bericht, Austria: Violent Anti-Nazi Sentiment Developing, 11. 12. 1943. FDR, FDR Papers, Map Room, 72.

34 Das British Political Warfare Executive schlug eine österreichische Propagandaerklärung vor. PRO, FO 371, 34464, C321, 13. und 20. 1. 1943; vgl. auch Keyserlingk, Austria in WW II, S. 135 ff.

35 Ebd.

36 Bower, PID an Harrison, 16. 7. 1943. PRO, FO 371, C8235/321/18 Geheimes Memorandum vom Oktober 1943 mit Erklärungsentwurf und Cannon Memorandum „Evaluation of the British Foreign Office Secret Paper, The Future of Austria", 23. 9. 1943. NA, RG 59, 863.014/29.

37 Protokoll vom 25. 10. 1943. Protokolle und Gespräche, Moskau 1943. NA, RG 59, European Advisory Committee.

38 W. Averell Harriman und Elie Abel, Special Envoy to Churchill and Stalin 1941–1946, New York 1975, S. 236 und 244.

39 Protokoll von der Moskauer Konferenz am 1. 11. 1943, Artikel 7. FDR, Hopkins Papers, 7.

40 Für den Präsidenten: Dreimächte-Konferenz in Moskau 1943, Protokolle und Gespräche. NA, RG 59, Notter Papers, 18.

41 Protokoll vom 25. 10. 1943. Ebd., European Advisory Committee, 29.

42 Harriman an State Department, 31. 10. 1943. FDR, FDR Papers, Spezialakten, 32; Protokoll von der Konferenz am 1. 11. 1943, Artikel Nr. 7. FDR, Hopkins Papers, 7; FRUS 1943, 65, S. 152–154.

43 Harriman an State Department, 25. 10. 1943. FDR, FDR Papers, Map Room, 32; Harriman an State Department, 31. 10. 1943, Spezialakten, 32; FRUS 1943, 65, S. 152–154.

44 Stimsons Tagebucheintrag, 28. 10. 1943. Stimson Papers, 44/192.

45 Ebd., 44/231.

46 State Department, Memorandum der Presse und Radiokonferenzen, # 105, 15. 11. 1943. NA, RG 43, Kriegskonferenzen im Zweiten Weltkrieg, 1A.

47 Bern OSS Bericht, 19. 1. 1944. FDR, FDR Papers, Map Room, 73.

48 Geheimes Telegramm von Dean Acheson an die amerikanische Legation, Wien, 19. 11. 1946. NA, RG 59, 863.00/121, und R.T. Yingling, State Department Rechtsabteilung, an A. Gould, 9. 8. 1948. NA, RG 59, 711.63/7-2148.

49 Joint Chiefs of Staff 980, Prospects of a German Collapse or Surrender, 5. 8. 1944, und CCS 660, 28. 8. 1944, JCS Aufzeichnungen, European Theater, Film 1; Political Warfare Executive Central Directive, 12. 4. 1945. National Archives Ottawa, RG 26, Canadian Department of External Affairs, 5404-B-40C.

50 CCS 660/3, Estimate of the Enemy Situation – Europe, 26. 1. 1944, und CCS 660/4, German Capabilities for continued Resistance in the South, 7. 4. 1944; wörtlicher Bericht von General Bedell Smiths Vertretung an Eisenhower, 21. 4. 1945, in: Henry C. Butcher, My Three Years With Eisenhower. The Personal Diary 1942–1945, New York 1946, S. 805–806. Eisenhowers und Smiths Ansichten basierten hauptsächlich auf OSS-

und Ultra-Berichten; David Eisenhower, Eisenhower At War 1943–45, New York 1986, S. 729.
51 Eisenhower, Eisenhower At War, S. 786–769, hier S. 790; vgl. auch Manfried Rauchensteiner, Krieg in Österreich 1945, Wien 1970, Kapitel 11–14.
52 Wright und Plöchl, The Attitude of the United States Towards Austria.
53 Arthur H. Vandenberg Jr. (Hrsg.), The Private Papers of Senator Vandenberg, Boston 1952, S. 34–35, 37–43, 58, 90–106; Robert Dalleck, Franklin D. Roosevelt and American Foreign Policy 1932–1945, S. 417–423.
54 Ebd.
55 Hull an Senator Vandenberg, 26. 8. 1944. NA, RG 59, 863.01/8-1944.
56 JCS 577/7, Operation Rankin – Demarcation of Boundaries after Surrender of Germany, 22. 2. 1944; JCS 577/13, Occupation of Certain Areas in the Mediterranean Theater Under Rankin „C" Conditions, 20. 5. 1944; Winant an Hull, 17. 6. 1944; JCS Records, 577/15, 21. 6. 1944. JCS Berichte, European Theater, Film 7.
57 Hull an General Hilldring, 21. 6. 1944, in: JCS Berichte 577/15, American Participation in the Occupation and Control of Austria, 2. 7. 1944. Ebd., Film 7.
58 JCS 1169/1, Acceptance by the United States of a Zone of Occupation in Austria, 15. 12. 1944. Ebd., Film 13.
59 CCS an den U.S. Kommandanten, AFHQ, Caserta, Italien, 28. 12. 1944 und 16. 3. 1945; AFHQ an das Kriegsministerium, 26. 3. 1945. FDR, FDR Papers, Map Room, 35.
60 Dokument 217a des Department of State Postwar Committee, Summary: Treatment of Austria: Policy Recommendations. NA, RG 59, Notter Papers, 115.
61 OSS Research and Analysis Report 2111.1, 6. 1. 1944, The Revival of Austrian Political and Constitutional Life Under Military Government. NA, RG 59, 863.01/8-1944.
62 OSS, Research and Analysis, 2111, 14. 8. 1944, The Implementation under Military Occupation of the Moscow Declaration on Austria. NA, RG 59, OSS.
63 Planungsdokument H194 des Department of State, The Future Status of Austria. NA, RG 59, Notter Papers, 155. FDR, FDR Papers, Personal Secretary File, 32A.
64 Treatment of Austria, 11. 1. 1945. NA, RG 59, Office of European Affairs, 10.
65 R.W. Flournoy an Green Hackworth, Rechtsberater im Department of State, 17. 4. 1945. NA, RG 59, 711.63/4-1745.
66 Coburn Kidd Memorandum an Hickerson und Riddleberger, 10. 8. 1945. NA, RG 59, 863.00/10-1846.
67 F.T. Williamson Memorandum an State Department Divisions OE, ADO und DRE, Policy and Information Statement – Austria, 18. 6. 1948. NA, RG 59, Washington, Austrian Desk 1945–1948.
68 Geheimes Telegramm von Dean Acheson an die amerikanische Legation, Wien, 19. 11. 1946. NA, RG 59, 863.00/121, und R.T. Yingling, Rechtsabteilung, an A. Gould, 9. 8. 1948. NA, RG 59, 711.63/7-2148.
69 Robert Keyserlingk, Policy or Practice: Canada and Austria 1938–49, in: Martin Kovacs (Hrsg.), Roots and Realities Among Eastern and Central Europeans, Edmonton 1938, S. 25–30.

Dokument 1

The Moscow Declaration on Austria, 30 October 1943

The Government of the United Kingdom, the Soviet Union and the United States of America are agreed that Austria, the first free country to fall victim to Hitlerite aggression, shall be liberated from German domination.

They regard the annexation imposed upon Austria by Germany on March 15, 1938 as null and void. They consider themselves in no way bound by any changes effected in Austria since that date. They declare that they wish to see reestablished a free and independant Austria, and thereby to open the way for the Austrian people themselves, to find that political and economic security which is the only basis for lasting peace.

Austria is reminded, however, that she has a responsibility which she cannot evade for participation in the war on the side of Hitlerite Germany, and that in the final settlement account will inevitably be taken of her own contribution to her liberation.

Robert H. Keyserlingk, Austria in World War II, Kingston – Montreal 1988, S. 207 f.

Dokument 2

No Austrian State Continuity, 6 January 1944 (OSS draft)

The major problems are the establishment of a new state and the creation of favorable conditions for the development of a specific Austrian national consciousness.

[...] Because the Anschluss had integrated completely the Austrian political structure into the Third Reich, Austria had ceased to exist as a legal and administrative unit in February 1938 [sic], a fact acknowledged by the foreign powers. There exists therefore no legal continuity between the old Austrian Republic and the new state to be established. This conclusion is not only required by a correct legal construction of the historic event, but it recommends itself also for political considerations. Any other construction would lead to the thorny problem of which Austrian constitution should be deemed valid [...]

Robert H. Keyserlingk, Austria in World War II, Kingston – Montreal 1988, S. 210.

Dokument 3

Austrian Nationalism, 23 April 1944 (PWE directive)

Summary

This study brings up to date the P.W.E. paper „Opinion and Morale in Austria" dated 6 Jan 1943, the findings of which are confirmed. Austria is not to be regarded as a mere part of Germany, but also not as an ordinary satellite or occupied country. The difference may be expressed by saying that the Austrian has a local patriotism even stronger than that of a Bavarian, but no real national feeling in the British, French or even Bavarian sense. Genuine desire for local autonomy is probably almost universal; the Anschluss is unpopular, even among Austrian Nazis, because it proved to involve unexpected domination by „Prussians". Desire for national independence, though present, is probably less deep-seated. It is due partly to the association of Anschluss with war, which followed in the next year, leading to the association of Austrian independence with conditions of peace. It is considerably encouraged by the belief that an independent Austria would receive more favourable treatment from the victorious Allies than a part of Germany. Many intelligent Austrians do not believe that Austria is capable of permanent independent existence. Continued attachment to a democratic Germany is favoured particularly by the parties of the Left. Attachment to Bavaria on the side or the states of the Danube basin on the other is favoured (1) by advocates of a revived Habsburg empire and (2) by those who believe that the Allies would forbid a continuation of the Anschluss. Many dislike the prospect of attachment to the Danubian states on any terms implying the equality of German-speaking with non-German peoples.

The natural „softness" of the Austrian character and the weakness of the patriotic motive for unreasoning hope combine to produce greater pessimism regarding Germany's chances in the war in Austria than in Germany proper. There seems also to be much more active opposition to the Nazi regime in Austria, to which the authorities replied during 1943 with a policy of mass executions. But it is possible that this opposition is largely ineffective. In the first place, Austrians are more disposed to talk than to act. In the second place, the opposition is divided against itself regarding the objectives to be aimed at.

Robert H. Keyserlingk, Austria in World War II, Kingston – Montreal 1988, S. 210 f.

Dokument 4

Austria within a Federation, 11 January 1945 (U.S. State
Department)

This review is based on previous memo (PWC 218, 217 A) of 8 June
1944, which was reviewed by the joint Chiefs of Staff and approved
by the President.

[...] Independence alone, however, would not be an adequate basis
for Austria's future. The continuation of the revived state will
depend on a solution of its political and economic relations with its
neighbours. [This may consist of special economic relations, political
federation] or even a merger of sovereignties, provided that such an
arrangement is approved by the parties concerned and is acceptable
to the international organization.

Robert H. Keyserlingk, Austria in World War II, Kingston – Montreal 1988,
S. 212.

Literatur

Angerer, Thomas, Die französische Österreichpolitik vor dem „Anschluß" 1938, in: *Vierteljahrshefte für Zeitgeschichte* 40 (1992), Heft 1, S. 29–59.

Clute, Robert E., The International Legal Status of Austria 1938–1955, Den Haag 1962.

Cruikshank, Charles, The Fourth Arm. Psychological Warfare 1938–1945, London 1977.

Fellner, Fritz, Die außenpolitische und völkerrechtliche Stellung Österreichs 1938 bis 1945. Österreichs Wiederherstellung als Kriegsziel der Alliierten, in: Erika Weinzierl/Kurt Skalnik (Hrsg.), Österreich. Die Zweite Republik, Bd.1, Graz – Wien – Köln 1975, S. 53–90.

Galloway, L. T., Recognition of Foreign Governments. The Practice of the United States, Washington 1978.

Keyserlingk, Robert H., Austria in World War II. An Anglo-American Dilemma, Montreal 1988.

Lundestad, Gier, American Non-Policy Towards Eastern Europe, Oslo 1978.

Notter, Harley, Postwar Policy Preparation 1939–1945, Washington 1949.

Rauchensteiner, Manfried, Krieg in Österreich 1945, Wien 1970.

Ders., Der Sonderfall. Die Besatzungszeit in Österreich, Graz – Wien – Köln 1979.

Sorensen, Thomas C., The World War. The Story of American Propaganda, New York 1968.

Stanley, Guy, Great Britain and the Austrian Question, unveröffentlichte Dissertation. London 1975.

Stourzh, Gerald, Geschichte des Staatsvertrages 1945–1955. Österreichs Weg zur Neutralität, Graz – Wien – Köln 1985[3].

Verosta, Stephan, Die internationale Stellung Österreichs. Eine Sammlung von Erklärungen und Verträgen aus den Jahren 1938–1947, Wien 1947.

Wagnleitner, Reinhold, Großbritannien und die Wiedererrichtung der Republik Österreich, phil. Diss. Salzburg 1975.

Weinzierl, Erika/Skalnik, Kurt, (Hrsg.), Österreich. Die Zweite Republik, 2 Bde, Graz – Wien – Köln 1983[2].

Whitnah, David R./Erickson, Edgar L. The American Occupation of Austria: Planning an Early Years, Westport-Connecticut 1985.

Wright, Herbert/Plöchl, Willibald (Hrsg.), The Attitude of the United States Towards Austria, Washington 1943.

Thomas Albrich

HOLOCAUST UND SCHULDABWEHR VOM JUDENMORD ZUM KOLLEKTIVEN OPFERSTATUS

Vorbemerkung

Den Jahrzehnten des „Antisemitismus der Worte" war nach dem „Anschluß" im März 1938 der „Antisemitismus der Tat" gefolgt. Unter dem Schutz und mit Billigung des neuen Regimes konnten die Antisemiten vorerst ihre Haßgefühle ungestraft ausleben, die jüdische Bevölkerung quälen und erniedrigen und sich an deren Besitz bereichern. Dem Wüten des Mobs folgte schon bald die „gesetzlich legitimierte" systematische Ausgrenzung, totale Beraubung und anschließende Vertreibung der österreichischen Juden durch die NS-Behörden. Im November 1938 organisierte das Regime einen Pogrom, die sogenannte „Reichskristallnacht", die in der „Ostmark" zu besonderen Grausamkeiten führte.[1] Nicht nur in Wien, sondern auch in den Bundesländern war die jüdische Bevölkerung systematischer Verfolgung und Diskriminierung ausgesetzt, hatten sich doch die meisten Gauleiter zum Ziel gesetzt, ihren Gau – meist durch zwangsweise „Umsiedlung" der noch verbliebenen jüdischen Bevölkerung nach Wien – schnellstens „judenfrei" zu machen.[2]

Für die Akzeptanz der NS-Verfolgungsmaßnahmen spielten, besonders in Wien, konkrete wirtschaftliche Interessen breiter Schichten eine entscheidende Rolle. Angesichts der jüdischen Vermögenswerte – 25.000 Geschäfte und vor allem 70.000 Wohnungen – diente die Verfolgung, Vertreibung und später Vernichtung der Juden dem Regime auch als Ersatz für Sozialpolitik.[3] Die zum Zwecke der möglichst effizienten Beraubung und Vertreibung der jüdischen Bevölkerung unter Adolf Eichmann in Wien eingerichtete „Zentralstelle für jüdische Auswanderung" wurde als „Wiener Modell" später auch in Prag und Berlin übernommen. Im Oktober 1939 wur-

de Eichmann schließlich mit der Oberleitung der jüdischen
Deportation aus dem gesamten Reich betraut.[4]

Wer noch fliehen konnte, floh. Österreichs nunmehr meist
mittellose Juden wurden bis Kriegbeginn in die ganze Welt
verstreut, in insgesamt 85 Länder von den USA bis England,
von Lateinamerika bis Palästina. Als letztes Fluchtziel blieb
bis zum Frühjahr 1941 noch China, in erster Linie Shanghai,
wohin sich letztendlich über 6000 Flüchtlinge aus Österreich
retten konnten. Im November 1939 lebten noch 66.000 sogenannte „Glaubensjuden" sowie weitere 30.000 von den
Nürnberger Gesetzen als Juden definierte Menschen in
Wien.[5] Rund 16.000 österreichische Juden, die nach dem
„Anschluß" geflohen waren, fielen später im Verlauf des Krieges in West- und Südosteuropa wiederum in deutsche Hände.
Wie die Flüchtlinge des sogenannten „Kladovo-Transports",
im Frühjahr 1941 in Jugoslawien vom Balkan-Feldzug der
Wehrmacht überrollt, wurden auch sie mehrheitlich ermor-
det.[6]

Ab Spätherbst 1941 war dann eine „Auswanderung" nicht
mehr möglich, stand der Entschluß zur „Endlösung" durch
physische Vernichtung der noch im deutschen Einflußbereich
befindlichen Juden fest. Im Laufe eines Jahres, bis Ende
Oktober 1942, wurde die Mehrheit der in Österreich verbliebenen jüdischen Bevölkerung in Ghettos, Konzentrations-
und Vernichtungslager deportiert. Nur wenige überlebten die
Lager und kehrten zurück; einige Tausend entgingen, ge-
schützt durch nichtjüdische Ehepartner oder als „U-Boote"
versteckt, Deportation und Ermordung.[7]

Der Holocaust

1. Österreicher als Täter beim NS-Völkermord

Österreicher waren nicht nur Nutznießer und unbeteiligte
Zuschauer der Ausgrenzung, Beraubung und Vertreibung der

Juden, sie waren auch überproportional im NS-Terrorapparat vertreten und trugen entscheidend zur Durchführung des Massenmordes an den Juden bei. Neben dem „Führer" Adolf Hitler und Adolf Eichmann, dem in Linz aufgewachsenen Organisator der „Endlösung", waren mit dem Linzer Rechtsanwalt und Grazer Burschenschafter Ernst Kaltenbrunner,[8] seit 1943 Chef des Reichssicherheitshauptamtes und damit zweiter Mann hinter Himmler, oder mit Odilo Globocnik, Höherer SS- und Polizeiführer im Distrikt Lublin, dem die Vernichtungslager Treblinka, Sobibor und Belzec unterstanden,[9] weitere Österreicher Hauptorganisatoren und Massenmörder der „Endlösung".

Vierzig Prozent des Personals und drei Viertel der Kommandanten der Vernichtungslager stammten aus Österreich,[10] so Irmfried Eberl,[11] erster Kommandant des Vernichtungslagers Treblinka, und sein Nachfolger, Franz Stangl,[12] schon zuvor Kommandant des Vernichtungslagers Sobibor. Alle drei Kommandanten des Ghettos Theresienstadt stammten aus Österreich, so Anton Burger, der schon zuvor in Wien einer von Eichmanns Gehilfen gewesen war.

Österreicher organisierten auch aus ganz Europa die Deportationen: Achtzig Prozent der „Eichmann-Männer" waren Österreicher, wie Alois Brunner (Brunner I) und Anton Brunner (Brunner II), die u. a. für die Deportationen aus Wien, Berlin, Griechenland und Frankreich zuständig waren, oder Franz Novak, Eichmanns Transportoffizier.[13] Ihr „Wiener Modell" der Organisation von Deportationen war so „erfolgreich", daß sie überall an entscheidenden Stellen bei der Durchführung der sogenannten „Endlösung" eingesetzt wurden.[14]

Auch die Deutsche Wehrmacht, in der mehr als 1,2 Millionen Österreicher dienten, machte sich grausamer Verbrechen schuldig und war vor allem am Balkan und in Rußland maßgeblich am Judenmord beteiligt. Soldaten und Offiziere brachten ihre von der Nazipropaganda verstärkten tiefverwurzelten eigenen Vorurteile und ideologischen Feindbilder in den Krieg mit, die wesentlich zur Bereitschaft beitrugen,

die befohlenen Verbrechen an Juden, aber auch Russen,
Ukrainern oder Serben auszuführen. Zahlreiche Österreicher, wie Alexander Löhr, Lothar Rendulic, Franz Böhme und
Julius Ringel waren als Kommandeure an diesen Verbrechen
der Wehrmacht und Waffen-SS führend beteiligt.[15] Auffallend viele Österreicher nahmen als Mitglieder der „SS Einsatzgruppen" an Massenerschießungen von Juden und nicht-
jüdischen Zivilisten im Rückraum der Ostfront teil.[16] Knapp
14 Prozent aller SS-Mitglieder waren Österreicher, obwohl
der österreichische Anteil an der Reichsbevölkerung nur acht
Prozent betrug. Nach Simon Wiesenthals Schätzung sind
Österreicher für die Ermordung von mindestens drei Millionen Juden direkt verantwortlich.[17]

2. Die Ghettoisierung 1939 bis 1941 als Vorstufe zur Deportation

Wie schon bei der Radikalisierung antijüdischer Maßnahmen
im Jahre 1938 war die „Ostmark" seit Kriegsanfang auch für
die sich abzeichnende „Endlösung" das Experimentierfeld
des Regimes. Nach der Vertreibung von rund zwei Dritteln
der jüdischen Bevölkerung[18] wurden die Zurückgebliebenen
mit immer absurderen Bestimmungen schikaniert und gede-
mütigt, immer stärker aus der Gesellschaft verdrängt, aus
den Wohnungen vertrieben und in wenigen Wiener Bezirken
ghettoisiert, was zu einer weiteren Verschlechterung der ohnehin schon unerträglichen Lage der Juden in Wien führte.[19]
Als nächster Schritt wurde die Räumung dieser neuen
Ghettos und die Abschiebung der Juden aus der Stadt von der
einheimischen Bevölkerung – „Volksgenossen" und NS-Funk-
tionären der betroffenen Bezirke – gefordert. Im Juli 1939
entstand daher beim Reichsstatthalter der Plan, alle noch in
Wien lebenden Juden in „Barackenlager" auszusiedeln. Zu
Kriegsbeginn wurden von der Wiener Stadtverwaltung Bau-
pläne für zwei derartige Lager für je 6000 Personen bei Gän-
serndorf ausgearbeitet, wobei das System der „Vernichtung

durch Arbeit" bereits erkennbar war: Die arbeitsfähigen Juden sollten harte Arbeiten ausführen, die arbeitsunfähigen „auf Aussterbeetat gesetzt werden". Angesichts von immer noch über 50.000 „Glaubensjuden" in Wien rechnete man entweder mit dem raschen Tod der meist älteren Lagerinsassen, oder die vierfache Überbelegung der Lager hätte automatisch zu einer Todesrate geführt, die mit jener in den schlimmsten Konzentrationslagern vergleichbar gewesen wäre.[20]

Der Schritt zur Vernichtung war nur die letzte Konsequenz in einer Gesellschaft, die sich schon seit dem Sommer 1939 mit dem „Euthanasie"-Programm an die Idee der Vernichtung „lebensunwerten Lebens" gewöhnen konnte. Bei der nach Kriegsbeginn begonnenen Tötung von Geisteskranken („Aktion T 4") wurden allein in Schloß Hartheim in der Nähe von Linz geschätzte 20.000 Menschen durch Giftgas ermordet. Die Österreicher Christian Wirth und Franz Stangl lernten hier ihr „Handwerk", das sie später in den Vernichtungslagern in Polen bei der industriellen Massentötung der Juden anwandten.[21]

Als Reinhard Heydrich unter Berufung auf Hitler nach der Eroberung Polens Ende September 1939 intern den Plan der Deportation von „300.000 minderbemittelten Juden aus dem großdeutschen Reichsgebiet" nach „Restpolen" mitteilte und Hitlers Absicht deutlich wurde, „zunächst die Ostmark von Juden zu ,säubern'", gaben die Wiener Behörden ihre eigenen Pläne einer „Nahumsiedlung" in Lager am Stadtrand auf, da sie davon ausgingen, daß die „Umsiedlungsaktion" nach Polen binnen neun Monaten beendet sein würde und damit „das Judenproblem für Wien total gelöst" wäre.[22]

Gerade zu Beginn des Krieges wurden von der Wiener Bevölkerung schärfere Maßnahmen gegen die Juden gefordert. Es war also kein Zufall, daß die ersten Judendeportationen aus dem Großdeutschen Reich nach Polen von Wien ausgingen. Schon im Oktober 1939 organisierte die SS eine erste, als „Umsiedlungsaktion" getarnte Deportation aus Wien nach Nisko am San. Offensichtlich war dabei bereits eine

„Gesamtlösung" für die „Ostmark" geplant, wie Eichmanns Mitarbeiter Alois Brunner notierte:

„Die Umsiedlungsaktion (beginnt) mit dem ersten Transport am 20. 10. 1939 um 2.00 Uhr mit 1.000 arbeitsfähigen Juden von Wien-Aspangbahnhof. [...] Die weiteren Transporte gehen fortlaufend jede Woche am Dienstag und Freitag mit je 1.000 Juden. [...] Vom vierten Transport aufwärts werden bereits ganze Familien in die Transporte eingeteilt. [...] Mit der gesamten Umsiedlungsaktion werden auch die in der Ostmark befindlichen Zigeuner in Sonderwaggons angeschlossen."[23]

Nach zwei Transporten wurde das Unternehmen jedoch abgebrochen. Die meisten der rund 1600 „Auswanderer", die aus Wien nach Nisko gebracht wurden, hatten sich nach einem Aufruf der Kultusgemeinde mehr oder weniger freiwillig gemeldet. In Nisko wurden fast alle Deportierten über die deutsch-sowjetische Demarkationslinie getrieben und ihrem Schicksal überlassen. Einige kehrten in der Folge nach Wien zurück, andere wurden in sowjetischen Arbeitslagern interniert. Aufgrund der Priorität der „Baltenumsiedlung" wurde von weiteren Deportationen vorerst abgesehen.[24]

Im Juni 1940 äußerte Hitler die Absicht, die Juden Wiens nach Polen abzuschieben, danach hatten andere „Umsiedlungspläne" Vorrang. Im Juli 1940 kündigte Eichmann den Leitern der jüdischen Gemeinden in Berlin, Prag und Wien an, nach Kriegsende müsse „voraussichtlich eine Gesamtlösung der europäischen Judenfrage" angestrebt und vier Millionen Juden in einem anderen Land angesiedelt werden. Die jüdischen Vertreter wurden aufgefordert, „die allgemeinen Gesichtspunkte, die bei einem solchen Plan zu berücksichtigen wären", schriftlich niederzulegen.[25] Mitte August legte dann Eichmanns Dienststelle den konkreten Plan zur Deportation von vier Millionen Juden nach Madagaskar vor, ein Plan, den bekanntlich bereits 1933 der damalige Parteivorsitzende der Christlichsozialen, Emmerich Czermak, vorgeschlagen hatte.[26]

Trotz dieser Zukunftspläne und lange vor Beginn eines allgemeinen, das gesamte „Großdeutsche Reich" betreffenden

Deportationsprogramms, drängte der Wiener Gauleiter Baldur von Schirach Anfang Oktober 1940 in einem Gespräch mit Hitler auf die Abschiebung der noch in Wien lebenden Juden ins Generalgouvernement.[27] Zwei Monate später ließ der Führer mitteilen,

„daß die in dem Reichsgau Wien noch wohnhaften 60.000 Juden beschleunigt, also noch während des Krieges, wegen der in Wien herrschenden Wohnungsnot ins Generalgouvernement abgeschoben werden sollen".[28]

Die zu diesem Zeitpunkt noch in Wien lebenden „Glaubensjuden" waren bis auf wenige Ausnahmen völlig mittellos, ihre demographische Zusammenstellung widerspiegelte deutlich die vorangegangene selektive Auswanderung: Vor Beginn der Deportationen 1941 gab es innerhalb der jüdischen Bevölkerung doppelt so viele Frauen wie Männer, und nur noch 19 Prozent der jüdischen Bevölkerung waren jünger als 40 Jahre, dagegen 40 Prozent älter als 60. Aufgrund der sich weiter verschlechternden Lebensbedingungen – immer knapperer Wohnraum, ungenügende Ernährung und nur notdürftige medizinische Betreuung – hatte das Regime die Wiener Juden schon vor der Deportation zu einer aussterbenden Gemeinde gemacht.[29] Das Leben der jüdischen Bevölkerung wurde zudem nach Kriegsbeginn mit den härtesten der insgesamt 250 antijüdischen Gesetze und Bestimmungen, die bis 1945 erlassen wurden, weiter erschwert: Nach der Verhängung einer Ausgangssperre im September 1939 durften Juden ab Mai 1941 ohne Sondererlaubnis den Raum Groß-Wien nicht mehr verlassen. Am 19. September 1941 trat schließlich die Polizeiverordnung zum Tragen des gelben „Judensterns" in Kraft. Zusätzliche Maßnahmen – Verschärfung von Verboten zum Betreten von Parkanlagen oder Unterhaltungsstätten, Beschränkung der Einkaufszeiten mit ihren mit einem „J" gestempelten Lebensmittelkarten – trieben die Ausgrenzung weiter voran. Seit Ende 1941 waren Juden auch von öffentlichen Fürsorgemaßnahmen ausgenommen und wurden durch immer geringere Rationen langsam ausgehungert.[30]

Die Folge der Diskriminierungsmaßnahmen und der durch
die selektive Abwanderung entstandenen Überalterung,
Marginalisierung und Pauperisierung war eine zusätzliche
Verstärkung der schon bestehenden negativen Stereotype
vom „schmutzigen", „heruntergekommenen" und jede Überle-
bensmöglichkeit nützenden Juden. Schrittweise wurden die
letzten Reste von Mitleid und Solidarität zerstört: „Die Juden" entsprachen nun allen antisemitischen Klischees von
„Parasiten", „schmutzigen Außenseitern", wurden als
„Schädlinge" und „Ungeziefer" bezeichnet, für die in den Augen der Antisemiten letztendlich auch die physische Vernichtung angemessen war.[31]

Zu all diesen Maßnahmen schwieg die katholische Amtskirche getreu ihrer seit Hitlers Machtergreifung gültigen
Prämisse, daß ihre wichtigste Aufgabe die „Verteidigung
der Freiheit und Selbständigkeit der Kirche gegenüber dem
Staat" sei und alle anderen Aufgaben dagegen „zurückzutreten hatten".[32] Zwar setzte sich Kardinal Innitzer für die
Ausreisemöglichkeit von „Judenchristen" ein, war im Erz-
bischöflichen Palais eine „Hilfsstelle für nichtarische Katholiken" untergebracht, auch um „Mischlinge" kümmerten
sich Kirche und Caritas, einzelne Priester protestierten
gegen die antijüdischen Maßnahmen des Regimes, in Ein-
zelfällen setzten sich Katholiken für Juden ein – die Hilfe
der Kirchen beschränkte sich jedoch nur auf getaufte
Juden. Auch in dieser Zeit größter Inhumanität war das
Verhältnis der christlichen Kirchen zum Judentum immer noch von alten, religiös motivierten Vorurteilen geprägt.[33]

Ein öffentlicher Protest des Papstes sowie der deutschen
und österreichischen Bischöfe gegen die Vernichtung der Juden blieb bis 1945 aus.[34] Im Gegenteil, der von der NS-Führung als „Rasse- und Vernichtungskrieg" propagierte Angriff
auf die Sowjetunion – gegen den „jüdischen Bolschewismus"
–, der zugleich den Auftakt zur „Endlösung der Judenfrage"
bildete, vermochte zwischen Kirche und Regime sogar ein
gemeinsames Ziel zu schaffen: Die Stellungnahme der öster-

reichischen Bischöfe gegen den Bolschewismus vom 27. November 1941 zeigt dies recht deutlich:

„In dem ungeheuren Ringen an der Ostfront führt Deutschland nicht bloß einen Kampf gegen ein Reich, das seine Untertanen in bisher unerhörtem Maß unterdrückt, sondern gegen eine Weltanschauung, die für die ganze abendländische Kultur von nicht abzusehender Gefahr ist."[35]

3. Deportationen und Vernichtung 1941–1945

Die ersten Deportationen von etwa 5000 Juden aus Wien erfolgten zwischen Mitte Februar und Mitte März 1941, also vor dem „Unternehmen Barbarossa", dem Angriff auf die Sowjetunion, das den Übergang von der Deportation zur Vernichtung markierte. Ziel der Transporte war der Distrikt Lublin im Generalgouvernement, wo die Deportierten in dort bestehende Ghettos (Opole, Kielce, Modlibor Czycze, Lagow und Opatow) eingewiesen wurden. Die Todesrate bei Alten und Kranken war aufgrund der unzureichenden Lebensmittelversorgung und schlechten Unterbringung enorm hoch. Nur wenigen gelang es, illegal nach Wien zurückzukehren, einige der als „arbeitsfähig" eingestuften Deportierten setzte die SS in Arbeitslagern ein, die Mehrzahl wurde später in den Gaskammern der Vernichtungslager Belzec und Sobibor ermordet.[36] Obwohl erst die Hälfte der geplanten Deportationen durchgeführt war, wurde nach diesen Transporten die Aktion wegen der Vorbereitungen des Angriffs auf die Sowjetunion abgebrochen.[37]

Die Deportation in den Osten war eine Voraussetzung für den später industriell betriebenen Massenmord. Die jüdischen Opfer verschwanden zuerst aus dem Gesichtskreis der „arischen" Bevölkerung, womit vermieden wurde, daß ihre Vernichtung menschliches Mitgefühl hervorrief. Die österreichische Bevölkerung konnte zwar ahnen, nicht jedoch wissen, was in Polen geschah und brauchte sich nicht beunruhigen zu lassen.[38]

Seit Beginn liefen Deportationen aus Wien nach folgendem Muster ab: Auf Befehl der NS-Behörden mußte die Israelitische Kultusgemeinde (IKG) die Deportationslisten zusammenstellen. Fanden sich anfangs die meisten der zur „Umsiedlung" bestimmten Personen „freiwillig" in einem der vier „Sammellager" ein, so erfolgte später die Benachrichtigung bzw. Verhaftung der für die Deportation vorgesehenen Personen durch SS-Leute in Begleitung des von der Kultusgemeinde organisierten „Erhebungsdienstes". Diese jüdischen „Rechercheure" und „Ordner" mußten unter Aufsicht der SS die IKG bei der Aushebung der Opfer und Zusammenstellung der Transporte unterstützen. Die Opfer hatten sich in einem der vier Wiener Sammellager einzufinden und dort auf den nächsten Transport zu warten. Sie mußten ihr gesamtes Geld abliefern und bis auf 50 kg Reisegepäck „freiwillig" und schriftlich auf ihren Gesamtbesitz zugunsten des Reiches verzichten. Die IKG mußte für die Verpflegung der Internierten in Wien und auf den Transporten sorgen. Bei Fluchtversuchen aus dem Sammellager drohte den jüdischen Wächtern anstelle der Entflohenen die Deportation. Viele der meist älteren Menschen starben schon auf diesen Transporten in Güter- und Viehwaggons.[39]

Von der Deportation ausgenommen waren anfangs sogenannte „Mischlinge", Inhaber von Auswanderungsbewilligungen, jüdische Ehepartner in „privilegierten Mischehen", Angestellte der IKG, Kriegsinvalide, Schwerkranke und unentbehrliche Arbeiter in kriegswichtigen Betrieben. Später wurde außer „Mischlingen" und in geschützter Ehe lebenden Juden niemand verschont.[40]

Obwohl sich die Historie nicht schlüssig ist, wann der Massenmord als Option zur „Endlösung der Judenfrage" erstmals in Erwägung gezogen wurde, so steht fest, daß dies spätestens Anfang September 1941 entschieden war. Unklar ist, ob über Ort und Methode bereits Konsens bestand.[41] Seit Sommer hatte der NS-Terrorapparat begonnen, neben den Massenerschießungen durch die Einsatzgruppen an der Ostfront, versuchsweise Juden mittels sogenannter „Gaswagen"[42] zu ermorden, ehe die SS im Herbst 1941 dazu überging, die bei der „Euthanasie" erprobten Gaskammern auch für den Massenmord an den Juden einzusetzen. Bis zum Mai 1942 war dieses Vernichtungsprogramm noch experimentell angelegt, fehlte der Aspekt des industriellen Massenmordes.[43]

Am 20. Jänner 1942 wurden anläßlich der sogenannten Wannsee-Konferenz die Grundlagen für die Koordinierung der von Hitler nunmehr „genehmigten" Vorgehensweise zur Ausrottung der europäischen Juden gelegt. Die seit Beginn des „Rußlandfeldzuges" durchgeführten Vernichtungsaktionen verdeutlichen, daß im Jänner 1942 unter Reinhard Heydrichs Vorsitz keineswegs die „Endlösung" beschlossen, sondern nur die Klärung von „Grundsatzfragen" und die „Parallelisierung der Linienführung" des bereits laufenden Mordens besprochen wurden.[44]

Nicht nur die Massentötungen an der Ostfront, sondern auch die Deportationen aus Wien hatten schon Monate zuvor begonnen: Als die ersten fünf Transporte zwischen Mitte Oktober und Anfang November 1941 in das Ghetto Lodz/Litzmannstadt gingen, lebten noch etwa 51.000 Juden in der Stadt, rund 90 Prozent von ihnen zusammengepfercht in den drei Bezirken Leopoldstadt, Alsergrund und Brigittenau.[45] Opfer dieser Deportation waren neben 5000 Sinti und Roma aus Österreich[46] etwas mehr als 5000 Juden aus Wien. Viele wurden als Folge der schlechten Lebensverhältnisse bald als „arbeitsunfähig" eingestuft und ab Anfang 1942 ins Lager Chelmno/Kulmhof transportiert, wo sie ebenfalls in „Gaswagen" ermordet wurden, die dort bereits seit Dezember 1941 im Einsatz waren. Nur 16 Personen überlebten diese Deportation.[47]

Ebenfalls noch vor der Wannsee-Konferenz, nämlich im November 1941, hatten die Deportationstransporte aus Wien in das „Reichskommissariat Ostland" begonnen. Beim ersten Transport nach Kovno/Kaunas erschossen SS-Einheiten unter Mitwirkung litauischer „Hilfswilliger" die Deportierten sofort nach ihrer Ankunft. Im Winter 1941/42 folgten vier weitere Transporte nach Riga. Nur wenige dieser Deportierten überlebten die Selektionen, das Ghetto und die verschiedenen Konzentrationslager.[48]

Nachdem im März 1942 die technischen und organisatorischen Voraussetzungen für den Massenmord im Generalgouvernement geschaffen waren, deportierten Eichmanns Helfer zwischen April und Juni 1942 – wie schon im Vorjahr – 5000 österreichische Juden in fünf Transporten aus Wien nach Izbica und Wlodawa. Vorhandene Quellen lassen darauf schließen, daß fast alle, wie die Mehrheit der schon ein Jahr zuvor ins Generalgouvernement zwangsverschickten Opfer, gemeinsam mit den polnischen Juden aus den jeweiligen Ghettos in den Gaskammern der Vernichtungslager der „Aktion Reinhard" – Belzec und Sobibor – ermordet oder im Konzentrationslager Majdanek durch Sklavenarbeit, Mißhandlungen und Unterernährung zu Tode geschunden wurden. Am 14. Juni 1942 ging der erste Transport aus Wien direkt ins Vernichtungslager Sobibor, der dort vom Kommandanten, dem „Oberleutnant der Schutzpolizei Stangl", übernommen wurde. Der Oberösterreicher ließ die 950 österreichischen Juden in die Gaskammern treiben.[49]

Neben dem Generalgouvernement war Maly Trostinec bei Minsk im Jahre 1942 ein weiterer Schauplatz von Massenmorden an österreichischen Juden: Nach einem ersten Transport im November 1941 folgten von Mai bis Oktober 1942 weitere neun Transporte, wobei die Deportierten meist sofort nach ihrer Ankunft in „Gaswagen" ermordet wurden. Von insgesamt knapp 14.500 nach Minsk/Maly Trostinec deportierten österreichischen Juden sind nur 13 Überlebende bekannt.[50]

Zwischen Juni und Oktober 1942 erfolgten 13 Transporte aus Wien nach Theresienstadt. Dieser Ort erfüllte für die SS zwei Zwecke: Er diente einerseits als „Altersghetto", das von den Nationalsozialisten zur Demonstration ihrer angeblich „humanen" Vorgangsweise herangezogen wurde, andererseits stellte es für mehr als die Hälfte der Deportierten nur ein Durchgangslager für die weitere Verschickung in die Vernichtungs- und Konzentrationslager dar. Von den über 15.000 aus Wien nach Theresienstadt abgeschobenen Menschen wurde ungefähr die Hälfte nach ihrem späteren Weitertransport in Vernichtungslagern ermordet, über 6000 starben im Ghetto an Krankheiten und Hunger.[51]

Die Deportationen verliefen nicht unbemerkt, und Nazi-Führer, wie Baldur von Schirach, konnten sich sogar öffentlich damit brüsten. In einer Rede in Wien erklärte er:

„Jeder Jude, der in Europa wirkt, ist eine Gefahr für die europäische Kultur! Wenn man mir den Vorwurf machen wollte, daß ich aus dieser Stadt, die einst die europäische Metropole des Judentums gewesen ist, Zehntausende und aber Zehntausende von Juden ins Ghetto abgeschoben habe, muß ich antworten, ich sehe darin einen aktiven Beitrag zur europäischen Kultur."[52]

Allein im Jahre 1942 deportierten die Nationalsozialisten 32.000 Juden aus Wien. Von den ehemals mehr als 200.000 Menschen in Österreich, die nach den Nürnberger Rassegesetzen als Juden galten, waren Anfang 1943 nur noch knapp 8000 übriggeblieben, davon lebten die Hälfte in sogenannter „privilegierter Mischehe", rund 1500 in „nicht privilegierter Mischehe" oder waren als sogenannte „Geltungsjuden" durch einen „arischen" Elternteil von den Deportationen ausgenommen. Starb der „arische" Mischehepartner oder „arische" Elternteil, drohte auch ihnen der Tod.[53]

Nach Abschluß der Deportationen lösten die Nazis Ende Oktober 1942 die Israelitische Kultusgemeinde auf und ersetzten sie durch den „Ältestenrat der Juden in Wien", der eine ähnliche Funktion hatte.[54] Die praktisch vollständige Vertreibung und Deportation der jüdischen Bevölkerung aus Österreich rief keinerlei Reaktion der Katholischen Kirche hervor, der neben dem NS-Regime mächtigsten Institution im Deutschen Reich. Erst ein Jahr nach Abschluß der Aktion, im November 1943, setzten sich die deutschen und österreichischen Bischöfe erstmals vorsichtig für die in die Konzentrations- und Vernichtungslager deportierten Juden ein. Namens der Fuldaer Bischofkonferenz richtete deren Vorsitzen-

der, Kardinal Bertram, an den „Reichsführer SS", Heinrich
Himmler,

„die ergebenste Bitte, die Lebensbedingungen und Verhältnisse in
diesen Lagern einer besonderen eingehenden Prüfung unterziehen
zu wollen zu dem Zwecke, daß das Los der Inhaftierten als men-
schenwürdig betrachtet werden könnte".[55]

Zu diesem Zeitpunkt waren die meisten Deportierten aus
dem „Altreich" und der „Ostmark" bereits tot. Mit mehreren
kleineren Transporten wurden von der Gestapo zwischen
März 1943 und Oktober 1944 ungefähr 350 Menschen nach
Auschwitz und ungefähr 1400 Personen nach Theresienstadt
deportiert. Zuvor war nur ein einziger Transport – am 17. Juli 1942 – direkt aus Wien nach Auschwitz geführt worden.[56]
Zu Jahresende 1944 lebten nach Angaben des „Ältesten-
rates" noch knapp 6000 Männer und Frauen in Wien, die
nach den Nürnberger Rassegesetzen als Juden galten. Nur
wenige überlebten den Krieg in den Bundesländern. So sollen Ende 1944 noch 118 Juden in Niederösterreich gelebt
haben.[57]

Zwar wußte die österreichische Bevölkerung nicht genau,
was „im Osten" mit den Juden geschah, dies galt jedoch nicht
für jene Konzentrationslager, die sich auf österreichischem
Gebiet befanden: Das KZ Mauthausen, 1941 errichtet und
eines der härtesten Lager des Großdeutschen Reiches, über-
zog die „Ostmark" mit einem Netz von 49 Nebenlagern und
zahlreichen Außenstellen, in denen Häftlinge, unter ihnen
auch Juden, vor den Augen der einheimischen Bevölkerung
als Zwangsarbeiter ausgebeutet und ermordet wurden.[58]
Beim Ausbruch sowjetischer Gefangener aus dem KZ Mauthausen im Februar 1945 zeigte sich, daß die Bevölkerung
auch bereit war, sich aktiv an den Morden des Regimes zu
beteiligen. In der sogenannten „Mühlviertler Hasenjagd"
wurden die geflüchteten Gefangenen von Einheimischen ge-
jagt und ermordet.[59]

Eines der großen Tabu-Themen in Österreich sind bis heute die Todesmärsche tausender Juden im März und April
1945 durch das südliche Burgenland und die Steiermark

nach Oberösterreich in das KZ Mauthausen oder seine Nebenlager. Bei diesen Todesmärschen geschahen die Verbrechen vor den Augen und unter Beteiligung der Bevölkerung. Die Leichen der Erschöpften, Gemarterten und Erschossenen lagen an den Straßenrändern. Über 300 Massengräber entlang des Weges sind Zeugnisse dieser meist von einheimischem Wachpersonal – Volkssturm, Polizei und Hitlerjugend – begangenen Brutalitäten.[60]

Die Schreckensbilanz der Verfolgung von 1938 bis 1945: Über 128.000 mußten fliehen bzw. wurden aus dem Land vertrieben. Rund 65.000 österreichische Juden wurden ermordet, darunter etwa 1500, die wegen ihrer politischen Tätigkeit in ein Konzentrationslager eingeliefert worden waren. Bei Kriegsende war die jüdische Gemeinde in Österreich praktisch zerstört. Außer den sogenannten „Mischehepartnern", die nicht deportiert worden waren, hatten nur rund 2100 die Vernichtungslager überlebt,[61] nur etwa 600 konnten als „U-Boote", von Nichtjuden versteckt, den Krieg in Österreich überleben.[62] Es ist eine traurige Wahrheit, daß es in Österreich in dieser Zeit „zu wenig Gerechte"[63] gab, nur wenige den Mut hatten zu helfen. Diese historische Verstrickung in den Genozid muß bei der Bewertung der österreichischen Haltung gegenüber den Überlebenden des Holocaust berücksichtigt werden.

Antisemitismus und Schuldabwehr nach dem Holocaust

Vorbemerkung-Rahmenbedingungen

Der Beginn der Zweiten Republik war nach Ernst Hanisch ein „Rückbruch", eine Restauration des „Ständestaates" und der Ersten Republik. Dieser Aspekt wird sowohl durch die Übernahme der Verfassung von 1920 in der Fassung von 1929, als auch durch personelle Kontinuitäten verdeutlicht: Die alten Eliten, repräsentiert durch Renner, Körner oder

Kunschak, sowie das zweite Glied der Politfunktionäre der Vorkriegszeit, Figl, Schärf, Helmer, zählten zu den „Gründerväter" des neuen Österreich. Die „Emigranten" – in erster Linie jüdische Sozialdemokraten – wurden entweder nicht zurückgeholt oder nicht in die neuen Machtstrukturen integriert. Die Problematik „Ständestaat" blieb sowohl bei ÖVP als auch SPÖ unaufgearbeitet, wurde jedoch bei Bedarf von beiden Seiten politisch instrumentalisiert.[64]

Neben diesen restaurativen Elementen wirkten aber auch mentale Kontinuitäten zur Ersten Republik sowie zum Dritten Reich unterschwellig weiter, wie beispielsweise der Antisemitismus. Unter den führenden Politikern der Zweiten Republik wurde dieser auf die nationalsozialistische Judenverfolgung und -vernichtung eingegrenzt. Vor dem Hintergrund der Vernichtungslager ließ sich der katholisch-österreichische Antisemitismus der Zwischenkriegszeit verharmlosen und die Fortdauer antisemitischer Vorurteile nach dem Holocaust leichter bestreiten.

Der ÖVP gelang es mit dieser Gleichsetzung von Antisemitismus und nationalsozialistischer Judenverfolgung, sich der Auseinandersetzung mit dem antisemitischen Erbe der Partei zu entziehen. Die ÖVP schloß zwar nach 1945 nicht an die antisemitische Programmatik ihrer Vorgängerpartei aus der Zwischenkriegszeit an, instrumentalisierte jedoch ganz gezielt antisemitische Stereotype und Vorurteile offen als politische Waffe. Mit Spitzenfunktionären wie Kunschak, der zwar sieben Jahre im Konzentrationslager verbracht hatte und ein unangefochtener Gegner des Nationalsozialismus war, blieb auch am Beginn der Zweiten Republik die antisemitische Kontinuität in der ÖVP gewahrt.[65]

Bei den Sozialisten dagegen dominierte die Angst, wie in der Ersten Republik als „Judenpartei" verschrieen zu werden: Ihre „linke" Führungsschicht war von den „Austrofaschisten" aus ideologischen Gründen und nach 1938 von den Nazis aus „rassischen" Gründen aus Österreich vertrieben oder deportiert worden. Ein neuer Name – Sozialistische Partei Österreichs – und eine neue Parteiführung – der

nichtjüdische, ehemals rechte Flügel der alten Sozialdemokraten um Renner, Schärf und Helmer – sollten trotz aller
Kontinuitäten nach 1945 für ein neues Image sorgen.[66] Die
SPÖ-Führung zeigte daher kein besonderes Interesse, ihre
jüdischen Genossen, die alte Parteielite, aus der Emigration
nach Österreich zurückzubitten.[67]

Die KPÖ agierte nach 1945 sowohl als „linke" wie auch als
„österreichische" Partei und unterschied sich daher hinsichtlich ihrer Einstellung zum Antisemitismus wie auch zur gültigen Geschichtsinterpretation – Österreich als Opfer – in
ihrer Haltung kaum von den beiden großen Parteien. Antisemitismus und Judenvernichtung wurden tabuisiert; bis Mitte der sechziger Jahre erfolgte in der Partei auch keine theoretische Auseinandersetzung mit dem Phänomen Antisemitismus und seinen mörderischen Konsequenzen. Jeder
Vorwurf antisemitischer Einstellungen innerhalb der KPÖ
wurde – mit dem Hinweis auf ihren antifaschistischen Charakter – als absurd zurückgewiesen, allenfalls vorhandener
Antisemitismus meist als „Antizionismus" verbrämt zum
Ausdruck gebracht.[68] Daß Antifaschismus und Antisemitismus nicht unvereinbar sind, hatte sich allerdings bereits in
der Zwischenkriegszeit gezeigt.

Das Selbstverständnis Österreichs als erstes Opfer der NS-
Aggression schloß zudem die Akzeptanz einer Verantwortung
für die jüdischen Überlebenden aus, die Erinnerung an ihr
Schicksal war nachhaltig blockiert und nur gegen große Widerstände instrumentalisierbar. „Wiedergutmachung" war
kein Thema, die Zweite Republik beschränkte sich auf eine
„freiwillige" Opferfürsorge für alle Verfolgten des NS-Regimes – nicht nur für die Juden.[69] Aus dieser Aneignung eines
kollektiven Opferstatus folgte fast zwangsläufig, daß der
Umgang mit den jüdischen Überlebenden im Nachkriegsösterreich einer „Geschichte des Schweigens" gleichkam.[70]

Angesichts dieser Voraussetzungen ist es auch nicht verwunderlich, daß Österreichs lange Geschichte des Antisemitismus, von der kaum ein gesellschaftlicher Bereich vor 1938

ausgenommen war, auch durch den Holocaust nicht beendet
worden war und es 1945 keine „Stunde Null" des Antisemitismus gab. Wie schon nach dem Ersten Weltkrieg waren
wiederum die jüdischen Flüchtlinge, diesmal die Überlebenden des Holocaust, die ersten Ziele antisemitischer Agitation.
Auch in der Zweiten Republik konnten politische Parteien
mit antisemitischen Untertönen immer wieder erfolgreich
Politik machen.[71]

Typisch für die Zweite Republik ist das Nebeneinander des
alten, traditionellen Antisemitismus, der den Nationalsozialismus ungebrochen überdauert hatte, und eines anders motivierten „neuen" Antisemitismus. Dabei handelt es sich nach
Rainer Erb um einen „sekundären Antisemitismus", der sich
im Gegensatz zur Zeit vor 1938

„nicht mehr aus Gruppenkonflikten um Rechtsgleichheit und sozialer Inklusion speist, sondern als Antisemitismus nach Auschwitz
seine Ursache und sozialpsychologische Dynamik aus dem Problem
von Schuld und Verantwortung gewinnt, aus dem Umgang mit einer diskreditierten Vergangenheit".[72]

Wie in Deutschland entzündeten sich auch im Nachkriegsösterreich die meisten Konflikte um Antisemitismus an Themen der NS-Vergangenheit und im Umgang mit ihr: etwa am
jüdischen Flüchtlingsproblem der unmittelbaren Nachkriegszeit, an der Wiedergutmachungsfrage der fünfziger
Jahre, am Umgang mit NS-Verbrechen in den sechziger Jahren, am Konflikt zwischen Bruno Kreisky und Simon Wiesenthal um Friedrich Peters SS-Vergangenheit Mitte der
siebziger Jahre oder am Präsidentschaftswahlkampf Kurt
Waldheims im Jahre 1986.

1. Die Moskauer Deklaration als Magna Charta
der Zweiten Republik

Österreichs offizielle Nachkriegsidentität gründet sich bis
heute auf die „Opfer- und Nichtigkeitsklauseln" der Moskau-

er Deklaration der drei alliierten Außenminister vom 1. November 1943, in denen Österreich als „das erste freie Land" bezeichnet wurde, „das der typischen Angriffspolitik Hitlers zum Opfer fiel", und die scheinbar den Willen der Alliierten zum Ausdruck brachten, ein freies und unabhängiges Österreich wiederherzustellen.[73] Konsequenterweise stand schon die Wiedergründung der Republik Österreich im April 1945 staatspolitisch im Zeichen der Moskauer Deklaration. Die Unabhängigkeitserklärung wies ausdrücklich darauf hin, daß das österreichische Volk durch die Nationalsozialisten „macht- und willenlos gemacht" worden sei und implizierte damit in aller Deutlichkeit, daß Österreich nicht für die Verbrechen des Nationalsozialismus verantwortlich gemacht werden könne.[74] Zur Verankerung der 1945 intern als vorteilhaft erachteten Okkupationstheorie[75] interpretierte das offizielle Österreich die Moskauer Deklaration seitdem als juristisches Dokument im Sinne einer nachträglichen Annullierung des Anschlusses[76] und als Absichtserklärung und Hauptmanifestation alliierter Nachkriegsplanung für Österreich. Robert Keyserlingk hat den überzeugenden Nachweis geliefert, daß diese Erklärung ursprünglich als kurzfristiges Mittel der psychologischen Kriegsführung und als eine militärische Waffe gedacht war, um hinter der Front in der „Ostmark" einen Aufstand herbeizuführen. Nachdem sich die Alliierten gegen eine Invasion am Balkan und in Italien und für die Normandie-Landung entschieden hatten, rückte die Moskauer Deklaration in den Hintergrund, andere Nachkriegspläne wurden forciert. Erst nach Kriegsende, als sich die Alliierten als Besatzer in Österreich wiederfanden, schien es opportun, diese Erklärung als seit 1943 gültige politische Willensäußerung darzustellen. Die Österreicher akzeptierten dieses alliierte Geschenk einer „reinen Weste", das sie in die Lage versetzte, sich auf die nationale Versöhnung zu konzentrieren, anstatt sich mit ihrer fragwürdigen Kriegsvergangenheit auseinandersetzen zu müssen.[77]

Es ist daher nicht verwunderlich, daß die Moskauer Deklaration zur „Magna Charta der Zweiten Republik" und zur

Basis der politischen Identität nach 1945 wurde. Die sogenannte „Verantwortungs- bzw. Mittäterklausel", in der Österreich daran erinnert wurde, „daß es für die Teilnahme am
Krieg an der Seite Hitler-Deutschlands eine Verantwortung
trägt, der es nicht entrinnen kann",[78] versuchte man zuerst
zu entkräften und dann zu vergessen.[79] Die zweifellos große
Bedeutung des Dokuments für die Nachkriegszeit lag in erster Linie in ihrer taktischen Funktion für die österreichische Regierung,

„den Staat Österreich von der Verstrickung vieler einzelner Österreicher mit dem Dritten Reich nachträglich abzukoppeln und zweitens, in ihrer legitimatorischen Funktion zur Schaffung eines nationalen Mythos".[80]

Die propagierte Loslösung Österreichs von seiner „deutschen"
Vergangenheit und damit auch von seiner Mitverantwortung
an den Verbrechen des Regimes verlief sehr rasch: Schon
Anfang März 1947 sahen 71 Prozent der Befragten keine
Mitschuld Österreichs am Zweiten Weltkrieg; 15 Prozent
glaubten, die Österreicher seien nur teilweise mitverantwortlich, und nur vier Prozent anerkannten eine Mitschuld. Den
amerikanischen Beobachtern in Österreich erschien es nur
logisch, daß das Gefühl der Abtrennung von Deutschland mit
dem Gefühl der Schuldlosigkeit korrespondierte:

„Since as a matter of national policy we encourage a separate Austrian nationalism, we cannot be surprised, and should in fact find
comfort in the fact, that most Austrians deny ever having had anything to do with Germany."[81]

Da Österreich als Staat und als Subjekt des Völkerrechts
1938 seine Handlungsfähigkeit verloren hatte und sie erst
1945, oder gar erst 1955, wiedergewann, mag die Okkupationstheorie, und damit die davon abgeleitete Opferdoktrin,
in völkerrechtlicher Hinsicht sogar ihre Richtigkeit haben.[82]
Gleichzeitig hatten jedoch Österreicher als Individuen an
maßgeblicher Stelle an der Planung und Durchführung der
Verbrechen des NS-Regimes mitgewirkt oder materiell direkt
und indirekt vom Holocaust profitiert.

2. Der kollektive Opferstatus: erste Folgen für die Überlebenden

Das Eingeständnis von Mitverantwortung angesichts dieser historischen Fakten war von Anfang an mit der Vorstellung von Österreich als Opfer nicht vereinbar.[83] Daher war es nur konsequent, wenn die österreichische Bundesregierung bereits im Sommer 1945 intern feststellte, daß eventuelle Ansprüche österreichischer Juden an das Deutsche Reich zu richten wären.[84] Trotzdem stellten die überlebenden Juden die größte Gefahr für die Opferthese dar, da allein schon ihre Existenz häßliche Erinnerungen an die unmittelbare Vergangenheit vieler Österreicher weckte. Nach der Befreiung gab es drei klar unterscheidbare, in sich allerdings sehr heterogene und politisch uneinige Gruppen jüdischer Überlebender: Da waren einmal die knapp 4500 österreichischen Juden – mehr als die Hälfte von ihnen keine sogenannten „Glaubensjuden" –, die teils im KZ, teils im Untergrund oder im Ausland überlebt hatten. Bis 1949 wuchs dann die Israelitische Kultusgemeinde in Wien aufgrund der Rückkehr von Flüchtlingen aus Shanghai, Palästina, England und der Sowjetunion sowie der Aufnahme von etwa 3500 ausländischen Juden, sogenannter jüdischen *Displaced Persons* (DPs), auf etwa 11.000 Mitglieder an.[85] Diese jüdischen DPs, meist osteuropäische Überlebende des Holocaust, die in wachsender Zahl nach Kriegsende in Österreich eintrafen und von hier aus meist nach Palästina weiterwandern wollten, bildeten die zweite Gruppe. Immerhin war Österreich in den Jahren nach 1945 für rund 200.000 osteuropäische Juden eine Zwischenstation auf dem Weg in eine neue Heimat.[86] Schließlich gab es die rund 120.000 ehemaligen österreichischen Juden, die über die ganze Welt verstreut lebten, die Mehrzahl von ihnen in den USA, Palästina und Großbritannien.[87]

Bereits das im Juli 1945 verabschiedete „Gesetz über die Fürsorge für die Opfer des Kampfes für ein freies, demokratisches Österreich" signalisierte, daß sich die Republik Österreich nicht zur „Wiedergutmachung", sondern nur zu Fürsor-

gemaßnahmen veranlaßt sah. Zudem einigten sich ÖVP, SPÖ
und KPÖ bei der Schaffung des Mythos vom österreichischen
Widerstand auf einen Opferbegriff ohne Juden. Die jüdischen
Opfer mußten bis 1947 auf ihre Anerkennung warten, sofern
sie nicht selbst aktive Widerstandskämpfer gewesen waren.[88] Mit dem Argument, Juden hätten wegen ihrer Abstammung auch als politisch unzuverlässig gegolten und wären
deshalb ins KZ gekommen, wurden nun „rassisch Verfolgte"
zu aktiven Gegnern des Nationalsozialismus umdefiniert
und konnten so als Beweis eines österreichischen Widerstandes herangezogen werden, während damit gleichzeitig von
der aktiven Rolle der Österreicherinnen und Österreicher bei
der Judenverfolgung abgelenkt wurde.[89]

Für diese Beteiligung am Holocaust wurden die Hauptver-
antwortlichen schon unmittelbar nach Kriegsende zur strafrechtlichen Verantwortung gezogen. Unter den elf im Nürnberger Prozeß zum Tode Verurteilten und Hingerichteten waren mit Ernst Kaltenbrunner und Arthur Seyß-Inquart zwei
Österreicher. Auch in den zwölf sogenannten Nachfolgepro-
zessen vor dem amerikanischen Militärgerichtshof hatte sich
bis Mitte 1949 eine Reihe von Österreichern wegen Kriegsverbrechen oder Verbrechen gegen die Menschlichkeit zu verantworten, ebenso in den sogenannten Dachauer-Prozessen vor
amerikanischen Militärgerichten, die sich mit Verbrechen in
Konzentrationslagern befaßten. Von österreichischen Volksgerichten wurden bis zum Staatsvertrag insgesamt knapp 4800
Personen nach dem Kriegsverbrechergesetz verurteilt. Von 68
rechtskräftigen Verurteilungen zu Todesstrafe oder lebenslanger Freiheitsstrafe erfolgte nur eine einzige explizit im Zusammenhang mit der Massenvernichtung im Rahmen der
„Endlösung der Judenfrage", eine Reihe weiterer im Zusammenhang mit Tötungshandlungen bei Kriegsende, worunter
der Südostwall-Bau im Burgenland und die anschließenden
Todesmärsche ungarischer Juden in Richtung Westen fielen.[90]

Die österreichischen Juden wurden – ob zuhause oder in
der Emigration – nach Kriegsende zu den ersten Opfern der
österreichischen Interpretation der Moskauer Deklaration,

indem sie durch die von der Regierung propagierte „nationale Versöhnung" um eine, den vorangegangenen Ereignissen angemessene, bevorzugte Behandlung gebracht wurden. Bundeskanzler Leopold Figl bekannte sich zum Prinzip der „Volkssolidarität", das hieß zur Gleichstellung aller.[91] Er versicherte einer alliierten Delegation im Februar 1946, daß seine Regierung alles tun würde, um allen Opfern der Verfolgung zu helfen, inklusive der Juden. Die Regierung sei aber nicht bereit, den Juden eine besondere Behandlung zukommen zu lassen. „Wir heißen alle Österreicher willkommen, aber als Österreicher, nicht als Juden. Wir müssen alle gleichen Anteil am neuen Österreich nehmen."[92] Auch die *Arbeiter-Zeitung* sprach sich im März 1946 unter der Schlagzeile „Es gibt keine jüdische Frage" gegen einen Sonderstatus für Juden aus, denen vorgeworfen wurde, durch ihr Verhalten den Rassismus neu zu beleben.[93] So wurde eine effektive Diskriminierung der Juden von der Regierung, aber auch von den Alliierten, in eine Sprache der Gleichheit verkleidet.[94]

3. Keine „Stunde Null" des Antisemitismus

Weder das Wissen um noch die österreichische Verstrickung in den Holocaust vermochten die antijüdischen Vorurteile in Österreich nach 1945 zum Verschwinden zu bringen. Sie haben sich nur nachhaltig und grundlegend verändert. Antisemitismus war nach Kriegsende zwar als Teil einer politischen Ideologie diskreditiert und tabuisiert, sein Stereotypenreservoir hatte aber als privates, politisch relativ leicht zu aktivierendes Vorurteil Nationalsozialismus und Holocaust überdauert.[95]

Nur während einer kurzen „Schockphase" unmittelbar nach Kriegsende machte sich in der Bevölkerung stärkeres Mitleid mit den überlebenden Juden bemerkbar, das jedoch rascher verflog, als zu erwarten war. Ehemalige Häftlinge erinnern sich, daß ihnen die ortsansässige Bevölkerung das

Gefühl gegeben habe, etwas „ausgefressen" zu haben, daß
man nicht einmal davor zurückscheute, überlebende Juden
als „Hitlers Unvollendete" zu bezeichnen.[96] Noch im Juni
1946 wurde der Film „Todesmühlen", der sich mit den Greu-
eln in den Konzentrationslagern befaßte, als reine alliierte
Propaganda abgetan und einzelne Sequenzen sogar mit „Sieg
Heil"-Rufen quittiert.[97] Das Verständnis für diese Haltung
ging z. B. bei der britischen Besatzungsmacht sogar so weit,
daß sie den Antisemitismus als immer schon festen Bestandteil der österreichischen Mentalität und mitteleuropäischen
Geisteshaltung erachtete und gleichsam als Naturgegeben-
heit akzeptierte.[98] Spätestens seit Herbst 1945 waren die
DPs und Flüchtlinge als „Projektionsziele" mit zunehmender
Ablehnung und einer immer offener hervortretenden antisemitischen Haltung der Bevölkerung konfrontiert. Sie wurden
als negative Paradebeispiele von DPs, in denen sich alle er-
denklichen alten und neuen Vorurteile vereinigen ließen,
präsentiert. Dieser am deutlichsten in Erscheinung treten-
den Gruppe der Überlebenden – als solche eine dauernde
Erinnerung an die Nazi-Verbrechen – wurde nahegelegt,
Österreich so schnell wie möglich zu verlassen.[99]

In den Jahren 1946 bis 1948 kam es in ganz Österreich zu
einer Reihe antisemitischer Ausschreitungen und Demonstrationen gegen jüdische DPs, wobei es in Wien auch einen
Toten gab. Die größte öffentliche Erregung rief im August
1947 eine von Kommunisten gegen jüdische DPs gerichtete
„Hungerdemonstration" in Bad Ischl hervor, wobei nicht der
offene Antisemitismus, sondern die harten Gerichtsurteile
der amerikanischen Besatzungsmacht gegen die Anführer
der Demonstration die Gemüter erhitzten.[100]

Auch die verantwortlichen Politiker standen von Anfang an
der Integration dieser Flüchtlinge negativ gegenüber, wie ein
Ausspruch von Bundespräsident Karl Renner aus dem Jahre
1946 verdeutlicht:

„Ich glaube nicht, daß Österreich in seiner jetzigen Stimmung noch
einmal erlauben würde, diese Familienmonopole aufzubauen. Sicherlich würden wir es nicht zulassen, daß eine neue jüdische Ge-

meinde aus Osteuropa hierher käme und sich hier etablierte, während unsere eigenen Leute Arbeit brauchen."[101]

Die Österreicher, unabhängig von ihrer Parteizugehörigkeit, wollten aber auch ihre „eigenen" österreichischen Juden nicht mehr zurückhaben: Im August 1946 lehnten 46 Prozent der Befragten eine Rückkehr der Juden ab („Sie sollen nicht zurückkehren"), nur 28 Prozent standen dieser positiv gegenüber.[102] Diese ablehnende Stimmung schlug auch den Anfang 1947 zurückkehrenden „Shanghai-Emigranten" entgegen. Filmberichte der Wochenschau über ihre Ankunft in Wien riefen antisemitische Reaktionen hervor:

„Als Bilder über die Rückwanderung aus Shanghai auf der Leinwand erschienen und der Kommentar bemerkte, ‚es sind Juden, die nach Österreich zurückkehren, um am Wiederaufbau in der Heimat teilzunehmen', hörte man im Publikum wüstes Lachen und die Rufe: ‚Vergasen!'."[103]

Es bestand jedoch auch kein Graben zwischen der antifaschistischen Elite – sprich der politischen Führung – und dem Rest der Bevölkerung. In dieser Frage waren die Politiker echte Repräsentanten des Volkes, wie Robert Knight am Beispiel des mehr oder weniger starken Antisemitismus der Gründerväter der Zweiten Republik eindrucksvoll offenlegte.[104] Als erster prominenter Politiker tat sich schon im Herbst 1945 Nationalratspräsident Leopold Kunschak als Tabubrecher hervor, der im Wahlkampf jene Vorurteile artikulierte, die in der Bevölkerung nach wie vor ungebrochen vorherrschten. Während Kunschaks antisemitische Äußerungen in der österreichischen Presse ignoriert wurden und politische Beobachter ihnen keine besondere Bedeutung beimaßen,[105] schrieb die in New York erscheinende Zeitung *Der Aufbau* den im Frühjahr 1946 wachsenden Antisemitismus dieser Agitation zu:

„Wenn man bedenkt, daß *Leopold Kunschak*, ‚der Streicher von Österreich' unter der neuen Regierung den wichtigen Posten eines Parlamentspräsidenten innehat und daß derselbe Kunschak, von seiner traurigen Vergangenheit als einer der übelsten österreichischen Radau-Antisemiten abgesehen, auch im neuen Österreich in

Reden proklamieren konnte, daß ‚die polnischen Juden nicht nach
Österreich kommen sollen, wir Österreicher brauchen aber auch die
anderen nicht!' [...] und ‚Ich bin immer ein Antisemit gewesen und
bin es auch heute noch!' – so braucht man sich über diese ‚losgelas-
sene Volkswut' nicht zu wundern."[106]

Schon seit Anfang 1946 konnte auch Innenminister Oskar
Helmer (SPÖ)[107] gefahrlos aus der Drohung mit dem österreichischen Antisemitismus politisches Kapital schlagen.
Trotz allem war die österreichische Regierung immer darauf
bedacht, nie den Eindruck zu erwecken, daß sie selbst eine
antisemitische Einstellung hegte und war sich dabei auch
der Gefahren bewußt, die für Österreich mit einem offenen
Ausdruck von Antisemitismus verbunden waren. Die ameri-
kanisch-jüdischen Organisationen verfügten nach Meinung
der österreichischen Politiker über die Macht, in den USA
Schwierigkeiten für Österreich hervorzurufen. Vor allem Ende 1946 und Anfang 1947 führten hochrangige Politiker eine
sehr intensive Kampagne, um Österreich im Ausland vom
Vorwurf des Antisemitismus reinzuwaschen.[108] Ausländische
Beobachter bewerteten den Antisemitismus in Österreich
zwar als ernstes politisches Phänomen, sahen jedoch keine
Gefahr, daß er wieder die virulenten Formen der Nazizeit
annehmen könnte. Um das mühsam aufgebaute Image
Österreichs nicht zu gefährden, mußte sowohl der – trotz
Holocaust vorhandene – Antisemitismus geleugnet, als auch
im Hinblick auf die kommenden Staatsvertragsverhandlungen eine „Vorzugsbehandlung" für Juden vermieden werden.

4. Realpolitik im Zeichen der Schwäche

Schon vor Beginn der Staatsvertragsverhandlungen 1947
hatte die österreichische Diplomatie einen entscheidenden
Erfolg errungen: Im Oktober 1946 war es ihr gelungen, die
USA auf die Opferthese einzuschwören und das Image Österreichs als Opfer zu etablieren.[109] Damit hatte sich die Posi-

tion Österreichs gegenüber den jüdischen Forderungen schon
vor Beginn der Verhandlungen grundlegend verbessert.

Seit Kriegsende hatte der Komplex „Wiedergutmachung –
Rückstellung"[110] das österreichisch-jüdische Verhältnis be-
herrscht. Amerikanisch-jüdische Organisationen, wie das
American Jewish Committee (AJC) und der World Jewish
Congress (WJC), hatten teilweise schon vor Kriegsende ihre
Forderungen an Österreich im Namen der österreichischen
Juden formuliert und wurden nach 1945 zu den einflußreich-
sten Sprechern für die jüdischen Interessen in Österreich.
Trotz der relativ reibungslosen Kooperation mit der österrei-
chischen Regierung in juristischen Fragen befanden sich die
jüdischen Organisationen während der Verhandlungen mit
Österreich in einer schwierigen Situation: Im Umgang mit
den Überlebenden kam Österreich nun zugute, daß auch jüdische Organisationen – wie der World Jewish Congress
(WJC) – die Moskauer Deklaration 1944 ohne Proteste zur
Kenntnis genommen und die in der Deklaration enthaltenen
prinzipiellen Aussagen zum Status Österreichs bei zahlreichen Gelegenheiten anerkannt hatten.[111]

Durch die Anerkennung der Moskauer Deklaration hatten
sie die Fiktion zu akzeptieren, mit unschuldigen Opfern und
nicht mit den Tätern des Holocaust zu verhandeln. Es war
schwierig, Wiedergutmachung von einem Opfer zu fordern
und unmöglich, dafür auch noch die Unterstützung der Alliierten zu bekommen. Die jüdischen Organisationen konnten
nur an den guten Willen und die Anständigkeit der Österreicher appellieren und hoffen, daß sich Österreich nicht am
Besitz der jüdischen Opfer der Nazi-Verfolgung bereichern
wollte. Diese Entwicklung seit dem Frühjahr 1946 könnte
man als „Realpolitik im Zeichen der Schwäche" bezeichnen,
denn die einfache österreichische Formel lautete: ohne Sicherung des deutschen Eigentums für Österreich keine Rückstellung jüdischen Eigentums. Um nicht sowjetische Reparationsforderungen an Österreich zu unterstützen, mußten die
jüdischen Vertreter sogar die sogenannte „Verantwortungs-
bzw. Mittäterklausel" aus taktischen Gründen auf Öster-

reichs Mitschuld am Holocaust – und nicht am Krieg – einschränken.[112]

Der von den jüdischen Organisationen, aber auch von der
österreichischen Gesetzgebung geforderten Rückstellung von
„arisiertem" jüdischen Besitz standen angesichts der zur Debatte stehenden Vermögenswerte massive wirtschaftliche Interessen sowohl der Bundesregierung als auch der „Ariseure"
– eines nicht zu unterschätzenden Wählerpotentiales – entgegen. Von den Überlebenden wurde „ein maßvolles Verhalten" gefordert, um dem österreichischen Volk „ihre edle Gesinnung beweisen zu können". Beide Großparteien waren
sich schon 1946 einig, daß „die jüdische Priorität in der Rei-
henfolge der Verfolgungen durch den Nazismus umstritten
sei". Die Juden waren nur Opfer unter Opfern und ein rechtlicher oder finanzieller Sonderstatus „könnte höchstens dazu
dienen, den Rassismus mit umgekehrten Vorzeichen wieder
zu beleben".[113]

Bei den ersten Staatsvertragsverhandlungen Anfang 1947
in London und wenig später in Moskau gründeten sich die
jüdischen Forderungen auf die oben erwähnte Klausel der
Moskauer Deklaration und konzentrierten sich auf Rückstellung jüdischen Besitzes, die Regelung der Frage des erblosen
Vermögens, auf Verankerung der Menschenrechte und den
Schutz der jüdischen DPs in Österreich. Trotz intensiver
Lobby-Tätigkeit entwickelten sich die Verhandlungen zu einem Desaster für die jüdischen Organisationen. General
Mark W. Clark, der Leiter der amerikanischen Delegation,
erwies sich als der große Verbündete der Österreicher und
reagierte ebenso wie der österreichische Außenminister Karl
Gruber auf diese Forderungen mit scharfer Ablehnung.[114]

Diplomatischer, jedoch ebenso unerbittlich in der Sache,
war die Reaktion des britischen Foreign Office: Die geforderten speziellen Garantien würden die österreichische Souveränität einschränken, Reparations- und Kompensationszah-
lungen Österreichs wirtschaftlichen Aufschwung hemmen.[115]
Die österreichische Delegation erreichte mit Hilfe der West-

alliierten, was sie beabsichtigt hatte: Gleichbehandlung der
jüdischen Opfer der Naziverfolgung mit den anderen österreichischen Staatsangehörigen.

Die jüdischen Interventionen scheiterten in erster Linie
aufgrund einer generellen Fehleinschätzung alliierter Interessen, während Österreich seit Beginn der Staatsvertragsverhandlungen vom Interessenskonflikt zwischen dem Westen und der Sowjetunion profitierte. Die Abwehr der sowjetischen Reparationsansprüche zur Sicherung der
wirtschaftlichen Gesundung und politischen Stabilität Österreichs überwog alle anderen Überlegungen, so auch berech-
tigte jüdische Forderungen und Österreichs moralische Verpflichtungen. Mit dem seit Frühjahr 1947 eskalierenden Kalten Krieg waren weitere Forderungen der jüdischen
Organisationen chancenlos, obwohl sie dies noch nicht wahrhaben wollten. Nach dem Scheitern der massiven Interventionen in London und der Enttäuschung in Moskau über-
reichten die jüdischen Organisationen im Herbst 1947 gemeinsam ihre „Comments and Proposals Respecting the
Treaty with Austria".[116] Dieses Memorandum war der Ausdruck absoluter Resignation, ein verzweifeltes Minimalpro-
gramm mit dem erzwungenen Verzicht auf die explizite Erwähnung der österreichischen Mitschuld am Holocaust in
der Präambel des Staatsvertrages; stattdessen sollte sich die
Mitschuld nur in den Vertragsklauseln über Sicherung der
Menschenrechte, die rechtliche Gleichstellung der Juden,
Rückstellung arisierten Vermögens und Beibehaltung der
DPs unter alliierter Jurisdiktion widerspiegeln. Zudem stellte das Dokument – mit Einschränkungen – eine erneute
Anerkennung des „Opferstatus" Österreichs dar. Die Staatsvertragsverhandlungen waren aber bis Herbst 1947 schon so
weit fortgeschritten, daß es bei den jüdische Interessen betreffenden Teilen keine Hoffnung auf eine Änderung mehr
gab. Somit war aus jüdischer Sicht das Ergebnis der Staatsvertragsverhandlungen nur ein weiterer Beweis der These,
daß die Welt weder während des Holocaust noch danach
bereit war, aus „moralischen Erwägungen" jüdische Interes-

sen zu vertreten. Alle weiteren jüdischen Vorschläge im Zuge der Verhandlungen zum österreichischen Staatsvertrag hinterließen praktisch keine Spuren mehr.[117]

Die Anerkennung des österreichischen Opferstatus durch die Westmächte, der Verlauf der Staatsvertragsverhandlungen 1947 und der nun offen ausgetragene Kalte Krieg verschlechterten auch innenpolitisch die Lage der jüdischen Opfer, da sich nun sehr rasch der Übergang von der antifaschistischen Rhetorik zur antikommunistischen Praxis vollzog.[118] Wichtigster Schritt war die Amnestierung und Integration der ehemaligen Nazis. Auf Drängen der österreichischen Regierung wurde 1948 eine Minderbelastetenamnestie erlassen: von den 573.000 Registrierten galten nur mehr 42.000 als „belastet".[119] Gleichzeitig forderte und förderte die SPÖ im Hinblick auf die Wahlen von 1949 die Zulassung einer „Vierten Partei" als Sammelbecken aller Liberalen, Nationalen und ehemaligen Nazis.[120] Den wenigen, politisch unbedeutenden Juden stand nun ein potentielles Wählerreservoir von einer halben Million ehemaliger Nazis gegenüber, auf das die Parteien Rücksicht nehmen mußten. Symptomatisch dafür war in diesem Zusammenhang 1948 eine Rede von Vizekanzler Adolf Schärf vor Kriegsheimkehrern, in der er die Soldaten der Hitler-Armee mit KZ-Überlebenden gleichsetzte. Auch der KZ-Überlebende Alfons Gorbach erklärte im Parlament, man müsse die Opfer der Soldaten anerkennen, da sie gegen den Bolschewismus und damit für die Würde und Freiheit der Menschen gekämpft hätten.[121]

Während die aus der Sowjetunion heimgekehrten Soldaten mit Blumen und Blasmusik empfangen wurden und führende Politiker die von den Soldaten vollbrachten besonderen Opfer hervorhoben, vollzog sich die Rückkehr österreichischer Juden aus den sowjetischen Arbeitslagern, wo sie während des Krieges interniert gewesen waren, unter Ausschluß der Öffentlichkeit. Ihre Rückkehr wurde ihnen fast übelgenommen.[122]

Die Bundesregierung als mittlerweile anerkannter Partner der Westalliierten agierte immer selbstbewußter und begann nun systematisch die letzten Spuren, die an Österreichs Täterrolle erinnerten, zu tilgen. Schon 1947 „arisierte" das Schwarze Kreuz im oberösterreichischen St. Florian den jüdischen Friedhof, indem es das jüdische Denkmal zerschlagen ließ. Einen Schlußpunkt setzte man dann 1954, als auf Empfehlung des Innenministeriums die KZ-Friedhöfe in Kriegerfriedhöfe umgewandelt wurden und man beispielsweise in Ebensee jüdische Gräber exhumierte. Um den Fremdenverkehr nicht zu stören, sprengte man das dortige jüdische Denkmal mit der Aufschrift „Dem deutschen Volk zur ewigen Schande".[123]

Widerstand regte sich auch gegen die Errichtung der Gedenkstätte Mauthausen. Das dortige KZ sollte nicht konserviert werden, da es „unösterreichisch", „landfremd" und nicht zur eigenen „Kultur" gehörig sei,[124] während andere den Vorwurf einer „Geschichtsfälschung" durch Renovierung und Umbauten erhoben. Das offiziöse Organ der ÖVP befürchtete, daß Mauthausen zum „Schauplatz antiösterreichischer Exzesse" werde.[125]

Mit den Wahlen des Jahres 1949 und der damit abgeschlossenen Integration der großen Mehrheit ehemaliger Nazis sowie dem Ende der Staatsvertragsverhandlungen in London begann eine neue Phase des österreichischen Umgangs mit seiner Vergangenheit. Die meisten Klauseln des Staatsvertrages, auch die beiden jüdische Interessen betreffenden, waren 1949 in London ausgehandelt worden. Was vor allem fehlte, waren Bestimmungen zur Regelung der Frage des „erblosen jüdischen Vermögens". Bis 1955 ging es aus der Sicht der Bundesregierung nun darum, Maßnahmen, die im Zuge der Entnazifizierung erfolgt waren, rückgängig zu machen, die Gruppe der schwerbelasteten Nazis zu amnestieren und jüdische Forderungen nach Rückstellung erblosen Vermögens und Entschädigungszahlungen abzuwehren.[126]

5. Der „österreichisch-jüdische Erbfolgekrieg" 1950 bis 1955

Der Übergang des Kalten Krieges in eine heiße Phase in
Korea ermöglichte der österreichischen Politik unter dem
Deckmantel des Antikommunismus, der Lobby der ehemaligen Nazis weitere Zugeständnisse zu machen. Allerdings enthielt die Präambel der Direktive an den neuen US-Hochkommissar in Österreich Anfang November 1950 neben der neuerlichen Betonung des Opferstatus der Republik auch
erstmals Hinweise auf die Verpflichtung Österreichs gegenüber den Opfern des Nationalsozialismus:

„The United States regards Austria as a liberated country, illegally
annexed by the German Reich, and therefore not responsible for the
acts of the Nazi regime during the period of the Anschluss, though
the Austrian government will be expected to rectify certain injusti-
ces committed during this period. The Austrian Government is democratic and friendly."[127]

Daraus entwickelte sich in den fünfziger Jahren das Prinzip
der sogenannten „ausgleichenden Gerechtigkeit" – jede Initiative zugunsten der Opfer wurde von einer zugunsten der
ehemaligen Nazis begleitet.[128] Sowohl 1950 als auch 1952
versuchte die Bundesregierung, Amnestiegesetze für die belasteten Nationalsozialisten zu verabschieden und gleichzeitig die Rückstellungsgesetzgebung zuungunsten der jüdischen Opfer zu novellieren. Diese Versuche führten – meist
nach Protesten jüdischer Organisationen – zu Interventionen
der Alliierten gegen die österreichische Gesetzgebung[129] und
zu verstärktem Druck, die noch ausstehenden Probleme –
erbloses jüdisches Eigentum und Entschädigungszahlungen
an im Ausland lebende ehemalige österreichische Juden –
mit den jüdischen Organisationen zu regeln. Auf diese Interventionen wurde in der österreichischen Presse ab 1952 zunehmend mit Antiamerikanismus und Antisemitismus rea-
giert.[130] Nach heftigen Protesten im Ausland rechtfertigte
beispielsweise der Staatssekretär im Innenministerium, Ferdinand Graf (ÖVP), die im Juni 1952 im Parlament beschlos-
senen Nazi-Amnestiegesetze damit, daß

„diese Maßnahmen zur Stärkung des Abwehrwillens des österreichischen Volkes gegen den Bolschewismus beitragen, der Kampf um Österreich noch lange nicht zu Ende sei und nur der im Lande lebende Österreicher beurteilen könne, ob und wann der Zeitpunkt zu einer endgültigen Liquidierung der Vergangenheit gegeben ist".[131]

Sieben Jahre nach Kriegsende sah das offizielle Österreich offenbar den „Zeitpunkt zu einer endgültigen Liquidierung der Vergangenheit" gekommen. Dies zeigte sich auch deutlich im Verhältnis zum Staat Israel.[132] Anläßlich eines Gesprächs des österreichischen Generalkonsuls in Tel Aviv, Karl Hartl, im Mai 1952 mit dem Direktor der westeuropäischen Abteilung des israelischen Außenamtes, Levavi, über die als Präambel des gerade abgeschlossenen Handels- und Kreditvertrags vorgesehene gegenseitige Freundschaftserklärung meinte der israelische Vertreter, „daß sich die Haltung Österreichs zu Israel in den letzten Wochen sehr versteift hätte. Er verstünde nicht, daß Österreich [...] solchen Wert auf das Simultane der Freundschaftsadressen lege" und beklagte sich dann,

„daß von seiten Österreichs sowohl das Kreditabkommen als auch die damit verbundene Freundschaftserklärung einfach als Routine-Angelegenheit betrachtet werden. Er versuchte zu unterstreichen, daß gerade im Verhältnis zwischen Österreich und Israel die Vorfälle der letzten Vergangenheit doch irgendwie in Betracht gezogen werden müssen."[133]

Für das Außenamt in Wien war der Versuch undiskutierbar,

„uns zu veranlassen, in diese Freundschaftserklärung einen Passus des Sinnes aufzunehmen, daß wir die Vorfälle der letzten Vergangenheit (Judenverfolgungen durch das Hitlerregime) bedauern und uns mit ihnen nicht identifizieren. Die Bundesrepublik Österreich, die selbst vom nationalsozialistischen Deutschland gewaltsam besetzt wurde, hat mit diesen Dingen nichts zu tun und es besteht kein Anlaß für uns, dies in einer Freundschaftserklärung noch besonders zu betonen."[134]

Der Ballhausplatz wollte keine Zwischenlösung und keine Bedingungen für die Normalisierung der diplomatischen Beziehungen zwischen Österreich und Israel akzeptieren. Daran änderte auch der Umstand nichts, daß Israel im September 1952 nach Abschluß der deutsch-israelischen Wiedergutmachungsverhandlungen in Luxemburg offiziell auf Forderungen an Österreich verzichtete[135] und im Dezember 1952 eine sehr freundliche Erklärung für Österreichs Unabhängigkeit vor der UNO abgab.[136]

Seit Herbst 1952 verstärkte sich jedoch der amerikanische Druck auf die österreichische Regierung, endlich mit den jüdischen Organisationen über die noch ungeregelten Fragen zu verhandeln. Mit Hinweis auf die Nationalratswahlen wurde zwar die Einladung noch bis ins Frühjahr 1953 verschoben, die Völkerrechtsabteilung des Außenamtes setzte jedoch vorbereitend die politisch von den Westalliierten längst akzeptierte „Opferdoktrin" in rechtliche Argumente um, die sich durch nichts von jenen des Jahres 1945 unterschieden.[137]

Österreich lehnte es daher ab, daß derartige Verhandlungen unter dem Titel „Wiedergutmachung" oder „Reparationen" laufen würden. Die im Juni 1953 beginnenden Verhandlungen mit dem 22 Organisationen umfassenden Committee for Jewish Claims on Austria[138] über „erbloses Vermögen" konnten angesichts des bereits fest verankerten Opferstatus und des israelischen Verzichts von Österreich aus einer „Position der Stärke" geführt werden. Das Claims Committee wollte von Österreich Geldzahlungen zur Hilfe für im Ausland lebende notleidende ehemalige österreichische Juden erreichen und strebte zweitens eine Verbesserung der österreichischen Gesetzgebung für Opfer der NS-Verfolgung an. Der gesamte Themenbereich war sehr komplex und umfaßte individuelle Rückstellungen von geraubtem Vermögen, Wertpapieren, Mietrechten, Pensionsrechten und Hilfeleistungen an Opfer, Alte, Gebrechliche und Bedürftige, Entschädigungsleistungen an die Israelitische Kultusgemeinde für zerstörte Friedhöfe, Synagogen, Thorarollen und andere religiöse Gegenstände sowie das erblose Vermögen.[139] Nach Berechnungen jüdischer Organisationen betrug der Wert des geraubten Eigentums und Vermögens rund 312 Millionen Dollar, unter Einrechnung der erlittenen Einkommensverluste sogar rund 1,2 Milliarden Dollar.[140] Angesichts dieser potentiell enormen Forderungen gegen die Republik Österreich vertrat Bundeskanzler Raab auch noch während der Verhandlungen den Standpunkt, Österreich wäre an den Maßnahmen gegen seine jüdische Bevölkerung weitgehend unschuldig gewesen.[141]

Die Verhandlungen mit dem Claims Committee wurden innenpolitisch von allen Parteien instrumentalisiert. So bot Adolf Schärf der ÖVP eine Einigung in der jüdischen Frage im Gegenzug für die Anerkennung der sozialistischen „Opfer des österreichischen Faschismus" der Jahre 1934 bis 1938 an,[142] während die rechtsgerichtete Presse die Verhandlungen bis zum Abschluß 1955 mit offen antisemitischen Kommentaren begleitete. Im Gegensatz zu den unmittelbaren Nachkriegsjahren traf der Antisemitismus nun die jüdischen „Emigranten", in deren Namen Forderungen an Österreich erhoben wurden. Es entstand das heute noch bestehende Gerücht, daß Juden in Österreich steuerfrei leben würden. Auch für das Scheitern der Staatsvertragsverhandlungen bei der Berliner Konferenz 1954 wurden sie verantwortlich gemacht. Man warf ihnen zudem vor, sie seien „unversöhnlich und rachsüchtig" und würden daher „die Bemühungen, ein Wiederaufleben des Rassenhasses zu verhindern, verunmöglichen".[143]

Trotz der bereits festen Verankerung der Opferdoktrin blieben die mehrmals unterbrochenen Verhandlungen des Claims Committee mit der Bundesregierung bis zum Abschluß des Staatsvertrages auch außenpolitisch ein zu beachtender Faktor. Besonders das State Department machte deutlich, daß ein zufriedenstellendes Ergebnis der Verhandlungen mit den jüdischen Organisationen die Ratifizierung des Staatsvertrages beeinflussen würde.[144] Der Staatsvertrag enthielt, wie bereits erwähnt, nur zwei Klauseln, die jüdische Interessen betrafen.[145] Im Juli 1955 einigte man sich auf eine einmalige Zahlung von 22 Millionen Dollar (rund 550 Millionen Schilling) über zwölf Jahre hinweg in einen Fonds. Ausgangspunkt der Verhandlungen waren 80 Millionen Dollar gewesen. Zudem sollte erbloser Besitz gesucht und an die Jüdische Kultusgemeinde zurückgestellt werden.[146]

6. Schlußstriche nach dem Staatsvertrag

Mit der Streichung der „Verantwortungs- bzw. Mittäterklausel" aus der Präambel und der Unterzeichnung des Staatsvertrages am 15. Mai 1955 wurde der Opferstatus der Zweiten Republik endgültig festgeschrieben, hatten auch die Sowjets die Opferthese anerkannt.[147] Da zwischen 1945 und 1955 verschiedene Gesetze zur „Entnazifizierung", Demokratisierung und Entschädigung von Opfern unter Druck der Alliierten erlassen worden waren, befürchtete die IKG nach Abschluß des Staatsvertrages deren Novellierung und Aufhebung. Ebenso wurde festgehalten, daß die Juden „infolge ihrer so geringen Zahl weder ein politischer noch ein wirtschaftlicher noch ein kultureller Faktor" seien:

„Die Juden in Österreich sind den politischen Parteien unbequem, da ja durch ihr bloßes Vorhandensein das von allen Parteien angestrebte ,gute' Verhältnis zu den ehemaligen oder auch unverbesserlichen Nationalsozialisten gestört wird."[148]

Dieses „gute" Verhältnis wurde durch eine Generalamnestie 1957, Wiedergutmachungszahlungen für „Opfer der Entnazifizierung", durch Sozialmaßnahmen für Kriegsopfer, Spätheimkehrer, volksdeutsche Flüchtlinge und Bombengeschädigte weiter gepflegt.[149] Als Folge der nationalen Versöhnung waren die meisten Täter schon zu Beginn der sechziger Jahre durch Amnestien längst rehabilitiert und in die österreichische Gesellschaft integriert: Als Adolf Eichmann in Argentinien festgenommen wurde, befand sich keiner seiner Mitarbeiter bzw. Untergebenen in Haft, und manche lebten noch immer in den Wohnungen, die sie während der Vertreibung der Wiener Juden bezogen hatten.[150]

Die während der alliierten Besatzung verabschiedeten Rückstellungsgesetze wurden, entgegen den Befürchtungen der IKG, nach 1955 nicht aufgehoben, sondern entsprechend

den weiteren Verhandlungsergebnissen mit den Alliierten
und dem Committee for Jewish Claims on Austria novelliert.
Weitere Erleichterungen für jüdische Überlebende im Ausland waren die Folge, in erster Linie regelte man die Frage
von Pensionsleistungen und Haftentschädigungen. Erst 1961
erweiterte die 12. Novelle den Kreis der Anspruchsberechtig-
ten auf Träger von Judensternen und auf Kinder, die zum
Abbruch ihrer Schulausbildung gezwungen worden waren.
Freiheitsbeschränkungen in alliierten Ländern wurden
ebenfalls entschädigt. Sogenannte „U-Boote", Rückkehrer
aus Mauritius, Karaganda und Shanghai und Überlebende
von Ghettos wurden erstmals miteinbezogen.[151]

Mit Nahum Goldmanns heftig kritisierter Verzichtserklä-
rung auf zukünftige Forderungen an Österreich war für das
offizielle Österreich 1961 das Problem der Entschädigung
jüdischer Opfer endgültig geregelt.[152] Nach offiziellen Angaben wendete die Republik zwischen 1946 und 1987 für Leistungen nach dem Opferfürsorgegesetz, das mehrheitlich
Nicht-Juden betraf, rund 6,4 Milliarden Schilling auf. Für
die als Ergebnis der Verhandlungen mit dem Claims Committee nach 1955 geschaffenen drei Hilfsfonds und das sogenannte Abgeltungsfondsgesetz stellte die österreichische
Bundesregierung insgesamt knapp 1,8 Milliarden Schilling
zur Verfügung, wobei sich jedoch gemäß dem Bad Kreuznacher Abkommen die Bundesrepublik Deutschland mit insgesamt 600 Millionen Schilling beteiligte.[153]

Die sich imposant anhörenden Summen sind angesichts
der Zahl der Opfer relativ gering. Trotz aller Kritik fällt der
Vergleich der Bestimmungen des Staatsvertrages und des
Abkommens zwischen Österreich und dem Committee for
Jewish Claims on Austria mit dem Abkommen zwischen der
Bundesrepublik Deutschland und der Conference on Jewish
Material Claims against Germany auf den ersten Blick günstig aus.[154] Da Österreich von allen Beteiligten offiziell als
befreites Land behandelt wurde und der Staat Israel in Anerkennung der Opferdoktrin auf Reparationsforderungen
verzichtet hatte, können nur die 120 Millionen Dollar, die die

Claims Conference bis 1964 von der Bundesrepublik für die
Unterstützung der jüdischen Opfer des Nationalsozialismus
erhielt, mit den 22 Millionen Dollar verglichen werden, die
Österreich zum gleichen Zweck mit dem Claims Committee
aushandelte. So gesehen scheint Österreich einen seiner Größe und Wirtschaftskraft entsprechenden Anteil geleistet zu
haben. Im Unterschied zur Bundesrepublik akzeptierte das
offizielle Österreich jedoch keine moralische Verpflichtung
zur Wiedergutmachung.[155] Mit Hilfe der Opferdoktrin erteilte die Republik Österreich sich und der überwältigenden
Mehrheit ihrer Bevölkerung die Generalabsolution.

Bis in die siebziger Jahre erfolgten weitere Versuche der
Justiz, die Schuldigen der NS-Verbrechen strafrechtlich zur
Verantwortung zu ziehen. Der international spektakulärste
Prozeß, jener gegen Adolf Eichmann in Jerusalem, wurde mit
dem Schuldspruch am 11. Dezember 1961 beendet. Nach Ab-
lehnung der Berufung wurde das Todesurteil am 31. Mai
1962 vollstreckt.[156] Wesentlich milder wurde mit Eichmanns
Helfern in Österreich verfahren. Die von antisemitischen Demonstrationen begleiteten Geschworenenprozesse gegen NS-
Verbrecher wie Franz Murer (1963), den Kommandanten des
Ghettos Vilna, gegen die Gebrüder Mauer (1966), die als
Mitglieder der SS an einem Massaker in Stanislau/Galizien
beteiligt gewesen waren, oder im gleichen Jahr gegen Eichmanns „Fahrdienstleiter" Franz Novak, endeten alle mit
Freisprüchen. Auch die beiden österreichischen SS-Offiziere,
die die Gaskammern in Auschwitz gebaut und repariert hatten, wurden freigesprochen. Nach letzten Freisprüchen in
zwei Auschwitzprozessen in Wien 1972 befaßte sich die Justiz nicht mehr mit dieser Thematik. Die noch ausständigen
Verfahren wurden eingestellt.[157] Von 1956 bis 1975 ergingen
durch Geschworenengerichte insgesamt 39 Urteile wegen
NS-Gewaltverbrechen, davon 18 Verurteilungen und 21 Frei-
sprüche. Von diesen 18 Verurteilungen betrafen nur zwei
Massenverbrechen im Rahmen der Endlösung der Judenfrage, 13 Tötungen von Juden im Osten durch Exzeßtaten, zwei
Tötungshandlungen bei Kriegsende in Österreich und Exzes-

se in einem Konzentrationslager. Drei Angeklagte wurden zu lebenslangem schwerem Kerker verurteilt, sechs zu zehn bis 18 Jahren.[158]

In dieses Klima von „Schlußstrichen" paßte Mitte der sechziger Jahre der Skandal um den ursprünglich katholischen und danach prominent nationalsozialistischen Historiker Taras Borodajkewycz, der in seinen Vorlesungen an der Hochschule für Welthandel in Wien offen antisemitische Ansichten vertrat. Bei Demonstrationen gegen und für ihn kam im Sommer 1965 der 67-jährige Antifaschist und ehemalige KZ-Häftling Ernst Kirchweger durch einen Studenten zu Tode.[159] Er blieb bis zum 5. Februar 1995, als vier burgenländische Roma in Oberwart bei einem Bombenanschlag getötet wurden, das einzige innenpolitische Todesopfer der Zweiten Republik.

Im Jahre 1966 erregte die Aussage des langjährigen sozialistischen Gewerkschaftspräsidenten und ehemaligen Innenministers Franz Olah, damals Führer der von ihm gegründeten Demokratisch Fortschrittlichen Partei[160], daß in der SPÖ die Juden versuchten, die Macht an sich zu reißen, internationales Aufsehen.[161] Bei einer Umfrage der „Sozialwissenschaftlichen Studiengesellschaft" sprachen sich im gleichen Jahr nur 39 Prozent der Befragten eindeutig gegen den Antisemitismus aus und verurteilten den Holocaust „als größte Schande unseres Jahrhunderts". Der Rest zeigte „deutliche Tendenzen zur Relativierung", und immerhin 10 Prozent schrieben „den Juden selbst die Schuld an ihrem Unglück" zu.[162]

Nach den Nationalratswahlen überreichte Simon Wiesenthal im Oktober 1966 ein „Schuld- und Sühne-Memorandum der österreichischen SS-Täter" an Bundeskanzler Josef Klaus, das die österreichische Verstrickung in den Holocaust illustrierte und massiv an Österreichs Opferrolle rührte.[163] Noch konnte Österreich diese Fiktion aufrechterhalten, das Memorandum wurde praktisch ignoriert. Als ein Jahr später der KZ-Kommandant Franz Stangl verhaftet wurde, fragte der damalige Obmann der FPÖ, Friedrich Peter, bei einer

Versammlung in Kärnten, „wer Simon Wiesenthal ermächtigt habe, auf österreichischem Boden seine Menschenjagd durchzuführen".[164]

7. Die Ära Kreisky: Das Ende der Debatte?

Im Nationalratswahlkampf 1970 setzte dann die ÖVP auf diesen unterschwelligen Antisemitismus, als sie ihren Spitzenkandidaten, Bundeskanzler Josef Klaus, der selbst als Funktionär der Deutschen Studentenschaft in den dreißiger Jahren antisemitisch agiert hatte,[165] auf Plakaten als „echten Österreicher" präsentierte – im Gegensatz zum sozialistischen Herausforderer Bruno Kreisky, der – implizit – eben kein „echter" Österreicher sei. Kreisky gewann trotzdem die Wahl und setzte in den siebziger Jahren einen gesellschaftlichen Reformprozeß in Gang, für dessen Durchführung er allerdings gravierende ideologische Zugeständnisse hinsichtlich des Umgangs mit dem Nationalsozialismus, bzw. latenter antisemitischer Vorurteile, in Richtung neuer Wählerschichten machte.[166]

Schon am Beginn seiner Regierungstätigkeit 1970/71 setzte Kreisky jene Signale, die dem seit Kriegsende mehr oder weniger erfolgreichen Konzept der „nationalen Versöhnung" zweifellos zum endgültigen Durchbruch verhelfen sollten: Ein jüdischer Bundeskanzler, der vier ehemalige Nazis in sein Kabinett berief, war der denkbar idealste Verteidiger der österreichischen Geschichtsinterpretation. Nach Wiesenthals Kritik an dieser Politik und Protesten aus dem Ausland beantragte die SPÖ auf ihrem Parteitag 1970 die Schließung von Wiesenthals Dokumentationszentrum, das der damalige SPÖ-Zentralsekretär und Unterrichtsminister Leopold Gratz als „Femegericht" bezeichnete.[167]

Sowohl Kreiskys Haltung gegenüber ehemaligen Nationalsozialisten als auch seine Nahostpolitik, insbesonders seine distanzierte und kritische Einstellung gegenüber Israel und sein Engagement für die Palästinenser, trugen nicht unwe

sentlich zum Erfolg der von ihm propagierten Öffnung der
SPÖ für breitere Wählerschichten bei. Damit befriedigte er
sowohl den Antisemitismus der Rechten als auch den Antizionismus der Linken. Besonders in den siebziger Jahren
vollführte Kreisky einen Balanceakt sondergleichen: Einerseits agierte er im Hintergrund als Vermittler im Nahen
Osten und leistete dabei auch Israel gute Dienste, so beim
Gefangenenaustausch, oder öffnete Österreich als Durch-
zugsland für tausende Juden aus der Sowjetunion auf ihrem
Weg nach Israel, andererseits wurde er in der Öffentlichkeit
als Freund der Palästinenser und scharfer Kritiker Israels
wahrgenommen. Nach dem Überfall eines arabischen Terror-
kommandos auf das Transitlager Schönau 1973 nahm Kreisky erstmals Kontakt zur PLO auf. Gerade seine spätere
Freundschaft zu Arafat und seine Überzeugung, daß ein
Nahostfriede nur durch Dialog und eine gerechte Behandlung der Interessen der Palästinenser zustande kommen
könne, ermöglichten – wenn auch in etwas anderer Form –
die Weiterführung des Flüchtlingstransits, ohne das Land
weiter der Gefahr massiver palästinensischer Terrorakte
auszusetzen.[168]

Auch innenpolitisch spielte der Bundeskanzler wiederholt
virtuos mit antisemitischen bzw. antizionistischen Vorurteilen. Kreisky war durch seine jüdische Abstammung, politische Verfolgung und Flucht vor den Nazis über jeden Verdacht erhaben. Es spricht manches dafür, daß seine Position
im Umgang mit Nationalsozialismus und Antisemitismus in
der Zweiten Republik von der – zweifellos richtigen – Einschätzung geleitet wurde, daß es in der österreichischen Bevölkerung latent vorhandene antisemitische Ressentiments
gab, denen aus Gründen des politischen Kalküls Rücksicht
entgegenzubringen war.

Kreisky ging aber noch einen Schritt weiter, denn – das
zeigt die sogenannte „Kreisky-Peter-Wiesenthal-Affäre" vom
Jahre 1975 deutlich – er schreckte auch nicht davor zurück,
selbst antisemitische Klischees zu verwenden, wenn er daraus politisches Kapital für sich und seine Partei gewinnen

konnte. Diese internationales Aufsehen erregende Auseinandersetzung während des Nationalratswahlkampfes im Herbst 1975 zwischen Kreisky und Simon Wiesenthal – wobei die Tatsache, daß es sich hier um zwei Juden handelte, eine nicht zu unterschätzende Rolle spielte – hatte langfristige Folgen für den Umgang mit Antisemitismus in Österreich. Wiesenthal ging mit einem Dossier über FPÖ-Obmann Friedrich Peter an die Öffentlichkeit, das diesen als Mitglied der 1. SS-Infanteriebrigade mit schlimmsten Kriegsverbrechen und Massenmorden im Hinterland der Ostfront in Zusammenhang brachte. Damit sollte eine von Kreisky geplante Kleine Koalition mit der FPÖ im Falle des Verlusts der absoluten Mehrheit der SPÖ unmöglich gemacht werden. Obwohl die SPÖ einen Überraschungssieg landete und daher an keine Rücksichten mehr gebunden war, stellte sich Kreisky nicht nur schützend vor Peter, sondern forderte pauschal, daß es nun „Zeit [sei], einen Schlußstrich unter die Vergangenheit zu ziehen". Im Zuge der von der nationalen und internationalen Presse stark beachteten Auseinandersetzung sprach er von einer „Mafia", der Wiesenthal angehöre und die ihn, Kreisky, zur Strecke bringen wolle, weil er seine Aufgabe nicht im Dienste Israels leiste. Zudem beschuldigte er Wiesenthal, ein Nazi-Kollaborateur gewesen zu sein und äußerte u. a. verächtlich: „Wenn die Juden ein Volk sind, so ist es ein mieses Volk."[169]

Wie schon bei seinen früheren Initiativen – dem „Schuld- und Sühne- Memorandum 1966 oder seinem Protest gegen Kreiskys Ernennung von vier ehemaligen Nationalsozialisten zu Ministern – blieb Wiesenthal auch hier ohne Unterstützung seitens der Israelitischen Kultusgemeinde, die befürchtete, daß sich der gegen ihn gerichtete Antisemitismus und sein „Rächerimage" gegen alle Juden richten könnte. Jüdische SPÖ-Anhänger sahen in Wiesenthal einen Agenten der ÖVP und in seiner Kritik an Kreisky eine ÖVP-Wahlhilfe.[170]

Aufgrund dieser öffentlich ausgetragenen Fehde mit Wiesenthal kommt Richard Mitten zum Schluß, daß Kreisky mitgeholfen habe, Antisemitismus in Österreich wieder „salonfä-

hig" zu machen,[171] wenngleich sich dieser bis Mitte der achtziger Jahre meist als Antizionismus, d. h. in Form von Kritik
am Staate Israel, manifestierte. Umfrageergebnisse zwischen 1973 und 1985 konstatierten jedoch ein deutliches Ab-
sinken sowohl „harter" wie auch „diffuser" antisemitischer
Vorurteile in Österreich, ein Trend, der sich infolge der
„Waldheim-Affäre" bis Anfang der neunziger Jahre allerdings
wieder umkehrte.[172]

8. Erosion der Opferthese oder modifizierte Staatsdoktrin?

Nach Kreiskys Rücktritt 1983 begann mit der Kleinen Koalition zwischen SPÖ und FPÖ ein neuer Abschnitt in der
Geschichte der Zweiten Republik: Das – unter Norbert Steger noch liberal geführte – rechte Lager wurde erstmals re-
gierungsfähig. Ein Indikator des völlig unsensiblen Umgangs
der FPÖ mit Österreichs NS-Vergangenheit war der berühmte Handschlag des damaligen FPÖ-Verteidigungsministers
Friedhelm Frischenschlager, mit dem er 1985 den aus italienischer Haft zurückkehrenden Kriegsverbrecher Walter Reder – ihm wurde die Ermordung von 1800 Menschen zu Last
gelegt – begrüßte.[173] Trotz einer öffentlichen Entschuldigung
von Bundeskanzler Sinowatz an die Adresse jüdischer Organisationen war dies der Anfang vom „Ende der Fiktion einer
bewältigten Vergangenheit".[174]
Im Zuge des Präsidentschaftswahlkampfes 1986 wurde die
„Lebenslüge der Republik", die bis dato so „erfolgreiche" Interpretation der eigenen Geschichte, zu Recht in Frage gestellt und massiv der Vorwurf erhoben, Österreich hätte sich
mit Hilfe einer Geschichtslüge bequem aus der Verantwortung gestohlen.[175]
Symbol für diese Einstellung war das Verhalten des späteren Bundespräsidenten Kurt Waldheim,[176] dessen Kandidatur sich bald zu einer internationalen Affäre entwickelte. Im
Zuge der „Waldheim-Affäre"[177] traten die latenten antisemitischen Vorurteile mit erschreckender Deutlichkeit erneut an

die Öffentlichkeit und wurden Teil der Auseinandersetzung zwischen den Anhängern und Gegnern Kurt Waldheims.[178]

Hinter der „Kampagne" gegen Waldheim sahen seine Verteidiger und Anhänger ganz im Sinne der gefälschten „Protokolle der Weisen von Zion"[179] eine internationale jüdische Verschwörung. Dieses alte antisemitische Klischee wurde durch die nicht immer geschickte Vorgangsweise und Drohungen einiger Vertreter des Jüdischen Weltkongresses sicherlich noch verstärkt. Zudem führten Waldheims Sympathisanten und Verteidiger in den österreichischen Medien sowohl die Berichterstattung der internationalen Presse als auch die Entscheidung des US-Justizministeriums, Präsident Waldheim – nur als Privatperson – auf die sogenannte „Watch-list" zu setzen und ihm damit eine Einreise in die USA zu verbieten, auf den weltweiten Einfluß „der Juden" zurück. Waldheim selbst instrumentalisierte Antisemitismus wenigstens nicht bewußt als Wahlkampfmittel, beklagte sich jedoch beispielsweise, daß der Jüdische Weltkongreß die internationale Presse beherrsche. Offene und unterschwellige antisemitische Äußerungen von Politikern und Medien des bürgerlichen Lagers polarisierten die Gesellschaft und begleiteten die weitere Entwicklung bis zum Gedenkjahr 1988.[180]

Ohne Zweifel kratzte diese Auseinandersetzung um Österreichs Vergangenheit gehörig am „Opfermythos" der Republik. Schon während der emotionalsten Phase meldeten sich auch besonnene Stimmen – als einer der ersten Kardinal Franz König – zu Wort, die sich vor allem gegen den offen hervortretenden Antisemitismus wandten. Im Gedenkjahr 1988 folgten dann Politiker beider Regierungsparteien mit ähnlichen Appellen.[181]

Zwar erklärte auch Bundespräsident Kurt Waldheim anläßlich des 50. Jahrestages des Anschlusses: „Es gab Österreicher, die Opfer, und andere, die Täter waren. Erwecken wir nicht den Eindruck, als hätten wir nichts damit zu tun."[182] Angesichts der vorangegangenen Ereignisse fehlte diesen Worten besonders im Ausland Überzeugungskraft. Die offizielle Opferdoktrin wurde trotzdem nicht revidiert.[183]

Das Jahr 1986 stellte noch eine weitere Zäsur dar: Parallel zur Auseinandersetzung um Österreichs Umgang mit seiner Vergangenheit profitierte Jörg Haider, und mit ihm die nationale Fraktion, von der damit verbundenen Polarisierung im Zuge des Präsidentschaftswahlkampfes und übernahm die Macht in der FPÖ. Unter seiner Führung verdoppelte die Partei bei der folgenden Nationalratswahl sofort ihren Stimmanteil. Mit einem rechtspopulistischen und fremdenfeindlichen Programm wuchs die Haider-Bewegung innerhalb von acht Jahren von einer Klein- zu einer Mittelpartei, die mit über 20 Prozent rund eine Million Wählerinnen und Wähler repräsentiert. Alter Rassismus – Juden als Feindbild – und neuer Rassismus – Ausländer als Feindbild – bilden bis heute einen ungeschriebenen Teil des Parteiprogramms.[184] Haiders Karriere ist seit Beginn von unzähligen verbalen Ausritten gegen Ausländer und zustimmenden Aussagen zur NS-Zeit gekennzeichnet.[185] Der rechtsextremistische und neonazistische Rand des politischen Spektrums in Österreich erfuhr in seinem Windschatten einen Aufschwung, wie die zunehmende Zahl von Strafverfahren wegen „NS-Wiederbetätigung" oder Leugnen des Holocaust – Stichwort „Auschwitzlüge"[186] – beweist.

Der Aufstieg der FPÖ zu einem echten Machtfaktor in der österreichischen Innenpolitik ist zweifellos auch mitverantwortlich für das Lavieren der beiden Regierungsparteien SPÖ und ÖVP in Fragen der NS-Vergangenheit – sei es beim Eingeständnis der österreichischen Mitschuld oder einer endgültigen Regelung noch ausstehender Entschädigungen an jüdische Opfer. Trotzdem meldeten sich 1991 zwei führende Politiker zu Österreichs Mittäterrolle zu Wort: Zuerst erklärte Vizekanzler Erhard Busek bei einer Gedenkveranstaltung in Mauthausen:

„Es fehlt in diesem Lande noch immer ein offenes Eingeständnis des auch von Österreichern begangenen Unrechts. Allzu rasch ist die Moskauer Deklaration von 1943 uminterpretiert worden, als seien wir nicht dabei gewesen."[187]

Im Juli 1991 folgte Bundeskanzler Franz Vranitzky mit einer Erklärung vor dem österreichischen Nationalrat, die zwar als längst fällige erste offizielle Kurskorrektur akzeptiert wurde, in der Substanz jedoch nur auf eine modifizierte Opferthese hinauslief: Das Einbekenntnis von schuldhaftem Verhalten einzelner Österreicher und moralischer Mitverantwortung bei gleichzeitigem Festhalten am Opferstatus der Republik.[188] Das war eine Sprachregelung, aus der sich keine finanziellen Verpflichtungen gegenüber den Opfern ableiten ließen.

Genau dieser neuen Sprachregelung folgte Vranitzky auch, als er im Juni 1993 als erster österreichischer Bundeskanzler den Staat Israel besuchte. Anläßlich seiner Rede an der Hebräischen Universität in Jerusalem legte er im Namen der österreichischen Bevölkerung ein „Bekenntnis zu all unseren Taten" ab und gestand eine „moralische Verantwortung" ein, „weil viele Österreicher den Anschluß begrüßten, das Naziregime unterstützten und bei seinem Funktionieren halfen".[189]

Bedeutungsvoll war der Bezugsrahmen, den der Bundeskanzler in seiner einleitenden Bemerkung, „einige bescheidene klärende Worte über Österreich und die dunklen Jahre zwischen 1934 und 1945 zu sagen",[190] herstellte: In alter sozialistischer Tradition – von Schärf bis Kreisky – dehnte er mit der Gleichsetzung von Austrofaschismus und NS-Herrschaft den Kreis der Opfer wieder aus. Erneut wurden, wie schon 1945, implizit das vergleichsweise harmlose Anhaltelager Wöllersdorf, in dem der Ständestaat Sozialisten und Nazis eingesperrt hatte, mit Auschwitz auf eine Stufe gestellt; die 65.000 planmäßig ermordeten österreichischen Juden in einem Atemzug mit den in Hitlers Angriffskriegen gefallenen Soldaten und zivilen Bombentoten genannt und somit qualitativ gleichgestellt und pauschal zusammengefaßt. Wie seine Vorgänger hütete sich auch Vranitzky vor einer grundsätzlichen Revision der seit 1945 gültigen Staatsdoktrin. Ob er damit „einen Schlußstrich unter schiefe Geschichtsbilder" gesetzt hat, „auf denen die österreichische Opferdoktrin nach dem 2. Weltkrieg aufbaute", und seine Rede als „offizielle Verabschiedung der Opferthese gesehen werden"[191] kann, ist mehr als zweifelhaft.

Angesichts der Ausführungen des Bundeskanzlers in Jerusalem stellte ein israelischer Bürger in einer Radiosendung die legitime Frage: „Was ist denn der Unterschied, in Schekel ausgedrückt, zwischen Schuld und Verantwortung?"[192] Immerhin setzte der Kanzlerbesuch eine innenpolitische Diskussion in Gang, die schließlich 1995 zur Schaffung des „Nationalfonds der Republik Österreich für Opfer des Nationalsozialismus" führte. Anspruchsberechtigt sind alle Kategorien von NS-Opfern – nicht nur jüdische. Immerhin werden nunmehr auch im Ausland lebende jüdische Opfer der NS-Verfolgung fünfzig Jahre nach Kriegsende eine späte finanzielle Zuwendung der Republik erhalten.[193] Nach Berechnungen der Israelitischen Kultusgemeinde Wien könnten, nach dem Stand von Mitte 1989, weltweit noch etwa 37.400 Juden österreichischer Herkunft, die dem NS-Terror ausgesetzt waren, von dieser Maßnahme Gebrauch machen, davon rund 2500 Personen, die als Remigranten wieder in Österreich leben.[194] Die große Mehrheit der knapp 130.000 nach 1938 aus Österreich Vertriebenen ist in der Zwischenzeit bereits verstorben.

Trotz der Schaffung des „Nationalfonds" fehlt bis heute die politische Reflexion über die negativen Folgen der Opferdoktrin der Zweiten Republik: Der „Opfermythos" führte neben einer Verdrängung der Mitverantwortung an den NS-Verbrechen zur Verweigerung einer gerechten Behandlung der jüdischen NS-Opfer, denen nicht nur eine angemessene materielle, sondern auch die erhoffte „moralische" Wiedergutmachung verwehrt wurde.[195] Durch die Aneignung eines Opferstatus für alle Österreicher wurden die österreichischen Juden gleich zweifach die „ersten Opfer der ersten Opfer": einmal zwischen 1938 und 1945 und dann wiederum in der Nachkriegszeit.

---

1 Vgl. zum Antisemitismus vor 1938 und zur Vorgeschichte des Holocaust (mit Literaturhinweisen) meinen Beitrag im Band 1.
2 Neben den im Literaturteil angeführten Publikationen und den entsprechenden Abschnitten zu den einzelnen Bundesländern in den Bänden der

Reihe „Widerstand und Verfolgung", hrsg. v. Dokumentationsarchiv des österreichischen Widerstandes, vgl. bes. Michael John, Die jüdische Bevölkerung in Linz und ihre Ausschaltung aus dem öffentlichen Leben und Wirtschaft 1938–1945, in: *Historisches Jahrbuch der Stadt Linz*, Linz 1991, S. 111–168.

3 Gerhard Botz, Wohnungspolitik und Judendeportation in Wien 1938 bis 1945. Zur Funktion des Antisemitismus als Ersatz nationalsozialistischer Sozialpolitik, Wien – Salzburg 1975; ders., Nationalsozialismus in Wien. Machtübernahme und Herrschaftssicherung 1938/39, 3. veränderte Aufl., Buchloe 1988.

4 Gabriele Anderl, Die „Zentralstelle für jüdische Auswanderung" in Wien, Berlin und Prag – ein Vergleich, in: *Tel Aviver Jahrbuch für deutsche Geschichte*, Bd. XXIII (1994), S. 275–299.

5 Über 30.000 fanden in Großbritannien, etwa 28.000 in den USA und rund 9000 in Palästina Zuflucht, Vgl. Bruce F. Pauley, Eine Geschichte des österreichischen Antisemitismus. Von der Ausgrenzung zur Auslöschung, Wien 1993, S. 355 f.

6 Gabriele Anderl/Walter Manoschek, Gescheiterte Flucht. Der jüdische „Kladovo-Transport" auf dem Weg nach Palästina 1939–1942, Wien 1993.

7 Grundlegend für die Geschichte der Juden in Österreich während der NS-Zeit immer noch Herbert Rosenkranz, Verfolgung und Selbstbehauptung. Die Juden in Österreich 1938–1945, Wien – München 1978; zur „Endlösung" vgl. umfassend Raul Hilberg, Die Vernichtung der europäischen Juden. Die Gesamtgeschichte des Holocaust, 3 Bde, Frankfurt/M. 1990; weiters Götz Aly, „Endlösung". Völkerverschiebung und Mord an den europäischen Juden, Frankfurt/M. 1995.

8 Peter R. Black, Ernst Kaltenbrunner. Vasall Himmlers: eine SS Karriere, Paderborn – Wien 1991 [engl. Originaltitel: Ernst Kaltenbrunner: Ideological Soldier of the Third Reich, Princeton 1984].

9 Yitzhak Arad, Belzec, Sobibor, Treblinka. The Operation Reinhard Death Camps, Indiana 1987.

10 Interview mit Simon Wiesenthal, 20. 8. 1987, in: Elfriede Schmidt (Hrsg.), 1938 ... und was dann? Fragen und Reaktionen, Thaur 1988, S. 234.

11 Dazu die Filmdokumentation der israelischen Nitzan Aviram Productions, „Healing by Killing", die sich u. a. mit Eberls Rolle als Euthanasiearzt und später als Lagerkommandant befaßt.

12 Gitta Sereny, Am Abgrund. Gespräche mit dem Henker: Franz Stangl und die Morde von Treblinka, überarbeitete Neuausgabe, München 1995 [engl. Originaltitel: Into the Darkness, London 1974].

13 Kurt Pätzold/Erika Schwarz, „Auschwitz war für mich nur ein Bahnhof". Franz Novak – der Transportoffizier Adolf Eichmanns, Berlin 1994.

14 Zu den österreichischen Tätern vgl. Hans Safrian, Die Eichmann-Männer, Wien – Zürich 1993 [im Fischer Taschenbuchverlag unter dem Titel: Eichmann und seine Gehilfen, Frankfurt/M. 1995].

15 Walter Manoschek/Hans Safrian, Österreicher in der Wehrmacht, in: Emmerich Tálos/Ernst Hanisch/Wolfgang Neugebauer (Hrsg.), NS-Herrschaft in Österreich 1938–1945 (Österreichische Texte zur Gesellschaftskritik 36), Wien 1988, S. 331–360; weiters Walter Manoschek, „Serbien ist judenfrei!". Militärische Besatzungspolitik und die Ermordung der

Juden in Serbien 1941/42 (Schriftenreihe des Militärgeschichtlichen Forschungsamtes Freiburg 38), München 1993.

16 Zur Geschichte der Einsatzgruppen vgl. Helmut Krausnick, Hitlers Einsatzgruppen. Die Truppen des Weltanschauungskrieges 1938–1942, Stuttgart 1985; zu den „Tätigkeitsberichten" der Einsatzgruppen vgl. Ronald Headland, Messages of Murder. A Study of the Reports of the Einsatzgruppen of the Security Police and the Security Service, 1941–1943, London – Toronto 1992.

17 Gerhard Botz, Stufen der Ausgliederung der Juden aus der Gesellschaft. Die österreichischen Juden vom „Anschluß" zum „Holocaust", in: *Zeitgeschichte* 14 (1987), Heft 9/10, S. 359–387, hier S. 374.

18 Gabriele Anderl, Emigration und Vertreibung, in: Erika Weinzierl/Otto D. Kulka (Hrsg.), Vertreibung und Neubeginn. Israelische Bürger österreichischer Herkunft, Wien – Köln – Weimar 1992, S. 167–337.

19 Zur Ghettoisierung in Wien vgl. Botz, Wohnungspolitik, S. 66–78; zur ausländischen Unterstützung vgl. Yehuda Bauer, American Jewry and the Holocaust. The American Jewish Joint Distribution Committee, 1939–1945, Detroit 1981, bes. S. 17–66.

20 Zu den geplanten Wiener Lagern Botz, Wohnungspolitik, S. 89–103.

21 Zum Forschungsstand in Österreich (mit Literaturangaben) vgl. Wolfgang Neugebauer, Zwangssterilisierung und „Euthanasie" in Österreich 1940–1945, in: *Zeitgeschichte* 19 (1992), Heft 1/2, S. 17–28; als filmische Aufarbeitung „T 4 Hartheim 1" von Johannes Neuhauser, Egon Huber und Andreas Gruber (1988); zur Euthanasie generell Ernst Klee, „Euthanasie" im NS-Staat. Die „Vernichtung lebensunwerten Lebens", Frankfurt/M. 1983.

22 Botz, Stufen der Ausgliederung, S. 369.

23 Zit. n. Peter Longerich (Hrsg.), Die Ermordung der europäischen Juden. Eine umfassende Dokumentation des Holocaust 1941–1945, München – Zürich 1989, S. 52 f.

24 Zu Nisko vgl. Jonny Moser, Nisko: The First Experiment in Deportation, in: *Simon Wiesenthal Annual* 2 (1985), S. 1–30; Safrian, Eichmann-Männer, S. 80 f.

25 Zit. n. Safrian, Eichmann-Männer, S. 95.

26 Zum Madagaskar-Plan vgl. Aly, „Endlösung", S. 139–160.

27 Zu den Plänen vgl. Aly, „Endlösung", S. 255 f.; Hilberg, Vernichtung der europäischen Juden, Bd. 2, S. 460; Botz, Stufen der Ausgliederung, S. 372.

28 Zit. n. Kurt Pätzold (Hrsg.), Verfolgung, Vertreibung, Vernichtung. Dokumente des faschistischen Antisemitismus 1933 bis 1942, Leipzig 1984, S. 253; weiters Aly, „Endlösung", S. 181 ff.

29 Zur Altersstruktur und sozialen Lage der Juden in Wien vgl. Botz, Wohnungspolitik, S. 69–72.

30 Zu diesen Maßnahmen Pauley, Geschichte des Antisemitismus, S. 351 f.

31 Botz, Stufen der Ausgliederung, S. 371 f.

32 Erika Weinzierl, Prüfstand. Österreichs Katholiken und der Nationalsozialismus, Mödling 1988, S. 241.

33 Zur Hilfe für „nichtarische Katholiken" vgl. ebd., S. 265–276.

34 Dazu kurz Rolf Steininger, Katholische Kirche und NS-Judenpolitik, in: *Zeitschrift für katholische Theologie* 114 (1992), Heft 2, S. 166–179.

35 Zit. n. Walter Sauer, Österreichische Kirchen 1938–1945, in: Tálos/Hanisch/Neugebauer (Hrsg.), NS-Herrschaft in Österreich 1938–1945, S. 517–536, hier S. 529.

36 Für eine kurze Zusammenfassung der Deportationen vgl. Florian Freund/Hans Safrian, Vertreibung und Ermordung. Zum Schicksal der österreichischen Juden 1938–1945. Das Projekt „Namentliche Erfassung der österreichischen Holocaustopfer", hrsg. v. Dokumentationsarchiv des österreichischen Widerstandes, Wien 1993, hier S. 17–21; Details zu einzelnen Transporten bei Jonny Moser, Österreich, in: Wolfgang Benz (Hrsg.), Dimension des Völkermords. Die Zahl der jüdischen Opfer des Nationalsozialismus, München 1991, S. 67–93, bes. S. 76–93, hier S. 76 f.

37 Aly, „Endlösung", S. 229–236.

38 Botz, Stufen der Ausgliederung, S. 373.

39 Zum Ablauf der „Aushebungen" und der Deportation vgl. Rosenkranz, Verfolgung, S. 297–300.

40 Folgende Varianten von Mischehen waren „privilegiert": 1. jüdische Frau – deutscher Mann, Kinder nicht im jüdischen Glauben erzogen oder kinderlos; 2. jüdischer Mann – deutsche Frau, Kinder nicht im jüdischen Glauben erzogen; alle anderen Varianten waren nicht privilegiert. Zu dieser seit Ende 1938 gültigen Einstufung vgl. Hilberg, Vernichtung, Bd. 1, S. 177 f.; Rosenkranz, Verfolgung, S. 283.

41 Aly, Endlösung, S. 351–353.

42 Mathias Beer, Die Entwicklung der Gaswagen beim Mord an den Juden, in: *Vierteljahrshefte für Zeitgeschichte* 35 (1987), Heft 3, S. 403–417.

43 Aly, „Endlösung", S. 398 f.

44 Zur Wannsee-Konferenz vgl. Kurt Pätzold, Die Teilnehmer der Wannsee-Konferenz. Überlegungen zu den fünfzehn Täterbiographien, in: *Zeitgeschichte* 19 (1992), Heft 1/2, S. 1–16; weiters Ders./Erika Schwarz, Tagesordnung Judenmord. Die Wannsee-Konferenz am 20. Januar 1942, Berlin 1992; zur dort diskutierten Frage der „Mischlinge" bzw. Juden in Mischehe vgl. Hilberg, Vernichtung, Bd. 2, S. 436–449.

45 Hilberg, Vernichtung, Bd. 2, S. 479.

46 Zum Schicksal der österreichischen Sinti und Roma vgl. Erika Thurner, Nationalsozialismus und Zigeuner in Österreich (Veröffentlichungen zur Zeitgeschichte 2), Wien – Salzburg 1983; Dies., Kurzgeschichte des nationalsozialistischen Zigeunerlagers in Lackenbach 1940 bis 1945, Eisenstadt 1984.

47 Zur Geschichte des Ghettos in Lodz vgl. Florian Freund/Bertrand Perz/Karl Stuhlpfarrer, Das Getto in Litzmannstadt (Lodz), in: „Unser einziger Weg ist Arbeit". Das Getto in Lodz 1940–1944, Katalog zur gleichnamigen Ausstellung des Jüdischen Museums in Frankfurt/Main, Wien 1990, S. 17–31, Farbbilder aus dem Ghetto ebd., S. 66–142; Freund/Safrian, Vertreibung und Ermordung, S. 21 f.; zur Opferstatistik vgl. Moser, Österreich, S. 72.

48 Namensliste der Überlebenden im Anhang des Buches von Gertrude Schneider, Journey into Terror. Story of the Riga Ghetto, New York 1979; von knapp 5200 aus Wien nach Riga Deportierten überlebten 102, vgl. Moser, Österreich, S. 72.

49 Freund/Safrian, Vertreibung und Ermordung, S. 32 ff.; Moser, Österreich, S. 76 f.

50 Zu den Massenmorden an österreichischen Juden in Minsk/Maly Trostinec vgl. Freund/Safrian, Vertreibung und Ermordung, S. 26–32; Moser, Österreich, S. 78.

51 Details zu den Deportationstransporten nach Theresienstadt bzw. aus dem Ghetto in die Vernichtungslager bei Moser, Österreich, S. 80–85; zu den Namen der Opfer vgl. Totenbuch Theresienstadt. Damit sie nicht vergessen werden, hrsg. v. Mary Steinhauser und dem Dokumentationsarchiv des österreichischen Widerstandes, Wien 1987[2].

52 Michael Wortmann, Baldur von Schirach. Hitlers Jugendführer, Köln 1982, S. 212.

53 Rosenkranz, Verfolgung, S. 289, 295 und 310.

54 Zum „Ältestenrat" bzw. zur Auseinandersetzung nach 1945 mit dem Problem der jüdischen Kollaboration, der „Entnazifizierung" in der Israelitischen Kultusgemeinde, vgl. Helga Embacher, Neubeginn ohne Illusionen. Juden in Österreich nach 1945, Wien 1995, S. 30–37.

55 Weinzierl, Prüfstand, S. 252 f.

56 Zu den Deportierungs- und Einzeltransporten aus Österreich nach Auschwitz vgl. Moser, Österreich, S. 86 f., zu Theresienstadt 1943/44 ebd., S. 81 f.

57 Etwa 3400 in „privilegierter Mischehe", rund 1350 in „nichtprivilegierter Mischehe" und über 1000 „Geltungsjuden", vgl. Rosenkranz, Verfolgung, S. 310.

58 Gordon J. Horwitz, In the Shadow of Death. Living Outside the Gates of Mauthausen, New York 1990, zu den Nebenlagern vgl. Florian Freund/Bertrand Perz, Das KZ in der „Serbenhalle". Zur Kriegsindustrie in Wiener Neustadt, Wien 1987; Florian Freund, Arbeitslager Zement. Das Konzentrationslager Ebensee und die Raketenrüstung, Wien 1991[2]; Bertrand Perz, Projekt Quarz. Steyr-Daimler-Puch und das Konzentrationslager Melk, Wien 1991.

59 Zur „Mühlviertler Hasenjagd" vgl. Hans Marsalek, Die Geschichte des Konzentrationslagers Mauthausen, Wien 1980[2], bes. S. 255–263; Horwitz, In the Shadow of Death, S. 124–143; eine filmische Aufarbeitung „Hasenjagd. Vor lauter Feigheit gibt es kein Erbarmen" (1994) erfolgte durch Andreas Gruber.

60 Zu den Todesmärschen in Österreich u. a. Benedikt Friedman, „Iwan hau die Juden!". Die Todesmärsche ungarischer Juden durch Österreich nach Mauthausen im April 1945 (Augenzeugen berichten. Schriftenreihe des Instituts für Geschichte der Juden in Österreich 1), St. Pölten 1989; weiters Horwitz, In the Shadow of Death, S. 144–163; als Filmdokumentation vgl. „Totschweigen" (1994) von Margareta Heinrich und Eduard Erne.

61 Zur Opferbilanz vgl. Moser, Österreich, S. 72–75.

62 C. Gwyn Moser, Jewish U-Boote in Austria, 1938–1945, in: Simon Wiesenthal Center Annual 2 (1985), S. 53–62; daneben wurden auch einige ausländische Juden in Österreich versteckt, so in Tirol ein Mann und drei Frauen aus Berlin, vgl. Martin Achrainer, In Tirol überlebt. Vier jüdische „U-Boote" 1943–1945, erscheint in: Tiroler Heimat, Bd. 60, Innsbruck 1996, S. 159–184.

63 Zur Hilfe für Verfolgte vgl. Erika Weinzierl, Zu wenig Gerechte. Österreicher und Judenverfolgung 1938–1945, Graz 1969 (3. verb. Auflage 1986).

64 Dazu kurz Ernst Hanisch, Der lange Schatten des Staates. Österreichische Gesellschaftsgeschichte im 20. Jahrhundert, Wien 1994, S. 395–398.

65 Walter Manoschek, „Aus der Asche dieses Krieges wieder auferstanden". Skizzen zum Umgang der Österreichischen Volkspartei mit Nationalsozialismus und Antisemitismus nach 1945, in: Werner Bergmann/Rainer Erb/Albert Lichtblau (Hrsg.), Schwieriges Erbe. Der Umgang mit Nationalsozialismus und Antisemitismus in Österreich, der DDR und der Bundesrepublik Deutschland (Schriftenreihe des Zentrums für Antisemitismusforschung Berlin 3), Frankfurt – New York 1995, S. 52, 54 und 59.

66 Richard Mitten, „Die Sühne ... möglichst billig zu gestalten". Die sozialdemokratische „Bearbeitung" des Nationalsozialismus und des Antisemitismus in Österreich, in: ebd., S. 102–119, hier S. 104.

67 Oliver Rathkolb, Zur Kontinuität antisemitischer und rassistischer Vorurteile in Österreich 1945/1950, in: Zeitgeschichte 16 (1989), Heft 5, S. 167–179, hier S. 172.

68 Margit Reiter, Zwischen Antifaschismus und Patriotismus. Die Haltung der KPÖ zum Nationalsozialismus, Antisemitismus und Holocaust, in: Bergmann/Erb/Lichtblau (Hrsg.), Schwieriges Erbe, S. 176–193, hier S. 179, 185 und 189 f.

69 Robert Knight, „Ich bin dafür, die Sache in die Länge zu ziehen". Die Wortprotokolle der österreichischen Bundesregierung von 1945–52 über die Entschädigung der Juden, Frankfurt/M. 1988; Brigitte Bailer, Wiedergutmachung – kein Thema. Österreich und die Opfer des Nationalsozialismus, Wien 1993; weiters kurz Embacher, Neubeginn ohne Illusionen, S. 133–149.

70 Richard Mitten, Die „Judenfrage" im Nachkriegsösterreich. Probleme der Forschung, in: Zeitgeschichte 19 (1992), Heft 11/12, S. 356–367, hier S. 357; kritisch zum österreichisch-jüdischen Verhältnis Ruth Beckermann, Unzugehörig. Österreicher und Juden nach 1945, Wien 1989.

71 Thomas Albrich, „Es gibt keine jüdische Frage". Zur Aufrechterhaltung des österreichischen Opfermythos, in: Rolf Steininger (Hrsg.), unter Mitarbeit von Ingrid Böhler, Der Umgang mit dem Holocaust. Europa – USA – Israel (Schriften des Instituts für Zeitgeschichte der Universität Innsbruck und des Jüdischen Museums Hohenems 1), Wien – Köln – Weimar 1994, S. 147–166.

72 Zur Analyse und Bekämpfung gegenwärtiger antisemitischer Einstellungen kurz Rainer Erb, Hat der Antisemitismus in Deutschland nach der Wende eine neue Dynamik bekommen?, in: Ingrid Böhler/Rolf Steininger (Hrsg.), Österreichischer Zeitgeschichtetag 1993. 24. bis 27. Mai 1993 in Innsbruck, Innsbruck – Wien 1995, S. 287–297, hier S. 287.

73 Englischer Originaltext und deutsche Übersetzung abgedruckt bei Gerald Stourzh, Geschichte des Staatsvertrages 1945–1955. Österreichs Weg zur Neutralität (Studienausgabe), Graz – Wien – Köln 1985³, S. 214.

74 Manfried Rauchensteiner, Die Zwei. Die Große Koalition in Österreich 1945–1966, Wien 1987, S. 41 f.

75 Dazu zuletzt Günter Bischof, Die Instrumentalisierung der Moskauer Erklärung nach dem 2. Weltkrieg, in: Zeitgeschichte 20 (1993), Heft 11/12, S. 345–366.

76 Zur offiziellen Verankerung der Okkupationstheorie unmittelbar nach Kriegsende vgl. bes. Stephan Verosta, Die Internationale Stellung Österreichs. Eine Sammlung von Erklärungen und Verträgen aus den Jahren 1938 bis 1945, Wien 1947.

77 Zu den unterschiedlichen Interpretationsansätzen der Moskauer Deklaration vgl. die Beiträge von Robert Keyserlingk und Günter Bischof in diesem Band.

78 Stourzh, Staatsvertrag, S. 214.

79 Zur österreichischen Kultur des Vergessens und Verdrängens vgl. Meinrad Ziegler/Waltraud Kannonier-Finster, Österreichisches Gedächtnis. Über Erinnern und Vergessen der NS-Vergangenheit, Wien – Köln – Weimar 1993.

80 Robert G. Knight, Besiegt oder befreit? Eine völkerrechtliche Frage historisch betrachtet, in: Günter Bischof/Josef Leidenfrost (Hrsg.), Die bevormundete Nation. Österreich und die Alliierten 1945–1949 (Innsbrucker Forschungen zur Zeitgeschichte 4), Innsbruck 1988, S. 75–92, hier S. 77.

81 Zit. n. Reinhold Wagnleitner (Hrsg.), Understanding Austria. The Political Reports and Analyses of Martin F. Herz, Political Officer of the US Legation in Vienna 1945–1948 (Quellen zur Geschichte des 19. und 20. Jahrhunderts 4), Salzburg 1984, S. 132.

82 Zur These von 17 Jahren Okkupation vgl. Edwin Loebenstein, 40 Jahre Republik Österreich – 30 Jahre Staatsvertrag, in: Anton Pelinka/Rolf Steininger (Hrsg.), Österreich und die Sieger: 40 Jahre 2. Republik – 30 Jahre Staatsvertrag, Wien 1986, S. 131–150.

83 Robert Knight, 'Neutrality' Not Sympathy: Jews in Post-War Austria, in: Robert S. Wistrich (Hrsg.), Austrians and Jews in the Twentieth Century. From Franz Joseph to Waldheim, New York 1992, S. 220–233, hier S. 225.

84 Anhang, Dokument 1.

85 Zur Rückkehr generell F[riederike] Wilder-Okladek, The Return Movement of Jews to Austria after the 2nd World War. With special consideration of the return from Israel (Publications of the Research Group for European Migration Problems 16), Den Haag 1969.

86 Zu den jüdischen DPs vgl. Thomas Albrich, Exodus durch Österreich. Die jüdischen Flüchtlinge 1945–1948 (Innsbrucker Forschungen zur Zeitgeschichte 1), Innsbruck 1987.

87 Zu den Vorstellungen und Interessen der Vertriebenen vgl. Thomas Albrich, Österreichs jüdisch-nationale und zionistische Emigration: Holocaust und Nachkriegsplanung 1942–1945, in: Zeitgeschichte 18 (1991), Heft 7/8, S. 183–197.

88 Bailer, Wiedergutmachung – kein Thema, S. 143.

89 Embacher, Neubeginn ohne Illusionen, S. 105.

90 Helge Grabitz, Die Verfolgung von NS-Verbrechen in der Bundesrepublik Deutschland, der DDR und Österreich, in: Steininger (Hrsg.), Der Umgang mit dem Holocaust, S. 198–220, hier S. 199–202 sowie zu den Prozessen in Österreich S. 215–220; genaue Statistiken in der Dokumentation: Volksgerichtsbarkeit und Verfolgung von nationalsozialistischen Gewaltverbrechen in Österreich, hrsg. v. Bundesministerium für Justiz, Wien 1977.

91 PALCOR, Bulletin, 20. 2. 1946.

92 Richard Crossman, Palestine Mission. A Personal Record, London 1946, S. 100.

93 *Arbeiter-Zeitung*, 27. 3. 1946.

94 Knight, 'Neutrality', S. 222.

95 Bernd Marin, Nachwirkungen des Nazismus. Ein Reproduktionsmodell kollektiver Mentalität, in: John Bunzl/Bernd Marin, Antisemitismus in Österreich. Sozialhistorische und soziologische Wurzeln (Vergleichende Gesellschaftsgeschichte und politische Ideengeschichte der Neuzeit 3), Innsbruck 1983, S. 197.

96 Embacher, Neubeginn ohne Illusionen, S. 103.

97 Robert Knight, Kalter Krieg, Entnazifizierung und Österreich, in: Sebastian Meissl/Klaus-Dieter Mulley/Oliver Rathkolb (Hrsg.), Verdrängte Schuld, verfehlte Sühne. Entnazifizierung in Österreich 1945 bis 1955, Wien 1986, S. 39 f.

98 ACA (BE), Telegramm an CONFOLK, 29. 5. 1946. Public Record Office, London (PRO), FO 945/589/278 A.

99 Albrich, Exodus durch Österreich, S. 180 ff.

100 Margit Reiter, „In unser aller Herzen brennt dieses Urteil." Der Bad Ischler „Milch-Prozeß" von 1947 vor dem amerikanischen Militärgericht, in: Michael Gehler/Hubert Sickinger (Hrsg.), Politische Affären und Skandale in Österreich. Von Mayerling bis Waldheim, Thaur – Wien – München 1995, 1996², S. 323–345; zur Sicht der Besatzungsmacht vgl. Kurt Tweraser, Military Justice as an Instrument of American Occupation Policy in Austria 1945–1950: From Total Control to Limited Tutelage, in: *Austrian History Yearbook* Volume XXIV (1993), S. 153–178.

101 Crossman, Palestine Mission, S. 102 f.; übersetzt bei Knight, „Ich bin dafür, die Sache in die Länge zu ziehen", S. 60 f.

102 Bunzl/Marin, Antisemitismus, Anhang IMAS 1973.

103 Zit. n. Embacher, Neubeginn ohne Illusionen, S. 126.

104 Knight, 'Neutrality', S. 221 f.

105 Wagnleitner, Understanding Austria, S. 86.

106 *Der Aufbau*, 16. 4. 1946. Bestätigung des Sachverhaltes im Bericht der Generaldirektion für die öffentliche Sicherheit an Generalsekretär Wildner, Bundeskanzleramt, Auswärtige Angelegenheiten, 26. 9. 1946. Österreichisches Staatsarchiv, Wien (ÖStA), Archiv der Republik (AdR), BKA/AA, Sekt II Pol.-1946, GZ. 111.844-pol/46. Kunschak hielt diese Rede am 14. 9. 1945.

107 Zu privaten antisemitischen Äußerungen Helmers vgl. Bruno Kreisky, Zwischen den Zeiten. Erinnerungen aus fünf Jahrzehnten, Berlin 1986, S. 427.

108 Albrich, Exodus durch Österreich, S. 189 f.

109 Bischof, Die Instrumentalisierung der Moskauer Erklärung, S. 356 ff., hier S. 358.

110 Zur Entwicklung der Rückstellungsgesetzgebung vgl. die kurze Zusammenfassung von Brigitte Bailer, „Ohne den Staat weiter damit zu belasten ...". Bemerkungen zur österreichischen Rückstellungsgesetzgebung, in: *Zeitgeschichte* 20 (1993), Heft 11/12, S. 367–381.

111 Erstmals vom WJC, 10. 4. 1944. American Jewish Archives, Cincinnati (AJA), WJC H46/Austria.

112 Thomas Albrich, Die jüdischen Organisationen und der österreichische

Staatsvertrag 1947, in: Bericht über den achtzehnten Österreichischen Historikertag in Linz, veranstaltet vom Verband Österreichischer Geschichtsvereine in der Zeit vom 24. bis 29. September 1990 (Veröffentlichungen des Verbandes Österreichischer Geschichtsvereine 27), Wien 1991, S. 97–101.

113 Manoschek, Aus der Asche dieses Krieges, S. 55.

114 Karl Gruber, Zwischen Befreiung und Freiheit, Wien 1953, S. 112–125; Stourzh, Staatsvertrag, S. 21.

115 Dean an Wise, 21. 2. 1947. AJA, WJC H 43/Peace Treaty 1946–49.

116 Comments and Proposals Respecting the Treaty with Austria. Submitted to the Council of Foreign Ministers by Agudas Israel World Organization, World Jewish Congress, Alliance Israelite Universelle, American Jewish Committee, American Jewish Conference, Anglo-Jewish Association, Board of Deputies of British Jews, Conseil Représentatif des Juifs de France, Council of Jews from Germany, Federation of Jews from Austria, South African Jewish Board of Deputies, 10. 9. 1947. Central Zionist Archives, Jerusalem (CZA), C 7/348.

117 Zu diesem Themenbereich vgl. Thomas Albrich, Jewish Interests and the Austrian State Treaty, in: Austria in the New Europe (*Contemporary Austrian Studies* Vol. 1), hrsg. von Günter Bischof u. Anton Pelinka, New Brunswick – London 1992, S. 137–164.

118 Michael Gehler, (Hrsg.), Karl Gruber. Reden und Dokumente, Wien – Köln – Weimar 1994, S. 14.

119 Dieter Stiefel, Nazifizierung + Entnazifizierung = 0? Bemerkungen zur besonderen Problematik der Entnazifizierung in Österreich, in: Verdrängte Schuld – verfehlte Sühne, S. 33.

120 Thomas Albrich, Die Linken für die Rechten: Labour Party, SPÖ und die „Vierte" Partei 1948/49, in: *Tel Aviver Jahrbuch für Deutsche Geschichte* (1990), Bd. XIX, hrsg. im Auftrag des Instituts für Deutsche Geschichte von Shulamit Volkov und Frank Stern, Gerlingen 1990, S. 383–411.

121 Rauchensteiner, Die Zwei, S. 134.

122 Embacher, Neubeginn ohne Illusionen, S. 130 f.

123 Ebd., S. 110 f.

124 Zur Entstehungsgeschichte der Gedenkstätte Gottfried Fliedl/Florian Freund/Eduard Fuchs/Bertrand Perz, Gutachten über die zukünftige Entwicklung der Gedenkstätte Mauthausen, Wien 1991, S. 10; zur Pressekampagne S. 10–14.

125 *Kleines Volksblatt*, 10. 5. 1949.

126 Vgl. Albrich, Jewish Interests and Austrian State Treaty, S. 154–157.

127 Dean Acheson, Directive for the U.S. High Commissioner for Austria, 1. 11. 1950. Foreign Relations of the United States (FRUS) 1950, Bd. IV, S. 416–423, hier S. 416.

128 Brigitte Bailer, Gleiches Recht für alle? Die Behandlung von Opfern und Tätern des Nationalsozialismus durch die Republik Österreich, in: Steininger (Hrsg.), Der Umgang mit dem Holocaust, S. 183–197.

129 *Archiv der Gegenwart*, 29. 7. 1952, 3583 B.

130 Albrich, Jewish Interests and Austrian State Treaty, S. 154 f.

131 *Archiv der Gegenwart*, 11. 8. 1952, 3603 B.

132 Kurz dazu Helga Embacher/Margit Reiter, Die 2. Republik und ihr

Umgang mit der NS-Vergangenheit am Beispiel der Beziehungen zwischen Österreich und Israel, in: *Österreichische Zeitschrift für Politikwissenschaft* 24 (1995), Heft 1, S. 53–69.

133 Karl Hartl an Bundeskanzleramt, Auswärtige Angelegenheiten, 26. 5. 1952. ÖStA, AdR, BKA/AA, II Pol, Israel 2, 12-RES/52, Zl. 151.976 (GZ. 146.350).

134 Bundeskanzleramt, Auswärtige Angelegenheiten, an Karl Hartl, 17. 6. 1952. ÖStA, AdR, BKA/AA, II Pol, Israel 2, Zl. 151.976-Pol/52 (GZ. 146.350).

135 Michael Wolffsohn, Das deutsch-israelische Wiedergutmachungsabkommen von 1952 im internationalen Zusammenhang, in: *Vierteljahrshefte für Zeitgeschichte* 36 (1988), Heft 4, S. 691–731, hier S. 721.

136 Siehe Text der Rede von Emile Najar „on the question of an appeal to the signatory powers of the declaration of Moscow of November 11, 1953 (sic.), for the earliest realization of their undertakings towards Austria, 18. 12. 1952. YIVO, New York, RG 347, AJC, GEN-10, Box 276, Restitution and Indemnification (Austria) General 1952.

137 Zu den amerikanischen Interessen an den Verhandlungen bis 1955 vgl. Oliver Rathkolb, Großmachtpolitik gegenüber Österreich 1952/53-1961/62 im US Entscheidungsprozeß, Habil., Wien 1993, bes. S. 310–334, hier S. 316.

138 Zu den Verhandlungen Dietmar Walch, Die jüdischen Bemühungen um die materiellen Wiedergutmachungen durch die Republik Österreich (Veröffentlichungen des Historischen Institutes der Universität Salzburg 1), Wien 1971; Gustav Jellinek, Die Geschichte der österreichischen Wiedergutmachung, in: Josef Fraenkel (Hrsg.), The Jews of Austria. Essays on Their Life, History and Destruction, London 1967, S. 395–426.

139 Walch, Wiedergutmachung, S. 135 ff.

140 Jellinek, Wiedergutmachung, S. 396.

141 Schreiben Julius Raab an Nahum Goldmann, 13. 11. 1953 (Zl. 5551-PrM/53). CZA, Z 6/1951; vgl. auch *Salzburger Nachrichten*, 22. 11. 1953.

142 Rathkolb, Großmachtpolitik gegenüber Österreich, S. 328 f.; auch Jellinek, Wiedergutmachung, S. 412.

143 Für Beispiele aus der österreichischen Presse vgl. Embacher, Neubeginn ohne Illusionen, S. 79 ff. und S. 148 f.; zur Pressekampagne auch Walch, Wiedergutmachung, S. 28–32 und 73–77.

144 Botschafter Karl Gruber wurde zwischen Mai und Juli 1955 bei mehreren Gelegenheiten über Anfragen im Senat während des Ratifizierungsprozesses informiert, vgl. Department of State, Memorandum of Conversation, 3. 6. 1955. National Archives, Washington (NA), RG 59, 611.63/6-355.

145 Zu den Vertragsbestimmungen Stourzh, Staatsvertrag, S. 241–301.

146 Albrich, Jewish Interests and Austrian State Treaty, S. 154–157.

147 Stourzh, Staatsvertrag, S. 167.

148 ISKULT, *I. P. N.*, 67/1956, Beilage.

149 Bailer, Gleiches Recht für alle?, S. 193–196.

150 Zur Strafverfolgung, Rechtfertigung und Integration der Täter nach 1945 vgl. Safrian, Eichmann-Männer, S. 320–335.

151 Walch, Wiedergutmachung, S. 207 ff.

152 Albert Sternfeld, Betrifft: Österreich: Von Österreich betroffen, Wien 1990, S. 93.
153 Zu den offiziellen Aufwendungen vgl. die nicht immer genaue Broschüre Bundespressedienst (Hrsg.), Maßnahmen der Republik Österreich zugunsten bestimmter politisch, religiös oder abstammungsmäßig Verfolgter seit 1945, Wien 1988; zum Bad Kreuznacher Abkommen vgl. Walch, Wiedergutmachung, S. 211–214.
154 Zu den deutsch-jüdischen Verhandlungen vgl. Nana Sagi, German Reparations, Jerusalem 1980.
155 Albrich, Jewish Interests and Austrian State Treaty, S. 156 f.
156 Zum Eichmann-Prozeß u. a. Hannah Arendt, Eichmann in Jerusalem. Ein Bericht von der Banalität des Bösen, München 1964.
157 Embacher, Neubeginn ohne Illusionen, S. 252 f.; zu den Prozessen vgl. Simon Wiesenthal, Recht, nicht Rache. Erinnerungen, Frankfurt/M.-Berlin 1988.
158 Grabitz, Die Verfolgung von NS-Verbrechen, S. 219 f.
159 Gérard Kasemir, Spätes Ende für „wissenschaftlich" vorgetragenen Rassismus. Die Borodajkewycz-Affäre 1965, in: Gehler/Sickinger (Hrsg.), Politische Affären und Skandale in Österreich, S. 486–501; als zeitgenössische Darstellung vgl. Heinz Fischer (Hrsg.), Einer im Vordergrund: Taras Borodajkewycz, Wien – Frankfurt/M. – Zürich 1966.
160 Zum Wahlkampf 1966 und zur ÖVP-Alleinregierung vgl. Michael Gehler, Kontinuität und Wandel. Fakten und Überlegungen zu einer politischen Geschichte Österreichs von den Sechzigern bis zu den Neunzigern. Teil 1, in: Geschichte und Gegenwart 14 (1995), Heft 4, S. 203–238, bes. S. 210–223; zu den antisemitischen Untertönen im Wahlkampf Leopold Spira, „Feindbild Jud". 100 Jahre politischer Antisemitismus in Österreich, Wien 1981, S. 109–115.
161 Pauley, Geschichte des österreichischen Antisemitismus, S. 366.
162 Erika Weinzierl, Aktuelle Anmerkungen zum österreichischen Antisemitismus, in: Die Republik. Beiträge zur österreichischen Politik 12 (1976), Heft 1, S. 24–28.
163 Im Wortlaut abgedruckt in: Ausweg (Dezember 1966), Nr. 5, S. 1 ff.
164 Zit. n. Embacher, Neubeginn ohne Illusionen, S. 254; Stangl wurde Ende 1970 in Düsseldorf zu lebenslanger Haft verurteilt und starb bereits am 28. Juni 1971 im Gefängnis, vgl. Wiesenthal, Recht, nicht Rache, S. 118 f.
165 Eduard Rabofsky/Gerhard Oberkofler, Verborgene Wurzeln der NS-Justiz. Strafrechtliche Rüstung für zwei Weltkriege, Wien – München – Zürich 1985, S. 221.
166 Zur Ära Kreisky vgl. Erich Bielka/Peter Jankowitsch/Hans Thalberg (Hrsg.), Die Ära Kreisky. Schwerpunkte der österreichischen Außenpolitik, Wien – München – Zürich 1983; kurz Gehler, Kontinuität und Wandel, bes. S. 223–238; zu Kreisky vgl. auch Bunzl, Der lange Arm der Erinnerung, S. 108–113, Wistrich, The Kreisky-Phenomenon, in: Ders. (Hrsg.), Austrians and Jews, S. 234–251.
167 Helga Embacher, Die innenpolitische Partizipation der Israelitischen Kultusgemeinde in Österreich, in: Bergmann/Erb/Lichtblau (Hrsg.), Schwieriges Erbe, S. 321–338, hier S. 328 f.

168 Bruno Kreisky, Das Nahostproblem. Reden – Kommentare – Interviews, hrsg. v. Claudia Reinhardt, Wien – München – Zürich 1985, S. 248–253.

169 Ingrid Böhler, „Wenn die Juden ein Volk sind, so ist es ein mieses Volk". Die Kreisky-Peter-Wiesenthal-Affäre 1975, in: Gehler/Sickinger (Hrsg.), Politische Affären und Skandale in Österreich, S. 502–531.

170 Embacher, Neubeginn ohne Illusionen, S. 254 f.

171 Dazu Richard Mitten in: Ruth Wodak/Peter Nowak/Johanna Pelikan/Helmut Gruber/Rudolf de Cillia/Richard Mitten, „Wir sind alle unschuldige Täter". Diskurshistorische Studien zum Nachkriegsantisemitismus, Frankfurt/M. 1990, S. 322.

172 Christian Haerpfer, Antisemitische Einstellungen in der österreichischen Gesellschaft in der Periode 1973–1989, in: Heinz Kienzl/Kurt Prokop (Hrsg.), NS-Ideologie und Antisemitismus in Österreich (Schriftenreihe der Liga der Freunde des Judentums 1), Wien 1989, S. 35–45; zu Meinungsumfragen zwischen 1947 und 1991 vgl. zusammenfassend Erika Weinzierl, Antisemitismus in Österreich heute: Altes im Neuen?, in: Böhler/Steininger (Hrsg.), Österreichischer Zeitgeschichtetag 1993, S. 282–285; und Pauley, Geschichte des Antisemitismus, S. 367–370.

173 Heide Trettler, Der umstrittene Handschlag. Die Affäre Frischenschlager-Reder, in: Gehler/Sickinger (Hrsg.), Politische Affären und Skandale in Österreich, S. 592–613.

174 Heidemarie Uhl, Zwischen Versöhnung und Verstörung. Eine Kontroverse um Österreichs historische Identität fünfzig Jahre nach dem „Anschluß" (Böhlaus Zeitgeschichtliche Bibliothek 17), Wien – Köln – Weimar 1992, S. 15.

175 Zur Vergangenheitsbewältigung u. a. Anton Pelinka/Erika Weinzierl (Hrsg.), Das große Tabu. Österreichs Umgang mit seiner Vergangenheit, Wien 1987; Agnes Blänsdorf, Zur Konfrontation mit der NS-Vergangenheit in der Bundesrepublik, der DDR und Österreich. Entnazifizierung und Wiedergutmachungsleistungen, in: Aus Politik und Zeitgeschichte, B 16–17/87, 18. April 1987, S. 3–18; Gerhard Botz, Österreich und die NS-Vergangenheit. Verdrängung, Pflichterfüllung, Geschichtsklitterung, in: Dan Diner (Hrsg.), Ist der Nationalsozialismus Geschichte? Zu Historisierung und Historikerstreit, Frankfurt/M. 1987, S. 141–152; John Bunzl, Der lange Arm der Erinnerung. Jüdisches Bewußtsein heute, Wien – Köln – Graz 1987, bes. S. 73–124.

176 Vgl. u. a. Robert S. Wistrich, The Waldheim Syndrome, in: ders., Antisemitism. The Longest Hatred, London 1991, S. 88–97; Richard Mitten, The Politics of Prejudice. The Waldheim Phenomenon in Austria, Boulder – San Francisco – Oxford 1992.

177 Michael Gehler, „Eine grotesk überzogene Dämonisierung eines Mannes." Die Waldheim-Affäre 1986–1992, in: ders./Sickinger (Hrsg.), Politische Affären und Skandale in Österreich, S. 614–665 und den Beitrag von Michael Gehler über Waldheim in diesem Band.

178 Zur Reaktion der jüdischen Bevölkerung auf dieses erneute Aufflammen von Antisemitismus vgl. Embacher, Neubeginn ohne Illusionen, S. 258–262; dies., Die innenpolitische Partizipation, S. 325 und 332 ff.

179 Zur Entstehung der Protokolle vgl. kurz Walter Laqueur, Der Schoß ist fruchtbar noch. Der militante Nationalismus der russischen Rechten, München 1993, S. 56–74.

180 Zur antisemitischen Komponente der „Waldheim-Affäre" vgl. Richard Mitten, New Faces of Anti-Semitic Prejudice in Austria: Reflections on the „Waldheim Affair", in: Wistrich (Hrsg.), Austrians and Jews, S. 252–273; für eine Medienanalyse vgl. Wodak/Nowak/Pelikan/Gruber/de Cillia/Mitten, „Wir sind alle unschuldige Täter".

181 Zu den – auch positiven – Nachwirkungen der „Waldheim Affäre" vgl. Pauley, Geschichte des Antisemitismus, S. 377–380.

182 Zit. n. Othmar Karas (Hrsg.), Die Lehre. Österreich: Schicksalslinien einer europäischen Demokratie, Wien 1988, S. 14.

183 Bundespressedienst, Maßnahmen der Republik Österreich, S. 5 f.

184 Hans-Henning Scharsach, Haiders Kampf, München 1993, bes. S. 45–78.

185 Brigitte Bailer, „Ideologische Mißgeburt" und „ordentliche Beschäftigungspolitik". Rechtspopulistische Skandale, in: Gehler/Sickinger (Hrsg.), Politische Affären und Skandale in Österreich, S. 666–678.

186 Brigitte Bailer-Galanda/Wolfgang Benz/Wolfgang Neugebauer (Hrsg.), Wahrheit und „Auschwitzlüge". Zur Bekämpfung revisionistischer Propaganda, Wien 1995; Handbuch des österreichischen Rechtsextremismus, hrsg. v. Dokumentationsarchiv des österreichischen Widerstandes, Wien 1993.

187 Zit. n. Embacher, Die innenpolitische Partizipation, S. 333.

188 *Salzburger Nachrichten*, 9. 7. 1991.

189 *Der Standard*, 11. 6. 1993. Die Kernsätze dieser offiziellen österreichischen Interpretation der eigenen Verstrickung in das NS-Regime und den Holocaust sind als Dokument 3 im Anhang abgedruckt.

190 Ebd.

191 Bischof, Instrumentalisierung der Moskauer Erklärung, S. 346.

192 Zit. n. Mitten, „Die Sühne … möglichst milde zu gestalten", S. 102.

193 Zu den Bestimmungen des „Nationalfonds" vgl. Dokument 4.

194 Albert Sternfeld, Die Ex-38, in: *Die Gemeinde*, 3. 12. 1990, S. 5.

195 Knight, 'Neutrality', S. 220–233.

Dokument 1

Auszug aus einem Memorandum der Staatskanzlei, Auswärtige Angelegenheiten: „Die außenpolitische und völkerrechtliche Seite der Ersatzansprüche der jüdischen Nazi-Opfer", o. D., vermutlich Anfang August 1945.

Die Judenverfolgungen erfolgten während der Dauer der Besetzung Österreichs durch deutsche Truppen. Die Verfolgungen wurden durch reichsdeutsche Behörden angeordnet und mit ihrer Hilfe durchgeführt. Österreich, das damals infolge der Besetzung durch fremde Truppen keine eigene Regierung hatte, hat diese Maßnahmen weder verfügt, noch konnte es sie verhindern. Nach Völkerrecht hätte sich daher der Entschädigungsanspruch der österreichischen Juden gegen das Deutsche Reich und nicht gegen Österreich zu richten.

[...] Die geschädigten Juden können daher nach dem bestehenden Völkerrechte gegen Österreich an und für sich nur insofern Ansprüche stellen, als sich Teile ihres Eigentums noch heute auf österreichischem Boden befinden. Dann könnten sie nämlich von der österreichischen Regierung die Rückgabe ihres Eigentums verlangen.

Zit. n. Knight, „Ich bin dafür, die Sache in die Länge zu ziehen." Die Wortprotokolle der österreichischen Bundesregierung 1945–52 über die Entschädigung der Juden, Frankfurt/M. 1988, S. 100–112, hier S. 105 f.

Dokument 2

Auszug aus einem Schreiben von Bundeskanzler Julius Raab an den Verhandlungsleiter des Jewish Committee for Claims on Austria, Nahum Goldmann, 13. November 1953:

Die österreichische Bundesregierung bedauert, daß es nach der Besetzung Österreichs zu Verfolgungsmaßnahmen gekommen ist und daß es ihr nicht möglich war, ihre Staatsbürger gegen das Andringen des übermächtigen Okkupators zu beschützen. Sie konnte damals nichts anderes machen, als gegen den zehnfach überlegenen Aggressor die Hilfe der Mächte des Völkerbundes anrufen, dem auch Österreich angehört hat. Sein Appell ist ungehört verhallt. Das, was Österreich in den folgenden Jahren getroffen hat, hat die gleichen Wirkungen wie eine Naturkatastrophe; Österreich ist nicht aus eigener Kraft imstande, die Schäden und auch nur die Not zu lindern, die in diesen Jahren hervorgerufen wurden.

Schreiben Julius Raab an Nahum Goldmann, 13. 11. 1953 (Zl. 5551-PrM/53). CZA, Z 6/1951; vgl. auch *Salzburger Nachrichten*, 22. 11. 1953.

Dokument 3

Auszug aus der Rede von Bundeskanzler Franz Vranitzky vor der Hebräischen Universität Jerusalem, 10. Juni 1993.

Wir müssen der Katastrophe ins Auge schauen, die von der Nazi-Diktatur über mein Land gebracht wurde: Hunderttausende Österreicher, viele von ihnen Juden, wurden in Gefängnisse und Konzentrationslager geworfen, kamen in den Nazi-Schlachthäusern um oder wurden gezwungen zu fliehen und alles zurückzulassen – Opfer einer degenerierten Ideologie und des totalitären Strebens nach Macht. Viele weitere Österreicher starben auf dem Schlachtfeld und in den Bombenschutzräumen.

Es gab jene, die mutig genug waren, dem Wahnsinn aktiv Widerstand zu leisten oder versuchten, den Opfern zu helfen und dabei ihr eigenes Leben riskierten. Aber viel mehr gliederten sich in die Nazi-Maschinerie ein, einige stiegen in ihr auf und gehörten zu den brutalsten und scheußlichsten Übeltätern.

Wir müssen mit dieser Seite unserer Geschichte leben, mit unserem Anteil an der Verantwortung für das Leid, das nicht von Österreich – der Staat existierte nicht mehr –, sondern von einigen seiner Bürger anderen Menschen und der Menschheit zugefügt wurde. Wir haben immer empfunden und empfinden noch immer, daß der Begriff ,Kollektivschuld' auf Österreich nicht anzuwenden ist. Aber wir anerkennen kollektive Verantwortung, Verantwortung für jeden von uns, sich zu erinnern und Gerechtigkeit zu suchen.

Der Standard, 11. 6. 1993, S. 35.

Dokument 4

Aus den Erläuterungen zum Fragebogen des „Nationalfonds der Republik Österreich":

1. Der Fonds erbringt Leistungen an Personen, die aus folgenden Gründen Opfer des nationalsozialistischen Regimes wurden:

a) Personen, die aus politischen Gründen, aus Gründen der Abstammung, Religion, Nationalität, sexuellen Orientierung, aufgrund einer körperlichen Behinderung oder aufgrund des Vorwurfes der sogenannten Asozialität verfolgt wurden – oder

b) Personen, die auf andere Weise Opfer typisch nationalsozialistischen Unrechts geworden sind; oder

c) Personen, die das Land verlassen haben, um einer solchen Verfolgung durch das nationalsozialistische Regime zu entgehen.

2. Diese Personen müssen folgende weitere Voraussetzungen erfüllen:

a) Am 13. März 1938 die österreichische Bundesbürgerschaft und einen Wohnsitz in Österreich besessen haben; oder

b) bis zum 13. März 1938 durch etwa zehn Jahre hindurch ununterbrochen ihren Wohnsitz in Österreich gehabt haben bzw. in diesem Zeitraum als Kinder von solchen Personen in Österreich geboren worden sind; oder

c) vor dem 13. März 1938 die österreichische Bundesbürgerschaft oder ihren zumindest etwa zehnjährigen Wohnsitz verloren haben, weil sie wegen des unmittelbar bevorstehenden Einmarsches der Deutschen Wehrmacht das Land verlassen haben; oder

d) vor dem 9. Mai 1945 als Kinder von solchen Personen im Konzentrationslager, oder unter vergleichbaren Umständen geboren worden sind; als vergleichbare Umstände gelten jedenfalls die Geburt in einem Ghetto, Internierungslager oder unter ähnlichen Beschränkungen.

Der Neue Mahnruf. Zeitschrift für Freiheit, Recht und Demokratie 49 (1996), Nr. 1, S. 4.

Literatur

Albrich, Thomas, Exodus durch Österreich. Die jüdischen Flüchtlinge 1945–1948 (Innsbrucker Forschungen zur Zeitgeschichte 1), Innsbruck 1987.

Aly, Götz, „Endlösung". Völkerverschiebung und Mord an den europäischen Juden, Frankfurt/M. 1995.

Anderl, Gabriele/Manoschek, Walter, Gescheiterte Flucht. Der jüdische „Kladovo-Transport" auf dem Weg nach Palästina 1939–1942, Wien 1993.

Bailer, Brigitte, Wiedergutmachung – kein Thema. Österreich und die Opfer des Nationalsozialismus, Wien 1993.

Bailer-Galanda, Brigitte/Benz, Wolfgang/Neugebauer, Wolfgang (Hrsg.), Wahrheit und „Auschwitzlüge". Zur Bekämpfung revisionistischer Propaganda, Wien 1995.

Bauer, Yehuda, American Jewry and the Holocaust. The American Jewish Joint Distribution Committee, 1939–1945, Detroit 1981.

Beckermann, Ruth, Unzugehörig. Österreicher und Juden nach 1945, Wien 1989.

Benz, Wolfgang (Hrsg.), Dimension des Völkermords. Die Zahl der jüdischen Opfer des Nationalsozialismus, München 1991.

Bergmann, Werner/Erb, Rainer/Lichtblau, Albert (Hrsg.), Schwieriges Erbe. Der Umgang mit Nationalsozialismus und Antisemitismus in Österreich, der DDR und der Bundesrepublik Deutschland (Schriftenreihe des Zentrums für Antisemitismusforschung Berlin 3), Frankfurt – New York 1995.

Black, Peter R., Ernst Kaltenbrunner. Vasall Himmlers: eine SS Karriere, Paderborn – Wien 1991 [engl. Originaltitel: Ernst Kaltenbrunner: Ideological Soldier of the Third Reich, Princeton 1984].

Botz, Gerhard, Nationalsozialismus in Wien. Machtübernahme und Herrschaftssicherung 1938/39, 3. veränderte Aufl., Buchloe 1988.

Ders., Wohnungspolitik und Judendeportation in Wien 1938 bis 1945. Zur Funktion des Antisemitismus als Ersatz nationalsozialistischer Sozialpolitik, Wien – Salzburg 1975.

Bunzl John/Marin, Bernd, Antisemitismus in Österreich. Sozialhistorische und soziologische Studien (Vergleichende Gesellschaftsgeschichte und politische Ideengeschichte der Neuzeit 3), Innsbruck 1983.

Bunzl, John, Der lange Arm der Erinnerung. Jüdisches Bewußtsein heute, Wien – Köln – Graz 1987.

Diner, Dan (Hrsg.), Zivilisationsbruch. Denken nach Auschwitz, Frankfurt/M. 1988.

Dreier, Werner (Hrsg.), Antisemitismus in Vorarlberg. Regionalstudie zur Geschichte einer Weltanschauung (Studien zur Geschichte und Gesellschaft Vorarlbergs 4), Bregenz 1988.

Embacher, Helga, Neubeginn ohne Illusionen. Juden in Österreich nach 1945, Wien 1995.

Freund, Florian, Arbeitslager Zement. Das Konzentrationslager Ebensee und die Raketenrüstung, Wien 1991[2].

Ders./Perz, Bertrand, Das KZ in der „Serbenhalle". Zur Kriegsindustrie in Wiener Neustadt, Wien 1987.

Ders./Safrian, Hans, Vertreibung und Ermordung. Zum Schicksal der österreichischen Juden 1938–1945. Das Projekt „Namentliche Erfassung der österreichischen Holocaustopfer", hrsg. vom Dokumentationsarchiv des österreichischen Widerstandes, Wien 1993.

Gehler, Michael/Sickinger, Hubert (Hrsg.), Politische Affären und Skandale in Österreich. Von Mayerling bis Waldheim, Thaur – Wien – München 1995, 1996[2].

Gilbert, Martin, Endlösung. Die Vertreibung und Vernichtung der Juden. Ein Atlas, Reinbek 1982.

Gutman, Israel (Hrsg.), Enzyklopädie des Holocaust. Die Verfolgung und Ermordung der europäischen Juden, 3 Bde., Berlin 1990.

Hilberg, Raul, Die Vernichtung der europäischen Juden. Die Gesamtgeschichte des Holocaust, 3 Bde., Frankfurt/M. 1990.

Ders., Opfer, Täter, Zuschauer. Die Vernichtung der Juden 1933–1945, Frankfurt/M. 1992.

Horwitz, Gordon J., In the Shadow of Death. Living Outside the Gates of Mauthausen, New York 1990.

Jäckel, Eberhard/Rohwer, Jürgen (Hrsg.), Der Mord an den Juden im Zweiten Weltkrieg. Entschlußbildung und Verwirklichung, Frankfurt/M. 1987.

Jüdische Schicksale. Berichte von Verfolgten (Erzählte Geschichte. Berichte von Widerstandskämpfern und Verfolgten 3), hrsg. v. Dokumentationsarchiv des Österreichischen Widerstandes, Wien 1992.

Klee, Ernst, „Euthanasie" im NS-Staat. Die „Vernichtung lebensunwerten Lebens", Frankfurt/M. 1983.

Knight, Robert, „Ich bin dafür, die Sache in die Länge zu ziehen". Die Wortprotokolle der österreichischen Bundesregierung von 1945–52 über die Entschädigung der Juden, Frankfurt/M 1988.

Krausnick, Helmut, Hitlers Einsatzgruppen. Die Truppen des Weltanschauungskrieges 1938–1942, Stuttgart 1985.

Lange, Thomas (Hrsg.), Judentum und jüdische Geschichte im Schulunterricht nach 1945. Bestandsaufnahmen, Erfahrungen und Analysen aus Deutschland, Österreich, Frankreich und Israel (Aschkenas. Zeitschrift für Geschichte und Kultur der Juden. Beiheft 1), 1994.

Longerich, Peter (Hrsg.), Die Ermordung der europäischen Juden. Eine umfassende Dokumentation des Holocaust 1941–1945, München – Zürich 1989.

Manoschek, Walter, „Serbien ist judenfrei!". Militärische Besatzungspolitik und die Ermordung der Juden in Serbien 1941/42 (Schriftenreihe des Militärgeschichtlichen Forschungsamtes Freiburg 38), München 1993.

Marsalek, Hans, Die Geschichte des Konzentrationslagers Mauthausen, Wien 1980[2].

Meissl, Sebastian/Mulley, Klaus Dieter/Rathkolb, Oliver (Hrsg.), Verdrängte Schuld, verfehlte Sühne. Entnazifizierung in Österreich 1945–1955. Symposion des Instituts für Wissenschaft und Kunst Wien, März 1985, Wien 1986.

Neuhauser-Pfeifer, Waltraud/Ramsmaier, Karl, Vergessene Spuren. Die Geschichte der Juden in Steyr, Linz 1993.

Pätzold, Kurt/Schwarz, Erika, „Auschwitz war für mich nur ein Bahnhof". Franz Novak – der Transportoffizier Adolf Eichmanns, Berlin 1994.

Pätzold, Kurt (Hrsg.), Verfolgung, Vertreibung, Vernichtung. Dokumente des faschistischen Antisemitismus 1933 bis 1942, Leipzig 1984.

Pauley, Bruce F., Eine Geschichte des österreichischen Antisemitismus. Von der Ausgrenzung zur Auslöschung, Wien 1993.

Pehle, Walter (Hrsg.), Der Judenpogrom 1938. Von der „Reichskristallnacht" zum Völkermord, Frankfurt/M. 1988.

Pelinka, Anton/Weinzierl, Erika (Hrsg.), Das große Tabu. Österreichs Umgang mit seiner Vergangenheit, Wien 1987.

Perz, Bertrand, Projekt Quarz. Steyr-Daimler-Puch und das Konzentrationslager Melk, Wien 1991.

Polleroß, Friedrich B., 100 Jahre Antisemitismus im Waldviertel, Krems 1983.

Pototschnigg, Franz/Pulzer, Peter/Rinnerthaler, Alfred (Hrsg.), Semitismus und Antisemitismus in Österreich. Ein Unterrichtsversuch, München 1988.

Rosenkranz, Herbert, Verfolgung und Selbstbehauptung. Die Juden in Österreich 1938–1945, Wien – München 1978.

Safrian, Hans, Die Eichmann-Männer, Wien – Zürich 1993 [im Fischer Taschenbuchverlag unter dem Titel: Eichmann und seine Gehilfen, Frankfurt/M. 1995].

Scharsach, Hans-Henning, Haiders Kampf, München 1993.

Sella, Gad Hugo, Die Juden Tirols. Ihr Leben und Schicksal, Tel Aviv 1979.

Sereny, Gitta, Am Abgrund. Gespräche mit dem Henker: Franz Stangl und die Morde von Treblinka, überarbeitete Neuausgabe, München 1995 [engl. Originaltitel: Into the Darkness, London 1974].

Silbermann, Alphons/Schoeps, Julius H. (Hrsg.), Antisemitismus nach dem Holocaust. Bestandsaufnahme und Erscheinungsformen in deutschsprachigen Ländern, Köln 1986.

Spira, Leopold, Feindbild „Jud". 100 Jahre politischer Antisemitismus in Österreich, Wien 1981.

Steininger, Rolf (Hrsg.), unter Mitarbeit von Ingrid Böhler, Der Umgang mit dem Holocaust. Europa – USA – Israel (Schriften des Instituts für Zeitgeschichte der Universität Innsbruck und des Jüdischen Museums Hohenems 1), Wien – Köln – Weimar 1994.

Sternfeld, Albert, Betrifft: Österreich. Von Österreich betroffen, Wien 1990.

Streibel, Robert, Plötzlich waren sie alle weg. Die Juden in der „Gauhauptstadt Krems" und ihre Mitbürger, Wien 1991.

Tálos, Emmerich/Hanisch, Ernst/Neugebauer, Wolfgang (Hrsg.), NS-Herrschaft in Österreich 1938–1945 (Österreichische Texte zur Gesellschaftskritik 36), Wien 1988.

Thurner, Erika, Nationalsozialismus und Zigeuner in Österreich (Veröffentlichungen zur Zeitgeschichte 2), Wien – Salzburg 1983.

Totenbuch Theresienstadt. Damit sie nicht vergessen werden, hrsg. von Mary Steinhauser und dem Dokumentationsarchiv des österreichischen Widerstandes, Wien 1987[2].

Uhl, Heidemarie, Zwischen Versöhnung und Verstörung. Eine Kontroverse um Österreichs historische Identität fünfzig Jahre nach dem „Anschluß" (Böhlaus Zeitgeschichtliche Bibliothek 17), Wien – Köln – Weimar 1992.

Walch, Dietmar, Die jüdischen Bemühungen um die materielle Wiedergutmachung durch die Republik Österreich (Veröffentlichungen des Historischen Instituts der Universität Salzburg 1), Wien 1971.

Walzl, August, Die Juden in Kärnten und das Dritte Reich, Klagenfurt 1987.

Weinzierl, Erika, Prüfstand. Österreichs Katholiken und der Nationalsozialismus, Mödling 1988.

Dies., Zu wenig Gerechte. Österreicher und Judenverfolgung 1938–1945, Graz 1969 (3. verb. Auflage 1986).

Dies./Kulka, Otto D. (Hrsg.), Vertreibung und Neubeginn. Israelische Bürger österreichischer Herkunft, Wien – Köln – Weimar 1992.

Weiss, Hilde, Antisemitische Vorurteile in Österreich? Theoretische und empirische Analysen, 2 Aufl. Wien 1987.

Whiteman, Dorit B., Die Entwurzelten. Jüdische Lebensgeschichten nach der Flucht 1933 bis heute. Aus dem Englischen von Marie-Therese Pitner (Böhlaus Zeitgeschichtliche Bibliothek 29), 1995.

Wiesenthal, Simon, Recht, nicht Rache. Erinnerungen, Frankfurt/M. – Berlin 1988.

Wilder-Okladek, Friederike, The Return Movement of Jews to Austria after the 2nd World War. With special consideration of the return from Israel (Publications of the Research Group for European Migration Problems 16), Den Haag 1969.

Wimmer, Adi, Die Heimat wurde ihnen fremd, die Fremde nicht zur Heimat. Erinnerungen österreichischer Juden aus dem Exil, Wien 1993.

Wistrich, Robert S. (Hrsg.), Antisemitism. The Longest Hatred, London 1991.

Ders. (Hrsg.), Austrians and Jews in the Twentieth Century. From Franz Joseph to Waldheim, New York 1992.

Wodak, Ruth/Nowak, Peter/Pelikan, Johanna/Gruber, Helmut/de Cillia, Rudolf/Mitten, Richard, „Wir sind alle unschuldige Täter". Diskurshistorische Studien zum Nachkriegsantisemitismus, Frankfurt/M. 1990.

Ziegler, Meinrad /Kannonier-Finster, Waltraud, Österreichisches Gedächtnis. Über Erinnern und Vergessen der NS-Vergangenheit, Wien – Köln – Weimar 1993.

Fragen

1. Welche Rolle spielten Österreicher als Täter beim NS-Völkermord an den Juden?

2. Beschreiben Sie die NS-Maßnahmen zur stufenweisen Ausgrenzung der jüdischen Bevölkerung zwischen 1939 und 1941.

3. Beschreiben Sie Durchführung, Chronologie und Opferbilanz der Deportationen aus Österreich.

4. Welche personellen und ideologischen Kontinuitäten zur Ersten Republik und zum Nationalsozialismus prägten Österreichs Verhältnis zur jüdischen Bevölkerung nach 1945?

5. Wie begründete die Zweite Republik ihren Opferstatus und welche Auswirkungen hatte diese Position auf die Überlebenden des Holocaust?

6. Wie regelte der österreichische Staatsvertrag das Problem der materiellen Ansprüche der jüdischen Opfer des Nationalsozialismus?

7. Charakterisieren Sie die strafrechtliche Verfolgung von NS-Verbrechen in Österreich.

8. Was waren die wichtigsten Anlässe für antisemitische Skandale in der Zweiten Republik?

9. Hat Bruno Kreisky durch seine Position der „nationalen Versöhnung" gegenüber Österreichs NS-Vergangenheit und seine Kritik am Staate Israel mitgeholfen, Antisemitismus in Österreich wieder „salonfähig" zu machen?

10. Führte die „Waldheim Affäre" zu einer „Erosion der Opferthese"?

Günter Bischof

DIE PLANUNG UND POLITIK DER ALLIIERTEN 1940–1954*

1. Die alliierte Österreichplanung 1940–1945

Die alliierte Österreichplanung hatte seit 1940 einerseits zu berücksichtigen, wie der Anschluß im März 1938 interpretiert worden war und andererseits zu überlegen, wie dieser für die zukünftige Behandlung Österreichs zu bewerten ist: war der Einmarsch und die Okkupation bzw. Annexion Österreichs durch die deutsche Wehrmacht bzw. Nationalsozialisten eine Vergewaltigung der von Bürgerkrieg und permanenter Wirtschaftskrise geplagten Alpenrepublik gewesen oder nur eine „Verführung", der sich in der Ersten Republik vielseitig großdeutsch gebärdenden österreichischen „Coquette", wie das ein britischer Diplomat[1] einmal formulierte? Unbestreitbar ist, daß die britische Politik den Anschluß de facto und de jure anerkannt hatte. Auch das State Department hatte den Anschluß de facto akzeptiert; die amerikanische Politik distanzierte sich aber aus realpolitischen Gründen davon und konstruierte eine pragmatische de jure-Nichtanerkennung. Der Quai d'Orsay verhielt sich ähnlich zweideutig, hatten sich doch französische Diplomaten im März 1938 hauptsächlich an der Methode des gewaltsamen Einmarsches gestoßen, nicht aber am Ergebnis der Einverleibung Österreichs in das Dritte Reich. Auch den Sowjets war es bei der Anrufung des Völkerbundes zwecks Einleitung kollektiver Maßnahmen gegen den Aggressor mehr um die Machtbalance in Mitteleuropa als um echte Anteilnahme an Österreichs Schicksal[2] gegangen.

Bei der westalliierten Österreichplanung stand die Niederringung des Nationalsozialismus und das Zurückdrängen des Kommunismus in Ostmitteleuropa – die Schwächung Deutschlands bzw. die Einrichtung eines „cordon sanitaire" gegen den schon im Hitler-Stalin-Pakt sich andeutenden So-

wjetexpansionismus im Vordergrund. Vor diesem Hintergrund befaßten sich die angloamerikanischen Planungsstäbe
mit drei Optionen für die staatlich politische Zukunft Österreichs nach dem Zweiten Weltkrieg:

1. Österreich als Teilstaat eines zerstückelten Deutschlands;
2. Österreich als Teil einer Donau(kon)föderation;
3. die Wiedererrichtung eines unabhängigen Österreichs.

Um der Gefahr vorzubeugen, Österreichs Stellung zwischen
West und Ost zu vernachlässigen, beschäftigte sich die amerikanische Planung schon 1942, nur wenige Monate nach
Eintritt der USA in den Krieg, mit der Möglichkeit, Österreich an einen süddeutschen Kleinstaat bzw. osteuropäischen
Staatenbund anzugliedern. Der stellvertretende amerikanische Außenminister Sumner Welles brachte dabei das Dilemma schon im Mai 1942 auf den Punkt:[3] Obwohl wir davon
überzeugt waren, „daß Österreich für die Zukunft Europas
eine Rolle zu spielen habe, bestand dann keine Übereinstimmung, ob es Deutschland oder einer Donau-Föderation zugeschlagen werden sollte".[4] Skeptiker in den Planungstäben
plädierten aber zu dieser Zeit schon für eine Wiederherstellung eines unabhängigen Österreich, würde doch sonst die
Einverleibung Österreichs durch Deutschland praktisch international sanktioniert werden. 1943 gewann bei den amerikanischen Nachkriegsplanern die Wiederherstellung eines
unabhängigen Österreich immer mehr an Gewicht, hatten
dessen Bewohner doch mit dem nationalsozialistischen
Deutschland bittere Erfahrungen gemacht und würden deshalb „für die nächste Generation die totale Unabhängigkeit
bevorzugen".[5] Bei den Amerikanern kristallisierte sich also
bis 1943 heraus, daß die Deutschen nicht mit dem „belohnt"
werden sollten, was sie sich gewaltsam einverleibt hatten. In
diesem Zusammenhang spielte eine von revisionistischen Historikern behauptete imperialistische Politik der „offenen
Tür" am Balkan keine Rolle.[6] Das Problem bestand vielmehr
darin, bei Präsident Franklin D. Roosevelt Interesse an dieser traditionell vernachläßigten Region in Europa Interesse
zu wecken!

Von den britischen Politikern plädierte vor allem Premier-
minister Winston Churchill schon seit 1940/41 für eine Art
Donaukonföderation unter Einschluß Österreichs und möglicherweise mit Wien als Hauptstadt. Im entscheidenden Memorandum des Foreign Office über „Die Zukunft Österreichs"
aus dem Jahre 1943 wurden die drei erwähnten grundsätzlichen Optionen erwogen: Assoziierung mit Deutschland, mit
Ostmitteleuropa, bzw. Unabhängigkeit. Letztendlich entschieden sich die Nachkriegsplaner für die Trennung von
Deutschland. Das britische Kabinett kam im August 1943
zum Entschluß, als ersten Schritt ein unabhängiges Österreich wiederherzustellen und als zweiten Schritt dann aber
Österreich die Assoziierung mit einer mittel- oder südosteu-
ropäischen Union zu empfehlen, falls die betroffenen Länder
dies auch wünschten. Dabei war der britischen Politik klar,
daß man allein Deutschland mit den Folgen der Niederlage
belasten würde, während „die Österreicher wohl hofften, diesen Kriegsfolgen gänzlich zu entkommen, indem sie den Nazismus von sich wiesen", womit der Wunsch einer Distanzierung von Deutschland verbunden war. „Österreich", so lautete die Schlußfolgerung dieses zentralen Memorandums
britischer Nachkriegsplanung für Österreich, „wird nur überleben, wenn die Vereinten Nationen von vornherein bereit
sein werden, nicht nur von einer Bestrafung des Landes wegen der begangenen Missetaten abzusehen, sondern ihm aktiv ausführliche Unterstützung auf politischer und wirtschaftlicher Ebene zukommen zu lassen".[7]

Daraus ergab sich ganz logisch die umstrittene, aber großzügige britische Entscheidung, nach dem Krieg von Österreich keine Reparationen zu verlangen. Man wollte keineswegs die Überlebensfähigkeit Österreichs gefährden, wobei
der Topos der wirtschaftlichen „Lebensunfähigkeit" der Ersten Republik immer noch in den Köpfen herumgeisterte. In
der britischen Reparationsdebatte über Österreich sprach
sich kein Geringerer als der berühmte Ökonom John May-
nard Keynes gegen eine Bestrafungspolitik gegenüber Nachkriegsösterreich aus. Nicht zuletzt auf seine Intervention hin

setzte sich die Überlegung durch, daß die Reduzierung des Lebensstandards aufgrund möglicher Reparationszahlungen keinesfalls „den österreichischen Willen zur Unabhängigkeit gefährden dürfe". Auch in wirtschaftlicher Hinsicht war für Österreich im Unterschied zu Deutschland an eine bevorzugte Behandlung gedacht, wobei die Kriegsfolgekosten „gänzlich auf das Altreich abgewälzt werden" sollten. Gegen solche grundsätzlichen ökonomischen Überlegungen konnten sich Revanchegedanken, wie sie etwa der hohe Beamte im Foreign Office J.M. Troutbeck formulierte, nicht durchsetzen. 1944 meinte dieser: Ginge es nicht um die strategische Bedeutung, Österreich von Deutschland getrennt zu halten, „könnten wir dieses Land ohne Rückgrat im eigenen Saft schmoren lassen" („... let this flabby country stew").[8]

Mit der von den USA, der Sowjetunion und Großbritannien unterzeichneten „Moskauer Deklaration" vom 1. November 1943[9] und der darin enthaltenen „Opferthese" wurde Österreich auf die gleiche Ebene zu befreiender Staaten gestellt. Die Moskauer Deklaration vom 1. November 1943 wurde von den Gründervätern der Ersten Republik für die Okkupationstheorie einseitig rezipiert und zur offiziellen „Opferdoktrin" instrumentalisiert, womit nicht nur dem Lande Österreich, nebst einer gründlichen Vergangenheitsbewältigung viel Schaden erspart blieb, sondern auch vielen österreichischen Tätern, die als begeisterte Nationalsozialisten auf der Seite Hitlerdeutschlands gekämpft hatten, ein Persilschein ausgestellt wurde. Hier setzte sich auch die seit dem Anschluß zu verfolgende Zwiespältigkeit der alliierten Politik gegenüber der internationalen Stellung Österreichs fort. Die Moskauer Deklaration sprach von Österreich als „erstem Opfer von Hitlers Aggressionspolitik" und verkündete das Ziel der Wiederherstellung eines unabhängigen Österreich nach dem Krieg. Die Ambivalenz der alliierten Österreichpolitik blieb jedoch bestehen, indem man Österreich eine Quasi-„Mitverantwortung" für die Verbrechen Hitlerdeutschlands aufbürdete und deren Ausmaß vom geleisteten Beitrag zum Widerstand gegen den Nationalsozialismus abhängig machte.[10]

Die Sowjets hielten von Anfang an wenig von einer bevorzugten Behandlung Österreichs und bestanden auf einer Mitverantwortung „Österreichs" (nicht der „Österreicher"), wohl um sich die Möglichkeit späterer Reparationsforderungen offenzuhalten. Es war allerdings Josef W. Stalin, der sich als erster der „Großen Drei" von Anfang an konsequent für die Wiedererrichtung eines unabhängigen Österreich stark machte. Er bekämpfte dabei alle westlichen Pläne, die auf einen politischen oder wirtschaftlichen Zusammenschluß mit Osteuropa abzielten. Zudem betrachtete er das strategische Vorfeld an der Westgrenze der Sowjetunion als exklusive Einflußsphäre seines Machtbereichs. Die Siegesserie der Roten Armee gegen die Wehrmacht seit 1943 machte zudem immer klarer, wie sehr Stalins elastische Kriegszielpolitik von den Erfolgen der Roten Armee profitierte. Andererseits dürfte er wohl damit gerechnet haben, einen österreichischen Kleinstaat nach dem Krieg eher unter sowjetischen Einfluß bringen zu können.[11]

Churchill wollte dies verhindern, vermochte aber Roosevelt nicht für ein frühes Engagement zu gewinnen. Der amerikanische Präsident, der fest davon überzeugt war, man könne mit Stalin zusammenarbeiten, wollte seine wichtigsten strategischen Entscheidungen im Kriege nicht in den Dienst der Nachkriegspolitik stellen. Churchills letzter diplomatischer Vorstoß auf der Konferenz in Teheran Ende November 1943, eine Donaukonföderation unter Einschluß von Bayern, Österreich und Ungarn zu schaffen („a broad, peaceful, cowlike confederation") sollte keine Aussicht auf Erfolg haben. Stalin wollte von solch „künstlichen" Staatenbünden nichts wissen, waren sie doch letztlich gegen das sowjetische System gerichtet, weshalb er für eine „Zerstückelung und Vertreibung der deutschen Stämme" plädierte. Roosevelt wollte sich nicht für britische Europa-Pläne einspannen lassen, die gegen den sowjetischen Verbündeten gerichtet waren, brauchte er doch noch Stalin und seine Rote Armee zur Niederringung des Nationalsozialismus.[12]

Der amerikanische Präsident, Pragmatiker durch und durch, wies auch Churchills strategische Pläne zurück, die auf einen Balkan-Vorstoß über Triest und Laibach („Ljubljana gap") abgezielt hatten, um einer Befreiung von Wien und Prag durch die Rote Armee zuvorzukommen. Roosevelt weigerte sich ferner, im anglo-amerikanischen Ringen um die „zweite Front", im Balkan noch vor der alles entscheidenden Invasion in der Normandie eine neue Front zu eröffnen und „amerikanische Menschenleben aufs Spiel zu setzen, um wirkliche oder eingebildete britische Interessen auf dem Kontinent zu sichern". Heute gilt als gesichert, daß es hierbei keineswegs um die Frage ging, für das niedergehende britische Weltreich die Kastanien aus dem Feuer zu holen, sondern um die frühzeitige Abgrenzung der Interessenssphären in Ostmitteleuropa zwischen Ost und West. Roosevelt war nicht – wie häufig behauptet wird – naiv, dachte aber in kurzfristigeren Zeiträumen als Churchill. Bei der lavierenden amerikanischen Politik standen die weltweiten strategischen Zwänge im Vordergrund, während die erfahrene Europapolitik der Briten die frühzeitige Neugestaltung der politischen Landkarte nach dem Kriege in das Zentrum der Überlegungen rückte.[13]

So waren es konsequenterweise dann auch Stalin und Churchill, die den Balkan in ihrem berühmt-berüchtigten „Prozentabkommen" vom 9. Oktober 1944 in Interessensphären aufteilten. Roosevelt war nicht beteiligt, war jedoch über den Inhalt informiert und stellte sich auch nicht explizit gegen diese Politik der Abgrenzung von Einflußbereichen. Dies bekräftigte Stalin wiederum in seiner Meinung, der amerikanische Präsident hätte letztlich nichts dagegen, solange er seine Politik nicht mit jener traditionellen Machtpolitik der Europäer befleckte und so im eigenen Lande wählbar blieb (Anfang November 1944 erlangte er auch seinen vierten Wahlsieg). Was von der heimischen Forschung oftmals übersehen wird: Für die alliierte Österreichpolitik am Prozentabkommen war gerade der Umstand wichtig, daß Österreich nicht Teil dieser Abmachung war, also in bezug auf die Nachkriegsentwicklung nichts präjudiziert werden sollte.[14]

Während die „Großen Drei" die Welt zunächst in Moskau und dann in Jalta und später in Potsdam unter sich aufteilten, bemühten sich die Vertreter der USA, Großbritanniens und der UdSSR in der „European Advisory Commission" (EAC) in London, Deutschland und Österreich für die Nachkriegszeit in Besatzungszonen aufzugliedern. Das „befreite" Österreich sollte also auch besetzt werden. Die Amerikaner mußten hierbei geradezu gezwungen werden, die Verantwortung für eine Zone in Österreich zu übernehmen, wollte sich doch der sterbenskranke Roosevelt nicht durch Besatzungspolitik zu stark in die europäische Politik verwickeln lassen. John C. Winant, sein Botschafter in London und Vertreter in der EAC, warnte den Präsidenten, die sowjetische Politik in den befreiten Territorien Osteuropas impliziere, daß „ihre Forderungen nach verschärften Kontrollmechanismen täglich proportional mit der Ausdehnung der durch sie besetzten Gebiete wachse". Im Falle Österreichs verwies er darauf, daß die Russen die amerikanische Weigerung, an der Kontrolle Wiens teilzunehmen, als direktes Desinteresse an österreichischen Belangen auslegen könnten. Die Briten aber mit den Russen allein in Österreich zu lassen, würde für die Zukunft des Landes nichts Gutes bedeuten.[15]

Die alliierten Verhandlungen über die österreichischen Zoneneinteilung und ein entsprechendes Kontrollabkommen sollten sich noch bis Anfang Juli 1945 hinziehen. Erst auf Winants Drängen nahm die amerikanische Außenpolitik sehr spät im Januar 1945 grundsätzliche Verpflichtungen auf sich, in Österreich eine Besatzungszone zu übernehmen, nachdem die Sowjets und Briten in der EAC schon 1944 detaillierte Pläne zur Aufteilung Österreichs vorgelegt hatten. Im Januar 1945 akzeptierten die Russen und Amerikaner auf britischen Druck hin widerwillig, daß die Franzosen auch eine Besatzungszone erhalten sollten.[16]

Frankreich spielte in der alliierten Planung kaum eine Rolle und wurde eher als lästiges Anhängsel behandelt, vor allem wegen der Großmachtallüren des eigenwilligen Generals Charles de Gaulle. Nach der schweren militärischen Nieder-

lage von 1940 sowie der alle Annahmen übertreffenden starken französischen „collaboration" mit den Nationalsozialisten
während des Krieges (Vichy-Regime), aber auch dem beacht-
lichen und nach 1945 stark betonten Widerstand („Résistance") gegen die Nazis, ging Paris 1945 daran, die verlorenen
Überseekolonien zurückzugewinnen. Man bestand auch auf
Besatzungszonen in Deutschland und Österreich, um den
Status als Großmacht wiederzuerlangen und vom Trauma des
Sommers 1940 und von den Kollaborationsverstrickungen ab-
zulenken. Bei den großen Kriegskonferenzen war Frankreich
zunächst nicht vertreten wie es auch erst spät Sitz und Stimme in der EAC erhielt. In puncto Österreich hatte die französische Politik also mindestens zwei Jahre Planungsrückstand.
Die von Frankreich nicht unterfertigte Moskauer Erklärung
wurde mit einer sinngemäßen eigenen Österreich-Deklara-
tion am 16. November 1943 wettgemacht.[17]

Die sich von 1944 bis 9. Juli 1945 hinziehenden EAC-Ver-
handlungen über die Zonenaufteilung Österreichs hatten den
unerwarteten Vorteil, daß die expansiv angelegten sowjetischen Interessen immer klarer zutage traten. Im Gegensatz
zu den alliierten Zonen- und Kontrollabkommen für Deutschland, welche schon im Juli und November 1944 von der EAC
beschlossen worden waren, lernten die Westmächte aus früheren Fehlern und schrieben für Wien vor allem präzise Tran-
sitrechte fest, die für Berlin fehlten, was in beiden Städten im
Frühjahr 1948 zu sehr unterschiedlichen Krisenkonstellatio-
nen führen sollte. Mit der Befreiung Österreichs im April/Mai
1945 und der Festlegung der Zonen und Sektoren Wiens
konnte dann die alliierte Planung in die Politik der Viermächtekontrolle des Landes übergehen.

2. Die alliierte Österreichpolitik 1945–1955

Die ersten Monate nach Kriegsende waren in Österreich von
totalem Chaos gekennzeichnet; das Land unterstand der völligen Kontrolle der Besatzungsmächte. Die „Bevormundung"

(Bischof/Leidenfrost) durch die vier Mächte – die auch mit der tiefen Verstrickung von Österreichern im Angriffs- und Vernichtungskrieg des Nationalsozialismus zu tun hatte (was vom offiziellen österreichischen Staat, der auf dem Opfergedanken der Moskauer Deklaration beharrte, ungern konzediert wurde[18]) – begann sich erst allmählich nach Einrichtung des „Alliierten Rates" in Wien im September 1945 abzuschwächen. Die beginnende Zusammenarbeit der Besatzungsmächte im Alliierten Rat zögerte auch die frühen britisch-sowjetischen Gegensätze im Zeichen des heraufziehenden „Kalten Krieges" in Österreich hinaus. Dieser Antagonismus war bereits seit dem einseitigen sowjetischen Vorgehen noch vor Kriegsende bei Etablierung und Anerkennung der Renner-Regierung in Ansätzen zu erkennen. Nur durch amerikanische Ausgleichsbemühungen war er beigelegt worden. Die wiederholte Vermittlung des US-Hochkommissars Mark W. Clark führte im Herbst 1945 zu einer gewissen Entspannung dieses britisch-sowjetischen Kalten Krieges in Österreich.

Als die Russen die unter ihrer Ägide konstituierte und am 27. April ausgerufene Provisorische Konzentrationsregierung (SPÖ-ÖVP-KPÖ) unter Bundeskanzler Karl Renner sofort anerkannten, schwante dem Foreign Office bereits Böses. Nahm nicht allein schon die übermächtige Präsenz der Roten Armee die zukünftige politische Ausrichtung des Landes vorweg? Setzte sich hier nicht das Muster einseitigen Vorgehens der Sowjets in Bulgarien, Rumänien und Polen in Wien fort, die mit Hilfe der mächtigen Roten Armee Satellitenregierungen einrichteten und somit ein gemeinsames Vorgehen der Kriegspartner unmöglich machten? Deutete sich hier nicht schon der frühzeitige Zusammenbruch der siegreichen Kriegsallianz noch vor Ende der Auseinandersetzungen an? Würden die expansiv gesinnten Kreml-Kommunisten jetzt von Osteuropa ihre Machtpräsenz nach Mitteleuropa ausdehnen und damit auch Westeuropa bedrohen? Würde sich das vom Krieg arg gebeutelte Großbritannien, nach dem anfänglichen amerikanischen Desinteresse sich in Kontinen-

taleuropa zu engagieren, allein auf weiter Flur zur Eindämmung des Kommunismus dastehen? Solche Gedanken beun-
ruhigten die entscheidenden Leute in London, und der globale Kontext dominierte auch die „mentale Landkarte" der britischen Österreichpolitik. Würden die Sowjets erst ernsthaft
über Österreich verhandeln, nachdem sie ihre Bedingungen
diktieren konnten?[19]

Für die Amerikaner hatte das Vorgehen der Sowjets in
Osteuropa und Österreich weniger bedrohliche Züge, operierte der neue Präsident Harry S. Truman doch gänzlich im
Schatten von Franklin D. Roosevelt, der am 12. April gestorben war. Der außenpolitisch unerfahrene, aber entschei-
dungsfreudige Truman, der aus der tiefsten Provinz des Mittleren Westens stammte und sich im Lande nur geringen
Rückhalts erfreute, wuchs schnell an seinen gewaltigen Aufgaben. Er konnte gar nicht anders als versuchen, die Koope-
rationspolitik Roosevelts mit den Sowjets fortzusetzen und
sich an die Abmachungen von Jalta zu halten. Truman wurde
von Churchill, der darauf drängte, dem sowjetischen Expan-
sionsdrang in Mitteleuropa einen Riegel vorzuschieben,
ebenso zur Verzweiflung getrieben wie vom krankhaften
Mißtrauen Stalins. Churchill hingegen meinte, die amerikanische Einschätzung der Russen sei viel zu „rosig".[20]

Es waren dann hauptsächlich die Amerikaner, vor allem
der neu ernannte und publicity-süchtige US-Hochkommissar
für Österreich, Clark, der sich als Vermittler im britisch-sowjetischen Kleinkrieg in Österreich engagierte. General
Clark veranlaßte Ende August in Wien ein Treffen mit
seinem widerborstigen britischen Kollegen General Richard
McCreery (den er vom italienischen Kriegsschauplatz
gut kannte), und dem hochdekorierten sowjetischen Hochkommissar General Iwan Konev (einem der Sieger der
denkwürdigen Schlacht um Berlin). Im sowjetischen Hauptquartier in Baden bei Wien wurden nicht nur die Differenzen in der schwierigen Versorgungslage Österreichs und
Wiens, sondern auch letzte offengebliebene Details über die
Kontrolle   der   Bundeshauptstadt   beseitigt.   Clark   und

McCreery machten auch mit der russischen „Wodkadiplomatie" Bekanntschaft, die versuchte, westliche Verhandlungsführer durch den übermäßigen Konsum des Kartoffelschnapses „weichzuklopfen", um für die Sowjetunion die gewünschten Verhandlungsergebnisse zu erzielen. Die alliierten Generäle machten also im Sommer 1945 die Österreichpolitik unter sich aus, natürlich im Rahmen der von ihren Regierungen vorgegebenen Parametern, die bei den Briten viel präziser gesteckt waren als bei den Amerikanern und Russen, die oft vor Ort improvisierten. Nun wirkte sich der Planungsvorsprung der Briten aus. London legte seinen Besatzern vor Ort eine enge Zwangsjacke an. Die Folge dieses wichtigen ersten Treffens der Hochkommissare war, daß am 1. September die Besatzungsmächte endlich in Wien einzogen und am 11. September die konstituierende Sitzung des Alliierten Rates stattfinden konnte.[21]

Das Anlaufen einer Koordinierung der Viermächtepolitik kam keinen Moment zu früh, waren die Russen doch schon dabei, sich entscheidende wirtschaftliche Vorteile in ihrer Zone zu verschaffen. Sie hatten nicht nur in Ostösterreich ein Unmenge an Industrieanlagen als Beute- und Reparationsgüter demontiert (in der Höhe von ca. einer Milliarde Dollar), sondern sie versuchten auch, die österreichische Regierung zu zwingen, für Moskau äußerst vorteilhafte bilaterale Wirtschaftsabkommen abzuschließen. Es gelang Clark und den Amerikanern im letzten Moment, das Abkommen zu einer „fifty-fifty" österreichisch-sowjetischen Ölgesellschaft zu verhindern, in der nach dem Muster osteuropäischer „gemischter Gesellschaften" die Österreicher das Gesamtkapital ihrer Anlagen einzubringen und die Sowjets allein die Vertretung innegehabt hätten. Damit wurde die übermächtige Kontrolle der umfangreichen österreichischen Ölindustrie noch einmal verhindert, die die Sowjets im Frühjahr 1946 dann aber doch als sogenanntes „Deutsches Eigentum" an sich rissen.[22]

Die Präsenz der Westalliierten in Wien erlaubte es auch, den gesamtösterreichischen innenpolitischen Konstituie-

rungsprozeß in geordnete Bahnen zu lenken und somit
Österreich jenen Vorsprung an Staatlichkeit (Rauchensteiner)[23] zu verschaffen, der ihm viel früher als Deutschland
eine frei gewählte Regierung brachte – Voraussetzung, um
den verbissenen staatlichen Selbstbehauptungswillen am
Ende durchzusetzen; dieser unbedingte Wille zur staatlichen
Unabhängigkeit stellte das entscheidende Plus der „Gründerväter" der Zweiten Republik dar und wurde zum Ausgangspunkt einer sich formierenden österreichischen Identität. Die im September und Oktober stattfindenden Länderkonferenzen   erzwangen   eine   gesamtösterreichische
Umbildung und Erweiterung der bis dahin politisch einseitig
zusammengesetzten   (ost-)österreichischen   Renner-Regierung, in der die Kommunisten mit einem Drittel überreprä-
sentiert waren. Die Erstellung eines Modus und des Termins
für frühe gesamtösterreichische Wahlen ging unter Aufsicht
der vier Mächte vor sich; mit der Währungsreform gelang es
zudem, geordnetere Verhältnisse in den chaotischen Geldver-
kehr mit einem aus Osteuropa eingeführten Überhang an
Reichsmark zu bringen. Schon am 25. November fanden die
ersten freien Wahlen nach dem Krieg statt; sie endeten mit
einer schweren Niederlage für die Kommunisten, die nur 4
von 165 Mandaten erringen konnten. Österreich hatte mit
der dann im Dezember gebildeten Koalitionsregierung unter
Leopold Figl nun auch ein gesamtösterreichisches Sprach-
rohr. Mit Österreich als angehendem Völkerrechtssubjekt in
der internationalen Politik ließ auch die völlige Bevormundung der Frühphase der Besatzung nach, in der Österreich
Objekt bzw. Spielball der Großmächte war.[24]

Es wird in der internationalen Literatur über den Ausbruch des Kalten Krieges durchwegs ignoriert, daß schon
Anfang 1946 in Österreich der amerikanisch-sowjetische
Kalte Krieg ausbrach, also noch früher als in Deutschland
oder in Südeuropa (etwa Griechenland).[25] Nach der unerwarteten Niederlage der Kommunisten bei den Wahlen änderten
die Sowjets schlagartig ihre österreichfreundliche Politik.
Jetzt ging es ihnen in erster Linie um die wirtschaftliche

Ausbeutung ihrer Zone. Damit wollte man wohl den österreichischen Unabhängigkeitswillen schwächen, wie es die Briten schon in ihrer Reparationsformel im Jahre 1944 erkannt hatten (hohe Reparationsforderungen gegen Österreich würden zur wirtschaftlichen Lebensunfähigkeit führen). Moskau zahlte damit postwendend den Österreichern ihren demonstrativen Antikommunismus und deren zunehmende Anlehnung an die Westmächte zurück. Schon im Februar 1946 begannen die sowjetischen Besatzungsbehörden, das sogenannte „Deutsche Eigentum" (grob gesprochen alle deutschen Vermögenswerte in Österreich von den ausgedehnten Ölanlagen bis zur Donau-Dampfschiffahrtsgesellschaft und unzähligen anderen Industrieanlagen) zu requirieren. Der Höhepunkt dieser Requirierungen erfolgte im berüchtigten Befehl Nr. 17 des sowjetischen Hochkommissars vom 5. Juli (bzw. rückdatiert auf 27. Juni) 1946. Ca. 280 Industriebetriebe mit mehr als 50.000 Arbeitern wurden in die sowjetisch verwalteten „USIA"-Betriebe eingegliedert. Deren Erzeugnisse kamen der Sowjetunion bis 1955 als „Reparationen aus laufender Produktion" zugute. Moskau nahm also im Frühjahr 1946 in seinen Zonen in Österreich und Deutschland eine Umstellung der Reparationspolitik vor. Es wird in der gängigen Literatur kaum gewürdigt, daß insgesamt bis 1955 ca. 500 Millionen Dollar an Reparationsleistung aufgebracht wurden, die Österreich an die Sowjetunion – zusammen mit ca. 1 Milliarde Dollar an Demontagen im Jahre 1945 – zahlte. Dies war eine beträchtliche Leistung, die das befreite „Opfer" Österreich an Reparationen zu erbringen hatte (pro Kopf war die Leistung z. T. sogar höher als die von Hitlers Satelliten in Osteuropa).[26]

Allein die Folge dieser gezielten Ausblutung der ostösterreichischen Wirtschaft war ein weiterer Grund zur Anlehnung Österreichs an die Westmächte, was zu einer Politik der Eindämmung des Kommunismus mittels Westintegration („containment by integration") des Landes führte. Vor allem der rigide Antikommunist Mark Clark erkannte in dieser sowjetischen Ausbeutungspolitik eine zunehmende kommunistische Gefahr für Österreich. Der als besonders amerikanophil geltende energische, ja oft ungestüme Außenminister Karl Gruber spielte die „rote Gefahr" besonders für Wien immer wieder hoch, um für Österreich bessere Besatzungsbedingungen und mehr Wirtschaftshilfe herauszuschlagen. Die hartnäckige „Politik des Antikommunismus"[27] Grubers trug bereits früh erste Früchte. Schon im Juli 1946 deuteten sich tiefe Spaltungstendenzen unter den Besatzungsmächten an, als die Sowjets die Verstaatlichung des Deutschen Eigentums durch die österreichische Regierung nur mehr in ihrer Zone blockieren konnten.[28]

Am deutlichsten aber zeigt sich das wachsende Interesse der USA an der Zukunft Österreichs am Beispiel diverser Wirtschaftshilfsprogramme. Damit wurden die USA ökonomisch gesehen zur führenden Macht in diesem Land, zumal ihr „Problemkind" schon 1946 als wichtiges Element für die neue amerikanische Führungsrolle unter den Westmächten bei der globalen Eindämmung des Kommunismus diente – und dies bereits ein Jahr vor Verkündigung der „Truman-Doktrin" im März 1947.

1946 erkannten Clark und sein politischer Berater John G. Erhardt – noch vor den meisten Regierungsbeamten in Washington –, daß die Briten mit ihren Warnungen über die kommunistische Expansionsgefahr und den Sowjetimperialismus recht gehabt hatten. Mit Hilfe von Grubers übertriebener Perzeption der kommunistischen Bedrohung des Landes half Clark, die Truman-Regierung umzustimmen und in Österreich auf Konfrontationskurs mit der Sowjetunion zu gehen. Österreich ist also durchaus als einer jener hochrangigen Konfliktherde zu sehen, die 1946/47 zum Ausbruch des Kalten Kriegs führten. Schon 1946 finanzierten die Amerikaner großzügig das Überleben der Österreicher: Aus den Beständen der US-Armee und der größtenteils von den USA finanzierten UNRRA-Hilfe kamen die notwendigen Lebensmittel ins Land; die USA finanzierten auch zum Großteil das ca. 200 Millionen Dollar große Defizit in der österreichischen Handelsbilanz.[29]

Das gezielte amerikanische Engagement in Europa, angekündigt in der Truman-Doktrin und mit dem Marshall-Plan,
führte zur entscheidenden Wende in der Weltpolitik der Nachkriegszeit und wurde 1947/48 auch für Österreichs zukünftige
Westorientierung bedeutsam. Die wirtschaftliche und soziale
Misere, ausgelöst durch den Hungerwinter von 1946/47, sowie
der politisch-psychologische Tiefpunkt infolge der fehlgeschlagenen Moskauer Außenministerkonferenz im März/April
1947 führten im Frühjahr auch zu einer tiefsitzenden Krisenstimmung. 1947/48 wurden dann in den österreichischen Vertragsverhandlungen große Detailfortschritte erzielt und neue
Zukunftshoffnungen durch die Teilnahme am Marshall-Plan
geweckt.[30] Maßgeblichen Leuten im Westen, wie etwa dem
britischen Außenminister Ernest Bevin, war es jedoch von
vornherein klar, daß „die sowjetische Regierung die Österreichfrage wohl kaum isoliert von den größeren politischen
Entwicklungen lösen werde". Im Klartext: Der Österreichvertrag würde nicht unterzeichnet, ohne Beseitigung der wichtigsten Streitpunkte zwischen Ost und West, wie etwa des zukünftigen Status Deutschlands.[31]

Nach der Machtübernahme der Kommunisten in Prag im
Februar 1948 und den wachsenden Spannungen in der Ber-
linfrage nahm die Krisenstimmung in Wien wieder schlagartig zu („Prag liegt westlich von Wien").[32] Die entscheidende
Folge war, daß sich das Pentagon massiv in die Gestaltung
der Außenpolitik auch gegenüber Österreich einmischte, was
zur Militarisierung der amerikanischen Außenpolitik –
fortan umfassender als „Sicherheitspolitik" bezeichnet –
führte, die im Koreakrieg ihren Höhepunkt erlebte. Auf Betreiben des farblosen General Geoffrey Keyes, seit Mitte 1947
Clarks Nachfolger als Hochkommissar in Österreich, waren
konkrete Fortschritte in den Vertragsverhandlungen nicht
mehr erwünscht. Entscheidend war, daß die amerikanischen
Militärs bei einem Vertragsabschluß ein militärisches Vakuum in Österreich befürchteten und dieses schleunigst füllen
wollten, um der Gefahr einer kommunistischen Subversion
von innen nach dem Prager Muster bzw. des kommunisti-

schen Drucks von außen, wie er in Korea vorhanden war, zuvorzukommen. Beides konnte eine Ausdehnung der sowjetischen Machtsphäre nach ganz Österreich bedeuten, der in der neuen Ära der unbedingten weltweiten Eindämmungspolitik des Kommunismus unbedingt ein Riegel vorzuschieben war. Ab dem Sommer 1948 kämpften daher Keyes und der Pentagon unentwegt für eine geheime Wiederbewaffnung Österreichs, um bei einem Vertragsabschluß gegen kommunistische Subversion von innen und außen gewappnet zu sein.[33]

Als die Sowjets nach dem Bruch mit Tito nicht mehr länger die jugoslawischen Gebietsforderungen in Österreich unterstützten und auch in der vertrackten Frage des „Deutschen Eigentums" auf Vermittlung der Franzosen („Cherrière Plan") wichtige Zugeständnisse machten, wurden in den Vertragsverhandlungen auf der Pariser Außenministerkonferenz im Juni 1949 entscheidende Fortschritte erzielt. Es wäre im Herbst 1949 ganz gegen den Willen des Pentagon, vor allem auf Druck des besonders österreichfreundlichen britischen Außenministers und früheren Gewerkschaftsführers Bevin hin beinahe zum Vertragsabschluß in New York gekommen. Im letzten Moment waren es aber wieder die Sowjets – die mit „Erbsenschuld"- Forderungen und ab 1950 mit einer Koppelung der Österreich- und der Triester-Frage – die Vertragsunterzeichnung verhinderten.[34]

Diese neuerliche sowjetische Intransigenz in für den Vertragsabschluß unbedeutenden Details kam natürlich den amerikanischen Militärs entgegen, gab sie ihnen doch eine weitere Gelegenheit, die geheime Wiederbewaffnung Westösterreichs fortzusetzen und zu intensivieren, gegen die nicht nur die österreichische Regierung massive Bedenken hatte. Die Briten unterstützten dabei die Amerikaner, wollten sich aber an der Finanzierung der österreichischen Wiederbewaffnung nicht beteiligen. Die Franzosen hingegen befürchteten, genauso wie die eingeschüchterte Figl-Regierung, ein voreiliges Bekanntwerden dieser an sich nicht geheimzuhaltenden Wiederbewaffnungsanstrengungen in Westösterreich. Dies hätte die gespannte, aber immer noch funktionierende Vier-mächte-Zusammenarbeit im Alliierten Rat in Wien zum Still-stand bringen können, trat jedoch nicht ein.

Die größte Zerreißprobe des frühen Kalten Krieges ent-wickelte sich infolge des kommunistischen Angriffes auf Süd-korea im Juni 1950. Die gespannten Beziehungen zwischen den Supermächten, die durch den ausbrechenden nuklearen Rüstungswettlauf noch verstärkt wurde, fielen mit den als kommunistischen „Putschversuch" hochgespielten Arbeiter-unruhen in Ostösterreich vom Herbst 1950 („ten days of red terror") zusammen. Die Gleichzeitigkeit dieser Ereignisse be-scherte den amerikanischen Militärs endlich den gewünsch-ten Anlaß in Österreich, die geheime Wiederbewaffnung zu beschleunigen.[35]

Ab 1951 wurde der „Keyes-Plan" aus dem Jahre 1950 rasch in Gang gesetzt und Österreich remilitarisiert, also die sog. „B-Gendarmerie" auf ca. 5000 Mann erweitert, die nach dem Vertragsabschluß den „Kern" einer zukünftigen österreichi-schen Armee bilden sollte. Gleich den NATO-Ländern wurde diese kontrollierte Wiederbewaffnung Österreichs aus-schließlich aus amerikanischer Militärhilfe finanziert. Für einen Guerillakrieg gegen kommunistische Invasoren legte die US-Armee sogar geheime Waffenlager in den österreichi-schen Alpen an. Zudem wurde die Verteidigung Westöster-reichs nun vermehrt in den Planungen der NATO berück-sichtigt. Die Amerikaner gaben jedoch nie dem Druck des französischen Hochkommissars Emile Béthouart nach, eine österreichische „Alpenfestung" im gebirgigen Westen des Landes anzulegen. Für den „Ernstfall" sahen die NATO-Plä-ne einen Rückzug westlicher Truppen nach Italien vor („Re-tardierungsmission"). Nach der wirtschaftlichen Westinte-gration im Rahmen des Marshall-Plans, wurde Österreich nun militärisch zum quasi-geheimen Verbündeten des We-stens; es erfolgte also eine für die zukünftige Einheit und Freiheit des Landes keineswegs unbedenkliche politische Westorientierung. Österreich blieb in dieser Konsequenz von jener allgemeinen Militarisierungsphase des Kalten Krieges

nicht verschont, als im Zuge der Verwirklichung des entscheidenden amerikanischen Grundsatzmemorandums NSC-
68 vom 14. April 1950 nicht nur das westliche NATO-Bünd-
nis Zähne bekam und die Wiederbewaffnung Westdeutschlands (nur fünf Jahre nach Kriegsende) in die Wege geleitet
wurde (Plan einer „Europäischen Verteidigungsgemeinschaft", vorgelegt von René Pleven), sondern auch das atomare Wettrüsten quantitativ (von 50 auf 1000 atomare Spreng-
köpfe im amerikanischen Arsenal) und qualitativ (mit der
Wasserstoffbombe) an Bedeutung gewann.[36]

In der heißesten Phase des Kalten Krieges kamen in Korea
hunderttausende von Menschen um. Im globalen Kontext
sahen die führenden westlichen Planer und Politiker die Gefahr einer Zunahme der direkten kommunistischen Bedrohung Mitteleuropas. Die Folge war nicht nur die „Remilitarisierung" Westdeutschlands und Westösterreichs, sondern
auch eine totale Verweigerung der Verhandlungsbereitschaft
der Amerikaner mit dem Kreml in allen wichtigen diplomatischen Fragen. Es bleibt zu konstatieren, daß die Diplomatie
zwischen den Supermächten im Zeitalter des Koreakrieges
zur Propagandaschlacht verkam, ganz zum Leidwesen der
Österreicher, die ja immer noch auf ihren Vertrag warteten.
Das bedeutete einerseits die unmißverständliche Absage an
alle Verhandlungsangebote seitens des Kreml in der deutschen Frage (z. B. der berühmten „Stalin Noten" zur Neutralisierung und Wiedervereinigung Deutschlands im Jahre
1952), und andererseits kein ernsthaftes Interesse, die fest-
gefahrenen Verhandlungen des Österreich-Vertrages wieder
in Schwung zu bringen. So ist dann die von den Amerikanern
gegen den Willen der Briten und Franzosen (und anfänglich
auch der Österreicher) inszenierte „Kurzvertrags"-Initiative
als ein reines Propagandamanöver zu sehen, welches kein
ernstzunehmendes Angebot darstellte, um die Vertragsverhandlungen wieder in Gang zu bringen.[37]

Es waren die Veränderungen auf der weltpolitischen Büh-
ne nach Stalins Tod, die im Laufe des Jahres 1953 wieder
Bewegung in die internationale Politik brachten und damit

auch neue Möglichkeiten in der Österreichfrage schufen – es sollte die entscheidende Wende in der Ost-West Großwetterlage sein. Dabei fuhr der neue amerikanische Präsident und Republikaner Dwight D. Eisenhower weiter auf der Schiene eines sturen Antikommunismus im Inneren wie im Äußeren, galt es, sowohl die Kommunisten weltweit als auch die Kritiker in der eigenen Partei 1953/54 in die Schranken zu weisen. Der an sich diplomatisch nicht unerfahrene Eisenhower zeigte sich in der neuen weltpolitischen Konstellation nach Stalins Tod unbeweglich und einfallslos. So blockierte er die neue sowjetische Politik der „friedlichen Koexistenz" auf allen Ebenen. Der greise Churchill hingegen, der seit 1951 wieder als Premier in Downing Street 10 das Szepter schwang, unternahm alles Mögliche, um die Ernsthaftigkeit der neuen Politik der Führungstroika im Kreml auf Gipfelebene auszuloten. Der Mann, der mit seiner „iron curtain"-Rede vom 5. März 1946 in Fulton/Missouri die Symbolik für die Ost-West Auseinandersetzung geschaffen hatte, trachtete nun danach, eine weltpolitische Entspannung herbeizuführen, wohl auch gedacht als seine große Hinterlassenschaft an die Geschichte. Eisenhower und Dulles, aber auch das Foreign Office machten Churchill jedoch einen Strich durch die Rechnung. Dabei lag gerade eine schnelle Lösung der Österreichfrage im Zentrum von Churchills Überlegungen, war doch der Österreichvertrag[38] im Grunde schon seit 1949 unterschriftsreif; hier könnte die neue Kremlführung schnell und ohne viel Aufhebens ein deutliches Zeichen für Konzessionsbereitschaft und Aufrichtigkeit einer Politik der friedlichen Koexistenz setzen. Auch Eisenhower wollte von der Führungstroika unter Malenkow keine hehren Worte hören, sondern konkrete „Taten" sehen („deeds not words"), wie er in seiner grundlegenden Rede am 16. April 1953 ausführte, und reihte den Österreichvertrag ganz oben auf seiner Liste der möglichen sowjetischen Konzessionen.[39]

In Österreich gab es im Frühjahr 1953 eine neue Koalitionsregierung unter Bundeskanzler Julius Raab, schon seit Kriegsende die „graue Eminenz" in der ÖVP. Seine Außenpo-

litik wurde von den Westmächten unterschätzt. Der bauern-
schlaue Kanzler nützte energisch den unerwarteten Spielraum aus, den die neue und unsichere Kremlführung überraschend für eine Richtungsänderung der österreichischen
Außenpolitik anzubieten schien. In den „russischen Wochen"
(Rauchensteiner) des Spätfrühjahrs 1953 initiierte Moskau
die längst überfälligen Erleichterungen im sowjetischen Besatzungsregime in Ostösterreich. Gleichzeitig ließ der energische Raab in Moskau die Möglichkeit einer Neutralisierung
Österreichs ausloten, war doch spätestens bis 1953 klar geworden, daß mit Grubers allzu enger politischer Westorientierung von der Sowjetunion niemals ein Österreichvertrag
zu haben war. Ein Vorstoß über eine zukünftige Politik der
Allianzfreiheit Österreichs bei Molotow im Juni 1953, der
über die Vermittlung der blockfreien Inder lief, fruchtete
aber noch nichts. Dies u. a., weil Molotow im internen Kreml-
Machtkampf noch einmal an Einfluß gewann und zum alten
Stalinismus zurückkehrte, indem überhaupt keine Konzessionen mehr gemacht werden sollten, nachdem Berjias Politik der Öffnung der deutschen Ostzone mit dem Aufstand des
17. Juni fehlgeschlagen war. Ganz im Gegenteil, der österreichische Vorstoß rief lediglich tiefes Mißtrauen der Westmächte gegenüber der neuen Wiener Politik hervor.[40] Diesen waren in ihrer Österreichpolitik seit der amerikanischen Totge-
burt „Kurzvertrag" die straffen Zügel entglitten. War es nicht
gerade die amerikanische Unwilligkeit während der Militarisierungsphase des Kalten Krieges (1950/53) gewesen, den
Sowjets auf diplomatischem Parkett zu begegnen, die nun die
Österreicher zu eigenmächtigem Handeln zwang?

Trotz ihrer Entrüstung über die gewagte, aber kluge Diplomatie des Ballhausplatzes konnten sich die Westmächte im
Grunde einer von den Österreichern gewollten Neutralität
und Blockfreiheit nicht entgegenstellen, vor allem, wenn es
eine bewaffnete Neutralität sein würde, wie die Eisenhower-
Administration den Österreichern seit 1954 immer wieder
klarzumachen versuchte. Das war in den ersten britischen
Reaktionen schon erkennbar und deutete sich auch in einer

grundsätzlichen Debatte über die Österreichfrage im National Security Council (NSC) an. In dieser ermahnte Außenminister John Foster Dulles den Chairman der Joint Chiefs of Staff, Admiral Arthur Radford, daß die USA schlußendlich eine österreichische Neutralität nicht verhindern könnten, da „ein verbittertes Österreich nie ein verläßlicher Alliierter der USA sein würde". Radford befürchtete genauso wie die Mehrheit der Entscheidungsträger in Washington, Paris und London, daß eine Neutralisierung Österreichs Signalwirkung auf die westliche Deutschlandpolitik haben könnte; im schlimmsten Falle wurde befürchtet, daß damit die westdeutsche Remilitarisierung verhindert werden könnte. Die Neutralisierung eines wiedervereinigten Deutschlands war aber für alle Westmächte inakzeptabel, wie man spätestens seit der Ablehnung der „Stalin-Noten" wußte. Deshalb sollte die Wiederbewaffnung der BRD möglichst schnell unter Dach und Fach gebracht werden. In den politischen Schaltzentralen in London und Washington meinten die maßgeblichen Leute, die Sowjets würden die Österreichkarte erst ausspielen, wenn sie damit in der Deutschlandfrage etwas erreichen könnten, wie dies der amerikanische Botschafter in Moskau, George F. Kennan, ausdrückte: „[...] Soviets would like to reserve their position on Austria until they know roughly what shape the German settlement is to take."[41] Die westliche Deutschlandpolitik hatte wieder einmal weit höhere Priorität als ihre Österreichpolitik, und man sah bis 1955 alle bilateralen Initiativen Österreichs mit Moskau in Richtung Neutralisierung/Blockfreiheit als Störmanöver, mehr noch in Washington und Paris als in London.[42]

Als sich im Januar 1954 in Berlin die Außenminister der Mächte wieder zum ersten Mal seit 1949 trafen, konnte man in der Österreichfrage wieder auf einen diplomatischen Durchbruch hoffen. Molotow koppelte aber die Unterzeichnung des Österreichvertrages an eine Lösung der deutschen Frage. Er hoffte also mittels sowjetischen Zugeständnissen in der Österreichfrage die Wiederbewaffnung der Bundesrepublik zu verhindern. Auf jeden Fall war für Molotow das

österreichische Angebot von Neutralität und Blockfreiheit
nicht genug, um den gordischen Knoten „Österreichvertrag"
zu zerschlagen. Erst als sich die Wiederbewaffnung und Integration der BRD in die NATO im Herbst 1954 in den Pariser Verträgen rasch abzeichnete, stand die neue Führungs-
mannschaft im Kreml in ihrer gesamten Mitteleuropapolitik
vor einem Scherbenhaufen. Mit der Entscheidung in der
deutschen Frage mußte somit auch die Österreichfrage neu
überdacht werden.[43]

Im Rahmen dieser neuen Mitteleuropapolitik zum Jahreswechsel 1954/55 wurde nun nach dem Machtwechsel im
Kreml (Abstieg Molotows und Aufstieg Chruschtschows)
Neutralität und Blockfreiheit in Österreich in der Konzeption eines Staatengürtels von Finnland bis Jugoslawien in
den Vordergrund gerückt.[44] Das führte im Westen wiederum
zu schweren Bedenken, mußte doch der Ratifizierungsprozeß
der Pariser Verträge (Wiederbewaffnung und Westintegration der BRD) abgeschlossen werden, was im Frühjahr 1955
geschah. Diese Wende in der sowjetischen Mitteleuropapolitik brachte den Österreichern zwischen Mai und Oktober
1955 Staatsvertrag, Neutralität und die lang ersehnte staatliche Unabhängigkeit.[45]

Die seit 1951 aber zügig vorangetriebene geheime Wiederbewaffnung Westösterreichs garantierte nun den raschen
Auf- und Ausbau einer österreichischen Armee. Deshalb
mußte das störrische Pentagon auch wohl oder übel die unerwartete Lösung der Österreichfrage akzeptieren, führte
doch die Neutralität im Falle Österreichs – wie im Falle des
Paradebeispiels Schweiz – nicht zum militärischen Vakuum.[46] Die Österreicher hatten also in dieser letzten Phase
der Vertragsverhandlungen vorexerziert, daß Kleinstaaten
keineswegs machtlos waren, wenn sie den politischen Spielraum im Spannungsfeld zwischen den Supermächten geschickt für ihre eigenen Ziele ausnützten, was sich Adenauer
gerade nicht leisten konnte und auch nicht wollte.[47]

3. Schlußfolgerungen

Die Westmächte hatten nie die Absicht, das „befreite" Österreich zehn Jahre lang besetzt zu halten. Das war eine Folge des zwiespältigen internationalen Status des Landes – eben des ambivalenten Anschlusses und der Kollaboration vieler Österreicher mit dem NS-Regime. Die Österreicher waren ja nicht nur Opfer, sondern auch Täter im nationalsozialistischen Unrechtsregime gewesen. Eben deshalb betrieben die Sowjets eine so unnachgiebige Österreichpolitik, waren sie doch die Hauptleidtragenden von Hitlers Expansions- und Vernichtungspolitik gewesen. Vor allem auf Betreiben Moskaus mußten die Österreicher ihre keineswegs unbedeutende Verstrickung in die nationalsozialistischen Verbrechen teuer bezahlen.

Der offensichtlich tiefsitzende Antikommunismus der Österreicher, klar ausgedrückt in der Wahl von 1945, und die zunehmenden Spannungen zwischen den Supermächten machten Österreich zum Spielball der Mächte. Vor allem wegen der harten russischen Gangart geriet es zunehmend in die Mühlen der Großmachtpolitik. Seit 1946 wurden die USA, wenn auch anfangs widerwillig, mehr und mehr zur eigentlichen Schutzmacht des Landes. Für die Dauer der Besetzung der Alpenrepublik wurde es ganz offensichtlich, daß die Amerikaner aus Österreich nie abziehen würden, solange die Rote Armee an der Donau stand. Trotz pragmatischer Anerkennung der österreichischen „Opferdoktrin" durch die Westmächte wurde Österreich aufgrund der spezifischen mitteleuropäischen Mächtekonstellation im Kalten Krieg mit einer nicht enden wollenden Viermächte-Okkupation konfrontiert. Sowohl die Politik der vier Besatzungsmächte als auch die Dauer der Okkupation waren direkte Folgen der geopolitischen Position der Alpenrepublik an den Schnitt- und Reibungspunkten der rivalisierenden Machtsysteme.

Dies zögerte einerseits die Verhandlungen des Staatsvertrages immer wieder hinaus, ja machte Österreich wiederholt zum Mündel der globalen Spannungen zwischen den

Supermächten, brachte andererseits aber auch den unerwarteten Segen amerikanischer Wirtschaftshilfe. Dabei pumpten die Amerikaner ungefähr soviel ins Land hinein, wie die Russen an Reparationen herauspreßten (jeweils ca. 1,5 Milliarden Dollar) und stärkten somit den österreichischen wirtschaftlichen und politischen Selbstbehauptungswillen. Die Amerikaner konterkarierten damit, was die Sowjets mit ihrer ausbeuterischen Reparationspolitik intendierten, nämlich die Schwächung der Wirtschaft, um damit auch in der Politik Erfolge zu erzielen. Mit dem Marshall-Plan begann die entscheidende wirtschaftliche Westintegration des Landes („containment by integration"), während die „geheime Wiederbewaffnung" eine militärisch-politische Westorientierung einläutete. Erst als die österreichische Politik einsehen mußte, daß mit der sich intensivierenden politischen Westorientierung von den Sowjets kein Vertrag zu erhalten war, suchte die Regierung Raab nach einem Ausweg und forcierte die Option der Allianzfreiheit, um somit die Unabhängigkeit zu erhalten.

Rettete Raab Österreich also vor einer permanenten Teilung, also dem Schicksal Deutschlands bis zum Ende der Teilung 1989/90? Faktum bleibt, daß nach anfänglichen Gehversuchen der österreichischen Außenpolitik nach Kriegsende, eine Art „Brückenfunktion" zwischen West und Ost auszuüben, sich der Wiener Ballhausplatz infolge des Kalten Krieges zunehmend Richtung Westen orientierte, um nach Fehlschlagen dieser einseitigen Westausrichtung nach Stalins Tod auf „Äquidistanz" zu den Machtblöcken zu gehen. Österreichs Unabhängigkeit wurde um den Preis der Neutralität erkauft und mündete in den sechziger Jahren in einer aktiven Neutralitätspolitik, schlußendlich also doch noch in der Brückenfunktion zwischen Ost und West, ganz im Sinne einer Tradition der österreichischen Außenpolitik.

Die Politik der vier Besatzungsmächte war in der Phase der Okkupation aber jeweils von ihren globalen Zielen im Kalten Krieg bestimmt: die Sowjetunion – mit ihren Machtansprüchen in Mitteleuropa, zurückgehend auf die Ergebnis-

se des Zweiten Weltkrieges – versuchte, Österreich in ihren
unmittelbaren Einflußbereich zu ziehen, wurde jedoch vom
tiefsitzenden österreichischen Antikommunismus eines besseren belehrt und reagierte daraufhin scharf mit einer Politik der wirtschaftlichen Ausbeutung in ihrer Zone; Großbritannien spielte schon im Planungsstadium die Vordenkerrol-
le bezüglich Österreichs zukünftiger politischer Ausrichtung,
mißtraute von Anfang an den expansiven Bestrebungen der
Moskauer Politik, und tarierte mit seiner erfahrenen Diplomatie wiederholt die durch amerikanische Militärs ausgelö-
ste allzu schroffe Großmachtpolitik aus; die Vereinigten
Staaten übernahmen die Rolle als Österreichs Schutzmacht
aufgrund ihrer westlichen Führungsrolle in der globalen Eindämmung des Kommunismus, wobei die Wirtschafts- und
Militärhilfe zu den entscheidenden Instrumenten amerikanischer Politik wurden; Frankreich gefiel sich auch in Österreich wiederholt in der Rolle des Mittlers zwischen den Supermächten, solange nämlich das Hauptinteresse der Pariser
Politik gewahrt blieb, den österreichischen Selbstbehauptungswillen zu fördern und damit unter allen Umständen
einen zukünftigen Anschluß an Deutschland zu verhindern.
Alle vier Mächte – mit Absicht oder auch nicht – behandelten
die Österreichfrage teils als Anhängsel, teils als Nebenschau-
platz ihrer weitaus wichtigeren Deutschlandpolitik.[48] Erst
nach Stalins Tod gelang es dem Ballhausplatz, Österreich
aus dem Schatten der alliierten Deutschlandpolitik heraus-
zumanövrieren.

---

* Die Hauptthesen dieses Kapitels stützen sich hauptsächlich auf meine
unveröffentlichte Dissertation, sowie auf eine Reihe von Aufsätzen (vgl.
die Literaturangaben). Michael Gehler bin ich für umfangreiche stilisti-
sche Verbesserungen zu kollegialem Dank verpflichtet.

1   Depesche Harold Caccia an Anthony Eden, 16. 11. 1951. PRO, FO
371/93597/CA 1011 3/28 S. 10; zum Vergleich der alliierten Deutschland-
planung vgl. die Aufsätze von Wolfgang Krieger (für die amerikanische),
Lothar Kettenacker (für die britische), Georges-Henri Soutou (für die
französische) und Alexej Mitrofanovic Filitov (für die sowjetische) in:
Hans-Erich Volkmann (Hrsg.), Ende des Dritten Reiches – Ende des
Zweiten Weltkrieges. Eine perspektivische Rückschau, München 1995,
S. 25–139.

2 Robert Keyserlingk, Austria in World War II. An Anglo-American Dilemma, Kingston-Montreal 1988.

3 Political Subcommittee, Aufzeichnungen der 9. Sitzung P-9 vom 2. 5. 1942. National Archives (NA), Washington, D.C., Record Group 59, Records of Harley A. Notter, Box 55.

4 Günter Bischof, Between Responsibility and Rehabilitation: Austria in International Politics 1940–1950, PhD Diss. Harvard University 1989, S. 14–25; zur anglo-amerikanischen Planung vgl. auch Keyserlingk, Austria in World War II, S. 87–122; Fritz Fellner, Die außenpolitische und völkerrechtliche Situation Österreichs 1938 – Österreich Wiederherstellung als Kriegsziel der Alliierten, in: Die Zweite Republik, hrsg. v. Erika Weinzierl und Kurt Skalnik, Wien – Graz – Köln 1975, S. 53–90.

5 Cavendish Cannon, Europaspezialist in der Geographischen Sektion des State Department, in Subcommittee on Security Problems, Aufzeichnungen der 2. Sitzung ST-3 vom 6. 1. 1943. NA, RG 59, Notter Records, Box 79.

6 Vgl. den Beitrag von Reinhold Wagnleitner, in: Anton Pelinka/Rolf Steininger (Hrsg.), Österreich und die Sieger, Wien 1986.

7 „The Future of Austria" vom 4. 4. 1943 und spätere Fassungen. PRO, London, FO 371/34465/C 3669; vgl. dazu Bischof, Austria in International Politics, S. 30–36; Gerald Stourzh, Geschichte des Staatsvertrages 1945–1955. Österreichs Weg zur Neutralität, Graz – Wien – Köln 1985[3], S. 1 ff.; Keyserlingk, Austria in World War II, S. 137 ff.

8 Bischof, Austria in International Politics, S. 42–54; grundlegend für die britische Österreichpolitik Robert Graham Knight, British Policy Towards Austria 1945–1950, PhD Diss. University of London 1986; Reinhold Wagnleitner, Großbritannien und die Wiederaufrichtung der Republik Österreich, phil. Diss. Salzburg 1975, sowie für die Planung Guy Stanley, British Policy and the Austrian Question 1938–1945, phil. Diss. London 1973.

9 Vgl. auch den Beitrag von Robert H. Keyserlingk in diesem Band.

10 Die wortkarge und äußerst ambivalente Moskauer Deklaration ist ein Schlüsseldokument für die Entstehung der 2. Republik und hat nicht nur den „Gründervätern" viel Spielraum zur Interpretation gelassen, sondern auch nachfolgende Historikergenerationen zu lebhaften historiographischen Debatten inspiriert. Der kanadische Historiker Robert Keyserlingk kommt auf der Grundlage intensiver Quellenstudien in amerikanischen und britischen Archiven zu dem Schluß, die alliierten Motive seien hauptsächlich propagandistischer Natur gewesen, nämlich die Anstachelung des österreichischen Widerstands gegen Hitlers Regime (vgl. Keyserlingk, Austria in World War II). Günter Bischof meint, die Gründerväter der 2. Republik hätten die Ambivalenz der Erklärung vor allem dazu instrumentalisiert, Österreichs „Opferstatus" festzuschreiben, um sich aus jeglicher Verantwortung für die auch von österreichischen Nazis begangenen Verbrechen im 2. Weltkrieg zu schleichen (vgl. Günter Bischof, Die Instrumentalisierung der Moskauer Erklärung nach dem Zweiten Weltkrieg, in: Zeitgeschichte 20 (1993), Heft 11/12, S. 354–366 mit ausführlicher Diskussion der Historiographie). Gerald Stourzh hat jüngst gegen diese „Opferthese" gekontert und meint, die Österreicher hätten in geschickter „advokatorischer" Manier die negativen Aussagen

bagatellisiert und das Beste aus der positiven Aussage von Österreich als erstem Opfer Hitlerscher Aggression gemacht; zudem hätte die Opferthese den persönlichen Erfahrungen zahlreicher Politiker der ersten Stunde entsprochen; vgl. Gerald Stourzh, Erschütterung und Konsolidierung des Österreichbewußtseins – Vom Zusammenbruch der Monarchie zur Zweiten Republik, in: Richard G. Plaschka/Gerald Stourzh/Jan Paul Niederkorn (Hrsg.), Was heißt Österreich? Inhalt und Umfang des Österreichbegriffs vom 10. Jahrhundert bis heute (Österreichische Akademie der Wissenschaften, Philosophisch-Historische Klasse, Historische Kommission), Wien 1995, S. 289–311.

11 Wilfried Aichinger, Sowjetische Österreichpolitik 1943–1945 (Materialien zur Zeitgeschichte 1), Wien 1977; grundlegend für das Verständnis der Politik Stalins im Zweiten Weltkrieg, Vojtech Mastny, Russia and the Cold War: Diplomacy, Warfare and the Politics of Communism, 1941–1945, New York 1978.

12 Bischof, Austria in International Politics, S. 62–69; grundlegend zum Verständnis von Churchill: Martin Gilbert, Winston S. Churchill: Road to Victory 1941–1945, Boston 1986.

13 Bischof, Austria in International Politics, S. 62–69; grundlegend zum Verständnis von Roosevelts Diplomatie während des Krieges; Robert Dallek, Franklin D. Roosevelt and American Foreign Policy, 1932–1945, New York 1979, und Warren F. Kimball, The Juggler, Princeton 1992.

14 Warren F. Kimball, 'Naked Reverse Right': Roosevelt, Churchill, and Eastern Europe from TOLSTOY to Yalta – and a Little Beyond, in: *Diplomatic History* 9 (Winter 1985), S. 1–24; Bischof, Austria in International Politics, S. 69–74.

15 Ebd., S. 54–62; vgl. auch das Dokument 1 am Ende des Beitrags.

16 Zu den Verhandlungen über die Zoneneinteilung, vgl. Donald R. Witnah/Edgar L. Erickson, The American Occupation of Austria. Planning and Early Years, Westport, CT-London 1985; Manfried Rauchensteiner, Der Sonderfall. Die Besatzungszeit in Österreich 1945 bis 1955, Graz – Wien – Köln 1979, S. 15–45.

17 Lydia Lettner, Die französische Österreichpolitik von 1943 bis 1946, phil. Diss. Salzburg 1980; zur französischen Österreichpolitik, vgl. Margit Sandner, Die französisch-österreichischen Beziehungen während der Besatzungszeit 1947 bis 1955, Wien 1985 und Klaus Eisterer, Französische Besatzungspolitik. Tirol und Vorarlberg 1945/46 (Innsbrucker Forschungen zur Zeitgeschichte 9), Innsbruck 1991; vgl. auch den grundlegenden Aufsatz von Thomas Angerer, Besatzung, Entfernung ... Integration? Grundlagen der politischen Beziehungen zwischen Frankreich und Österreich seit 1938/45, in: Frankreich – Österreich. Wechselseitige Wahrnehmung und wechselseitiger Einfluß seit 1918, hrsg. v. Friedrich Koja und Otto Pfersmann, Wien – Köln – Graz 1994, S. 82–102.

18 Robert Knight, Besiegt oder befreit?, in: Günter Bischof/Josef Leidenfrost (Hrsg.), Die bevormundete Nation. Österreich und die Alliierten 1945–1949 (Innsbrucker Forschungen zur Zeitgeschichte 4), Innsbruck 1988, S. 75–91; Bischof, Die Instrumentalisierung, S. 345–366.

19 Bischof, Austria in International Politics, S. 79–148, 179–205; zur britischen Rolle beim Ausbruch des Kalten Krieges, vgl. Fraser J. Harbutt,

The Iron Curtain: Churchill, America, and the Origins of the Cold War, New York 1986.

20 Zu Truman jetzt grundlegend David McCullough, Truman, New York 1992; zu Churchills Sicht vgl. Bischof, Austria in International Politics, S. 100.

21 Bischof, Austria in International Politics, S. 156–177. Zur britischen Österreichpolitik jetzt grundlegend Siegfried Beer (Hrsg.), Die „britische" Steiermark 1945–1955, Graz 1995.

22 Ebd., S. 238–269 und Ders., Mark Clark und die Aprilkrise 1946, in: Zeitgeschichte 13 (April 1986), S. 229–252.

23 Rauchensteiner, Sonderfall, S. 127.

24 Ebd., S. 292–306; Josef Leidenfrost, Die amerikanische Besatzungsmacht und der Wiederbeginn des politischen Lebens in Österreich 1944–1947, phil. Diss. Wien 1986; ders., Nationalratswahlen 1945 und 1949, in: Bischof/Leidenfrost (Hrsg.), Die bevormundete Nation, S. 127 ff.

25 John Lewis Gaddis, The United States and the Origins of the Cold War, 1941–1947, New York 1972; Daniel Yergin, Shattered Peace: The Origins of the National Security State, Boston 1977; Melvyn P. Leffler, A Preponderance of Power: National Security, the Truman Administration, and the Cold War, Stanford 1992; ders./David Painter (Hrsg.), Origins of the Cold War: An International History, London – New York 1994; David Reynolds (Hrsg.), The Origins of the Cold War in Europe, New Haven – London 1994.

26 Bischof, Austria in International Politics, S. 292 ff., 454–466; Rauchensteiner, Sonderfall, S. 149 ff.; zu Stalins grundsätzlich revolutionär angelegter Großmachtpolitik im frühen Kalten Krieg, vgl. Konstantin [sic!] V. Pleshakov, Joseph Stalin's World View, in: Thomas G. Paterson/Robert J. McMahon (Hrsg.), The Origins of the Cold War, Lexington – Toronto 1994[3], S. 60–73; Vladislav Zubok/Constantine [sic!] Pleshakov, The Soviet Union, in: Reynolds (Hrsg.), Origins of the Cold War in Europe, S. 53–76.

27 Bischof, Austria in International Politics, S. 467–475.

28 Ebd.; zu Gruber vgl. auch Ders., The Making of a Cold Warrior: Austrian Foreign Policy à la Gruber, 1945–1953, in: Austrian History Yearbook Vol. XXVI (1995), S. 99–127; Michael Gehler sieht Grubers Rolle weitaus positiver, vgl. „Die Besatzungsmächte sollen schnellstmöglich nach Hause gehen." Zur österreichischen Interessenspolitik des Außenministers Karl Gruber 1945–1953 und zu weiterführenden Fragen eines kontroversen Forschungsprojekts, in: Christliche Demokratie 11 (1994), Heft 1, S. 27–78.

29 Wilfried Mähr, Der Marshall-Plan und Österreich, Graz 1989; grundlegend für die amerikanische Österreichpolitik in der Frühphase der Besatzung Leidenfrost, Die amerikanische Besatzungsmacht; jetzt auch Kurt Tweraser, US-Militärregierung in Oberösterreich 1945–1950, Linz 1995.

30 Grundlegend zu den Vertragsverhandlungen, Stourzh, Geschichte des Staatsvertrages, und Kurt Steiner, Negotiations for an Austrian State Treaty, in: U.S.-Soviet Security Cooperation, hrsg. v. Alexander George u. a., New York 1986, S. 46–82; zu dieser Phase vgl. auch Audrey Kurth Cronin, Great Power Politics and the Struggle over Austria, 1945–1955, Ithaca – London 1986.

31 Memoranden zum Österreichvertrag von Ernest Bevin, CAB 129/34, CP
    (49) 110, 13. 5. 1949, und CAB 129/39, CP (50) 93, 4. 5. 1950; zu Bevin vgl.
    Alan Bullock, Ernest Bevin: Foreign Secretary, 1945–1951, Oxford 1985.

32 Bischof, Internationale Krisen im Jahre 1948 und ihr Einfluß auf Öster-
    reich, in: Bischof/Leidenfrost (Hrsg.), Die bevormundete Nation, S. 315–
    345.

33 Günter Bischof, Österreich – ein ‚geheimer Verbündeter' des Westens?,
    in: Michael Gehler/Rolf Steininger (Hrsg.), Österreich und die europä-
    ische Integration 1945–1993. Aspekte einer wechselvollen Entwicklung
    (Institut für Zeitgeschichte der Universität Innsbruck, Arbeitskreis Eu-
    ropäische Integration, Historische Forschungen, Veröffentlichungen 1),
    Wien – Köln – Weimar 1993, S. 437 ff.; Rauchensteiner, Sonderfall,
    S. 221 ff.; zur Militarisierung des Kalten Krieges, vgl. Thomas J. McCor-
    mick, America's Half-Century: United States Foreign Policy in the Cold
    War, Baltimore 1989, S. 99 ff.; vgl. auch das Dokument 2 am Ende des
    Beitrags.

34 Cronin, Great Power Politics, und Dies., Eine verpaßte Chance?, in:
    Bischof/Leidenfrost (Hrsg.), Die bevormundete Nation, S. 347–370.

35 Günter Bischof, „Austria looks to the West." Kommunistische Putschge-
    fahr, geheime Wiederbewaffnung und Westorientierung am Anfang der
    fünfziger Jahre, in: Thomas Albrich/Klaus Eisterer/Michael Gehler/Rolf
    Steininger (Hrsg.), Österreich in den Fünfzigern (Innsbrucker Forschun-
    gen zur Zeitgeschichte 11), Innsbruck – Wien 1995, S. 183–209; den
    internationalen Kontext des „Putschversuchs" von 1950 betont auch Oli-
    ver Rathkolb, Die ‚Putsch'-Metapher in der US-Außenpolitik gegenüber
    Österreich 1945–1950, in: Der Oktoberstreik 1950. Ein Wendepunkt der
    Zweiten Republik, hrsg. v. Michael Ludwig/Klaus Dieter Mulley/Robert
    Streibel, Wien 1991.

36 Bischof, Österreich – ein „geheimer Verbündeter" des Westens, S. 441 ff.;
    Gerald Stourzh hat die These vom ‚geheimen Verbündeten' geprägt, vgl.
    ders., The Origins of Austrian Neutrality, in: Neutrality: Changing Con-
    cepts and Practises, hrsg. v. Alan T. Leonhard, Lanham 1988, S. 35–57;
    zu NSC-68 vgl. Ernest R. May (Hrsg.), American Cold War Strategy:
    Interpreting NSC 68, Boston 1993; zum nuklearen Wettrüsten grundle-
    gend, McGeorge Bundy, Danger and Survival: Choices About the Bomb
    in the First Fifty Years, New York 1988.

37 Günter Bischof, Karl Gruber und die Anfänge des „Neuen Kurses" in der
    österreichischen Außenpolitik 1952/53, in: Othmar Huber/Lothar Höbelt
    (Hrsg.), Für Österreichs Freiheit. Karl Gruber – Landeshauptmann und
    Außenminister 1945–1953 (Innsbrucker Forschungen zur Zeitgeschichte
    7), Innsbruck 1991, S. 143–183; Ders., Lost Momentum. The Militariza-
    tion of the Cold War and the Demise of Austrian Treaty Negotiations,
    1950–1952 (unveröffentlichtes Manuskript); vgl. auch Michael Gehlers
    grundlegenden Aufsatz Kurzvertrag für Österreich? Die Stalin-Noten
    und die Staatsvertragsdiplomatie 1952, in: Vierteljahrshefte für Zeitge-
    schichte 43 (1994), Heft 2, S. 243–278.

38 Bischof, Austria in International Politics, S. 529–533.

39 Günter Bischof, Österreichische Neutralität, die deutsche Frage und die
    europäische Sicherheit 1953–1955, in: Die doppelte Eindämmung: Euro-
    päische Sicherheit und deutsche Frage in den Fünfzigern, hrsg. v. Rolf

Steininger/Jürgen Weber/Günter Bischof/Thomas Albrich/Klaus Eisterer, München 1993, S. 133–176; ders., Eisenhower, the Summit, and the Austrian Treaty, 1953–1955, in: Eisenhower: A Centenary Assessment, hrsg. v. Günter Bischof und Stephen E. Ambrose, Baton Rouge – London 1995, S. 136–161; zu den Auseinandersetzungen zwischen Eisenhower und Churchill grundlegend Peter G. Boyle (Hrsg.), The Churchill-Eisenhower Correpondence 1953–1955, Chapell Hill 1990.

40 Stourzh, Geschichte des Staatsvertrages, S. 76 ff.; Günter Bischof, The Western Powers and Austrian Neutrality 1953–1955, in: *Mitteilungen des österreichischen Staatsarchivs* 42 (1992), S. 368–391; vgl. auch die Dokumente in Alfons Schilcher (Hrsg.), Österreich und die Großmächte: Dokumente zur Österreichischen Außenpolitik, 1945–1955, Wien 1980; zu den Machtkämpfen im Kreml nach Stalins Tod und zur Politik der „friedlichen Koexistenz" die neueste Literatur, die auf sowjetischen Quellen beruht bei James Richter, Re-examining Soviet Policy Towards Germany in 1953, in: *Europe-Asia Studies* 45 (1993), S. 671–691; Amy Knight, Beria: Stalin's First Lieutenant, Princeton 1993, S. 177–224.

41 Telegramm Kennan an State Department, 18. 7. 1952, in: FRUS, 1952–1954, Bd. VII, Teilband I, S. 1770–1771.

42 Bischof, Western Powers and Austrian Neutrality; Larson, Crisis Prevention and the Austrian Treaty, in: *International Organization* 41 (Winter 1987), S. 27–60; jetzt grundlegend zur Österreich-Politik der Eisenhower-Administration Oliver Rathkolb, Großmachtpolitik gegenüber Österreich 1952/53–1961/62 im U.S.-Entscheidungsprozeß, Phil. Habil. Wien 1993; vgl. auch die Dokumente 3/1–3 am Ende des Beitrags.

43 Stourzh, Geschichte des Staatsvertrages, S. 111 ff.; vgl. auch Bischof, John Foster Dulles and Austrian Neutrality (unveröffentlichtes Manuskript).

44 Zum Wechsel im Kreml und seinen Auswirkungen auf Österreich grundlegend, Vojtech Mastny, Kremlin Politics and the Austrian Settlement, in: *Problems of Communism* 31 (July-August 1982), S. 37–51.

45 Vgl. Michael Gehler, „L'unique objectif des Soviétiques est de viser l'Allemagne". Staatsvertrag und Neutralität 1955 als „Modell" für Deutschland?, in: Albrich/u. a. (Hrsg.), Österreich in den Fünfzigern, S. 259–297.

46 Rauchensteiner, Sonderfall, S. 333; Bischof, Österreich – ein ‚geheimer Verbündeter' des Westens?, S. 449 ff.

47 Michael Gehler, State Treaty and Neutrality. The Austrian solution in 1955 as a „model" for Germany?, in: *Austria in the Nineteen Fifties, Contemporary Austrian Studies* Vol. 3 (1994), New Brunswick, New Jersey, S. 39–78.

48 Michael Gehler, „kein Anschluß, aber auch keine chinesische Mauer". Österreichs außenpolitische Emanzipation und die deutsche Frage 1945–1955, in: Alfred Ableitinger/Siegfried Beer/Eduard G. Staudinger (Hrsg.), Österreich unter alliierter Besatzung (Studien zu Politik und Verwaltung), Graz – Wien – Köln 1996 (im Druck).

Dokument 1

Die Gefahren einer sowjetischen Ausdehnung nach Mitteleuropa
Ende 1944

[...] Nach sorgfältigster Überlegung meine ich, daß die jüngsten
Entwicklungen für uns eine Warnung sein sollten, ist [die österreichische Zonenaufteilung] doch weit mehr als nur eine lokale österreichische Angelegenheit; hier finden wir uns schon ganz tief inmit-
ten den entscheidenden Fragen zukünftiger Weltsicherheit [...].

Bestimmte Folgewirkungen der sowjetischen Beherrschung Rumä-
niens und Bulgariens können schon vorausgesehen werden ... Auf
jeden Fall zeichnen sich aus der Erfahrung der letzten Monate
schon zwei konkrete Lehren ab. Erstens bringt in der sowjetischen
Perspektive eine Besetzung die direkte Kontrolle mit sich ... Zweitens ist es ganz klar, daß ein Versäumnis, mit den Russen und
Briten im voraus in Regionen wie Deutschland und Österreich, in
denen wir eine gemeinsame Verantwortung tragen, eindeutige Ab-
sprachen auszuarbeiten, unweigerlich zu einer Politik des ‚jeder
reiße sich unter den Nagel was er kann' ('grab as grab can') führen
wird [...].

Um zu verstehen, warum die Sowjets so erpicht darauf sind, daß wir
in Österreich eine Zone verwalten, müssen wir zu Edens Gespräche
über die Prozentabkommen in Moskau zurückgehen. Die Russen
nehmen die Dinge aufs Komma genau und meinen, daß wir, die
Briten und sie selbst je ein Drittel der Verantwortung tragen sollten,
und zwar wegen unserer Beiträge zum gemeinsamen Sieg und der
Moskauer Erklärung zu Österreich. Sollten wir nun unsere direkte
Verantwortung auf die Besatzung Wiens beschränken, werden die
Russen daraus die Schlußfolgerung ziehen, daß wir nicht unser Drittel Verantwortung für ganz Österreich auf uns nehmen wollen [...].

Da die sowjetische und britische Blockbildung die Gefahr heraufbe-
schwört, die gesamte Nachkriegspolitik zu beherrschen, täten wir
gut daran, unsere Aufgabe ernst zu nehmen und gegen solche
Blockbildungen vorzugehen, da sie ohne unser Zutun ganz Europa
in Stücke zerreißen könnten, nicht nur was die internationalen
Beziehungen angeht, sondern auch einzelne Länder, wie das un-
glückliche Griechenland [...].

Telegramm John C. Winant (Botschafter in London und bei der European
Advisory Commission) an Edward Stettinius (Außenminister) für Präsident
Roosevelt, 8. 12. 1944, in: FRUS, 1944, Bd. I, Washington 1966, S. 474–477.

Dokument 2

Österreichs internationale und interne Sicherheitslage 1948

[...] Das Problem der inneren und äußeren Sicherheit bleibt das grundlegende Problem beim Abschluß eines Vertrages zu diesem Zeitpunkt. In Bezug auf die äußere Sicherheit würde Österreichs geographische Nähe zu den Satellitenstaaten, sowie das Fehlen jeglicher Mittel zur Verteidigung, einen österreichischen Widerstand gegen einen Angriff von Außen unmöglich machen. Es können jedoch genügend Kräfte in Österreich mobilisiert werden, um innere Unruhen und kommunistische Putschversuche zu verhindern [...]

Schlußfolgerungen:

1. Unser Hauptziel für den Österreichvertrag sollte ein lebensfähiger, unabhängiger Staat sein, frei von Fremdherrschaft.

2. Wir müssen auf die Anerkennung der österreichischen Grenzen von 1937 bestehen.

3. Bis der Vertrag in Kraft tritt, sollten wir mit den Briten und Franzosen die laufenden Programme weiterführen, die österreichische Polizei in den Westzonen ausbilden und bewaffnen, sowie die Kernkader einer österreichischen Armee organisieren, ausbilden und bewaffnen.

4. Wir sollten eine Lösung für den Problemkreis Deutsches Eigentum finden, die den Möglichkeiten Österreichs gerecht ist. Der Vertrag sollte die genaue Höhe und die Bedingungen der österreichischen Verbindlichkeiten an die Sowjetunion festlegen, sowie die präzisen Geschäftsbedingungen der sowjetischen Firmen [USIA] in Österreich.

5. Wir sollten die Aufnahme Österreichs in die Vereinten Nationen zum frühest möglichen Zeitpunkt betreiben, wenn möglich noch vor dem Vertragsabschluß.

Grundsatzmemorandum des Nationalen Sicherheitrates NSC 38 vom 8. 12. 1948, in: FRUS, 1948, Bd. II, Washington 1973, S. 1510–1514.

Dokument 3

Amerikanische und britische Standpunkte zur Neutralisierung
Österreichs im Vorfeld der Berliner Außenministerkonferenz
1953/54
166. Sitzung des Nationalen Sicherheitsrates vom 13. 10. 1953
und das neue Grundsatzmemorandum betreffend Österreich NSC
164/1.

3/1: [...] Außenminister Dulles meinte, daß wir natürlich eine Neutralisierung Österreichs bei jeglichen Verhandlungen so weit als
möglich verhindern sollten, am Ende würde aber eine Entscheidung
darüber bei den Österreichern selbst liegen. Wenn die österreichische Regierung sich weigern würde, der NATO beizutreten, um
damit die Russen zu einem Abzug aus Österreich zu bringen, so
könnten die USA kaum etwas dagegen unternehmen, es sei denn,
wir würden uns weigern, den Vertrag zu unterzeichnen. Natürlich
können wir den Österreichern unseren Standpunkt klar zum Ausdruck bringen, unseren Willen können wir ihnen jedoch nicht auf-
zwingen. Auch die Briten und Franzosen können wir nicht auf unsere Seite bringen, sollten sie mit dem österreichischen Standpunkt
übereinstimmen. Auf jeden Fall würde ein verbittertes Österreich
sowieso nie ein verläßlicher Verbündeter der Vereinigten Staaten
werden.

Admiral Radford antwortete darauf, die Vereinigten Stabschefs
könnten wohl den Standpunkt von Außenminister Dulles verstehen,
beharrten aber darauf, daß ein neutralisiertes Österreich uns in
Europa arg schwächen würde [...].

Außenminister Dulles antwortete, er könne zwar die Wichtigkeit
des Arguments der Vereinten Stabschefs nachvollziehen, es ändere
sich aber nichts daran, daß Österreich letztendlich Herr seines eigenen Schicksals sei. Wir hatten nie eine rechtliche Handhabe gegen die österreichische Regierung, und jetzt, da die wirtschaftlichen
Hilfsprogramme auslaufen, gehen uns auch diese Druckmittel auf
die österreichische Regierung bald verloren.

Admiral Radford betonte, ihn treibe nicht allein die Sorge um ein
neutralisiertes Österreich um, sondern noch viel mehr die Angst,
man könnte in Deutschland plötzlich vor einer ähnlichen Situation
stehen. Und ein neutralisiertes Deutschland wäre weit gefährlicher
[...].

3/2: [...] Die strategische Bedeutung Österreichs leitet sich aus seiner zentralen Lage am Schnittpunkt der Vormarschstraßen nach Westeuropa und des Einfallstores der Donau in die Satellitenstaaten her. Zudem hat das Land eine weltweite psychologische Bedeutung als ein Symbol des Widerstandes gegen sowjetische Subversion. Angesichts der ausgiebigen Unterstützung des Westens im österreichischen Abwehrkampf wäre eine Kapitulation an die Sowjets eine gefährliche Niederlage der gesamten freien Welt. Zudem würde eine Schwächung von Österreichs politischer und wirtschaftlicher Stabilität im Inneren eine Stärkung des sowjetischen Infiltrations- und Subversionspotentials bedeuten, was ein ernstzunehmender Rückschlag für die Sicherheitsinteressen der U.S.A. wäre.

FRUS, Bd. VII/2. Teil, Washington 1986, S. 1909–1922.

Britisches Kabinettsmemorandum „Germany, Austria and Security Arrangements" vom 13. 11. 1953.

3/3: [...] Jedem sowjetischen Vorschlag einer Neutralisierung Österreichs zum Nachteil westlicher und österreichischer Sicherheitsinteressen muß von vornherein Widerstand entgegengesetzt werden. Die österreichische Regierung hat bereits eine öffentliche Absage erteilt, an militärischen Bündnissen nach dem Vertragsabschluß teilzunehmen. Wir sollten darauf verweisen, das sollte ausreichend sein, um sowjetische Ängste zu beschwichtigen. Wenn die Österreicher auf weiteren formellen Erklärungen dieser Art bestehen, sollten die Westmächte auf Nummer sicher gehen, daß solche Erklärungen Österreich weiterhin die Freiheit geben, Assoziationen auf der Grundlage der Vereinten Nationen beizutreten. Es ist wichtig, daß eine solche Erklärung auf keinen Fall in den Anhang des Vertragswerk gelangt. Wenn es auch nicht genau deckungsgleiche Fälle sind, sollten wir zudem die möglichen Auswirkungen einer Neutralisierung Österreichs auf Deutschland und anderswo bedenken. Zudem würde es die Schwierigkeiten für den Westen nicht nur in der Entwicklung einer ausreichenden österreichischen Armee, sondern auch in den gemeinsamen Verteidigungsplanungen zwischen Österreich und dem Westen, für die Zeit nach dem Vertragsabschluß vergrößern.

PRO, CAB 129/64, C (53) 316, 13th November, 1953.

Aus den Gesprächsaufzeichnungen einer Frühstückskonferenz zwischen Präsident Eisenhower und Außenminister Dulles vor der Berliner Außenministerkonferenz am 20. 1. 1954.

3/4: [...] er [Eisenhower] hatte keine Einwände gegen eine Neutralisierung Österreichs, solange diese nicht zu einer Entmilitarisierung führe. Wenn Österreich einen Status erlange, der in etwa dem der Schweiz vergleichbar sei [bewaffnete Neutralität], so wäre diese aus der militärischen Perspektive ausreichend.

Princeton University, John Foster Dulles Papers, White House Memoranda Series, Box 1, Mappe 4 der „Meetings with the President."

Literatur

Aichinger, Wilfried, Sowjetische Österreichpolitik 1943–1945 (Materialien zur Zeitgeschichte 1), Wien 1977.

Albrich, Thomas/Eisterer, Klaus/Gehler, Michael/Steininger, Rolf (Hrsg.), Österreich in den Fünfzigern (Innsbrucker Forschungen zur Zeitgeschichte 11) Innsbruck – Wien 1995.

Beer, Siegfried (Hrsg.), Die „britische" Steiermark 1945–1955, Graz 1995.

Bischof, Günter, Between Responsibility and Rehabilitation: Austria in International Politics 1940–1950, PhD Diss. Harvard University 1989.

Ders., Die Instrumentalisierung der Moskauer Erklärung nach dem 2. Weltkrieg, in: *Zeitgeschichte* 20 (1993), Heft 11/12, S. 345–366.

Ders., Karl Gruber und die Anfänge des „Neuen Kurses" in der österreichischen Außenpolitik 1952/53, in: Für Östereichs Freiheit. Karl Gruber – Landeshauptmann und Außenminister 1945–1953, hrsg. v. Othmar Huber und Lothar Höbelt (Innsbrucker Forschungen zur Zeitgeschichte 7), Innsbruck 1991, S. 143–183.

Ders., Lost Momentum. The Militarization of the Cold War and the Demise of Austrian Treaty Negotiations, 1950–1952 (unveröffentlichtes Manukript).

Ders., Österreichische Neutralität, die deutsche Frage und europäische Sicherheit 1953–1955, in: Die doppelte Eindämmung: Europäische Sicherheit und deutsche Frage in den Fünfzigern, hrsg. v. Rolf Steininger/Jürgen Weber/Günter Bischof/Thomas Albrich/Klaus Eisterer, München 1993, S. 133–176.

Ders., The Making of a Cold Warrior: Austrian Foreign Policy à la Gruber, 1945–1953, in: *Austrian History Yearbook* Vol. XXVI (1995), S. 99–127.

Ders., The Western Powers and Austrian Neutrality 1953–1955, in: *Mitteilungen des österreichischen Staatsarchivs* 42 (1992), S. 368–391.

Ders./Leidenfrost, Josef (Hrsg.), Die bevormundete Nation. Österreich und die Alliierten 1945–1949 (Innsbrucker Forschungen zur Zeitgeschichte 4), Innsbruck 1988.

Cronin, Kurth Audrey, Great Power Politics and the Struggle over Austria, 1945–1955, Ithaca – London 1986.

Eisterer, Klaus, Französische Besatzungspolitik. Tirol und Vorarlberg 1945/46 (Innsbrucker Forschungen zur Zeitgeschichte 9), Innsbruck 1991.

Ders./Rathkolb, Oliver (Hrsg.), De Gaulles europäische Größe. Analysen aus Österreich (*Jahrbuch für Zeitgeschichte* 1990/91), Wien 1991.

Fisch Jörg, Reparationen nach dem Zweiten Weltkrieg, München 1992.

Gehler, Michael/Steininger, Rolf (Hrsg.), Österreich und die europäische Integration 1945–1993. Aspekte einer wechselvollen Entwicklung (Institut für Zeitgeschichte der Universität Innsbruck, Arbeitskreis Europäische Integration, Historische Forschungen, Veröffentlichungen 1), Wien – Köln – Weimar 1993.

Gehler, Michael, „Die Besatzungsmächte sollen schnellstmöglich nach Hause gehen." Zur österreichischen Interessenpolitik des Außenministers Karl Gruber 1945–1953 und zu weiterführenden Fragen eines kontroversen Forschungsprojekts, in: *Christliche Demokratie* 11 (1994), Nr. 1, S. 27–78.

Ders., Karl Gruber, in: Herbert Dachs/Peter Gerlich/Wolfgang C. Müller (Hrsg.), Die Politiker der Zweiten Republik, Wien 1995, S. 192–199.

Ders., Karl Gruber, Reden und Dokumente 1945–1953. (Motivationen, Zielsetzungen und Resultate eines Forschungsprojekts 1990/91), in: *Zeitgeschichte* 20 (1993), Heft 11/12, S. 382–402.

Ders., Kurzvertrag für Österreich? Die Stalin-Noten und die Staatsvertragsdiplomatie 1952, in: *Vierteljahrshefte für Zeitgeschichte* 43 (1994), Heft 2, S. 243–278.

Keyserlingk, Robert, Austria in World War II. An Anglo-American Dilemma, Kingston-Montreal 1988.

Knight, Robert Graham, British Policy Towards Austria 1945–1950, PhD Diss. University of London 1986.

Leidenfrost, Josef, Die amerikanische Besatzungsmacht und der Wiederbeginn des politischen Lebens in Österreich 1944–1947, phil. Diss. Wien 1986.

Mähr, Wilfried, Der Marshall-Plan und Österreich, Graz 1989.

Pelinka, Anton/Steininger, Rolf (Hrsg.), Österreich und die Sieger, Wien 1986.

Rathkolb, Oliver, Großmachtpolitik gegenüber Österreich 1952/53–1961/62 im U.S.-Entscheidungsprozeß, Phil. Habil. Wien 1993.

Rauchensteiner, Manfried, Der Sonderfall. Die Besatzungszeit in Österreich 1945 bis 1955, Graz – Wien – Köln 1970.

Sandner, Margit, Die französisch-österreichischen Beziehungen während der Besatzungszeit 1947 bis 1955, Wien 1985.

Steininger, Rolf, Eine Chance zur Wiedervereinigung? Die Stalin-Note vom 10. März 1952. Darstellung und Dokumentation auf der Grundlage unveröffentlichter britischer und amerikanischer Akten (*Archiv für Sozialgeschichte* 12), Bonn 1985.

Stourzh, Gerald, Die Regierung Renner, die Anfänge der Regierung Figl und die Alliierte Kommission für Österreich, September 1945 bis April 1946, in: *Archiv für österreichische Geschichte* 125 (1966), S. 321–342.

Ders., Erschütterung und Konsolidierung des Österreichbewußtseins – Vom Zusammenbruch der Monarchie zur Zweiten Republik, in: Richard G. Plaschka/Gerald Stourzh/Jan Paul Niederkorn (Hrsg.), Was heißt Österreich?, Inhalt und Umfang des Österreichbegriffs vom 10. Jahrhundert bis heute (Österreichische Akademie der Wissenschaften, Philosophisch-Historische Klasse, Historische Kommission), Wien 1995, S. 289–311.

Ders., Geschichte des Staatsvertrages 1945–1955. Österreichs Weg zur Neutralität, Graz – Wien – Köln 1985[3].

Ders., The Origins of Austrian Neutrality, in: Neutrality. Changing Concepts and Practises, hrsg. v. Alan T. Leonhard, Lanham – New York 1988, S. 35–57.

Tweraser, Kurt, US-Militärregierung in Oberösterreich 1945–1950, Linz 1995.

Wagnleitner, Reinhold (Hrsg.), Understanding Austria. The Political Reports and Analyses of Martin F. Herz, Political Officer of the US Legation in Vienna, 1945–1948 (Quellen zur Geschichte des 19. und 20. Jahrhunderts 3), Salzburg 1980.

Ders., Großbritannien und die Wiederaufrichtung der Republik Östereich, phil. Diss. Salzburg 1975.

Witnah, Donald R./Erickson, Edgar L., The American Occupation of Austria. Planning and Early Years, Westport, CT-London 1985.

Fragen

1. Welche Optionen hatten die anglo-amerikanischen Planungsstäbe während des Zweiten Weltkriegs für das ihnen vorschwebende Nachkriegsösterreich?

2. Diskutieren Sie Winston Churchills Lieblingsidee für die Zukunft des Balkanraumes!

3. Welches Interesse zeigte US-Präsident Roosevelt an Österreich und am Balkanraum? Waren seine Ideen repräsentativ für die USA?

4. Warum meinte der hohe Beamte im Foreign Office Troutbeck im Jahre 1944, Österreich sei ein Land ohne Rückgrat? Kann man dieses Urteil – historisch betrachtet – so stehen lassen?

5. Ist die Moskauer Erklärung vom 1. November 1943 als Propagandainstrument der Alliierten oder als *das* Gründungsdokument der Zweiten Republik zu sehen? Begründen Sie Ihre Antwort.

6. Was war der Inhalt des sowjetisch-britischen „Prozentabkommens" vom Oktober 1944? Welche Rolle spielte dabei Österreich?

7. Welche Rolle spielte Frankreich bei den alliierten Nachkriegsplanungen?

8. Wann und weshalb brach der Kalte Krieg in Österreich aus? Welche Rolle spielten hierbei die Amerikaner?

9. Zahlte das „Opfer" Österreich auch Reparationen nach dem Zweiten Weltkrieg? Wenn ja: warum? In welcher Form? An wen? Cirka wieviel?

10. Wie und in welcher Form kam es zur Westausrichtung Österreichs?

11. Wie und warum erfolgte die „geheime" Wiederbewaffnung Österreichs?

12. Wie reagierten Eisenhower, Churchill und Raab auf Stalins Tod?

13. Welche Funktion hatte die Neutralität beim Zustandekommen des österreichischen Staatsvertrags?

Klaus Eisterer

ÖSTERREICH UNTER ALLIIERTER BESATZUNG 1945–1955

Das Kriegsende

1. Der Einmarsch

Die Befreiung Österreichs vom Nationalsozialismus erfolgte durch die alliierten Armeen. Am Gründonnerstag, den 29. März 1945, hatten Einheiten der 3. Ukrainischen Front der Roten Armee (Marschall Tolbuchin) die Grenze des Deutschen Reiches bei Klostermarienburg im Burgenland überschritten und nach einer verlustreichen Angriffsoperation bis 13. April Wien in ihre Hand gebracht. Zwei Tage später fiel St. Pölten. Dann stoppten die Sowjets ihren Vormarsch in diesem Raum (ungefähr auf der Linie St. Pölten – Semmering), um Einheiten an die 2. Ukrainische Front (Marschall Malinovski) abzugeben, die nördlich der Donau operierte und schließlich bis ins Mühlviertel vorstoßen sollte. Bis Kriegsende hatten die Sowjettruppen das Burgenland, Wien und Niederösterreich besetzt, im Süden waren sie noch nach dem 8. Mai bis über Graz hinaus vorgedrungen und hatten den größten Teil der Steiermark besetzt.[1]

Im Westen hatten französische Truppen (I. Armeekorps unter General Béthouart) am 29. April die Vorarlberger Grenze überschritten und waren bis nach St. Anton am Arlberg vorgestoßen. Amerikanische Einheiten der 7. Armee waren von Bayern kommend in Tirol (Innsbruck war in Erwartung der heranrückenden Amerikaner am 2. Mai von der Widerstandsbewegung befreit worden) und am 4. Mai in Salzburg einmarschiert, Teile der 3. US-Armee besetzten Oberösterreich[2] (5. Mai: Befreiung des KZ Mauthausen). Die Briten (V. Korps der 8. Armee) waren erst am 8. Mai, dem Tag der Kapitulation des Deutschen Reiches, nach Kärnten gelangt – zusammen mit Einheiten der Tito-Partisanen – und besetzten darüber hinaus Osttirol, Teile des Lungaus und der westlichen Steiermark.

Während im Osten Wehrmacht und SS – z. T. tatkräftig unterstützt durch den 1944 aufgestellten „Volkssturm" – erbittert gegen die Einheiten der Roten Armee kämpften, handelte es sich im Westen im wesentlichen um hinhaltende Rückzugsgefechte: Die sowjetischen Verluste werden auf rd. 18.000 Mann geschätzt,[3] die der westlichen Alliierten dürften insgesamt nicht mehr als einige Hundert betragen haben.[4]

An beiden Fronten aber gab es auch Gruppen des österreichischen Widerstandes, die sich unter den Bedingungen der Illegalität bis zum Mai 1945 in geheimen, im allgemeinen voneinander isoliert arbeitenden Zirkeln konstituiert hatten. Es gelang diesen Personen bzw. diesen sehr kleinen Einheiten – voll persönlichem Mut und im Konkreten auch unter Einsatz ihres Lebens –, in den letzten Tagen des Krieges kleinere Aktionen durchzuführen, durch die der Vormarsch der Alliierten begünstigt und manche letzte Wahnsinnstaten des zusammenbrechenden Herrschaftssystems vereitelt werden konnten; sie versuchten damit, einen Beitrag zur Befreiung Österreichs zu leisten.[5]

In Wien etwa gelang es der Gruppe um Major Carl Szokoll, der Roten Armee Informationen über Verteilung und Stärke der Wehrmacht in diesem Raum zuzuspielen; ein geplanter Aufstand in der Stadt selbst schlug fehl, und Major Biedermann, Hauptmann Huth und Oberleutnant Raschke – Mitglieder der Österreichischen Widerstandsbewegung, deren Pläne aufgedeckt worden waren, – wurden standrechtlich hingerichtet. In Innsbruck vermochte die Widerstandsbewegung angesichts der heranrückenden amerikanischen Einheiten die Macht in der Landeshauptstadt zu übernehmen, und die US-Truppen kamen in ein befreites Innsbruck, wo keine weißen, sondern rot-weiß-rote Fahnen wehten und sie vom Vorsitzenden der Widerstandsbewegung, Dr. Karl Gruber, und den antinazistischen Teilen der Bevölkerung begrüßt wurden. Allgemein stellten die Amerikaner fest, daß sie „in Österreich als Befreier bejubelt wurden, und wenn es Spannungen gibt, dann hauptsächlich mit Deutschen".[6]

2. Die Befreiung

Das Kriegsende hatte viele Gesichter. Das Erleben der Menschen hing wesentlich von der eigenen Befindlichkeit wie vom Verhalten der einmarschierenden Befreier ab. Grundstimmung der Bevölkerung jener Tage dürfte im wesentlichen Erleichterung gewesen sein; Erleichterung, daß das Sterben an der Front und unter den Bomben zu Ende war; Hoffnung, daß die Männer in Uniform überlebt hatten und bald nach Hause zurückkehren würden; und wohl auch mehr oder weniger diffuse Angst, was die Zukunft unter den Befreiern, die das Land nun auch besetzt hielten, bringen würde.

Befreit wurden die Opfer: Überlebende aus den Konzentrationslagern (Mauthausen mit seinen schrecklichen Nebenlagern) und Insassen der „Arbeitserziehungslager", Kriegsgefangene und ausländische Zwangsarbeiter, Gefangene der Gestapo, die wenigen jüdischen „U-Boote" und noch nicht erfaßte Roma ...; zu Recht befreit fühlten sich auch jene, die nun neue Zukunftschancen sahen: die Österreich-Gesinnten, Katholiken und Kommunisten, die Zeugen Jehovas, die Anhänger der neuen demokratischen Parteien ...

Die Nationalsozialisten hingegen – immerhin rund ein Fünftel der erwachsenen Bevölkerung – mußten diese Tage als Zusammenbruch, das Kriegsende als Niederlage empfinden (manche von ihnen hatten sich noch im April eine Kriegswende durch Hitlers Wunderwaffen erwartet); vielen, v. a. den Trägern und Nutznießern des NS-Systems, war bewußt, daß sie nun Vergeltung zu fürchten hatten. Und etliche zogen drastische Konsequenzen: Die Sicherheitsberichte jener Monate zeigen eine signifikante Zunahme der Selbstmorde.[7]

Selbst die ersten Erklärungen der von den Sowjets in Wien eingesetzten Renner-Regierung zeugen deutlich von Ambivalenz: So heißt es beispielsweise in der Regierungserklärung vom 27. April 1945 (hinter deren Textierung Karl Renner vermutet werden darf), der Krieg sei „der längst verlorene", mit dem „Schluß gemacht" werden müsse. Dazu Alfred Ableitinger:

„Er wird also nicht als der charakterisiert, der auch Österreich befreit und den es nun zu vollenden gilt. Damit macht sich die Regierung eine Sicht zu eigen, die damals wohl die Bevölkerung beherrscht: Schluß mit einem Krieg, in dem die Alliierten bisher eher der Feind waren als das Dritte Reich."[8]

Das Kriegsende 1945 war in diesem Sinn kein kollektives Ereignis: Lebenssituationen, Sichtweisen und Empfindungen der Zeitgenossen waren auch trotz langjähriger ideologischer Indoktrinierung absolut unterschiedlich. Gerade auch für die Soldaten in der Wehrmacht war es wohl nicht einfach zu erkennen, daß sie besiegt und befreit, besiegt *und deshalb* befreit waren.[9]

3. Das Verhalten der Sieger

Aber nicht nur die persönliche Einstellung zum NS-Regime, auch das (kollektive) Verhalten der einmarschierenden Truppen bestimmte das Verhältnis zwischen Alliierten und Österreichern. Vor allem die Soldaten der Roten Armee machten es vielerorts schwer, von Befreiung zu reden: In einer ersten Phase waren Morde und Vergewaltigungen, Plünderungen und Raubzüge an der Tagesordnung – die sowjetischen Ortskommandanturen schienen dagegen machtlos: „Das was man befürchtet hatte, jedoch in seiner Grausamkeit nicht glauben wollte, wurde im Laufe des April und Mai 1945 Realität."[10]

Allein in Wien sollen bis Juni nach unterschiedlichen Quellen zwischen 70.000 und 100.000 Frauen *aller* Altersklassen vergewaltigt worden sein, in den von den Sowjets besetzten Teilen der Steiermark 5000 Frauen und Mädchen;[11] für Niederösterreich wurden allein im Monat Juli 1051 Vergewaltigungen und 112 Morde durch sowjetische Soldaten gezählt – neben etlichen Fällen von Körperverletzungen und Verschleppungen.[12] Diese nüchternen Zahlen können in keiner Weise das existentielle, psychische und physische[13] Leid dieser Frauen wiedergeben – der Opfer der „Befreier". Noch verzweifelter wurde mitunter ihre Lage, wenn sie eine daraus resultierende Schwangerschaft feststellen mußten. Behörden wie Kirchen schwiegen offiziell dazu, Abtreibung war ja nach dem wieder in Kraft getretenen österreichischen § 144 StGB. strafbar. Dennoch wurde – gleichsam inoffiziell und nach behördlicher Untersuchung des „Falles" – bis in den Sommer 1946 hinein im allgemeinen nach einer „russischen" Vergewaltigung ein Schwangerschaftsabbruch durchgeführt.[14]

Erst durch die Ablösung der Truppen Tolbuchins und Malinowskis durch die Besatzungstruppen unter Marschall Konev Anfang Juli erfuhr die Sicherheitslage unter der sowjetischen Besatzungsherrschaft eine „deutliche Verbesserung".[15]

In der Historiographie ist bereits zu Recht darauf hingewiesen worden, daß von Anfang an nicht alle Truppenteile an diesen Übergriffen beteiligt waren, es auch die andere, freundlichere Seite gab, und hier – wie so oft – eine Minderheit das Bild von „dem anderen", in diesem Fall „dem Russen" prägte.[16] Auch ist – nicht zur Exkulpierung, wohl aber zur Erklärung – darauf verwiesen worden, daß nach den Untaten der Wehrmacht,[17] der deutschen und österreichischen Soldaten, in der Sowjetunion die russischen Soldaten vor Rachegefühlen barsten.[18]

Die schiere Größenordnung dieser Ausschreitungen prägte jedoch das Bild, das zudem von der NS-Propaganda – Stichwort „russischer Untermensch" – aufbereitet worden war; der Historiker Hugo Hantsch, der wegen antinazistischer Aktivitäten ins KZ Buchenwald verschleppt worden war, teilte 1945 einem amerikanischen OSS-Agenten seine Wahrnehmung der russischen Übergriffe mit, um zu schließen:

„Diese Menschen werden nie vergessen, was die Rote Armee unseren Frauen angetan hat. Das gegenwärtige Gefühl der einfachen

Leute, daß die Russen ‚Untermenschen' seien, wird so lange leben wie diese Generation."[19]

Im Westen und Süden hingegen kam es nur vereinzelt zu Übergriffen oder gar Vergewaltigungen:[20] Die Truppen waren disziplinierter, gleichzeitig konnten die Soldaten freizügiger und mit anderen Mitteln „fraternisieren". Den Franzosen galt Österreich als Freundesland,[21] und das Gros ihrer Soldaten führte sich dementsprechend auf.[22] Die Amerikaner hingegen machten zunächst keinen Unterschied zwischen Österreichern und Deutschen, und die „schmerzliche Wahrnehmung der Österreicher, daß die amerikanischen Behörden sie als besiegte und nicht als befreite Nation ansehen," war lange Zeit Grund zur Klage.[23] (Diese Einstellung verstärkte sich auf lokaler Ebene nach der Entdeckung der Greuel in den österreichischen KZs.)[24] Auch für die Briten galt anfänglich ein Fraternisierungsverbot. Dennoch scheinen sich die Beziehungen zwischen den Anglo-Amerikanern und weiten Teilen der Bevölkerung überwiegend gut entwickelt zu haben. Die Truppen hielten sich immer weniger an die Verbote, die zivile Kontakte mit den Einheimischen unterbinden sollten: es gab – in den Worten eines GIs – eine Menge „fraternizing material".[25]

Kontakt mit Besatzungssoldaten verhieß zum einen materielle Vorteile. Das Bild des amerikanischen GI, der seine blonde Freundin (bevorzugt dargestellt von Marlene Dietrich) mit Kaffee und Nylonstrümpfen beschenkt, ist durch etliche Filme ja geradezu zum Topos geworden. Die Soldaten verfügten über Nahrungsmittel und andere Luxusgegenstände, von denen die Zivilbevölkerung nur träumen konnte. Damit konnten sie nicht nur eine geliebte Person beschenken, sie konnten sich auch „Leistungen" erkaufen; das galt allerdings auch für einheimische Männer. Wie etwa im Vorarlberger Landtag erörtert wurde, war „mancher und manche schon (...) in jungen Jahren einen falschen Weg gegangen, manche Tat wird gesetzt, weil man ein Angebot bekommt, *um essen zu können*".[26] Auch das ein Aspekt der Kriegs- und Nachkriegsgesellschaft.

„Fraternisierung" war darüber hinaus noch für eine ganz
besondere Personengruppe attraktiv: Nationalsozialisten,
die die Möglichkeit eines gesellschaftlichen Umgangs mit
den Besatzern hatten, versuchten sich anzubiedern:[27] Dahinter stand also auch in vielen Fällen die Taktik, über die Frau
oder die Tochter die Sympathien wichtiger Vertreter der Besatzungsmacht zu gewinnen. Der Tiroler Landeshauptmann
Karl Gruber drückte dieses Phänomen in seiner Art folgendermaßen aus: Er versicherte den Besatzungsbehörden, „es
gäbe bei uns keine Werwölfe, sondern höchstens ‚Werkatzen'.
Diese seien aber mit den Mitteln des CIC [Counter Intelligence Corps] nicht zu fangen."[28]

Einige weitere Aspekte, die in diesen Beziehungen auch
eine Rolle gespielt haben dürften, seien nur angedeutet: die
Faszination des Siegers, die Exotik des Fremden, die Rebel-
lion gegenüber den über Jahre hinweg eingehämmerten NS-
Rasselehren …

Die Reaktion der einheimischen Bevölkerung auf die Fraternisierung war mitunter sehr ablehnend. Frauen, die sich
mit Besatzungssoldaten einließen, wurden als „Huren" be-
schimpft, bedroht und gegen sie Stimmung gemacht, wobei
moralisierender Eifer, mehr oder weniger verdeckter Rassismus, manchmal vielleicht auch Eifersucht eine Rolle spielten. Dabei brachen dann auch machistische, reaktionäre, ja
nationalsozialistische Stereotype durch.[29]

Jene Frauen, bei denen die „galanten Beziehungen" vorher-
sehbare Folgen hatten, blieben nicht selten allein – „die ‚Alt-
last' aus der Besatzungszeit, die hatten nur diese Frauen zu
tragen".[30]

Befreit – Besetzt

Österreich im Jahre 1945 wies tatsächlich einen „Doppelcharakter"[31] auf: Es war befreit und besetzt. Je länger die Besatzung dauerte, desto mehr trat im Bewußtsein der Menschen

wie in der politischen Rhetorik der Aspekt der Befreiung
in den Hintergrund; jener der (zunehmend als ungerechtfertigt empfundenen) Besatzung,[32] die ja gleichzeitig eine massive Einschränkung der staatlichen Souveränitätsrechte, eine mehr oder weniger große Bevormundung bedeutete,[33]
wurde allgegenwärtig. Dabei lassen sich auch klar unterschiedliche Phasen in den zehn Jahren der Besatzungszeit
ausmachen:

1. Die Militärverwaltung
(vom Kriegsende bis zum Ersten Kontrollabkommen)

Die Zeit unmittelbar nach Kriegsende war von Chaos gekennzeichnet – und von bescheidenen und kleinräumigen
Versuchen, den Alltag zu organisieren. Alles hing von den
eingesetzten Militärverwaltungen ab, die auf Divisionsebene
(und darunter) Offiziere für die Zivilverwaltung abgestellt
hatten. Die Verhältnisse unterschieden sich dabei nicht nur
je nach Besatzungsmacht und -zone und darin je nach Bundesland, sondern auch nach einzelnen Divisionsgrenzen, und
viel hing von der Geschicklichkeit und vom Willen der einzelnen Ortskommandanten ab. Diese erste Phase war von einem „militärischen Josefinismus" (Kurt Tweraser) geprägt –
im Sinne des „Alles für das Volk, nichts durch das Volk".

Generell – und trotz erheblicher Unterschiede in der jeweiligen Politik – lassen sich doch gemeinsame Grundzüge fest-
machen: Die militärischen Befehlshaber hatten für Sicherheit ihrer Truppen wie für Ruhe und Ordnung zu sorgen, und
dies gemäß den militärischen Erfordernissen zu implementieren – so weit es ging in einer humanen und gerechten
Weise für die Zivilbevölkerung; die NSDAP, ihre Organisationen und Gliederungen waren aufzulösen und zu verbieten,
die führenden Nazis zu internieren; Kriegsverbrecher waren
zu verhaften; nationalsozialistische Gesetze waren als hinfällig zu betrachten; jede rassische oder andere, den nationalsozialistischen Ideen verpflichtete Diskriminierung war zu un-

terbinden; politische Betätigung hatte bis auf weiteres zu unterbleiben; die Zivilverwaltung sollte von allen „reichs"deutschen und nationalsozialistischen Elementen gesäubert werden; Flüchtlinge und „displaced persons" (DPs) sollten unter Kontrolle gehalten und versorgt werden, alliierte Staatsangehörige und Opfer der nationalsozialistischen Barbarei bevorzugt verpflegt und behandelt, und alle Gruppen der sog. DPs so rasch wie möglich repatriiert werden; die Zivilbevölkerung schließlich war mit Lebensmitteln zu versorgen; und ihr sollte deutlich vor Augen geführt werden, daß Österreich von Deutschland getrennt, die Herrschaft der Nationalsozialisten zu Ende war, und daß die Alliierten – wie sie schon in der Moskauer Deklaration betont hatten – ein freies und selbständiges Österreich wiederhergestellt sehen wollten.[34]

Die Rote Armee hatte befehlsgemäß die Zivilverwaltung sofort an die Österreicher übergeben: Noch während in Ostösterreich gekämpft wurde, setzten die sowjetischen Offiziere Bürgermeister ein und ließen Bezirkshauptmannschaften wieder entstehen; dabei gingen sie oft auf die Vorschläge der lokalen Bevölkerung ein.[35] Auch im Westen und Süden ging der Aufbau der österreichischen Zivilverwaltung relativ rasch vonstatten – manchmal zu rasch; dabei kam es zu peinlichen Pannen. In der US-Zone etwa blieben nicht selten alte, nationalsozialistische Bürgermeister „aus Zweckmäßigkeitsgründen im Amt – sie sollten später von anderen Einheiten der Militärregierung amtsenthoben bzw. verhaftet werden".[36]

Im Laufe des Monats Mai wurden in allen Bundesländern[37] provisorische Landesregierungen errichtet[38] – wobei das Spektrum der Entstehung dieser Zivilverwaltungen sehr weit reicht: von der „Verwaltungsübertragung" von alten, nationalsozialistischen Funktionsträgern auf Vertreter der wiedererstandenen demokratischen Parteien (in der Steiermark[39] und in Kärnten), die Übernahme der Macht durch den Exekutivausschuß der Widerstandsbewegung (Tirol), die Einsetzung durch die Militärbehörden (Wien, Niederösterreich, Salzburg, Oberösterreich,[40] Vorarlberg).

Im Zusammenbruch der Wehrmacht hatten die Alliierten bei Kriegsende versucht, so viel wie möglich zu besetzen: Die Grenzen ihrer jeweiligen Gebiete deckten sich nicht mit dem, was in der European Advisory Commission ab Anfang April als definitive Besatzungszonen in Aussicht genommen worden war;[41] das alliierte Kontrollabkommen über Österreich, das eine verbindliche Übereinkunft festschrieb, wurde erst am 4. Juli, das Abkommen über die Besatzungszonen am 9. Juli 1945 unterzeichnet.[42] Im Juli 1945 fand der „Zonentausch" statt: Die Franzosen übernahmen Tirol von den Amerikanern, die Briten den großen Teil der Steiermark von den Sowjets, den Tito-Partisanen (im Süden) und den Amerikanern (im Nordwesten), und die Sowjets bekamen den Rest des Mühlviertels, wo bislang US-Truppen gestanden waren.

Nun wurden in den Zonen und den einzelnen Ländern Militärregierungen installiert, die den Landesregierungen übergeordnet waren. Für ganz Österreich wurden Anfang Juli Militärkommissare ernannt: Marschall Ivan S. Konev für die sowjetische Besatzungszone, Generalleutnant Richard L. McCreery für die britische, General Mark W. Clark für die amerikanische und General Marie-Emile Béthouart für die französische Zone. Sie übten zugleich als Mitglieder des Alliierten Rates die oberste Gewalt in Österreich in all jenen Fragen aus, die Österreich in seiner Gesamtheit betrafen – natürlich gemäß den Weisungen ihrer jeweiligen Regierung.[43] Der Alliierte Rat trat zum ersten Mal am 11. September 1945 zusammen; im Unterschied zu Berlin bekundeten in Wien alle vier Großmächte von Beginn an ihren Willen zur Zusammenarbeit, und selbst in der heißesten Phase des Kalten Krieges blieb der Alliierte Rat funktionstüchtig.

Noch bevor die Westalliierten überhaupt in Österreich einmarschiert waren, hatte die Sowjetunion der Konstituierung einer Provisorischen Staatsregierung unter Karl Renner in Wien am 27. April 1945 zugestimmt.[44] Sie war der „gesamtösterreichische" Ansprechpartner der Sowjets; bis auf weiteres erstreckte sich ihre Autorität allerdings nur auf den sowjetisch besetzten Teil Österreichs. Dennoch handelte die

„Provisorische Regierung" von allem Anfang an so, „als würde sie für ganz Österreich sprechen, und erhielt dabei von den Sowjets weitgehende Unterstützung".[45] Dies war jedoch Fiktion: Noch drei Monate nach ihrer Konstituierung wußte die Zentralregierung fast nichts von den Verhältnissen in den einzelnen Ländern jenseits der sowjetischen Zonengrenze,[46] und ihre Einflußmöglichkeiten dorthin waren gleich Null.

Die Zeitgenossen sahen die neuen Rahmenbedingungen, die durch das „Erste Kontrollabkommen" geschaffen wurden, den neuen Stil der Alliierten Militärkommissare deutlich. Die erste Unterredung, die der sowjetische Militärkommissar, Marschall Konev, mit Mitgliedern des Politischen Kabinetts der Rennerregierung hatte, wurde von allen drei österreichischen Teilnehmern (Renner, Figl, Koplenig) als Wendepunkt in der Besatzungspolitik empfunden. In der Kabinettsratssitzung vom 10. Juli 1945 hob der Staatskanzler hervor: „Bis dahin war eigentlich Krieg. [!] Jetzt wollen wir Friedensarbeit leisten". Auch Figl hatte den Eindruck, daß im Verhältnis zur Besatzungsmacht „eine gewaltige Änderung eingetreten ist, und daß jetzt ein gewaltiger Ruck nach vorwärts kommt":

„Der Ton und das ganze Milieu war geradezu ein kollegiales. Man hat nach der ersten halben Stunde nicht mehr das Gefühl gehabt, daß man vor dem Marschall eines Siegerstaates steht, daß man nur die geduldete, von seinen Gnaden eingesetzte Regierungsvertretung ist, sondern wir hatten den Eindruck, daß wir ein gleichwertiger Partner sind und daß das Bestreben besteht, nunmehr in ehrlicher Zusammenarbeit an den Neubau des Staates zu schreiten."[47]

Ganz wesentlich für die Regierungsarbeit war aber auch, daß dann Anfang September die Westmächte in Wien Einzug halten und ihre Sektoren besetzen konnten; dies eröffnete ganz neue Spielräume – ein Gegengewicht zur sowjetischen Präsenz.

Da nun ganz Österreich unter gemeinsamer alliierter Kontrolle stand, sollte auch die Rennerregierung auf eine breitere Basis gestellt werden, bevor die Westmächte sie anerkennen würden. Auf der ersten gesamtösterreichischen „Länder-

konferenz" vom 24.–26. September wurden zwei wesentliche
Veränderungen in der Regierung vorgenommen:[48] Dem kommunistischen Staatssekretär für Inneres, Franz Honner,
wurde in Hinblick auf die so rasch wie möglich abzuhalten-
den Wahlen die Aufsicht über die Hauptwahlbehörde entzogen und dem ÖVP-Unterstaatssekretär Josef Sommer übertragen; der Tiroler Karl Gruber wurde Unterstaatssekretär
des Äußeren.[49] Schließlich hatten die vier Alliierten auch
ihre Differenzen bezüglich der Anerkennung der Rennerregierung beigelegt: Am 20. Oktober stimmten sie der Ausweitung der Kompetenz der Staatsregierung auf das gesamte
Bundesgebiet zu, was einer *de facto*-Anerkennung gleichkam.

2. Die Phase der „direkten Verwaltung" durch die Alliierten (vom Ersten zum Zweiten Kontrollabkommen)

Am 20. Oktober 1945, dem Tag der Anerkennung der Regierung Renner, erhielt ein österreichischer Beamter eine der
üblichen Anweisungen der französischen Militärregierung
für Tirol mit der ihm schon gut bekannten Unterschrift. Er
zerriß das Papier mit der Bemerkung: „Diese Unterschrift
kenne ich nicht mehr".[50] Dieser bezeichnende Vorfall illustriert die Haltung der Beamtenschaft, die Einstellung der
Bevölkerung hat sich spätestens einen Monat darauf ebenfalls verändert: Nachdem „das österreichische Volk" in den
Nationalrats- und Landtagswahlen vom 25. November 1945
„eine eindrucksvolle Darstellung seiner demokratischen Fä-
higkeiten" gegeben hatte – so der *Report of the United States
Commissioner*[51] –, hielt es „seit den Wahlen [...] die alliierte
Besatzung für sinnlos".[52]

Die Alliierten sahen das natürlich nicht ganz so. Auch für
sie bildeten die Anerkennung der österreichischen Regierung
und die demokratischen Wahlen eine Zäsur, aber zunächst
wollten sie feststellen, ob und wie ihnen die Wiener Zentralverwaltung würde helfen können. Allerdings war im Ersten

Kontrollabkommen vorgesehen, „nach der Errichtung einer frei gewählten und von den vier Mächten anerkannten österreichischen Regierung" ein neues Abkommen über den Kontrollmechanismus auszuarbeiten und zu implementieren. Nun konnte ja tatsächlich die „direkte Verwaltung", die durch das Fehlen einer Zentralregierung erforderlich gewesen war, in eine indirekte – d. h. in eine Kontrolle der Verwaltung, die wieder in die Hände der Österreicher gelegt werden sollte – übergeführt werden.

Schon Ende 1945 begannen erste Gespräche der Alliierten in dieser Frage,[53] aber die Verhandlungen zogen sich hin: Erst am 28. Juni 1946 wurde das sog. „Zweite Kontrollabkommen" in Kraft gesetzt.[54] Darin behielten sich die vier Besatzungsmächte zwar in einigen wesentlichen Bereichen – die sie für absolut nötig erachteten, um die Sicherheit der Besatzungstruppen, die Aufrechterhaltung der Ordnung im Land und die Verteidigung ihrer politischen und wirtschaftlichen Interessen in Österreich zu gewährleisten – nach wie vor direkte Eingriffsrechte vor;[55] doch das wichtigste neue Element des Kontrollabkommens bestand in der Bestimmung des Artikels 6, der es den Österreichern ermöglichte, Gesetze (mit Ausnahme von Verfassungsgesetzen) zu verabschieden bzw. einfache legislative Maßnahmen zu setzen; diese traten *automatisch* in Kraft, sofern nicht innerhalb eines Monats ein *einstimmiges* Veto des Alliierten Rates einlangte. Hier war also Konsens unter den Besatzern gefordert: So wurde das sich 1946/47 auch global herauskristallisierende Spannungsverhältnis der „Vier Großen" (die Weltkriegsallianz ging in den Kalten Krieg über) einerseits – was Österreich betrifft – abgefedert, zum anderen wirkten sich Differenzen der Alliierten in einer Erweiterung des österreichischen Spielraumes aus. Durch dieses Kontrollabkommen war die Souveränität Österreichs beträchtlich erweitert worden.

Durch die Aufhebung der Beschränkungen im Zonenverkehr (die alliierte *Kontrolle* blieb allerdings weiter bestehen) konnte die Vereinheitlichung des Bundesgebietes – auch und

gerade in wirtschaftlicher Hinsicht – vorangetrieben werden.
Denn bis zu diesem Zeitpunkt hatten sich die Zonenschran-
ken nur zu oft in vieler Hinsicht als unüberwindbare „chinesische Mauern" herausgestellt. Die Abschottung der einzelnen Zonen hatte u. a. auch zur Folge gehabt, daß diese eine
eigene Zonenaußenpolitik – gerade in Außenhandelsfragen –
geführt hatten;[56] diese war zwar mitunter sehr erfolgreich,[57]
lief aber an der Bundesregierung vorbei.

Die Bedeutung des Zweiten Kontrollabkommens als Mark-
stein in der alliierten Österreich- und Besatzungspolitik, als
entscheidender Schritt nach vorne „in the process of turning
over Austria to the Austrians",[58] wie es in einem Bericht des
amerikanischen Hochkommissars für Österreich heißt, wurde nicht nur von Zeitgenossen als solcher erkannt, sondern
auch von der historischen Forschung schon unter den ver-
schiedensten Aspekten beleuchtet.[59] Meist standen dabei jener Artikel 6 und seine Auswirkung auf die Regierungstätigkeit in Wien im Mittelpunkt des Interesses.

Aber auch die Landesregierungen erhielten in ihrem Wirkungsbereich (fast) alle Kompetenzen zurück: Die durch Artikel 6 konzedierte Erleichterung galt auch hinsichtlich der
Landesgesetzgebung („Einspruch wird [...] lediglich durch
den Alliierten Rat einstimmig erhoben werden können"[60]),
und auf dem Gebiet der Vollziehung erhielten die Österreicher nun volle Handlungsfreiheit, Verwaltungsakte über Verordnungen ohne vorherige Zustimmung der Besatzungsmächte zu setzen; dies sollte endlich die Verfahren beschleunigen.[61]

Infolge des Zweiten Kontrollabkommens und seiner Durchführungsbestimmungen wurden den Besatzungsbehörden etliche Aufgaben entzogen und neue Arbeitsmethoden vorgeschrieben. Die Militärregierungen wurden in der Folge ver-
kleinert, Kompetenzen an die Österreicher abgegeben, und
mehr und mehr verwandelten sich diese Organe in Kontroll-
instanzen; ihre direkten Eingriffe beschränkten sich zunehmend auf die im Zweiten Kontrollabkommen festgelegten
„Reservatsrechte" der Alliierten.

3. Die Besatzer bleiben – bis 1955

Obwohl das Zweite Kontrollabkommen einen beträchtlichen Zuwachs an Autonomie für die Österreicher gebracht hatte, konnte von Unabhängigkeit und Souveränität solange nicht die Rede sein, bis Österreich nicht den Abzug der Besatzungstruppen und den Abschluß des Staatsvertrages erreicht hatte. Und genau dies ließ auf sich warten. Je länger dies dauerte, desto deutlicher wurde, daß Österreich in die „Mühlen der Großmachtpolitik" (Rauchensteiner) geraten war und das Schicksal dieses Landes – und somit auch das Ende der Besatzung – vornehmlich in den Hauptstädten der vier Alliierten entschieden wurde.

In einer Proklamation des Ministerrates anläßlich des fünften Jahrestages der Gründung der Zweiten Republik hieß es deshalb folgerichtig:

„Fünf Jahre nach seiner Wiederauferstehung ist Österreich noch immer nicht frei. Österreich ist immer noch besetzt, obwohl es als das erste Opfer der Hitlerschen Aggression bezeichnet wurde und die alliierten Mächte ausdrücklich erklärt haben, die Wiederherstellung eines freien Österreichs sei eines ihrer Ziele. *Die alliierten Mächte allein trifft die volle Verantwortung für die Fortdauer des Unrechtes der Besetzung.*"[62]

Aus dieser Frustration entstand nun auch das mentale Bild, das sich bis 1955 verfestigen sollte: jenes von Österreich als dem Opfer fortgesetzter Besatzung, wobei oft in einer infamen und unbekümmerten Simplifizierung die Zeit von 1938 bis 1945 und die Nachkriegsperiode in ihrer Qualität gleichgesetzt wurden (vgl. dazu Abbildung 13 im Bildteil).[63]

In der Phase ab 1947 war auch immer deutlicher geworden, daß die Konjunktur des Kalten Krieges auf die Beziehung der Besatzer zu den Besetzten durchschlug. Die Bruchlinien der globalen Auseinandersetzung zogen sich quer durch Österreich, und im Bewußtsein der überwiegenden Mehrheit der Österreicher, die schon in den Wahlen von 1945 ein klares antikommunistisches Signal gesetzt hatten, wurden die Besatzer der Westzonen – Amerikaner, Briten und Franzosen –

nun zu Beschützern, die Sowjets in Ostösterreich zu dem, was
sie für die meisten immer schon gewesen waren: Gegner.

Dieses Bild wurde durch manche Aktionen der Sowjets gestützt. So hatten sie nicht nur sogleich nach dem Einmarsch
Maschinen, ja ganze Fabriken für sich beansprucht und ab-
gebaut, sie hatten auch 1946 die Vermögenswerte aus dem
sog. „Deutschen Eigentum" in ihrer Zone für sich requi-
riert.[64] Die Reaktion der Anglo-Amerikaner war, daß sie demonstrativ auf ihre Teile des Deutschen Eigentums verzichteten und daraus auch politisches und propagandistisches
Kapital schlagen konnten.[65] Während die UdSSR bis 1955
aus ihrer Zone insgesamt Werte in der Höhe von rd. 2–2,5
Mrd. $ entnahm,[66] floß der österreichischen Wirtschaft vor
allem aus amerikanischen Quellen schon vor dem Marshall-
Plan eine halbe Mrd. $ an Hilfsleistungen zu, die Marshall-
planhilfe erreichte dann fast eine Milliarde $ (Österreich
erhielt mit 132 $ pro Kopf den zweithöchsten Anteil an ERP-
Mitteln; Westdeutschland erhielt 19 $ *per capita*). Während
somit die Sowjetzone die Reparationsleistungen zu zahlen
hatte, erhielten die Westzonen den Löwenanteil der US-Hil-
fen (über 80%).[67] Der Marshallplan „leitete auch den österreichischen Nachkriegs-Take-off ein" und trug wesentlich zur
ökonomischen – und psychologischen – Stabilisierung bei.[68]

Dem österreichischen Budget entgingen nicht nur die Steu-
erleistungen der in der USIA [Uprawlenje Sowjetskim Imu-
schestom w Awstrii – Verwaltung des sowjetischen Vermögens in Österreich] zusammengeschlossenen Betriebe, die
junge Republik hatte auch für die Besatzungskosten aufzu-
kommen, die vom Alliierten Rat festgelegt wurden. Nachdem
die Alliierten Anfang 1946 realisiert hatten, daß die Belastungen, die sie der österreichischen Wirtschaftskraft aufer-
legt hatten, höher waren als jene, die Hitlers Besatzungsar-
meen aus den westeuropäischen Ländern herausgepreßt hatten, wurde der Anteil der Besatzungskosten an den
österreichischen Staatsausgaben mit 35% limitiert.[69] (Davon
die Hälfte an die Sowjets, je ein Sechstel an die westlichen
Alliierten). Zu diesem Zeitpunkt unterhielt die Rote Armee

rund 150.000 Mann in Österreich, die US-Army hatte etwas mehr als 40.000, die Briten ca. 55.000 Mann hier stationiert.[70] Die Truppenstärke der Franzosen, im Jänner 1946 noch 15.000 Mann, wurde bis Mai auf 7000 Mann reduziert.[71]

Im Sommer 1947 verzichteten die USA auf die Bezahlung der Besatzungskosten, ja sie refundierten Österreich die seit 1945 unter diesem Titel abgeführten Gelder! Über 300 Mio. $ flossen an die Republik zurück; Bundeskanzler Figl sprach emphatisch davon, die Amerikaner seien ab jetzt „zahlende Gäste" in Österreich.[72] Erst 1953/54 folgten die anderen Mächte. Den Anfang machten die Sowjets, die Briten und Franzosen konnten hinter diesen Vorgaben nicht zurückbleiben. Allerdings waren schon in den vorhergegangenen Jahren die Ausgaben für die Besatzungskosten auf rd. 3% des Budgets gesunken – ein Wert, der durchaus auch für ein bescheidenes eigenes Bundesheer hätte aufgewendet werden müssen.[73] Als Folge der Übernahme der Kosten wollte London sein Kontingent auf ein Bataillon reduzieren, und Paris zog seine Leute bis auf 400 Mann in Wien sowie einige Offiziere und Gendarmen in Tirol und Vorarlberg ab. Als wesentliches Gegengewicht zu den rund 40.000 sowjetischen Soldaten in Österreich verblieben nur mehr amerikanische Verbände im Land.

Das Tauwetter, die „russischen Wochen" (Rauchensteiner), brachten noch weitere Erleichterungen im Besatzungsregime: Die Zonengrenzen wurden zu Demarkationslinien, und die dortige, oft penible und immer gefürchtete Kontrolle wurde aufgehoben; die alliierte Zensur wurde eingestellt; die Sowjetunion ersetzte (als letzte der vier Mächte) nunmehr den militärischen Hochkommissar durch einen zivilen Diplomaten, den Gesandten Iljitschow; und Österreich gab unter der Regierung Raab Moskau zu verstehen, wie sehr es an der Wiederaufnahme der Staatsvertragsverhandlungen interessiert war.

Die Politik Julius Raabs, der im April 1953 Bundeskanzler
wurde und neue weltpolitische Gegebenheiten vorfand (in
Washington hatte im Jänner die neue Administration unter
Dwight D. Eisenhower ihr Amt übernommen, im Kreml waren nach dem Tod Stalins am 5. März neue Männer ans
Ruder gekommen), war von Erfolg begleitet. Er hatte mehr
als andere erkannt, daß man auf russische Befindlichkeiten
zu achten und ihre Sicherheitsinteressen ernst zu nehmen
hatte. (Dies zeigt nicht zuletzt sein klassisch gewordener
Ausspruch, es nütze nichts, wenn man „den russischen Bä-
ren, der mitten im österreichischen Garten drinsteht, durch
laut tönende Sonntagsreden in den Schwanzstummel
zwickt".[74])

Er war es, der bei den entscheidenden Verhandlungen in
Moskau im April 1955 die österreichische Regierungsdelega-
tion dazu brachte, daß sie im „Moskauer Memorandum" eine
Verwendungszusage dahingehend abgab, man werde das
österreichische Parlament *nach* Abschluß des Staatsvertra-
ges und *nach* dem Abzug der alliierten Truppen zu einem
Gesetzesbeschluß veranlassen, daß Österreich zukünftig eine
Neutralität nach dem Muster der Schweiz handhaben werde.
Diese Entscheidung war nicht nur Ergebnis des sowjetischen
Drängens; wie Raab Schweizer Diplomaten gegenüber erklärte, stand dahinter noch ein zweites Motiv – das der Fe-
stigung der eigenen Unabhängigkeit:

„In gewissen Kreisen, besonders bei der Partei der ‚Unabhängigen',
sei der Gedanke eines Anschlusses an Deutschland nie so ganz
eingeschlafen. Seines Erachtens gäbe es aber kaum ein besseres
Mittel, um diesem Gedanken den Boden zu entziehen als eben die
Erklärung der Neutralität Österreichs. Das Beispiel der Schweiz,
die nun schon jahrhundertelang ein von Deutschland unabhängiges
eigenstaatliches Leben geführt hat, stehe ihm persönlich als nach-
ahmenswürdiges Beispiel lebendig vor Augen. Er sei durch und
durch überzeugt von der Notwendigkeit der Neutralität als Staats-
maxime Österreichs [...]."[75]

„Einmischung" der Alliierten?
Zwei Fallbeispiele

Ein freies, selbständiges und unabhängiges Österreich wie-
derzuerrichten, das war das erklärte Ziel aller vier Mächte
(wobei dann allerdings im Zuge der ideologisch-politischen
Auseinandersetzung im Kalten Krieg jede der beiden Super-
mächte davon ausging, nur in ihrem Lager könne dies exem-
plarisch verwirklicht werden). Zwei Aspekte der alliierten
Besatzungspolitik seien deshalb hier noch dargestellt, die
zur Verwirklichung dieses Zieles beitragen sollten, zwei
Aspekte jenes „Verfahren(s) des ‚Österreicher-Machens', bei
dem fast niemand mehr Nazi, sondern jedermann ein ‚guter
Österreicher' gewesen sein wollte":[76] Die – v. a. mentale und
psychologische – Trennung von Deutschland sowie die Entnazifizierung, in der die Alliierten ein „Werk für die europäische Sicherheit" sahen.[77]

1. Die Trennung von Deutschland

Das Deutsche Reich war, wie auf einer *black propaganda*-
Briefmarke des amerikanischen Geheimdienstes OSS schon
länger zu lesen gewesen war, nunmehr ein „Futsches Reich".
Die Alliierten hielten dennoch alle möglichen Spielarten eines großdeutschen oder pangermanischen Gedankengutes in
Österreich für immer noch virulent, und sie wollten dem in
ihrer Propaganda und in konkreten Aktionen entgegenwir-
ken. Der von der alliierten Politik vorgegebenen staatlichen
und wirtschaftlichen Trennung[78] sollte die geistige Loslösung
folgen. Die Entfernung aller „Reichsdeutschen" aus dem öffentlichen Dienst war Bestandteil der Entnazifizierung und
Reaustrifizierung der ersten Wochen und Monate. Schon im
Frühsommer 1945 wurde aber auch mit der Zwangsrepatriierung der Reichsdeutschen, die durch die Gesetzgebung der
jungen Zweiten Republik (wieder) zu Ausländern geworden
waren,[79] begonnen. Die Ausweisung der Deutschen sollte „als

Maßnahme der Entnazifizierung, als Strich unter die Vergangenheit verstanden werden".[80]

Die Forderung danach war Teil des neuen österreichischen Selbstverständnisses (und das lief z. T., nunmehr sehr vereinfachend, so: die Deutschen = Nazis sind an unserem Unheil schuld) und deckte sich zudem mit dem erklärten Willen der Alliierten:[81] Österreich sollte aus seiner „Ausrichtung auf Deutschland" gelöst werden.[82] Zudem waren diese Aktionen bei der Bevölkerung auch deshalb sehr populär, da man sich von der Abschiebung „überzähliger" Personen eine bessere Versorgung mit Nahrungsmitteln erwartete.[83]

Natürlich stieß dieses Programm früher oder später an seine inhärenten Grenzen: Es gab zahlreiche Ausnahmen. Hatten sich doch viele Deutsche schon vor dem Anschluß in Österreich niedergelassen und assimiliert, und von jenen, die nach dem März 1938 gekommen waren, hatten etliche einen gewissen technischen, wirtschaftlichen oder professionellen Wert. Zudem nahm der ursprüngliche Affekt gegen die Deutschen, der kurz nach Kriegsende bei der österreichischen Bevölkerung wie bei den Behörden zweifellos vorhanden gewesen war, mit der Zeit ab, da ihre „Verwendbarkeit" eine neue Einschätzung der Lage nahelegte. Auch die Alliierten sperrten sich – so scheint es – immer weniger gegen Ausnahmen.

Eine zweite Maßnahme sollte diese Absetzbewegung von der gemeinsamen Vergangenheit unterstützen: die bevorzugte Heimführung der österreichischen Wehrmachtssoldaten, die in Kriegsgefangenschaft geraten waren. Dabei waren die Westmächte führend: Die Amerikaner hatten ihren letzten österreichischen Kriegsgefangenen schon Anfang September 1946 repatriiert;[84] sie vertrauten darauf, daß jene Soldaten, die in den USA gut behandelt worden waren und in den Lagern „Unterricht in Demokratie" bekommen hatten, ein starkes demokratisches, antinazistisches Element in der Bevölkerung bilden würden.[85] Auch die Briten hatten mit der Entlassung der Kriegsgefangenen bald nach Kriegsende begonnen, und bis Mitte Juni 1947 war die Repatriierungsaktion (auch aus Kanada, Australien und Ägypten) abgeschlossen.[86]

Paris hatte schon Anfang September 1945 die Freilassung aller „nicht belasteten" österreichischen Kriegsgefangenen beschlossen. Während Hunderttausende deutscher Wehrmachtssoldaten bis 1948 in französischer Gefangenschaft beim Wiederaufbau eingesetzt wurden, erfolgte die Repatriierung der Österreicher ab November 1945, und bis Mai 1946 war die Masse der „repatriierungswürdigen" Gefangenen zu Hause. Ausschlaggebend für die rasche Heimführung waren nicht nur der Vorsprung an Staatlichkeit in Österreich, sondern auch die Vorschläge des französischen Oberbefehlshabers Béthouart, der aus wirtschaftlichen, humanitären und propagandistischen Gründen auf eine rasche Repatriierung drängte. Diese Aktion wurde auch entsprechend – und in sehr bezeichnender Weise – zu einer „Désannexions"-Propaganda benützt; Radio Paris meldete:

„Die Anerkennung Österreichs als freier, selbständiger Staat befreit auch seine Gefangenen, die als Soldaten der *deutschen* Wehrmacht in die *deutsche* Katastrophe hineingezogen wurden. Es waren die *deutschen* Uniformen, die über die Dauer des Deutschen Reiches hinaus sie in Unfreiheit hielten."[87]

Selbst die Sowjetunion repatriierte die Österreicher rascher als die Deutschen:[88] Ende 1947 waren 50% der Österreicher repatriiert, die Hälfte der Deutschen war erst Ende 1948 zu Hause. 1948/49 wurden die Verbliebenen „gesiebt", z. T. entlassen, z. T. abgeurteilt. Ab 1953 setzte dann die Amnestierung ein, und 1955 kam die Masse, 1956 der Rest der Gefangenen nach Österreich zurück.

Die Sowjetunion war (zusammen mit Jugoslawien) jene Gewahrsamsmacht, die die Kriegsgefangenen am längsten zurückbehielt, die Verhältnisse in den sowjetischen Lagern waren mit Abstand am schlimmsten, und die Verurteilungen des stalinistischen Repressionsapparates sprachen westlichen Vorstellungen von Recht und Gerechtigkeit Hohn; all dies verdeckte in der Ära des Kalten Krieges die Tatsache, daß die Erklärung des sowjetischen Außenministers Molotow von 1947, die Österreicher würden bevorzugt nach Hause entlassen, der Wirklichkeit entsprach.

Dabei bleibt festzuhalten, daß die Sowjetunion neben Polen jenes Land war, das unter der Wehrmacht am meisten gelitten hatte. Die Arbeit der Kriegsgefangenen – auch der Österreicher – wurde von Moskau nur als gerechtfertigte Reparationsleistung gewertet. Aus sowjetischem Gewahrsam kehrten schließlich zwei Drittel der kriegsgefangenen Wehrmachtssoldaten heim, in deutscher Gefangenschaft hatte nur ein Drittel der Soldaten der Roten Armee überlebt.

Die generelle Besserstellung der Österreicher, die Betonung des Unterschiedes zu den Deutschen, zum Deutschen Reich, führte allerdings auch zu unerwünschten Effekten: So mußte etwa – nach einer Umfrage über die Kriegsschuld, bei der nur 15% der befragten Österreicher eine „Teilschuld" zugegeben hatten – der amerikanische Geschäftsträger in Wien resümieren:

„Es ist klar, daß die Betonung der Getrenntheit Österreichs von Deutschland zu einem entsprechenden Gefühl der Schuldlosigkeit führt. Da wir als nationale Politik einen eigenständigen österreichischen Nationalismus fördern, können wir nicht überrascht sein, ja wir sollten eigentlich zufrieden sein, daß der Großteil der Österreicher es abstreitet, jemals irgend etwas mit Deutschland zu tun gehabt zu haben."[89]

Daneben gab es allerdings auch skurrile Züge in dieser „Absetzbewegung"; so fanden sich in den Schulzeugnissen der vierziger und fünfziger Jahre zwar Englisch, Französisch und Russisch als Unterrichtsfächer – aber kein „Deutsch"; das hieß nunmehr „Unterrichtssprache"![90] Der Volksmund machte daraus dann „Hurdestanisch" – in Anspielung auf Unterrichtsminister Felix Hurdes.

2. Die Entnazifizierung

„Obwohl jemand, der nie mit dem Problem konfrontiert war, es leicht finden mag, festzustellen, wer ein Nazi ist, ist dies noch relativ einfach, verglichen mit dem damit zusammenhängenden Problem, was man mit diesen erkannten Nazis anfangen soll."

So war im *Report of the United States Commissioner* im April 1946 zu lesen.[91] In diesem Monat hatten sich die drei Parlamentsparteien auf ein neues, differenziertes Programm zur Entnazifizierung geeinigt, das neben Bestrafung der Schuldigen auch die politische und gesellschaftliche Wiedereingliederung (*rehabilitation*) der „Ehemaligen" vorsah. Die Entnazifizierung wurde in Österreich ab 1946 von den drei Parteien und den vier Besatzungsmächten *gemeinsam* getragen:

„Konnte man in der BRD die Entnazifizierung als eine Politik der Besatzungsmächte, eine Politik der Sieger kritisieren, die dem Land von außen aufoktroyiert worden war, so war dies in Österreich nicht möglich. Alle Entnazifizierungsgesetze wurden im österreichischen Nationalrat einstimmig angenommen, und die vier Besatzungsmächte hatten allen wichtigen Entnazifizierungsmaßnahmen zugestimmt."[92]

Unmittelbar nach dem Einmarsch war die Entnazifizierung gekennzeichnet durch die militärischen Sicherheitsbedürfnisse der Alliierten; gleichzeitig sollte das nationalsozialistische System in Österreich radikal zerschlagen werden. Massive Internierungen (nach *automatic arrest list*, schwarzen Listen und schließlich dem Gutdünken der Militärbefehlshaber) waren die Folge; zum Unterschied von den Westalliierten verließen sich die Sowjets – nimmt man einzelne Fälle von Verhaftungen aus – von Anfang an fast ausschließlich auf die österreichischen Behörden. Der NKWD überprüfte in der Regel die Verhafteten nur daraufhin, ob diese sich etwas gegen die UdSSR zuschulden hatten kommen lassen, die Sowjets mischten sich jedoch prinzipiell nicht in die Durchführung der Entnazifizierung ein.[93] Daneben gab es allerdings Zwangsrepatriierungen (Kosaken und Wlassow-Soldaten, die für die Wehrmacht und gegen die UdSSR gekämpft hatten; sowjetische Kriegsgefangene und „Ostarbeiter")[94] bzw. massive Verschleppungen von Personen, an denen die Sowjetunion ein Interesse haben konnte (Angehörige der deutschen Besatzungsverwaltung in der Sowjetunion, Kriegsverbrecher und vermeintliche Gegner der sowjetischen Besatzungsmacht; Wissenschaftler und Techniker v. a. im Rüstungsbe-

reich; Zivilisten, die aus irgendwelchen Gründen denunziert
worden waren ...).[95]

Nach der Etablierung der Zonen mit ihren Militärregierungen übernahmen die Sicherheitsorgane der (West-)Alliierten
die Durchführung der Säuberungsmaßnahmen in ihrem Bereich. Eine Koordinierung fand zu diesem Zeitpunkt nur in
Ansätzen statt. So verwendeten Briten und z. T. auch Franzosen den berühmten siebenseitigen Fragebogen der Amerikaner: Dieses Instrument sollte es ermöglichen, „in einem
ihnen fremden Land die Bevölkerung politisch vollständig zu
durchkämmen – ein Unterfangen, das bereits an den beschränkten Möglichkeiten der damaligen Datenverarbeitung
scheitern mußte";[96] darüber hinaus beruhte das System auf
der Annahme, daß der Fragebogen korrekt und ehrlich ausgefüllt würde – und das konnte nicht vorausgesetzt werden.
Bis ins Jahr 1946 hinein fanden jedoch weitere massive Internierungen durch alliierte wie österreichische Organe
statt,[97] die nun zunehmend auch in den Westzonen aktiv in
die Entnazifizierung eingebunden wurden.

Tabelle 1: Durch alliierte und österreichische
Behörden Verhaftete und Internierte
(Stand: 15. September 1946)

	Franz. Zone	US-Zone	Brit. Zone	Sow. Zone	Wien
Gesamtzahl der Verhafteten	9.440	17.924	9.183	10.668	9.077
– davon durch alliierte Behörden	6.887	14.395	3.974	861	–
– davon durch österr. Behörden	2.553	3.529	5.209	9.807	9.077
Aus der Haft Entlassene	7.224	1.873	2.773	6.727	4.458
Verhaftete, die der Staatsanwaltschaft angezeigt wurden	3.187	6.026	6.067	4.315	4.452

Quelle: Anm. 98.

Die österreichische Regierung hatte kurz nach ihrer Konstituierung jene zwei fundamentalen Gesetze, die dem österreichischen Staat als Basis der Entnazifizierung dienen sollten, verabschiedet: das „Verbotsgesetz" (Verfassungsgesetz über das Verbot der NSDAP) am 8. Mai 1945[99] und das „Kriegsverbrechergesetz" (Verfassungsgesetz über Kriegsverbrechen und andere nationalsozialistische Untaten) am 26. Juni 1945.[100] Durch das Verbotsgesetz, das nach mehrfacher Änderung im Februar 1947 im Nationalsozialistengesetz[101] seine endgültige Fassung bekam, wurden die NSDAP, ihre Gliederungen und Organisationen verboten. „Wiederbetätigung" wurde mit der Todesstrafe bedroht. Wer zwischen dem 1. Juli 1933 und dem 13. März 1938 – als die Partei in Österreich verboten war – Mitglied der NSDAP oder eines ihrer Wehrverbände gewesen war, zählte zum Kreis der „Illegalen", die sich des Verbrechens des Hochverrates schuldig gemacht hatten (§ 10). Sie galten als

„der harte Kern des Nationalsozialismus in Österreich. Wer nach 1938, nach dem Anschluß zur Partei gekommen war, dem wurde eine Mitläufermentalität oder eine Zwangssituation zugestanden. 1946 waren in Österreich 536.000 ehemalige Nationalsozialisten registriert, davon etwa 100.000 ‚Illegale'."[102]

Das Kriegsverbrechergesetz, das „eigentliche Strafrecht der Entnazifizierung", stellte unter Strafe: Kriegsverbrechen im engeren Sinne, Kriegshetzerei, Quälereien und Mißhandlungen, Verletzungen der Menschlichkeit und der Menschenwürde, Vertreibung aus der Heimat,[103] mißbräuchliche Bereicherung, Denunziation und schließlich erneut Hochverrat am österreichischen Volk. Dieses Gesetz hatte rückwirkende Kraft und stellte somit eine Ausnahmeerscheinung in der modernen österreichischen Gesetzgebung dar.[104] Zur Exekutierung dieser Gesetze sollten Sondergerichte geschaffen werden: die Volksgerichte, die aus zwei Berufsrichtern und drei Schöffen bestanden; gegen ihr Urteil gab es keine Berufung.

Zunächst bedeutete die Existenz dieser Gesetze noch nicht sehr viel, denn die Regierung war von den westlichen Besat-

zungsmächten nicht anerkannt, die Gesetze vom Alliierten
Rat nicht genehmigt worden. Das änderte sich nur sukzessive: Am 20. Oktober 1945 erfolgte die *de facto*-Anerkennung.
Nun mußten die Gesetze dieser Regierung dem Alliierten Rat
zur Genehmigung vorgelegt werden. Am 10. November 1945
begann der Alliierte Rat, die österreichischen Gesetze zu genehmigen, und bereits in dieser ersten Sitzung wurden das
Verbots- und das Kriegsverbrechergesetz approbiert.[105] Bislang hatten die westlichen Bundesländer die Wiener Entnazifizierungsgesetze im „autonomen Nachvollzug" zur Kenntnis nehmen können – oder auch nicht (und die Säuberung
nach eigenen, von der Besatzungsmacht genehmigten Richtlinien exekutieren können). Seit dem 10. November 1945 jedoch wurde die Entnazifizierung auf Beschluß des Alliierten
Rates durch die österreichische Regierung und die österreichischen Behörden – unter der Kontrolle des Alliierten Rates
– durchgeführt.[106]

Unter den Besatzern gab es Stimmen, die diese Entwicklung aus den unterschiedlichsten Motiven für gut hielten: So
hatte etwa General Béthouart den französischen Präsidenten
Félix Gouin wissen lassen:

„Die Alliierten haben eine komplette Entnazifizierung zur Hauptbe-
dingung gemacht, bevor sie ihren Druck lockern. Nun, wenn eine
Säuberung notwendig ist, so muß sie rasch durchgeführt werden,
sich auf die tätigen Köpfe der alten Nazipartei beschränken und
ziemlich differenziert sein, um die sofortige Wiederaufnahme des
gesellschaftlichen und wirtschaftlichen Lebens des Landes zu erlauben. Tatsächlich verblaßt die Erinnerung an die Naziverbrechen,
während die Besatzung weiter mit ihrem ganzen Gewicht lastet.
Die aus ihren Berufen entfernten oder eingesperrten Nazis werden
mehr und mehr als Opfer der Besatzungsmacht und nicht als Verbrecher angesehen. Nationale Solidarität trägt dazu bei, daß sie
zunehmend von einer Aureole des Widerständlers gegen den Besatzer profitieren können, eine Aureole, die nur einem Germanismus
zugute kommt, von dem der Nationalsozialismus nur ein Aspekt
war.
Gegenwärtig wird die Säuberung schlecht durchgeführt. Von den
Alliierten und selbst von der Figl-Regierung angespornt, stößt sie

auf den verdeckten Widerstand von Sympathisanten und ‚Wider-
ständlern‘, die auf ihren Posten in der Verwaltung sitzen, und auf
die unbestreitbaren Schwierigkeiten, fähigen Ersatz für eine beträchtliche Zahl von erfahrenen Beamten und Fachleuten zu finden,
die gesäubert wurden. Wenn die Langsamkeit [der Entnazifizie-
rung] die Besatzung prolongiert, werden die Alliierten ihr Ziel ver-
fehlen, und man kann sich fragen, ob das Risiko nicht geringer
wäre, wenn man die Österreicher selber machen ließe."[107]

Genau dies geschah nun. Der Alliierte Rat, dem die Einführung der Sondergerichtsbarkeit in Österreich zu schleppend
voranging, hatte im März 1946 eine Note an die Bundesregierung gerichtet, in der diese energisch aufgefordert wurde,
die Verfahren gegen Naziverbrecher aufs äußerste zu aktivie-
ren. Nur in Wien hatten die Volksgerichte schon im August
1945 angefangen zu arbeiten,[108] in den westlichen Zonen
begann ihre Konstituierung im Frühjahr 1946 – d. h. praktisch ein Jahr nach der Schaffung des entsprechenden Gesetzes. Die Arbeit der Volksgerichte ist in Tabelle 2 dargestellt:

Tabelle 2: Volksgerichtsbarkeit in Österreich im Vergleich (1945–1955)

	Bevölkerung des Sprengels	Registr. NS im Sprengel	in % der reg. NS	Gesamtanfall VG-Sachen	in % der Bev.	in % der reg. NS
VG Wien*	3.676.081	223.263	6,07	52.601	1,43	23,56
VG Graz*	1.320.362	139.487	4,80	51.176	3,88	36,69
VG Linz*	953.376	108.367	5,50	19.928	2,09	18,39
VG Innsbruck*	479.747	65.543	2,95	13.124	2,74	20,02
Gesamt	6.429.566	536.660	5,25	136.829	2,13	25,50

	Anklage-erhebungen	in % der Bev.	Schuldsprüche	in % der Bev.	in % der reg. NS
VG Wien	13.561	0,37	6.701	0,18	3,00
VG Graz	6.698	0,51	3.873	0,29	2,78
VG Linz	5.958	0,62	1.993	0,21	1,84
VG Innsbruck	1.931	0,40	1.040	0,22	1,59
Gesamt	28.148	0,44	13.607	0,21	2,54

davon **43** Todesurteile

Quelle und Anmerkung *: Anm. 109.

Zu diesen Verurteilungen ist noch ein – bislang nicht genau erforschter – Anteil der Schuldsprüche der alliierten Gerichte zu rechnen, die nationalsozialistische Gewaltverbrecher betrafen.[110]

Im Februar 1947 war nach sehr langen Verhandlungen und vielen Änderungen durch die Alliierten schließlich ein neues Gesetz, das Nationalsozialistengesetz, verabschiedet worden. Das Verbotsgesetz hatte auf die individuelle Prüfung der über 500.000 registrierten Nationalsozialisten gezielt; darüber hinaus hatte es eine Ausnahmeregelung gegeben: Die im Gesetz vorgesehenen Strafen konnten nachgelassen werden, wenn

„der Betreffende seine Zugehörigkeit zur NSDAP oder einem ihrer Wehrverbände (SS, SA, NSKK, NSFK) niemals mißbraucht hat und aus seinem Verhalten noch vor der Befreiung Österreichs auf eine positive Einstellung zur unabhängigen Republik Österreich mit Sicherheit geschlossen werden kann". (§ 27 VG)

Das Verbotsgesetz hatte sich als undurchführbar erwiesen: 85–90% aller registrierten Nationalsozialisten hatten von dieser Ausnahmebestimmung Gebrauch gemacht,[111] und die Verwaltung erstickte geradezu in Gnadengesuchen mit beigefügten Bescheinigungen über die Unbescholtenheit, Harmlosigkeit und Österreichfreundlichkeit der Betroffenen; das waren die berühmten „Persilscheine".

Das neue Gesetz ging zu einem kollektiven Verfahren über: Neben Personen, die unter das Strafrecht fielen, Kriegsverbrechern und bedingt auch Illegalen, kannte das Gesetz nunmehr sühnepflichtige Personen, unterteilt in „Belastete" und „Minderbelastete". Die Unterscheidung erfolgte aufgrund der Stellung im NS System:[112] Als „Minderbelastete" galten einfache Parteimitglieder und -anwärter – sie wurden als „Mitläufer" eingestuft. Die Sühnemaßnahmen reichten vom Ausschluß von politischen Rechten über den Verlust des Arbeitsplatzes und Berufsverbot bis zu Gehaltskürzungen und Vermögensstrafen. Von den 537.000 registrierten Nationalsozialisten galten 42.000 als „belastet".[113]

Schon während der Ausarbeitung des Gesetzes war die österreichische Seite für eine zeitliche Befristung der Sühnemaßnahmen eingetreten, was die Alliierten jedoch abgelehnt hatten. 1948 machten schließlich die Sowjets – die sich bisher beharrlich geweigert hatten, dem österreichischen Drängen auf (wenigstens) eine Jugendamnestie nachzugeben – einen weiterreichenden Vorschlag, der zur Minderbelastetenamnestie 1948 führte; rd. 90% aller Registrierten wurden davon erfaßt: „Damit war die Entnazifizierung in Österreich als Massenerscheinung beendet."[114]

Zur selben Zeit begann auch die strafrechtliche Verfolgung der NS-Täter an Intensität abzunehmen. Rund 80% aller Verfahren vor den Volksgerichten waren bis Anfang 1948 eingeleitet worden.[115] Der Rückgang in der Ermittlungstätigkeit dürfte nicht zuletzt darauf zurückzuführen sein, daß sich das gesamtgesellschaftliche Klima in Österreich – Stichwort: Kalter Krieg, Westorientierung – langsam änderte.[116]

1955, nach Staatsvertrag und Abzug der Besatzungstruppen, wurden die Volksgerichte aufgehoben,[117] die Verfolgung von NS-Gewaltverbrechen den Geschworenengerichten übertragen. Diese fällten dann z. T. offenkundige und skandalöse Fehlurteile, manche mußten wegen Rechtsirrtums der Geschworenen aufgehoben werden.[118] Eineinhalb Jahre später beschloß das österreichische Parlament die NS-Amnestie 1957.[119] Sie bewirkte

„nicht nur die Einstellung einer ganzen Reihe von Verfahren, sondern darüber hinaus die Verstärkung der bereits in den letzten fünf bis sechs Jahren des Bestehens der Volksgerichte feststellbaren Tendenz zur Bagatellisierung der NS-Verbrechen".[120]

In der Zeit von 1945 bis 1955, also der Besatzungszeit, fällten die Volksgerichte 13.607 Schuldsprüche; in den zwanzig darauffolgenden Jahren (1955–1975) kam es zu 18 Schuldsprüchen (bei insgesamt 39 Urteilen).[121] Dieser Befund macht deutlich, daß die strafrechtliche Verfolgung der nationalsozialistischen Gewaltverbrechen in Österreich fast ausschließlich durch die Volksgerichte in der Ära 1945–1955 erfolgte.

„Die Entnazifizierung im Sinne einer Zerschlagung der nationalsozialistischen Organisationen ist nach dem Krieg zweifellos geleistet worden" – so resümiert Dieter Stiefel seine Analyse;[122] „Entnazifizierung im Sinne eines Abbaus von totalitären und radikalen Strömungen aber ist eine Aufgabe, die nicht *einmal* und dann für *immer* erledigt ist, sondern sich in einer Demokratie ständig stellt".

1   Vgl. dazu Manfried Rauchensteiner, Der Krieg in Österreich '45 (Sonderausgabe) Wien 1995; ders., Der Sonderfall. Die Besatzungszeit in Österreich 1945 bis 1955, Graz – Wien – Köln 1979, S. 63 f.

2   Mit Ausnahme jener Gebiete des Mühlviertels, die von der 2. Ukrainischen Front besetzt worden waren.

3   Freundliche Mitteilung von Univ.-Prof. Manfried Rauchensteiner, der diesbezügliche Erhebungen durchgeführt hat; allein im Raum Niederösterreich sollen die Verluste der Roten Armee 11.500 Mann betragen haben; Klaus-Dieter Mulley, Besatzungsalltag in Niederösterreich 1945–1948. Manuskript eines im Oktober 1994 beim int. Historiker-Symposium „Österreich unter alliierter Besatzung" in Graz gehaltenen Vortrags.

4   Von den drei Divisionen der 7. US-Armee, die in Tirol einmarschierten, fielen im Monat Mai 158 Mann, und fast 500 wurden verwundet. Teile der Verluste sind allerdings auf Operationen dieser Einheiten im Raum Bayern zurückzuführen. Vgl. dazu The Seventh United States Army in France and Germany 1944–1945. Report of Operations, vol. III, o. O. u. J., Annex E: Casualties, D-Day to V-E Day. National Archives, Washington (NA), RG 407, Box 2567.
Das XX. US-Korps, das mit seinen vier Divisionen Oberösterreich südlich der Donau befreite, verzeichnete vom 1.–8. Mai 40 Tote, hatte allerdings erst am 2./3. Mai österreichischen Boden betreten. Rauchensteiner, Krieg, S. 353.
Die beiden französischen Divisionen, die Vorarlberg befreit hatten, erlitten vom 1.–8. Mai folgende Verluste: 4. Marokkanische Gebirgsdivision: 26 Tote, 10 Vermißte, 68 Verwundete; 5. Panzerdivision: 15 Tote, 3 Vermißte, 37 Verwundete. Vgl. dazu Ministère de la Défense, Etat-Major de l'Armée de Terre, Service Historique: Guerre 1939–1945, Les Grandes Unités Françaises, Historiques Succincts, vol. V: Campagnes de France et d'Allemagne (1944–1945), 3ᵉ partie, Paris 1976, S. 799 und 785.

5   Vgl. dazu auch den Beitrag von Evan B. Bukey in Band 1.

6   Headquarters (HQ) Seventh Army: Military Government Activities, 6 May–12 May 1945. NA, RG 407, 107-5, Seventh Army, G-5 Reports.

7   Dies gilt auch für die westlichen Bundesländer, wo die Suizide nicht auf eine möglicherweise vorhandene Angst vor den „roten Horden" zurückgeführt werden können.

8   Alfred Ableitinger, Die innenpolitische Entwicklung, in: Wolfgang Mantl

178 Klaus Eisterer

(Hrsg.), Politik in Österreich. Die Zweite Republik: Bestand und Wandel (Studien zu Politik und Verwaltung 10), Wien – Köln – Graz 1992, S. 119–203, hier S. 122.

9 Diese unterschiedliche Sichtweise spiegelt sich immer noch. Nach einer Umfrage vom April 1995 halten sich – fünfzig Jahre nach den Geschehnissen – 38% der Österreicher für befreit, 33% meinen, daß Österreich besiegt worden sei. (*Der Standard*, 19. 4. 1995, S. 4.) Auch heute gilt noch das Diktum von Heinrich Böll (in den „Briefen an seine Söhne"): „Ihr werdet die Deutschen" – und offenkundig auch die Österreicher – „immer daran erkennen können, ob sie den 8. Mai als Tag der Niederlage oder als Tag der Befreiung bezeichnen".

10 Mulley, Besatzungsalltag, S. 3.

11 Günter Bischof, Between Responsibility and Rehabilitation: Austria in International Politics, 1940–1950, 2 Bde., Ph. D.-thesis Harvard 1989, S. 246.

12 Situationsbericht der Sicherheitsdirektion NÖ für den Monat Juli 1945, 3. 8. 1945; zit. n. Mulley, Besatzungsalltag, S. 11.

13 Neben den Folgen der körperlichen Gewaltanwendung war eine häufige Konsequenz (bei ca. 30–40% der vergewaltigten Frauen) eine Ansteckung mit Geschlechtskrankheiten; vgl. dazu Marianne Baumgartner, „Jo, des waren halt schlechte Zeiten ...". Das Kriegsende und die unmittelbare Nachkriegszeit in den lebensgeschichtlichen Erzählungen von Frauen aus dem Mostviertel (Europäische Hochschulschriften, Reihe III, Bd. 610), Frankfurt/M. 1994, S. 95 f.

14 In Wiener Spitälern wurde der „Notstand der geschwängerten Frauen [...] von den Ärzten aller Weltanschauungen anerkannt" und Abtreibungen durchgeführt. (Adolf Schärf, April 1945 in Wien, Wien 1948, S. 28). Innenminister Oskar Helmer soll „in Anwesenheit des niederösterreichischen Landeshauptmannes Figl bei vielen Bürgermeisterkonferenzen aufgrund der ‚ständigen Bitten der Frauen' den Ärzten den ‚ausdrücklichen Auftrag'" gegeben haben, „Schwangerschaftsabbrüche durchzuführen". (Maria Mesner, Vom § 144 zum § 97. Eine Reform mit Hindernissen, Wien 1992, S. 10).
Und die „Behörden wollten die Abbrüche zwar nicht dezidiert gesetzlich zulassen, sie hätten sich aber darauf verstanden, ‚nichts zu unternehmen', auch die katholische Kirche habe in diesem Zusammenhang ‚verständnisvoll geschwiegen'." (Protokoll der Strafrechtskommission vom 2. 3. 1957, zit. ebd.)
Alle Belege zitiert nach Baumgartner, „Schlechte Zeiten", S. 112 f.

15 Mulley, Besatzungsalltag, S. 4.

16 Vgl. Margarete Hannl, Mit den „Russen" leben, in: *Zeitgeschichte* 16 (1989), Heft 5, S. 147–166.

17 Siehe dazu nunmehr: Vernichtungskrieg. Verbrechen der Wehrmacht 1941–1944, hrsg. v. Hannes Heer und Klaus Naumann, Hamburg 1995.

18 Zuletzt Ernst Hanisch, Der lange Schatten des Staates. Österreichische Gesellschaftsgeschichte im 20. Jahrhundert (Österreichische Geschichte 1890–1990, hrsg. v. Herwig Wolfram), Wien 1994, S. 407. Allerdings unterschied sich das Verhalten der Roten Armee etwa in Polen durch nichts von jenem in Österreich. Welche Einstellungen waren hier vorhanden? Rache konnte es ja wohl nicht gewesen sein.

19 „These people will never forget what the Red Army did to our women.
   The present feeling of the simple people that the Russians are *Untermen-schen* will last as long as this generation lives."
   Leonard Hankin (OSS), Subject: The Russian Occupation of Ravelsbach,
   Lower Austria: A Personal Report, 1 September 1945, Secret/Control, in:
   Oliver Rathkolb (Hrsg.), Gesellschaft und Politik am Beginn der Zweiten
   Republik. Vertrauliche Berichte der US-Militäradministration aus Öster-
   reich 1945 in englischer Originalfassung, Wien – Köln – Graz 1985,
   S. 294–301, hier S. 300.

20 Zahlenmäßig dürften die Verbrechen dort jenes Ausmaß, wie es zu
   „normalen" Zeiten auch in der „zivilen" Gesellschaft zu registrieren ist,
   kaum überschritten haben. Es sind nur einige wenige Fälle von Vergewaltigungen etwa durch französische Besatzungssoldaten doku-
   mentiert; die Übergriffe bestanden vor allem im unbefugten „Requirieren".
   Zu den Verhältnissen in der französischen Zone siehe Klaus Eisterer,
   Französische Besatzungspolitik. Tirol und Vorarlberg 1945/46 (Innsbruk-
   ker Forschungen zur Zeitgeschichte 9), Innsbruck 1992, S. 57–70.

21 Zur Österreichpolitik von Präsident Charles de Gaulle vgl. Klaus Eisterer, De Gaulle und Österreich 1938–1946, in: *Jahrbuch für Zeitgeschichte
   1990/91*. De Gaulles europäische Größe: Analysen aus Österreich, bear-
   beitet und redigiert von Klaus Eisterer und Oliver Rathkolb, S. 3–16.
   Tafeln mit der Aufschrift „Ici l'Autriche, pays ami" waren von den einrückenden französischen Truppen an der österreichischen Grenze angebracht worden.

22 Zur Frage des Verhältnisses zwischen den französischen Soldaten und der
   einheimischen Bevölkerung vgl. Klaus Eisterer, Fraternisierung 1945, in:
   Dornbirner Schriften. Beiträge zur Stadtkunde (1993), Nr. XIV, S. 22–35.

23 Paul R. Sweet (OSS), Subject: Political Developments in Land Tirol,
   Secret, 15. 6. 1945, zit. n. Rathkolb, Gesellschaft und Politik, S. 383.

24 Vgl. dazu nunmehr Kurt Tweraser, US-Militärregierung Oberösterreich,
   Bd. 1: Sicherheitspolitische Aspekte der amerikanischen Besatzung in
   Oberösterreich-Süd 1945–1950 (Beiträge zur Zeitgeschichte Oberöster-
   reichs 14), Linz 1995, S. 58 ff., bes. S. 60 f.

25 Berichtet bei Karl Gruber, Ein politisches Leben. Österreichs Weg zwischen den Diktaturen, Wien – München – Zürich 1976, S. 51. Vgl. dazu
   auch Ingrid Bauer, „Ami-Bräute" und die österreichische Nachkriegssee-
   le, in: Frauenleben 1945. Kriegsende in Wien, red. v. Peter Eppel, Wien
   (1995), S. 73–83.

26 Abg. Jakob Bertsch (SPÖ) in: 16. Vorarlberger Landtag 1945/46, Stenographische Sitzungsberichte, 3. Sitzung, 21. 3. 1946, S. 25; Hervorhebung K. E. Am selben Ort wies Eugen Leissing (ÖVP) auf 15- und
   16jährige Kinder hin, die im Spital wegen venerischer Krankheiten behandelt werden mußten!

27 Belege dazu bei Eisterer, Fraternisierung, passim.

28 Karl Gruber, Zwischen Befreiung und Freiheit. Der Sonderfall Österreich, Wien 1953, S. 22.

29 Vgl. dazu Eisterer, Fraternisierung, S. 29 f.

30 Brigitte Rupp, „Gebt uns ein Gesicht und eine Geschichte". Ein Brief an
   die Siegerväter des Jahres 1945 – und an einen Vater im besonderen, in:
   Der Standard, 26. 4. 1995, S. 27.

31 Hanisch, Der lange Schatten, S. 400.
32 Vgl. dazu etwa Karl Gruber. Reden und Dokumente 1945–1953, hrsg. v.
Michael Gehler (Institut für Zeitgeschichte der Universität Innsbruck,
Arbeitskreis Europäische Integration, Historische Forschungen, Veröf-
fentlichungen 2), Wien – Köln – Weimar 1994; Thomas Angerer, Der
‚bevormundete Vormund' und zweierlei ‚Emanzipation'. Die französische
Besatzungsmacht in Österreich und einige Gründe zur Historisierung
der Bevormundungsthese, in: Alfred Ableitinger / Siegfried Beer / Eduard
G. Staudinger (Hrsg.), Österreich unter alliierter Besatzung 1945–1955
(Studien zu Politik und Verwaltung 65), erscheint 1996.
33 Günter Bischof/Josef Leidenfrost (Hrsg.), Die bevormundete Nation.
Österreich und die Alliierten 1945–1949 (Innsbrucker Forschungen zur
Zeitgeschichte 4), Innsbruck 1988; zum Konzept der „Einmischung von
außen" bzw. „Bevormundung" siehe nunmehr sehr kritisch Angerer, Der
‚bevormundete Vormund'.
34 Moskauer Deklaration vom 1. November 1943; als Plakat von 1945 abgedruckt in Bischof/Leidenfrost (Hrsg.), Die bevormundete Nation, gegenüber S. 224. Auch das Comité Français de Libération Nationale unter
de Gaulle hatte in seiner Erklärung vom 16. November 1943 – die Franzosen waren in Moskau nicht mit dabei – betont, Frankreich sei immer
für die österreichische Unabhängigkeit eingetreten.
35 Vgl. Wilfried Aichinger, Die Sowjetunion und Österreich 1945–1949, in:
Bischof/Leidenfrost (Hrsg.), Die bevormundete Nation, S. 275 f.; Rauchensteiner, Sonderfall, S. 75 ff.
36 HQ 44th ID, Military Government Section: Activities of Military Government Section, 1–10 May 1945. NA, RG 407, 344-5.
37 Mit Ausnahme des Burgenlandes, das (noch) nicht als eigenes Bundesland existierte.
38 Vgl. dazu Rauchensteiner, Sonderfall, S. 75–101.
39 Dieser Landesausschuß wurde von den Russen am 8. Mai aufgelöst; ein
neues Gremium in anderer Zusammensetzung bekam nach längeren
Verhandlungen am 15. Mai die Anerkennung der Besatzungsbehörde.
40 In Oberösterreich hatte die US-Militärregierung eine aus Vertretern der
Sozialisten, Katholiken sowie einem Kommunisten zusammengesetzte
provisorische Regierung nicht anerkannt und statt dessen Adolf Eigl mit
der Bildung einer Landesregierung beauftragt – Eigl, Regierungsdirek-
tor aus der NS-Zeit! Er wurde im August 1945 amtsenthoben und verhaftet. Dazu nunmehr ausführlich Tweraser, US-Militärregierung,
S. 131–169.
41 Karten mit den verschiedenen Zonenplänen der Alliierten im Kartenan-
hang von Hugo Portisch, Österreich II. Die Geschichte Österreichs vom
2. Weltkrieg bis zum Staatsvertrag, Bd. 4: Der lange Weg zur Freiheit,
München 1993.
42 Abkommen über die Alliierte Kontrolle in Österreich vom 4. Juli 1945,
‚Erstes Kontrollabkommen' (Dokument 1) sowie Abkommen, betreffend
die Besatzungszonen und die Verwaltung der Stadt Wien vom 9. Juli 1945.
43 Abkommen über die Alliierte Kontrolle in Österreich vom 4. Juli 1945,
Artikel 2.
44 Rauchensteiner, Sonderfall, S. 66 ff.; Manfried Rauchensteiner, Die
Zwei. Die Große Koalition in Österreich 1945–1966, Wien 1987, Kapitel

1 und 2; Bischof, Between Responsibility and Rehabilitation, S. 79–148 und 215–238; zu den Problemen der Akzeptanz der Renner-Regierung durch die westlichen Alliierten vgl. auch den Beitrag von Günter Bischof in diesem Band.

45 Aichinger, Sowjetunion, S. 276.

46 Vgl. dazu etwa die überaus dürftigen Berichte, die per Kurier (!) aus den westlichen Zonen nach Wien gelangt waren und vom Staatskanzler dem Kabinett zur Kenntnis gebracht wurden. Vgl. Kabinettsratsprotokoll Nr. 15 vom 3. Juli 1945. Protokolle des Kabinettsrates der Provisorischen Regierung Karl Renner 1945, hrsg. von Gertrude Enderle-Burcel/Rudolf Jeřábek/Leopold Kammerhofer, Bd. 1: „... im eigenen Haus Ordnung schaffen". Protokolle des Kabinettsrates 29. April 1945 bis 10. Juli 1945, Wien 1995, S. 321–327.

47 Kabinettsratsprotokoll Nr. 16 vom 10. Juli 1945. Ebd., S. 360 ff.

48 Rauchensteiner, Die Zwei, S. 57 ff.

49 Damit war klar, daß die Südtirolfrage einen besonderen Platz in der österreichischen Außenpolitik einnehmen sollte. Vgl. dazu Rolf Steininger, Los von Rom? Die Südtirolfrage 1945/46 und das Gruber-De Gasperi-Abkommen (Innsbrucker Forschungen zur Zeitgeschichte 2), Innsbruck 1987.

50 Der Chef der französischen Militärregierung, Pierre Voizard, an Béthouart, 20. 11. 1945. Ministère des Affaires Etrangères, Archives Diplomatiques (Paris), Série EU, Europe 1944–1960, Sous-série Autriche (MAE/EU) vol. 9, fol. 163.

51 Military Government Austria, *Report of the United States Commissioner* (November 1945), No. 1, S. 1.

52 General Béthouart an Präsident Charles de Gaulle, Rapport d'activité pour le mois de novembre 1945, 4. 12. 1945. Ministère des Affaires Etrangères, Archives de l'Occupation française en Allemagne et Autriche (Colmar), Archives du Haut Commissariat français en Autriche (MAE/C), C. 1377, p. 15.

53 Rauchensteiner, Sonderfall, S. 167–173; Klaus Eisterer, Frankreich und das Zweite Kontrollabkommen vom 28. Juni 1946, in: Bischof/Leidenfrost (Hrsg.), Die bevormundete Nation, S. 187–215.

54 Dokument 2.

55 Vgl. ebd. Artikel 2 (c), sowie Artikel 5.

56 Vgl. dazu als Beispiel Klaus Eisterer, Die Schweiz als Partner: Zum eigenständigen Außenhandel der Bundesländer Vorarlberg und Tirol mit der Eidgenossenschaft 1945–1947. Eine wirtschaftshistorische Untersuchung (Schriftenreihe des Instituts für Föderalismusforschung 64), Innsbruck 1995.

57 Die französische Zone etwa konnte – aufgrund einer genialen Clearing-Konstruktion – einen Warenhandel mit der benachbarten Schweiz in Gang setzen, bei dem man auf schwerfällige Kompensationen verzichtete und auch ohne Devisen auskam. Das Volumen dieses Außenhandels in den sechs Monaten Dezember 1945 bis Mai 1946 war fast doppelt so hoch wie der Binnenhandel mit der benachbarten US-Zone (Salzburg und Oberösterreich)! Vgl. ebd., S. 26, sowie die Graphiken 1–4, S. 28–31.

58 Military Government Austria, *Report of the United States Commissioner* (Mai 1946), No. 7, S. 5.

59 William B. Bader, Austria between East and West 1945–1955, Stanford 1966; Rauchensteiner, Sonderfall; Gerald Stourzh, Geschichte des Staatsvertrages 1945–1955. Österreichs Weg zur Neutralität [Studienausgabe], Graz – Wien – Köln 1985³.

60 Rundschreiben des Bundeskanzleramtes an sämtliche Bundesministerien und Landeshauptmänner sowie Wiener Bürgermeister, 13. 7. 1946. Vorarlberger Landesarchiv, Bregenz, (VLA), Prs. 617/ 1955.

61 Eine eindrucksvolle Liste von Kompetenzen, deren Rückübertragung die Landesbehörden verlangten, zeigt, welch weitreichende Auswirkungen in der (Verwaltungs-)Praxis erwartet wurden, illustriert aber auch, wie geknebelt die Behörden vorher gewesen waren. Auszugsweise sei sie hier wiedergegeben:
„Einer vorherigen Genehmigung durch Alliierte Stellen würden sonach in Hinkunft nicht bedürfen:
Die Verleihung der österreichischen Staatsbürgerschaft;
die Änderungen in den Besetzungen von Gemeindefunktionärsstellen (Bürgermeister, Gemeinderäte);
die Bewilligungen von Preiserhöhungen [. . .];
Änderungen in Löhnen und Baustoffpreisen, amtliche Bekanntmachungen auf dem Gebiete des Bauwesens insbesondere des Straßenbauwesens (Bauausschreibungen, Straßensperren und dergleichen), [. . .];
auf dem Gebiete der Baustoffbewirtschaftung sollte die Ausstellung von Bezugscheinen auch für Arbeiten der französischen Militärregierung ausschließlich der zuständigen Abteilung des Landesbauamtes vorbehalten bleiben, um eine geordnete Bewirtschaftung zu ermöglichen;
die Bestellung, Änderung und Abberufung von Treuhändern [. . .];
die Einfuhr, Ausfuhr und Durchfuhr von Gütern im Verkehr mit den übrigen österreichischen Bundesländern (Artikel 4 des Kontrollabkommens), die Produktion und Verteilung der Güter;
die Veröffentlichungen wirtschaftlicher Natur in der Presse;
die Verfügung über das nach dem Verbotsgesetz der österreichischen Republik verfallene Vermögen (Parteivermögen, Vermögen der Illegalen), [. . .];
Den Sicherheitsbehörden ist hinsichtlich der Vornahme von Verhaftungen und Enthaftungen von Personen im Rahmen der gesetzlichen Bestimmungen volle Freiheit eingeräumt, soweit es sich nicht um Personen handelt, die unter Artikel 5, Absatz VII, oder Artikel 8 [des Zweiten Kontrollabkommens] fallen."
Stellungnahme der Tiroler Landesregierung zum alliierten Kontrollabkommen, [Juli 1946]. Erliegt in VLA, Prs. 617/1955.

62 Zit. n. *Archiv der Gegenwart* 1950 (25. 4. 1950), S. 2351 M. Hervorhebung K. E.

63 Noch 1995 sprach Bundespräsident Klestil von „17 Jahren Besatzung" (1938–1955)! Zit. n. Robert Streibel, Österreichs Kalenderkultur: Kein Mai zwischen April und November. Das offizielle Österreich erinnert sich an 1945, die Politik der Gefühle wird prolongiert: In aller Unbekümmertheit werden Naziherrschaft und alliierte Besatzung gleichgesetzt, in: *Der Standard*, 21. April 1995, S. 35.

64 Vgl. dazu den Beitrag von Günter Bischof in diesem Band.

65 Vgl. Rauchensteiner, Sonderfall, S. 182 f.; Zur etwas zurückhaltenderen

Reaktion der Franzosen vgl. Margit Sandner, Die französisch-österreichischen Beziehungen während der Besatzungszeit von 1947 bis 1955, Wien [2]1985, S. 65, 237, 244, 252.

66 Bischof, Between Responsibility and Rehabilitation, S. 319 f.
67 Ebd., S. 520–525; Wilfried Mähr, Der Marshallplan in Österreich, Graz – Wien – Köln 1989.
68 Hanisch, Der lange Schatten, S. 414 f.
69 Military Government Austria, *Report of the United States Commissioner* (May 1946), No. 7, S. 11–13. Die Sowjets hatten ursprünglich 50% beantragt.
70 Rauchensteiner, Sonderfall, S. 152 f.; britische Truppenstärke nach Strength and Commitments of Occupational Forces. Public Record Office, London, FO 1020/365/78 A. Für die Mitteilung über die britischen Zahlen danke ich Mag. Felix Schneider, Graz.
71 Vgl. Eisterer, Frankreich und das Zweite Kontrollabkommen, in: Bischof/Leidenfrost (Hrsg.), Die bevormundete Nation, S. 189.
72 Rauchensteiner, Die Zwei, S. 106.
73 Die Zahlen beziehen sich auf die Jahre 1949–1951. Rauchensteiner, Sonderfall, S. 304.
74 *Wiener Zeitung*, 14. 6. 1953.
75 Schweizerische Gesandtschaft, Wien, an Bundesrat Max Petitpierre, 27. 6. 1955. Bundesarchiv, Bern, 2300 Wien, Bd. 59.
Die Erklärung der immerwährenden Neutralität sollte auch ein deutliches Signal an Deutschland sein:
"... the only way to put a final end to the continuing German ambitions in regard to Austria was by declaring Austrian neutrality [...] the Germans were utterly unregenerate about the Anschluß and the only way to remove the threat was by surgical operation."
So Raab zum britischen Hochkommissar Sir Geoffrey Wallinger. Wallinger an Harold Macmillan, 2. 6. 1955. Zit. n. Stefan August Lütgenau, Grundstrukturen der österreichisch-deutschen Beziehungen nach 1945, in: Thomas Albrich/Klaus Eisterer/Michael Gehler/Rolf Steininger (Hrsg.), Österreich in den Fünfzigern (Innsbrucker Forschungen zur Zeitgeschichte 11), Innsbruck – Wien 1995, S. 249 f.
76 Vorwort der Herausgeber, in: Sebastian Meissl/Klaus-Dieter Mulley/Oliver Rathkolb (Hrsg.), Verdrängte Schuld, verfehlte Sühne. Entnazifizierung in Österreich 1945–1955, Wien 1986, S. 8.
77 Vgl. dazu etwa *Bulletin d'Activité,* hrsg. v. Haut Commissariat de la République Française en Autriche, Secrétariat Général (Februar/März 1946), S. 3.
78 Vgl. dazu Lütgenau, Grundstrukturen, S. 241 ff.
79 Vgl. das „Staatsbürgerschafts-Überleitungsgesetz" vom 10. Juli 1945, welches festlegte, daß Staatsbürger nur sein konnte, wer die österreichische Nationalität am 13. März 1938 besessen hatte oder sie seither nach österreichischem Gesetz hätte erwerben können. StGBl. 59/1945.
80 Rauchensteiner, Sonderfall, S. 144 f.
81 Die Alliierten brauchten also bei der Ausweisung der Reichsdeutschen von österreichischer Stelle keineswegs „vorgeschoben" zu werden, wie Rauchensteiner, Sonderfall, S. 144, meint, entsprach doch diese genau dem Programm aller Besatzungsmächte. Zudem – und dieser Aspekt ist

nicht zu vernachlässigen – hatte die österreichische Regierung in diesen Fällen keinerlei Kompetenz.

82 Rauchensteiner, Sonderfall, S. 154.

83 Bei dieser Aktion kam es allerdings zu großen Härten, was von der Bevölkerung nicht verstanden wurde; so wurde oftmals nur die Mitnahme von 30 kg Gepäck gestattet! Eine Intervention österreichischer Lokalpolitiker zugunsten der Abgeschobenen rief eine geharnischte, aber sehr bezeichnende Antwort der Besatzer hervor. So ließ etwa der Chef der französischen Militärregierung wissen, verglichen mit den deutschen Praktiken in ganz Europa sei diese Aktion harmlos, und im übrigen sei er „tatsächlich darüber erstaunt zu sehen, daß eine hohe österreichische Amtsperson die deutschen Interessen zu ihren eigenen macht und daß damit die Fortdauer der engen Bande solidarischer Verpflichtung zwischen den beiden Ländern unter Beweis gestellt wird. [...] Wir haben gewünscht, daß sich die Österreicher von den Deutschen distanzieren." Pierre Voizard an den Vorarlberger Landeshauptmann Ulrich Ilg, 10. 9. 1945. VLA, Prs. 80/1947.

84 Das Buch des österreichischen Heimkehrers, hrsg. v. Bundesministerium für Inneres, Abt. 14, (Wien 1949), S. 22; vgl. auch Military Government Austria, *Report of the United States High Commissioner* (Juni 1948), No. 32, S. 25.

85 Military Government Austria, *Report of the United States Commissioner* (März 1946), No. 5, S. 121; ebd. (Juli 1946). No. 9, S. 123.

86 Das Buch des österreichischen Heimkehrers, S. 22; vgl. Military Government Austria, *Report of the United States Commissioner* (Jänner 1946), No. 3, S. 89, und ebd. (Juni 1947), No. 20, S. 196; zurückbehalten wurden – wie in den USA – lediglich einige wenige Kranke sowie jene, die eines Kriegsverbrechens beschuldigt oder angeklagt wurden.

87 Meldung von Radio Paris, zit. in *Landhauskorrespondenz*, hrsg. von Fritz Würthle, 16. 1. 1946, S. 1. Hervorhebung K. E.

88 Vgl. dazu die Ausführungen von Stefan Karner, „Österreicher in sowjetischer Hand und die Politik der Gewahrsamsmacht". Beitrag zum Symposium Österreich unter alliierter Besatzung 1945–1955, Graz, Oktober 1994; Stefan Karner, Im Archipel GUPVI. Kriegsgefangenschaft und Internierung in der Sowjetunion 1941–1956, Wien 1995.

89 „It stands to reason that the emphasis on Austria's separateness from Germany results in a corresponding feeling of guiltlessness. Since as a matter of national policy we encourage a separate Austrian nationalism, we cannot be surprised, and should in fact find comfort in the fact, that most Austrians deny ever having had anything to do with Germany." Karl L. Rankin an Secretary of State: Report on Austrian Public Opinion, 18. 3. 1947, in: Understanding Austria. The Political Reports and Analyses of Martin F. Herz, Political Officer of the US Legation in Vienna 1945–1948, hrsg. v. Reinhold Wagnleitner (Quellen zur Geschichte des 19. und 20. Jahrhunderts 4), Salzburg 1984, S. 127–133, hier S. 132.

90 Faksimile eines Schulzeugnisses abgedruckt bei Bischof/Leidenfrost (Hrsg.), Die bevormundete Nation, S. 104; vgl. dazu auch Georg Schmid, ... sagen die Deutschen. Annäherung an eine Geschichte des Sprachimperialismus, in: Oliver Rathkolb/Georg Schmid/Gernot Heiss (Hrsg.), Österreich und Deutschlands Größe. Ein schlampiges Verhältnis, Salzburg 1990, S. 23–34, hier S. 25.

91 „While it may seem easy to one who has never faced the problem, to tell who is a Nazi, that problem is relatively simple compared with the related problem of what to do with those who have been identified as Nazis". Military Government Austria, *Report of the United States Commissioner* (April 1946), No. 6, S. 9.

92 Dieter Stiefel, Nazifizierung plus Entnazifizierung = Null? Bemerkungen zur besonderen Problematik der Entnazifizierung in Österreich, in: Verdrängte Schuld, verfehlte Sühne, S. 28–36, hier S. 29; zum Folgenden vgl. auch ders., Der Prozeß der Entnazifizierung in Österreich, in: Politische Säuberungen in Europa. Die Abrechnung mit Faschismus und Kollaboration nach dem Zweiten Weltkrieg, hrsg. v. Klaus-Dietmar Henke und Hans Woller, München 1991, S. 108–147; ders., Entnazifizierung in Österreich, Wien – München – Zürich 1981; zur Entnazifizierung in der französischen Zone siehe Eisterer, Besatzungspolitik, S. 163–258.

93 Mulley, Besatzungsalltag, S. 18.

94 Zu den Zwangsrepatriierungen der Kosakenverbände vgl. Nikolai Tolstoy, Victims of Yalta, London – Sydney – Auckland – Toronto 1977; Nicholas Bethell, The last secret. Forcible repatriation to Russia 1944–47, London 1974; deutsch: Das letzte Geheimnis. Die Auslieferung russischer Flüchtlinge an die Sowjets durch die Alliierten 1944–47, Frankfurt/M. – Berlin 1975; die Zwangsrepatriierung von ehemaligen „Ostarbeitern" aus Österreich ist bislang nur für die französische Zone erforscht. Eisterer, Besatzungspolitik, S. 125–141.

95 Vgl. dazu etwa Stefan Karner, „Ich bekam zehn Jahre Zwangsarbeit". Zu den Verschleppungen aus der Steiermark durch sowjetische Organe im Jahre 1945, in: Siegfried Beer (Hrsg.), Die „britische" Steiermark 1945–1955 (Forschungen zur geschichtlichen Landeskunde der Steiermark XXXVIII), Graz 1995, S. 249–259.
Laut einer österreichischen Note waren bis Dezember 1950 insgesamt 67 österreichische Zivilpersonen in die UdSSR verbracht worden; in 106 Fällen war eine Verurteilung durch sowjetische Gerichte mitgeteilt worden (etliche von ihnen wurden jedoch auch nach der Verbüßung ihrer Haftstrafen in der UdSSR zurückbehalten). In der überwiegenden Zahl der Fälle war hingegen weder den Angehörigen noch der Bundesregierung Näheres über das weitere Schicksal dieser Personen bekannt – trotz regelmäßiger diesbezüglicher Ersuchen der österreichischen Gesandtschaft in Moskau. Vgl. Telegramm Auswärtige Angelegenheiten an österreichische Gesandtschaft, Moskau, 19. 12. 1950. ÖStA, AdR, BKA/AA, II-pol 1950/Telegramme, Zl. 50 653.

96 Stiefel, Nazifizierung, S. 29; Anfang 1946 waren in der amerikanischen wie in der britischen Zone erst je rd. 80.000 Fragebogen ausgefüllt worden.

97 Die massenhaften Internierungen, bei denen nationalsozialistische Gewalt- und Kriegsverbrecher monate-, ja jahrelang neben „Mitläufern" untergebracht waren, erwiesen sich als äußerst kontraproduktiv für die Entnazifizierung. Das in dieser Hinsicht am besten untersuchte Lager ist das amerikanische Lager Glasenbach bei Salzburg; vgl. dazu Wilhelm Svoboda, „... vorbehaltlos meine Pflicht erfüllt". Das Internierungslager Glasenbach (Camp „Marcus W. Orr"), in: *Zeitgeschichte* 22 (1995), Heft 1/2, S. 3–29.

98 Republik Österreich, Bundesministerium für Inneres, Generaldirektion

für die öffentliche Sicherheit: Übersicht der nach dem Verbotsgesetz u. Kriegsverbrechergesetz und aus Sicherheitsgründen verhafteten bzw. gerichtlich verfolgten Nationalsozialisten. MAE/C, C. V 239, p. 1.

99 StGBl. 13/1945; vgl. dazu Stiefel, Entnazifizierung, S. 81–83; Das Nationalsozialistengesetz. Das Verbotsgesetz 1947. Die damit zusammenhängenden Spezialgesetze, kommentiert und herausgegeben von Ludwig Viktor Heller/Edwin Loebenstein/Leopold Werner, Wien 1948.

100 StGBl. 32/1945.

101 BGBl. 25/1947.

102 Stiefel, Nazifizierung, S. 32.

103 Eingefügt durch die Kriegsverbrechergesetznovelle. StGBl. 199/1945.

104 Warum dieses rückwirkende Gesetz nötig wurde, erklärte Josef Gerö, 1945 Staatssekretär für Justiz, im „Gespräch über das Kriegsverbrechergesetz". *Neues Österreich,* 28. 6. 1945 (zit. n. Stiefel, Entnazifizierung, S. 248–250):

„Das österreichische Strafgesetz rechnet mit Menschen, aber nicht mit Nationalsozialisten. Es bestraft den ‚bösen Vorsatz', der Menschen zum Verbrechen treibt. Die nazistischen Untaten jedoch verraten eine solche Bestialität, daß man ihnen mit den bisher geltenden Strafparagraphen nicht gerecht werden kann. Durch diese Bestialität ist das neue Gesetz erzwungen worden ... Es sind Fälle vorgekommen, daß auf Befehl deutscher Kommandeure ganze Dörfer niedergebrannt und dem Erdboden gleichgemacht wurden, bloß deshalb, weil ein einziger Partisan sich innerhalb der Dorfgemeinde verborgen hielt. Hier wäre nach dem alten Gesetz bloß das Delikt der Brandstiftung und der boshaften Sachbeschädigung gegeben. Nicht selten hat sich auch der Fall ereignet, daß Menschen gezwungen wurden, ihren eigenen Kot zu essen. Wenn aus einer solchen Unmenschlichkeit keine weitere Schädigung entstanden ist, würden hier bloß die Schutzbestimmungen für die körperliche Sicherheit gelten, es wäre eine einfache Übertretung mit geringfügigem Strafsatz ... Das Zustandekommen des Gesetzes entspricht drei Forderungen: einer innenpolitischen, einer außenpolitischen und einer Forderung der Opfer und Märtyrer. Innenpolitisch ist zu sagen, daß nicht nur die österreichisch gesinnte Bevölkerung, sondern sogar jene nazistischen Kreise, die zum österreichischen Staatsgedanken zurückfinden wollen, die Trennung von jenen Elementen verlangen, die konkrete Straftaten begangen haben. Außenpolitisch ist das Gesetz deshalb wichtig, weil es einen Teil des geforderten Beitrags liefert, mit dem wir unsere radikale Abkehr vom Nazismus bekunden. Und was die dritte Forderung anlangt, ist es einfach eine Schuld, die wir an den Opfern der Naziverbrechen abzutragen haben, indem wir die Urheber der Verbrechen zur Verantwortung ziehen ..."

105 Recueil de Textes à l'usage des Conférences de la Paix (Autriche), Wien 1947, S. XI; Stiefel, Entnazifizierung, S. 94, gibt das Datum der Genehmigung mit 10. Januar 1946 falsch an.

106 Im Februar 1946 wurde vom Alliierten Rat bekräftigt, daß die österreichischen Stellen (Bundesregierung/Innenministerium bzw. nachgeordnete Organe) für die Entnazifizierung im Staats- und Wirtschaftsapparat zuständig seien; allerdings wurde dabei erneut auf die Kontrollfunktion des alliierten Entnazifizierungsamtes hingewiesen. Entnazifizie-

rung des österreichischen Staatsapparats, 11. 2. 1946. *Gazette of the Allied Commission for Austria* (Februar 1946), S. 22.

107 Béthouart an Gouin, 29. 3. 1946. MAE/C, C. 1377, p. 15.

108 Vgl. dazu Stiefel, Entnazifizierung, S. 254.

109 Eigene Zusammenstellung und Berechnung nach den Zahlen bei: Englischsprachige Aufstellung, ohne nähere Bezeichnung; beigelegt zu: Republik Österreich, Bundesministerium für Inneres, Generaldirektion für die öffentliche Sicherheit, [15. 9. 1946]. MAE/C, C. V 239, p. 1. Entspricht der bei Stiefel, Entnazifizierung, S. 34, abgedruckten Übersicht, geht aber wesentlich über sie hinaus. Sowie: Tabellen I, III und IV in: Volksgerichtsbarkeit und Verfolgung von nationalsozialistischen Gewaltverbrechen in Österreich 1945–1972, hrsg. vom Bundesministerium für Justiz, Wien 1977, S. 31–33.
* Die Sprengel der Volksgerichte waren identisch mit den jeweiligen Besatzungszonen.

110 Allein in der britischen Besatzungszone wurde 53mal die Todesstrafe verhängt, davon in 20 Fällen wegen Kriegsverbrechen; vgl. dazu Siegfried Beer, Die Briten und der Wiederaufbau des Justizwesens in der Steiermark 1945–1950, in: Beer (Hrsg.), Die „britische" Steiermark, S. 111–140, bes. 119–122, sowie Anhang B, S. 132 f. In der französischen Zone wurden insgesamt über 5.000 Angeklagte von Gerichten der Militärregierung schuldig gesprochen, auch hier etliche (genauer Anteil nicht eruierbar) wegen NS-Gewaltverbrechen. Eisterer, Besatzungspolitik, S. 240.

111 Stiefel, Prozeß, S. 129.

112 Belastet waren „alle Hoheitsträger der NSDAP vom Zellenleiter aufwärts; ferner die Mitglieder der SS, die Offiziere der SA, des NSKK, des NSFK und die Funktionäre der sonstigen Gliederungen [...] von dem einem Kreisleiter entsprechenden Rang aufwärts; ferner Personen, die für ihre illegale Betätigung für die NSDAP eine Auszeichnung erhalten haben ...". Stiefel, Prozeß, S. 130.

113 Stiefel, Nazifizierung, S. 33.

114 Ebd.; vgl. dazu auch Stiefel, Prozeß, S. 141 ff.

115 Winfried R. Garscha und Claudia Kuretsidis-Haider, Die Verfahren vor dem Volksgericht Wien (1945–1955) als Geschichtsquelle. Projektbeschreibung, Wien (DÖW) 1993.

116 Vgl. dazu Robert Knight, Kalter Krieg, Entnazifizierung und Österreich, in: Verdrängte Schuld, S. 37–51.

117 Bundesgesetz vom 20. Dezember 1955 über die Aufhebung der Volksgerichte und die Ahndung der bisher diesen Gerichten zur Aburteilung zugewiesenen Verbrechen. BGBl. 285/1955.

118 Simon Wiesenthal, Recht, nicht Rache. Erinnerungen, Frankfurt/M. – Berlin 1988; Garscha/Kuretsidis-Haider, Die Verfahren, S. 43 ff.

119 Bundesverfassungsgesetz vom 14. März 1957. BGBl. 82/1957.

120 Garscha/Kuretsidis-Haider, Die Verfahren, S. 31.

121 Zusammenstellung von Kurt Marschall, Volksgerichtsbarkeit und Verfolgung von nationalsozialistischen Gewaltverbrechen in Österreich. Eine Dokumentation, 2. Aufl. Wien 1987, zit. n. ebd., S. 46.

122 Stiefel, Nazifizierung, S. 36.

Dokument 1

Abkommen über die Alliierte Kontrolle in Oesterreich vom 4. Juli
1945 [Erstes Kontrollabkommen]

Die Regierungen des Vereinigten Königreiches von Großbritannien
und Nordirland, der Vereinigten Staaten von Amerika und der Union der Sozialistischen Sowjetrepubliken und der Provisorischen Regierung der Französischen Republik haben

Im Hinblick auf die am 1. November 1943 im Namen der Regierungen des Vereinigten Königreiches, der Vereinigten Staaten von
Amerika und der Union der Sozialistischen Sowjetrepubliken in
Moskau veröffentlichten Erklärung, mit welcher diese drei Regierungen mitgeteilt haben, daß sie bezüglich der Notwendigkeit,
Oesterreich von der deutschen Herrschaft zu befreien, übereinge-
kommen waren und daß sie die Wiedererstehung eines freien und
unabhängigen Oesterreich wünschten;

Im Hinblick auf die später vom Französischen Nationalen Befrei-
ungskomitee in Algier am 16. November 1943 abgegebene Erklärung, betreffend die Unabhängigkeit Oesterreichs;

Folgendes Abkommen geschlossen, betreffend das Alliierte Kontrollsystem, das in Oesterreich bis zur Errichtung einer frei gewählten,
von den vier Mächten anerkannten oesterreichischen Regierung
funktionieren wird:

Artikel 1.

Das Alliierte Kontrollsystem in Oesterreich besteht aus einem Alliierten Rat, einem Exekutiv-Komitee und ihren von den vier beteiligten Regierungen ernannten Stäben, eine Organisation, die in
ihrer Gesamtheit als „Alliierte Kommission für Oesterreich" bezeichnet wird.

Artikel 2.

a) Der Alliierte Rat setzt sich aus vier, jeweils von jeder der beteiligten Regierungen ernannten militärischen Kommissaren zusammen. Außer ihren Funktionen als Mitglieder des Alliierten Rates
haben die militärischen Kommissare, jeder für sich, das Oberkommando der von ihrer betreffenden Regierung zur Verfügung gestellten Besatzungsstreitkräfte in Oesterreich.

Die oberste Gewalt in Oesterreich wird für die Fragen, die Oesterreich in seiner Gesamtheit betreffen, von den militärischen Kommissaren in ihrer Eigenschaft als Mitglieder des Alliierten Rates gemäß
den von ihren entsprechenden Regierungen erhaltenen Weisungen
ausgeübt. Mit diesem Vorbehalt übt jeder militärische Kommissar
als Oberstkommandierender der von seiner Regierung zur Verfügung gestellten Besatzungsstreitkräfte die höchste Gewalt in der von
diesen Streitkräften besetzten Zone aus. Jeder Oberstkommandierende hat in seiner Besatzungszone Vertreter der Land-, See- und
Luftstreitkräfte der anderen Oberstkommandierenden der Besatzungstruppen in Oesterreich zu Verbindungszwecken neben sich.

b) Der Alliierte Rat tritt wenigstens einmal innerhalb von zehn
Tagen zusammen; außerdem tritt er auf Verlangen eines seiner
Mitglieder zu jedem Zeitpunkt zusammen. Die Beschlüsse des Rates werden einstimmig gefaßt. Der Vorsitz des Alliierten Rates wird
turnusweise von jedem der vier Mitglieder ausgeübt.

c) Jeder militärische Kommissar wird von einem politischen Berater unterstützt, der an den Sitzungen des Rates jedesmal, wenn es
notwendig ist, teilnimmt.

Artikel 3.

Das Exekutiv-Komitee besteht aus einem einen hohen Dienstrang
bekleidenden Vertreter jedes der vier Kommissare. Die Mitglieder
des Exekutiv-Komitees nehmen an den Sitzungen des Alliierten
Rates teil, wenn dies notwendig ist.

Artikel 4.

a) Die von den betreffenden staatlichen Stellen ernannten Stäbe
der Alliierten Kommission in Wien gliedern sich in folgendermaßen
bezeichnete Abteilungen („Divisionen"):

Militärische Angelegenheiten; Marine-Angelegenheiten; Luftfahrt-
Angelegenheiten; Wirtschaft; Finanzwesen; Reparationen; Ueber-
gaben und Wiedergutmachungen; Inneres; Arbeit; Rechtsfragen;
Kriegsgefangene und Versetzte Personen; Politik; und Transport.

In der Zahl und in den Befugnissen der Abteilungen können auf
Grund der Erfahrungen Aenderungen vorgenommen werden.

b) An der Spitze jeder Abteilung stehen vier Funktionäre, einer von
jeder Macht. Die Leiter der Abteilungen nehmen an den Sitzungen
des Exekutiv-Komitees teil, deren Tagesordnung Angelegenheiten
umfaßt, welche die Arbeit ihrer Abteilungen berührt.

c) Die Stäbe der Abteilungen können Zivil- sowie Militär-Personen umfassen. Desgleichen können sie in besonderen Fällen persönlich ernannte Staatsangehörige anderer Vereinter Nationen umfassen.

Artikel 5.

Der Alliierte Rat:

a) Setzt auf Grund der Weisungen, die jeder Kommissar von seiner Regierung erhält, die Pläne hinsichtlich der wichtigsten, militärischen, politischen, wirtschaftlichen und anderen Fragen fest, die Oesterreich in seiner Gesamtheit betreffen und faßt hierüber Beschlüsse;

b) Gewährleistet eine angemessene Einheitlichkeit des Vorgehens in den Besatzungszonen.

Artikel 6.

Das im Namen des Alliierten Rates handelnde Exekutiv-Komitee:

a) Gewährleistet die Durchführung der Beschlüsse des Alliierten Rates mittels der betreffenden Abteilungen der Alliierten Kommission, die in Artikel 4 angeführt sind;

b) Koordiniert die Tätigkeit der Abteilungen der Alliierten Kommission, prüft alle Fragen, die ihm vom Alliierten Rat überwiesen werden, und bereitet deren Lösung vor.

Artikel 7.

Die Abteilungen der Alliierten Kommission:

a) Erstatten dem Alliierten Rat und dem Exekutiv-Komitee Gutachten.

b) Führen die Beschlüsse des Alliierten Rates durch, die ihnen vom Exekutiv-Komitee überwiesen werden.

Artikel 8.

Die vornehmlichsten Aufgaben der Alliierten Kommission für Oesterreich sind:

a) Die Einhaltung der Bedingungen der Erklärung über die Niederlage Deutschlands, die am 5. Juni 1945 in Berlin unterzeichnet wurde, in Oesterreich zu sichern;

b) Die Trennung Oesterreichs von Deutschland zu verwirklichen;

c) So bald als möglich eine oesterreichische Zentralverwaltung zu errichten;

d) Die Errichtung einer frei gewählten österreichischen Regierung vorzubereiten;

e) In der Zwischenzeit die geeigneten Maßnahmen zu ergreifen, um die Verwaltung Oesterreichs in hinreichender Weise sicherzustellen.

Artikel 9.

Während des Zeitraumes vor der Errichtung der Aemter einer österreichischen Zentralverwaltung, der so kurz als möglich sein soll, wird die Durchführung der Beschlüsse der Alliierten Kommission, soweit sie ein Vorgehen in den verschiedenen Zonen erfordern, von den Besatzungsbehörden durchgeführt. Jeder militärische Kommissar gibt in seiner Eigenschaft als Oberstkommandierender auf Grund der Beschlüsse des Alliierten Rates diesen Behörden die notwendigen Weisungen.

Artikel 10.

Sobald die Aemter einer österreichischen Zentralverwaltung in der Lage sind, in hinreichender Weise tätig zu werden, wird ihnen die Ausübung ihrer jeweiligen Funktionen hinsichtlich der Gesamtheit Oesterreichs übertragen; die Alliierte Kommission wird in der Folge ihre Aufgaben mittels dieser Aemter erfüllen. Es steht dann den Abteilungen der Alliierten Kommission zu, die Tätigkeit der verschiedenen Aemter zu überwachen und ihnen die Beschlüsse des Alliierten Rates und des Exekutiv-Komitees zu übermitteln.

Artikel 11.

a) Es wird eine Alliierte Kommandantur (Komendatura) errichtet, die aus vier von ihren betreffenden Kommissaren ernannten Kommandanten, einem für jede Macht, besteht, um die Verwaltung der Stadt Wien gemeinsam zu leiten. Jeder der Kommandanten hat in seiner Eigenschaft als Oberstkommandierender turnusweise den Vorsitz in diesem Organ.

b) Ein fachlicher Stab, der Angehörige jeder der vier Mächte umfaßt, wird unter die Autorität der Alliierten Kommandantur gestellt und zur Ueberwachung und Kontrolle der Tätigkeit der Organe der Stadt Wien eingerichtet, die die Gemeindedienste wahrzunehmen haben.

c) Die Alliierte Kommandantur wird unter der allgemeinen Leitung des Alliierten Rates tätig und erhält Weisungen im Wege des Exekutiv-Komitees.

Artikel 12.

Die notwendige Verbindung mit den Regierungen der anderen vornehmlich interessierten Vereinten Nationen wird durch Militär-Missionen sichergestellt, welche diese Regierungen beim Alliierten Rat errichten (und die auch zivile Mitglieder umfassen können).

Artikel 13.

Die Organisationen der Vereinten Nationen, die der Alliierte Rat zu einer Tätigkeit in Oesterreich ermächtigen kann, werden, was ihre Tätigkeit in diesem Lande anlangt, der Alliierten Kommission unterstellt und sind ihr verantwortlich.

Artikel 14.

Ein eigenes Abkommen zwischen den vier Mächten setzt die Art und den Umfang der Weisungen und Ratschläge fest, welche die Alliierten Oesterreich nach der Errichtung einer frei gewählten und von den vier Mächten anerkannten österreichischen Regierung geben müssen.

Lancaster House, London S. W. 1, am 4. Juli 1945.

Der Vertreter der Regierung der Vereinigten Staaten in der Europäischen Beratungskommission: John G. Winant

Der Vertreter der Regierung des Vereinigten Königreiches in der Europäischen Beratungskommission: Ronald I. Campbell

Der Vertreter der Provisorischen Regierung der Französischen Republik in der Europäischen Beratungskommission: R. Massigli

Der Vertreter der Regierung der Union der Sozialistischen Sowjetrepubliken in der Europäischen Beratungskommission:

F. Gusew

Die internationale Stellung Österreichs. Eine Sammlung von Erklärungen und Verträgen aus den Jahren 1938 bis 1947, hrsg. v. Stephan Verosta, Wien 1947, S. 66–71.

Dokument 2

Abkommen
zwischen den Regierungen des Vereinigten Königreiches, der Vereinigten Staaten von Amerika, der Union der Sozialistischen Sowjet-Republiken und der Französischen Republik über den Kontrollapparat in Österreich [Zweites Kontrollabkommen]

Die Regierungen des Vereinigten Königreiches von Großbritannien und Nordirland, der Vereinigten Staaten von Amerika, der Union der Sozialistischen Sowjet-Republiken und der Französischen Republik (im folgenden die „Vier Mächte" genannt):

Im Hinblick auf die Erklärung, die am 1. November 1943 in Moskau im Namen der Regierungen des Vereinigten Königreiches, der Vereinigten Staaten von Amerika und der Union der Sozialistischen Sowjet-Republiken abgegeben wurde, durch welche die drei Regierungen ihrer Zustimmung Ausdruck gaben, daß Österreich von deutscher Herrschaft befreit werden sollte, und erklärten, daß sie die Wiedererstehung eines freien und unabhängigen Österreichs wünschten, und im Hinblick auf die später erfolgte Erklärung von Algier vom 16. November 1943 des Französischen Nationalen Befreiungskomitees über die Unabhängigkeit Österreichs;

Im Hinblick auf die Errichtung einer von den Vier Mächten anerkannten österreichischen Regierung als Ergebnis der am 25. November 1945 abgehaltenen freien Wahlen, unter Berücksichtigung der Notwendigkeit, Art und Machtbereich der österreichischen Regierung sowie die Funktionen der alliierten Behörden und Streitkräfte in Österreich neu zu bestimmen und um somit Artikel 14 des Übereinkommens, das vom Beratenden Ausschuß für Europäische Angelegenheiten am 4. Juli 1945 unterzeichnet wurde, zu verwirklichen;

haben folgendes vereinbart:

Artikel 1.

Die Autorität der österreichischen Regierung erstreckt sich uneingeschränkt über ganz Österreich, mit Ausnahme folgender Vorbehalte:

a) die österreichische Regierung und alle untergeordneten österreichischen Behörden haben die Anweisungen, die sie von der Alliierten Kommission empfangen, auszuführen.

b) Bezüglich der im nachfolgenden Artikel 5 aufgezählten Angelegenheiten kann weder die österreichische Regierung noch irgendeine untergeordnete österreichische Behörde ohne vorherige schriftliche Zustimmung der Alliierten Kommission Maßnahmen ergreifen.

Artikel 2.

a) Die Alliierte Organisation in Österreich besteht aus:

I. einem Alliierten Rat, bestehend aus vier Hochkommissaren, von denen je einer von jeder der Vier Mächte bestellt wird;

II. einem Exekutivkomitee, bestehend aus je einem Vertreter hohen Ranges der vier Hochkommissare;

III. den von jeder der vier einzelnen Mächte eingesetzten Stäben;

eine Organisation, die in ihrer Gesamtheit als Alliierte Kommission für Österreich bekannt ist.

b) I. Die Machtbefugnisse der Alliierten Kommission sollen in Angelegenheiten, die Österreich als Ganzes betreffen, vom Alliierten Rat oder vom Exekutivkomitee oder von den durch die Vier Mächte eingesetzten Stäben, die gemeinsam wirken, ausgeübt werden.

II. Die Hochkommissare haben innerhalb ihrer entsprechenden Zonen die Durchführung der Beschlüsse der Alliierten Kommission zu gewährleisten und die Durchführung der Anweisungen der österreichischen Zentralbehörden zu überwachen.

III. Die Hochkommissare haben weiterhin innerhalb ihrer entsprechenden Zonen zu gewährleisten, daß Maßnahmen der österreichischen Landesbehörden, die sich aus deren autonomer Stellung ableiten, nicht im Gegensatz zur Politik der Alliierten Kommission stehen.

c) Die Alliierte Kommission soll nur über die österreichische Regierung oder über andere entsprechende österreichische Behörden handeln, außer

I. um Recht und Ordnung aufrechtzuerhalten, falls die österreichischen Behörden dazu nicht imstande sind;

II. wenn die österreichische Regierung oder andere entsprechende österreichische Behörden die von der Alliierten Kommission erhaltenen Anweisungen nicht ausführen;

III. wenn die Alliierte Kommission im Falle einer der im nachfolgenden Artikel 5 aufgezählten Angelegenheiten direkte Maßnahmen ergreift.

d) Falls der Alliierte Rat keine Maßnahmen ergreift, können die vier verschiedenen Hochkommissare in jeder Angelegenheit, auf die sich Paragraph c, Absatz I und II, dieses Artikels und Artikel 5 beziehen, sowie in allen Angelegenheiten, bei denen ihnen hinsichtlich der nach Artikel 8, a, dieses Abkommens zu treffenden Übereinkunft die Macht übertragen ist, unabhängig in ihren entsprechenden Zonen Maßnahmen ergreifen.

e) Die Besatzungstruppen der Vier Mächte sollen ihre Standorte in den entsprechenden Besatzungszonen Österreichs und Wiens haben, so wie es in dem Abkommen über die Besatzungszonen von Österreich und die Verwaltung der Stadt Wien, das vom Beratenden Ausschuß für Europäische Angelegenheiten am 9. Juli 1945 unterzeichnet wurde, festgelegt ist. Beschlüsse des Alliierten Rates, die durchzuführen sind von den Besatzungstruppen, werden von diesen gemäß den Weisungen ihrer entsprechenden Hochkommissare durchgeführt.

Artikel 3.

Die vornehmlichsten Aufgaben der Alliierten Kommission für Österreich sind:

a) Die Einhaltung der Bedingungen der Erklärung über die Niederlage Deutschlands, die am 5. Juni 1945 in Berlin unterzeichnet wurde, in Österreich zu sichern.

b) Die Trennung Österreichs von Deutschland vollständig zu machen, die unabhängige Existenz und Integrität des österreichischen Staates aufrechtzuerhalten und bis zur endgültigen Festlegung seiner Grenzen die Unantastbarkeit derselben nach dem Stande vom 31. Dezember 1937 zu sichern.

c) Die österreichische Regierung zu unterstützen, ein gesundes und demokratisches nationales Leben neu zu schaffen, gestützt auf eine wirksame Verwaltung, stabile wirtschaftliche und finanzielle Zustände und auf die Achtung vor Recht und Ordnung.

d) Die frei gewählte österreichische Regierung zu unterstützen, so bald wie möglich die volle Kontrolle der Staatsgeschäfte in Österreich auszuüben.

e) Die Aufstellung eines fortschrittlichen Erziehungsprogramms auf lange Sicht, das die Aufgabe hat, alle Spuren der Naziideologie auszumerzen und der österreichischen Jugend demokratische Grundsätze einzuprägen, zu sichern.

Artikel 4.

a) Um die volle Ausübung der Machtbefugnisse der österreichischen Regierung gleichmäßig in allen Zonen zu erleichtern und die
wirtschaftliche Einheit Österreichs zu fördern, wird der Alliierte
Rat vom Zeitpunkt der Unterzeichnung dieses Abkommens an die
Aufhebung aller noch bestehenden Beschränkungen des Personen-
und Güterverkehrs und anderen Verkehrs innerhalb Österreichs
verwirklichen, mit Ausnahme solcher Beschränkungen, die vom Alliierten Rat besonders vorgeschrieben werden oder die in Grenzge-
bieten für die Aufrechterhaltung einer wirksamen Kontrolle des
internationalen Verkehrs notwendig sind. Die Zonengrenzen werden dann keine andere Wirkung haben, als die Machtbereiche und
die Verantwortlichkeit der entsprechenden Hochkommissare sowie
die Standorte der Besatzungstruppen zu begrenzen.

b) Die österreichische Regierung kann eine Zoll- und Grenzverwal-
tung errichten, und die Alliierte Kommission wird Schritte einlei-
ten, ihr, sobald dies möglich ist, die Zoll- und Reisekontrolle, soweit
sie Österreich betreffen und nicht die militärischen Erfordernisse
der Besatzungstruppen behindern, zu übertragen.

Artikel 5.

Im folgenden sind die Angelegenheiten angeführt, in denen die Alliierte Kommission direkte Maßnahmen ergreifen kann, so wie es
im obigen Artikel 2, c, III, vorgesehen ist:

I. Entmilitarisierung und Entwaffnung (militärische, wirtschaftliche, industrielle, technische und wissenschaftliche).

II. Schutz und Sicherheit der alliierten Streitkräfte in Österreich
und die Erfüllung ihrer militärischen Erfordernisse entsprechend
des nach Artikel 8, a, zu treffenden Übereinkommens.

III. Schutz, Obsorge und Rückerstattung von Eigentum, das den
Regierungen einer der Vereinten Nationen oder deren Staatsbürgern gehört.

IV. Die Verfügung über deutsches Eigentum gemäß den bestehenden Vereinbarungen zwischen den Alliierten.

V. Betreuung und Abtransport von Kriegsgefangenen und versetzten Personen sowie Ausübung der rechtlichen Gewalt über diesel-
ben.

VI. Die Kontrolle des Ein- und Ausreiseverkehrs in Österreich, bis
österreichische Reisekontrollen errichtet werden können.

VII. a) Ausforschung, Verhaftung und Auslieferung irgendwelcher Personen, die von einer der Vier Mächte oder vom Internationalen Gerichtshof für Kriegsverbrechen und Verbrechen gegen die Menschlichkeit gesucht werden.

b) Ausforschung, Verhaftung und Auslieferung irgendwelcher Personen, die von anderen Vereinten Nationen wegen Verbrechen gesucht werden, die im vorhergehenden Absatz genannt sind, und die in den Listen der Kommission der Vereinten Nationen für Kriegsverbrechen enthalten sind.

Die österreichische Regierung wird weiter zuständig sein, alle anderen Personen, die solcher Verbrechen beschuldigt sind und unter ihre rechtliche Gewalt fallen, abzuurteilen, vorbehaltlich des Kontrollrechtes des Alliierten Rates hinsichtlich Verfolgung und Bestrafung solcher Verbrechen.

Artikel 6.

a) Alle legislativen Maßnahmen, so wie sie vom Alliierten Rat bestimmt sind, und internationale Abkommen, die die österreichische Regierung abzuschließen wünscht, ausgenommen Abkommen mit einer der Vier Mächte, sollen – bevor sie in Kraft treten oder im Bundesgesetzblatt veröffentlicht werden – von der österreichischen Regierung dem Alliierten Rat vorgelegt werden. Im Falle von Verfassungsgesetzen bedarf es der schriftlichen Zustimmung des Alliierten Rates, bevor ein solches Gesetz veröffentlicht werden und in Kraft treten kann. Im Falle aller anderen legislativen Maßnahmen und internationalen Abkommen darf angenommen werden, daß der Alliierte Rat seine Zustimmung erteilt hat, wenn er binnen einunddreißig Tagen nach Einlangen bei der Alliierten Kommission die österreichische Regierung nicht benachrichtigt, daß er gegen eine legislative Maßnahme oder gegen ein internationales Abkommen Einspruch erhebt. Solche legislative Maßnahmen oder internationale Abkommen können dann veröffentlicht werden und in Kraft treten. Die österreichische Regierung hat den Alliierten Rat uber alle internationalen Abkommen in Kenntnis zu setzen, die sie mit einer oder mehreren der Vier Mächte geschlossen hat.

b) Der Alliierte Rat kann die österreichische Regierung oder die entsprechende österreichische Behörde jederzeit von seinem Einspruch gegen eine legislative oder Verwaltungsmaßnahme der Regierung oder einer solchen Behörde in Kenntnis setzen und verfü-

gen, daß die betreffende Maßnahme rückgängig gemacht oder abgeändert wird.

Artikel 7.

Es steht der österreichischen Regierung frei, diplomatische und
konsularische Beziehungen mit den Regierungen der Vereinten Nationen aufzunehmen. Die Aufnahme von diplomatischen und konsu-
larischen Beziehungen mit anderen Regierungen bedarf der vorherigen Genehmigung des Alliierten Rates. Diplomatische Missionen
in Wien haben das Recht, direkt mit dem Alliierten Rat in Verbindung zu treten. Beim Alliierten Rat akkreditierte Militärmissionen
sollen, sobald ihre entsprechenden Regierungen diplomatische Beziehungen mit der österreichischen Regierung aufnehmen, zurückgezogen werden, jedenfalls jedoch binnen zwei Monaten nach der
Unterzeichnung dieses Abkommens.

Artikel 8.

a) Ein weiteres Abkommen ist zwischen den Vier Mächten abzuschließen und der österreichischen Regierung so bald wie möglich
und innerhalb von drei Monaten vom heutigen Tage zu übermitteln,
durch das die Immunität der Mitglieder der Alliierten Kommission
und der Truppen der Vier Mächte in Österreich umschrieben wird
sowie die Rechte, die sie genießen werden, um ihre Sicherheit und
ihren Schutz sowie die Erfüllung ihrer militärischen Erfordernisse
zu sichern.

b) Bis zum Abschluß eines weiteren Abkommens, wie in Artikel 8,
a, vorgesehen, bleiben die gegenwärtigen Rechte und die Immunität
der Mitglieder der Alliierten Kommission und der Streitkräfte der
Vier Mächte in Österreich, die entweder aus der Erklärung über die
Niederlage Deutschlands oder aus der Machtvollkommenheit eines
Oberstkommandierenden im Felde entspringen, unverändert in
Kraft.

Artikel 9.

a) Mitglieder des Alliierten Rates, des Exekutivkomitees und Mit-
glieder der Stäbe, die von einer der Vier Mächte zur Alliierten
Kommission berufen wurden, können sowohl Zivilisten als auch
Militärangehörige sein.

b) Jede der Vier Mächte kann als ihren Hochkommissar entweder den Oberstkommandierenden ihrer Streitkräfte in Österreich oder ihren diplomatischen oder politischen Vertreter in Österreich einsetzen oder je nach Belieben einen anderen Funktionär ernennen.

c) Jeder Hochkommissar kann einen Stellvertreter bestimmen, der während seiner Abwesenheit für ihn die Agenden führt.

d) Ein Hochkommissar kann im Alliierten Rat von einem politischen Berater und/oder von einem militärischen Berater unterstützt werden, der entweder der diplomatische oder politische Vertreter seiner Regierung in Wien oder der Oberstkommandierende der Truppen seiner Regierung in Österreich sein kann.

e) Der Alliierte Rat tritt mindestens zweimal im Monat oder auf Wunsch eines der Mitglieder zusammen.

Artikel 10.

a) Die Mitglieder des Exekutivkomitees sollen, falls nötig, den Sitzungen des Alliierten Rates beiwohnen.

b) In Angelegenheiten, die ihm vom Alliierten Rate überantwortet werden, handelt das Exekutivkomitee im Namen des Alliierten Rates.

c) Das Exekutivkomitee hat dafür zu sorgen, daß die Beschlüsse des Alliierten Rates und seine eigenen Beschlüsse ausgeführt werden.

d) Das Exekutivkomitee hat die Tätigkeiten der Stäbe der Alliierten Kommission miteinander in Einklang zu bringen.

Artikel 11.

a) Die Stäbe der Alliierten Kommission in Wien setzen sich aus Abteilungen („Divisionen") zusammen, die sich mit einem oder mehreren der österreichischen Ministerien oder Ämter decken, zusätzlich gewisser Abteilungen, die keinem österreichischen Ministerium oder Amt entsprechen. Eine Liste der Abteilungen ist im Anhang I zu diesem Abkommen gegeben; diese Einteilung kann vom Alliierten Rat jederzeit geändert werden.

b) Die Abteilungen sollen mit den entsprechenden Ämtern der österreichischen Regierung Fühlung aufrechterhalten und im Rahmen der Politik, die vom Alliierten Rat oder vom Exekutivkomitee angenommen wurde, handeln und Anordnungen treffen.

c) Die Abteilungen sollen dem Exekutivkomitee, wenn nötig, Bericht erstatten.

d) An der Spitze jeder Abteilung stehen vier Direktoren, einer für jede der Vier Mächte, die zusammen das Direktorium dieser Abteilung genannt werden. Direktoren der Abteilung oder deren Vertreter dürfen solchen Sitzungen des Alliierten Rates oder des Exekutivkomitees beiwohnen, in denen Angelegenheiten, welche die Arbeit ihrer Abteilung berühren, besprochen werden. Die vier Funktionäre, die als Direktoren der Abteilung handeln, können zeitweilig Unterausschüsse, wenn sie es für erwünscht halten, einsetzen.

Artikel 12.

Die Beschlüsse des Alliierten Rates, des Exekutivkomitees und anderer bestellter Körperschaften der Alliierten Kommission müssen einstimmig gefaßt werden.

Der Vorsitz im Alliierten Rat, im Exekutivkomitee und in den Direktorien soll turnusmäßig eingenommen werden.

Artikel 13.

Die bestehende Interalliierte Kommandantur in Wien, früher die „Kommandantura" genannt, soll weiterhin als das Organ der Alliierten Kommission in Angelegenheiten handeln, die Wien als Ganzes berühren, bis diejenigen ihrer Funktionen, die die zivile Verwaltung betreffen, der Gemeinde Wien übertragen werden können. Diese Funktionen sollen schrittweise und so schnell wie möglich übertragen werden. Die Art der Kontrolle, die dann angewendet werden wird, wird vom Alliierten Rat bestimmt werden. In der Zwischenzeit soll die Interalliierte Kommandantur die gleichen Beziehungen zu der Gemeindeverwaltung von Wien unterhalten wie die Alliierte Kommission zu der österreichischen Regierung.

Artikel 14.

Das vorliegende Abkommen wird mit heutigem Tage wirksam und soll in Kraft bleiben, bis es auf Grund einer Vereinbarung zwischen den Vier Mächten abgeändert oder aufgehoben wird. Mit dem Inkrafttreten des vorliegenden Abkommens verliert das Abkommen, welches vom Beratenden Ausschuß für Europäische Angelegenheiten am 4. Juli 1945 unterzeichnet wurde, seine Gültigkeit. Die Vier Mächte sollen nicht später als sechs Monate nach dem heutigen Tage bezüglich seiner Abänderung gemeinsame Beratungen aufnehmen.

Urkundlich dessen ist das vorliegende Abkommen im Namen jeder der Vier Mächte von ihren Hochkommissaren in Österreich unterzeichnet.

Gegeben am 28. Tag des Monates Juni 1946 zu Wien in vierfacher Ausfertigung, in Englisch, Französisch und Russisch, wobei jeder Text gleicherweise authentisch ist. Eine Übersetzung ins Deutsche soll von den vier Hochkommissaren genehmigt und von diesen so bald wie möglich der österreichischen Regierung übermittelt werden.

Für die Regierung des Vereinigten Konigreiches
Generalleutnant J. S. STEELE

Für die Regierung der Vereinigten Staaten von Amerika
General Mark W. CLARK

Für die Regierung der Union der Sozialistischen Sowjet-Republiken
Generaloberst L. V. KURASSOW

Für die Regierung der Französischen Republik
Armee-Korps-General M. E. BÉTHOUART

Gazette of the Allied Commission for Austria, Control Agreement for Austria, Supplement 7 (June 1946), S. 21–25.

Dokument 3

Le Général de Corps d'Armée [Marie-Emile Béthouart] à Monsieur le Président du Gouvernement Provisoire de la République Française [Charles de Gaulle]: Rapport sur la situation dans la Zone d'occupation française (Période du 1er Août au 5 Septembre 1945), 6. 9. 1945.

[...]

3 – Militärregierung Österreich
(Tirol und Vorarlberg)

I. Allgemeine Lage – Stimmung der Bevölkerung

Die Zone der Militärregierung für Österreich leidet aufgrund der zahlreichen deutschen, österreichischen, ungarischen, polnischen tschechischen oder slawischen Flüchtlinge, die in ihre Länder nicht zurückkehren wollen oder nicht zurückkehren können, sowie aufgrund der Anwesenheit der Besatzungstruppen an Übervölkerung (mehr als ca. 125.000).

Ein Teil der Gebäude ist durch Bombenangriffe zerstört worden (ein Drittel von Innsbruck).

Die Region kann die für die Ernährung der Normalbevölkerung (rund 475.000 Personen) notwendigen Produkte nicht liefern.

Die Mittel von außen, über die wir verfügt haben (französische oder amerikanische Intendanz), sind sehr mager.

Unter solchen Bedingungen, wie sie heute herrschen, ist die Lage in den beiden Ländern nicht besonders glänzend. Die Befriedigung über die Befreiung von der Naziherrschaft kann auf die Dauer die zusätzlichen Schwierigkeiten, denen die Bevölkerung ausgesetzt ist, nicht kompensieren. Die daraus entstehende Unzufriedenheit scheint zwar geringer, als sie in Wirklichkeit ist, kann jedoch nur in dem Maße gemindert werden, als wir:

– eine reichlichere Versorgung erhalten können, also auch eine wiederhergestellte Wirtschaft und gesunde Finanzen;

– die Zahl der überflüssigen Ausländer verringern können;

– dem österreichischen Volk das Gefühl geben können, daß es die notwendigen Bedingungen für ein wahres nationales österreichisches Leben tatsächlich wiedergefunden hat;

– unsere Besatzung leichter machen können.
(Diese vier Punkte werden im Folgenden ausgeführt).

II. Wirtschaft und Finanzen

Die wirtschaftliche Lage in Österreich wirft große Schwierigkeiten in allen Bereichen auf.

Die landwirtschaftliche Produktion ist im Vergleich zu den vergangenen Jahren zurückgegangen. Die Ernährung der Bevölkerung ist immer schwieriger zu sichern. Die industrielle Aktivität ist sehr verlangsamt. Der Handel ist fast null.

Die Situation in Tirol und Vorarlberg wird im Anhang II dieses Berichtes behandelt.

III. Resorption des Überschusses an Ausländern

Dieses Problem ist sowohl unter materiellen Gesichtspunkten (Ernährung) wie unter politischen (Einfluß der deutschen Flüchtlinge) wichtig.

Die Anzahl der Flüchtlinge ist aber noch beträchtlich. Sie setzt sich vor allem aus Deutschen, Österreichern und verschiedenen Slawen zusammen.

Man kann zwei große Gruppen unterscheiden:

a) versetzte Personen, die sich in Lagern befinden (28%);

b) versetzte Personen, die bei Einheimischen wohnen und nicht regelmäßig kontrolliert werden (72%).

Diese letzte Kategorie wird gegenwärtig erfaßt.

Die Repatriierung der Deutschen (der wichtigsten Gruppe) hat begonnen, ist dann aber aus zwei Gründen unterbrochen worden:

1) Die amerikanischen Behörden lassen die Deutschen nur dann in ihre Zone einreisen, wenn wir auf unserem Gebiet die gleiche Zahl repatriierter Österreicher aufnehmen. Sie verbinden ihre Genehmigung mit Fragen der im Moment im Nordabschnitt der französischen Besatzungszone in Deutschland stattfindenden Repatriierung.

2) Das Eisenbahnmaterial, mit dem wir die Deutschen in die US-Zone verbracht haben, ist uns trotz aller unserer Urgenzen nicht zurückgestellt worden.

Die Repatriierung der Slawen, die zum größten Teil unter keinen Umständen in ihre Länder zurückkehren wollen, erweist sich als sehr schwierig. In den UNRRA-Lagern gut ernährt (2000 Kalorien pro Tag statt der 900 normale Ration) oder auf dem Land finden sie am Müßiggang und der Beschäftigung mit ihren Erinnerungen Gefallen.

Diese Intellektuellen, oder jene, die sich dafür halten, finden leider genug Ermutigung, um in dieser Haltung zu verharren.

In jedem Fall ist die Repatriierung der versetzten Personen eine dringende Frage, da Österreich, das sich schon jetzt nicht selbst versorgen kann, den Unterhalt für eine unproduktive Masse von Ausländern im kommenden Winter, der hart zu werden verspricht, nicht ins Auge fassen kann.

IV. Notwendige Bedingungen für ein wahres österreichisches Leben

Neben den Wirtschafts- und Bevölkerungsproblemen, die oben angesprochen wurden, ist es notwendig – um diese Bedingungen zu erfüllen –, Österreich mit einer unabhängigen Zentralregierung auszustatten, die wirklich die österreichische Bevölkerung vertritt (Verhandlungen im Alliierten Rat ab dem 11. September 1945).

Dann wird man den Länderverwaltungen helfen müssen, jenes Gleichgewicht, das durch das Verschwinden des autoritären deutschen Regimes gestört worden ist, wiederherzustellen, und dies übrigens zur selben Zeit, da sich eine Tendenz zeigt, die Militärregierung auszutricksen, wenn sie sich nicht dagegen stellt.

Um dieses Ergebnis [Bedingungen für ein richtiges österreichisches Leben] zu schaffen, gehört es zu den dringendsten und notwendigsten Aufgaben, eine so komplette Säuberung wie nur möglich von allen Nazielementen im Land zu überwachen oder gegebenenfalls zu bewirken.

Die Verfügungen, die in Wien bezüglich der Ausübung der politischen Freiheiten (Parteien, Presse, Gewerkschaften, Jugendorganisationen) gemeinsam getroffen werden, werden eine Erneuerung des nationalen Lebens erlauben.[1]

Bis zu diesem Zeitpunkt wird die öffentliche Ordnung zu annehmbaren Bedingungen aufrechterhalten,[2] und in der wichtigen Frage des Schulunterrichts kommt man – trotz sehr ernster Schwierigkeiten – gut voran.[3]

Schließlich werden die Österreicher nur dann den Eindruck bekommen, eine größere Nation zu sein, wenn ihre Forderungen in bezug auf Südtirol befriedigt werden. Dieses Problem – analog zu dem Elsaß-Lothringens für Frankreich – sollte behandelt werden, und wir haben jedes Interesse daran, die österreichischen Forderungen zu unterstützen.[4] Die Mitglieder der Rennerregierung haben diese Forderung, die nicht nur im Namen Tirols, sondern im Namen ganz Österreichs erhoben wird, zu der ihren gemacht.

[...]

Ministère des Affaires Etrangères, Archives de l'Occupation française en Allemagne et Autriche: Archives du Haut Commissariat français en Autriche (Colmar), Caisse 1377, p. 15. [Vom Verf. aus dem Französischen übersetzt.]
1 Vgl. Annex III – Die politischen Parteien in Tirol und Vorarlberg.
   [Die Annexe hier nicht abgedruckt].
2 Vgl. Annex IV – Gerichtswesen und öffentliche Sicherheit in Tirol und
   Vorarlberg.
3 Vgl. Annex V – Schulunterricht in Tirol und Vorarlberg.
4 Vgl. Annex VI – Österreichische Forderungen bezüglich Südtirol (und
   Bericht über die Demonstrationen vom 4. 9. 45 in Innsbruck, Kufstein
   und Kitzbühel).
   [Darin hieß es u. a.: „Wenn wir ein freies und wirtschaftlich starkes
   Österreich wollen – im Gegensatz zu dem, was 1919 entworfen wurde –,
   wenn wir die Bindungen, die es an Frankreich hat, stärken wollen, so ist

es unerläßlich, die österreichischen Forderungen zu unterstützen. Das französische Oberkommando in Österreich muß über die Ansichten der Regierung informiert werden, um Stellung beziehen zu können. Die politischen Parteien verlangen die Genehmigung für öffentliche Südtirolkundgebungen und für die Entsendung einer österreichischen Delegation zur Friedenskonferenz. Der französische Einfluß in Österreich würde viel gewinnen, wenn wir diese Forderungen akzeptierten."]

Dokument 4

Despatch: The American Minister (Erhardt) to the Secretary of State, No. 61; Subject: The status of Denazification in Austria.

Vienna, January 29, 1948

Sir:

With reference to my despatch no. 2510 of February 10, 1947, I have the honor to report that one year after passage of the Austrian Denazification Law (Constitutional Law No. 25), the issue of Denazification in Austria is as much alive as ever before. The hopes which prompted adoption of the law in a form which substantially favored the views of the Russian element of the Control Commission, – hopes that the wind would thus be taken out of the sails of Russian and Communist propaganda and that this would facilitate an agreement at the Moscow Conference of April, 1947 – those hopes have been completely disappointed. The Russians in Austria are making an issue of denazification today exactly as they did a year ago, and there are even indications that they are preparing to step up their propaganda on the subject, probably as a justification for creating increased difficulties for the Austrian Government.

It is proposed, in this despatch, to review briefly the actual accomplishment of the Austrian Government in the matter of denazification; to examine the legal problems connected with implementation of the Denazification Law; to analyze the chief Russian and Communist accusations against the Government; and to discuss the consequences which suggest themselves for United States policy. That policy has been the subject of recent discussions in the Headquarters, U. S. Forces in Austria, in which the Legation participated, and in which certain tentative conclusions were arrived at, as set forth at the end of this despatch.

By its very nature, denazification constitutes a problem which is incapable of a neat solution by due process. Also, by its very nature, it inevitably gives rise to bitter recriminations, scandals, accusations, counteraccusations and broad generalizations, usually critical ones. It is especially difficult and risky, therefore to state whether denazification has been well or badly carried out in Austria, and it would be meaningless to say that it has been carried out „partly well and partly badly". Therefore, the phrasing of an evaluation is especially important. In terms of Law No. 25, denazification in Austria has been incomplete, sometimes flagrantly so. Thousands of persons have not had the disabilities and restrictions imposed upon them which the law intended them to suffer. Law No. 25, however, was an unsatisfactory law – some of its provisions are practically impossible to implement, others are quite unreasonable and inequitable, still others vague and still undefined. In terms of a conciliatory and constructive approach to the problem of denazification, the Austrian record is adequate. By no standard is denazification in Austria complete. The official Austrian attitude, however, is that as far as the letter of Law No. 25 is concerned, its implementation, though not complete, is nevertheless „nearing completion".

Since the liberation (and after an initial period when Allied courts handled denazification), Austrian courts have pronounced 36 death sentences on Nazis and 5,300 jail sentences under criminal statutes. The top grades of the Austrian civil service have been completely purged of Nazis. The data on removals from other positions are not very reliable: According to the Federal Chancellor's report of February 1, 1948, no less than 101,714 persons have been removed or dismissed from government office, and allegedly only 1,269 registered Nazis remain in positions of any importance in the professional and business life of the country. (According to the Chief of the Interior Ministry's Denazification Bureau, „between 46,000 and 48,000" were removed or withdrew from such occupations.) Those figures must be treated with extreme caution for a variety of reasons which it would lead too far to discuss in detail. If about half the number is true in actual fact (and the government reports are not outright fabrications by any means – only the sources of error and misunderstanding are extremely numerous), it can nevertheless be said that denazification has made substantial progress. To elucidate the difficulties, some categories are specifically discussed below. The openings for propaganda unfavourable to Austria will thereby also become apparent.

Public employment: The Chancellor's report of February 1, 1948, states that 40,666 less-implicated Nazis are still on the public payroll. (Total public employment: 310,436.) At first sight, this figure is rather staggering. In evaluating it, one must take into consideration (a) in the Government's favor, that the Denazification Law permits the retention of less-implicated Nazis in lower ranks of the civil service in the event of need; that the number of nominal, perfunctory party members in the civil service is especially large because of the pressure to join immediately after the *Anschluss*, often as a condition for continued employment; that many of less-implicated Nazis who are still employed are no more than manual labourers; whereas (b) in the Government's disfavor, one must consider that some Nazis have been only ostensibly classed in lower categories to justify their retention; that some were dismissed but re-employed on a contract basis; that some continue in employment even though they are not irreplaceable and no grave need exists for their services. It will be observed that the question of need is a point that is capable of being stretched considerably.

Teaching profession: This occupies a specially important position within the category of public employment. The Government statistics show that of a total of 29,363 teachers in Austria, 5,682 are less-implicated Nazis who have been retained in teaching positions. (As of January 1, 1948.) This figure has been repeatedly adduced by the Soviets as evidence of flagrant laxness on the part of the Austrian authorities. In the Education Directorate of the Allied Commission, the US element has consistently taken the attitude, however, that retention of some less-implicated teachers is indeed a necessity since sufficient young replacements cannot be expected for several years. It might be added (a) that during the Nazi period, teachers, as government employees, were under particularly strong pressure to join the party; (b) that altogether 12,698 Nazis, including the implicated teachers as well as certain active non-implicated teachers have been eliminated; and (c) that the Federal Government is known to be applying strong pressure on the provincial governors to speed up the screening of Nazis, especially in the western provinces, and to correct certain isolated flagrant situations where implicated Nazis are employed contrary to law. In the opinion of the Education Division, Headquarters USFA [United States Forces in Austria], it can be said that the admission of a substantial number of less-implicated teachers has not resulted in Nazi ideology being expounded in Austrian schools.

Private enterprises: This category is particularly confusing, and the statistics quite unreliable. Government reports between June and November, 1947, showed a reduction from 12,323 to 2,578 implicated and less-implicated Nazis employed in leading positions in private enterprises, in certain trades and in free professions from which they are excluded by Law No. 25. The reduction is deceptive, however, because the Allied Council has been unable, during the last year, to agree on a definition of „enterprises larger than medium-size" from whose direction the mass of less-implicated Nazis is to be excluded. Consequently, the Austrian Government concluded that in the absence of an approved definition, less-implicated Nazis in such enterprises need not be reported.

This attitude is not entirely unreasonable, although it results in a distorted statistical picture. The provisions against Nazis in leading business positions have also proved unrealistic in many other respects. Every implicated Nazi, for instance, should be excluded from the management of his own farm if he employs any help in addition to the immediate members of his family. Obviously, this provision is unenforceable. Thousands of Nazis have resorted to the obvious subterfuge of transferring their farms and businesses to non-implicated relatives. Thus in effect the prosperous farmers who were implicated Nazis have hardly been touched by the law except for the atonement tax which they have had no trouble paying. In the professions, while commissions have excluded several hundred Nazis (others withdrew from their positions voluntarily and thus never came before the commissions), many continue operating either on a contract basis or as „minor employees" in other firms and offices. It may be added that had the commissions in the medical profession not been liberal, Austria today would be suffering from a very severe shortage of doctors. Among industrial managers, many have become contract employees or submerged into minor positions (although there are some scandals, such as that of Dr. Heinrich Richter-Brohm, manager of the United Iron and Steel Works in Linz, who is retained in that important position in spite of an express order for his dismissal by Chancellor Figl). It may be said that in the category of private enterprises and professions, Austrian denazification is very incomplete in terms of Law No. 25, but it will be observed that the provisions of the law are extremely difficult to enforce. Some scandals do exist, but they do not constitute major political issues.

To institute a complete judicial review of the denazification record in Austria would require passage of a new Denazification Law, which is undesirable for a variety of reasons, not the least of which is that it would throw the whole domestic political scene into an uproar. Under the present law, although many administrative decisions could be changed, the decisions of denazification commissions are *res judicata* and not subject to review, unless it can be proven that the commissions were not in possession of all the facts. Although the law itself is rather tightly written, it does leave at least one loophole even for implicated Nazis, in that upon recommendation of the Chancellor, the Federal President can pardon any registered Nazi and thus exempt him from the disabilities imposed by Law No. 25. Naturally, the presidential pardon has become a highly political matter, and many cases have furnished propaganda ammunition to the Soviets and Communists. Although altogether 1,269 persons have been pardoned, it should be noted that this figure includes 435 police and gendarmerie officials who would have been cleared by the police denazification commission which was unable to operate, however, because of the withdrawal of its Communist member. To the Soviet element in the Internal Affairs Directorate, the pardons were a direct violation of the law. The US, French and British elements, on the other hand, regard them as an unfortunate, but nevertheless legal, solution for an unfortunate situation. Similarly, attempts on the part of the Austrian Government to have the less-implicated students readmitted to the universities (absurdly, there is no difference in the treatment of implicated and less-implicated students), have met with consistent Russian opposition in the Allied Council. Nevertheless, a youth amnesty law is in preparation in the Austrian Parliament. A law amnestying all less-implicated Nazis would have been introduced last year if the political parties had not feared that the Russians would use it as a pretext for renewed attacks against the Government.

Soviet and Communist propaganda has found denazification a goldmine for ever-new attacks, accusations, innuendoes and outright slanders against the Austrian Government. In particular, the recent uncovering of small illegal groups of recalcitrant Nazis has furnished the Soviets with an occasion for a major blast against the western Allies and the Austrian Government. Points which are heavily emphasized are the number of Nazis in Government employ; the slowness of the work of denazification commissions; „collusion" with the western Allies as evidenced by their rejection of most of the Soviet propaganda accusations and their declared policy that denazification is primarily an Austrian responsibility. As has been previously reported, Communist propaganda has on occasion resulted in corrective action in particularly flagrant cases. On the whole, however, it has been entirely destructive.

Its latest manoeuvre is the issuance of a manifesto on January 24, 1948, which attempted to prove that because Nazis in high places are allegedly receiving protection, „denazification has become a class issue". Ernst Fischer, the Communist leader, in an article on January 25, took the position that the provisions applying to collaborationists should be invoked against „everyone, whether party member or not, who had a leading position in the government service, the army, or the party". On the other hand, quite surprisingly, Fischer came out flatly for the removal of all restrictions, penalties and disabilities from all less-implicated Nazis. This is not the only case where Communist propaganda fails to accord with Soviet action in the Allied Council: The Communists freely advocate the admission of less-implicated Nazis to the universities, while the Soviets, in the Allied Council have time and again interposed obstacles. When hard pressed by General Béthouart, the Soviet representative, General Zheltov, in the Council's session of December 12, 1947, stated quite clearly that he considered Austria's youth infected with Nazism, presumably regardless of whether Law No. 25 classes them as implicated or less-implicated.

American policy toward denazification in Austria cannot ignore the grave unsettling influence which this question is having on the internal political scene: With some 480,000 less-implicated Nazis as potential voters in the next elections (they will constitute about 15 percent of the electorate), the political parties are already engaged in competition for their vote. The Communist Party hopes to gain from both toughness and leniency toward the Nazis: Although all parties are posing as defenders of the „little Nazis", the Communists can profit from Russian toughness by receiving Nazis into their ranks and then obtaining Russian favors from them by virtue of their Communist membership. The position of the Western Allies, on the other hand, is difficult because they hardly can proclaim that denazification in Austria is complete and satisfactory. On the other hand, they must defend the Austrian Government against Russian attempts at interference and censure, which would not only reduce its authority but also create a dangerous precedent for Russian attacks against Austria in connection with the treaty negotiations.

By resolution of February 11, 1946, the Allied Council turned over denazification in Austria to the Austrian Government under its own laws „subject to close supervision by the Council" and to directives issued by the quadripartite Denazification Bureau, through the Internal Affairs Directorate. The Bureau was set up for the purpose of checking the progress of denazification, and the non-Soviet representatives have taken the position that it must not issue instructions to the Austrian Government but merely give information in cases which seemed questionable. This has resulted, in the opinion of USFA, in an unhealthy attitude on the part of the Austrian Government which takes remedial action whenever possible if flagrant cases are brought to its attention, but which does not, at present, dispose of an agency comparable to the Allied Denazification Bureau which checks case records and audits the performance of the various governmental agencies.

A proposal is consequently to be made to the Austrian Government (privately, by General Keyes), that its own position as well as the US position in defending Austria would be much strengthened if the Chancellor could institute a procedure for an independent review, by the Austrians themselves, of the observance and active implementation of Law No. 25 in all its aspects. It is the opinion of USFA, in which the Legation concurs, that the setting-up of such an auditing agency „would place the Austrian Government in a much stronger position and would permit the three Western Allies wholeheartedly to support the Austrian Government in its denazification program and in the State Treaty discussion." At the same time, USFA is preparing to restate its policy (internally, by way of guidance to the lower echelons and subordinate agencies), which is that denazification in Austria is a responsibility of the Austrian Government, and that the US element of the Control Commission (or other US agencies) „will neither initiate nor agree to any directives to the Austrian Government to take action under current denazification laws".

This policy is reasonable and efficacious under the prevailing circumstances. It will not exempt the United States from criticism, including newspaper criticism in the United States itself, because there are many persons who quite justifiably feel a sense of horror and loathing at the very word Nazi and who consequently feel that no leniency must be shown by the Austrians against anyone who ever was a member of the National Socialist Party. Such persons ignore the fact, however, that the reintegration into the body politic of former nominal party members is an essential condition for the restoration of normalcy in Austria. It is not merely a question of not playing into the hands of the Communists by agreeing with their propaganda. In considering the inevitable criticism of denazification in Austria, which is bound to last for many years to come, it must be borne in mind that any wholesale solution of a problem involving collective guilt is in any event a very questionable practice. Any law which conflicts with the popular conception of justice, which is considered unjust and unwise by a majority of the people, will prove incapable of enforcement in a democratic country. Popular opinion in Austria is that the mass of less-implicated Nazis have been wronged by Law No. 25; that guilt must be assessed on an individual basis and not collectively; and that having been wronged, the less-implicated Nazis are now entitled to leniency. The United States is not associating itself with that policy; but its hands-off policy is making it possible for the Austrians to adopt it.

Respectfully yours,

John G. Erhardt

Understanding Austria. The Political Reports and Analyses of Martin F. Herz, Political Officer of the US Legation in Vienna 1945–1948, hrsg. v. Reinhold Wagnleitner (Quellen zur Geschichte des 19. und 20. Jahrhunderts 4), Salzburg 1984, S. 310–315.

Literatur

Ableitinger, Alfred/Beer, Siegfried/Staudinger, Eduard (Hrsg.), Österreich unter Alliierter Besatzung 1945–1955 (Studien zu Politik und Verwaltung), Graz – Wien – Köln (erscheint 1996).

Albrich, Thomas/Eisterer, Klaus/Gehler, Michael/Steininger, Rolf (Hrsg.), Österreich in den Fünfzigern (Innsbrucker Forschungen zur Zeitgeschichte 11), Innsbruck – Wien 1995.

Beer, Siegfried (Hrsg.), Die „britische" Steiermark 1945–1955 (Forschungen zur geschichtlichen Landeskunde der Steiermark XXXVIII), Graz 1995.

Bischof, Günter J., Between Responsibility and Rehabilitation: Austria in International Politics, 1940–1950, 2 Bde., ph. D. Thesis Harvard 1989.

Ders./Leidenfrost, Josef (Hrsg.), Die bevormundete Nation. Österreich und die Alliierten 1945–1949 (Innsbrucker Forschungen zur Zeitgeschichte 4), Innsbruck 1988.

Eisterer, Klaus, Französische Besatzungspolitik. Tirol und Vorarlberg 1945/46 (Innsbrucker Forschungen zur Zeitgeschichte 9), Innsbruck 1992.

Ders., Fraternisierung 1945, in: Dornbirner Schriften. Beiträge zur Stadtkunde (1993), Nr. XIV, S. 22–35.

Ders., Die Schweiz als Partner: Zum eigenständigen Außenhandel der Bundesländer Vorarlberg und Tirol mit der Eidgenossenschaft 1945–1947. Eine wirtschaftshistorische Untersuchung (Schriftenreihe des Instituts für Föderalismusforschung 64), Innsbruck 1995.

Gehler, Michael (Hrsg.), Karl Gruber. Reden und Dokumente 1945–1953. Eine Auswahl (Arbeitskreis Europäische Integration, Historische Forschungen, Veröffentlichungen 2), Wien – Köln – Weimar 1994.

Gruber, Karl, Zwischen Befreiung und Freiheit. Der Sonderfall Österreich, Wien 1953.

Karner, Stefan, Im Archipel GUPVI. Kriegsgefangenschaft und Internierung in der Sowjetunion 1941–1956, Wien 1995.

Knight, Robert G., British Policy towards Austria 1945–1950, ph. D. Thesis London 1986.

Leidenfrost, Josef, Die amerikanische Besatzungsmacht und der Wiederbeginn des politischen Lebens in Österreich 1944–1947, 2 Bde, phil. Diss. Wien 1986.

Lettner, Lydia, Die französische Österreichpolitik von 1943 bis 1946, phil. Diss. Salzburg 1980.

Mähr, Wilfried, Der Marshallplan in Österreich, Graz – Wien – Köln 1989.

Pelinka, Anton/Steininger, Rolf (Hrsg.), Österreich und die Sieger. 40 Jahre Zweite Republik – 30 Jahre Staatsvertrag, Wien 1986.

Rathkolb, Oliver (Hrsg.), Gesellschaft und Politik am Beginn der Zweiten Republik. Vertrauliche Berichte der US-Militäradministration aus Österreich 1945 in englischer Originalfassung, Wien – Köln – Graz 1985.

Rauchensteiner, Manfried, Der Sonderfall. Die Besatzungszeit in Österreich 1945 bis 1955, Graz – Wien – Köln 1979.

Sandner, Margit, Die französisch-österreichischen Beziehungen während der Besatzungszeit von 1947 bis 1955, Wien ²1985.

Stiefel, Dieter, Entnazifizierung in Österreich, Wien – München – Zürich 1981.

Tweraser, Kurt, US-Militärregierung Oberösterreich, Bd. 1: Sicherheitspolitische Aspekte der amerikanischen Besatzung in Oberösterreich-Süd 1945–1950 (Beiträge zur Zeitgeschichte Oberösterreichs 14), Linz 1995.

Understanding Austria. The Political Reports and Analyses of Martin F. Herz, Political Officer of the US Legation in Vienna 1945–1948, hrsg. v. Reinhold Wagnleitner (Quellen zur Geschichte des 19. und 20. Jahrhunderts 4), Salzburg 1984.

Verdrängte Schuld, verfehlte Sühne. Entnazifizierung in Österreich 1945–1955, hrsg. von Sebastian Meissl/Klaus Dieter Mulley/Oliver Rathkolb, Wien 1986.

Wagnleitner, Reinhold, Großbritannien und die Wiedererrichtung der Republik Österreich, phil. Diss. Salzburg 1975.

Fragen

1. Beschreiben Sie den Einmarsch der alliierten Armeen in Österreich und die Übernahme der Zonen (April – Juli 1945).

2. Das Kriegsende hatte viele Gesichter.

   a) Stellen Sie die Faktoren dar, welche die Wahrnehmung der einheimischen Bevölkerung wie der alliierten Soldaten beeinflußt haben.

   b) Können Sie geschlechtsspezifische Unterschiede ausmachen?

3. Versuchen Sie eine Periodisierung der „Besatzungszeit" und begründen Sie diese.

4. Wie manifestierte sich der Doppelcharakter Österreichs, zugleich befreites und besetztes Land zu sein?

5. Skizzieren Sie die Aktivitäten der alliierten Militärverwaltungen.

6. Charakterisieren Sie den Befund des französischen Militärkommissars vom September 1945 (Dokument 3), beschreiben Sie die wichtigsten Problemfelder und skizzieren Sie die von ihm vorgeschlagenen Lösungsansätze.

7. Beschreiben Sie die Probleme der Renner-Regierung.

8. Vom Ersten zum Zweiten Kontrollabkommen: Vergleichen Sie Dokument 1 und 2 und analysieren Sie:

   a) Was veränderte sich für die österreichische Regierung und Verwaltung mit dem Zweiten Kontrollabkommen?

   b) Welche Rechte behielten sich die Besatzungsmächte vor? Können Sie angeben, warum?

9. Schildern Sie die Aktivitäten der Alliierten zur Trennung Österreichs vom Deutschen Reich und bewerten Sie deren Wirkungen.

10. Zur Entnazifizierung:

    a) Erläutern Sie den rechtlichen Rahmen der Entnazifizierung 1945–1957;

    b) beschreiben Sie die Reichweite der politischen Säuberung;

    c) analysieren Sie die Schwierigkeiten bei der Entnazifizierung (verwenden Sie dazu auch Dokument 4).

Rolf Steininger

15. MAI 1955: DER STAATSVERTRAG

Der 15. Mai 1955 ist einer der wichtigsten Tage in der Geschichte der Zweiten Republik. An diesem Tag, einem Sonntag, unterzeichneten die Außenminister Frankreichs, Antoine Pinay, Großbritanniens, Harold Macmillan, der Sowjetunion, Wjatscheslaw Molotow, der USA, John Foster Dulles, und Österreichs, Leopold Figl, um 11.30 Uhr im Marmorsaal des Wiener Schlosses Belvedere den österreichischen Staatsvertrag, der dem Land zehn Jahre nach Kriegsende die staatliche Souveränität und Unabhängigkeit zurückgab.[1]

Figl dankte seinen Amtskollegen „für die Bereitschaft und den guten Willen", den sie in dem nunmehr unterzeichneten Vertrag bekundet hätten. Er fuhr fort, er sei

„der festen Überzeugung, daß dieses Vertragsinstrument den Ausgangspunkt einer neuen und glücklichen Entwicklung der österreichischen Geschichte darstellen wird, die sich künftig unter dem Zeichen einer Politik der Neutralität und Unabhängigkeit gegenüber allen Staaten entwickeln wird. Österreichs Volk jubelt heute! Österreichs Volk dankt heute für die Freiheit!"

Anschließend erklärte er:

„Ein 17 Jahre lang dauernder grauenvoller Weg der Unfreiheit ist beendet! Die Opfer, die Österreichs Volk in dem Glauben an seine Zukunft gebracht hat, haben nun ihre Früchte getragen. Wir haben zehn Jahre auf diesen Tag gewartet, an dem die Außenminister der Vier Mächte nach Wien kommen sollten, um die letzte Hand an den Entwurf des Staatsvertrages zu legen und ihn durch ihre Unterschrift zu bekräftigen. Heute ist der Tag gekommen, an dem wir den Vertrag unterzeichneten, womit Österreich seine Freiheit und Unabhängigkeit bekommt. [...] Mit dem Dank an den Allmächtigen haben wir den Vertrag unterzeichnet und mit Freuden künden wir heute: Österreich ist frei!"

Vor dem Oberen Belvedere wartete geduldig eine riesige Menschenmenge, und überall im ganzen Land hörte man die Direktübertragung im Rundfunk:

„Nun hat der Bundesminister für auswärtige Angelegenheiten, Ing.
Figl, die Worte gesprochen: ‚Österreich ist frei!' und eine vieltau-
sendköpfige Menge füllt jetzt den Platz am Belvedere bis hinunter
zum Schwarzenberg-Palais. Und die große Flügeltür in der Mitte
des Balkones öffnet sich und – die Wiener schwenken die vielen
tausend Fähnchen – und jetzt betritt als erster Ing. Figl mit Außenminister Molotow den Balkon. Dann neben ihm sehen wir Mitglieder der österreichischen Bundesregierung, den Außenminister Macmillan und John Foster Dulles und Bundeskanzler Raab und die
Botschafter. Die Außenminister haben ihre Taschentücher gezückt
und winken zu. Bundesminister Figl zeigt jetzt das Vertragswerk
her mit dem Siegel. Er zeigt den Wienern, daß der österreichische
Staatsvertrag unterschrieben ist."

Es war ein Ereignis, auf das die Österreicher zehn Jahre
gewartet hatten. Im Rückblick stellt sich die Frage, warum
es so lange gedauert hatte. In der Moskauer Deklaration vom
1. November 1943 hatten die späteren Sieger die Wiederherstellung eines unabhängigen, freien Österreich nach Kriegsende festgelegt. Im April 1945 war dieses Österreich denn
auch entstanden, wenn auch auf einseitigen Beschluß der
Sowjets und monatelang von den Westmächten nicht anerkannt. Diese Anerkennung kam im Oktober 1945, im Anschluß fanden dann die ersten gesamtösterreichischen freien
Wahlen statt – die zu einem Desaster für die österreichischen
Kommunisten wurden.

Im ausbrechenden Kalten Krieg spielte Österreich eine besondere Rolle. „Die Vier im Jeep" wurden zu einem Symbol
für eine mehr oder weniger funktionierende Viermächte-Ver-
waltung. Im Mai/Juni 1946 hatte der amerikanische Außenminister James Byrnes seinem österreichischen Kollegen
Karl Gruber in Paris versichert, daß spätestens in einem
Jahr der Staatsvertrag unterschrieben würde. Es sollten
neun lange Jahre werden. Auf der Außenministerkonferenz
in Paris 1946 wurde das Thema Österreich nicht behandelt.
Der sowjetische Außenminister Molotow hatte argumentiert,
die Tagesordnung sei bereits überladen, und es sei wichtiger,
zuerst Friedensverträge mit Bulgarien, Rumänien, Ungarn,
Finnland und Italien abzuschließen. Auf der Konferenz der

Stellvertretenden Außenminister in London vom 14. 1. bis 25. 2. 1947 führten die Verhandlungen über den Staatsvertrag zwar zu einem Vertragsentwurf, bei dem allerdings nur in 14 Punkten eine Einigung erzielt wurde. Immerhin wurde ein „Vertrag betreffend die Wiederherstellung eines unabhängigen, demokratischen Österreich" in Aussicht gestellt. Bei der anschließenden Außenministerkonferenz in Moskau (10. 3.–24. 4.) und den Tagungen der österreichischen Vertragskommission der Vier Mächte in Wien (12. 5.–11. 10.) standen zwei strittige Fragen im Vordergrund: die jugoslawischen Gebietsforderungen an Österreich und das „deutsche Eigentum".

Während die Westmächte auf den Grenzen von 1938 für Österreich beharrten, machten sich die Sowjets die jugoslawischen Forderungen zu eigen. Jugoslawien verlangte in Kärnten ein Gebiet von 2470 km^2 und 180.000 Einwohnern einschließlich Klagenfurts und eines Teils der Stadt Villach, in der Steiermark ein Gebiet von etwa 230 km^2 mit ca. 10.000 Einwohnern. Die Westmächte lehnten diese Forderungen ab, die Sowjetunion unterstützte Jugoslawien grundsätzlich, ohne sich allerdings auf eine genaue Größenordnung festzulegen; im übrigen wissen wir heute, daß sie Jugoslawien schon bald dazu drängte, seine Forderungen zu reduzieren, was 1948/49 auch geschah. 1948 kam es dann allerdings zum Bruch zwischen Stalin und Tito. Das bedeutete gleichzeitig das Ende der sowjetischen Unterstützung für die Ansprüche Jugoslawiens. Im Sommer 1949 einigten sich die Vier Mächte darauf, daß Österreichs Grenzen unverändert bleiben sollten, allerdings ein Minderheitenschutz im Staatsvertrag zu verankern sei. So entstand damals der heute als Artikel 7 bekannte Minderheitenschutzartikel des Staatsvertrages. Dieser Artikel schloß und schließt insbesondere den Anspruch der slowenischen und kroatischen Minderheiten in Kärnten, Burgenland und Steiermark auf Elementarunterricht in slowenischer und kroatischer Sprache sowie auf eine verhältnismäßige Anzahl eigener Mittelschulen ein.

Das zweite Hauptproblem war das „deutsche Eigentum".[2]
Die Auffassungen der Westmächte und der Sowjetunion über
das, was als deutscher Besitz in Österreich anzusehen war,
klafften weit auseinander. Der Vermittlungsvorschlag des
Franzosen Paul Cherrière, wonach die Sowjetunion 58% des
Eigentums beim Erdöl und 100% der Donaudampfschiff-
fahrtsgesellschaft sowie als Ablösezahlung für alle anderen
Ansprüche 100 Mio. Dollar erhalten sollte, wurde von Außenminister Molotow auf der Londoner Außenministerkonferenz
im November/Dezember 1947 entschieden zurückgewiesen.
Molotow forderte 200 Mio. Dollar. 1948 traf man sich dann in
der Mitte bei 150 Mio. Dollar. Die Sowjetunion beanspruchte
darüber hinaus allerdings zusätzliche Rechte, vor allem im
Bereich der Erdölindustrie und der Donaudampfschiffahrts-
gesellschaft. Dennoch zeichnete sich 1948 eine Lösung ab.
Sie wurde durch die weltpolitische Entwicklung verhindert.
1948 waren es die Westalliierten, die wegen der für sie über-
raschenden und in ihren Folgen nicht absehbaren Entwicklung in Ost-Mitteleuropa, vor allem in der Tschechoslowakei,
einen Österreich-Vertrag verzögerten und unter den gegebenen Verhältnissen überhaupt nicht herbeiführen wollten.

Auf der Außenministerkonferenz im Mai/Juni 1949 in Paris
geschah dann das völlig Unerwartete. Die Westmächte wollten die Stärke der sowjetischen Loyalität den Jugoslawen
gegenüber testen und boten in den ersten Tagen der Verhandlungen einen Kompromiß an: keine weitere Unterstützung der jugoslawischen Forderungen durch die Sowjets, dafür Zustimmung des Westens zu sowjetischen Wirtschaftsfor-
derungen in Österreich.

Die Sowjets gingen auf den Handel ein. Außenminister
Wyschinski stimmte dem westlichen Angebot zu und gab die
jugoslawischen Forderungen ohne weiteres auf. Dafür akzeptierten die Westmächte, daß Österreich eine Pauschalzah-
lung von 150 Mio. US-Dollar für das „deutsche Eigentum" in
Österreich zu leisten hätte – zahlbar innerhalb von sechs
Jahren; sie akzeptierten ferner die sowjetische Forderung
nach 60% der österreichischen Erdölförderung für einen Zeit-

raum von 30 Jahren ab Vertragsabschluß sowie 60% der
Ölschürfrechte für eine Suchdauer von acht Jahren und eine
Ölförderung von weiteren 25 Jahren ab Fündigwerden. Bei
der DDSG sollte die Sowjetunion alle Vermögenswerte in
Ungarn, Rumänien und Bulgarien sowie in Ostösterreich erhalten. Plötzlich war die Streitfrage, die die Gespräche seit
Monaten blockiert hatte, gelöst. Als die Konferenz zu Ende
ging, wurden im Kommuniqué die großen Linien des Kom-
promisses angedeutet und die stv. Außenminister angewiesen, die Details auszuarbeiten und bis zum 1. September
1949 einen unterschriftsreifen Vertrag fertigzustellen.

Der auf der Konferenz erreichte Kompromiß war ein klares
Zeichen für Stalins Bereitschaft, einen Österreichvertrag abzuschließen. Was hat Stalins Sinneswandel damals bewirkt?
Zum einen stimmten sicherlich die wirtschaftlichen Bedingungen, zum andern aber wollte Stalin damals die Österreichlösung für etwas ganz anderes nutzen, nämlich für eine
Lösung auch der deutschen Frage. Wir wissen heute, daß die
Sowjets mit großen Erwartungen in die Außenministerkonferenz nach Paris gegangen waren. Die Hauptfrage war
Deutschland, die nicht entschieden wurde. Allerdings erwartete Stalin für den Herbst eine weitere Außenministerkonferenz, in der Hoffnung, dieses Problem doch noch zu lösen.
Der politische Berater des Chefs der sowjetischen Militärad-
ministration in Deutschland, Wladimir Semjonow, machte
dies am 19. Juli 1949 gegenüber dem Vorsitzenden der SED,
Wilhelm Pieck, deutlich. Pieck notierte: „Österreich-Frage [...] Hauptmeinungsversch[iedenheiten]" behoben. Die
Vereinbarungen von Paris seien „das Neue"; die „Int.[ernatio-
nale] Bedeutung des Österr. Vertrages" sei „Fortschritt in
Friedensregelung auch für Deutschland; dtsch. Volk gleiches
Recht – nach 3 Monaten Abzug der Bes.[atzungs]truppen".
Gleichzeitig wurde der SED-Führung eine „Direktive" Stalins übermittelt, die Bemühungen fortzusetzen, um „wirt-
schaft.[liche] u. pol.[itische] Einheit [zu] erreichen".[3]

Die internationale Entwicklung lief anders, als von Stalin
erwartet. Die Bundesrepublik wurde gegründet, anschließend

die DDR; und im Fernen Osten stand der Sieg der Kommunisten in China unmittelbar bevor. Am 1. September wurde nichts unterschrieben. Dies war nicht zuletzt auf die Schwierigkeiten in Washington zurückzuführen. Das State Department war für den Abschluß, das Pentagon dagegen. Als sich Präsident Truman schließlich für den Abschluß entschied, war es zu spät, Stalin war nicht mehr interessiert. Lediglich in London war Außenminister Bevin entschlossen für einen Abschluß, während auch in Paris Bedenken auftauchten. Man hatte keine besonders hohe Meinung von den Österreichern. Der französische Hochkommissar in Wien, Emile Béthouart, war nicht davon überzeugt, daß Österreich nach Abzug der Besatzungstruppen seine Selbständigkeit bewahren würde. Er charakterisierte die Österreicher damals folgendermaßen:

„Die Österreicher sind eine verweichlichte, weibische Rasse, drauf und dran, daß ihnen Gewalt angetan wird. Das letztemal waren es die Deutschen. Nächstes Mal sind es vielleicht die Russen. Sie sind nicht nur verweichlicht, sondern sind in vielerlei Hinsicht orientalisch in ihrer Schicksalsergebenheit und Bereitschaft zu akzeptieren, was sie als unwiderstehliche Kraft spüren."

Die Frage, ob es sich bei dem Vertrag des Jahres 1949 um etwas handelte, das noch akzeptabel war oder für Österreich auf lange Sicht das Ende bedeutet hätte, spaltete das Land in zwei Lager. Die Kluft ging quer durch die Parteien. Der weitaus größere Teil der Bevölkerung dürfte freilich dazu bereit gewesen sein, den Staatsvertrag zu so gut wie jeder Bedingung anzuschließen, doch das Wort von Bundespräsident Karl Renner, er würde den Tag der Unterzeichnung des Staatsvertrages auf dieser ausgehandelten Basis zum Staatstrauertag erklären, dürfte gerade auch aus nachträglicher Sicht nicht nur leichtfertig hingesprochen worden sein. Ob 1949 eine Chance vertan wurde, bleibt somit eine offene Frage.[4] Tatsache ist, daß sich in den folgenden Jahren bei dieser Frage wenig bewegte.

Im März 1952 legten die Westmächte den sog. „Kurzvertrag" vor, der in wenigen Punkten die Feststellung des Abzugs der Besatzungstruppen und die Modalitäten der Erlan-

gung der vollen Souveränität Österreichs sowie den ersatzlo-
sen Verzicht der Sowjets auf das „deutsche Eigentum" vorsah. Man war bereit, der UdSSR dadurch entgegenzukommen, daß man die Mitschuldklausel Österreichs (wie in der
„Moskauer Deklaration" formuliert) in den Vertrag aufnehmen wollte. Damit sollte offenbar angedeutet werden, daß
man zumindest einen Teil der sowjetischen Forderungen erfüllen wollte. Die Sowjetunion akzeptierte den Kurzvertrag
jedoch nicht als Verhandlungsgrundlage. Ihr ging es primär
um Deutschland, nicht um Österreich, das damit endgültig
zur Geisel der deutschen Frage geworden war.[5] Für die Sowjets, so hatte George F. Kennan, Botschafter in Moskau,
1952 notiert, „ist Österreich eine Trumpfkarte, die sie möglicherweise erst ausspielen werden, wenn die Lösung der deutschen Frage definitiv ansteht".[6] Diese Lösung aber ließ auf
sich warten, während auf der anderen Seite der Kalte Krieg
nichts von seiner Schärfe verlor und das amerikanische Mißtrauen gegenüber der Sowjetunion anhielt. In einer Analyse
der sowjetischen Politik vom August 1953 wurde dies in einem Bericht des Hochkommissars in Wien deutlich. Dort
hieß es, daß die Weigerung Moskaus, den Staatsvertrag zu
unterschreiben, Beweis für die üblen Absichten der Sowjetunion sei. Würden die Sowjets auf der anderen Seite den
Vertrag akzeptieren, würde dies nicht das Gegenteil beweisen; er würde lediglich „eine Waffe im Kalten Krieg" sein.[7]

Die österreichische Regierung suchte in jener Zeit fast verzweifelt nach Wegen und Möglichkeiten, den Abzug der (sowjetischen) Besatzungstruppen zu erreichen. 1952 begann
man die Möglichkeit eines neutralen Österreich zu testen;
nach Stalins Tod verstärkte man diese Bemühungen. Der seit
April 1953 neu im Amt befindliche Bundeskanzler Julius
Raab vertrat eine Linie größerer Gesprächsbereitschaft gegenüber der Sowjetunion. Man setzte Signale in Richtung
Moskau, daß man keineswegs eine Mitgliedschaft in der
NATO anstrebe und daß man um eine militärische Neutralität – Bündnisfreiheit und Nichtzulassung fremder Militärbasen – bemüht sei. Die Eisenhower-Administration und die

britische Regierung hielten nichts von einem neutralen
Österreich. Die Diplomaten befürchteten, daß ein solcher
Status Österreich daran hindern werde, Bindungen in politischen, wirtschaftlichen und anderen Bereichen mit dem Westen einzugehen. Einige sahen nichts grundsätzlich Falsches
in einer Neutralität, befürchteten aber, daß damit ein Präze-
denzfall für die viel wichtigere deutsche Frage geschaffen
werde. Die entschiedenste Opposition kam vom Pentagon.
Die Vereinigten Stabschefs und deren Vorsitzender, Admiral
Radford, vertraten durchgängig 1953 und 1954 die Meinung,
daß ein neutrales Österreich ein „schwerer Schlag" für die
NATO sein und schwerwiegende Veränderungen in der Strategie der Alliierten nach sich ziehen werde. Man wollte um
beinahe jeden Preis die Schaffung eines neutralen Keils –
Schweiz-Österreich – zwischen dem Nord-Süd-Bereich der
NATO verhindern.[8]

Auf der Außenministerkonferenz im Februar 1954 in Berlin zerschlugen sich die österreichischen Hoffnungen auf eine
Lösung der Frage. Außenminister Figl – erstmals gleichberechtigter Verhandlungspartner – informierte die Konferenz,
daß Österreich frei von militärischen Bündnissen bleiben
wolle. Die österreichische Delegation machte bei ihrem Auf-
tritt einen hervorragenden Eindruck, wie US-Unterstaatsse-
kretär Livingstone Merchant später in den USA berichtete:

„Sie konfrontierten Molotow mit ganz außergewöhnlichem Mut. Sie
gaben nicht nach; sie fielen nicht in die Falle, mit Molotow hinter
den Kulissen bilaterale Gespräche zu führen; sie brachten ihr Anliegen vor und wurden niedergestimmt; sie verließen den Verhand-
lungssaal in Würde."[9]

Molotow verlangte die Einschaltung eines neuen Artikels in
den Staatsvertrag, der eine Art vertragliche Neutralisierung
Österreichs bedeutet hätte. Die Westmächte lehnten dies
strikt ab; sie wollten vor allem eine Modellfunktion des
Österreich-Vertrages für Deutschland vermeiden, zumal die
Sowjets zwei Jahre vorher einen ähnlichen Neutralisierungs-
vorschlag für Deutschland präsentiert hatten. Gleichzeitig
verlangte Molotow, daß bis zum Abschluß des Friedensver-

trages mit Deutschland Truppenkontingente in Österreich bleiben sollten. Hinzu kam sein Vorschlag, alle alliierten Truppen aus Wien abzuziehen; das aber hätte Wien innerhalb des sowjetischen Einflußbereiches isoliert.

Die Österreicher kehrten enttäuscht nach Wien zurück, ohne zu wissen, daß für die Zukunft des Landes etwas Wichtiges in Berlin geschehen war. Der amerikanische Außenminister John Foster Dulles hatte nämlich Molotow mitgeteilt, wenn Österreich „eine Schweiz" werden wolle, würden die USA keine Einwände erheben. Dulles erwähnte weiter, daß die USA Österreichs freie Entscheidung anerkennen würden, wenn es wie die Schweiz freiwillig seine Neutralität erklären würde.

Im Herbst 1954 schien die Lösung der deutschen Frage definitiv anzustehen. Im ersten Anlauf scheiterte die Lösung zwar – ohne Zutun der Sowjets: am 30. August 1954 lehnte die französische Nationalversammlung die Europäische Verteidigungsgemeinschaft ab, allerdings wurde eine Ersatzlösung in wenigen Wochen möglich: In den Pariser Verträgen einigten sich die Westmächte im Oktober 1954 auf den NATO-Beitritt der Bundesrepublik. Als die Verträge unterschrieben wurden, zog Moskau noch nicht die Österreichkarte; nichts deutete darauf hin, daß es das Junktim von Österreich- und Deutschlandfrage auflösen würde. Das änderte sich, als die Ratifizierung der Verträge anstand. Ziel der Sowjets war jetzt ganz eindeutig, in Paris und Bonn Einfluß auf die Ratifizierungsdebatten zu nehmen – z. T. mit warnendem Unterton: Paris wurde am 9. Dezember für den Fall einer Ratifizierung das Ende des sowjetisch-französischen Vertrages von 1944 angedroht, Bonn am 2. Dezember als Ergebnis der Moskauer Ostblockkonferenz gesamtdeutsche freie Wahlen für 1955 und die Bildung einer gesamtdeutschen Regierung in Aussicht gestellt, bei „Verzicht auf die Pläne zur Remilitarisierung Westdeutschlands und zu dessen Einbeziehung in militärische Gruppierungen". Am 15. 1. 1955 wiederholte die Sowjetregierung ihr Angebot und warnte, daß die Ratifizierung die Spaltung Deutschlands auf lange Jahre festlegen und zum Hindernis auf dem Weg zu einer friedlichen Wiederherstellung der Einheit werden würde.[10]

Als Adenauer am 22. Januar 1955 die sowjetischen Vorschläge rundweg ablehnte, setzte Moskau zu einer neuen Runde an: Am 24. Januar wurden die Botschafter in Washington, London und Paris nach Moskau zurückgerufen, am 3. Februar fand die Sitzung des Obersten Sowjets statt (einen Monat früher als geplant), am 8. Februar machte Molotow in seiner Rede vor dem Obersten Sowjet erste Andeutungen über eine mögliche Österreich-Lösung. Für einen Vertrag nannte er drei Bedingungen:

a) angemessene Maßnahmen der Vier Mächte im Zusammenhang mit der deutschen Frage;

b) Verpflichtung Österreichs zur Bündnisfreiheit und Nichtzulassung fremder Militärbasen auf seinem Territorium; und

c) die Einberufung einer Viermächte-Konferenz, auf der sowohl die deutsche Frage als auch die Frage des Staatsvertrages mit Österreich geprüft werden sollte.

Im Westen wurde damals nicht erkannt, daß die Sowjets es diesmal ernst meinten. Entsprechend waren die Reaktionen. Sowohl Julius Raab wie auch Adolf Schärf bedauerten, daß der Staatsvertrag erneut mit der deutschen Frage verknüpft und die sog. „Anschlußgefahr" betont worden sei; beide wiesen darauf hin, daß Österreich ein moralisches Recht auf Freiheit und Unabhängigkeit habe, so wie es 1943 in der Moskauer Deklaration festgelegt worden sei. Raab bekräftigte die Stellungnahme Figls von der Berliner Konferenz, Schärf wies darauf hin, daß sich trotz des vergleichsweise freundlichen Tones von Molotow die sowjetische Haltung nicht grundlegend geändert habe und äußerte die Hoffnung, daß die Sowjetunion letztlich den Staatsvertrag unabhängig von der deutschen Frage regeln werde.[11]

Für den britischen Botschafter in Wien, Sir Geoffrey Wallinger, lief Molotows Rede darauf hinaus, daß die Neutralisierung Deutschlands nach wie vor die sowjetische Voraussetzung für den Abschluß eines Staatsvertrages sei. Ähnlich sah man das auch im State Department in Washington. In Moskau habe sich etwas bewegt, aber der Preis sei genauso hoch oder noch höher, als in Berlin 1954 formuliert; von daher sei Molotows Rede „keine Grundlage, um auf einen Staatsvertrag zu hoffen". Und damit sich Wien keine falschen Hoffnungen machen sollte, wurde die US-Botschaft in Wien angewiesen, dies der österreichischen Regierung entsprechend klarzumachen, „da dies mithelfen kann, daß bei den Österreichern kein Wunschdenken aufkommt". Für diese Art von Warnung bestand allerdings keine Notwendigkeit. Leopold Figl war überzeugt davon, daß Molotows Rede „nur Propaganda" gewesen und die Neutralisierung Deutschlands die eigentliche Vorbedingung Moskaus sei.

Tatsächlich hatten die Westmächte zu diesem Zeitpunkt bereits die Initiative mit Blick auf den Staatsvertrag an die Sowjets verloren. Am 25. Februar empfing Molotow den österreichischen Botschafter Norbert Bischoff und wies nachdrücklich darauf hin, daß seine Erklärung vom 8. Februar „eine positive Veränderung" gegenüber seiner Position auf der Berliner Konferenz darstelle. Molotow ging mit ihm den Text seiner Erklärung durch und machte deutlich, daß er nicht eine grundsätzliche Gesamteinigung über die deutsche Frage als Voraussetzung der Bereinigung der österreichischen Frage sehe, sondern, wie Bischoff nach Wien berichtete, „eine Einigung darüber, daß und wie der Anschluß nicht nur jetzt, wo keine ernste Gefahr bestehe, sondern auch für die Zukunft völlig zuverlässig verhindert werden könnte, und wenn man sich darüber einige, könne die Besatzung enden". Bischoff fuhr fort:

„Molotow sagte, wenn es also der Bundesregierung recht wäre, sollten wir uns gemeinsam den Kopf zerbrechen, wie wir Anschluß zuverlässig unmöglich machen. Wir sollten unsere Vorstellung über dieses Problem miteinander vergleichen und wenn wir dann auf diplomatischem Wege zu einer Einigung gelangt seien, würde Sowjetregierung mit großem Vergnügen Bundeskanzler und alle sonstigen unsererseits erwünschten Persönlichkeiten zu einem Besuch nach Moskau einladen."[12]

Am 28. Februar erhielt Bischoff die Anweisung aus Wien, bei
Molotow vorzusprechen und so bald als möglich zu erfahren,
welche Gedanken und Maßnahmen Molotow für die Realisierung seines Garantieprojektes vorschwebten.[13]

Noch am selben Tag sprach Bischoff mit Semjonow. Im
Gespräch mit diesem verstärkte sich Bischoffs Vermutung,

„daß die Initiative Molotows auf den Wunsch zurückgeht, durch
eine real gesicherte Neutralisierung Österreichs zu verhindern, daß
die durch die Pariser Abmachung bewirkte Zerreißung Deutschlands zusammen mit der dadurch geschaffenen Frontlinie sich – mit
allem, was das u. U. für uns zu bedeuten hätte – auch auf österreichischem Boden fortsetze. Es wäre uns damit eine funktional ähnliche Rolle zugedacht wie Schweden, Finnland, Schweiz und Jugoslawien."[14]

Am 14. März machte die Bundesregierung klar, daß sie jede
wirkungsvolle Sicherung und Garantie gegen die Anschlußgefahr begrüße. Dies war der Kernsatz des Memorandums,
das Bischoff Molotow übergab. Molotow empfing Bischoff
noch am gleichen Tag. Kernpunkt der Diskussion war die
Anschlußfrage, die offensichtlich im Mittelpunkt der sowjetischen Überlegungen stand. Bischoff berichtete nach Wien,
daß die Russen

„die Anschlußgefahr pro futuro für ernster zu halten (scheinen) als
wir; sie sind es, die zusätzliche Garantien und Sicherungen fordern.
An ihnen und nicht an uns ist es daher, zu sagen, was sie sich
darunter vorstellen."

Molotow sagte, man müsse in Betracht ziehen, daß die Ver-
hinderung des Anschlusses nicht nur ein österreichisches
und ein sowjetisches Interesse, sondern ein europäisches Interesse sei. Bischoff weiter in seinem Bericht:

„Ich fragte: ‚Denken Sie also an eine europäische Garantie gegen
den Anschluß?' Er: ‚Man müßte wissen, was das konkret bedeutet,
wer daran teilnähme, die Großmächte, die Nachbarn Österreichs?'
Ich: ‚Soll ich meiner Regierung vorschlagen, sich diese Fragen zu
überlegen?' Er: ‚Nachdenken kann nie schaden. Ich glaube, auch
wir könnten darüber nachdenken. Aber sicher ist, daß uns allen
miteinander mit rein verbalen Garantien allein nicht geholfen ist,

daß man wie Ihr Memorandum sich ausdrückt, etwas wirkungsvolles (russischer Ausdruck effektivnovje) suchen muß."

Bischoffs Resümee war eindeutig:

„Nach meinem heutigen Gespräch mit Molotow bin ich überzeugter denn je, daß es den Russen ernstlich um den Abschluß Staatsvertrags bei gleichzeitiger effektiver Sicherung gegen Anschluß zu tun ist, da dies der einzige Weg ist, um die Bildung einer gesamtkontinentalen Frontlinie zuverlässig zu verhindern. Dieses ihr völlig eindeutiges Interesse muß als permanent angesehen werden."[15]

Eine Woche später unterrichteten Figl und Kreisky die westlichen Botschafter in Wien. Die Österreicher waren beeindruckt von der Tatsache, daß Molotow persönlich die Verhandlungen in Moskau führte. Nach Kreiskys Meinung war es nunmehr offensichtlich, daß die sowjetische Initiative nicht gegen die Ratifizierung der Pariser Verträge gerichtet sei. Er und Figl betonten, daß man sich auf österreichischer Seite verpflichtet fühle, die Dinge weiterzuverfolgen und sich nicht später dem Vorwurf ausgesetzt sehen wolle, eine Chance vertan zu haben. Wallinger hatte den Eindruck, daß die Österreicher bereit waren, eine Anti-Anschluß-Garantie zu akzeptieren. Als der amerikanische Botschafter Thompson auf eine mögliche Garantie durch die Nachbarn Österreichs hinwies, lehnte Kreisky dies mit Nachdruck ab; man werde niemals eine solche Garantie akzeptieren, da dies bedeuten würde, daß die Tschechoslowakei und Ungarn die Rolle eines Siegers einnehmen würden.

Die westlichen Botschafter waren nicht besonders glücklich über diese Art von bilateralen Gesprächen zwischen Sowjets und Österreichern, denn, wie Geoffrey W. Harrison, Unterstaatssekretär im Foreign Office, am 18. März notierte: „Die Österreicher sind kein Gegner für die Russen." Dies zeige allein schon die Tatsache, daß die Österreicher die Gefahr eines Anschlusses akzeptiert hätten. Die Sache wurde auch nicht dadurch besser, daß Raab am 20. März in einer seiner Rundfunkansprachen von einer möglichen Garantie sprach. In London war man überzeugt, daß die Sowjets keinen Abschluß eines Staatsvertrages wollten, der für den Westen akzeptabel sei: „Die Russen wollen keinen österreichischen Staatsvertrag; von Zeit zu Zeit bauen sie lediglich einen Popanz auf" („from time zu time they erect a bugbear"), wie P. F. Hancock, der Leiter des Central Departments im Foreign Office am 18. März notierte. Sein Kollege W. A. Young stellte die Frage:

„Müssen wir die österreichische Regierung nicht ab und zu darauf hinweisen, daß sie nicht einfach hinter jedem neuen Hasen, den die Russen aus dem Hut zaubern, herlaufen müssen?"

Harrison formulierte es etwas drastischer: „Die Österreicher scheinen entschlossen zu sein, wie die Gadaränischen Säue ins Verhängnis zu laufen." („The Austrians seem intent, like the gadarene swines, on rushing over the precipice to the doom.") Er sah keinen Anlaß, sie dabei zu unterstützen.[16]

Dennoch änderte sich die Lagebeurteilung der westlichen Botschafter in Wien. Der britische Botschafter war sich mit den Österreichern einig, daß offenbar Bewegung in die sowjetische Politik gekommen sei; Moskau beginne sich anscheinend auf die Zeit nach Ratifizierung der Pariser Verträge einzustellen und deshalb Überlegungen näherzutreten, wie man in diesem Fall dem Westen wenigstens den Zugriff auf Westösterreich verwehren und gleichzeitig die Aufrüstung Westdeutschlands psychologisch erschweren könnte. Am 23. März hieß es in einer gleichlautenden Analyse der drei westlichen Botschafter in Wien, dem Kreml gehe es kurzfristig offensichtlich darum, eine Viererkonferenz über Österreich zur Wiederaufnahme von Deutschlandverhandlungen zu nutzen, zumindest aber die Tür für spätere Gespräche offenzuhalten. Es sehe so aus, als ob Moskau die Ratifizierung der Pariser Verträge akzeptiert habe, nicht jedoch deren Realisierung, sprich tatsächliche Wiederbewaffnung der Bundesrepublik. Hauptziel der Sowjets sei offensichtlich die Schaffung eines Gürtels neutraler Staaten, bestehend aus Schweden, Deutschland, Österreich und Jugoslawien.[17]

Am selben Tag hielt es Harrison für angebracht, grundsätzlich über das Thema Österreich nachzudenken. Er hatte

nach wie vor seine Zweifel, daß die Sowjets tatsächlich bereit
waren, den Staatsvertrag zu unterzeichnen. Es gehe jetzt um
die Garantie der Unabhängigkeit und Integrität Österreichs,
aber es gebe keine Garantie dafür, daß die Sowjets nicht
wieder einen neuen Schachzug planten. Harrison hatte Verständnis für die Position der österreichischen Regierung, eine Neutralisierung zu akzeptieren, da es ziemlich unlogisch
sei, etwas anderes zu erwarten, die große Frage sei aber: „Ist
der Westen bereit, dies zu akzeptieren?" Aus der Antwort, die
er selbst gab, erfahren wir erstmals etwas über die amerikanischen Absichten mit Blick auf eine mögliche Mitgliedschaft
Österreichs in der NATO. Die amerikanischen Akten darüber
sind nach wie vor nicht freigegeben. In der offiziellen Doku-
mentenreihe *Foreign Relations* fehlen die entsprechenden
Dokumente. Harrisons Aufzeichnung aber können wir ent-
nehmen, daß in Washington eine NATO-Mitgliedschaft
Österreichs ernsthaft erwogen wurde. „In der Vergangenheit", so schrieb er,

„haben die Amerikaner eine Vorwärtsstrategie in Österreich verfolgt. Sie hätten es gerne gehabt, daß Österreich nach dem Vertrag
dem westlichen Bündnis beigetreten wäre. Wir haben Zweifel gehabt, ob dies praktikabel sei, aus militärischen und politischen
Gründen. Aber wir haben gehofft, daß Österreich unserem politischen Klub beitreten würde. Selbst das ist jetzt aber zweifelhaft. Im
Moment sieht es so aus, daß Österreich politisch und militärisch
neutral sein wird, möglicherweise mit einer internationalen Garantie."[18]

Wenig später machte Molotow seinen nächsten Zug. Er be-
kundete öffentlich seine Bereitschaft, über die Österreichfrage gesondert auf einer Vier-Mächte-Konferenz zu verhandeln, gleichzeitig wurden Bundeskanzler Raab und weitere
Mitglieder der Regierung zu bilateralen Gesprächen nach
Moskau eingeladen. Die Frage war, ob Moskau damit das
Junktim „deutsche Frage" und „österreichische Frage" aufgegeben hatte. Oder sollte die Österreichinitiative jetzt
erst recht für neue Gespräche in der deutschen Frage dienen?

In einem zwei Tage später fertiggestellten Strategiepapier über mögliche „Gespräche mit der Sowjetunion" stellte das Foreign Office klar, daß die Teilung Deutschlands,

„an die sich alle Mächte inzwischen gewöhnt haben, nicht ohne Vorteil für uns alle ist, selbst für die Sowjetunion, die Russen aber den Schlüssel für die deutsche Einheit in Händen halten, und ihn, wenn sie wollen, den Deutschen schon morgen zu verlockenden Bedingungen anbieten können".[19]

Im Westen wurde damals viel darüber spekuliert, ob ein solches Angebot kommen würde. Im State Department in Washington hielt man die sowjetischen Aktivitäten immer noch für Propaganda. Charles Bohlen, der amerikanische Botschafter in Moskau, glaubte nicht daran, daß Moskau der Österreichinitiative bald ein neues Deutschlandangebot folgen lassen würde. Er war überzeugt davon, daß die Sowjetunion die DDR weder fallenlassen wolle noch könne, sondern den Weg zu Vier-Mächte-Gesprächen auf der Grundlage der deutschen Teilung suche.[20] Die allergrößte Sorge hatte man wegen der sich abzeichnenden bilateralen Gespräche zwischen Österreich und den Sowjets; die Österreicher, so das Verdikt des Foreign Office, seien keine gleichwertigen Partner. („Es ist gefährlich, alleine nach Moskau zu gehen"; Unterstaatssekretär Harrison fühlte sich an Schuschniggs Berchtesgaden-Besuch im Februar 1938 erinnert.)[21] Außenminister Eden drängte darauf, Raab von der Reise nach Moskau abzuhalten, er bedauerte, daß die Österreicher nicht mit größerem Nachdruck vor den Sowjets gewarnt worden seien und hoffte, nicht eines schönen Morgens aufzuwachen und zu hören, daß Raab in Moskau sei (Raab „should be warned against it. [...] I'm sorry that Austrians were not more firmly warned against Moscow's wiles. I hope we shall not wake up some morning soon and find Raab in Moscow"), mußte sich aber von Staatssekretär Kirkpatrick sagen lassen, daß dies wohl kaum machbar sei: Raab wolle um beinahe jeden Preis nach Moskau.[22]

Am 29. März stellte Eden noch einmal die Frage nach den sowjetischen Absichten: „Wollen die Russen die Österreich-

karte spielen, um damit das Gespräch über Deutschland neu
zu beginnen und damit versuchen, uns Ärger in Deutschland
zu machen?"[23] Mit anderen Worten: Sagten die Sowjets
Österreich und meinten Deutschland?

Im April geschah genau das, was Eden befürchtet hatte.
Vom 11. bis 15. April 1955 fand der denkwürdige Besuch der
österreichischen Delegation in Moskau unter Leitung von
Bundeskanzler Raab, Vizekanzler Schärf, Außenminister Figl
und Staatssekretär Kreisky statt. Diese Reise war mehr als
eine „fact-finding mission"; es war der Durchbruch für den
Abschluß des Staatsvertrages. In diesen entscheidenden Gesprächen stellte sich heraus, was die Sowjets als eigentliche
Garantie gegen die „Anschlußgefahr" – und gegen die Einbindung Österreichs in die NATO – betrachteten: die Neutralität
Österreichs. Bei der Führung der SPÖ, besonders bei Vizekanzler Schärf, gab es gegen den Neutralitätsbegriff erhebliche Bedenken, aber auch – wie bekannt – bei den westlichen
Außenministern. Um diese Bedenken zu zerstreuen, schlugen
die Sowjets vor, daß Österreich eine Neutralität nach dem
Muster der Schweiz ausüben solle. Molotow bezog sich dabei
auf entsprechende Äußerungen von Bundespräsident Körner
und John Foster Dulles. Der bekannte Hinweis im „Moskauer
Memorandum" vom 15. April 1955 auf eine Neutralität der
Art, „wie sie von der Schweiz gehandhabt wird", war eine
Konsensformel: Ihre Funktion war es, eine für Moskau über
Wien, Paris bis London und Washington reichende Zustimmung für den internationalen Status Österreichs zu gewinnen. Dabei ging es weniger um völkerrechtliche Details als
um diesen politischen Konsens, was auch darin deutlich wurde, daß die Sowjets keine Bedenken gegen den österreichischen Wunsch hatten, den Vereinten Nationen beizutreten.

Die Sowjets waren zu großen wirtschaftlichen Konzessionen bereit. Das gesamte in ihrem Besitz befindliche „deutsche Eigentum" sollte gegen Ablöseleistungen an Österreich
übertragen werden: alle Rechte am Erdöl gegen eine Liefe-
rung von 10 Mio. Tonnen Rohöl (später auf 6 Mio. Tonnen
herabgesetzt); den DDSG-Besitz im östlichen Österreich ge-

gen 2 Mio. Dollar. Für das übrige deutsche Eigentum blieb es
bei der bereits früher festgelegten Ablösesumme von 150
Mio. Dollar, doch war die Sowjetunion bereit, die Zahlung in
Form von Warenlieferungen zu akzeptieren. Die Österreicher
hatten den Eindruck – und das war entscheidend –, daß die
Sowjetunion bereit war, noch vor Jahresende die Besatzung
Österreichs zu beenden.

Die Westmächte betrachteten die bilateralen Gespräche in
Moskau mit größtem Mißtrauen; daran konnte auch eine entsprechende Information durch die Österreicher nichts ändern.
Letztlich wurden die Westmächte mit dem Ergebnis der Moskauer Beratungen vor vollendete Tatsachen gestellt – und
machten jetzt notgedrungen gute Miene zum bösen Spiel.
Moskau machte insofern den Weg frei für eine Botschafterkonferenz der Vier Mächte und Österreichs Anfang Mai in
Wien, die den Staatsvertragstext in seine endgültige Form
brachte. Parallel dazu gab es österreichisch-westliche Verhandlungen, die in zwei in Wien am 10. Mai paraphierte Memoranden mündeten und Entschädigungs- und Rückstel-
lungsverpflichtungen Österreichs gegenüber westlichen Firmen regelten. In der Folge kam es zur Entstaatlichung
einiger westlicher Erdölfirmen und zu Entschädigungszahlungen von mehreren Millionen Dollar. Das den Westmächten
gemäß dem Potsdamer Abkommen zugefallene deutsche Eigentum in Österreich (z. B. die Hermann Göring-Werke in
Linz, die spätere VÖEST) wurde ohne Ablöseleistung ins
österreichische Eigentum übertragen. Der endgültige Staatsvertragstext legte fest, daß Österreich die von der Sowjetunion übernommenen Ölfelder und Ölschürfrechte nicht in ausländisches Eigentum übertragen durfte; daß Österreich das
ihm von allen vier Mächten übertragene deutsche Eigentum
– mit Ausnahme der erzieherischen, kulturellen, caritativen
oder religiösen Zwecken dienenden Vermögenschaften – nicht
an deutsche juristische Personen und – sofern der Wert von S
260.000,– überschritten wurde – nicht an deutsche physische
Personen übertragen dürfe.[24] Am 15. Mai 1955 wurde der
Staatsvertrag dann im Schloß Belvedere unterzeichnet.

In den Wochen nach dem Moskaubesuch der Österreicher
ging es den Westmächten weniger um Österreich als um
Deutschland. Das Moskauer Memorandum wurde von Wallinger in Wien mit den Worten „zu gut, um wahr und ehrlich
gemeint zu sein"[25] kommentiert. Er selbst hatte von einem
Mitglied der österreichischen Delegation erfahren, daß dieser
aus einem Gespräch mit Semjonow den Eindruck gewonnen
hatte, daß die Sowjets schon jetzt über geeignete Deutsch-
land-Angebote verfügten und ähnlich wie im Fall Österreich
Adenauer und den SPD-Vorsitzenden Ollenhauer in nächster
Zeit zu einer Reise nach Moskau einladen würden.[26] Der
britische Botschafter in Moskau, Sir William Hayter, hielt
einen solchen Schachzug immerhin nicht für ausgeschlossen.[27] Der neue britische Außenminister Harold Macmillan
war am 19. April überzeugt davon, daß schon bald mit dem
Angebot Moskaus einer militärischen Neutralität eines wiedervereinigten Deutschland zu rechnen sei. Dem Kabinett
teilte er am 26. April mit: „Ich habe wenig Zweifel, daß es den
Sowjets in erster Linie darum geht, die öffentliche Meinung
in Deutschland durch die Aussicht zu beunruhigen, daß die
Wiedervereinigung möglich ist, vorausgesetzt, Deutschland
ist neutral."[28]

Im Westen breitete sich teilweise Pessimismus aus. Ein
leitender Beamter des Quai d'Orsay war davon überzeugt,
daß die sowjetische Initiative eindeutig in Richtung Deutschland ging. Moskau wolle mit einem neutralisierten Österreich ein künstliches Paradies schaffen, als Blendwerk für
die Westdeutschen. Tausende von deutschen Touristen würden sehen, wie angenehm es sich in einem neutralen Staat
lebe, mit Wohlstand und umworben von Ost und West. Die
Auswirkungen auf Westdeutschland könnten außergewöhn-
lich gefährlich sein. Dort werde man die Westmächte für die
fortdauernde Teilung verantwortlich machen. Wenn Adenauer erst einmal abgetreten sei, könne sich alles sehr schnell
ändern; die Westdeutschen würden zwar aufgrund ihrer Erfahrungen mit der DDR keine Kommunisten werden, aber
sie könnten sehr wohl davon überzeugt sein, ohne Gefahr

Neutralisten werden zu können. Um die Westdeutschen an der Seite des Westens zu halten, sei eine außerordentliche Anstrengung notwendig.[29] Die Medien in der Sowjetunion und der DDR taten das Ihre, um diese Interpretation zu stützen. *Prawda, Iswestija, Radio Moskau, Neues Deutschland* und *Deutschlandsender* machten klar, daß das, was für Österreich innerhalb weniger Wochen möglich geworden war, auch für Deutschland möglich sein würde.[30] Die Wirkung auf die westdeutsche Öffentlichkeit blieb nicht aus, auch wenn das offizielle Bonn alles tat, um darauf hinzuweisen, daß Österreich eben nicht Deutschland war. Intern aber hatte man die allergrößte Sorge, daß die Auswirkungen nicht mehr kontrollierbar sein würden. Der FDP-Vorsitzende Thomas Dehler war der Meinung, daß man für Deutschland in der Vergangenheit wohl Ähnliches hätte erreichen können wie jetzt für Österreich. Die *Frankfurter Allgemeine Zeitung* sprach offen vom „Vorbild Österreich", der Fraktionsvorsitzende der CDU/CSU im Bundestag, Heinrich Krone, notierte in seinem Tagebuch: „Moskau will klarmachen, daß, wer mit den Russen verhandelt, auch zu einem Ergebnis kommt, daß man aber die Macht spüren werde, wenn man den Weg nach Moskau ablehnt", um dann aber auch zu schreiben, es sei nicht erkennbar, was die Russen zur Räumung der Zone veranlassen könnte.[31]

Wenn man die zahlreichen Signale Moskaus und die entsprechenden Interpretationen in den westlichen Hauptstädten analysiert, so ist zumindest nicht auszuschließen, daß die Österreichlösung für Moskau die Funktion eines Modellfalles für Deutschland sein konnte. (So auch Hayter am 18. April aus Moskau, den die Vorstellung bilateraler Gespräche zwischen Bonn und Moskau beunruhigte.)[32]

Es gibt weitere Hinweise auf die sowjetischen Ziele: Bulganin äußerte sich am 5. Mai gegenüber dem französischen Botschafter über eine mögliche Lösung der deutschen Frage: ein wiedervereintes, demokratisches Deutschland, Freiheit für alle Parteien, freie Wahlen, eine zahlenmäßig begrenzte

Armee. Der stellvertretende sowjetische Ministerpräsident
Michail Perwuchin war der erste hochrangige sowjetische
Politiker, der sich öffentlich – in Berlin – am 9.
Mai zu den Verhandlungen in Wien äußerte und eine Analogie zur Lösung der deutschen Frage zog.[33] Eine ähnliche Möglichkeit
deutete Molotow am 15. Mai in Wien an; am Rande der Fei-
erlichkeiten erhöhten die Sowjets im privaten Kreis ihr Angebot in Richtung Bonn: Es war die Rede von einer Änderung
der Oder-Neiße-Grenze.[34] Anfang Juni erfolgte der nächste
Paukenschlag: Der zuvor von den Sowjets öffentlich als Fa-
schist und Reaktionär verschrieene Adenauer wurde offiziell
nach Moskau eingeladen. Die Parallele zur Einladung an
Raab war unübersehbar.

Man habe diesen Schritt erwartet, aber „hardly so soon or
in so crude form", wie William Hayter in Moskau notierte.[35]
Wie schon 1952 hing wieder alles von der Reaktion Adenauers ab; und wieder, wie drei Jahre zuvor, bewegte sich Adenauer keinen Millimeter. Eine Neutralisierung Deutschlands
kam für ihn auch jetzt nicht in Frage. Die Lösung für Österreich war für ihn nur „diese ganze österreichische Schweine-
rei", wie er das intern formulierte.[36]

Wenn die Sowjets möglicherweise gehofft hatten, mit Adenauer ins Geschäft zu kommen, so wurden sie gründlich
enttäuscht. Für Adenauer, der im September Moskau besuchte, waren Chruschtschow und Bulganin „ungebildet und
primitiv", wie er den westlichen Botschaftern in Moskau anvertraute.[37] Für Adenauer gab es kein Ausscheren aus der
westlichen Gemeinschaft, kein Rapallo, kein „Doppelspiel",
keine Österreichlösung für ein vereintes Deutschland. Das
Ergebnis war entsprechend: der Aufnahme diplomatischer
Beziehungen mit Moskau – und damit Anerkennung deutscher Zweistaatlichkeit – stand die mündliche Zusage nach
Freilassung der deutschen Kriegsgefangenen gegenüber. Das
war es und blieb es für lange Zeit. Das Thema Wiedervereinigung Deutschlands war für die Sowjets damit ausgereizt.
Auf der Außenministerkonferenz in Genf im November 1955
wurde dann endgültig deutlich, daß sich in der deutschen

Frage auf sowjetischer Seite nichts mehr bewegen würde.
Für alle ersichtlich war das eingetreten, wovor die Kritiker
Adenauers gewarnt hatten: die Westintegration schloß – zumindest für lange Zeit – eine Wiedervereinigung aus.
Was bleibt als Fazit?

1. Die Frage, ob die Österreichlösung aus sowjetischer Sicht
   möglicherweise die Funktion eines Modellfalles für
   Deutschland gehabt hat. Im Westen wurde das damals
   jedenfalls vielfach so gesehen. Ohne Kenntnis der sowjetischen Akten kann diese Frage nicht endgültig beantwortet
   werden. Möglicherweise hatten die Sowjets
2. Adenauer als „Risikofaktor" einkalkuliert, das hieß, das
   Scheitern dieser Initiative mit Blickrichtung Bonn mit ins
   Kalkül einbezogen. Es blieb dann
3. der Gewinn eines neutralisierten Österreich, mit einem
   neutralen Riegel Schweiz-Österreich, obwohl der militärische Wert dieser Regelung in keinem Verhältnis zum Abzug der eigenen Truppen aus Ostösterreich stand. Im
   Kriegsfall wären die Verbindungswege Bayern-Italien
   über Westösterreich sofort wiederhergestellt worden.
4. Mit der Österreichlösung warf die Sowjetunion außenpolitischen Ballast ab; ein Signal in Richtung Westen, mit der
   neuen sowjetischen Führung im Sinne des „Geistes von
   Genf" (der Gipfelkonferenz im Juli) auf der Basis des Status quo in Europa übergeordnete Probleme zu lösen (atomare Kontrolle, europäische Sicherheit). Dies hieß
5. für Deutschland: Zweistaatlichkeit und das Ende der Diskussion über die Wiedervereinigung für lange Zeit.

In Österreich wurden in jenen Wochen jene politischen
Schritte gesetzt, die implizit in Moskau von der österreichischen Delegation akzeptiert worden waren.

Im Staatsvertrag ist von der Neutralität nicht die Rede.
Der Zusammenhang zwischen Staatsvertrag und Neutralität
ist ein historisch-politischer – mit Blick auf Moskau –, kein
rechtlicher. In Artikel 1 heißt es, daß „Österreich als ein
souveräner, unabhängiger und demokratischer Staat wiederhergestellt" sei; in Artikel 2 wurde die Wahrung der Unab-

hängigkeit Österreichs durch die Alliierten und Assoziierten
Mächte anerkannt; in Artikel 3 wurde die Anerkennung der
Unabhängigkeit Österreichs durch Deutschland bestimmt;
der Artikel 4 enthielt das Verbot des Anschlusses von Öster-
reich an Deutschland; in Artikel 5 wurden die Grenzen von
Österreich festgeschrieben; in Artikel 6 verpflichtete sich
Österreich, die Menschenrechte umfassend einzuhalten; in
Artikel 7 wurden die slowenischen und kroatischen Minder-
heitenrechte festgelegt.

Bei den Verhandlungen in Wien waren die Österreicher
nicht aufzuhalten; die Aussicht, von der sowjetischen Besatzung freizukommen, führte bei ihnen zu „blindem" Optimismus, der nachgerade gefährlich wurde, wie Wallinger später
resümierte; die Befürchtungen und Argumente der Westmächte seien von den Österreichern beiseite gewischt worden; „es war ein trauriges Bild, mit dem wir in der Konferenz
konfrontiert wurden: ein Dr. Figl, der sich wie ein gelähmtes
Karnickel verhielt"[38], so Wallinger am 24. Mai 1955.

Unmittelbar nach Genehmigung des Staatsvertrages durch
den Nationalrat beschloß dieser am 7. Juni mit den Stimmen
aller Parteien eine Resolution, daß Österreich aus freien
Stücken seine immerwährende Neutralität erkläre und die
Bundesregierung aufgefordert werde, dem Nationalrat den
Entwurf eines die Neutralität regelnden Verfassungsgesetzes
vorzulegen.

Am 27. Juli 1955 trat der Staatsvertrag in Kraft, der Alliierte Rat wurde aufgelöst, am 25. Oktober verließen die letzten ausländischen Streitkräfte Österreich. Am 26. Oktober
beschloß der Nationalrat das Bundesverfassungsgesetz über
die Neutralität Österreichs. Der Bundeskanzler betonte in
einer Rede vor dem Nationalrat an diesem Tag den militärischen Charakter der Neutralität und unterstrich, daß die
Neutralität keine ideologische sei und den Staat, nicht den
einzelnen Staatsbürger verpflichte. Wenig später bat die
Bundesregierung alle Staaten, mit denen Österreich diplomatische Beziehungen unterhielt, um Anerkennung der Neu-

tralität im Sinne dieses Gesetzes. Die Vier Mächte taten dies gleichzeitig am 6. Dezember 1955, am 14. Dezember wurde Österreich Mitglied der Vereinten Nationen. Ein außerordentliches Jahr, Österreichs „annus mirabilis", ging zu Ende. Zehn Jahre später erklärte der Nationalrat den 26. Oktober zum Nationalfeiertag.

1 Grundlegend zum Thema Gerald Stourzh, Um Einheit und Freiheit. Die Geschichte des österreichischen Staatsvertrages 1945–1955, Graz – Wien – Köln ⁴1996.

2 Zur Genesis vgl. Reinhard Bollmus, Ein kalkulierbares Risiko? Großbritannien, die USA und das „Deutsche Eigentum" auf der Konferenz von Potsdam, in: Günter Bischof/Josef Leidenfrost (Hrsg.), Die bevormundete Nation. Österreich und die Alliierten 1945–1949 (Innsbrucker Forschungen zur Zeitgeschichte 3), Innsbruck 1988, S. 107–126.

3 Vgl. Rolf Badstübner/Wilfried Loth (Hrsg.), Wilhelm Pieck – Aufzeichnungen zur Deutschlandpolitik 1945–1953, Berlin 1994, S. 288.

4 Vgl. hierzu Audrey Kurth Cronin, Eine verpaßte Chance? Die Großmächte und die Verhandlungen über den Staatsvertrag im Jahre 1949 in: Bischof/Leidenfrost, Bevormundete Nation, S. 347–370.

5 Vgl. Michael Gehler, Kurzvertrag für Österreich? Die Stalin-Noten und die Staatsvertragsdiplomatie 1952, in: Vierteljahrshefte für Zeitgeschichte 43 (1994), Heft 2, S. 243–278.

6 Kennan an Department of State, 18. 7. 1952. FRUS, 1952–1954, vol. VII, S. 1770 f.

7 Vortrag von Prof. John Bennet auf der 12. Jahrestagung der German Studies Association in Buffalo/USA, 1990.

8 Wie Anm. 7.

9 „The Berlin Conference"; Secret; Vortrag von Livingston Merchant vor dem National War College in Washington, D.C., am 12. 3. 1954. Merchant Papers, Princeton University.

10 Vgl. hierzu Rolf Steininger, Deutsche Geschichte seit 1945, Bd. 2: 1948–1955, Frankfurt 1986, S. 283–316.

11 Vgl. hierzu Ders., Deutsche Frage und österreichischer Staatsvertrag, in: Geschichte und Gegenwart 11 (1992), S. 243–252. Ders., 1955: The German Question and the Austrian State Treaty, in: Diplomacy and Statecraft 3 (1992), S. 494–522. Bruno Thoß, Modellfall Österreich? Der österreichische Staatsvertrag und die deutsche Frage 1954/55, in: Bruno, Thoß/Hans-Erich Volkmann, (Hrsg.), Zwischen Kaltem Krieg und Entspannung. Sicherheits- und Deutschlandpolitik der Bundesrepublik im Mächtesystem der Jahre 1953–1956, Boppard 1988, S. 93–136; Michael, Gehler, State Treaty and Neutrality. The Austrian solution in 1955 as a „model" for Germany? in: Austria in the Nineteen Fifties, Contemporary Austrian Studies, New Brunswick (NJ 1994), S. 39–78; Ders., „L'unique objectif des Soviétiques est de viser l'Allemagne". Staatsvertrag und Neutralität 1955 als „Modell" für Deutschland? in: Thomas Albrich/Klaus

Eisterer/Michael Gehler/Rolf Steininger (Hrsg.), Österreich in den Fünfzigern, Innsbruck – Wien 1995, S. 259–297.

12 Abgedruckt bei Alfons Schilcher, Österreich und die Großmächte. Dokumente zur österreichischen Politik 1945–1955, Wien – Salzburg 1980,
   S. 238 ff.
13 Ebd., S. 241.
14 Ebd.
15 Ebd., S. 246 f.
16 Minutes von Hancock, 19. 3.; Young, 21. 3.; Harrison, 22. 3. 1955. Public
   Record Office, London (im Folgenden PRO), FO 371/117786/RR 1071/43.
17 Confidential letter, Wallinger an G.W. Harrison, 22. 3. 1955. Ebd., RR
   1071/47.
18 Austria. Memorandum von Harrison, 23. 3. 1955. PRO, FO
   371/11778/RR 1071/72.
19 Secret, C.P. (5) 83, 26. 3. 1955: „Talks with the Soviet Union." PRO, CAB
   129/74.
20 Bohlen an State Department, 31. 3. 1955. FRUS, 1955–1957, vol. V, S. 26.
21 Aufzeichnung v. 28. 3. 1955. PRO, FO 371/11777787/RR 107/22.
22 PRO, FO 371/117 787/RR 1071/74.
23 Eden an brit. Botschaft in Washington, 29. 3. 1955. PRO, FO
   351/117787/RR 1071/86.
24 Vgl. hierzu Stourzh, Staatsvertrag.
25 Wallinger an Foreign Office, 15. 4. 1955. PRO, FO 371/117789/RR
   1071/131.
26 Ebd.
27 Hayter an Foreign Office, 15. 4. 1955. PRO, FO 371/117789/RR 1071/134.
28 „Austria". C.P. (55) 12, 26. 4. 1955, Memorandum Macmillan. PRO, CAB
   129/75.
29 P. Reilly (Paris) an G. Harrison, 16. 4. 1955. PRO, FO 371/117791/RR
   1971/194.
30 „Soviet and East German Press and Radio Comment on Austria". PRO,
   FO 371/117791/RR 1071/194.
31 Am 22. 4. 1955 und 23. 4. 1955. In: Adenauer-Studien III, hrsg. v. Rudolf
   Morsey und Konrad Repgen, Mainz 1974, S. 137 f.
32 PRO, FO 371/177789/RR 1071/134; vgl. auch Michael Gehler, Österreich,
   die Bundesrepublik und die deutsche Frage 1945/49–1955. Zur Geschichte
   der gegenseitigen Wahrnehmung zwischen Abhängigkeit und gemeinsamen Interessen, in: Ders./Rainer F. Schmidt/Harm-Hinrich Brandt/Rolf
   Steininger (Hrsg.), Ungleiche Partner? Österreich und Deutschland in
   ihrer gegenseitigen Wahrnehmung. Historische Analysen und Vergleiche
   aus dem 19. und 20. Jahrhundert (Beiheft 15 der Historischen Mitteilungen der Ranke-Gesellschaft), Stuttgart 1996, S. 535–580, hier S. 571–575.
33 Hayter an Foreign Office, 9. 5. 1955. PRO, FO 371/118211/WG 1071/519.
34 Adenauer-Studien III, S. 138.
35 Hayter an Foreign Office, 8. 6. 1955, PRO, PREM 11/906.
36 Hans-Peter Schwarz, Adenauer. Der Staatsmann 1952–1967, Stuttgart
   1991, S. 184.
37 Hayter an Foreign Office, 11. 9. 1955. PRO, PREM 11/906.
38 Sechs Seiten Memorandum; Wallinger an H. Macmillan, 24. 5. 1955.
   PRO, FO 371/117801/RR 1071/450.

Dokument 1

Amtsvermerk

Über die Konferenz mit den österreichischen Botschaftern in London, Moskau, Paris und Washington, am 28. 3. 1955, 16.15 Uhr.

Anwesende:

Herr Bundeskanzler,

Herr Vizekanzler

Herr Bundesminister für Ausw. Angelegenheiten

Herr Staatssekretär

Botschafter Bischoff, Botschafter Gruber, Botschafter Schwarzenberg, Botschafter Vollgruber, Herr Generalsekretär und Gesandter Schöner.

Der Herr Bundeskanzler begrüßte die Erschienenen und betont, daß die Einladung der Botschafter unabhängig schon vor den letzten Ereignissen erfolgt ist. Er weist auf den zehnten Jahrestag der österreichischen Befreiung hin und betont, daß die gewissen Pläne von Trauer- und Protestkundgebungen fallengelassen wurden. Der 27. April wird als Erinnerungstag an die erste Regierung in einer Festsitzung gefeiert werden, bei welcher der Herr Bundespräsident und der Herr Bundeskanzler Reden halten werden, allenfalls wird bei diesen Sitzungen neuerlich an die vier Mächte appelliert werden, in Wien zusammenzutreten, um den Staatsvertrag endlich fertigzustellen.

Der Bundeskanzler fragte die Botschafter, wie die Regierungen, bei denen sie beglaubigt sind, eine Einladung zu einer Konferenz aufnehmen würden? Wir sind der Meinung, daß die österreichische Delegation in Moskau keine Abschlüsse machen, sondern sich nur über die russischen Absichten erkundigen und sondieren soll. Des weiteren führte der Bundeskanzler aus:

1. Es ist für uns klar, daß wir die Einladung der russischen Regierung nicht ablehnen können, nachdem bereits den drei anderen Mächten Staatsbesuche abgestattet worden sind.

2. Wir wissen, daß wir der Einladung bald Folge leisten müssen. Wir meinen, daß dies in der Woche nach Ostern geschehen soll. Aufenthalt voraussichtlich zwei bis drei Tage, ohne daß hiebei Abschlüsse getroffen werden. Es müßte klargestellt werden, was sich die russische Regierung unter Garantie vorstellt. Nach der Rück-

kehr wird in Wien über das Ergebnis beraten werden, insbesonders um festzustellen, ob der schon vorher geplante Appell an die vier Besatzungsmächte anläßlich der Feiern des 27. April erfolgen kann oder nicht.

3. An der Reise sollen der Bundeskanzler selbst, der Vizekanzler, der Außenminister und Staatssekretär Kreisky teilnehmen. Der Bundeskanzler fordert nun die Botschafter zur Stellungsnahme auf. Bischoff: Ich glaube, daß die Vorschläge des Bundeskanzlers in den Rahmen dessen fallen, was sich die Leute in Moskau vorstellen. Selbstverständlich kann nichts geschehen, womit nicht alle vier Mächte und Österreich einverstanden sein werden. Man müsse sich klar darüber werden, welche Garantien verlangt werden. Es geht den Russen wirklich darum, in der Frage vorwärts zu kommen, schon aus sehr naheliegenden Gründen. Es beginnt sich eine transkontinentale Frontlinie von Lübeck bis Triest abzuzeichnen, die durch unser Land geht. Diese Linie wird immer mehr zur Realität und droht unser Land entzweizuschneiden. Die Unterbrechung dieser Linie scheint augenblicklich eine der wichtigsten Aufgaben der russischen Diplomatie zu sein. Deren Ideal ist es, einen Zustand in Europa herbeizuführen, bei dem eine neutrale Zone zustandekommt, ähnlich wie sie im Norden bereits durch Schweden und Finnland repräsentiert wird. Eine derartige Neutralitätszone, umfassend die Schweiz, Österreich und Jugoslawien würde Donaueuropa abschirmen. Sodann weist Bischoff auf gewisse Entwicklungen in Deutschland hin und erinnert an die Haltung der deutschen Beobachter auf der Berliner Konferenz 1954, wo man im Hotel am Zoo frohlockte, als eine Einigung über Österreich nicht zustandekam.

Die Aktion der Sowjetunion stellt primär den Versuch dar, eine weitere neutrale Sicherheitszone zu schaffen. Dies ist nicht nur meine Meinung, sondern auch die vieler anderer Kollegen in Moskau, insbesondere der jugoslawische Botschafter steht ganz auf dieser Linie.

Die russische Aktion, die in Moskau dringlich erscheine, hat eine lange Vorgeschichte. Die ersten Anregungen wurden von mir schon vor fünf Monaten gemacht. Damals wurden sie von russischer Seite nicht aufgenommen. Nun aber mit monatelanger Verspätung wieder hervorgeholt und in der Rede Molotows vom 8. Februar erstmals hinausgestellt. Die russische Initiative ist also nicht ganz spontan vom Himmel gefallen.

Meine drei Gespräche mit Molotow haben dazu geführt, daß die Bundesregierung ihre bekannte Haltung abgab, sie werde „jede wirkungsvolle Garantie unserer Sicherung" begrüßen. Es bestehe daher über den wichtigsten Punkt eine grundsätzliche Einigung, daher sei die Einladung an die Bundesregierung ergangen, um zu beraten, wie diese grundsätzliche Einigung praktisch verwirklicht werden könne.

Den Russen ist um diese Einigung sehr zu tun. Sollte die Einigung nicht zustandekommen, so gäbe es als Alternative nur die Fortdauer eines Zustandes, der sowohl uns wie der Sowjetunion sehr unangenehm ist und der in der Zukunft für uns noch äußerst gefährlich werden könnte. Vor zehn Jahren rückten französische Truppen in Tirol ein, heute stehen amerikanische Soldaten in Tirol, wer aber in zehn Jahren dort stehen wird, wenn es so weiter geht, das weiß ich nicht.

Deutschland ist wieder im Begriff, die erste Militärmacht in Europa zu werden als Verbündeter der USA. Es ist also ganz unrichtig, wenn behauptet wird, die Freiheit werde uns aus fadenscheinigen Vorwänden vorenthalten. Das Jahr 1941 war für die Sowjetunion die größte Katastrophe, die seit Dschingis Khan über Rußland hereinbrach. Gegen eine Wiederholung dieser Katastrophe trachtet sich die Sowjetunion begreiflicherweise mit allen Mitteln zu sichern. Sie kann daher die vorhandene Sicherheit nicht aufgeben. Jeder russische Außenminister, der dies täte, würde am gleichen Tag im Keller der Lubjanka erschossen werden.

Die Engländer haben sich nie wirklich gegen den Anschluß gestellt, standen ihm immer positiv gegenüber, daher genügt ihnen der nichtssagende Artikel 4, nicht aber den Russen. Als Artikel 4 niedergeschrieben wurde, konnte kein Russe ahnen, daß Deutschland wieder aufrüsten werde. Wenn die clausula rebus sic stantibus sogar bei existierenden Verträgen gilt, dann muß sie noch vielmehr für den Entwurf eines noch gar nicht niedergeschriebenen Vertrages gelten.

Ich habe vor meiner Abreise die gleichen Ausführungen gegenüber Herrn Semjonow gemacht, die ich ihnen soeben vorgetragen habe. Ich sagte ihm, er solle sie Molotow weitergeben und mir sagen, wenn daran eine Korrektur gewünscht werde. Daraufhin erfolgte die Einladung.

Herr Bundeskanzler: Ich sehe die realen Gründe der Russen ein. Unsere Skepsis beruht aber auf das [sic!] Verhalten der Russen in den vergangenen Jahren, da die Sowjetunion als Aggressor auftrat. Für uns ergeben sich schwierige Fragen, wenn wir in eine Neutralisierung einsteigen, insbesonders wegen Deutschland. Wer wird dann die Russen aufhalten, wenn sie bis zum Atlantik marschieren wollen. Andererseits können wir die gebotene Hand nicht zurückweisen. Wir wollen aber keine österreichische Unabhängigkeit unter russischem Protektorat.

Bischoff: Die Russen wollen sicherlich den Abschluß des Staatsvertrages und werden daher keine Bedingungen stellen, die weder Österreich noch die Westmächte (nicht [sic]) annehmen könnten.

Gruber: Die Einladung hat bei der amerikanischen Regierung zwar keine Freude ausgelöst. Man sieht aber ein, daß sie von uns angenommen werden muß. Es wäre wichtig, daß die Reise nicht zu groß aufgezogen wird. Man sieht in Washington ein, daß wir keinen militärischen Bündnissen beitreten wollen, doch möchte man, daß wir diesem Punkt keine besondere Prominenz geben. Sollen schließlich die USA allein den Kommunismus ablehnen? Das Wort „Neutralität" sollte möglichst wenig gebraucht werden, selbst wenn es dem Sinn nach zu einer solchen kommen würde. Man sollte diese neue Phase nicht als eine Bindung hinstellen, die Österreich aus dem bisherigen Zusammenhang herausnimmt.

Es ergeben sich nunmehr einige Fragen, wobei man über die Motive der sowjetischen Regierung nur spekulieren kann:

1. Problem der Einmischung:
    Es gibt Garantien entweder mit Papier oder mit Maßnahmen. Wenn über praktische Maßnahmen verhandelt werden soll, so begeben wir uns auf sehr schwieriges Gebiet. Dulles sprach schon auf der Berliner Konferenz vom deutschen Handel, der sich machtvoll ausbreite. Die Konzeption einer Garantie, die Österreich wirtschaftlich oder handelspolitisch beschränkt, wäre unannehmbar.

2. Frage des Zeitpunktes:
    Die Räumung von den Truppen muß derart festgelegt werden, daß es den Russen nicht freisteht, bei guter Gelegenheit wieder zurückzukommen. Für Washington wäre nur eine solche Lösung akzeptabel, bei der bei einem bestimmten Tag kein russischer Soldat mehr in Österreich bleiben kann. Der Termin muß nach den österreichischen Bedürfnissen beurteilt werden. Es darf später nicht von dem Willen der Russen abhängen, Österreich etwa wieder zu besetzen.

3. Allfällige Revision des vorhandenen Staatsvertragstextes: Wir
   werden klarmachen müssen, in welcher Grenze wir eine Revision des Entwurfes wünschen. Die Russen werden darüber vielleicht mit sich reden lassen.

4. Prozedur:
   Die Westmächte sind nicht bereit, zu einer Außenministerkonferenz zu gehen, solange nicht die Ratifizierungsurkunden der
   Pariser Verträge hinterlegt worden sind. Dann aber werden die
   USA vielleicht sogar stark auf eine Konferenz drängen. Auch in
   den USA sind einflußreiche Kreise wegen der steigenden internationalen Spannungen sehr besorgt.

Es wäre kein schlechter Gedanke, zuerst eine Klärung auf anderer
Ebene zu versuchen, insbesonders in der Frage der Garantie und
der Bündnisfreiheit und des „Timing" der Prozedur. Wenn die Herren der Bundesregierung am 17. April zurück sein sollten, ist man
ja schon über den größten Teil des April hiweggekommen.

5. Wie werden die amerikanischen Militärs reagieren?
   Sicherlich nicht mit Freude, aber die Generäle entscheiden die
   amerikanische Politik nicht allein, wenn sie auch Einfluß darauf üben. Wenn eine Lösung gefunden werden sollte, der die
   österreichische Bundesregierung zustimmen kann, wird man
   vielleicht auch die Westmächte, insbesonders die Amerikaner,
   dazu bringen können, sie zu akzeptieren. Die USA könnte es
   sich schließlich nicht leisten, eine wirkliche und praktische Lösung aus militärischen Gründen im Gegensatz zur Ansicht der
   Bundesregierung einfach zurückzuweisen.

Vollgruber: Die französische Regierung sieht die russische Aktion –
im Gegensatz zu ihrer Ansicht vor vier Wochen – nunmehr als
seriös an. Der Quai d'Orsay hat sicherlich nichts dagegen, wenn wir
der Einladung nach Moskau Folge leisten. Paris sieht eine „Neutralisierung" nicht gerne, schon wegen der Rückwirkung auf die Verhandlungen und die Entwicklung in Deutschland. Wenn wir uns
aber selbst als souveräner Staat für neutral erklärten, dann hätte
man sicherlich nichts dagegen.

Das Wort „Fristen" in der letzten russischen Antwort hat in Paris
beunruhigt, weil es dort nicht klar erscheint, von welchen Ereignissen diese Fristen abhängig gemacht werden sollen. Man will schon
in unserem Interesse nur festen und unveränderlichen Termin.

Die Franzosen sind nach der Ratifizierung bereit, an einer Vierer-
Konferenz teilzunehmen, wenn auch vielleicht nicht sofort. Die

französische Regierung ist sich noch nicht ganz klar, wie sie sich in
den einzelnen Phasen verhalten soll. Schon vor einiger Zeit wurde
eine Konferenz der großen Vier vom Quai d'Orsay in Washington
und in London inoffiziell angeregt; insbesondere wurde über die
Methoden sondiert, um zu einer solchen Konferenz zu gelangen.

Schwarzenberg: Das Foreign Office ist schwer zu einer Präzisierung
seines Standpunktes zu bringen. Es hegt große Skepsis gegenüber
unserer Einladung nach Moskau. Die Russen haben es bei allen
Konferenzen verstanden, immer mehr für sich herauszuschlagen,
ohne selbst Konzessionen zu machen. Man fürchtet, daß der Bundesregierung bei ihrer Reise nach Moskau von den Russen eine
Reihe von Zugeständnissen versprochen werden, die sie natürlich
nicht ablehnen könnte. Warum haben es die Russen plötzlich so
eilig? Man fürchtet, daß die Russen wirklich konzessionsbereit sein
werden und uns in Moskau in larger Weise in vielen Dingen nach-
geben werden. Wenn es dann zu einer Vierer-Konferenz käme, wären die Westmächte in der peinlichen Situation, zu russischen Zugeständnissen vielleicht sogar nein sagen zu müssen. Dies würde
dann nach einem Frontwechsel aussehen, wobei Österreich auf Seite der Sowjetunion gegen die drei neinsagenden Westmächte stän-
de. Diese Befürchtung werde noch durch den Umstand verstärkt,
daß die Russen praktisch die ganze Bundesregierung nach Moskau
haben wollen, wo dann jedes Wort, das dort von der Delegation
gesprochen wird, für die ganze Bundesregierung verbindlich
wäre.

Die Bundesregierung könnte dann nach der Rückkehr aus Moskau
nicht mehr die dort eingenommene Linie abschwächen. Ich habe
natürlich erwidert, wenn man „in corpore" fahre, so verhandle man
eben. Anders sei es, wenn nur ein oder zwei Regierungsmitglieder
„entsendet" würden. Ich glaube aber, wenn die Bundesregierung
eine zusätzliche Garantie der österreichischen Unabhängigkeit von
England fordern würde, dann bestände doch Aussicht, daß das Foreign Office von seiner bisherigen starren Haltung abgehen könnte.

Gruber: Wenn der Staatsvertrag in Kraft tritt, dann erlischt die
Funktion des Alliierten Rates. Wollen wir uns mit einer Botschafter-Konferenz begnügen oder will man nicht Vorschläge wegen Verlängerung des Alliierten Rates, insbesondere zur Sicherung für
Wien, machen?

Herr Bundeskanzler: Wenn wir am Staatsvertragstext viel herum-
arbeiten, könnten wir in Schwierigkeiten geraten. Wegen einer Än-

derung beziehungsweise Fortsetzung des Kontrollabkommens könnte man entsprechende Erklärungen in einem Protokoll bei der Unterzeichnung des Vertrages oder knapp nachher niederlegen. Es müsse vielleicht ein Protokoll neben dem Staatsvertrag geschaffen werden. (Abzug der Besatzungstruppen, Übergabe der USIA-Betriebe, etc.). Übrig bliebe dann die Ratifikation des Staatsvertrages, auf deren Zeitpunkt wir ja keinen Einfluß haben können.

Gruber: Wenn man wieder beginnt, über den Staatsvertrag zu verhandeln, dann ist kein Ende abzusehen. Neue Verhandlungen geben ja schließlich auch den Westmächten eine erwünschte Gelegenheit, alles ins Endlose hinauszuziehen.

Herr Bundesminister: Wenn auch nur ein Artikel des Entwurfes geändert werden soll, dann kommen wir in unendliche Prozeduren. Der alte Staatsvertrag muß eben mit allfälligen Zusatzprotokollen angenommen werden. Alle Fristen müssen ab Unterzeichnung laufen; solange nur ein alliierter Soldat auf österreichischem Boden steht, muß auch der Alliierte Rat in irgendeiner Form weiter funktionieren.

Herr Staatssekretär: Eine Botschafterkonferenz in Wien würde die Rückkehr zur Situation am Ende der Berliner Konferenz bedeuten. Damals hat man uns gegen unser Versprechen, daß wir gegenüber den Russen festbleiben werden, die Fortsetzung der Verhandlungen auf einer Botschafter-Konferenz zugesagt. Dulles hat dann plötzlich ohne Rücksprache mit den Beteiligten erklärt, daß er die Botschafterkonferenz nicht annehme. Ein Zurückgehen auf den letzten Vorschlag Molotows auf der Berliner Konferenz würde die USA in eine ungünstige Situation bringen. Wir haben gegenüber den Westmächten auch immer eine echte Loyalität bewiesen, auch im Gegensatz zu gewissen Maßnahmen kleinerer Funktionäre. Ist sich der Westen im klaren, daß das gegenwärtige Idyll in Österreich nicht unbedingt andauern muß? Ein vollkommenes Scheitern der Besprechungen mit den Russen könnte Folgen haben, gegen die uns der Westen nicht schützen kann. Wenn der Westen von uns eine energische Haltung verlangt, was geschieht dann in Ostösterreich?

Gruber: Die USA sind ja mit einer Konferenz einverstanden, wenn nur die Ratifizierungsurkunden einmal hinterlegt sind.

Herr Staatssekretär: Bischoff sagte: „Verbale Garantie an sich genüge nicht." Was ist darunter zu verstehen? Wenn wir in Moskau sein werden, können wir dann auch mit den dortigen Vertretern der Westmächte zusammenkommen?

Bischoff: Das wird bestimmt möglich sein, so wie es auch seinerzeit auf der Moskauer Konferenz unter dem damaligen Außenminister Gruber der Fall war.

Herr Staatssekretär: Wir müssen mit Joxe, Bohlen und Hayter zusammenkommen, nicht nur bei den großen offiziellen Empfängen, sondern auch gesondert.

Zu der Bemerkung Botschafter Schwarzenbergs über die Gefahr, daß die Westmächte durch russische Konzessionen in eine unangenehme Lage kommen könnten, muß ich nur sagen, daß wir bei wirklichen Zugeständnissen nicht nein sagen könnten.

Schwarzenberg: Es kann aber doch Konzessionen geben, die eigentlich zu Lasten Dritter gehen. Es handelt sich vielleicht um die moralische Stärkung der russischen Seite. Außerdem besteht die Gefahr, daß die Russen einmal sagen könnten: „Ihr Österreicher habt bei der Erwägung gewisser Dinge ja doch freundlich lächelnd geschwiegen, wenn nicht gar genickt."

Gruber: Ich möchte nochmals betonen, daß eine Außenministerkonferenz vor Hinterlegung der Ratifikationsurkunden des Pariser Abkommens nicht in Frage kommt, schon wegen der Möglichkeit ihrer Ausdehnung auf nicht dazugehörige Dinge. Die Hinterlegung der Urkunden sollte in ein bis zwei Monaten erledigt sein. Ich bin fest überzeugt, daß dann der Weg zu einer Außenministerkonferenz offen steht. Eine solche Konferenz besitzt auch viele Anhänger im amerikanischen Senat. Vielleicht könnte eine Österreichkonferenz in Wien als taktisches Element als eine Art Zwischenstadium eingeschoben werden. Ich bin völlig überzeugt, daß eine Außenministerkonferenz noch in diesem Jahr zustandekommen muß. Es erscheint aber absolut notwendig, in verschiedenen Phasen zu arbeiten. Zuerst werden wir nach Moskau fahren. Dann werden wir auf Grund der dort gemachten Erfahrungen unsere Interessen auch gegenüber den Westmächten vertreten. Dies könnte man zunächst auf diplomatischem Wege versuchen, wobei die Aktionen parallel laufen sollten. Allerdings können wir uns nicht mit den Russen über etwas einigen, was den Westmächten nachher nicht annehmbar wäre. Es muß eben in Moskau getrachtet werden, das Verständnis eines so wichtigen Mannes wie Bohlens zu gewinnen, dessen Berichte in Washington Gewicht haben. Wenn es zu einer Lösung kommt, die wir mit gutem Gewissen vertreten können, dann werden wir sie auch in Amerika und bei den anderen Westmächten durchsetzen. Wir dürfen damit aber nicht zu spät herauskommen.

Herr Bundeskanzler: Es steht jedenfalls fest, daß wir in unserer prinzipiellen Abwehr gegen den Bolschewismus keine politischen Konzessionen machen werden. Ich bitte die bei den Westmächten akkreditierten Botschafter, dies den jeweiligen Regierungen zu versichern. Weisen Sie dabei auch darauf hin, daß andere Staaten weniger brav sind als wir und erheblich intensivere Handelsbeziehungen mit dem Osten haben.

Gruber: Im Westen besteht sicherlich Vertrauen zu uns, aber man muß gewisse selbstverständliche Dinge immer wieder von neuem vorbringen. Nach erfolgter Ratifikation wird man im Westen viel selbstbewußter sein, sodaß man den Westmächten dann auch mehr wird zumuten können.

Schwarzenberg: Die Engländer pflegen leider sehr zu simplifizieren. Sie fragen, was stellen sich die Russen unter Garantie vor, wir Engländer wissen es nicht. Wie stellt ihr Österreicher euch die Garantien vor. Sollte man nicht schon vor der Reise nach Moskau den Westmächten andeuten, wie wir uns mögliche Garantien vorstellen? Das Foreign Office ist bekanntlich sehr besorgt und wir könnten da sehr beruhigend wirken.

Bischoff: Die englische Regierung hat noch keine Gelegenheit vorübergehen lassen, um ihre Besorgnis über den möglichen Abschluß des Staatsvertrages auszudrücken. Habeant sibi! Ich sehe nicht ein, warum wir die Engländer beruhigen müssen durch eine vorherige Erklärung, von der wir gar nicht wissen, ob sie uns später einmal nicht ungelegen kommen wird. Warum sollten wir uns eigentlich festlegen?

Bundesminister Figl verweist auf die Beilage 16 des Dossiers[1] und ersucht die Botschafter, dieselbe zu studieren.

Gruber: Es handelt sich bei diesem Schriftstück um typische Verbalgarantien. Bischoff hat damit schon recht. Doch muß ich entgegenhalten, daß wir ohne die Westmächte keinen Staatsvertrag machen können.

Herr Bundeskanzler: Wir sind mit unserer Antwortnote an die Russen, in der wir ausdrücklich „jede wirkungsvolle Sicherung und Garantie" begrüßen, schon sehr weit gegangen. Die Garantien des Staatsvertragsentwurfes müssen die anderen geben, denn unser künftiges Bundesheer allein genügt nicht. Es steht zu hoffen, daß man in der Zukunft auch Deutschland verhalten wird, eine entsprechende Erklärung über die österreichische Unabhängigkeit abzugeben.

Herr Staatssekretär: Wir verstehen unter „wirkungsvollen Garantien" nicht das gleiche wie die Russen. Eine wirklich reale Garantie würde nach Ansicht der Russen die Verewigung des Besatzung bedeuten. Für uns ist aber eine gemeinsame Garantie der vier Mächte die wirkungsvollste Garantie.

Gruber: Es bleibt die Frage, ob man mit gesprochenen oder geschriebenen Worten die Russen überhaupt zufrieden stellen kann. Wenn dies möglich ist, dann wird man wohl auch die Westmächte dazu bringen können. Ob die Russen mehr wollen, wird man nur an Ort und Stelle feststellen können. Die Russen haben in ihrer ersten Note von gewissen Maßnahmen in Deutschland gesprochen. Dieser Passus scheint aber inzwischen fallengelassen worden zu sein.

Herr Bundesminister: Die Herren Botschafter werden morgen bei mir wieder zusammenkommen und auch am Abend zu weiteren Gesprächen bei der Einladung des Herrn Bundeskanzlers Gelegenheit haben. Wir müssen halt Optimisten bleiben. Die Herren Botschafter sollen Freitag mittag zurückfahren und uns über die Reaktionen der Außenminister möglichst bald berichten.

Der Herr Bundeskanzler stellt fest, daß die Reise aller Voraussicht nach in der Zeit vom 11. bis zum 17. April stattfinden werde und fügt hinzu, daß Österreich in keiner Weise dem Kommunismus eine Tür öffnen werde. Es bittet die Botschafter in London, Paris und Washington, das ihren jeweiligen Regierungen nochmals ganz deutlich zu sagen. Diese unsere Haltung sei eine feste Garantie der österreichischen Unabhängigkeit.

Ende 17.55 Uhr.

Alfons Schilcher, Österreich und die Großmächte. Dokumente zur österreichischen Politik 1945–1955, Wien – Salzburg 1980, S. 254–264.

---

1 Dossier und Beilagen sind nicht dem Akt beigeschlossen.

Dokument 2

Memorandum[1]
über die Ergebnisse der Besprechung zwischen der Regierungsdelegation der Republik Österreich und der Regierungsdelegation der Sowjetunion.

I.

Im Zuge der Besprechungen über den ehesten Abschluß des österreichischen Staatsvertrages in Moskau vom 12.–15. April 1955 wurde zwischen der sowjetischen und der österreichischen Delegation Einverständnis darüber erzielt, daß im Hinblick auf die von den Mitgliedern der sowjetischen Regierung – dem Herrn Stellvertretenden Vorsitzenden des Ministerrates der UdSSR und Außenminister der UdSSR W. M. Molotow und dem Herrn Stellvertretenden Vorsitzenden des Ministerrates der UdSSR A. I. Mikojan – abgegebenen Erklärungen, Herr Bundeskanzler Ing. Julius Raab, Herr Vizekanzler Dr. Adolf Schärf, Herr Außenminister Dr. h. c. Ing. Leopold Figl, Herr Staatssekretär Dr. Bruno Kreisky im Zusammenhang mit dem Abschluß des österreichischen Staatsvertrages für die Herbeiführung folgender Beschlüsse und Maßnahmen der österreichischen Bundesregierung Sorge tragen werden.

1.) Im Sinne der von Österreich bereits auf der Konferenz von Berlin im Jahre 1954 abgegebenen Erklärung, keinen militärischen Bündnissen beizutreten und militärische Stützpunkte auf seinem Gebiet nicht zuzulassen, wird die österreichische Bundesregierung eine Deklaration in einer Form abgeben, die Österreich international dazu verpflichtet, immerwährend eine Neutralität der Art zu üben, wie sie von der Schweiz gehandhabt wird.

2.) Die österreichische Bundesregierung wird diese österreichische Deklaration gemäß den Bestimmungen der Bundesverfassung dem österreichischen Parlament unmittelbar nach Ratifikation des Staatsvertrages zur Beschlußfassung vorlegen.

3.) Die Bundesregierung wird alle zweckdienlichen Schritte unternehmen, um für diese vom österreichischen Parlament bestätigte Deklaration eine internationale Anerkennung zu erlangen.

4.) Die österreichische Bundesregierung wird eine Garantie der Unversehrtheit und Unverletzlichkeit des österreichischen Staatsgebietes durch die vier Großmächte begrüßen.

5.) Die österreichische Bundesregierung wird sich für die Abgabe einer solchen Garantieerklärung durch die vier Großmächte bei den Regierungen Frankreichs, Großbritanniens und der Vereinigten Staaten von Amerika einsetzen.

6.) Die Bundesregierung wird nach Übergabe der deutschen Vermögenswerte in der sowjetischen Besatzungszone an Österreich Maßnahmen herbeiführen, die eine Überführung dieser Vermögenswerte in das Eigentum ausländischer Staatsangehöriger einschließlich juristischer Personen privaten oder öffentlichen Rechtes ausschließt. Ferner wird sie dafür Sorge tragen, daß gegen die bei den früheren USIA-Betrieben, bei den Betrieben der ehemaligen sowjetischen Mineralölverwaltung, der Aktiengesellschaft OROP und bei der DDSG Beschäftigten keine diskriminierende Maßnahmen ergriffen werden.

II.

Die Herren Stellvertretenden Vorsitzenden des Ministerrates der UdSSR W. M. Molotow und A. I. Mikojan haben namens der Sowjetregierung im Hinblick auf die Erklärungen der österreichischen Regierungsdelegation folgende Erklärung abgegeben:

1.) Die Sowjetunion ist bereit, den österreichischen Staatsvertrag unverzüglich zu unterzeichnen.

2.) Die Sowjetregierung erklärt sich damit einverstanden, daß alle Besatzungstruppen der Vier Mächte nach Inkrafttreten des Staatsvertrages, nicht später als am 31. Dezember 1955, aus Österreich abgezogen werden.

3.) Die Sowjetregierung hält die Artikel 6, 11, 15, 16-bis und 36^2 für überholt oder überflüssig und ist bereit, diese Artikel fallenzulassen. Sie ist überdies bereit, auch den Artikel 48-bis^3 bei gleichzeitigem Verzicht Österreichs auf die Forderungen an die Sowjetunion aus den sogenannten „zivilen Besatzungskosten" fallenzulassen. Sie wird überdies die österreichische Regierung in ihren Bemühungen, weitere mögliche Änderungen des Staatsvertragsentwurfs zu erreichen, unterstützen und solchen Änderungen zustimmen. Jedoch besteht Einverständnis darüber, daß durch Vorschläge zur Änderung des Vertrages die Verhandlungen zum Abschluß des Staatsvertrages zwischen den Vier Mächten und Österreich nicht unnötig verzögert werden sollen.

4.) Die Sowjetregierung ist bereit, die Deklaration über die Neutralität Österreichs anzuerkennen.

5.) Die Sowjetregierung ist bereit, an einer Garantie der Unversehrtheit und Unverletzlichkeit des österreichischen Staatsgebietes durch die Vier Großmächte – nach dem Muster der Schweiz – teilzunehmen.

III.

[hier folgen die wirtschaftlichen Abmachungen].

Alfons Schilcher, Österreich und die Großmächte. Dokumente zur österreichischen Politik 1945–1955, Wien – Salzburg 1980, S. 284 ff.

1 Das „Moskauer Memorandum" wurde später in unterschiedlicher Form veröffentlicht, das hier zitierte war Arbeitsgrundlage des BKA/AA.
2 Artikel 6, Einbürgerung und Aufenthalt von Deutschen in Österreich. Artikel 11, Kriegsverbrecher. Artikel 15, Wiederherstellung der Archive. Artikel 16-bis, Abtransport von Personen „deutschen Ursprungs".
3 Artikel 48-bis, Anerkennung der Schulden Österreichs durch Leistungen der Besatzungsmächte seit dem 8. Mai 1945.

Literatur

Bischof, Günter/Leidenfrost, Josef (Hrsg.), Die bevormundete Nation. Österreich und die Alliierten 1945–1949 (Innsbrucker Forschungen zur Zeitgeschichte 3), Innsbruck 1988.

Bischof, Günter, Österreichische Neutralität, die deutsche Frage und europäische Sicherheit 1953–1955, in: Rolf Steininger/Jürgen Weber/Günter Bischof/Thomas Albrich/Klaus Eisterer (Hrsg.), Die doppelte Eindämmung. Europäische Sicherheit und deutsche Frage in den Fünfzigern, München 1993, S. 133–176.

Bollmus, Reinhard, Ein kalkulierbares Risiko? Großbritannien, die USA und das „Deutsche Eigentum" auf der Konferenz von Potsdam, in: Bischof/Leidenfrost, Bevormundete Nation, S. 107–126.

Cronin, Audrey K., Eine verpaßte Chance? Die Großmächte und die Verhandlungen über den Staatsvertrag im Jahre 1949, in: Bischof/Leidenfrost, Bevormundete Nation, S. 347–370.

Csáky, Eva-Marie, Der Weg zur Freiheit und Neutralität. Dokumentation zur österreichischen Außenpolitik 1949–1955, Wien 1980.

Gehler, Michael, Kurzvertrag für Österreich? Die Stalin-Noten und die Staatsvertragsdiplomatie 1952, in: *Vierteljahrshefte für Zeitgeschichte* 43 (1994), Heft 2, S. 243–278.

Ders., State Treaty and Neutrality. The Austrian solution in 1955 as a „model" for Germany? in: Austria in the Nineteen Fifties, *Contemporary Austrian Studies 3*, New Brunswick (NJ) 1994, S. 39–78.

Ders., „L'unique objectif des Soviétiques est de viser l'Allemagne". Staatsvertrag und Neutralität 1955 als „Modell" für Deutschland? In: Thomas Albrich/Klaus Eisterer/Michael Gehler/Rolf Steininger, (Hrsg.), Österreich in den Fünfzigern (Innsbrucker Forschungen zur Zeitgeschichte 11), Innsbruck – Wien 1995. S. 259–297.

Ders., Österreich, die Bundesrepublik und die deutsche Frage 1945/49–1955. Zur Geschichte der gegenseitigen Wahrnehmung zwischen Abhängigkeit und gemeinsamen Interessen, in: Ders./Rainer F. Schmidt/Harm-Hinrich Brandt/Rolf Steininger (Hrsg.), Ungleiche Partner? Österreich und Deutschland in ihrer gegenseitigen Wahrnehmung. Historische Analysen und Vergleiche aus dem 19. und 20. Jahrhundert (Beiheft 15 der Historischen Mitteilungen der Ranke-Gesellschaft), Stuttgart 1996, S. 535–580.

Jenny, Christian, Konsensformel oder Vorbild? Die Entstehung der österreichischen Neutralität und ihr Schweizer Muster (Schrif-

tenreihe der schweizerischen Gesellschaft für Außenpolitik 12),
Bern – Stuttgart – Wien 1995.

Mock, Alois/Steiner, Ludwig/Khol, Andreas (Hrsg.), Neue Fakten zu
Staatsvertrag und Neutralität, Wien 1987.

Rauchensteiner, Manfried, Österreich nach 1945 – Der Weg zum
Staatsvertrag, in: Anton Pelinka/Rolf Steininger (Hrsg.), Österreich und die Sieger, Wien 1986, S. 151–162.

Schilcher, Alfons, Österreich und die Großmächte. Dokumente zur
österreichischen Politik 1945–1955, Wien – Salzburg 1980.

Siegler, Heinrich, Österreichs Weg zur Souveränität, Neutralität,
Prosperität, Bonn – Wien – Zürich 1959.

Steininger, Rolf, Deutsche Frage und österreichischer Staatsvertrag, in: Geschichte und Gegenwart 11 (1992), S. 243–252.

Ders., 1955: The German Question and the Austrian State Treaty,
in: Diplomacy and Statecraft 3 (1992), S. 494–522.

Ders., Deutsche Geschichte seit 1945, Bd. 2: 1948–1955, Frankfurt
1986, S. 283–316.

Stourzh, Gerald, Um Einheit und Freiheit. Die Geschichte des
österreichischen Staatsvertrages 1945–1955, Graz – Wien – Köln
⁴1996.

Thoß, Bruno, Modellfall Österreich? Der österreichische Staatsvertrag und die deutsche Frage 1954/55, in: Bruno Thoß/Hans-Erich
Volkmann (Hrsg.), Zwischen Kaltem Krieg und Entspannung. Si-
cherheits- und Deutschlandpolitik der Bundesrepublik im Mächtesystem der Jahre 1953–1956, Boppard 1988, S. 93–136.

Fragen

1. Warum ist mit Österreich ein Staatsvertrag und kein Friedensvertrag geschlossen worden?

2. Manche sagen, schon 1949 sei der Staatsvertrag zu haben gewesen; damals sei eine Chance vertan worden. Wie sehen Sie das?

3. Warum hat die Sowjetunion den Abschluß des Staatsvertrages so lange verzögert?

4. 1955 waren die Sowjets auf einmal zum Abschluß des Staatsvertrages bereit, die Westmächte eher skeptisch. Welche Gründe lassen sich dafür anführen?

5. „Neutralität" ist der Schlüssel für das Verständnis der Staatsvertragsproblematik. Warum hat man diese nicht schon früher in die Verhandlungen eingebracht?

6. Ohne Lösung der „deutschen Frage" (Beitritt der BRD zur NATO) hätte es 1955 keinen Staatsvertrag gegeben. Gibt es Gründe für diese These?

7. Wie läßt sich die österreichische Neutralität definieren? Wie interpretieren Sie in diesem Zusammenhang das Moskauer Memorandum?

Manfried Rauchensteiner

„DIE ZWEI": DIE GROSSE KOALITION 1945–1966 MIT EINEM AUSBLICK

1. Einführung

Es war Ende März 1945. Die sowjetischen Armeen waren im Rahmen ihrer „Wiener Angriffsoperation" nach Österreich vorgedrungen und hatten mit der Befreiung des Landes vom Nationalsozialismus begonnen. Einen Monat später standen Amerikaner und Franzosen und schließlich auch Briten, Jugoslawen, Rumänen und Bulgaren auf österreichischem Boden und feierten dann im Mai ihren Sieg über die Deutsche Wehrmacht und deren Verbündete, vor allem Ungarn und Kroaten. Damit war der Zeitpunkt gekommen, um Österreich zu rekonstruieren.

Sicherlich hatte sich im Untergrund einiges vorbereitet, doch erst in dem Augenblick, als die Sowjets deutlich machten, daß sie eine österreichische Verwaltung in den von ihnen besetzten Gebieten zulassen würden, begann das eigentliche politische Leben. Und damit schlug die Geburtsstunde der Großen Koalition.[1] Sie heute zu beschreiben, scheint allmählich darauf hinauszulaufen, etwas so Typisches ansprechen zu wollen, daß es gleich hinter Lipizzanern, Sängerknaben, Jodeln und Schifahren kommt. Doch was als eine politische Konstante der Zweiten Republik ins Auge springt, entpuppt sich bei näherem Hinsehen als etwas, dem mehr noch als Zweckmäßigkeit auch Notwendigkeit anhaftet. Gründe dafür und Aufeinanderfolgen darzulegen, ist an sich nicht schwer. Daß damit aber etwas angesprochen wird, das insofern zur österreichischen Seele gehört, als damit einem Bedürfnis nach Ruhe entsprochen wird, kann aber gleich vorweg angemerkt werden. Denn Perioden wie das Biedermeier passieren in Österreich nicht von ungefähr und sind schon überhaupt nicht nur durch einen einzigen oder einige wenige erklärbar;

da spielen wohl auch jene eine Rolle, die der Ruhe als erster
Bürgerpflicht den ruhigen Gang der politischen Geschäfte
zur Seite stellen. Oder, um Bruno Kreisky zu zitieren, der
das Ende der ersten Jahrzehnte der Großen Koalition im
Rückblick kommentierte:

„Als die Koalition endgültig zerbrochen war [...] habe ich das zutiefst bedauert, aber nur aus einem einzigen Grund: Nicht weil ich
geglaubt hätte, daß noch viel gemeinsam erledigt hätte werden
können, was nicht auch zwischen Regierung und Opposition erledigt werden kann, sondern weil ich Angst gehabt habe vor dem
Aufbrechen alter Gegensätze, vor Reminiszenzen in der Innenpolitik, deren Konsequenzen sich nur schwer abschätzen ließen."[2]

Die Schlüsselworte waren: Angst, Gegensätze, Reminiszenzen
und Konsequenzen. Und bis zu einem gewissen Grad bewegt
sich die Große Koalition in Österreich in diesem Geviert.

Für die Große Koalition der Zweiten Republik gab es zunächst kaum Möglichkeiten des Rückgriffs. Denn die kurze
Zeit der Zusammenarbeit nach dem Ersten Weltkrieg, von
1918 bis 1920, reichte weder aus, um gemeinsame Bezüge
deutlich werden zu lassen, noch um auf gemeinsam errunge-
ne Erfolge hinweisen zu können. Gegenüber der Tatsache,
daß es 1918 wohl gelungen war, eine Republik „in Betrieb zu
nehmen", hob sich der Friedensvertrag von Saint Germain
sehr viel stärker ab. Und gerade er wurde als Debakel der
Großen Koalition gesehen. Als sich daher 1945, noch inmit-
ten des Zusammenbruchs des Deutschen Reiches und seiner
nationalsozialistischen Herrschaft, in Ostösterreich eine von
den Russen gewünschte politische Notgemeinschaft zusam-
menfand, da hatte sie alles andere im Sinn, als auf die ohne-
dies schon 25 Jahre zurückliegende gemeinsame Vergangenheit zu verweisen.

Diese Notgemeinschaft hatte insoferne etwas Merkwürdi-
ges an sich, als sie von Menschen eingegangen wurde, die
über sehr unterschiedliche Erfahrungen des politischen Lebens verfügten.[3] An der Spitze der am 27. April 1945 gebildeten Provisorischen Staatsregierung stand Karl Renner, ein

Mann, der bereits nach dem Ersten Weltkrieg die Republik Deutschösterreich mitbegründet hatte. Neben ihm gab es eine Reihe von Leuten mit zumindest kurzfristiger politischer Erfahrung. Doch ansonsten dominierte der Untergrund oder im Fall der Kommunisten, die zunächst auch zur Mitarbeit eingeladen waren, das Exil, und im übrigen die Unerfahrenheit gepaart mit guter Absicht.

Als die Bildung der Provisorischen Staatsregierung erfolgte, hatte jene erste Phase der noch nicht einmal ins Leben gerufenen Zweiten Republik ein Ende, in der vor allem der Sozialdemokrat Renner nicht müde geworden war, eine ganz bestimmte Vergangenheit zu beschwören, nämlich die des autoritären Regimes in Österreich zwischen 1933 und 1938, um daraus abzuleiten, daß die Nachfolger der Christlichsozialen zwar eingeladen wären, an der Rekonstruktion Österreichs mitzuwirken, dies jedoch als eine Art Juniorpartner. Doch gerade in Zeiten, da sich über politische Kräfte noch sehr wenig aussagen läßt und sich die Verhältnisse wohl auch in sehr kurzen Abständen ändern, überleben bestimmte Absichten oft nicht einmal den Tag.

Renner mußte im April 1945 zur Kenntnis nehmen, daß er selbst in seiner zur Sozialistischen Partei Österreichs gewordenen Gesinnungsgemeinschaft zwar anerkannt, aber nicht unumstritten war,[4] und daß es sowohl in seiner Partei als auch in der Nachfolgepartei der Christlichsozialen, der Österreichischen Volkspartei, Kräfte gab, die nicht nur eine Zusammenarbeit ohne Vorbedingungen wollten, sondern auch in einer neuen Weise demokratisch waren. Daß Sozialisten und Volkspartei in den Kommunisten von den Sowjets eine Art dritter Kraft beigegeben wurde, erschwerte die Anfänge nur unerheblich, bescherte Österreich aber erstmals etwas, das man später sehr viel besser kennenlernen sollte: den Proporz. In der Provisorischen Staatsregierung war es die Regel, daß dem Staatssekretär einer Partei Unterstaatssekretäre der anderen Parteien beigegeben waren und daß solcherart die gegenseitige Kontrolle nahezu lückenlos wurde.[5] Beim Anblick dieser Konstruktion erwächst der Ein-

druck, daß große Koalitionen oder gar Konzentrationen als
Grundvoraussetzung das Mißtrauen haben und die Institutionalisierung des Schlagworts von „Vertrauen ist gut – Kontrolle ist besser" verkörpern. Doch auch in diesem Fall mil-
derte die Praxis den Anspruch und ließ die Provisorische
Staatsregierung zu einem tauglichen Instrument eines österreichischen Wiederbeginns werden.

Die Rahmenbedingungen dieses Wiederbeginns wurden auf
der einen Seite durch Not und Zerstörung, auf der anderen
Seite durch die alliierte Besetzung Österreichs vorgegeben.
Die Anfänge der Großen Koalition in Österreich auf Bundesebene sind jedoch nur dann verständlich, wenn man auch die
Situation der Bundesländer berücksichtigt und vor allem
darauf Bedacht nimmt, daß das Zusammenwirken der politischen Kräfte dort sehr bald dadurch institutionalisiert wurde, daß in den allermeisten Ländern die Aufteilung der politischen Verantwortung entsprechend dem durch Wahlen vorgegebenen Kräfteverhältnis erfolgte und in die meisten
Landesverfassungen hineingeschrieben wurde.[6] Solcherart
verliert die Große Koalition auf Bundesebene noch mehr ihre
Besonderheit, da sie letztlich nur als eine Art reduzierter
Konzentrationsregierung erscheint.

Doch am Anfang regierte nicht nur – oder am wenigsten –
der Konsens, sondern vor allem der Zwang. Es war der
Zwang, der österreichischen Bevölkerung ein Überleben zu
sichern, der Zwang, eine Verwaltung neu aufzubauen und in
einer Landschaft politischer Verwüstung Politik wieder
glaubhaft zu machen. Dazu kam der ebenfalls sofort einsetzende Zwang, sich mit den Alliierten auseinanderzusetzen,
und das nicht nur in der direkten Konfrontation innerhalb
der Besatzungszonen, sondern auch dadurch, daß ihnen als
Kollektivorgan gegenübergetreten werden mußte. Die Große
Koalition, die aber bereits im Herbst 1945 und angesichts der
ersten freien Wahlen der Nachkriegszeit am 25. November
besser erkennbare Konturen annahm, behielt ihren Charakter der Notgemeinschaft bei, denn primär galt es ja, die fun-
damentale Not, den Hunger und das Nachkriegschaos zu

bewältigen. Das führte denn auch dazu, daß die Österreichische Volkspartei, die bei den Wahlen die absolute Mehrheit erlangte, diese nicht zur Bildung einer Alleinregierung nutzte, sondern vernünftigerweise neuerlich eine Koalition mit den beiden anderen im Nationalrat vertretenen Parteien einging. Denn es war ja nicht zu übersehen, daß sich die Anwesenheit der Besatzungsmächte als eine von außen kommende Militärdiktatur entpuppte. Sie war viergliedrig, und es hatte anfangs nichts zu besagen, daß unter den Alliierten durchaus nicht immer Einigkeit herrschte. Sie waren sich nämlich darüber einig, daß Österreich für einige Zeit eine zumindest beschränkte Souveränität haben sollte. Und sie trennten sich erst allmählich von der Vorstellung, daß Österreich entweder aufgeteilt oder mit anderen Staaten zusammengefügt werden sollte. Dabei spielte Ungarn eine ganz außerordentliche Rolle. In der Moskauer Deklaration vom 1. November 1943 hatte es geheißen, daß Österreich ebenso wie anderen Ländern, die sich nach dem Krieg ähnlichen Problemen gegenübersehen würden, die Möglichkeit zu ökonomischen und politischen Zusammenschlüssen gegeben werden sollte, „die die einzige Grundlage für einen dauerhaften Frieden sind". Damit war primär Ungarn gemeint. Mittlerweile hatte aber eine ganz andere Entwicklung eingesetzt. Österreich sah sich jugoslawischen und tschechischen Gebietsforderungen gegenüber und erhob seinerseits territoriale Forderungen. Der Weiterbestand des Landes war mehr als fraglich. Ungarn dachte nicht daran, sich auch nur nennenswert mit Österreich einzulassen, und vor allem die Russen machten deutlich, daß sie ganz andere Nachkriegspläne hatten. Auch das gehörte zu der chaotischen Ausgangslage, die an Besetzte wie Besatzer besondere Anforderungen stellte.

Es ist daher auch leicht nachvollziehbar, was es hieß, ein Land politisch verantwortlich führen zu sollen, das von einer Alliierten Kommission kontrolliert wurde, die sich mit dem Alliierten Rat und dessen Exekutivkomitee Gremien gegeben hatte, in denen der einzelne Alliierte von relativ geringer Bedeutung war, wohingegen das Gremium an sich die höch-

sten legislativen und exekutiven Befugnisse vereinigte. Nach
dem ersten Kontrollabkommen vom 4. Juli 1945 bedurfte jedes Gesetz, das die Provisorische Staatsregierung und später
auch das österreichische Parlament erließen, vor seinem
Gültigwerden der Zustimmung des Alliierten Rates. Dem ließ
sich nur dadurch begegnen, daß die Provisorische Staatsregierung Karl Renners und schließlich nach den ersten freien
Wahlen die erste Regierung Leopold Figls den Alliierten mit
der größtmöglichen Geschlossenheit gegenübertraten. Das
geschah in Form der Konzentrationsregierung. ÖVP und
SPÖ hatten sich jedoch nach den Wahlen geheim auf ein
ausschließlich sie betreffendes Koalitionsabkommen geeinigt, das die Kommunisten ausklammerte und die Strukturen der Zusammenarbeit festlegte (Dokument 2).

Es waren nur wenige Punkte, die damals formuliert wurden, doch die Absicht, die Macht zu zweit auszuüben, das
heißt, die in Parlament und Regierung vertretene dritte Partei, die Kommunisten, zwar formal an der Regierung zu beteiligen, sie aber nicht wirklich an der Machtausübung auf
Bundesebene mitwirken zu lassen, war unübersehbar. Zwischen dem christlich-konservativen und dem sozialistischen
Lager fand solcherart ein Interessenausgleich statt, der wohl
nicht bewußt an historische Vorbilder des Ausgleichs, nämlich den zwischen der österreichischen und der ungarischen
Reichshälfte 1867, anknüpfte; doch das Ergebnis war ein
nicht ganz unähnliches.

Schon der erste Satz des Koalitionsabkommens ist bemerkenswert: „Der Proporz soll nicht nur bei der Bildung der
Bundes-, sondern auch bei der Bildung der Landesregierungen und bei den Gemeindeverwaltungen gelten." Des weiteren wurden die ministeriellen Bereiche aufgeteilt, die
Bildung eines Koalitionsausschusses beschlossen, dem die
„Austragung von Meinungsverschiedenheiten und die Vorbereitung von Gesetzesentwürfen" oblag, und die wesentlichen
Vorhaben der Legislaturperiode skizziert. Welche Bereiche
da zu regeln waren, wurde zwar nur andeutungsweise genannt und nahm z. B. überhaupt nicht Bedacht darauf, daß

im Winter 1945/46 eine Hungerkatastrophe drohte, daß der Wiederaufbau nicht in Gang kommen wollte, daß die Dauer der Besetzung nicht abzusehen war und sich die Alliierten – ganz im Gegenteil – in Österreich einzunisten begannen. Doch allein die im letzten Absatz des Koalitionsabkommens vom Dezember 1945 angesprochenen Punkte, nämlich Beamtenbesoldung, Behandlung der Nationalsozialisten, Verstaatlichung, ferner Arbeiterkammer, Krankenkassen, Gewerkschaften und Betriebsräte machten deutlich, daß es nicht nur ein gewaltiges Pensum gab, sondern daß die Einheit des Landes nur dann gewahrt bleiben würde, wenn es zu einvernehmlichen Regelungen kam.

Die Einheit des Landes war jener Punkt, bei dem sich die Große Koalition am meisten gefordert sah. Hier wirkte bereits 1945 und 1946 das deutsche Beispiel erschreckend und abschreckend. Ein Zerfall des Landes in eine westliche und eine östliche Besatzungszone, die Unmöglichkeit zur Bildung einer zentralen Regierung und zentraler demokratischer Institutionen waren etwas, das in Österreich mit aller Macht vermieden werden sollte. Da konnte es schon geschehen, daß jeder etwas zurückstellte bzw. – wie das dann später heißen sollte – „verdrängte". Doch gerade dieses Verdrängen schien die einzige Möglichkeit zu sein, das physische Überleben der Bevölkerung und das politische Überleben des Landes sicherzustellen. Daß die Große Koalition nichts mit einer Liebesheirat zu tun hatte, war von vornherein gewußt worden. Daß es so schwer würde, war aber vielleicht nicht geahnt worden und führte bereits 1946 zu einer Reihe von Krisensymptomen.

Dabei spielte die Vergangenheit insofern eine Rolle, als sie immer wieder herangezogen wurde, um einen einzelnen oder eine ganze Gruppe zu diskreditieren.[7] Die Große Koalition hielt aber auch Abrechnung mit der Vergangenheit, indem sie 1946 ein Nationalsozialistengesetz verabschiedete, das alle 540.000 Österreicher, die Nationalsozialisten gewesen waren, unter Strafe stellte. 470.000 galten als minderbelastet, der Rest als belastet und schwer belastet. Alle gingen zunächst eines Teils der bürgerlichen Rechte verlustig. Es

wurden 44 Todesurteile verhängt und nach und nach über
30.000 Jahre Gefängnis. Die Minderbelasteten hatten zumindest über Jahre hinweg eine Strafsteuer zu zahlen.[8] Dann
freilich begann auch etwas, das, wie es scheint, jedem politischen System immanent ist: Die Entnazifizierung wurde ab-
rupt beendet, denn eine halbe Million Menschen waren ja
auch eine halbe Million Wähler, und es rechnete sich jede
Partei höhere Chancen aus, wenn sie die Integration der
ehemaligen Nationalsozialisten vornahm. Das führte dann
zum fast explosionsartigen Anwachsen der großen Parteien,
konnte allerdings nicht verhindern, daß sich 1949 eine neue
liberale Partei bildete, die den größeren Anteil an ehemaligen Nationalsozialisten in ihr Lager holen konnte.

Etwas merkwürdig mutet vielleicht an, daß Österreich
1946 eine Note an den damals noch existierenden Völker-
bund richtete und mitteilte, daß die Mitgliedschaft noch fort-
bestehe. Damit sollte Kontinuität angedeutet und auch in der
Frage, ob Österreich okkupiert oder annektiert worden war,
eine klare Aussage getroffen werden: Österreich sei okkupiert worden.

2. Österreich, ein Land, das meist von zweien beherrscht wird

Bestimmte Bereiche waren also gemeinsame Angelegenheiten, vor allem das Auftreten gegenüber den Besatzungsmächten, die Bedachtnahme auf die Prärogativen des Staatsoberhauptes und der Ausgleich mit den Ländern. Doch innerhalb der Großen Koalition begann jede der beiden großen
Parteien ihre „Reiche" aufzubauen. Traditionell suchten die
Sozialisten ihre Organisation im Bereich der Arbeiterschaft,
der Industrie, des Verkehrswesens und der sozialen Fürsorge
einzurichten und auszubauen. Die Volkspartei wiederum
hatte ihren Rückhalt in der Bauernschaft, bei den Industriellen, aber auch bei den Kleingewerbetreibenden. Es gab seit
1945 Bundesländer, die von den Sozialisten, und solche, die

von der Volkspartei dominiert wurden.[9] Die Absicherung der Herrschaft mußte dabei gleich mehrfach vorgenommen werden: gegenüber den Besatzungsmächten, die zumindest in den Ländern ihre Dominanz bis 1953 nicht aufgaben, gegenüber dem Koalitionspartner und gegenüber den Kommunisten bzw. gegenüber dem 1949 neu gegründeten „Verband der Unabhängigen", der das deutschnationale ebenso wie das altliberale Erbe zu vertreten suchte.

Der Prozeß, der dabei in Gang kam, wurde schließlich in Anlehnung an ein holländisches Wort von den Politologen „Versäulung" genannt.[10] Denn die jeder Organisation und vor allem jeder politischen Partei innewohnende Tendenz nach Machtausweitung stieß in den „normalen" politischen Bereichen sehr bald an die Grenzen. Daher wurde zusätzlicher Einfluß derart gesucht, daß sich nicht nur jede Partei in der Arbeiterschaft, bei den Beamten und Angestellten, bei Freiberuflern und Bauern ihre Organisationen schuf, sondern auch bei den karitativen Einrichtungen, bei den Rettungsgesellschaften, den Autofahrerorganisationen, ja es gab und gibt auch Sportorganisationen, Fußballclubs und Freizeiteinrichtungen, die jeweils Parteien zuzuzählen sind.

Dabei erreichten die Parteien ganz erstaunliche Organisationsdichten. Innerhalb von zehn Jahren zählte jede der beiden großen Parteien 500.000 und mehr Mitglieder. Am Ende der Besatzungszeit 1955 lag man somit bereits bei über einer Million Parteimitglieder, wobei die Tendenz steigend war.[11] Damit waren in Österreich in absoluten Zahlen ebensoviele Menschen in den demokratischen Großparteien organisiert wie in Westdeutschland, nur war dort die Bevölkerung achtmal so groß. Das heißt, daß Österreich, verglichen mit Deutschland, eine achtfache Organisationsdichte aufwies.

Warum das so war, läßt sich nicht ganz einfach beantworten, doch einige Gründe lassen sich gewiß anführen. In Österreich scheint's traditionell eine höhere Bereitschaft zur Organisation zu geben. Auch heute ist statistisch jeder Österreicher, vom Neugeborenen bis zum Greis, bei mindestens drei Vereinen. In der Nachkriegszeit kam als zusätzliches Problem das der Entnazifizierung. Ehemalige Nationalsozialisten hatten durch Jahre hindurch Berufsverbote, Strafsteuern und alle möglichen Wiedergutmachungsmaßnahmen zu tragen. Für die nur am Rande mit dem Nationalsozialismus in Berührung Gekommenen, vor allem für die sogenannten Minderbelasteten, war es daher auch Ausdruck eines demokratischen Bekenntnisses, daß sie einer der beiden Großparteien beitraten. Damit ließ sich auch manches von den Folgen einer Zugehörigkeit zum Nationalsozialismus mindern.[12] Eine Parteizugehörigkeit bei ÖVP oder SPÖ erleichterte den (Wieder)Einstieg in einen Beruf und förderte Karrieren. Dann kam der Wiederaufbau. Auch in diesem Bereich dominierten die Großparteien und deren Wohnbauorganisationen. Wer eine Wohnung benötigte, wandte sich nicht nur an das Wohnungsamt, sondern suchte das häufig durch eine Parteimitgliedschaft zu beschleunigen. So nahmen die Parteien der Großen Koalition unaufhaltsam zu und weiteten ihren Einfluß aus.

Doch mit der Darstellung dessen, wie Macht verhältnismäßig rasch korrumpierte und wie auch in unserer Zeit Herrschaftsteilung stattfindet und Dualismus als eine denkbar österreichische Form des Neben- und Miteinander existiert, wird man der Großen Koalition noch immer nicht gerecht. Zweifellos hat sie auch ganz erheblich zur positiv verlaufenden österreichischen Nachkriegsgeschichte beigetragen und damit eine Art Identifikation erleichtert.

Auf der Suche nach den Gründen für die „Erfolgsstory" der Großen Koalition muß man fast unvermeidlicherweise immer wieder an die Besatzungszeit anknüpfen, denn noch ist ja nicht einsichtig geworden, weshalb sich aus der Notgemeinschaft etwas entwickelte, das schließlich einen echten historischen Kompromiß zuließ. Zu dieser Veränderung im inneren Gehalt der Großen Koalition trug ganz erheblich die Blockbildung in Europa bei. Die Veränderungen in Ungarn 1947, noch mehr aber der Umsturz in der Tschechoslowakei 1948 wurden in Österreich als ein Schock empfunden. Dieser

Schock ging so tief, daß plötzlich jene Forderungen, die für die erste Notgemeinschaft herausragend gewesen waren, nämlich den Abschluß des Staatsvertrages und den Abzug der Besatzungsmächte zu erreichen, fallengelassen wurden. Vielmehr wissen wir recht genau, daß es ab 1948 immer wieder Stimmen gegeben hat, die einen Abzug der westlichen Besatzungsmächte aus Österreich als wenig wünschenswert bezeichneten, solange das Land nicht mit einer Sicherheitsgarantie ausgestattet sei und vor allem auch die Gefahr beseitigt wäre, die man im Übergreifen des Kommunismus aus Ungarn oder der Tschechoslowakei zu erkennen glaubte.[13] Daß der Verbleib von ausländischen Truppen gewünscht wurde, veränderte zwar die Qualität der Besetzung, minderte allerdings nicht die alliierte Kontrolle, die Willkür und die auch in den westlichen Besatzungszonen vorkommenden Übergriffe. Die mehr oder weniger unausgesprochene, aber latente Bereitschaft, die Besatzungsmächte hinzunehmen, schloß letztlich auch die materielle Seite ein, weil mit Ausnahme der Amerikaner von allen Besatzungsmächten erhebliche Stationierungskosten gefordert und Sondersteuern zu deren Bedeckung eingehoben wurden. Nicht zuletzt mußten auch die Nachteile einer beschränkten Souveränität weiter hingenommen werden, denn es war z. B. bis 1955 ein Recht der Alliierten, die österreichische Gesetzgebung gemäß dem 2. Kontrollabkommen[14] nicht nur zu überwachen, sondern auch Gesetze zu beeinspruchen. Alles dies waren Lasten, die man auf sich nahm, um den Zerfall des Staates zu vermeiden. Denn es wurde gerade 1948, aber auch in den Folgejahren immer wieder eine Teilung des Landes in ein Ostösterreich und ein Westösterreich befürchtet.

Für die Große Koalition hatte dies zur Folge, daß die Fortsetzung dieser Form der Zusammenarbeit seit 1948 eigentlich nicht mehr in Zweifel gezogen wurde, und daß es ein stilles Übereinkommen gab, die Koalition bis an das Ende der Besatzungszeit fortzuführen. Das Ziel der Gemeinsamkeit war damit unmißverständlich klargestellt: Abschluß des Staatsvertrages und Abzug der Alliierten.

Während der Besatzungszeit sahen sich die Parteien der Großen Koalition immer wieder Einflußnahmen und Pressionen ausgesetzt. Sie suchten aber auch immer wieder Unterstützung bei einer oder mehreren Besatzungsmächten, um ihre Vorstellungen durchzubringen. Die Labourregierung Großbritanniens etwa zeigte überdeutliche Sympathien für die österreichischen Sozialisten; die Amerikaner tendierten zuerst stärker zu den Sozialisten, dann stärker zur Volkspartei und behandelten die „Großen Zwei" einigermaßen gleich. Die Sowjets konnten sich für die Parteien der Großen Koalition gleichermaßen wenig erwärmen, blieben aber meistens korrekt. Sie konnten sich ein direktes Herangehen zunächst auch deshalb ersparen, da sie sich der österreichischen Kommunisten bedienten und diese noch 1947 den Versuch machten, die Große Koalition zu sprengen.[15] Allerdings gab es weitere Episoden, die deutlich machten, daß die Sowjets im Gegensatz zu den Westmächten am Fortbestand der Großen Koalition nicht interessiert waren. Aus diesem Grund förderten die Sowjets die Bildung neuer Parteien und hatten auch grundsätzlich nichts einzuwenden, als die ehemaligen Nationalsozialisten sich im „Verband der Unabhängigen" eine parteimäßige Struktur gaben und damit begannen, die Unzufriedenen und Protestwähler anzuziehen.[16] Doch das war bestenfalls als Versuch mit untauglichen Mitteln zu bezeichnen, um die Große Koalition zu sprengen und vielleicht noch einmal den Kommunisten eine größere Bedeutung zu verschaffen.

Zu jenen, die Einfluß nahmen und manchmal auch ein regelrechtes Gegengewicht bildeten, gehörten auch die Bundespräsidenten, die bis in die sechziger Jahre merkliche Anstrengungen unternahmen, um Krisen in der Großen Koalition überwinden zu helfen. Dabei kam es gerade zwischen dem aktivsten Bundespräsidenten, Karl Renner, und der Partei, die ihn in dieses Amt entsandt hatte, zu einem schweren Konflikt, da die Sozialisten einer Präsidialherrschaft mit großem Mißtrauen begegneten und schließlich der Vorsitzende der Partei, Adolf Schärf, Renner schriftlich mitteilte: „Wehret den Anfängen!"[17]

1955 kamen drei Prozesse in Gang: Die Bundesrepublik Deutschland sollte der NATO beitreten, die Sowjetunion suchte ihr Bündnis neu zu strukturieren und beendete ihre Nachkriegswirtschaft dadurch, daß jene Konzerne, die sie als Deutsches Eigentum beschlagnahmt und größtenteils in bilateralen Gesellschaften betrieben hatte, in einer Reihe von ost- und nordeuropäischen Staaten umgewandelt, verkauft oder liquidiert wurden. Alle drei Vorgänge hatten u. a. unmittelbare Auswirkungen auf Österreich und führten zum Abschluß des Staatsvertrages, der ja schon seit 1947 vorbereitet war, jetzt allerdings unter anderen Voraussetzungen finalisiert wurde.[18] Diese Voraussetzungen waren vor allem zwei, nämlich die Neutralisierung Österreichs und die Abgeltung der sowjetischen Forderungen im materiellen Bereich.

Beides hatte zur Folge, daß der Zusammenschluß der Großparteien in Österreich noch enger wurde. Denn es war sowohl der Entschluß zur immerwährenden Neutralität etwas, das zwar wie nichts anderes im staatlichen Interesse lag, nichtsdestoweniger Probleme in sich barg, da man befürchten mußte, vom westlichen Europa abgeschnitten zu werden. Dann aber wurden mit dem Staatsvertrag erhebliche materielle Lasten übernommen, die für weitere zehn Jahre präliminiert waren. Und damit ergab sich wie von selbst die Notwendigkeit, auch bei der Liquidierung der Besatzungszeit zusammenzuarbeiten.

Es war eine bezeichnende Szene, als nach der Unterzeichnung des österreichischen Staatsvertrages der amerikanische Außenminister, John Foster Dulles, die Führer der Großparteien, nämlich Bundeskanzler Julius Raab und Vizekanzler Adolf Schärf, zu sich bat und sie einigermaßen drängend über die weitere Gestaltung des politischen Weges Österreichs befragte. Und er zeigte sich sichtlich befriedigt, als ihm beide versicherten, sie würden für die Fortsetzung der Großen Koalition eintreten.[19]

Das war aber auch bei weitem mehr als ein innenpolitisches Problem, denn man durfte sich ja über eines nicht im unklaren sein: Die Neutralisierung Österreichs war, auch wenn man von einer bekannten Größe ausging, nämlich der immerwährenden Neutralität der Schweiz, an der sich Österreich orientieren wollte, ein Risiko. Denn in Europa gab es nun einmal zwei Machtblöcke, und die Kriegsgefahr war gegeben. Wir müssen uns nur vergegenwärtigen, was auch Henry Kissinger schrieb, als der Koreakrieg tobte. Er meinte, dies wäre der falsche Krieg am falschen Platz. Der eigentliche Krieg würde in Europa stattfinden.[20] Einen Tag vor der Unterzeichnung des Österreichischen Staatsvertrages, am 14. Mai 1955, wurde in Warschau der Warschauer Pakt-Vertrag abgeschlossen. Kurz nach diesen beiden Ereignissen wurde der NATO-Beitritt der Bundesrepublik Deutschland perfekt. Blockbildungen stabilisieren zwar fürs erste, da der Spielraum für den einzelnen Staat geringer wird. Doch wenn es dann zu einem Konflikt kommt, dann ist er umso größer und verheerender. Die Sorge wegen der weiteren Entwicklung wurde 1955 und 1956 sicherlich nicht übertrieben. Die Bundesrepublik Deutschland berief unmittelbar vor der Staatsvertragsunterzeichnung ihren Geschäftsträger aus Wien ab und war der einzige Nachbarstaat, der Österreich nicht zur Wiedererlangung der Souveränität gratulierte. Italien, Belgien, Kreise in Frankreich und anderswo waren skeptisch. Es war also auch ein Problem der außenpolitischen Kalkulierbarkeit, daß sich in Österreich zunächst möglichst wenig verschob. Auch personell gab es kaum Veränderungen. Die Leute an der Spitze wechselten kaum. Das wuchs sich freilich auch zum Problem aus, da innerhalb der Parteien der Generationswechsel nur ruckhaft in Gang kam und es dann beispielsweise ungemein schwer war, einen Mann wie Julius Raab zum Machtverzicht zu bewegen.[21]

Die vergleichbare Stabilität war dann von Nutzen, wenn es darum ging, Krisen zu bewältigen, wie z. B. jene auch auf Österreich durchschlagende Krise der Ungarischen Revolution, während der es ja nicht nur galt, rund 200.000 Flüchtlinge aufzunehmen, sondern auch mit dem Übergreifen der Kämpfe auf österreichisches Gebiet gerechnet wurde. Bei einem Schußwechsel wurde ein sowjetischer Soldat im Burgenland getötet, andere wurden festgenommen und interniert.[22] Bei solchen Gelegenheiten bewährte sich nicht nur die Zusammenarbeit der großen Zwei, sondern war es auch von Vorteil, daß Leute, die über eine beträchtliche Erfahrung im Krisenmanagement verfügten, an der Spitze standen.

Zu den Problemen der an die Besatzungszeit anschließenden Periode gehörte nicht zuletzt jenes, daß in der sowjetischen Zone Österreichs die Entwicklung beträchtlich zurückgeblieben war. Die planwirtschaftliche Führung der von den Sowjets beschlagnahmt gewesenen Betriebe, und das war der Großteil der Schwerindustrie in Ostösterreich, hatte dazu beigetragen, die gesamte Erdölindustrie, die Donauschiffahrt und vieles andere auch in einen beträchtlichen Rückstand geraten zu lassen. Für sie hatte es keine Westkredite gegeben, keine Investitionen und keine Innovation. Das war jetzt alles nachzuholen und ging nur in der Weise, daß Westösterreich Verzicht übte und eigene Wünsche zurückstellte. Doch zehn Jahre ließen sich zweifellos leichter aufholen als Jahrzehnte, wie das heute in Teilen Mitteleuropas oder in der ehemaligen DDR notwendig ist.

3. Die Angst vor der Vergangenheit

Schon gegen Ende der fünfziger Jahre zeigte sich jedoch, daß trotz der Tendenz zur Verfestigung der Großen Koalition diese auch instabil werden konnte.

Auch nach dem Ende der Besatzungszeit blieb manches aufgeschoben, etwa die Frage der Gültigkeit des Konkordats mit dem Vatikan.[23] Die ja auf einem christlichen Erbe aufbauende Volkspartei hätte das Verhältnis zum Heiligen Stuhl gerne rasch normalisiert; die Sozialisten drohten mit der Entfesselung eines Kulturkampfes. Aufgeschoben blieb auch die Frage einer neuerlichen und weiteren Annäherung Österreichs an den Westen. Die Sozialisten waren es ja gewesen, die Bedenken wegen einer Neutralisierung Öster-

reichs gehabt hatten, weil dadurch Österreich jede Möglichkeit genommen worden wäre, sich an weiteren Europainitia-
tiven zu beteiligen. Zu den Problemen gehörten auch solche
außenpolitischer Natur, etwa die Südtirolfrage, die Ende der
fünfziger und Anfang der sechziger Jahre in schweren Spannungen mit Italien mündete.[24] Schließlich zeigte es sich, daß
die Liquidierung des Erbes der Besatzungszeit, vor allem die
Erfüllung von Forderungen amerikanischer, britischer und
französischer Konzerne, aber auch Forderungen von Vertriebenen und während der NS-Herrschaft rassisch Verfolgten,
von den Koalitionsparteien nicht so ohne weiteres erfüllt
wurde.[25] Dadurch gab es immer unangenehmere Verzögerungen. Noch stärkere Auswirkungen zeigten freilich die Probleme der Herrschaftsteilung, da sich dadurch nicht nur der
Spielraum der Politik, sondern auch jener der Verwaltung
zunehmend verringerte und schließlich auch eine Art Mei-
nungsbrei entstand, in dem Kritik nicht unbedingt vertragen
wurde.

Der Proporz bestand schon längst nicht mehr ausschließlich auf der Ebene der Bundesregierung, sondern so wie es
das erste und die folgenden Koalitionsabkommen festgeschrieben hatten, auch in den Bundesländern und in den
Gemeinden mit mehr als 10.000 Einwohnern. Im Bereich der
Verstaatlichten Industrie, bei den höheren Beamten, bei Lehrern und überall, wo auf Grund der Versäulung die Parteien
ihren Einfluß ausgeweitet hatten, regierte der Proporz. Der
Parlamentarismus war verkümmert, denn im Parlament
wurde eigentlich nicht mehr debattiert, da wurden nur Stellungnahmen zu Vorlagen abgegeben, die bereits in den Ausschüssen und im Ministerrat angenommen worden waren,
ehe dann abgestimmt wurde. Seit 1956 gab es zwar einen
koalitionsfreien Raum, der die Möglichkeit der freien Abstimmung im Parlament schuf, doch in der Praxis wurde er
kaum angewendet. Die zweite Kammer des Parlaments neben dem Nationalrat, der Bundesrat, führte ein Schattenda-
sein. Da aber unvermeidlicherweise die Parteien in einer
Zeit, in der sich der sogenannte Postmaterialismus heraus-

bildete, nicht nur übereinstimmen konnten, und sich in vielen Bereichen Auffassungsunterschiede ergaben, wurde die Große Koalition immer unelastischer. Gesetze wurden laufend zurückgestellt, da man sie wegen Meinungsunterschieden nicht dem Parlament zuleiten konnte. Und als es schließlich darum ging, nach den Wahlen 1964 ein weiteres Koalitionsabkommen zu schließen, dauerten die Verhandlungen darüber nicht nur vier Monate, sondern es wurden darin bereits die nebensächlichsten, ja lächerlichsten Dinge geregelt[26] (vgl. Dokument 2).

Das war nun Ausdruck dessen, daß sich die Zusammenarbeit in der bestehenden Form überlebt hatte. Interessanterweise spielte aber in den Überlegungen eine kleine Koalition kaum einmal eine Rolle, und wenn, dann wurde sie von sozialistischer Seite ins Spiel gebracht. Da dies aber vor allem von einem Mann ausging, der innerhalb der SPÖ einen Kampf um die Macht anzettelte, nämlich dem Innenminister Franz Olah, kam es kurzzeitig zu einer Spaltung der Sozialisten. Und genau in diesem Moment der Schwäche der Sozialisten, im Frühjahr 1966, waren Nationalratswahlen angesetzt und brachten der Österreichischen Volkspartei die absolute Mehrheit (vgl. Dokument 1). Es wurden zwar sofort wieder Verhandlungen über die Fortsetzung der Koalition aufgenommen, doch da die Grundvoraussetzungen schon lange nicht mehr gegeben waren, fiel auch die eigentliche Basis für jede derartige Form der Zusammenarbeit weg, der Machtverzicht. Die Volkspartei war nicht mehr bereit, diesen Machtverzicht zu üben, denn sie konnte ja allein regieren. Und was 1945 gegolten hatte, war unter den gänzlich geänderten Voraussetzungen nicht mehr nötig. Daher wurde von den Verhandlern der Volkspartei nicht nur gefordert, mehr Kompetenzen zu bekommen, sondern die Form der Zusammenarbeit gänzlich zu ändern. Letztlich wäre das aber auf eine Koalition „auf Abruf" hinausgelaufen. Die Sozialisten stellten sich noch während der Verhandlungen auf die neue Situation ein, und es war schließlich ein einziger Mann, der vehement und bis zuletzt für die Fortsetzung der Großen

Koalition plädierte, nämlich Bruno Kreisky. Er tat es zum
wenigsten, weil er glaubte, dies wäre eine ideale Regierungsform, sondern ausschließlich aus der Erwägung heraus, der
historische Kompromiß wäre noch nicht lange genug praktiziert worden und es würde wieder zur Herausbildung einer
neuen Lagermentalität und vielleicht auch zu schweren Konflikten kommen.[27] Erst die nächsten vier Jahre lehrten ihn,
daß eine andere Zeit angebrochen war. Und vielleicht hatte
er auch zu wenig bedacht, daß sich die Große Koalition mittlerweile Möglichkeiten der Perpetuierung geschaffen hatte,
die ihr Fortleben unter jeglicher Regierungsform sicherstel-
len sollte.

Es gehört zur österreichischen Verfassungswirklichkeit,
daß Verfassungsgesetze nur mit einer qualifizierten Mehrheit von zwei Dritteln der Abgeordneten des Nationalrats zu
verabschieden sind. Diese Mehrheit konnte nur durch die
beiden Großparteien gebildet werden. Da aber mittlerweile
bei einer Vielzahl von Gesetzen in den jeweils ersten Absatz
eine Verfassungsklausel aufgenommen worden war, konnte
es in gesellschaftspolitisch sensiblen Bereichen keine Allein-
gänge geben. Das galt für die Schulgesetze ebenso wie für
Wirtschaftsverträge, Bereiche der inneren und der äußeren
Sicherheit und etliches andere auch.

Damit nicht genug, begann man bereits 1948 den Interessenausgleich zwischen den großen gesellschaftlichen Gruppen zu institutionalisieren. Zunächst in Form von jährlichen
Lohn- und Preisabkommen, solange, bis das Lohn-Preisgefü-
ge in Ordnung gebracht worden war, und dann, 1958, durch
die Schaffung der Paritätischen Kommission, in der die großen Interessenverbände Sitz und Stimme haben sollten und
in der es wie im Ministerrat Einstimmigkeit geben mußte. In
der erweiterten Form nach dem Raab-Olah-Abkommen erhielt die Paritätische Kommission für Lohn- und Preisfragen
den Charakter eines außerparlamentarischen Entschei-
dungsgremiums, in dem sich die Parteien der Großen Koalition über sozialpolitische Maßnahmen einigten. Und dies
wiederum unter dem Ausschluß Dritter.[28] In dieser Form

überdauerte die Zusammenarbeit der großen Zwei auch die Jahrzehnte, in denen es eine scheinbare Unterbrechung der engen Zusammenarbeit gab.

4. Die Rückkehr zum Dualismus

Es steht nun an zu fragen, ob wir in der Großen Koalition, wie sie nach einem zwanzigjährigen Intermezzo mit Alleinregierungen und einer Kleinen Koalition[29] seit 1986 wieder regiert, eine typisch österreichische Form der Zusammenarbeit im politischen und sozialen Bereich sehen können. Man wird diese Frage nicht ganz einfach mit ja oder nein zu beantworten haben, denn was ist schon typisch? Meist wird bei der Aufzählung des Typischen doch nur ein Klischee genährt.

Sicher ist, daß eine Gliederung der österreichischen Nachkriegsgeschichte so aussieht, daß man zunächst einmal feinsäuberlich in etwa drei Jahre einer Konzentrationsregierung mit gleichzeitiger Großer Koalition, weitere rund 18 Jahre einer reinen Großen Koalition, dann 17 Jahre Alleinregierungen, drei Jahre Kleine Koalition und nunmehr abermals zehn Jahre Große Koalition zu unterscheiden hat. Aus den somit mehr als 30 Jahren Großer Koalition insgesamt ist das Dominante dieser Regierungsform leicht ablesbar. Durch die Institutionalisierung der wesentlichen Funktionsbereiche, in denen die politische Zusammenarbeit der beiden Großparteien erforderlich ist, ergibt sich eine im Grunde genommen 50jährige Periode, also eine solche, die den gesamten Zeitraum der Zweiten Republik abdeckt.

In vielen Bereichen deckt die Mechanik auch die bestehenden Unterschiede zu. Daß es immer dann, wenn es darum geht, für einen Staat größere Ziele zu realisieren, vernünftig ist, die Zusammenarbeit zu suchen, liegt jenseits des Typischen. Mehr noch: Da Vernunft in der Politik mitunter eine eher kurzfristige Erscheinung ist, kann man wohl davon ausgehen, daß sich auch große Koalitionen nicht so verfestigen lassen, daß sie ewig funktionieren. Vor allem hat so etwas

auch zur Voraussetzung, daß es derart große Parteien gibt,
daß sie große Koalitionen unter Ausschluß Dritter bilden
können.

Der Salzburger Historiker Fritz Fellner hat bei einem
Überdenken der historischen Perspektiven angeregt, den
Zeitraum von 1945 bis 1980 zu teilen. Er meinte, zunächst
einmal sei es um eine Restauration von Traditionen gegangen und dann, in den sechziger Jahren, hätte ein innovativer
Prozeß eingesetzt. Umgelegt auf die Politik würde das bedeuten, daß die Große Koalition als eine Phase lediglicher Restauration zumindest teilweise negativ besetzt wäre, während die darauffolgende Zeit der Innovation wiederum positive Akzente erkennen läßt. Als dies gesagt wurde, begann
jedoch gerade die Fortschrittsgläubigkeit erhebliche Krisen
durchzumachen und mündete schließlich in einer regelrechten Skepsisbewegung, die natürlich genauso eine gestaltende
Kraft war.

Für die Große Koalition ging es in Österreich zunächst
freilich am wenigsten um bloße Restauration. Es ging darum,
einen Staat, der ja erst nach dem Zweiten Weltkrieg den
deutlichen Willen zur Souveränität hatte erkennen lassen,
mit sogenannten Realutopien auszustatten. Derartige Realutopien sind aber für jede Gemeinschaft notwendig, da sie
sonst als Gemeinschaft kein Ziel hat. Das Erreichen eines
Zieles und damit der Wegfall von Realutopien nimmt unge-
heuer viel an Inhalten fort. Daher war auch nach 1955 zunehmend Stagnation erkennbar. Bis dann die Konsolidie-
rungsphase der Restauration Österreichs in eine Innova-
tionsphase überging.

Mitte der achtziger Jahre bildete sich eine neue Realutopie
heraus, nämlich die lange verzögerte und zeitweilig aufge-
schobene Hinwendung zu einem Westen, der sich stetig mehr
zusammenschloß und von einer Wirtschafts- zu einer politischen Gemeinschaft entwickelte. Da mit einer derartigen
Hinwendung aber eine Gesamtkorrektur der österreichischen Nachkriegspolitik Hand in Hand gehen mußte, war der

Zusammenschluß der beiden nicht mehr ganz so großen Parteien in einer neuerlichen Großen Koalition fast unvermeidlich. Dazu kam, daß beide Parteien, Sozialdemokraten wie Volkspartei, Ausschließungstendenzen gegenüber einer Freiheitlichen Partei deutlich machten, deren Führung die Konsensfähigkeit abgesprochen wurde. Damit reduzierte sich 1986 der Spielraum dramatisch. Als SPÖ und ÖVP neuerlich zusammengingen, wurde die frühere Große Koalition nur nebenbei erwähnt, keinesfalls aber bewußt daran angeknüpft. Denn da die Große Koalition zwischen 1962 und 1966 nur mehr dahingesiecht war, war ein bewußtes Anknüpfen auch so gut wie unmöglich. Fragt sich, was nach dem Erreichen der Realutopie des Beitritts zur Europäischen Union mit der Großen Koalition geschieht. Denn letztlich diente sie nur dazu, ein einziges Ziel zu verwirklichen, die sich daraus ergebenden materiellen Probleme einer Lösung zuzuführen und auch den sicherheitspolitischen Aspekt, der zunächst mit der immerwährenden Neutralität ausreichend umschrieben schien, neu zu durchdenken.

Das Problem der Periodisierung der Nachkriegszeit und der Bewertung des großkoalitionären Zusammenspiels könnte jedoch auch ganz anders erfolgen: Die Besatzungszeit war notgedrungen ein Jahrzehnt der Isolierung. Diese Phase einer eingeschränkten Souveränität und eines beschränkten politischen Verkehrs nach außen wurde durch die österreichische Neutralität in mancher Hinsicht noch verfestigt, da Neutralität auch Isolation bedeutet, zumindest gegenüber jenen, die in Blöcken und Gemeinschaften organisiert sind, denen der Neutrale nicht angehört. Erst in den sechziger Jahren gelang es, dieser Isolation zu entrinnen. Die Neutralität ließ anderseits in Österreich erstmals seit dem Ende des Ersten Weltkriegs ein starkes Gefühl für Identität entstehen und das besonders in einer Richtung, nämlich gegenüber Deutschland. Darunter wurde zwar primär die Bundesrepublik verstanden, doch ebenso war damit ein historisches Deutschland gemeint, dem man als Nation in einem Staat auch unter dem Gesichtspunkt jahrhundertelanger gemeinsamer Geschichte gegenübergetreten ist.[30] Und es ist auffallend, daß ebendann, als die Neutralität mit dem EU-Beitritt an Bedeutung dramatisch einbüßte und im politischen Zusammenschluß mit dem westlichen und südlichen Europa auch ein indirekter Zusammenschluß mit einem wiedervereinten Deutschland erfolgte, der gefühlsmäßige Abstand zu ebendiesem Deutschland größer wurde. Jedes Fußballmatch scheint dies zu unterstreichen.

Bei Gleichsetzung der Existenzen von Zweiter Republik und Großer Koalition ist tatsächlich etwas Typisches zu erkennen. Von der Wahrscheinlichkeit eines Fortbestandes kann jedoch ebensowenig ausgegangen werden, wie die österreichische Neutralität immerwährend ist.

1   Die nachfolgende Darstellung stützt sich auf frühere Arbeiten des Autors, vor allem die Bücher Der Sonderfall. Die Besatzungszeit in Österreich 1945–1955, Graz 1979 und Die Zwei. Die Große Koalition in Österreich 1945–1966, Wien 1987. Hier finden sich auch ausführliche Quellenbelege und die wesentliche bis dahin erschienene Literatur.

2   Bruno Kreisky, Die Koalition in Österreich nach 1945, in: Koalitionsregierungen in Österreich. Ihr Ende 1920 und 1966. Protokoll des Symposiums Bruch der Koalition in Wien am 28. 4. 1980 (Wissenschaftliche Kommission des Theodor-Körner-Stiftungsfonds und des Leopold-Kunschak-Preises, Veröffentlichungen Bd. 8), Wien 1985, S. 11.

3   Die wichtigsten Dokumente dazu in dem Bändchen: Bildung der Österreichischen Regierung. Offizielle Dokumente, Wien 1945.

4   Zum Urteil über Renner können die ihn mannigfaltig charakterisierenden Aussagen herangezogen werden, wie sie in den Berichten des Amerikaners Martin F. Herz festgehalten worden sind, gedruckt unter dem Titel „Understanding Austria", hrsg. v. Reinhold Wagnleitner (Quellen zur Geschichte des 19. und 20. Jahrhunderts, hrsg. v. Fritz Fellner, Bd. 4, Salzburg 1984.

5   Die parteimäßige Zusammensetzung der Provisorischen Staatsregierung am besten in dem Bändchen Bildung der Österreichischen Regierung.

6   Die politischen Anfänge in den Bundesländern zusammenfassend bei Rauchensteiner, Der Sonderfall, bes. S. 63–101.

7   Das war letztlich auch schon im Vorfeld der Wahlen der Fall gewesen, da es Bestrebungen gegeben hatte, ganze Gruppen von ehemaligen Angehörigen der Heimwehr von den Wahlen auszuschließen. Die Debatten darüber wurden vor allem im Rahmen der 2. Länderkonferenz zwischen 9. und 11. Oktober 1945 geführt. Dazu Franz Josef Feichtenberger, Die

Länderkonferenzen 1945. Die Wiedererrichtung der Republik Österreich, phil. Diss. Wien 1965.

8 Vgl. zu diesem Komplex den Band Verdrängte Schuld, verfehlte Sühne. Entnazifizierung in Österreich 1945–1955, hrsg. v. Sebastian Meissl/Klaus-Dieter Mulley/Oliver Rathkolb, Wien 1986.

9 Sozialistisch waren allerdings nur zwei, nämlich Wien und Kärnten.

10 Rudolf Steininger, Polarisierung und Integration, Eine vergleichende Untersuchung der strukturellen Versäulung der Gesellschaft in den Niederlanden und in Österreich (Politik und Wähler 14), Meisenheim am Glan 1975.

11 Die Verdichtung der Parteienlandschaft und die vielfältigen Einflußbereiche wurden erstmals kritisch dargestellt von Alexander Vodopivec, Wer regiert in Österreich, Wien [2]1962.

12 Über Verfahrensweisen und Einzelschicksale informiert der Band Verdrängte Schuld, verfehlte Sühne.

13 Die entsprechenden quellenmäßigen Belege bei Rauchensteiner, Der Sonderfall, bes. S. 221–231 und Ders., Die Zwei, S. 116–127.

14 Dies war Folge des 2. Kontrollabkommens vom 28. 6. 1946. Darüber ausführlicher Rauchensteiner, Die Zwei, S. 76–81.

15 Dieser Vorstoß mündete in der sogenannten Figl-Fischerei, als der kommunistische Nationalratsabgeordnete Ernst Fischer Bundeskanzler Figl zu einem Machtwechsel überreden wollte. Dazu Rauchensteiner, Die Zwei, S. 100–102.

16 Zur Entstehung des Verbands der Unabhängigen und dessen ideologischer Ausrichtung vgl. Max Riedlsperger, The Lingering Shadow of Nazism: The Austrian Independant Party Movement since 1945, New York 1978.

17 Über diese Episode, die zwar eine sehr starke zwischenmenschliche Dimension hatte, jedoch in das Grundsätzliche ging, vgl. Karl R. Stadler, Adolf Schärf. Mensch, Politiker, Staatsmann, Wien 1982, S. 301–303.

18 Zum gesamten Komplex der Staatsvertragsverhandlungen Gerald Stourzh, Geschichte des Staatsvertrages 1945–1955. Österreichs Weg zur Neutralität, Graz – Wien – Köln 1985[3].

19 Stadler, Adolf Schärf, S. 492.

20 Henry Kissinger, Kernwaffen und Auswärtige Politik, München 1959.

21 Die einzelnen Phasen der Ablösung von Raab bei Rauchensteiner, Die Zwei, S. 394–429; zum Verhältnis Österreich – BRD siehe neuerdings Michael Gehler, Österreich, die Bundesrepublik und die deutsche Frage 1945/49–1955. Zur Geschichte der gegenseitigen Wahrnehmungen zwischen Abhängigkeit und gemeinsamen Interessen, in: Ders./Rainer F. Schmidt/Harm-Hinrich Brandt/Rolf Steininger (Hrsg.), Ungleiche Partner? Österreich und Deutschland in ihrer gegenseitigen Wahrnehmung. Historische Analysen und Vergleiche aus dem 19. und 20. Jahrhundert (Historische Mitteilungen der Ranke-Gesellschaft, Beiheft 15), Stuttgart 1996, S. 535–580.

22 Die Einzelheiten bei Rauchensteiner, Spätherbst 1956. Die Neutralität auf dem Prüfstand, Wien 1981.

23 Rauchensteiner, Die Zwei, S. 316–318.

24 Dazu Karl Heinz Ritschel, Diplomatie um Südtirol, Stuttgart 1966; über die Wurzeln des Konflikts, nämlich das Gruber DeGasperi-Abkommen

Rolf Steininger, Los von Rom? Die Südtirolfrage 1945/46 und das Gruber-DeGasperi Abkommen (Innsbrucker Forschungen zur Zeitgeschichte 2), Innsbruck 1987.

25 Diese sich aus der NS-Herrschaft in Österreich, dem Staatsvertrag und aus dessen „Begleitverträgen", nämlich den Wiener Memoranden, ergebenden Verpflichtungen und Probleme summarisch dargestellt bei Rauchensteiner, Die Zwei, S. 377–380 und S. 423–426; ferner Albert Sternfeld, Betrifft: Österreich. Von Österreich betroffen, Wien 1990.

26 Der Text des Koalitionsabkommens wie auch aller übrigen bis 1966 bei Rauchensteiner, Die Zwei, Anhang 3, S. 539–560.

27 Zu den Regierungsverhandlungen 1966 und auch zur Haltung Kreiskys vgl. Rauchensteiner, Die Zwei, S. 479–482.

28 Gertrud Neuhauser, Die verbandsmäßige Organisation der österreichischen Wirtschaft, in: Verbände und Wirtschaftspolitik in Österreich (Schriften des Vereins für Sozialpolitik 39), Berlin 1966.

29 Zu den drei Jahren österreichischer Geschichte von 1983 bis 1986 Anton Pelinka, Die Kleine Koalition. SPÖ – FPÖ 1983–1986 (Studien für Politik und Verwaltung, hrsg. v. Christian Brünner/Wolfgang Mantl/Manfried Welan, 48), Wien – Köln – Graz 1993.

30 Die darüber entfachte Diskussion gipfelte in dem mehrfach publizierten Beitrag von Gerald Stourzh, zuletzt unter dem Titel: Vom Reich zur Republik II. Perspektive 1990: Karl Dietrich Erdmanns Österreich-Thesen und die deutsche Einheit, in: Kontroversen um Österreichs Zeitgeschichte. Verdrängte Vergangenheit. Österreichs Identität, Waldheim und die Historiker, hrsg. v. Gerhard Botz/Gerald Sprengnagel (Studien zur historischen Sozialwissenschaft 13), Frankfurt – New York 1994, S. 306–324; vgl. einen neuen Periodisierungsversuch zur Geschichte der Zweiten Republik von Michael Gehler, Kontinuität und Wandel. Fakten und Überlegungen zu einer politischen Geschichte Österreichs von den Sechzigern bis zu den Neunzigern (2 Teile), in: *Geschichte und Gegenwart* 14 (1995), Heft 4, S. 203–238 und ebd. 15 (1996), Heft 1, S. 3–38.

Dokument 1

Nationalratswahlen und Zusammensetzung des Nationalrates 1945–1995 – Stimmen (Mandate in Klammern)

	Österreichische Volkspartei	Sozialistische Partei Österreichs	Kommunistische Partei Österreichs	Wahlpartei d. Unabhängigen (ab 1956 Freiheitliche Partei Österreichs)	Demokratisch Fortschrittliche Partei	Liberales Forum	Grüne Alternative	Vereinte Grüne Österreichs
25. 11. 1945	1,602.227 (85)	1,434.898 (76)	174.257 (4)	– (–)				
9. 10. 1949	1,846.581 (77)	1,623.524 (67)	213.066 (5)	489.273 (16)				
22. 2. 1953	1,781.777 (74)	1,818.517 (73)	223.159 (4)	472.866 (14)				
13. 5. 1956	1,999.986 (82)	1,873.295 (74)	192.438 (3)	283.749 (6)				
10. 5. 1959	1,928.043 (79)	1,953.935 (78)	142.578 (–)	336.110 (8)				
18. 11. 1962	2,024.501 (81)	1,960.685 (74)	135.520 (–)	313.895 (8)				
6. 3. 1966	2,191.109 (85)	1,928.985 (74)	13.636 (–)	242.570 (6)	148.528 (–)			
1. 3. 1970	2,051.012 (78)	2,221.981 (81)		253.425 (6)				
10. 10. 1971	1,964.713 (80)	2,280.168 (93)		248.473 (10)				
5. 10. 1975	1,981.291 (80)	2,326.201 (93)		249.444 (10)				
6. 5. 1979	1,981.739 (77)	2,413.226 (95)		286.743 (11)				
24. 4. 1983	2,097.808 (81)	2,312.529 (90)		241.789 (12)			65.816 (–)	93.789 (–)
23. 11. 1986	2,003.663 (77)	2,092.024 (80)		472.205 (18)			Allianz: ALÖ + VGÖ 234.028 (8)	
7. 10. 1990	1,508.600 (60)	2,012.787 (80)		782.648 (33)			225.081 (10)	
9. 10. 1994	1,281.846 (52)	1,617.804 (65)	11.919 (–)	1,042.332 (42)		276.580 (11)	338.538 (13)	5.776
17. 12. 1995	1,370.497 (53)	1,843.679 (71)	13.939 (–)	1,060.176 (40)		267.078 (10)	233.232 (9)	

Manfred Rauchensteiner, Die Zwei. Die Große Koalition in Österreich 1945/46, Wien 1987, S. 525; Christian Haerpfer, Wahlverhalten, in: Herbert Dachs u. a. (Hrsg.), Handbuch des politischen Systems Österreichs, Wien 1991, S. 475–497, hier S. 490 f.; Auskunft von Dr. Berger/Bundesministerium für Inneres, Abteilung IV/6 vom 13. 2. 1996.

Dokument 2

1. Abkommen vom Dezember 1945[1]

Der Proporz soll nicht nur bei der Bildung der Bundes-, sondern auch bei der Bildung der Landesregierungen und bei den Gemeindeverwaltungen gelten.

Staatssekretäre sollen nur in Ausnahmefällen neben dem Minister bestellt werden.

Das Programm der Parteien soll in der Erklärung der Regierung im Nationalrat seinen Ausdruck finden.

Die Österreichische Volkspartei bietet den Sozialisten folgende Funktionen an: Das Amt des

Bundespräsidenten unter der Voraussetzung, daß dafür Dr. Renner vorgeschlagen werde,

das Amt des Vizekanzlers,

dann die Ministerien für Inneres, für soziale Verwaltung, für Volksernährung und für Verkehr,

ferner das Justizministerium.

Die Volkspartei behält sich den Bundeskanzler vor, einen Minister ohne Portefeuille, einen Minister für Äußeres, dann die Ministerien für Unterricht, (für Land- und Forstwirtschaft), für Handel und Wiederaufbau, für Vermögenssicherung und Wirtschaftsplanung und das Finanzministerium.

Ein Vertreter der Volkspartei soll in das Innenministerium, ein Sozialist in das Planungsministerium als Staatssekretär berufen werden.

Beide Parteien einigen sich darauf, in das Justizministerium und in das Finanzministerium – unbeschadet des Anspruchs der Parteien auf diese Ressorts – nicht Politiker, sondern beamtete Fachmänner zu berufen.

Den Kommunisten soll ein Minister ohne Portefeuille, allenfalls ein zu schaffendes Ministerium für Elektrifizierung eingeräumt werden. Die Sozialisten und die Volkspartei sind sich darüber einig, daß die Kommunisten in der Regierung vertreten sein sollten, obwohl ihre parlamentarische Stärke ihnen einen Anspruch darauf nicht gibt. Es wird ein Verbindungsausschuß (Koalitionsausschuß) gebildet, dem die Austragung von Meinungsverschiedenheiten und die Vorbereitung von Gesetzesentwürfen obliegt.[2]

Für das den Arbeiterorganisationen im März 1934 rechtswidrig entzogene Vermögen soll Ersatz geleistet werden. Bei der Bestellung von staatlichem Vertretungspersonal im Ausland soll einvernehmlich vorgegangen werden.

Die Schaffung eines einheitlichen Dienst- und Besoldungsrechtes für die Lehrpersonen wird in Aussicht genommen. Der Stadt Wien soll die Wiedererrichtung eines Stadtschulrates mit sozialistischer Mehrheit ermöglicht werden. Der Gemeinde Wien soll, wenn die Sozialistische Partei es verlangt, durch eine Änderung der Verfassung die Einrichtung einer zweiten Instanz ermöglicht werden.

Abmachungen über die Beamtenbesoldung, über die Behandlung der Nationalsozialisten sowie über die Verstaatlichung werden in Aussicht genommen, ebenso weitere Besprechungen über die Verwaltungsorgane der Arbeiterkammern, der Krankenkassen, der Gewerkschaften und über die Betriebsräte.

Manfried Rauchensteiner, Die Zwei. Die Große Koalition in Österreich 1945–1966, Wien 1987, S. 539 f.

1 Das genaue Datum des Abschlusses ist unbekannt. Nachforschungen im Dr.-Karl-Renner-Institut der SPÖ, im Karl-von-Vogelsang-Institut der ÖVP und im Generalsekretariat der ÖVP förderten nicht den geringsten Anhalt für ein schriftliches Abkommen zutage. Die inhaltliche Fixierung der Vereinbarung zwischen ÖVP und SPÖ bei Adolf Schärf, Österreichs Erneuerung. 1945–1955. Das erste Jahrzehnt der Zweiten Republik, Wien 1955, S. 82 f. Schärf führte an, daß diese Vereinbarung nur zwischen Volkspartei und Sozialisten getroffen worden sei und vermutete, daß zwischen Volkspartei und Kommunisten eine separate Vereinbarung geschlossen wurde. Zwischen Sozialisten und Kommunisten sei hingegen kein Abkommen entstanden. Es hat den Anschein, daß Schärf vor allem jene Punkte aufzählte, die der SPÖ zugute kamen. Im folgenden wird der von Schärf wiedergegebene Inhalt etwas anders gegliedert und sprachlich an die nachfolgenden Koalitionsübereinkommen angeglichen sowie geringfügig ergänzt.
2 Eine Passage dieser Textierung muß enthalten gewesen sein, auch wenn dies von Schärf nicht erwähnt wird. In der von Herbert Kraus 1947 angestellten Umfrage über die Ursachen der Unzufriedenheit mit den politischen Parteien und mit der Koalition spielte jedoch die Existenz eines Koalitionsausschusses eine Rolle. Dieser Ausschuß könnte auch mit dem aus der „Formula Krauland" bekannten Vermittlungsausschuß ident sein.

Dokument 3

Arbeitsübereinkommen

1. Die Österreichische Volkspartei und die Sozialistische Partei Österreichs bekennen sich zur Wahrung der Verfassung und des Rechtsstaates.

2. Die österreichische Volkspartei und die Sozialistische Partei Österreichs bilden eine gemeinsame Regierung. [...]

3. Die beiden politischen Parteien werden die von ihnen gebildete Regierung nach den in diesem Arbeitsübereinkommen gemeinsam festgelegten Grundsätzen führen und diese Grundsätze in einer Regierungserklärung erläutern.

   Die Regierungsparteien verpflichten sich zur Zusammenarbeit grundsätzlich bis zum Ablauf der Gesetzgebungsperiode.

   Vorzeitige Neuwahlen werden nur einvernehmlich festgelegt und durch die von beiden Parteien gebildete Regierung durchgeführt.

   Im Verhältnis zwischen Österreichischer Volkspartei und Sozialistischer Partei Österreichs gilt grundsätzlich das von jeder der beiden Parteien bei der Wahl am 18. November 1962 erzielte Mandatsverhältnis.

4. a) Über Regierungsvorlagen soll in der Regel ein einstimmiger Beschluß der beiden Koalitionsparteien in materieller und formeller Hinsicht erzielt werden.

   ÖVP und SPÖ verpflichten sich, ihren Abgeordneten zu empfehlen, daß diese Vorlagen im Nationalrat gemeinsam vertreten werden, soferne sie nicht von beiden Parteien einvernehmlich für die Behandlung im Nationalrat freigegeben werden. Die gleiche Vorgangsweise gilt über Verlangen einer Partei für Beharrungsbeschlüsse des Nationalrates.

   b) Kommt über eine vom zuständigen Bundesminister in der Bundesregierung eingebrachte Vorlage in der Bundesregierung kein Beschluß zustande, so ist das Verhandlungskomitee (Punkt 5) mit dieser Angelegenheit zu befassen. Stellt eine Regierungspartei fest, daß auch im Verhandlungskomitee über diese Angelegenheit eine Einigung nicht erzielbar ist, so steht es jeder der beiden Regierungsparteien frei, nach Ablauf von drei Monaten nach dieser Feststellung zur beabsichtigten Vorlage einen Initiativantrag einzubringen.

c) Kommt bei solchen Initiativanträgen zwischen den Klubs der beiden Regierungsparteien binnen fünf Monaten keine Einigung über einen einvernehmlichen Vorgang zustande, so kann außer in den unter lit. d) angeführten Angelegenheiten jede der beiden Parteien die freie Mehrheitsbildung (selbständiges Vorgehen in zuständigen Ausschüssen und im Plenum des Nationalrates) herbeiführen. Zu diesem Zweck werden die Ausschußmitglieder der beiden Parteien im Nationalrat in gleicher Zahl bestellt.

d) In nachstehenden Angelegenheiten ist jedoch auf jeden Fall zwischen den Klubs der beiden Regierungsparteien eine Einigung über die gemeinsame Vorgangsweise herbeizuführen:

aa) Im Bereich des Zivil- und Strafrechtes hinsichtlich von Fragen, die Weltanschauungs- oder Gewissensfragen betreffen und als solche von einer der beiden Koalitionsparteien geltend gemacht werden;

bb) die eine finanzielle Belastung von Bundesbürgern (physische oder juristische Personen) betreffen;

cc) die für Bund, Länder, Gemeinden oder Gemeindeverbände Mehrausgaben oder Mindereinnahmen verursachen, jedoch mit Ausnahme des zur Durchführung eines Gesetzes notwendigen Verwaltungsaufwandes;

dd) die eine Änderung des Bundesfinanzgesetzes oder der Beilagen zum Bundesfinanzgesetz innerhalb des geltenden Finanzjahres;

ee) die eine Veräußerung von Staatsgut betreffen.

e) Jede der beiden Regierungsparteien verpflichtet sich, ihren Abgeordneten zu empfehlen, für die Durchführung einer Volksabstimmung gemäß Art. 43 B.-VG. über Gesetzesbeschlüsse dieser Art – abgesehen von den in lit. d) genannten Gegenständen – zu stimmen, falls dies von der überstimmten Partei verlangt wird.
Sollte trotz Empfehlung ein Abgeordnetenklub die Zustimmung zur Durchführung der Volksabstimmung verweigern, so kann die andere Partei verlangen, daß gemeinsam die Auflösung des Nationalrates und die Ausschreibung von Neuwahlen beschlossen wird.

f) Bei allen anderen Initiativanträgen und sonstigen Vorlagen werden die Klubs der beiden Regierungsparteien im Parlament die Art der Behandlung und der Abstimmung absprechen.

5. Zur Koordination der Arbeit der beiden Parteien und zur Beilegung allfälliger Meinungsverschiedenheiten wird von den beiden Regierungsparteien ein Verhandlungskomitee gebildet. Jede der beiden Parteien wird jeweils nicht mehr als sieben Personen in dieses Komitee entsenden. Den Vorsitz führt der Bundeskanzler, in seiner Vertretung der Vizekanzler.

6. Unabhängig von der Vereinbarung des Punktes 4 wird festgelegt, daß über die Neuregelung der Wohnungsfrage bis 31. Dezember 1964 zwischen den Regierungsparteien eine einvernehmliche gesetzliche Regelung zustande kommen soll.

Sollte bis zu diesem Zeitpunkt keine einvernehmliche Lösung erzielt worden sein, so steht es jeder der beiden Regierungsparteien frei, Gesetzesentwürfe zur Regelung der Wohnungsfrage in Form von Initiativanträgen im Parlament einzubringen und unverzüglich eine Beschlußfassung im Wege der freien Mehrheitsbildung herbeizuführen. Beide Regierungsparteien verpflichten sich, ihren Abgeordneten zu empfehlen, für die Durchführung einer Volksabstimmung über einen in dieser Angelegenheit zustande gekommenen Gesetzesentwurf zu stimmen, sofern dies von der überstimmten Partei verlangt wird. [...]

Erweiterung der Kompetenzen des Handelsministeriums

Dem Bundesministerium für Handel und Wiederaufbau obliegt

a) die Wahrnehmung der Außenhandelsinteressen gegenüber dem Ausland einschließlich der Angelegenheiten der europäischen wirtschaftlichen Integration,

b) die Vorbereitung und Verhandlung von Staatsverträgen, soweit sie wirtschaftliche Angelegenheiten (Angelegenheiten des Handels- und Wirtschaftsverkehrs mit dem Ausland) zum Gegenstand haben,

c) die Vertretung der Republik Österreich gegenüber zwischenstaatlichen und überstaatlichen Organisationen, soweit deren Aufgabenbereich rein wirtschaftlicher Natur ist.
    Soweit Angelegenheiten multilateraler und bilateraler Staatsverträge, die Fragen des Handels- oder Wirtschaftsverkehrs mit dem Ausland zum Gegenstand haben, eine Antragstellung an die Bundesregierung erfordern, hat das Bundesministerium für Handel und Wiederaufbau solche Anträge gemeinsam mit dem Bundesministerium für Auswärtige Angelegenheiten nach Her-

stellung des Einvernehmens mit den sonst zuständigen Bundesministerien zu stellen.

Das Bundesministerium für Handel und Wiederaufbau erhält
das Weisungsrecht gegenüber den österreichischen Vertretungsbehörden bei der EWG, bei der EFTA, beim EURATOM und bei
der Europäischen Gemeinschaft für Kohle und Stahl. Auch
sonstige österreichische Vertretungsbehörden werden bei Wahrnehmung handelspolitischer Aufgaben dem Weisungsrecht des
Bundesministeriums für Handel und Wiederaufbau unterstehen.

1. Brief des Außenministers Dr. Kreisky an Handelsminister Dr.
Bock (23. März)

Zur Erleichterung der Geschäftsführung des Bundesministeriums für Handel und Wiederaufbau bin ich bereit, diesem Bundesministerium eine noch zu vereinbarende Anzahl von Beamten
aus dem Personalstand des Bundesministeriums für Auswärtige
Angelegenheiten gemäß § 22 DP vorübergehend zuzuteilen.

Ich gehe bei dieser Zusage von den folgenden Voraussetzungen
aus: Durch eine solche vorübergehende Zuteilung dürfen den
zugeteilten Beamten keinerlei Nachteile in ihrer Laufbahn entstehen und insbesondere hiedurch auch eine Versetzung in das
Ausland gemäß der im Bundesministerium für Auswärtige Angelegenheiten bestehenden Übung nicht behindert werden. Ich
werde jedoch vor jeder Aufhebung einer solchen Zuteilung mit
Ihnen das Einvernehmen pflegen und, solange die gegenwärtigen Verhältnisse andauern, auch im Einvernehmen mit Ihnen
dafür sorgen, daß als Ersatz ein Beamter entsprechenden Ranges und entsprechender Verwendungsmöglichkeit dem Bundesminister für Handel und Wiederaufbau zugeteilt wird. Diese
Zusage kann ich jedoch nur solange aufrechterhalten, als das
Bundeskanzleramt die Organisationsänderung nicht zum Anlaß
nimmt, eine Verminderung der Dienstposten des Bundesministeriums für Auswärtige Angelegenheiten vorzunehmen oder eine durch eine Ausweitung der Aufgaben dieses Bundesministeriums erforderliche Vermehrung der Dienstposten (z. B. Eröffnung neuer Vertretungsbehörden) mit dem Hinweis auf die
Abgabe von Agenden an das Bundesministerium für Handel
und Wiederaufbau abzulehnen.

Ich bin damit einverstanden, daß wir gemeinsam über diese
meine Zusage und ihre Annahme den Ministerrat informieren,

wobei ich annehme, Sie mit mir einer Meinung zu wissen, daß
durch diese Information eine Zuständigkeit des Ministerrates in
der Frage der Zuteilung oder der Aufhebung einer Zuteilung von
Beamten nicht begründet wird.

2. **Brief des Außenministers Dr. Kreisky an Handelsminister Dr.
Bock (23. März)**

Im Verfolge unserer Besprechungen über den Entwurf eines
Bundesgesetzes, mit dem die Zuständigkeitsverteilung zwischen den Bundesministerien in Angelegenheiten des Außenhandels neu geregelt wird, erkläre ich mich bereit, nach dem
Inkrafttreten dieses Gesetzes folgendes zu veranlassen:

1. Es wird im Bundesministerium für Auswärtige Angelegenheiten Vorsorge dafür getroffen werden, daß die im § 4 (2) des
erwähnten Gesetzesentwurfes vorgesehenen Weisungen des
Bundesministeriums für Handel und Wiederaufbau an die
österreichischen Vertretungsbehörden im Ausland unverzüglich
und, soweit sie sich auf die im § 2 des Gesetzesentwurfes angeführten Angelegenheiten beschränken, ohne sachliche Einflußnahme weitergeleitet werden. Hiebei wird den Wünschen des
Bundesministeriums für Handel und Wiederaufbau, betreffend
die Art der Weitergabe (telegraphisch, Luftpost, Luftfracht etc.),
Rechnung getragen werden.

2. Ich bin einverstanden, daß derartige Weisungen, soferne sie
nur rein technischen Charakter haben, auch direkt vom Bundesministerium für Handel und Wiederaufbau an die österreichischen Vertretungsbehörden ergehen können.

3. Vom Bundesministerium für Auswärtige Angelegenheiten
wird eine Zirkularnote an die hiesigen diplomatischen Missionen gesandt werden, die im Einvernehmen mit dem Bundesministerium für Handel und Wiederaufbau verfaßt und in der diesen Missionen bekanntgegeben werden wird, daß sich deren
Funktionäre in allen unter § 2 des Gesetzesentwurfes angeführten Angelegenheiten direkt mit dem Bundesministerium für
Handel und Wiederaufbau in Verbindung setzen können.

Übereinkommen: Kompetenzen und Agrarfragen

Kompetenzfragen des Bundesministeriums für Inneres: Lebensmit-
telbewirtschaftungs-Gesetz:

Das Bundesministerium für Inneres tritt alle Kompetenzen zur Vollziehung dieses Gesetzes an das Bundesministerium für Land- und Forstwirtschaft ab.

Außenhandelsgesetz

a) Die bisherigen Alleinkompetenzen des Bundesministeriums für Inneres hinsichtlich der Einfuhr und der Ausfuhr gehen auf das Bundesministerium für Handel und Wiederaufbau über.

b) In den Fällen, in denen bisher das Bundesministerium für Inneres im Einvernehmen mit dem Bundesministerium für Land- und Forstwirtschaft oder das Bundesministerium für Land- und Forstwirtschaft im Einvernehmen mit dem Bundesministerium für Inneres entschieden hat, wird das Bundesministerium für Land- und Forstwirtschaft mit der Maßgabe allein zuständig, daß es lediglich bei der Ausfuhr folgender Waren das Einvernehmen mit dem Bundesministerium für Inneres herzustellen hat: ex Zolltarif Nr. 01.01 A Schlachtpferde, Zolltarif Nr. 01.02 A1 Schlachtrinder, Zolltarif Nr. 01.03 B, C Schlachtschweine, ex Zolltarif Nr. 02.01 Kälber (tot), Zolltarif Nr. 02.02 Geflügel (tot), ex Zolltarif Nr 07.01 Gemüse, frisch, einschließlich Kartoffeln, Zolltarif Nr. 08.07 A Marillen, ex Zolltarif Nr. 08.07 E Zwetschken, Zolltarif Nr. 08.08 A Erdbeeren.

c) In den Fällen, in denen das Bundesministerium für Land- und Forstwirtschaft im Einvernehmen mit dem Bundesministerium für Inneres zu entscheiden hat, gilt dieses Einvernehmen als hergestellt, wenn das Bundesministerium für Inneres nicht binnen 10 Tagen nach der Einladung zur Stellungnahme ausdrücklich eine gegenteilige Erklärung abgibt.

Sonstige Maßnahmen

Die Vertreter der Kammern werden laufend über die insbesondere im Zusammenhang mit der Integration beabsichtigten Stellungnahmen und Beschlüsse rechtzeitig eingehendst informiert werden, so daß sie in der Lage sind, auch an den Arbeiten zur Vorbereitung der Verhandlungen teilzunehmen. Zu diesem Zweck werden ihnen zum frühestmöglichen Zeitpunkt die vorhandenen Unterlagen im größtmöglichen Umfang zur Verfügung gestellt werden. Die Vertreter der Kammern werden jeweils zur gleichen vertraulichen Behandlung wie die zuständigen Ressortbeamten verpflichtet werden.

Den Vertretern der Kammern wird die Möglichkeit eröffnet werden, bei den zuständigen Stellen des Auslandes periodisch oder im Einzelfall Erhebungen, die von Interesse für die Stellungnahme der

Interessenvertretung sind, durchzuführen. Solche Reisen werden auf Grund des § 5 Z. 3 des Außenhandelsförderungsbeitragsgesetzes, BGBl. Nr. 214/1954, als Tätigkeit im Interesse der Außenhandelsförderung angesehen werden.

Auch in Zukunft werden Vertreter der Kammern an den Verhandlungen und deren Vorbereitung teilnehmen. Soferne eine Teilnahme der Kammervertreter an den Verhandlungen selbst nicht möglich sein sollte, wird es den Kammern dennoch ermöglicht, Vertreter zu entsenden, die sodann an den internen Delegationssitzungen teilnehmen; auf diese Art wird den Kammervertretern rechtzeitig Gelegenheit gegeben, den Standpunkt ihrer Organisation zu vertreten. Diese Regelung gilt für bilaterale und multilaterale Verhandlungen mit dem Ausland.

Preisregelung

a) Preisregelungsgesetz: Das Bundesministerium für Inneres tritt hinsichtlich der Waren des Ernährungssektors (Abschnitte I bis IV, das sind die Kapitel 1 bis 24 des Zolltarifes) die Führung in der Vollziehung des Preisregelungsgesetzes hinsichtlich der Preisbestimmung an das Bundesministerium für Land- und Forstwirtschaft ab; dieses hat jedoch das Einvernehmen mit dem Bundesministerium für Inneres herzustellen.

b) Landwirtschaftsgesetz: Die führende Zuständigkeit des Bundesministeriums für Inneres bei der Bestimmung von Richtpreisen für inländische landwirtschaftliche Erzeugnisse (§ 4) geht auf das Bundesministerium für Land- und Forstwirtschaft über; dieses hat jedoch das Einvernehmen mit dem Bundesministerium für Inneres herzustellen.

Regelung milchwirtschaftlicher Fragen

Es ist Einvernehmen darüber erzielt worden, daß der Erzeugerpreis für Milch zu einem möglichst frühen Zeitpunkt um 20 Groschen je Liter erhöht wird. Zur Bedeckung dieser Erhöhung ist ein Betrag von 372 Millionen Schilling im Jahr erforderlich.

Gleichzeitig mit dieser Erhöhung des Erzeugerpreises soll die schon seinerzeit vereinbarte Erhöhung des Verbraucherpreises für Trinkmilch um 16 Groschen je Liter zur Abgeltung der erhöhten Löhne und Gehälter der Molkereibediensteten (Anteil 10,2 Groschen) sowie zur Verbesserung der Handelsspanne (Anteil 5,8 Groschen) vorgenommen werden. Diese Erhöhung soll jedoch um 4 Groschen vermehrt werden, also 20 Groschen betragen, damit Mittel zur Abdek-

kung der bereits zugestandenen Sonn-, Feiertags- und Nachtar-
beitszuschläge der Molkereibediensteten geschaffen werden. Darüber hinaus soll der Verbraucherpreis um weitere 20 Groschen, also
insgesamt um 40 Groschen, erhöht werden, wodurch die Erhöhung
des Erzeugerpreises aber nur zum Teil abgegolten werden kann.
Neben dieser Erhöhung des Verbraucherpreises müssen daher noch
andere Maßnahmen getroffen werden.

Die Erhöhung des Trinkmilchpreises um den vorstehend genannten
Teilbetrag von 20 Groschen je Liter ergibt   110 Mill. S/Jahr

Ein Zuschlag von 20 Groschen je Liter

Milchbasis für Rahmprodukte

(Schlagobers, Sauerrahm, Kaffeeobers) ergibt   15 Mill. S/Jahr

Eine Erhöhung des Verbraucherpreises für Butter um 1,60 S

auf 36,80 S pro Kilogramm bringt   56 Mill. S/Jahr

Die Einhebung einer Umlage auf Bier in der Höhe

von 20 Groschen je Liter ergibt   116 Mill. S/Jahr

Eine Umlage auf gebrannte geistige Getränke

in der Höhe von 3 S je Liter ergibt   48 Mill. S/Jahr

                                   Summe 345 Mill. S/Jahr

Den verbleibenden Abgang wird der Landwirtschaftsminister aus
den Erträgnissen des Krisenfonds decken, der eigentlich zur Ex-
portförderung von Molkereiprodukten bestimmt ist.
Verlängerung der Geltungsdauer des Landwirtschaftsgesetzes und
des Marktordnungsgesetzes
Die Geltungsdauer des Marktordnungsgesetzes wird noch im Frühjahr um 2 Jahre, d. i. bis 31. Dezember 1965, verlängert.
Im übrigen haben die Vertreter der ÖVP die Erklärung der SPÖ zur
Kenntnis genommen, daß diese unter der Voraussetzung des weiteren Bestandes der Regierungskoalition den von der Österreichischen Volkspartei zur gegebenen Zeit vorgeschlagenen, kompetenz-
mäßig und materiell unveränderten Verlängerungen beider Gesetze
und des Außenhandelsgesetzes ohne Bedingungen oder Kompensa-
tionsforderungen zustimmen wird.
Gesetzliche Regelung des land- und forstwirtschaftlichen Schulwe-
sens
Die diesbezüglichen Maßnahmen sind nach der Regierungsbildung
ehesttunlich in einem Komitee zu beraten, dem je drei bis vier
Vertreter der beiden Regierungsparteien sowie die notwendigen Ex-

perten angehören. Den Vorsitz wird ein von der Österreichischen Volkspartei namhaft gemachter Vertreter führen.

Übereinkommen Verstaatlichte und Verbund

1. Beim Bundeskanzleramt – Verstaatlichte Unternehmungen, Sektion IV, wird ein aus vier Vertretern der Regierungsparteien und dem Vizekanzler als Vorsitzenden zusammengesetzter

Beirat

eingerichtet. Der Beirat wird vom Vizekanzler mindestens einmal im Monat zu ordentlichen Sitzungen einberufen. Der Vizekanzler kann den Beirat in dringenden Fällen unter Einhaltung einer dreitägigen Frist zu einer außerordentlichen Sitzung einberufen. Eine außerordentliche Sitzung ist auch sofort einzuberufen, wenn dies von zwei Beiratsmitgliedern unter Angabe der Tagesordnung und Darlegung der Dringlichkeit schriftlich verlangt wird.

Der Beirat ist beschlußfähig, wenn alle Mitglieder ordnungsgemäß geladen und von jeder Regierungspartei mindestens ein Vertreter anwesend ist. Beschlüsse können nur mit Stimmeneinhelligkeit aller anwesenden Mitglieder gefaßt werden.

Der Beirat hat in folgenden Angelegenheiten Beschluß zu fassen:

a) Zu Beschlüssen von Organen der Unternehmungen (§ 1 Bundesgesetz BGBl. Nr. 173/1959), die der Genehmigung der Bundesregierung bedürfen (§3 Abs. 1 Bundesgesetz BGBl. Nr. 173/1959), vor Beschlußfassung in der Haupt- bzw. Generalversammlung, wo aber die Haupt- bzw. Generalversammlung nicht zu befassen ist, vor Antragstellung an die Bundesregierung;

b) Veräußerung von Anteilrechten in den in a) genannten Unternehmungen, gleichgültig, ob hiezu die Zustimmung des Hauptausschusses des Nationalrates, ein Bundesgesetz oder sonstige Maßnahmen erforderlich sind (§ 3 Abs. 2 lit. a Bundesgesetz BGBl. Nr. 173/1959);

c) Zu allen sonstigen Anträgen an den Ministerrat;

d) Verwendung von Mitteln des Investitionsfonds für verstaatlichte Unternehmungen (§ 4 Bundesgesetz BGBl. Nr.173/1959). Bei Gefahr im Verzug kann der Vizekanzler über Einzelbeträge bis S 10,000.000,– auch ohne Einberufung einer außerordentlichen Beiratssitzung selbständig verfügen, worüber er in der nächsten Sitzung zu berichten hat;

e) Beschlüsse der Haupt- und Generalversammlungen über die Verteilung des Reingewinnes (§ 126 Aktiengesetz);

f) Festsetzung der Tagesordnung für Sitzungen des Ausschusses gemäß Z. 3, des Sozialbeirates und allfälliger weiterer beratender Einrichtungen der Sektion IV;

g) Grundsätzliche Fragen der Geschäftsordnungen für den Vorstand und den Aufsichtsrat;

h) Fragen, die eine Änderung des organisatorischen Verhältnisses der Sektion IV zu den Unternehmungen und des Verhältnisses der Unternehmungen zueinander betreffen.

Zu den Aufgaben des Beirates gehört überdies:

i) Die Aussprache über die den politischen Parteien zustehenden Personenvorschläge für die Bestellung der Organe (§ 6 Bundesgesetz BGBl. Nr. 173/1959), um eine den Aufgaben des Unternehmens und der Geschäftsverteilung entsprechende Zusammensetzung dieser Organe zu sichern;

j) Die Kenntnisnahme von Vierteljahrsberichten über die Tätigkeit der Sektion IV.

k) Die Mitglieder des Beirates sind von der Abhaltung der Hauptversammlungen der einzelnen Unternehmungen in Kenntnis zu setzen.

l) Schriftliche Anfragen der Beiratsmitglieder sind in der nächsten ordentlichen Beiratssitzung zu beantworten.

Die Aufsichtsräte

2. Von jeder Regierungspartei sind für die Bestellung zu Mitgliedern des Aufsichtsrates eines Unternehmens grundsätzlich die gleiche Zahl von Mitgliedern vorzuschlagen, doch muß unter Einrechnung der vom Betriebsrat delegierten Aufsichtsratsmitglieder das Dirimierungsrecht des Vorsitzers gesichert bleiben. Daher sind von einer Regierungspartei so viele Aufsichtsratsmitglieder weniger vorzuschlagen, als vom Betriebsrat delegierte Aufsichtsratsmitglieder dieser Partei angehören.

Sofern vom Betriebsrat delegierte Aufsichtsratsmitglieder keiner der beiden Regierungsparteien angehören bzw. beim Gewerkschaftsbund nach ihrer Wahl zum Betriebsrat sich zu keiner der beiden Regierungsparteien nahestehenden Gewerkschaftsfraktionen bekannt haben, wird jener Regierungspartei, die den Aufsichtsratsvorsitzenden stellt, die Ergänzung ihrer Aufsichtsratsmitglie-

der um die Anzahl dieser keiner Regierungspartei angehörenden
delegierten Aufsichtsratsmitglieder zugestanden. Ist jedoch die gesetzlich zulässige Anzahl von Aufsichtsratsmitgliedern bereits erreicht, wird die andere Regierungspartei entsprechend weniger Aufsichtsratsmitglieder vorschlagen.

In Gesellschaften, in denen der Vorsitzende des Vorstandes der SPÖ
angehört, wird ein Vorsitzender des Aufsichtsrates mit Dirimierungsrecht bestellt, der der ÖVP angehört und umgekehrt. Die auf
Grund dieser Bestimmung erforderlichen Änderungen in den Organen sind binnen drei Monaten nach Bildung der Regierung durchzuführen.

Ausschuß „Gesamtprobleme"

3. Zur Beratung über Vorschläge für eine dauernde Lösung der
Gesamtprobleme der verstaatlichten Unternehmungen (politische
Neutralisierung, allgemeine Wirtschaftspolitik, Finanzprobleme,
Aktenemission, Strukturprobleme etc.) wird ein von beiden Regierungsparteien paritätisch beschickter Ausschuß beim Bundeskanzleramt – Verstaatlichte Unternehmungen, Sektion IV, gebildet. Dieser ist beauftragt, unverzüglich die Beratung aller Probleme in Angriff zu nehmen und bis 30. Juni 1964 einvernehmlich Vorschläge
für eine Lösung dieser Probleme auszuarbeiten. Dieser Ausschuß
hat sich binnen einem Monat nach der Bildung der Regierung zu
konstituieren. Den Vorsitz führt der Vizekanzler.

4. Zur Vereinheitlichung der Rechtsform wird angestrebt, alle unter Punkt 1a) fallenden Gesellschaften mit beschränkter Haftung,
mit Ausnahme der vor der Liquidation stehenden Bergbau-Be-
triebsgesellschaft m.b.H. und der Gemeinnützigen Wohnungsgesell-
schaften, in Aktiengesellschaften umzuwandeln.

5. Für die Verbundgesellschaft und die ihr angeschlossenen Unternehmungen gelten auf Grund dieser Parteienvereinbarungen sinngemäß die gleichen Bestimmungen.

11. März 1963

Übereinkommen Rundfunk-Fernsehen

I. Kompetenzen in der Bundesregierung:

Änderung des Kompetenzgesetzes vom 11. Juli 1956 (BGBl.
Nr. 134/56).

a) Die gemäß § 3 (1) Z. 2 der Bundesregierung übertragenen Kompetenzen (Angelegenheiten des Rundfunks einschließlich der grundsätzlichen Richtlinien für die Programmgestaltung und die technische Ausgestaltung des Rundfunks) gehen in eine gemeinsame Kompetenz der Bundesministerien für Verkehr und Elektrizitätswirtschaft und des Bundesministeriums für Unterricht über.

b) Die Bestimmungen des § 3 (2) des Bundesgesetzes vom 11. Juli 1956 (BGBl. Nr. 134/56) werden nicht geändert. (Die Zuständigkeitsbestimmungen des Fernmeldegesetzes, BGBl. Nr. 170/1949, das die Programmgestaltung des Rundfunks jedoch nicht zum Gegenstand hat . . .).

c) Sinngemäß sind die Bestimmungen des Gesellschaftsvertrages der „Österreichischen Rundfunk G.m.b.H." vom 11. Dezember 1957 dahin zu ändern, daß an Stelle der „Bundesregierung" die Bundesminister für Verkehr und Elektrizitätswirtschaft und Unterricht treten. Insbesondere ist der § 6 des Gesellschaftsvertrages der „Österreichischen Rundfunk Ges.m.b.H." vom 11. Dezember 1957 abzuändern, daß in der Generalversammlung der Bund als Gesellschafter von den Bundesministern für Verkehr und Elektrizitätswirtschaft und Unterricht gemeinsam vertreten wird. Willensäußerungen des Bundes als Gesellschafter können nur durch die beiden Bundesminister einverständlich abgegeben werden.

Den Vorsitz in der Generalversammlung der „Österreichischen Rundfunk Ges.m.b.H." führt der Bundesminister für Unterricht.

II. Zukünftige Organisation von Rundfunk und Fernsehen:

Zur Beratung über Vorschläge für eine dauernde Lösung der Gesamtprobleme von Rundfunk und Fernsehen im Sinne einer zeitgemäßen und den modernen technischen Erfordernissen entsprechenden, wirtschaftlich rationellen Betriebsführung, wird ein von beiden Regierungsparteien paritätisch beschickter Ausschuß gebildet. In diesen Ausschuß entsendet jede der beiden Parteien drei Vertreter. Dem Ausschuß steht es frei, zu seinen Beratungen jeweils auch andere Fachleute des Rundfunk- und Fernsehwesens zuzuziehen. Der Ausschuß ist beauftragt, unverzüglich die Beratung aller offenen Probleme von Rundfunk und Fernsehen in Angriff zu nehmen und bis 30. Juni 1964 einvernehmliche Vorschläge für eine Lösung dieser Probleme auszuarbeiten. Der Ausschuß hat sich binnen einem Monat nach Bildung der Regierung zu konstituieren.

III. Verbesserung der Geschäftsverteilung:

A) „Programmleiter Fernsehen" und „Leiter der Programmplanung" im Hörfunk.

1. Fernsehen: Die Funktionen des bisherigen „Programmleiters" werden geteilt:

    a) „Programmleiter Fernsehen",

    b) „Produktionsgruppe Kultur und Volksbildung".

2. Hörfunk: Entsprechend der Neugestaltung im Fernsehen wird die Funktion eines „Leiters der Programmplanung" geschaffen. Dieser wird aus dem Kreis der bisherigen Programmkoordinatoren des Hörfunks berufen. Die Tätigkeit des „Leiters der Programmplanung" erstreckt sich auch auf die Programmplanung der Ringsendungen, jedoch nicht auf die Gestaltung des Lokalprogramms der Länderstudios.

Inhaltlich sind die Funktionen „Programmleiter Fernsehen" und „Leiter der Programmplanung" im Hörfunk identisch.

Die Funktionen des „Programmleiters Fernsehen" bzw. „Leiters der Programmplanung" im Hörfunk werden wie folgt abgegrenzt:

Der „Programmleiter Fernsehen" bzw. „Leiter der Programmplanung" im Hörfunk ist dem Fachdirektor unmittelbar unterstellt. Er koordiniert die Programmvorschläge, vidiert deren Vorkalkulation und paraphiert den diesbezüglichen Schriftverkehr nach innen und außen.

B) Nachrichtendienst und aktueller Dienst.

1. Fernsehen: Es wird die Funktion eines Stellvertreters des Chefredakteurs des aktuellen Dienstes einschließlich des Nachrichtendienstes geschaffen.

2. Hörfunk:

    a) Es wird die Funktion eines Stellvertreters des Chefredakteurs des Nachrichtendienstes reaktiviert.

    b) Es wird die Funktion eines Stellvertreters des Leiters des aktuellen Dienstes 6 (im Studio Wien) geschaffen.

C) Beilegung von Meinungsverschiedenheiten im aktuellen Programm.

Bei grundsätzlichen Meinungsverschiedenheiten über die Auslegung des Gesellschafterbeschlusses betreffend die Richtlinien für die Gestaltung des Rundfunk- und Fernsehprogramms sind die unter

a) und

b) angeführten Funktionäre sowie deren Stellvertreter berechtigt, eine einverständliche Entscheidung zu beantragen, falls die Beilegung des Streitfalles nicht intern mit den jeweiligen Fachdirektoren möglich ist.

In einem solchen Fall soll die Entscheidung des Generaldirektors und des Generaldirektor-Stellvertreters (oder der von diesen hiezu nominierten Vertreter) herbeigeführt werden. Wenn durch die vorgenannte Entscheidungsinstanz einverständlich eine Verletzung des Gesellschafterbeschlusses durch eine Sendung in einem Einzelfall festgestellt wird, soll zunächst auf Grund einer einverständlichen Entscheidung eine Eliminierung der beanstandeten Sendung versucht werden; sollte dies nicht möglich sein, ist eine Ausgleichssendung gleichen Umfanges und gleicher Bedeutung innerhalb von zwei Wochen anzuberaumen.

IV. Allfälliges:

Änderungen der Geschäftsordnung des Vorstandes, wie sie im Laufe der Regierungsverhandlungen von beiden Seiten angemeldet worden sind, sollen sofort nach Bildung des paritätischen Ausschusses der beiden Regierungsparteien (Punkt II) behandelt und einer Lösung zugeführt werden.

Der bereits derzeit im Fernsehen tätige Prof. Dr. Helmut Zilk ist vom Fernsehdirektor als 2. Hauptreferent der „Abteilung Jugend und Familie" im Fernsehen vorgesehen. Es wird die dem Wirkungskreis und der Vorbildung des Herrn Dr. Zilk entsprechende dienstvertragliche Einstufung unter einem mit der Durchführung der anderen Maßnahmen gemäß III. erfolgen.

Personalfragen – Brief der SPÖ an die ÖVP

Der Ordnung halber halten wir fest, daß im Zusammenhang mit den Vereinbarungen zur Bildung einer neuen Bundesregierung unter dem Abschnitt „Sonstiges" auch noch folgende Vereinbarungen getroffen wurden:

1. Rundfunk: Der Vorsitzende des Aufsichtsrates der Rundfunk Ges.m.b.H. wird von der ÖVP gestellt. Sein Stellvertreter von der SPÖ.

2. Verstaatlichte Banken. Bei der Creditanstalt-Bankverein werden der Vorsitzende des Vorstandes, der Vorsitzende des Aufsichtsrates und sein Stellvertreter von der ÖVP gestellt. Bei der Länder-

bank stehen die analogen Funktionen der SPÖ zu. Für die Besetzung der Funktionen beim ÖCI gelten wie bisher die analogen Bestimmungen wie für verstaatlichte Unternehmungen und die Verbundgesellschaft.

3. Beschwerdekommission – Landesverteidigung. Als Vorsitzender der Beschwerdekommission nach dem Wehrgesetz wird den Abgeordneten beider Parteien einvernehmlich Herr Kabinettsdirektor a. D. Dr. Toldt vorgeschlagen.

4. Sektion II im Bundeskanzleramt. Das Einschaurecht des Vizekanzlers im Bundeskanzleramt bleibt im bisherigen Umfange aufrecht.

5. Ehemaliges Deutsches Eigentum. Die Abwicklung der restlichen Fragen des Deutschen Eigentums soll im bisherigen Umfange einvernehmlich erfolgen. Jede Partei stellt nach wie vor einen Vertrauensmann, bisher für die ÖVP Reisetbauer, für die SPÖ Gehart.

6. Tabakregie. In der Austria Tabak A.G. wird nach Ablauf des Vertrages für das Vorstandsmitglied Hofegger keine Neubesetzung erfolgen. Es bleibt daher in Zukunft beim Dreiervorstand.

7. Personalangelegenheiten. Die der gleichmäßigen Behandlung der Bundesbediensteten dienenden Mitwirkungsrechte des Bundeskanzleramtes in Personalangelegenheiten sind, soweit sie bisher in Verordnungen oder im Bundesfinanzgesetz (Allgemeiner Teil des Dienstpostenplanes) festgelegt sind, ohne materielle Änderung der bisherigen Kompetenzen des Bundeskanzleramtes durch Bundesgesetz (Nationalrats- und Bundesratsbeschluß) zu regeln. Dasselbe gilt hinsichtlich der bisher in den genannten Rechtsvorschriften enthaltenen Befugnisse der Bundesregierung in Personalangelegenheiten.

8. Bau- und Liegenschaftsverwaltung. Es besteht Übereinstimmung, daß zwischen dem Bundesminister für Landesverteidigung und dem Bundesminister für Handel und Wiederaufbau hinsichtlich der militärischen Angelegenheiten auf dem Gebiet der militärischen Bau- und Liegenschaftsverwaltung eine Klärung im Sinne des Gesetzes (Bundesgesetz BGBl. Nr. 142/1955 im Zusammenhalt mit Bundesgesetz BGBl. Nr. 134/1956) herbeigeführt wird.

Gorbach / Klaus   Pittermann / Probst

Rauchensteiner, Die Zwei. Die Große Koalition in Österreich 1945–1966, Wien 1987, S. 551–650.

Literatur

Albrich, Thomas/Eisterer, Klaus/Gehler, Michael/Steininger, Rolf (Hrsg.), Österreich in den Fünfzigern (Innsbrucker Forschungen zur Zeitgeschichte 11), Innsbruck – Wien 1995.

Dachs, Herbert u. a. (Hrsg.), Handbuch des politischen Systems Österreichs, Wien 1991.

Ders./Gerlich, Peter/Müller, Wolfgang (Hrsg.), Die Politiker. Karrieren und Wirken bedeutender Repräsentanten der Zweiten Republik, Wien 1995.

Kriechbaumer, Josef/Schausberger, Franz/Weinberger, Hubert (Hrsg.), Die Transformation der österreichischen Gesellschaft und die Alleinregierung Klaus (Veröffentlichung der Dr. Wilfried Haslauer Bibliothek, Forschungsinstitut für politisch-historische Studien 1), Salzburg 1995.

Kriechbaumer, Josef/Schausberger, Franz (Hrsg.), Volkspartei – Anspruch und Realität. Zur Geschichte der ÖVP seit 1945 (Schriftenreihe des Forschungsinstitutes für politisch-historische Studien der Dr. Wilfried Haslauer-Bibliothek, Salzburg, gem. m. dem Karl von Vogelsang Institut, Wien 2), Wien – Köln – Weimar 1995.

Meissl, Sebastian/Mulley, Klaus-Dieter/Rathkolb, Oliver (Hrsg.), Verdrängte Schuld, verfehlte Sühne, Entnazifizierung in Österreich 1945–1955, Wien 1986.

Pelinka, Anton, Die Kleine Koalition. SPÖ – FPÖ 1983–1986 (Studien für Politik und Verwaltung, hrsg. v. Brünner, Christian/Mantl, Wolfgang/Welan, Manfried), Wien – Köln – Graz 1993.

Rauchensteiner, Manfried, Der Sonderfall. Die Besatzungszeit in Österreich 1945–1955, Graz 1979.

Ders., Die Zwei. Die Große Koalition in Österreich 1945–1966, Wien 1987.

Ders., Spätherbst 1965. Die Neutralität auf dem Prüfstand, Wien 1981.

Riedlsperger, Max, The Lingering Shadow of Nazism: The Austrian Independent Party Movement since 1945, New York 1978.

Sieder, Reinhard/Steinert, Heinz/Tálos, Emmerich (Hrsg.), Österreich 1945–1995. Gesellschaft – Politik – Kultur (Österreichische Texte zur Gesellschaftskritik 60), Wien 1995.

Stadler, Karl R., Adolf Schärf. Mensch, Politiker, Staatsmann, Wien 1982.

Steininger, Rudolf, Polarisierung und Integration. Eine vergleichende Untersuchung der strukturellen Versäulung der Gesellschaft

in den Niederlanden und in Österreich (Politik und Wähler 14),
Meisenheim am Glan 1975.
Stourzh, Gerald, Um Einheit und Freiheit. Die Geschichte des
Staatsvertrages 1945–1955. Graz – Wien – Köln ⁴1996.

Fragen

1. In diesem Beitrag wird die Zeit der Großen Koalition ab 1945 gerechnet. Streng genommen gab es aber zunächst eine Konzentrationsregierung auf noch breiterer Basis, da auch die Kommunisten an den Regierungen Renner IV und Figl I beteiligt waren. Läßt es sich dennoch rechtfertigen, die Große Koalition vom Beginn der Zweiten Republik an zu verfolgen?

2. In jüngster Zeit wurde immer wieder heftige Kritik an Karl Renner geäußert und an seiner moralischen Legitimation gezweifelt, Gründungsvater der Zweiten Republik zu sein. Was ist Renner wirklich vorzuwerfen, und kann seine Haltung lediglich mit Opportunismus erklärt werden?

3. Bei den Nationalratswahlen 1945 erreichte die österreichische Volkspartei die absolute Mandatsmehrheit. Sie hätte also eine Alleinregierung bilden können. Statt dessen erklärte sie sich zur Fortsetzung der Zusammenarbeit in einer Konzentrationsregierung bereit. Hätte aber eine Partei allein überhaupt eine Chance gehabt, die Rekonstruktion Österreichs vorzunehmen?

4. Die besondere Form der Aufteilung von Macht und Einfluß zwischen den Parteien der Großen Koalition wurde als „Versäulung" bezeichnet. In der österreichischen Umgangssprache nannte man das Aushandeln des Interessensausgleichs häufig „Packelei". Darin wurde sowohl Vernünftiges wie die Demokratie Gefährdendes subsummiert. Wäre es folglich gerechtfertigt, die Große Koalition als „Oligarchie" zu bezeichnen?

5. Die Große Koalition hatte es sich zum Ziel gesetzt, für die Dauer der Besatzungszeit funktionstüchtig zu bleiben. Ab 1955 entfiel daher die Notwendigkeit, diese besondere Form der Zusammenarbeit fortzusetzen. Bei der ÖVP gab es auch Tendenzen zur Bildung einer Alleinre-

gierung oder zumindest einer Kleinen Koalition. Ließen sich für die Beibehaltung der Großen Koalition dennoch gute Gründe anführen?

6. 1986 bildeten SPÖ und ÖVP neuerlich eine Große Koalition. Ihr Funktionieren wird wie zwischen 1945 und 1966 durch Koalitionsabkommen geregelt. Doch die Funktionsmechanismen von einst scheinen nicht mehr zu funktionieren. Worin bestehen also die Unterschiede zwischen den großen Koalitionen damals und heute – oder gibt es gar keinen Unterschied?

Deklaration über Österreich

Vom 19. bis zum 30. Oktober 1943 tagte in Moskau eine Konferenz der Aussenminister G. HULL. — Vereinigte Staaten von Amerika, A. EDEN — Grossbritannien und W. M. MOLOTOW — Sowjetunion. In völliger Einmütigkeit wurden die Massnahmen besprochen, die ergriffen werden sollen, um den Krieg gegen Deutschland und seine Trabanten in Europa abzukürzen. Zu diesem Zweck wurden, unter Mitwirkung der Kriegssachverständigen der Generalstäbe der drei Mächte, Beschlüsse gefasst über bereits in Vorbereitung befindliche Kriegsoperationen. Die Konferenz veröffentlichte u. a. folgendes Dokument:

Die Regierungen Grossbritanniens, der Sowjetunion und der Vereinigten Staaten von Amerika kamen darin überein, dass Österreich, das erste freie Land, das der Hitlerschen Aggression zum Opfer gefallen ist, von der deutschen Herrschaft befreit werden muss.

Sie betrachten den Anschluss, der Österreich am 15. März 1938 von Deutschland aufgezwungen worden ist, als null und nichtig.

Sie betrachten sich in keiner Weise gebunden durch irgendwelche Veränderungen, die nach diesem Zeitpunkt in Österreich vorgenommen wurden. Sie geben ihrem Wunsch Ausdruck, ein freies und unabhängiges Österreich wiederhergestellt zu sehen und dadurch dem österreichischen Volk selbst, ebenso wie anderen benachbarten Staaten, vor denen ähnliche Probleme stehen werden, die Möglichkeit zu geben, diejenige politische und wirtschaftliche Sicherheit zu finden, die die einzige Grundlage eines dauerhaften Friedens ist.

Österreich wird jedoch darauf aufmerksam gemacht, dass es für die Beteiligung am Kriege auf seiten Hitlerdeutschlands die Verantwortung trägt, der es nicht entgehen kann, und dass bei der endgültigen Regelung unvermeidlich sein eigener Beitrag zu seiner Befreiung berücksichtigt werden wird.

(1) Die von Großbritannien, der Sowjetunion und den USA Ende Oktober 1943 beschlossene „Moskauer Deklaration": eine der „Geburtsurkunden" der Zweiten Republik (Plakat 1945).

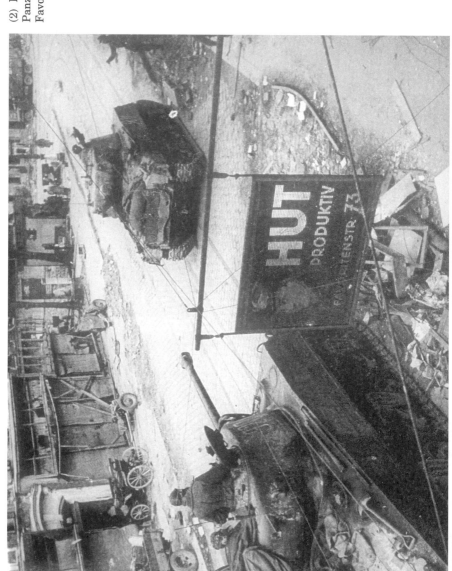

(2) Kriegsende in Wien:
Panzer der Roten Armee in der
Favoritenstraße.

(3) Die Straßen nach Wien sind offensichtlich gefährlich für die neuen Besatzer.

(5) Das erste gemeinsame Auftreten der vier alliierten Hohen Kommissare Mitte August 1945 in der Nähe von Salzburg. (v. l. n. r.) Richard McCreery (GB), Émile Marie Béthouart (F), Al. J...

(4) Monate nach dem offiziellen Kriegsende übernehmen die Westmächte ihre Sektoren in Wien.

(6) Die vierfache Verwaltung eines fremden Landes will gelernt sein: Schulung für Angehörige der US-Besatzungstruppen.

(7) Vor der Hofburg, die während der Besatzungszeit das sowjetische "Haus der Offiziere" war.

(8) Alliierte Militärpolizei vor der Zentrale der ÖVP.

(10) Provisorischer Holzsteg über den Donaukanal.

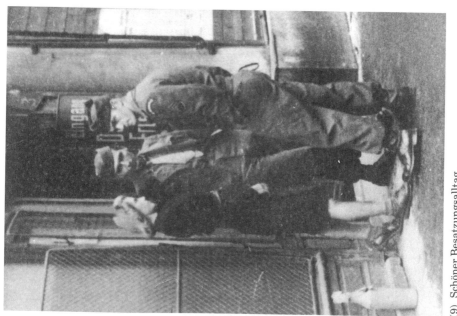

(9) Schöner Besatzungsalltag.

(11) Die „Konzentrationsregierung" im Jahre 1945: ÖVP, SPÖ und KPÖ. Nach Ausscheiden der Kommunisten aus der Regierung bildeten ÖVP und SPÖ die „Große Koalition", die zum Merkmal der Zweiten Republik wurde.

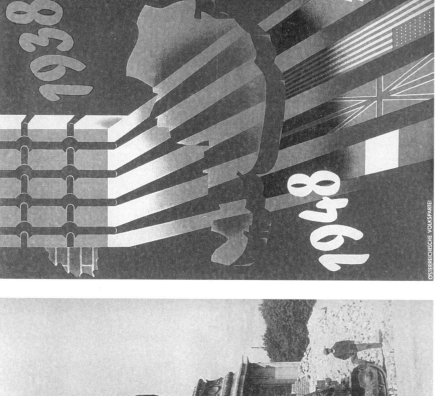

(13) Kontinuität auf österreichisch: ÖVP-Plakat gegen 10 Jahre Besatzung.

(12) Zum Schutz gegen Bombenschäden waren die bekanntesten Denkmäler eingemauert worden. Hier das Erzherzog-

(14) Die „Coca-Colonisation" begann in Lambach, OÖ: Die erste Abfüllanlage.

(15) Oktober 1948: Außenminister Karl Gruber unterzeichnet das intra-europäische Zahlungs- und Kompensationsabkommen bei der Vollversammlung der OEEC in Paris.

16) Die VÖEST, die lange Zeit als unsinkbares „Flaggschiff" der Verstaatlichten Industrie galt.

(17) Das Kraftwerk Kaprun – in den Fünfzigern das Symbol österreichischen Aufbauwillens.

(18) Vor der Unterzeichnung des Staatsvertrages: Botschafterkonferenz in Wien im Mai 1955.

(19) Nach der Unterzeichnung des Staatsvertrages am 15. Mai 1955. (v. l. n. r.): AM Wjatscheslaw Molotow, AM Leopold Figl, AM John Foster Dulles, Bundeskanzler Julius Raab, AM Harold Macmillan (nicht im Bild Antoine Pinay, Frankreich).

(20) Das Ende der Besatzungszeit: Einholen der amerikanischen Flagge vom „Haus der Industrie", das zehn Jahre Sitz des Alliierten Rates war.

(21) Die Serie der Attentate in Südtirol erreicht ihren Höhepunkt in der Nacht vom 11. zum 12. Juni 1961.

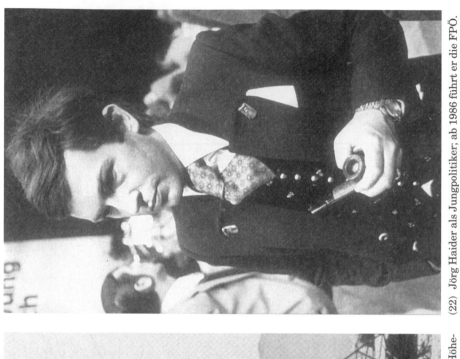

(22) Jörg Haider als Jungpolitiker; ab 1986 führt er die FPÖ.

3) Relative Mehrheit für die SPÖ bei den Nationalratswahlen am 1. März 1970. Wahlsieger Bruno Kreisky (SPÖ) und Verlierer Bundeskanzler Josef Klaus (ÖVP).

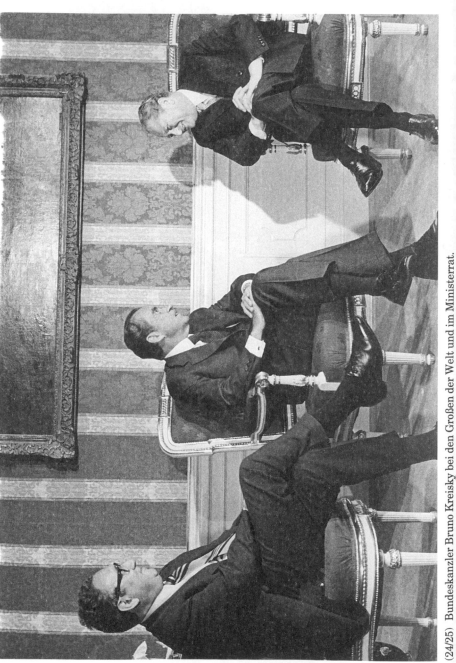

(24/25) Bundeskanzler Bruno Kreisky bei den Großen der Welt und im Ministerrat.

(26) Bundeskanzler Fred Sinowatz mit seinem späteren Nachfolger Franz Vranitzky.

The Mail on Sunday, May 25, 1986

EXCLUSIVE: THE HORROR PICTURE THAT SHOCKED FORMER U.N. CH

Is this man Waldheim

Dramatic new evidence may nail him as a war butcher

The clue of the pointe nose

(27/28/29) Die Waldheim-Affäre – medienwirksam in Szene gesetzt.

EIN MANN MIT ERFAHRUNG.
EIN MANN FÜR ÖSTERREICH.

Jetzt erst recht!

DR. KURT WALDHEIM

DER SPIEGEL

C 7007 C
Nr. 4
42. Jahrgang · DM 4,–
25. Januar 1988

Trauma Anschluß

Österreich

1938   1988

Trauma Waldheim

(30) Hat Kurt Waldheim Kriegsverbrechen begangen? Eine internationale Historikerkommission untersucht die Frage.

WIR SÜDTIROLER

Wir wählen für Südtirol geschlossen Edelweiß

für den Senat

für die Kammer

für die Kammer
Verhältnismandat

SVP DIE WAHL AM 27./28. März '94

(31) Das Edelweiß: Symbol der Südtiroler Volkspartei.

(32) Antisemitische Aktionen und Kundgebungen auch in der Zweiten Republik. Hier der jüdische Friedhof in Eisenstadt im November 1992.

(33/34) Massive Propaganda für die EU-Volksabstimmung am 12. Juni 1994. Entsprechend fällt das Ergebnis aus.

(35) Freude bei den EU-Befürwortern nach der Volksabstimmung: Kanzler Franz Vranitzky, Außenminister Alois Mock und Vizekanzler Erhard Busek.

Fünf Spitzenkandidaten, 183 Mandate, 5,762.313 Wähler

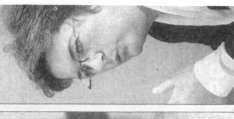
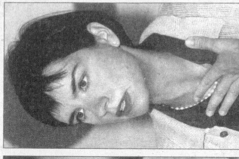

Franz Vranitzky, SPÖ, will Bundeskanzler bleiben. Bild: SN/Rubra

Wolfgang Schüssel, ÖVP, will Bundeskanzler werden. Bild: SN/Votava

Jörg Haider, FPÖ, will in diesem Land „ausmisten". Bild: SN/Votava

Madeleine Petrovic, Grüne, will eine ökologische Reform. Bild: SN/Votava

Heide Schmidt, Liberale, will Punkte umsetzen. Bild: SN/hopi

Die Parteien zwischen Hoffen und Bangen

(36) Vor den Nationalratswahlen im Dezember 1995.

(37) Sieger und Verlierer nach den Nationalratswahlen vom 17. Dezember 1995.

(38) Sichtlich bewegt: Der unverhoffte Sieger der Nationalratswahlen vom 17. Dezember 1995.

Oliver Rathkolb

DIE KREISKY-ÄRA 1970-1983

1. Kann man von einer Ära Kreisky sprechen?

In den letzten Jahrzehnten hat primär sozialwissenschaftlich orientierte Zeitgeschichtsforschung begonnen, gegen die „Geschichte der Kabinette und Persönlichkeiten" zu schreiben und sie durch politische, ökonomische oder soziale Strukturgeschichte zu ersetzen. Selbst starke und über längere Perioden dominante politische Entscheidungsträger wurden als Teil der Entwicklungen betrachtet, die selbst kaum langfristige Trends beeinflussen konnten.

Politikwissenschaftler wie Peter A. Ulram bezeichnen daher die sozialistische Alleinregierung unter Bundeskanzler Bruno Kreisky als „sozialdemokratische Hegemonie", basierend auf einem „Wählerbündnis, einer Wählerkoalition [...] zwischen Sozialdemokraten und fortschrittlichen, liberalen Kräften" (so Kreiskys Eigendefinition in einem ORF-Interview am 8. April 1975).[1]

Für die Herausgeber des Sammelbandes „Österreich 1945–1995" prägen die siebziger Jahre die „sozialliberalen Reformen unter Kreisky" und das Abfedern bzw. Durchtauchen der beiden Weltwirtschaftskrisen durch „sozialdemokratische Keynesianer".[2] Der politische Entscheidungsprozeß und damit auch die Einfluß- und Gestaltungsmöglichkeiten des Bundeskanzlers werden zwar in einzelnen Beiträgen immer wieder als Faktum erwähnt, jedoch nicht exakt analysiert. Trotzdem geht der aktuelle Trend in den Sozialwissenschaften doch eher in Richtung einer „Ära-Bildung" in den Jahren 1970–1983 (mit einzelnen Nachwirkungen, unterbrochenen Kontinuitäten und diversen Brüchen).

Noch vor wenigen Jahren ließ hingegen Elisabeth Horvath die Frage „Ära oder Episode" in ihrer Monographie unbeantwortet.[3] Selbst der sozialdemokratische Nationalratspräsident Heinz Fischer titulierte seine Monographie mit „Die Kreisky Jahre"[4] und rezipierte erst im Text die „Ära"-Diskussionen von Johannes Kunz (1975)[5] sowie im Bereich der Außenpolitik von Erich Bielka und anderen (1983).[6]

Die bisherigen sozialwissenschaftlichen Studien zeigen, daß Bruno Kreisky als Politiker wie kein anderer die gesellschaftlichen Umbrüche und Trends seit Mitte der sechziger Jahre erfaßt und im Rahmen der allgemeinen Rahmenbedingungen zum Ziel seiner politischen Arbeit gemacht hat. Insoferne erscheint es gerechtfertigt, von einer Ära zu sprechen, auch wenn Kreiskys Politik durchaus an Grenzen stieß (z. B. Minderheitenrechte für Slowenen in Kärnten) oder gegen neue sozio-ökonomische Trends (Umweltbewegung gegen das Atomkraftwerk Zwentendorf bis 1978) Stellung bezog.

In wesentlichen Bereichen ermöglichte Kreisky als „Erfinder und Erhalter" des sozialliberalen Konsenses, die 1979 mit 51 Prozent für die SPÖ bei Nationalratswahlen ihren Höhepunkt erreichte, die Umsetzung der Transformation der österreichischen Gesellschaft, die sich bereits Mitte der sechziger Jahre angekündigt hatte. Bei manchen Fragen – wie zum Beispiel hinsichtlich der politischen Diskussion über die nationalsozialistische Vergangenheit von Österreichern und Österreicherinnen – hielt sich Kreisky jedoch aufgrund des allgemeinen gesellschaftlichen Drucks und seiner jüdischen Herkunft bewußt zurück, um dann aber umso heftiger sowohl Objekt als auch Subjekt von innenpolitischen Diskussionen zu werden (Peter-Wiesenthal-Affäre bis hin zur Waldheimdebatte). Hierbei zeigte sich deutlich, daß selbst prägende Persönlichkeiten bei sensiblen gesellschaftlichen Tabu-Themen durchaus selbst Teil des Trends werden können, auch wenn sie – wie im Falle Kreiskys – versuchen, zumindest subjektiv die Grundsatzdiskussion nicht völlig zu verdrängen („Gräben zuschütten, aber nicht vergessen").[7]

In der Frage der Diskussion über die Elitenkontinuitäten der SPÖ aber auch der FPÖ war Bruno Kreisky, der 1938 von der Gestapo verhaftet und ins Exil nach Schweden gezwungen worden war, nach seiner Rückkehr vor vollendete Tatsachen gestellt worden. Alle wesentlichen politischen Parteien – mit Ausnahme der KPÖ – gingen sehr rasch von einer Entnazifizierungspolitik zu einer Reintegrationspolitik ehemaliger Mitglieder der NSDAP über. Die nationalsozialistische Vergangenheit wurde gesellschaftspolitisch nicht mehr aufgearbeitet.[8] Kreisky selbst wurde von „Parteifreunden" in die Schranken gewiesen, als er seine kritische Position gegenüber der automatisierten Entnazifizierung klarlegte – denn, so deren Argumentation – er sei ja nicht in Österreich gewesen.[9] Als Kabinettsvizedirektor stärkte er dem damaligen Bundespräsidenten Theodor Körner 1953 den Rücken, als dieser sich weigerte, den eindeutig „nazifizierten" VdU in eine Koalitionsregierung von ÖVP und SPÖ aufzunehmen.

Gleichzeitig signalisierte er vor allem in den sechziger und siebziger Jahren durchaus Verständnis für die „kleinen ehemaligen NSDAP-Mitglieder" und begründete dies auch mit der sozio-ökonomischen Misere in der Dollfuß-Schuschnigg-Diktatur, in der auch Kreisky wie Tausende andere inhaftiert worden war und letztlich fast eineinhalb Jahre im Gefängnis verbringen mußte.[10] Die Kontakte zwischen FPÖ und SPÖ blieben auch in den sechziger Jahren erhalten und mündeten in die parlamentarische Unterstützung der SPÖ-Minderheitsregierung 1970 durch die FPÖ unter Friedrich Peters Führung. Kreisky seinerseits führte in der Folge eine Reform des Wahlrechts durch, das bisher kleine Parteien erheblich benachteiligt hatte, und erreichte bei den Nationalratswahlen 1971 trotzdem die absolute Mehrheit.

Die teilweise überaus heftigen und von beiden Seiten mit heftigen Argumentationen und massiven Unterstellungen geführte Debatte zwischen dem Leiter des Jüdischen Dokumentationszentrums in Wien, Simon Wiesenthal, und Kreisky eskalierten bereits 1970, als letzterer ersteren attackierte, als dieser das bundesdeutsche Wochenjournal *Der Spiegel* und die katholische Wochenzeitung *Die Furche* mit Informationen über die NSDAP-Mitgliedschaft von drei Mitgliedern der ersten Bundesregierung unter Kreisky versorgt und überdies die SS-Mitgliedschaft des Landwirtschaftsministers Hans Öllinger enthüllt hatte. Kreisky verteidigte seine Regierungsmannschaft, sorgte aber dafür, daß Öllinger, den er bisher selbst kaum gekannt hatte, aus Gesundheitsgründen die Regierung verließ. Ohne hier weiter in Details einzugehen, sei festgehalten, daß Kreisky im Falle aller politischen Positionen von ehemaligen NSDAP-Mitgliedern für eine politische Ausgrenzung den Nachweis schuldhaften Verhaltens während der NS-Zeit verlangte. Wiesenthal wiederum griff er heftig an, da er dessen parteipolitische Präferenz für die ÖVP als eigentliche Motivation für die Enthüllungen über die SPÖ-Regierungsmitglieder ansah. Es ist keine Frage, daß Kreisky sowohl in dieser Diskussion als auch in der späteren Auseinandersetzung über die SS-Mitgliedschaft Peters, der einer Einheit angehört hatte, die Kriegsverbrechen begangen hatte, in seiner öffentlichen Kritik weit über das Ziel hinausschoß und Wiesenthal als „jüdischen Faschisten" und später sogar der „Kollaboration mit Nationalsozialisten" in Konzentrationslagern beschuldigte. Wiesenthal seinerseits hatte den zweiten Konflikt 1975 begonnen, als er wenige Tage nach der Nationalratswahl ein Dossier mit Unterlagen veröffentlichte, die die Zugehörigkeit Friedrich Peters zu einer SS-Mordbrigade bewiesen. Der konkrete Nachweis persönlicher Kriegsverbrechen ist Wiesenthal aber bis zum heutigen Tag im Falle Peters nicht gelungen. Wegen des unbewiesenen Vorwurfs der „NS-Kollaboration" an Wiesenthal wurde Kreisky auch zweimal durch Pressegerichte verurteilt.[11]

Die überaus heftige, emotional weit überzogene Diskussion muß vor dem Hintergrund der eigenen Lebenserfahrung des österreichischen Bundeskanzlers gesehen werden, dessen jüdische Herkunft immer wieder bis in die siebziger Jahre Anlaß verdeckter und offener antisemitischer Angriffe gewesen war, wobei in den sechziger Jahren vor allem ÖVP-Funktionäre hemmungslos davon Gebrauch gemacht hatten.

Kreisky war sich bewußt, manchmal auch unbewußt darüber im klaren, daß seine jüdische Abstammung ihm immer wieder in der politischen Debatte als „Negativum" vorgehal-

ten werden würde, und er sah sehr wohl, obwohl er das vor
allem in den siebziger und frühen achtziger Jahren öffentlich
bestritt, daß nach wie vor ein tiefer und breit wirkender
Antisemitismus den öffentlichen Diskurs in Österreich beeinflussen konnte. Umso heftiger agierte er dann, wenn er
hinter den Enthüllungen Wiesenthals parteipolitische Motivationen vermutete, die wiederum letztlich ihn in die Rolle
des „Juden" drängen würden. Lange Zeit hatte sich Kreisky
daher aus allen „jüdischen Fragen" herausgehalten und erst
sehr spät die „jüdischen Wiedergutmachungsverhandlungen"
mitgestaltet.

2. Sozioökonomische Rahmenbedingungen der gesellschaftlichen Transformation seit Mitte der sechziger Jahre

Jüngste Studien – zuletzt von Ernst Hanisch[12] wieder akzen-
tuiert – haben gezeigt, daß bereits in der ersten Hälfte der
sechziger Jahre Anzeichen in Richtung tiefgreifender gesellschaftlicher Reformbestrebungen vorhanden waren. Die In-
formationstechnologie mit der Computerrevolution sandte
bereits ihre Signale, die Berufsfelder verschoben sich vom
Agrarbereich in Richtung einer Dienstleistungsgesellschaft
bei gleichzeitigem Rückgang der Selbständigen. Die parteipolitischen Versäulungen der Zwischenkriegszeit, die in anderer Form auch in der Wiederaufbauzeit wirksam geblieben
waren, begannen durchlässiger zu werden, Dominanz und
Wirkung der katholischen Kirche auf ihre Kernschichten
wurden allmählich schwächer. Der ökonomische, soziale und
politische Wiederaufbau der Nachkriegszeit hatte einen
Punkt erreicht, bei dem es nicht mehr ums Überleben und
um die Beseitigung der Kriegsschäden ging, sondern die Aufhebung autoritärer Strukturen und die Anpassung an aktuelle europäische und globale Trends gefordert wurden. In
Österreich bedeutete dies zunehmende Ablehnung der Großen Koalition und des Proporzes und der direkten Einfluß-

nahme der Parteien in Lebensbereiche, wie z. B. im Rundfunk (Stichwort Rundfunkvolksbegehren).

Bemerkenswert ist, daß dieser gesellschaftspolitische
Nachholbedarf bereits vor der „68er" Bewegung ansatzweise
spürbar war, und daß in Österreich vor allem die Österreichische Volkspartei unter Josef Klaus dieses Potential für sich
gewinnen konnte. Das Ende der Großen Koalition zwischen
ÖVP und SPÖ wurde innerhalb der Reformkräfte primär von
jugendlichen WählerInnen und den Gemeinden unter 5000
Einwohnern getragen. In diesen Segmenten gab es offensichtlich das spürbare Bestreben, überkommene Strukturen
abzubauen und den ökonomischen und sozialstrukturellen
Rahmenentwicklungen anzupassen. Die ÖVP verstand es
wesentlich besser als die SPÖ, Wissenschaftler – Stichwort
Aktion 20 – einzubinden und Reformkompetenz in Richtung
moderner technischer Entwicklungen („Informationsgesellschaft") zu signalisieren.[13]

Gleichzeitig versuchte Kreisky selbst eine permanente Diskussion zu führen und eine Reform der demokratischen
Strukturen in Österreich bereits Ende der sechziger Jahre
durchzusetzen, vor allem auch deshalb, weil er aufgrund seiner internationalen Erfahrungen und Kontakte sowie seiner
Exil-Zeit in Schweden 1938–1950 in der Bürokratie, aber
auch im Justiz- und Bildungwesen sowie im parlamentarischen Prozeß deutlich die autoritären Zwänge und Kontinuitäten aus dem 19. Jahrhundert und dem undemokratischen
Regime danach erkannte. Auch in dieser Frage konnte Kreisky mit Wählerschichten konservativer Sozialisation rechnen,
die bereit waren, politisch „ein Stück des Weges gemeinsam
zu gehen".

Kreiskys in diesem Sinne „liberaler" Anspruch manifestierte sich auch in einem offenen und unterstützenden Verständnis gegenüber Kunst und Kultur, was wiederum erklärt, daß
viele KünstlerInnen Kreisky in den ersten Jahren auch aktiv
politisch unterstützten. Das Schlagwort der „Durchflutung
aller Lebensbereiche mit Demokratie" stieß natürlich in der
praktischen Umsetzung auf die vielfältigsten Widerstände

und produzierte eine Fülle von Konflikten, blieb aber immer Bestandteil seiner politischen Grundkonzeption. Gleichzeitig drückte sich der Kanzler aber auch nicht vor eigener Meinung und war bereit, durchaus Entscheidungen zu treffen, die am Anfang keineswegs mit breiter Zustimmung rechnen konnten.

3. SPÖ-Parteiobmann gegen den Willen des Parteiestablishments

Die SPÖ mußte nach der empfindlichen Wahlniederlage reagieren, eine Niederlage, die auch auf die internen Turbulenzen um den Parteiausschluß des ehemaligen ÖGB-Präsidenten und Innenministers Franz Olah zurückzuführen war, da dieser mit seiner Demokratisch-Fortschrittlichen Partei (DFP) kandidierte und 3,28 Prozent der Wählerstimmen (knapp 150.000 Stimmen) gewinnen konnte.

Kreisky selbst forderte in den Medien die Ablöse des bisherigen Parteiobmanns Bruno Pittermann, was ihm massive Kritik seitens Wiener Parteifunktionäre eintrug und zum de facto Hinauswurf aus der Parteizentrale in der Löwelstraße führte. Kreisky zog sich in die Zentrale der Niederösterreichischen SPÖ zurück, einer Landesorganisation, die er selbst leiten sollte und die seine Basis in der „Bewegung" darstellte. Lange Zeit war sich der ehemalige Außenminister (1959–1966) über seine parteipolitische Zukunft nicht im klaren. Ein Angebot, als UNO-Generalsekretär zu kandidieren, hatte er abgelehnt, da er in dieser Position keine eigenen politischen Gestaltungsmöglichkeiten erblickte.[14]

Trotz öffentlicher Reputation und internationaler Anerkennung fürchtete Kreisky, daß

„bei der Neigung der Österreicher, Menschen nach ihrer religiösen Herkunft zu beurteilen, meine Wahl eine Belastung für die Partei darstellen würde. Zwar hatte ich mich immer mit dem österreichischen Volk identifiziert, aber ich wußte um gewisse antisemitische Tendenzen und wollte meiner Partei nicht im Wege stehen."[15]

Tatsächlich sollte im Wahlkampf 1970 die ÖVP ein Plakat einsetzen, das Josef Klaus als „echten Österreicher" bezeichnete und damit indirekt auf Bruno Kreiskys jüdische Herkunft anspielte, um antisemitische Vorbehalte zu wecken.[16] Immer wieder wurde in Wahlkämpfen von einigen ÖVP-Funktionären mit antisemitischen Vorurteilen gegen ihn agitiert; das Tor seiner Autogarage wurde mit Hakenkreuzen beschmiert. Es ist davon auszugehen, daß den DurchschnittswählernInnen seine jüdische Abstammung bekannt war. Selbst in der eigenen Partei wurde Kreisky seit der Zeit als Jugendfunktionär immer wieder von verdeckten, aber auch offenen antisemitischen Attacken begleitet.

Der Wahlerfolg am Parteitag der SPÖ am 1. Februar 1967 war primär darauf zurückzuführen gewesen, daß der Kandidat des engeren Entscheidungsträgerkreises im Parteivorstand (Bruno Pittermann, Karl Waldbrunner, Anton Benya als ÖGB-Präsident), Hans Czettel, ein Funktionär aus Niederösterreich, eine Kampfabstimmung ablehnte und seit der Wahlniederlage 1966 die Bundesländerparteiorganisationen zusehends an Einfluß gewonnen hatten und Kreisky als Hoffnungsträger einer grundsätzlichen Reform – bei Bewahrung der Parteitraditionen – forcierten.

Als Bruno Kreisky 1967 in einer verdeckten Kampfabstimmung zum SPÖ-Obmann gewählt worden war, setzte er seinerseits bereits in der ad-hoc-gestalteten Dankesrede auf dem Parteitag unter Hinweis auf die Herausforderungen der sich abzeichnenden Computer-, d. h. Informationsgesellschaft erste Bestrebungen, Reformkompetenz zurückzugewinnen. In weiterer Folge realisierte er die theoretische Forderung nach „Analyse der gesellschaftlichen Verhältnisse [...] durch die Wissenschaft" auch in konkreten Programmkommissionen.

Dieses Konzept der Experten gehörte zu einer wesentlichen Strategie Kreiskys in Richtung einer Öffnung der Partei – ganz im Sinne eines Catch-all-Party-Systems:

„Das Wirtschaftsprogramm etwa wurde nicht von einer kleinen Gruppe politisch verläßlicher Ökonomen erstellt, sondern von 300 Wissenschaftern, denen in ihrer Arbeit keinerlei Schranken gesetzt waren. Das Humanprogramm wieder ist geprägt von dem Umstand, daß an seiner Erarbeitung Fachleute ohne Rücksicht auf ihr politisches Heimatrecht mitwirkten, was uns mit besonderer Freude erfüllt."[17]

Immer wieder betonte Kreisky – und zwar lange vor der 70er Wahl: „Unsere Partei ist eine offene Partei. Sie ist offen für alle, die mit uns arbeiten wollen."[18] Zu diesem Konzept der „offenen Partei" gehört ebenfalls eine Fortsetzung des Ausgleichs mit der Katholischen Kirche, die der Agnostiker Kreisky konsequent fortsetzte (zum Beispiel auf einer Diskussionsveranstaltung der SPÖ-Niederösterreich mit führenden Katholiken am 3. November 1967);[19] heikle Fragen wie die Entkriminalisierung der Abtreibung in Verbindung mit der Fristenlösung wurden vor 1970 nicht offensiv andiskutiert und sollten erst in den folgenden Jahren eine wichtige innenpolitische Rolle spielen.[20]

Daß mit diesen pragmatischen Konzepten die SPÖ plötzlich zu einer „liberalen Volkspartei" geworden sei, entspricht keineswegs den Tatsachen. 1969 war klar, daß die SPÖ unter Kreisky ihr „Arbeiter-Wähler"-Potential arrondiert hatte. 59 Prozent der befragten Arbeiter gaben an, der SPÖ nahezustehen.[21] Gleichzeitig setzte aber 1970 ein Trend bei obersten Bildungsschichten (Akademiker, Maturanten) ein, vermehrt SPÖ zu wählen (1969: 18%; 1972: 29%; 1977: 30%). 1970 begann auch ein verstärkte Bewegung bei Frauen in Richtung SPÖ-Präferenz bei Nationalratswahlen (1969: 39%; 1972: 45%). Bei Jungwählern erreichte sie überdies 1970 sogar die absolute Mehrheit.

Die Reformvorstellungen der SPÖ, die kurz vor den Nationalratswahlen noch durch einen Slogan bezüglich der Dauer des allgemeinen Präsenzdienstes ergänzt wurde – „sechs Monate sind genug" –, wurden vor allem in bisher von der ÖVP-dominierten Kleingemeinden rezipiert – mit Schwerpunkten bei gehobener Mittelschicht, Frauen, Angestellten und Jungwählern. Insgesamt wanderten 158.000 Stimmen direkt von der ÖVP zur SPÖ.[22] Die Kerngebiete des SPÖ-Zuwachses waren überdies vom primären Strukturwandel besonders betroffen. Peter A. Ulram hat die Nationalratswahlergebnisse 1970–1979 mit folgender These zusammengefaßt:

„Die SPÖ hat es also geschafft, die sozial-liberale Interessen- und Wertkoalition in eine mehr als ein Jahrzehnt andauernde Wählerkoalition zu transformieren und so zur hegemonialen Kraft des österreichischen Parteiensystems aufzusteigen."[23]

Ausgehend von dem neuen Wirtschaftsprogramm, das unter Koordinierung durch Ernst Eugen Veselsky, dem von der Arbeiterkammer nominierten Geschäftsführer des Beirates für Wirtschafts- und Sozialfragen, auch unter Beiziehung junger und unabhängiger Experten entwickelt wurde, sollten auch andere wesentliche Lebensbereiche diskutiert werden.[24] Noch immer gab es halbherzige Versuche, diese Initiativen zu blockieren, doch die Eigendynamik und Außenwirkung – auch in der bürgerlichen und unabhängigen Presse – war bereits zu stark geworden. Überdies hatte der neue Parteiobmann die SPÖ innerhalb kürzester Zeit wieder geeint – durch konkrete Integrationsmaßnahmen und Machtzugeständnisse (z. B. an seinen Vorgänger Pittermann, mit dem es zuletzt heftige Konflikte gegeben hatte, der die Parlamentsarbeit durchaus autonom koordinieren konnte; aber auch mit dem ÖGB-Chef Benya und anderen kam es sehr rasch zu einer politischen „Versöhnung"). Insgesamt nahmen an diesen Reformkommissionssitzungen „1400" Experten teil – die Kern-Redakteursgruppe war natürlich wesentlich kleiner –, wobei auch ein „Humanprogramm" mit Strategien zur „Gesundheitspolitik und Umwelthygiene" unter der Leitung von Hertha Firnberg erarbeitet wurde. Weitere Schwerpunkte lagen im „Hochschulprogramm" (koordiniert von Heinz Fischer) und im „Justizprogramm" (Christian Broda).

Zur selben Zeit zeigte es sich, daß die ÖVP nicht in der Lage war, die in sie gesetzten Erwartungen zur gesellschaftspolitischen Öffnung zu erfüllen; etwa im Bereich der Justizreform, wo aufgrund von Pressionen seitens der katholischen Bischofskonferenz klar rückschrittliche Vorschläge Eingang in die Regierungsvorlage zur Novellierung des Strafrechts

gefunden hatten. Franz Pallin analysierte die Regierungsvorlage 1968 folgendermaßen:

„Der Vergeltungsgedanke wurde betont, Abtreibung der Leibes-
frucht, Blutschande und Gotteslästerung von Vergehen zu Verbrechen ‚gehoben', ein besonderer Ehrenschutz für Kirchen, erhöhte
Strafen für Angriffe gegen Priester wurden vorgesehen, des weiteren Strafbarkeit der Homosexualität unter Erwachsenen, verschärfte Bestimmungen gegen Ehebruch, weitere Strafbarkeit der Ehestörung und vieles andere mehr. Die Regierungsvorlage 1968 war nicht
nur juristisch stümperhaft, sondern auch für jedermann, der sich
dem Pluralismus in unserer Gesellschaft verpflichtet fühlte, eine
Provokation."[25]

Die Entwicklung der Judikatur wiederum stagnierte beispielsweise im Bereich des Scheidungsrechtes – entgegen
dem allgemeinen, d. h. tatsächlichen Trend.

Bruno Kreisky gelang es, einerseits aufgrund seiner Oppo-
sitionspolitik und der oben zitierten Reforminitiativen, andererseits wegen der Reformdefizite bzw. -rückschritte seitens
der ÖVP-Alleinregierung unter Bundeskanzler Klaus vor allem in bisher ÖVP-dominierten Kleingemeinden zu reüssie-
ren (gehobene Mittelschicht, Frauen, Angestellte und Jung-
wähler).[26] Gleichzeitig konnte er das SPÖ-Stammwähler-Re-
servoir wieder voll und ganz zur SPÖ bringen.

4. Ideologische Weichenstellungen

Bruno Kreisky, der sich bewußt seit der Zwischenkriegszeit
intensiv mit den ideologischen Debatten auseinandersetzte,
wenngleich er diese Diskussion fast ausschließlich in der
konkreten politischen Arbeit geführt und nicht in Publikationen vertieft hatte, versuchte hier durchaus Signale zu setzen. Ausgehend vom Parteiprogramm 1958, an dem er im
Redaktionskomitee mitarbeitete, ohne es nachhaltig zu gestalten, setzte er den Trend fort, austromarxistische Methoden und Thesen zwar als Analysemöglichkeit zu verwenden,
letztlich aber in der konkreten Politik – sowohl im Wirt-

schafts-, als auch gesellschaftspolitischen Bereich – „historische Kompromisse" zu entwickeln. Seit 1967 forcierte er die
bereits von Franz Olah und Felix Slavik 1959 offiziell begonnenen Gesprächskontakte zwischen aufgeschlossenen Vertretern der katholischen Kirche und der SPÖ. Er machte
diesen Dialog auch persönlich glaubwürdig, zumal er sich
selbst als Agnostiker verstand – das heißt, daß für ihn das
„Übersinnliche" unerkennbar blieb –, ohne jedoch anderen
die Berechtigung abzusprechen, dieses Übersinnliche zur
Grundlage ihrer Religion zu machen.

Wie wichtig ihm die Ruhigstellung dieses scheinbar ewigen
Konfliktes der Sozialdemokratie seit ihrer Gründung war,[27]
zeigte seine Einschätzung der Auswirkungen des Gesetzes
über die Fristenlösung das Justizminister Christian Broda
gegen den ausdrücklichen Willen der katholischen Kirche
und der ÖVP, aber letztlich auch der SPÖ als Gesetz durch-
gebracht hatte. Kreisky war sich spontan sicher, daß dies zu
einem WählerInnenverlust bei den nächsten Wahlen führen
werde.[28] Die Geschichte zeigt aber, daß er sich hier geirrt und
die gesellschaftliche Dynamik in diesem Bereich unterschätzt hatte.

Kernstück bereits seiner Oppositionsarbeit war aber ein
neues Wirtschaftsprogramm, das erstmals den neuen pragmatischen Kurs der SPÖ – wissenschaftlich untermauert –
präsentieren und alte Images sozialdemokratischer Politik
aus der Zwischenkriegszeit, die auch nach 1945 wirksam
geblieben waren, endgültig auflösen sollten. Kreisky propagierte 1970 ein „Wirtschaftsprogramm der österreichischen
Sozialdemokratie, die doch den Ruf hat, eine besonders radikale, eine austromarxistische Partei zu sein [...], ein neuer
Entwurf, der die Gleichheit alles produktiven Eigentums sta-
tuiert" – was wiederum ausdrückliche Anerkennung der
„Gleichheit des privaten Eigentums, des gemeinwirtschaftli-
chen Eigentums jeglicher Art bedeutete".[29]

Es wäre aber eine Fehleinschätzung zu glauben, daß der
„Sozialdemokrat" Kreisky – er schätzte den Begriff Sozialdemokrat positiver ein als die offizielle Eigenbezeichnung „So-

zialist" – deshalb auf gesellschaftliche Reformen und politische Visionen verzichtete. Es zeichnet die ersten Jahre der SPÖ-Minderheits- bzw. Alleinregierungen aus, daß durchaus politisch kontroverse Konzepte umgesetzt wurden, obwohl zum Beispiel in der Frage der „Fristenlösung" durchaus mit Stimmenverlusten bei künftigen Wahlen zu rechnen war. Kreisky und seine Minister verstanden es, das gesamtgesellschaftliche Reformpotential auszuloten und mit täglich spürbaren konkreten Inhalten – zum Vorteil der sozial benachteiligten Gruppen – (z. B. Schülerfreifahrten, Gratisschulbücher u. a.) zu füllen. In vielen Fällen kam es aber nicht zu einer Umverteilung, da alle Gruppen diese Sozialleistungen – unabhängig von ihrem Einkommen – in Anspruch nehmen konnten. Nur im Bereich der Bezieher von Ausgleichzulagen und im Pensionsbereich wurden Mitte der siebziger Jahre gesondert Erhöhungen durchgesetzt.

Die theoretischen Ideen des SPÖ-Vorsitzenden und Bundeskanzlers konzentrierten sich zunehmend auf die Umsetzung der „sozialen Demokratie" und Kreisky selbst bezeichnete sich als „Zentrist" und „Aufklärer" im positiven Sinn. Trotzdem blieb die SPÖ bei dem grundsätzlichen Streben nach einer „klassenlosen Gesellschaft", um zumindest ein theoretisches Korrektiv gegen neue klassenartige Entwicklungen im Sozialstaat zu haben.

Kreiskys politisches Ziel war langfristig keineswegs, aus der SPÖ eine „linke Volkspartei" zu machen, obwohl er 1972 auf dem Villacher Parteitag zu erkennen gab, daß „es viele gibt, die mit uns ein großes Stück des Weges gemeinsam gehen wollen, ohne daß sie sich vorerst deshalb zur Gänze unseren Zielvorstellungen zu verschreiben wünschen".[30] Insbesonders im Zuge der innerparteilichen Debatte um das neue Parteiprogramm 1978 versuchte die SPÖ wieder bewußter, neue/alte gesellschaftspolitische Visionen festzuschreiben – nicht nur um „die Linke" in der Partei zu beschäftigen, sondern auch um ganz bewußt dem Machtmißbrauch und der Sättigung der Regierenden entgegenzuwirken. Die innerösterreichische Realpolitik Ende der siebziger und Anfang der achtziger Jahre wurde zunehmend von Affären dominiert (AKH-Skandal), in die sozialistische Politiker verwickelt waren. Die Auseinandersetzung zwischen Kreisky und dem Vizekanzler, Finanzminister und langjährigen präsumptiven Nachfolger Hannes Androsch, ausgelöst durch geschäftliche Expansion von dessen – treuhänderisch verwalteten – Steuerberatungskanzlei Consultatio, letztlich gerichtlich bestätigte Steuerhinterziehungen sind paradigmatisch für Kreiskys Scheitern in dem Bestreben, in allen gesellschaftlichen Bereichen – und insbesonders in der SPÖ – einen permanenten Reformprozeß als Korrektiv mit hohen moralischen Werten zu implantieren.

Der realpolitische Kern der Konfrontation Kreisky-Androsch geht aber bereits in das Jahr 1974 zurück, als sowohl Androsch als auch der Wiener Bürgermeister Leopold Gratz das Ableben des Bundespräsidenten Franz Jonas dazu benützen wollten, Kreisky in die Bundespräsidentschaftskandidatur abzuschieben. Gleichzeitig sollten vorgezogene Wahlen 1974 die Weichen für eine Kleine Koalition mit der FPÖ unter Friedrich Peter stellen. Androsch sollte Bundeskanzler werden und Gratz den Parteivorsitz übernehmen – an eine neuerliche absolute Mehrheit glaubten viele in der SPÖ-Parteispitze bereits 1974 nicht mehr.

Im folgenden soll anhand einiger konkreter Bereiche gezeigt werden, welche Reformschübe in der Ära Kreisky gesetzt wurden.

5. Wirtschafts- und Sozialpolitik auf dem Weg zu „Austrokeynesianismus" und Wohlfahrtsstaat

Bereits vor den Nationalratswahlen 1970 hatte die SPÖ die Wirtschaftspolitik zu einem zentralen Element ihrer politischen Vorbereitung gemacht, um über diesen Weg auch eine entsprechende Sozialpolitik finanzieren und durchführen zu können. Ähnlich wie die ÖVP vor 1968 setzte die SPÖ auf Strukturverbesserungen durch staatliche Investitionen und profitierte vom Konjunkturaufschwung zwischen 1968 und 1973, der im innerösterreichischen Bereich mit Steuererhöhungen und Budgeteinsparungen durch Finanzminister Stefan Koren („Paukenschlag") gut vorbereitet worden war.[31] Sozialpartnerschaft, die die Einkommenspolitik faktisch autonom kontrollierte,[32] hatte bereits in der Alleinregierung der ÖVP funktioniert und sollte ihre Bedeutung für den österreichischen „Weg zur Europareife" in den frühen siebziger Jahren mittels Wachstumsgesetzen und Strukturverbesserungen behalten. Durch hohe staatliche Investitionstätigkeit wurde das Wachstum angekurbelt. Die außenhandelswirtschaftlichen Chancen stiegen aufgrund des „Brückenschlags" zwischen der EWG und der EFTA (der Österreich angehörte), der u. a. die Liberalisierung des Handels ermöglichte.[33]

Erst mit den negativen Auswirkungen der Erdölpreiserhöhungen durch den ersten Ölschock 1973/1974, als nach einer Kartellabsprache der erdölproduzierenden arabischen Staaten der Ölpreis bis zum Zehnfachen angehoben wurde, wurden von der Regierung Kreisky bewußt andere wirtschaftspolitische Instrumente eingesetzt. Mittels einer expansiven Budgetpolitik sollten öffentliche Investitionen ermöglicht und ein Durchtauchen unter der globalen ökonomischen Krise versucht werden. Eine bewußte Hartwährungspolitik und damit de facto Anpassung an die Deutsche Mark, die vor allem von Finanzminister Hannes Androsch und Nationalbankpräsident Koren forciert wurde, sollte gleichzeitig die Inflation eindämmen.

Tatsächlich konnte Österreich das Wachstum halten und die negativen Beschäftigungsfolgen der Krisen abfangen – zum Preis von hohen Budgetdefiziten (1973 1,3 Prozent des Bruttoinlandsprodukts und 1975 4 Prozent). Es wäre naiv zu behaupten, daß Kreisky und seine Finanzminister Androsch und Salcher die Frage der Budgetkonsolidierung völlig ignoriert hätten – ganz im Gegenteil zeigt sich bereits, daß durch-

aus ab 1976 dieses Ziel mitangestrebt wurde, aber immer
unter Einbeziehung der weltwirtschaftlichen Situation. Daher stammen auch aus der Ära Kreisky 1970 bis 1983 48
Prozent der Finanzschulden des Bundes, hingegen sind in
den Jahren 1984–1988 46 Prozent der gesamten Schulden
aufgenommen worden.[34]

Wesentlich erscheint festzuhalten, daß die Frage der
Staatsausgaben auch in ihren positiven Auswirkungen auf
die gesamte Nationalökonomie Österreichs und die Infra-
struktur des Landes und seiner Menschen gesehen werden
muß, da keineswegs die Investitionen und Ausgaben des
Staates im luftleeren Raum verschwunden sind.

Daß vor allem in den späten siebziger und frühen achtziger
Jahren in verstaatlichte, aber auch in private Betriebe massiv investiert wurde, obwohl sie, wie wir heute wissen, nicht
mehr für Strukturreformen geeignet waren, ist betriebswirt-
schaftlich gesehen ein Fehlverhalten, aus volkswirtschaftlicher Sicht sind diese Fehlinvestitionen zumindest in Löhne
und Gehälter und damit wieder anderen Wirtschaftsberei-
chen zugeführt worden. Die negative Bilanz hinsichtlich
langfristiger Sicherung von Arbeitsplätzen durch diese „Feu-
erwehrpolitik" bleibt aber bestehen.[35]

Möglich wurde diese Politik des „Deficit Spending" aufgrund einer politischen Prioritätensetzung, die Kreisky als
seine persönliche Erfahrung, aber auch die Erfahrung seiner
Generation aus der Zwischenkriegszeit mit explodierenden
Arbeitslosenzahlen und hohen Inflationszahlen mitgenom-
men hatte. Sein Ausspruch „Mir sind ein paar Milliarden
Schilling Schulden lieber als ein paar hunderttausend Ar-
beitslose"[36] wurde zu einem politischen Credo, das den Sonderfall Österreich bestimmte und bis zu einem gewissen
Grad auch von der Sozialpartnerschaft mitgetragen wurde.
Erst bei dem Versuch, die zweite Weltwirtschaftskrise 1979
„durchzutauchen", zeigten sich die Grenzen dieser nationalen Wirtschaftspolitik, die auf einer Mischung aus politischen
Rahmenbedingungen, der Wirtschafts- und Sozialpartner-

schaft sowie einer entsprechend flexiblen Fiskalpolitik und der Hartwährungspolitik sowie einem hohen Beschäftigtenanteil bei der Verstaatlichten Industrie beruhte. 1982 begann die Arbeitslosenrate zu steigen, und die Verstaatlichte Industrie geriet in eine ernsthafte Krise bei hohen Budgetdefiziten im Bundesbereich. Versuche Kreiskys, durch ein Steuerpaket („Mallorca-Paket") die Budgetsanierung voranzutreiben, ohne gleichzeitig die öffentlichen Investitionen radikal zu kürzen, wurden vom Wähler nicht mehr mitgetragen (Verlust von fünf Mandaten und der absoluten Mehrheit 1983).

Wichtig im Verständnis der Kreiskyschen Politik des Primats der Beschäftigung ist auch die Tatsache, daß er noch zu einer Generation von Politikern gehörte, denen Arbeitslosigkeit kein abstraktes Zahlenspiel im Politpoker bedeutete. Er war davon überzeugt, daß

„Arbeitslosigkeit [...] zuerst einmal eine Summe von Einzelschicksalen bedeutet, die ein verantwortungsvoller Politiker überhaupt nicht verantworten kann und darf. Und das bedeutet auch, daß der Nährboden für alle möglichen radikalen Experimente wieder vorhanden ist."[37]

Kreiskys Engagement für die Ankurbelung der österreichischen Wirtschaft ging auch so weit, daß er durchaus in der Lage war, sein Renommee bei arabischen Staatsmännern, aber auch bei erdölproduzierenden Staaten der „Dritten Welt" in die Waagschale zu werfen, um den Erdölimport preisgünstig zu gestalten und gleichzeitig neue Absatzmärkte für die österreichische Wirtschaft zu erschließen.[38]

6. Justizreformen

Der Nachholbedarf in diesem Bereich war besonders groß. Unter permanentem Hinweis auf „Rechtssicherheit" und damit verbunden auf die Furcht vor gesellschaftlichen Veränderungen hatte die Justiz in vielerlei Hinsicht unter Berufung auf längst überkommene Rechtssätze eine Reihe von gesell-

schaftlich abgeschlossenen Entwicklungen blockiert. Beispielsweise basierten die wichtigsten Themen des Familienrechtes auf dem Allgemeinen Bürgerlichen Gesetzbuch aus
1811, und die Kernsätze des Strafgesetzes waren im Strafge-
setzbuch aus 1804 niedergeschrieben.

Christian Broda[39] versuchte bereits als Bundesminister für
Justiz in den sechziger Jahren, im Rahmen der Großen Koalition über einen Expertenentwurf, der zwischen 1954 und
1962 entwickelt wurde, eine Gesamtänderung des Strafrechtes vorzubereiten. Der nachfolgende Ministerialentwurf 1964
verschwand aber nach dem Wahlerfolg der ÖVP 1966 wieder
in der Schublade, und nach dem restaurativen Gegenentwurf
Hans Klecatskys aus 1968 wurde erst während der Minderheitsregierung Kreisky 1970 bzw. in den folgenden Jahren
eine umfassende Rechtsreform in Angriff genommen. Für
Christian Broda stand die

„Rechtsreform in einer Demokratie [...] im Dienste des Nachziehverfahrens, durch das die Rechtsordnung an die veränderte Gesellschaft angepaßt wird. Dennoch ist die Änderung der Rechtsordnung
und im Zuge des gesellschaftlichen Nachziehverfahrens durchaus
nicht ohne Bedeutung für die Weiterentwicklung der Gesellschaft.
Von der Änderung der Rechtsordnung gehen Impulse aus, die ihre
Auswirkungen auf die Gesellschaft haben, die sich im Zuge ihrer
weiteren Entwicklungen von neuem ändern."[40]

Trotzdem ging die Regierung Kreisky I vorerst überaus behutsam an diese Änderungen heran. Selbst die Regierungserklärung vom 27. April 1970 reflektierte diesen pragmatischen Zugang, der vor allem auf die formale Gleichstellung
aller Staatsbürger vor dem Gesetz abzielte – durchaus im
Sinne der gescheiterten liberalen Revolution von 1848.[41] Entsprechend fokussierend war auch die sogenannte kleine
Strafrechtsreform mit dem Strafrechtsänderungsgesetz
1971, das unter anderem die Aufhebung der Strafdrohung
gegen die homosexuelle Betätigung unter Erwachsenen, die
Entkriminalisierung der „Ehestörung" und die „kleine Ver-
kehrsstrafrechtsreform", d. h. Geldstrafen statt Freiheits-
strafen bei leichten Verkehrsdelikten, brachte.

Erst in der Regierung Kreisky II brachte Broda am 16. November 1971 die Regierungsvorlage zur Großen Strafrechtsreform im Nationalrat ein. Grundsätzlich schien sich auch bei den anderen im Nationalrat vertretenen Parteien die Meinung zugunsten einer Totalreform durchgesetzt zu haben. Absoluter Konfrontationspunkt blieb aber die Frage des Schwangerschaftsabbruchs. Sowohl die ÖVP als auch insbesondere die katholische Kirche sowie Teile der FPÖ lehnten die darin vorgeschlagene Indikationenlösung als zu weitgehend ab. Letztlich führte die Diskussion innerhalb der SPÖ, mit Höhepunkt auf dem Villacher Parteitag 1972, zur Revision des ursprünglichen Vorschlags in Richtung einer „Fristenlösung", was bedeutete, daß der Schwangerschaftsabbruch innerhalb einer Frist von drei Monaten nicht kriminalisiert werden sollte.

Der Kanzler selbst hatte sich in Villach in dieser sensiblen Frage zurückgehalten und auch für diesen Parteitagsbeschluß gestimmt. Den Grund dafür hat Heinz Fischer in seinen Aufzeichnungen authentisch festgehalten. Nach der Beschlußfassung des Strafgesetzes (inklusive Fristenlösung) am 29. November 1973 meinte Kreisky, daß dieser Beharrungsbeschluß der SPÖ

„der Kardinalfehler unserer Arbeit ist. Dieser Beschluß kostet uns die Mehrheit. Es ist der dritte wahlentscheidende Fehler von Broda – nach Habsburg und Olah-Kronenzeitung. Im Grunde ist ein 20jähriges Aufbauwerk von mir zerstört – nämlich die Aussöhnung mit der Kirche. Das kann uns die Kirche nicht verzeihen – nicht der Kardinal [...]."[42]

Bemerkenswert ist, daß Bruno Kreisky in dieser Frage die gesamtgesellschaftlichen Änderungen falsch eingeschätzt hat. Trotz massiver Oppositionsbewegung innerhalb der katholischen Kirche, Volksbegehren der „Aktion Leben" (fast 900.000 Unterschriften) und politischem Widerstand seitens der ÖVP zeigte es sich, daß selbst die ÖVP allmählich begann, sich in dieser Frage von der Position der Amtskirche zu entfernen bzw. diese nicht mehr mit entsprechendem politischen Nachdruck zu vertreten. Überdies hatte zwar der angesprochene Kardinal, Franz König, die SPÖ heftigst kritisiert, aber letztlich seinerseits einen massiven Kulturkampf unterbunden.[43] Kreisky wiederum hatte bereits vor dem Villacher Parteitag Broda und Firnberg ausdrücklich freie Hand gelassen, obwohl er auch aufgrund der internationalen Debatte über die Fristenlösung – z. B. in der Bundesrepublik Deutschland – noch mehr verunsichert wurde. Er sollte aber alle Parteibeschlüsse und die Abstimmung im Nationalrat vollinhaltlich in der politischen Debatte mittragen.

Auch der zweite – parlamentarisch und außerparlamentarisch – umstrittene Punkt im Rahmen der Änderung des Familienrechtes, d. h. die Scheidungsreform,[44] arbeitete letztlich eher in Richtung der SPÖ, die hier einem gesellschaftlichen Trend folgte und religiöse Traditionszwänge nicht mehr mit staatlichen Mitteln „verlängerte". Noch 1951 hatte die ÖVP primär im Bereich des Familienrechts die Abschaffung der 1938 von den Nationalsozialisten in Österreich eingeführten obligatorischen Zivilehe verlangt. Die Argumentationslinien aus dieser Zeit – teilweise eine Art Vulgärbiologie, die versuchte, die Unterschiede im Familienrecht zwischen Mann und Frau zu rechtfertigen – sollten in den siebziger Jahren wieder verwendet werden. An sich folgte die SPÖ im Familienrecht bestimmten Traditionslinien aus der Monarchie (1901) und Zwischenkriegszeit (Gleichstellung der Ehegatten, Rechtsstellung der ehelichen Kinder, vermögensrechtliche Beziehungen zwischen den Ehegatten).[45] Im Familienrecht wurde jedoch kein einheitliches neues Gesetzbuch geschaffen, sondern Teilbereiche geändert: z. B. Gleichstellung unehelicher Kinder mit ehelichen Kindern, Neuregelung der Rechtsstellung des ehelichen Kindes (elterliche Rechte und Pflichten statt elterlicher Gewalt), Revision des Rechtsverhältnisses der Ehegatten zueinander.

Insgesamt gesehen gehört der Bereich Justizreform im engeren Sinn sicherlich zu den prägendsten Reformwerken der siebziger Jahre für die Entwicklung der II. Republik, die durchaus noch über Jahrzehnte hinaus wirksam bleiben wer-

den. Dazu kommt, daß aufgrund der Bildungs- und Ausbil-
dungsweiterentwicklung   nunmehr   nicht   nur   ein
entsprechender formaler Gesetzesrahmen zur Verfügung
steht, sondern daß es zunehmend mehr jüngere Richter,
Staatsanwälte und Rechtsanwälte gibt, die imstande sind,
diesem Rahmen positive und fortschrittliche gesellschaftliche Inhalte zu geben, obwohl die „gefängnislose Gesellschaft", eine der Visionen Brodas, nach wie vor eine Utopie
zu sein scheint.

Broda und auch Kreisky waren bestrebt, im Parlament
eine breite Mehrheit für die Reformvorhaben zu bekommen,
was mit zwei Ausnahmen auch gelang: der Neuregelung des
Schwangerschaftsabbruches durch die Fristenlösung und der
Scheidung gegen den Widerspruch des Ehepartners, wenn
die häusliche Gemeinschaft schon mehrere Jahre aufgelöst
ist (bei letzterem stimmte aber die FPÖ zu).

Zunehmend wollte Justizminister Broda nicht nur die formale Gleichheit vor dem Gesetz verwirklichen, sondern auch
„mehr Gleichheit durch das Gesetz [...] schaffen" (Broda
1980). Bereits im neuen Parteiprogramm 1978 sollte vom
politischen Anspruch der SPÖ dieser Weichenstellung Rechnung getragen werden. Während der bürgerliche Rechtsbe-
griff reale gesellschaftliche Ungleichheiten nicht berücksichtigt, wurde im neuen Parteiprogramm versucht, in Richtung
eines sozialen Rechtsbegriffs zu argumentieren, d. h. einem
„Recht, das nicht von abstrakten Begriffen ausgeht, sondern
die Menschen in ihrer konkreten wirtschaftlichen und sozialen Situation sieht und bewußt unterschiedlich behandelt".[46]

Ein konkretes Beispiel für dieses Vorhaben ist das Sach-
waltergesetz für behinderte Personen. Andere Projekte Brodas, wie das Bundesgesetz über die Sozialgerichtsbarkeit,
das Rechtsfürsorgegesetz für psychisch Kranke und das Ju-
gendgerichtsgesetz, wurden nicht mehr unter seiner Mini-
sterschaft verwirklicht.

7. Bildungsreform im Schul- und Hochschulbereich

Schulreform

Bereits in den sechziger Jahren wurde der Schulbereich zunehmend von den gesellschaftlichen Trends eingeholt, nicht nur in inhaltlichen pädagogischen Fragen, sondern auch in quantitativer Hinsicht. Zwischen 1960/61 und 1970/71 steigerte sich die Zahl der SchülerInnen in den Allgemeinbildenden Höheren Schulen (AHS) um rund 38.500 (bis 1979/80 nochmals um rund 37.000).[47] Auch auf Ebene der Pflichtschulen explodierten die Schülerzahlen, ohne daß für entsprechende Schulräume und mehr Lehrpersonal gesorgt worden war: In 2713 Pflichtschulen wurde die Schülerhöchstzahl pro Klasse von 40 überschritten; fast ein Drittel der 97.000 AHS-SchülerInnen mußten in Klassen mit über 36 Schülern lernen.[48]

Die politischen Diskussionen über Schülerhöchstzahlen beherrschten die Parlamentsdebatten in den späten sechziger Jahren ebenso wie die Abschaffung des 9. Schuljahres für AHS, die ein von Teilen der ÖVP initiiertes Volksbegehren erfolgreich gegen den Willen des zuständigen ÖVP-Unterrichtsministers durchgesetzt hatte.

Grundsätzlich fehlte aber Schulfragen trotz unterschiedlicher Zugänge im Bereich von Pädagogik und Bildungschancen die ideologische Schärfe der Ersten Republik. Auch hier war es zu Annäherungen und Kompromissen gekommen, obwohl das Unterrichtsressort immer von ÖVP Ministern dominiert wurde. Vor allem das Unterrichtsgesetz 1962 signalisierte den Höhepunkt des politischen Ausgleichs in Schulfragen auf Ebene der Großen Koalition.

Die Diskussionen in der SPÖ zielten in erster Linie in Richtung Chancengleichheit, d. h. daß allen Kindern die gleichen Bildungschancen ermöglicht werden sollten. Während Schulgesetze einer Zweidrittelmehrheit bedurften, war es bei sozialen Begleitmaßnahmen möglich, eigene Akzente zu setzen. Noch in der Minderheitsregierung Kreisky I wurde die bis dato erforderliche Aufnahmsprüfung für Allgemeinbildende Höhere Schulen sistiert. Vor allem 1971 konzentrierte die SPÖ ihre Argumente auf das Element der Chancengleichheit durch kostenlose Schulbücher, freie Schulfahrten und den Ausbau der Schulbeihilfen parallel zu einem Schulausbauprogramm, das bereits von der ÖVP-Alleinregierung begonnen worden war.

Wohl gelang es, einige Reformmaßnahmen im Schulbereich auch hinsichtlich der demokratischen Beteiligung von SchülerInnen und Elternvertretern (Schulunterrichtsgesetz 1974) an der Gestaltung von Rahmenbedingungen im Unterricht durchzusetzen, ebenso wie verstärkte inhaltliche Neugestaltungen im Bereich der neuen „Politischen Bildung" statt der traditionellen „Staatsbürgerschaftskunde". Auch eine Reihe von Schulversuchen und Änderungen der Schulorganisation konnten gestartet werden, aber eine zentrale Schiene des SPÖ-Reformprogramms, die Gesamtschule der Zehn- bis Vierzehnjährigen, blieb das absolute Tabuthema für die ÖVP.

In keinem anderen Bereich wurde in der Regierungsära des Bundeskanzlers Kreisky eine derart betonte „Reform auf sanften Pfoten" durchgeführt – einerseits wegen der traditionellen Brisanz schulpolitischer Fragen und der Tatsache, daß für wichtige Schulthemen eine 2/3 Mehrheit erforderlich ist. Sozialistische Schulexperten wie Josef Hieden sind daher zur Ansicht gelangt, daß „Grundsätze sozialistischer Schulpolitik nur eingeschränkt verwirklicht werden konnten".[49] Die Säule der Reformbestrebungen, die Gesamtschule auf der unteren Sekundarstufe, wurde 1983 zugunsten einer Reform der Hauptschule aufgegeben.[50]

Hochschulen

Bernd Schilcher hat das „Krebsübel der österreichischen Hochschule" seit 1945 mit „ihrer Isolierung" erklärt: Isolierung unter den Fachdisziplinen, Isolierung gegenüber neuen wissenschaftlichen Strömungen, Isolierung gegenüber der Gesellschaft, Isolierung gegenüber weltanschaulichem Pluralismus.[51] Bereits während der Monarchie wurde die Universität in weltanschaulicher Hinsicht von konservativen Kräften dominiert (Christlichsoziale und immer mehr Deutschnationale). Liberale und Sozialdemokraten waren – wenn überhaupt im Lehrkörper präsent – total marginalisiert, wobei der Druck in der Ersten Republik auf diese Minorität und der Einfluß der radikalen Großdeutschen Bewegung und ihrer antisemitischen Grundgesinnung größer wurde. Austrofaschismus und vor allem der Nationalsozialismus „liquidierten" die meisten fortschrittlichen und weltoffenen Universitätslehrer.[52]

1945 sollte daher keineswegs Neuanfänge signalisieren, sondern Wiederaufbau konservativer Strukturen mit dominanten autoritären Elementen. So war es kein Zufall, daß gerade im geisteswissenschaftlichen Bereich alle internationalen Trends spurlos an den österreichischen Universitäten in Wien, Graz und Innsbruck vorüberzugehen schienen und nach wie vor Sozialisten bewußt nicht in den Lehrkörper aufgenommen wurden, und zwar ausschließlich wegen ihrer politischen Gesinnung, unabhängig von etwaiger wissenschaftlicher Qualifikation.[53]

Spätestens bei der in Österreich kaum spürbaren 68er Studentenbewegung wurde sowohl bei jungen ÖVP-nahen, katholischen Studentenaktivisten, als auch bei den sozialistischen StudentInnen, die eine Minderheit darstellten, der Unwillen und der Druck in Richtung Reformen immer konkreter.[54] Bereits in der Alleinregierung der ÖVP Klaus wurden zumindest erste Schritte in Richtung einer seitens der Unterrichtsverwaltung initiierten Reform gesetzt („Rat für Hochschulfragen", bestehend aus Politikern, Beamten, Professoren, Assistenten und Studenten, zur Erarbeitung der Grundlagen einer Hochschulreform). Die Planungsfeindlichkeit der Ära Heinrich Drimmel wurde aufgegeben und erstmals eine Akademikerbedarfsanalyse durchgeführt. Bis zu diesem Zeitpunkt hatte es seitens des Unterrichtsministeriums nur eine Gesetzesinitiative gegeben: das Studienbeihilfengesetz aus

1963. Das angebliche Hochschulorganisationsgesetz 1955 hatte nur verstreute k.u.k. Erlässe bzw. Verordnungen zusammengefaßt bzw. neu verlautbart.

Gerade in diesem Bereich, der bisher fast völlig ohne Mitwirkungsmöglichkeit der SPÖ geblieben war, sollte eines der umfassendsten Reformvorhaben gestartet werden. Bereits in der Oppositionszeit war unter der Leitung von SPÖ-Klubsekretär Heinz Fischer, der sich u. a. in einer Studentenbewegung gegen einen antisemitisch-rassistisch agierenden Professor an der Hochschule für Welthandel, Taras Borodajkewicz, öffentlich bemerkbar gemacht hatte, ein Hochschulkonzept erarbeitet worden – unter Mitwirkung einiger weniger Hochschulprofessoren und einiger sozialistischer Studenten.[55] Kreisky selbst hatte aber als SPÖ-Parteivorsitzender immer wieder auch in der Oppositionszeit bewußt Kontakt zu katholischen Studentenverbindungen und zum CV gesucht, um eine breitere Basis für seine Projekte zu gewinnen.

Bereits in der ersten Phase der Alleinregierung wurde von der sozialistischen Minderheitsregierung ein neues Bundesministerium für Wissenschaft und Forschung gegründet[56] und damit erstmals in der Geschichte der Universitäten die klassische Nabelschnur zur Unterrichtsverwaltung gekappt. Hertha Firnberg, die übrigens ursprünglich den Arbeitskreis für das „Humanprogramm" geleitet hatte, übernahm die Führung dieses neuen Ressorts. Binnen kurzer Zeit wurde von einer Sechser-Arbeitsgruppe ein Entwurf für ein Universitätsorganisationsgesetz (UOG) ausgearbeitet, der ab 1971 zur Diskussion stand. Das UOG selbst wurde aber erst am 11. April 1975 vom Nationalrat beschlossen und sollte vor allem eine Öffnung und Demokratisierung der Universitäten garantieren. Besonders heftig diskutiert war die Drittelparität zwischen Universitätsprofessoren, „Mittelbau" und Studenten, die Demokratie in die Entscheidungsprozesse der Universität – bis hin zu Berufungs- und Habilitationsverfahren – bringen und für mehr Objektivität sorgen sollte. Die gesellschaftliche Brisanz des UOGs zeigt sich auch daran, daß es zu den am längsten beratenen Gesetzen in der Zweiten Republik gehört.[57]

Gleichzeitig wurden durch Begleitmaßnahmen wie Abschaffung der Hochschultaxen und Etablierung von neuen Universitäten in Linz und Klagenfurt eine Erweiterung der Zugangsmöglichkeit aus möglichst allen Schichten der Gesellschaft angestrebt. Ebenso wie im Bereich Justiz wurde auch hier ein Nachholverfahren in Gang gesetzt – begleitet von punktuell langfristigen Reformbestrebungen, die durchaus noch in der Gegenwart spürbar sind. Grundsätzlich sollte aber eine starke Position des neu gegründeten Ministeriums selbst gewährleistet bleiben. In der gegenwärtigen Reform der Reform-Phase hingegen dominieren Elemente von zumindest teilweiser Dezentralisierung der Universitäten im Sinne von Stärkung der Autonomie universitärer Organe, Deregulierung der zahlreichen Kommissionen und Verstärkung von Evaluierungen verschiedenster Art.

8. Heeresreform: „Sechs Monate sind genug" und die Suche nach einer neuen Verteidigungsdoktrin

Kurz vor den Nationalratswahlen 1970 hatte Bruno Kreisky einen Vorschlag von Leopold Gratz und dem Obmann der Sozialistischen Jugend, Peter Schieder, aufgegriffen, den Präsenzdienst beim österreichischen Bundesheer von neun auf sechs Monate herabzusetzen.[58] Obwohl diese Idee keineswegs neu war – der damalige SPÖ-Staatssekretär im ÖVP-dominierten Verteidigungsministerium, Otto Rösch, hatte bereits 1964 eine deutliche Reduzierung des Präsenzdienstes vorgeschlagen[59] –, wurde sie erstmals von Kreisky als ein wichtiges Element in einen Wahlkampf eingebracht. Vor allem bei männlichen Jungwählern kam diese Idee gut an. Der ebenfalls von sozialistischen Jugendfunktionären forcierte Wehrersatzdienst wurde zwar nicht im Wahlkampf konkret angesprochen, aber durchaus in den Diskussionen der Jahre 1970 und folgende mitgetragen.

Obwohl dieser Vorschlag bei seiner Umsetzung auf breite und massive Opposition innerhalb des Offizierskorps stieß, versuchte Kreisky möglichst rasch eine Umsetzung dieses Wahlversprechens durchzusetzen. Um aber eine breite Diskussion über die notwendigen grundsätzlichen Rahmenbedingungen zu gewährleisten, setzte er eine Bundesheerreformkommission als Beratungsorgan ein.[60]

Der Kanzler selbst versuchte, die Diskussion weg vom pragmatischen Streit um die Ausbildungszeit und hin zu einer grundsätzlichen Auseinandersetzung über die „Heeresdoktrin zu bringen". Seine persönlichen Vorstellungen gingen in Richtung eines breiten nationalen Widerstandes, getragen auch von den Arbeitern durch zivile Resistenz gegenüber einem Aggressor. Überdies sollte die gesellschaftliche Verankerung der „politischen Landesvereinigung" auch von den anderen Interessenvertretern getragen werden. Nach schwedischem Vorbild versuchte Kreisky, ein neues Gremium als Forum für Landesverteidigungsfragen zu schaffen – außerhalb des Landesverteidigungsrates –, bestehend aus Experten und Parlamentariern, aber auch Interessenvertretern der Unternehmer, der Arbeiter und der Angestellten sowie der Bauern.

Es sollte jedoch bis 1972 dauern, ehe unter der Federführung des Bundesministers für Auswärtige Angelegenheiten, Rudolf Kirchschläger, ein „Entwurf einer Grundsatzerklärung zur österreichischen Landesverteidigung" vorlag, der 1975 auch als „Umfassende Landesverteidigung" einstimmig vom Nationalrat als Verfassungsgesetz beschlossen wurde.

Hinsichtlich einer inneren Wehrdoktrin erhielt Kreisky jedoch Ideen nicht aus den eigenen Reihen, sondern von einer Gruppe von Offizieren um General Emil Spannocchi, die der ÖVP nahestanden. Ihre Vorstellungen in Richtung der Transformation des österreichischen Bundesheeres nach den Konzepten eines Milizheeres, des Jagdkampfes und der Raumverteidigung sollten in weiterer Folge den konkreten Reformdiskurs prägen.[61] Derartige Vorstellungen kamen Kreiskys Ideen einer „politischen Landesverteidigung" am nächsten

und stellten zumindest für die nächsten Jahrzehnte den
Trend in Richtung eines Quasi-Berufsheeres zurück.

9. Außenpolitik und die Internationalisierung Österreichs durch eine aktive Neutralitätspolitik ohne „ideologisches Zölibat"

Wohl in keinem Bereich hatte Bundeskanzler Kreisky selbst
die politische Detailarbeit so stark getragen wie in der Außenpolitik. Wichtig ist – auch in Fortsetzung des Kapitels
über die Frage der Wehrdoktrin Österreichs – hier anzumer-
ken, daß aus seiner Sicht eine breitgefächerte Verankerung
des Kleinstaates Österreichs in der internationalen Staatengemeinschaft (UNO, Entspannungs- und Abrüstungspolitik)
die beste Verteidigungspolitik darstellte. Auch hier zeigen
sich Kontinuitäten aus der Lebenserfahrung mit dem „Anschluß" Österreichs 1938, der von den europäischen Staaten
stillschweigend hingenommen worden war. Österreich sollte
sich im Kalten Krieg nie mehr in eine isolierte Position zurückziehen, sondern selbst versuchen, positive Rahmenbedingungen zu schaffen.

Kreisky selbst machte nie ein Hehl daraus, daß er im Kalten Krieg, in der ideologisch-militärisch-ökonomischen Konfrontation zwischen dem kommunistischen Block unter sowjetischer Führung und dem „Westen" unter US-Ägide eindeutig
und kompromißlos auf der Seite des Westens stand. „Containment", die Einschränkung der sowjetischen Einflußzone, gehörte ebenso zu seinem Überzeugungsinstrumentarium wie
auch kompromißlose ideologische Konfrontation mit Ideologie
und politischer Praxis des Kommunismus. Auch hier blieb er
seinen Grundsätzen aus der Zwischenkriegszeit treu.

Aufgrund der spezifischen Lage Österreichs zwischen den
Blöcken und den Bedingungen von Staatsvertrag und Neutralität versuchte er jedoch bereits Ende der fünfziger Jahre

mittels einer aktiven Nachbarschaftspolitik mit den umlie-
genden kommunistischen Staaten (Jugoslawien, Ungarn,
Tschechoslowakei), in den sechziger Jahren aber auch mit
reformfreudigeren Ländern wie Polen oder Rumänien die Politik der friedlichen Koexistenz in den bilateralen Beziehungen umzusetzen und damit die Sicherheit der Region und
Österreichs zu erhöhen. Im Verhältnis zu den Großmächten
strebte er seit den späten fünfziger Jahren eine aktive Kom-
munikatorfunktion an, d. h. daß zu konkreten Themen (wie
der Berlin-Frage oder der Kuba-Krise) österreichische Politiker und Diplomaten durch intensive Gesprächskontakte die
jeweiligen Verhandlungen im Fluß halten bzw. durch eigene
Vorschläge sogar in eine positive Richtung lenken sollten.[62]

Höhepunkt dieser neuen Rolle des neutralen Kleinstaates
Österreich waren sicherlich die Verhandlungen vor und nach
der Konferenz für Sicherheit und Zusammenarbeit in Europa
in Helsinki 1975, wobei Österreich sowohl Entspannungs-
schritte mitschreiben als auch Beschlüsse hinsichtlich konkreter Mechanismen zur Einhaltung der Menschenrechte
durchsetzen konnte. Heute, nach dem Zusammenbruch der
stalinistischen Form des Kommunismus in Osteuropa und
der Sowjetunion, werden die politischen Entspannungs-
schritte und vorsichtigen Interventionen Österreichs zur Beachtung der Menschenrechte als „naiv" abgetan und sogar
als Teil der Systemerhaltung der kommunistischen Regime
mißinterpretiert. Tatsächlich waren diese Interventionen,
die Kreisky als einziger Politiker auch in seine Rede auf der
KSZE-Konferenz in Helsinki mitaufgenommen hatte, ein
wichtiger Bestandteil, um die Oppositionsbewegung politisch
aktiv zu halten und im Falle der Haft zumindest die konkreten Lebensbedingungen etwas zu erleichtern. Vor dem Hintergrund der atomaren Konfrontation – auch in Europa –
war dies die einzige Möglichkeit, um zumindest langfristig
auch Reformen zu unterstützen und einen „heißen" Krieg zu
verhindern. Erst in den frühen achtziger Jahren wurde diese
Form der Ostpolitik seitens der USA unter Präsident Ronald
Reagan heftig kritisiert, ohne Kreisky aber seine Verdienste

um die Durchsetzung der Menschenrechte diesseits des Eisernen Vorhanges abzusprechen. So war es auch kein Zufall, daß das SALT II-Abkommen vom Vorsitzenden des Präsidiums des Obersten Sowjets, Leonid Breshnew, und dem US-Präsidenten Jimmy Carter am 18. Juni 1979 in Wien unterzeichnet worden ist.[63]

Wien sollte – im Unterschied zur Zwischenkriegszeit – ständiger Treffpunkt zwischen Ost und West werden,[64] und daher wurde seitens der sozialistischen Alleinregierung auch das ÖVP-Projekt aus der Regierungszeit von Josef Klaus, die Errichtung eines 3. Amtssitzes für die Vereinten Nationen und die Etablierung eines Internationalen Konferenzzentrums, auch gegen innenpolitische Opposition und Volksbegehren durchgesetzt. Bei der Größe des Konferenzzentrums spielte übrigens auch der positive Beschäftigungseffekt auf die Bauwirtschaft eine entscheidende Rolle.

Internationales Aufsehen und zeitgenössische Kritik erregte vor allem die Nahostpolitik Kreiskys.[65] Bereits in den sechziger Jahren versuchte er als Außenminister stärker, als es in Westeuropa und den USA üblich war, die arabischen Positionen in den Friedensprozeß im Nahen Osten einzubringen (Besuch bei dem ägyptischen Präsidenten und Revolutionsführer Nasser 1964). Sowohl in den sechziger als auch in den achtziger Jahren war Kreisky aber mit dieser konkreten politischen Absicht seiner Zeit voraus und wurde teilweise heftig kritisiert. Während seine Nahost-Fact-Finding-Missionen im Rahmen der Sozialistischen Internationale gewürdigt wurden und seine Politik der Integration des ägyptischen Staatspräsidenten Sadat Anerkennung und im Camp David-Abkommen auch Akzeptanz seitens israelischer Politiker und den USA fand, gelang es Kreisky nur in Europa, die PLO um Yassir Arafat als akzeptierten Verhandlungspartner „hoffähig" zu machen und Bereitschaft dafür zu wecken, daß eine Nahostlösung mit einer Lösung des Palästinenser-Problems unter deren aktiver Teilnahme kombiniert werden mußte. Die gegenwärtige Friedenslösung – d. h. unter Einschluß der PLO und Arafats – hat noch weit in die achtziger Jahre hinein in den USA und Österreich für manche politische Aufregung und negative Pressereaktionen gesorgt. Hinter den Kulissen der öffentlichen Debatte war jedoch Kreisky vor allem in den USA auch für republikanische Politiker ein gesuchter Gesprächspartner. In Israel beschränkte sich seit den offiziellen Arafat-Kontakten und der Anerkennung der PLO durch die Republik Österreich – im Gegensatz zur Akzeptanz im arabischen Raum – die Rezeption seiner Vorschläge auf die Friedensbewegung. Bei extremistischen Palästinenser-Organisationen und manchen arabischen Staaten wurde jedoch Kreiskys nahostpolitische Aktivität manchmal ebenso skeptisch bis negativ eingestuft. Kreiskys Visionen waren offensichtlich Jahrzehnte seiner Zeit voraus.

Die außenpolitischen Konzeptionen Kreiskys beschränkten sich aber nicht nur auf den Nahen Osten, sondern wurden auch bereits Ende der fünfziger Jahre im sogenannten Nord-Süd-Konflikt deutlich, in dem er bewußt Partei für die Entwicklungsstaaten ergriff. Bereits als Student hatte er sich gegen den Kolonialismus engagiert und behielt diese Haltung auch als Außenminister und Bundeskanzler bei. Höhepunkt dieser konsequenten außenpolitischen Linie, die bereits Mitte der sechziger Jahre zur Gründung des Wiener Instituts für Entwicklungsfragen geführt hatte, war die erste Nord-Süd-Gipfelkonferenz in Cancún (Mexiko) 1981, die Kreisky als Co-Chairman organisieren konnte. Zwar scheiterte dieses damals einmalige Aufeinandertreffen zwischen Staatspräsidenten und Regierungschefs von 8 Industriestaaten und 14 Entwicklungsländern, doch letztlich wurde der folgende Dialog in Richtung einer bewußteren Entwicklungspolitik doch positiv beeinflußt. Eine grundsätzliche Änderung des Mißverhältnisses, d. h. eine Politik des Ausgleichs und der Solidarität zwischen den ökonomischen Kapazitäten des Nordens und des Südens, erfolgte jedoch nicht. Trotzdem wurden vor allem in den letzten Jahren die jungen Menschen stärker für entwicklungspolitische Probleme sensibilisiert.

10. Resümee

Eine endgültige Evaluation der Auswirkungen der oben skizzierten Reformen ist sicherlich derzeit noch nicht möglich.
Trotzdem zeichnet sich bereits deutlich ab, daß die Jahre ab
1970 durchaus langfristig den Trend in Richtung einer Ver-
westlichung der österreichischen politischen Kultur beschleunigt hat, d. h., daß die politischen Lager ebenso einem
Erosionsprozeß unterworfen waren wie der parteipolitische
Einfluß auf gesellschaftliche Entwicklungen. Aufgrund der
Bildungs- und Ausbildungsexplosion wurden auch die Staatsbürger zunehmend demokratiebewußter und stellten sich
durchaus bereits in einzelnen Fragen herrschenden Regie-
rungs- bzw. Parteioppositionsabsichten entgegen. Die Volksabstimmung gegen das Atomkraftwerk Zwentendorf 1978 ist
ein erstes Beispiel für das beginnende Aufbrechen der Lager-
und Untertanenmentalitäten, obwohl dieser Prozeß erst Anfang der achtziger Jahre wirklich spürbar wurde. Parallel
dazu erreichte das „Österreich-Bewußtsein", in einem unpa-
thetischen, manchmal relativ einfachen Österreich-Patriotis-
mus in diesen Jahren einen Höhepunkt und eine breite gesellschaftliche Verankerung. Das traditionelle provinzielle
und katholische Österreich-Bild begann allmählich zu verschwinden und wurde durch den Mythos der „Insel der Seligen" und die de facto Akzeptanz der Kleinstaatlichkeit in
Neutralität und sozialer und ökonomischer Absicherung er-
setzt.[66]

Heinz Fischer hat einmal 1975 in einem Vortrag in Innsbruck versucht, die Frage: Die Ära Kreisky – eine Ära der
Gesellschaftspolitik? zu diskutieren und deutlich gemacht, daß

„die Zeit sozialistischer Regierungstätigkeit in Österreich seit 1970
zweifellos eine besonders fruchtbare Reformperiode der Zweiten Republik ist. Sie hat in vielen Bereichen Veränderungen und Innova-
tionen gebracht, aber sie hat die Struktur unserer Gesellschaftsord-
nung nicht gesprengt, und ist auch ihrem eigenen Selbstverständnis nach eine Periode systemkonformer Reformtätigkeit und keine
Periode radikaler Systemveränderung."[67]

Diese Aussage ist insofern wichtig, weil sie auch den relativ breiten Konsens – trotz teilweiser heftiger Opposition – gegen die oben skizzierten Reformen erklärt, den der Politikwissenschaftler Peter A. Ulram als „sozialliberalen Konsens" definiert.[68] Durch diesen Konsens wurden aber die inneren Verfallserscheinungen der sozialistisch-sozialdemokratischen Säule kaschiert, um umso heftiger in den achtziger Jahren aufzubrechen.

Ein wichtiges Kommunikationsinstrument in diesem „sozialliberalen Konsens" stellte die Medienwirksamkeit des Kanzlers Kreisky dar.[69] Ein bedeutendes Element seines Wahlerfolges waren sicherlich auch die Mitte der sechziger Jahre zahlenmäßig stark ansteigenden privaten Fernsehbesitzer. Erstmals war es Zigtausenden Wählern und Wählerinnen möglich, sozusagen „im Privaten" politische Vergleiche bei der Fernsehkonfrontation zwischen Bundeskanzler Klaus und seinem Herausforderer Kreisky, der dieses Medium souverän beherrschte, anzustellen.[70]

Ein wichtiger Faktor beim Erreichen neuer Wählerschichten war sicherlich das Fernsehen. Zwischen 1965 und 1970 stieg der private Besitz von TV-Geräten von 30 Prozent auf 67 Prozent und ermöglichte somit auch eine wesentlich privatere Meinungsbildung – abseits des bisher meist Lager-geprägten Gemeinschaftsfernsehens im Gasthaus oder bei Nachbarn. Gleichzeitig hatte die Rundfunkreform, die mit den Stimmen von ÖVP und FPÖ auf der Basis des Rundfunkvolksbegehrens beschlossen worden war, eine Professionalisierung des Fernsehens unter dem konservativen Journalisten Gerd Bacher gebracht, die im Sinne einer stärkeren Amerikanisierung auch die Politiker vor neue Anforderungen und Möglichkeiten stellte. Kreisky verfügte bereits jahrzehntelang über einen wesentlich offeneren Kontakt mit Journalisten, als es in den fünfziger und sechziger Jahren in Österreich üblich war. Hier wirkten sich wohl Kreiskys zeitweise berufliche Tätigkeit in Schweden als Journalist und ein heimlicher Berufswunsch positiv aus. Überdies hatte ihn seine Auslandserfahrung als Staatssekretär und Außen-

minister in einem offenen politischen Kommunikationsstil
geprägt.

Auch in der Frage der Abgrenzung zur Kommunistischen
Partei Österreichs hatte Kreisky, der trotz seines überzeug-
ten Engagements für eine umfassende internationale Ent-
spannungspolitik als Außenpolitiker ein konsequenter ideologischer Antikommunist war, mit der „Eisenstädter Erklärung" eine unmißverständliche Ablehnung von
Unterstützungen durch die Kommunisten ausgesprochen.
Trotz seiner ideologischen Grundpositionen agierte Kreisky
gegenüber innerparteilicher Kritik von links – z. B. von
Günther Nenning – ebenso kompromißlos, begnügte sich
aber mit öffentlichskeitswirksamer verbaler Ausgrenzung (so
attackierte Kreisky auf dem 19. Parteitag der SPÖ Nenning
als „Wurschtl").

Wertewandel, die Mobilität der neuen, angestellten Mittel-
schichten sollten den „Modernisierungsschub" der siebziger
Jahre, der sich bereits Ende der sechziger Jahre angekündigt
hatte, begleiten. Zum Unterschied von vielen anderen Industriestaaten ging diese Entwicklung in Österreich relativ
rasch vor sich und wurde auch durch konkrete politische
Programme und Projekte noch verdichtet, war daher auch
als „Ära" erkennbar.[71]

Manche Entwicklungslinien – zum Beispiel hinsichtlich
der Gleichstellung der Frau und der Neuordnung des Verhältnisses zwischen den Geschlechtern – wurden erst gegen
Ende der Ära Kreisky auf den Weg gebracht, ohne vorerst
radikale gesellschaftliche oder parteipolitische Änderungen
bis 1983 zu verursachen. Mit der Einbeziehung von vier
Frauen 1979 als Staatssekretäre versuchte Kreisky bewußt,
einem sich abzeichnenden gesellschaftlichen Trend zu entsprechen, wenngleich die Mehrheit der männlichen Parteifunktionäre noch nicht bereit war, in dieser Frage dem „Son-
nenkönig" Kreisky zu folgen. Zumindest punktuell konnten
auch einzelne Bereiche der Geschlechtergleichstellung in diesen Jahren geregelt werden.[72] Die Wählerinnen honorierten

diese Hoffnung auf stärkere Berücksichtigung der Anliegen der Frauen durch die SPÖ, die sich 1983 deutlich im Resultat der Wahlen als Frauenpartei etablierte – trotz aller gesellschaftlichen Rückstände in der eigenen Partei und der ideologischen Arbeit.

Signifikant für die Langzeitwirkung der Bildungsreform, aber auch beispielsweise der rechtlichen Gleichstellung der Frauen war, daß sie gegen Ende dieser Ära oder überhaupt erst in den achtziger Jahren gesellschaftlich-politisch wirksam wurden. Manche dieser Entwicklungen sollten sich gegen die Sozialdemokratie wenden und im Konflikt mit der Umwelt-Bewegung (zuerst Zwentendorf, dann aber insbesondere in der Oppositionsbewegung gegen das Kraftwerk Hainburg) ihren Kulminationspunkt finden. Die Bewegung „Sozialdemokratie" hatte den Anschluß an die neuen „Umweltbewegungen" und zunehmend auch den Kontakt zu den jungen WählerInnen verloren. Nur Bruno Kreisky selbst änderte als *Elder Statesman* wenige Jahre vor seinem Tod seine Haltung gegenüber Grünbewegung und Antiatombewegung, da er instinktiv spürte, daß neue Anforderungen an die moderne Gesellschaft auch neue Antworten verlangten.

1 Peter A. Ulram, Hegemonie und Erosion. Politische Kultur und politischer Wandel in Österreich, Wien 1990, S. 230.
2 Reinhard Sieder/Heinz Steinert/Emmerich Tálos (Hrsg.), Österreich 1945–1995. Gesellschaft, Politik, Kultur, Wien 1995, 1996².
3 Elisabeth Horvath, Ära oder Episode. Das Phänomen Bruno Kreisky, Wien 1989.
4 Heinz Fischer, Die Kreisky-Jahre 1967–1983, Wien 1993.
5 Johannes Kunz (Hrsg.), Die Ära Kreisky. Stimmen zu einem Phänomen, Wien 1975.
6 Erich Bielka/Peter Jankowitsch/Hans Thalberg (Hrsg.), Die Ära Kreisky. Schwerpunkte der österreichischen Außenpolitik, Wien 1983; vgl. neuer-

dings auch Michael Gehler, Kontinuität und Wandel. Fakten und Überlegungen zu einer politischen Geschichte Österreichs von den Sechzigern
bis zu den Neunzigern (1. Teil), in: *Geschichte und Gegenwart* 14 (1995),
Heft 4, S. 203–238, hier S. 223–238, der die „Ära Kreisky" bis 1986, also
unter Einschluß der Kanzlerschaft des Kreisky-Nachfolgers Fred Sinowatz weiterlaufen läßt.

7 Bruno Kreisky, „Gräben zuschütten, aber nicht vergessen!" Auseinandersetzungen mit österreichischer Geschichte, in: *Jüdisches Echo* 39 (1990)
1, S. 169–172; vgl. auch Ingrid Böhler, „Wenn die Juden ein Volk sind, so
ist es ein mieses Volk." Die Kreisky-Peter-Wiesenthal-Affäre 1975, und
Michael Gehler, „... eine grotesk überzogene Dämonisierung eines Mannes ...", in: Michael Gehler/Hubert Sickinger (Hrsg.), Politische Affären
und Skandale in Österreich. Von Mayerling bis Waldheim, Thaur – Wien
– München 1995, 1996[2], S. 502–531 bzw. S. 614–665.

8 Vgl. dazu zuletzt Dieter Stiefel, Der Prozeß der Entnazifizierung in
Österreich, in: Klaus-Dietmar Henke/Hans Woller (Hrsg.), Politische
Säuberung in Europa. Die Abrechnung mit Faschismus und Kollaboration nach dem Zweiten Weltkrieg, München 1991, S. 108–147, mit weiterführenden Literaturhinweisen.

9 Karl Mark, 75 Jahre Roter Hund. Lebenserinnerungen, Wien 1990, S. 172.

10 Vgl. dazu Oliver Rathkolb/Irene Etzersdorfer (Hrsg.), Der Junge Kreisky.
Schriften, Reden, Dokumente 1931–1945, Wien 1986.

11 Vgl. dazu zuletzt Konrad R. Müller/Werner A. Perger/Wolfgang Petritsch,
Bruno Kreisky – Gegen die Zeit, Wien 1995, sowie zur Peter-Wiesenthal-
Kreisky-Diskussion 1975 Ruth Wodak u. a. (Hrsg.), „Wir sind alle unschuldige Täter". Diskurshistorische Studien zum Nachkriegsantisemitismus, Frankfurt/Main 1990, S. 282–320.

12 Ernst Hanisch, Der lange Schatten des Staates. Österreichische Gesellschaftsgeschichte im 20. Jahrhundert, Wien 1994.

13 Vgl. dazu Robert Kriechbaumer/Franz Schausberger/Hubert Weinberger
(Hrsg.), Die Transformation der österreichischen Gesellschaft und die
Alleinregierung von Bundeskanzler Dr. Josef Klaus, Salzburg 1995.

14 Bruno Kreisky, Im Strom der Politik. Der Memoiren zweiter Teil, Wien
1988, S. 384.

15 Ebd., S. 391.

16 Vgl. dazu die Abbildung des Plakates bei Peter Dusek/Anton Pelinka/Eri-
ka Weinzierl (Hrsg.), Zeitgeschichte im Aufriß. Österreich von 1918 bis
in die achtziger Jahre, Wien – München, 1981[1], S. 257, sowie Kreisky,
Im Strom der Politik, S. 277.

17 Bruno Kreiskys Vorwort in: Im Mittelpunkt der Mensch. Für ein moder-
nes Österreich. Das Humanprogramm der SPÖ, Wien 1969, VII (der
Ausdruck Wirtschafter wurde offensichtlich irrtümlich für Wissenschafter verwendet und daher im Zitat verändert).

18 Zit. n. Buchegger/Stamminger, Anspruch, S. 33.

19 Erika Weinzierl, Kirche seit 1970, in: Erich Fröschl/Helge Zoitl (Hrsg.),
Der österreichische Weg 1970–1985. Fünfzehn Jahre, die Österreich verändert haben, Wien 1986, S. 247.

20 Vgl. dazu ausführlich Maria Mesner, Geschichte der Abtreibungsdiskus-
sion 1945–1992, Wien 1994.

21 Zitiert bei Christian Haerpfner, Die Sozialstruktur der SPÖ. Gesell-

schaftliche Einflußfaktoren der sozialdemokratischen Parteibindung in Österreich 1969–1988,in: *Österreichische Zeitschrift für Politikwissenschaft* (1989), Heft 4, S. 375.

22 Ulram, Hegemonie, S. 238.

23 Ebd., S. 40.

24 Julian Uher, Das Wirtschaftsprogramm 1968, in: Fritz Weber/Theodor Venus (Hrsg.), Austrokeynesianismus in Theorie und Praxis, Wien 1993, S. 58 ff.

25 Franz Pallin, Erinnerungen an Christian Broda's Wirken für die Strafrechtsreform, in: *Verkehrsjurist* 1 (1991), Sonderdruck, S. 4.

26 Ulram, Hegemonie, S. 238.

27 Vgl. dazu ausführlich Gerhard Steger, Der Brückenschlag. Katholische Kirche und Sozialdemokratie, Wien 1982.

28 Fischer, Kreisky-Jahre, S. 108.

29 Robert Kriechbaumer, Parteiprogramme im Widerstreit der Interessen. Die Programmdiskussionen und die Programme von ÖVP und SPÖ 1945–1986 (Österreichisches Jahrbuch für Politik, Sonderband 3), Wien 1990, S. 441.

30 Sozialistische Partei Österreichs (Hrsg.), Dr. Bruno Kreisky, Vom Heute ins Morgen. Rede vor dem Villacher Parteitag 1972, Wien 1972, S. 8.

31 Roman Sandgruber, Ökonomie und Politik. Österreichische Wirtschaftsgeschichte vom Mittelalter bis zur Gegenwart, Wien 1995, S.-487.

32 Gunther Tichy, Austrokeynesianismus, in: Sieder u. a., Österreich, S. 216.

33 Michael Gehler, Kontinuität und Wandel, Teil 1, S. 229 f. und 233 f.

34 Fischer, Kreisky-Jahre, S. 170.

35 Vgl. dazu Weber/Venus, Austrokeynesianismus.

36 Stammt aus dem Jahr 1975; vgl. auch das Dokument 1 am Ende des Beitrages.

37 ORF-Hörfunk, 28. Juni 1975 in: Humbert Fink, Kulturpolitische Perspektiven (Kopie in der Stiftung Bruno Kreisky Archiv, Wien).

38 Nähere Details bei Mehdi Fallah-Nodeh, Österreich und die OPEC-Staaten 1960–1990, Wien 1993.

39 Vgl. dazu allgemein Christan Broda, Rechtspolitik, Rechtsreform. Ein Vierteljahrhundert Arbeit für Demokratie und Recht, Wien 1986.

40 Ebd.

41 Vgl. dazu Heinrich Keller, Die Rechtsreform seit 1970, in: Erich Fröschl/Helge Zoitl (Hrsg.), Der österreichische Weg 1970–1985. Fünfzehn Jahre, die Österreich verändert haben, Wien 1986, S. 178–179.

42 Fischer, Kreisky-Jahre, S. 108.

43 Vgl. dazu ausführlich Mesner, Frauensache.

44 Grundlegend zur Entwicklung des Familienrechts in Österreich Oskar Lehner, Familie-Recht-Politik. Die Entwicklung des österreichischen Familienrechts im 19. und 20. Jahrhundert, Wien 1987.

45 Christian Broda, Die österreichische Sozialdemokratie und die Familienrechtsreform, in: Wolf Frühauf (Hrsg.), Wissenschaft und Weltbild. Festschrift für Hertha Firnberg, Wien 1975, S. 62.

46 Heinrich Keller, Die Rechtsreform seit 1970, in: Fröschl/Zoitl (Hrsg.), Der österreichische Weg, S. 183.

47 Alfred Ableitinger, Die Ära Josef Klaus – Politikfelder, in: Kriechbaumer u. a. (Hrsg.), Transformation, S. 163.

48 Hermann Schnell, Bildungspolitik in der Zweiten Republik, Wien 1993, S. 188.

49 Josef Hieden, 15 Jahre der Reform – Überlegungen zur sozialistischen Schulpolitik, in: Fröschl/Zoitl (Hrsg.), Der österreichische Weg, S. 216.

50 Lorenz Lassnigg, Bildungsreform gescheitert ... Gegenreform? 50 Jahre Schul- und Hochschulpolitik in Österreich, in: Sieder/Steinert/Tálos (Hrsg.), Österreich, S. 471.

51 Bernd Schilcher, Hochschulen, in: Erika Weinzierl/Kurt Skalnik (Hrsg.), Österreich. Die Zweite Republik, Graz – Wien – Köln 1972, S. 366.

52 Dazu zuletzt ausführlich Friedrich Stadler/Peter Weibel (Hrsg.), Cultural Exodus from Austria, New York – Wien 1995, mit weiterführenden Literaturhinweisen.

53 Vgl. dazu allgemein Susanne Preglau-Hämmerle, Die politische und soziale Funktion der österreichischen Universität. Von den Anfängen bis zur Gegenwart (Vergleichende Gesellschaftsgeschichte und politische Ideengeschichte der Neuzeit 5), Innsbruck 1986.

54 Näheres dazu bei Gerfried Sperl, 1968 und die Folgen, in: Kriechbaumer u. a. (Hrsg.), Transformation, S. 77–86.

55 Fischer, Kreisky-Jahre, S. 51.

56 Vgl. dazu ausführlich Wolf Frühauf, Über die Gründung des Ministeriums für Wissenschaft und Forschung, in: Frühauf (Hrsg.), Wissenschaft und Weltbild, S. 235–260.

57 Raoul F. Kneucker, Das Universitäts-Organisationsgesetz 1975: Die gesetzgebenden Kräfte, in: Österreichische Zeitschrift für Politikwissenschaft 9 (1980), S. 262.

58 Fischer, Kreisky-Jahre, S. 58.

59 Vgl. dazu Oliver Rathkolb, Bruno Kreisky und die Heeresreformdiskussion 1970/71, in: Manfried Rauchensteiner u. a. (Hrsg.), Tausend Nadelstiche. Das österreichische Bundesheer in der Reformzeit 1970–1978, Graz 1994, S. 47.

60 Vgl. dazu im Detail Franz Sailler, Die Bundesheerreformkommission, in: Rauchensteiner u. a. (Hrsg.), Tausend Nadelstiche, S. 73–104.

61 Thomas Nowotny, Was bleibt von der Ära Kreisky, Wien, o. J. [1986].

62 Vgl. dazu Bielka u. a., Ära Kreisky, vor allem die Beiträge Heinrich Haymerles, Erich Bielkas, Ingo Mussis sowie zuletzt Oliver Rathkolb, Austria's „Ostpolitik" in the 1950s and 1960s: Honest Broker or Double Agent?, in: Austrian History Yearbook 26 (1995), S. 129–146; Otmar Höll, The Foreign Policy of the Kreisky Era, in: Contemporary Austrian Studies Vol. 2 (1994), S. 39–42, sowie Oliver Rathkolb, Bruno Kreisky: Perspectives of Top Level U. S. Foreign Policy Decision Makers, 1959–1983, ebd., S. 132–134; vgl. auch Gehler, Kontinuität und Wandel, S. 233 f., 235 f., 238.

63 Vgl. dazu auch Helmut Kramer, Aspekte der österreichischen Außenpolitik (1970–1985), in: Fröschl/Zoitl (Hrsg.), Der österreichische Weg, S. 187–199.

64 Näheres bei Paul Luif, Österreich zwischen den Blöcken. Bemerkungen zur Außenpolitik des neutralen Österreichs, in: Österreichische Zeitschrift für Politikwissenschaft 11 (1982), S. 209–220.

65 Vgl. dazu Hans Thalberg, Die Nahostpolitik, in: Bielka u. a. (Hrsg.), Ära Kreisky, S. 293–322; John Bunzl, Gewalt ohne Grenzen. Nahost-Terror

und Österreich, Wien 1991; Höll, Foreign Policy; Rathkolb, Bruno Kreisky, sowie Bruno Kreisky, Das Nahostproblem. Reden, Kommentare, Interviews, Wien 1985.

66 Vgl.dazu Ernst Bruckmüller, Nation Österreich, Wien 1984.

67 Heinz Fischer, Positionen und Perspektiven, Wien 1977, S. 93.

68 Ulram, Hegemonie, S. 230–232.

69 Vgl. dazu Hans Heinz Fabris, Charles de Gaulle und Bruno Kreisky: Zwei „Medien-Stars" im Vergleich, in: Jahrbuch für Zeitgeschichte 1990/1991, hrsg. v. d. Österreichischen Gesellschaft für Zeitgeschichte, Wien 1991, S. 141–143.

70 Norbert Hölzl, Propagandaschlachten. Die österreichischen Wahlkämpfe 1945 bis 1971, Wien 1974, S. 156–159.

71 Marina Fischer-Kowalski, Social Change in the Kreisky Era, in: Contemporary Austrian Studies Vol. 2 (1994). The Kreisky Era in Austria, New Brunswick, N.J. 1994, S. 96–105.

72 Vgl. dazu Dr. Karl Renner Institut (Hrsg.), Beharrlichkeit, Anpassung und Widerstand. Die sozialdemokratische Frauenorganisation und ausgewählte Bereiche sozialdemokratischer Frauenpolitik. 1945–1990, Wien 1993.

Dokument 1

[...]

In den demokratischen Staaten Europas gibt es nun seit zehn Jahren eine sich ständig steigernde Hochkonjunktur und Vollbeschäftigung. Diese Prosperität darf uns jedoch nicht die entsetzlichen Wirkungen der schweren Wirtschaftskrise zwischen den beiden Weltkriegen und die Tatsache vergessen lassen, wie machtlos die Regierungen der demokratischen Staaten dieser Entwicklung damals gegenübergestanden sind. Das Unvermögen der damaligen Regierungen, die Probleme der Krise zu meistern, hat in manchen Ländern zum Untergang der Demokratie geführt. Ein richtiges Urteil darüber, ob die moderne Industriegesellschaft tatsächlich eine strukturelle Veränderung gegenüber der rein privatkapitalistischen durchgemacht hat, wird sich letzten Endes erst in einer eventuellen Krisensituation abgeben lassen. Dann wird sich zeigen, ob die politischen Kräfte, die diese Krisenerscheinungen zu überwinden trachten, sich mit ihren Plänen auch durchzusetzen vermögen. Können sie es nicht, würde die Demokratie abermals in ernste Gefahr geraten, eine Gefahr, die durch die fortschreitende wirtschaftliche Integration in Europa um so umfassender und weiterreichend wäre.

Es kann kein Zweifel darüber bestehen, daß Millionen Menschen, die während eines längeren Zeitraumes keine Arbeitsplätze finden können und deren Lebenshaltung sich radikal verschlechtert, mit größter Skepsis ein politisches System beurteilen würden, das außerstande ist, diese Zustände zu ändern. Beschäftigungslose Arbeiter und Angestellte, notleidende Gewerbetreibende und Landwirte würden in einer solchen Situation bald erkennen, daß zum Begriff der Freiheit nicht nur die Summe von Rechten politischer Art gehört, sondern auch die Freiheit von wirtschaftlicher Bedrückung und Not.

Es erscheint mir eine der Voraussetzungen für den Bestand und die Widerstandsfähigkeit der Demokratie zu sein, daß sie jederzeit in der Lage sein muß, alle gesellschaftlichen Kräfte zu mobilisieren, um Krisenerscheinungen erfolgreich zu bekämpfen. Sie muß denen, die ihren Arbeitsplatz verloren haben, und jenen, die fürchten, ihn in Zukunft zu verlieren, die Gewißheit geben, daß die demokratische Ordnung stark genug ist, die Existenz ihrer Bürger sicherzustellen.

Aus diesen Überlegungen läßt sich der Schluß ableiten: die innere Kraft der Demokratie – auf die es in diesem weltpolitischen Polarisationsprozeß vor allem ankommt – ist abhängig von dem Maß an sozialer Gerechtigkeit, das in der modernen Industriegesellschaft verwirklicht werden kann. [...]

Bruno Kreisky, Die Herausforderung. Politik an der Schwelle des Atomzeitalters, Düsseldorf – Wien 1963, S. 177 ff.

Dokument 2

[...]

Wäre Hitler siegreich geblieben, so hätte sich, dessen bin ich mir gewiß, der Traum von einer erfolgreichen Revolution gegen den Faschismus auf absehbare Zeit nicht verwirklichen lassen. Ich fürchte, daß sich diese Bewegung weit über ein Jahrhundert an der Macht gehalten hätte. Auch Hitler hätte seine Nomenklatura gehabt, die ihm geholfen hätte, das von ihm geschaffene Reich zusammenzuhalten. Er hätte willige Satelliten gefunden – wahrscheinlich willigere als Stalin –, und er hätte vor allem die Unterstützung eines sich nach seinen Vorstellungen entwickelnden und ihm gefälligen kapitalistischen Personals gefunden.

Ich komme jedenfalls zu dem Schluß, daß Winston Churchill die größte historische Leistung dieses Jahrhunderts vollbracht hat und mit ihm all jene, die, auch in anderen Ländern, auf seiner Seite standen. Das muß ich, der österreichische Sozialdemokrat, zum Ruhme des angelsächsischen Konservativen feststellen: Die Wiedergeburt der Demokratie im Westen Europas ist diesem einen Mann zu danken. Um so erstaunlicher war es für viele, daß das britische Volk nach dem Untergang der deutschen Gewaltherrschaft nicht den Sieger, sondern Attlee gewählt hat, der in allem das Gegenteil von Churchill war. Aber die Briten haben ja nie gewollt, daß jemand zu lange an der Macht bleibt.

Das englische Wort „It's time for a change" formuliert eine große politische Weisheit; an sie erinnerte ich mich, als ich mich im Jahre 1983 zurückgezogen habe. Nicht was die Parteien, aber was die Personen betrifft, muß nach Ablauf einer gewissen Zeit ein Wechsel erfolgen. In meinem Fall waren dreizehn Jahre einfach genug; wer länger in einem demokratischen Staat regiert, muß zwangsläufig in Versuchung geraten, gewisse Grundsätze der Politik – ich sage nicht der Demokratie – zu mißachten, und sei es, daß er sie einfach übersieht. Wenn eine Machtposition zu lange in den Händen eines

Mannes ist, nehmen er und das Land Schaden. Ich bin auch froh,
daß wir in Österreich nicht das Prinzip „on revient toujours" haben.
Nein, wer einmal gegangen ist, sollte nicht immer wieder zurück-
kommen können, wie das in manchen Ländern der Fall ist. Wenn
man für eine gewisse Zeit einen Auftrag gehabt hat, dann soll man,
wenn man glaubt ihn erfüllt zu haben, sich zurückziehen. [...]

Wenn ich für irgendein Volk oder für irgendein Land besondere
Sympathie hege, dann ist es England, und wäre ich in der Diplomatie geblieben, so hätte ich mir am Ende doch einen Posten in England gewünscht. Auch als sozialdemokratischer Außenminister und
später als Regierungschef habe ich zu jeder Regierung in England
ein besonderes Verhältnis etabliert, wie es das in Österreich vor mir
nicht gegeben hat. Besonders geschätzt habe ich Harold Macmillan,
der 1955 einer der Unterzeichner des österreichischen Staatsvertrages war. Aber auch mit seinem Nachfolger im Außenministerium,
Selwyn Lloyd, stand ich auf bestem Fuße, und mit Edward Heath
bin ich noch heute befreundet. Zu den Führern der Labour Party
wie Hugh Gaitskell, den ich 1934 während seiner Studienzeit in
Wien kennengelernt hatte, aber auch zu Harold Wilson und James
Callaghan hatte ich ein besonderes Nahverhältnis.

Meine Anglophilie hat viele Gründe. Politisch beeindruckte mich
der Umstand, daß eine der ersten Arbeiterregierungen Europas die
britische war, auch wenn sie nur ein kurzes Leben hatte; auch der
schillernde James Ramsay Macdonald, der später die Labour Party
des Amtes wegen verließ, beeindruckte mich sehr. Darüber hinaus
aber lernte ich bei den Kongressen der Sozialistischen Internationale immer wieder englische Sozialisten kennen, die auf überaus eindrucksvolle Weise für ein menschenwürdiges Leben eingetreten
sind. Ich denke zum Beispiel an Philip Noël-Baker. Dazu kam, daß
ich schon in meiner Jugend ein großer Bewunderer von George
Bernard Shaw war, der, wenn auch als Ire, die eigentümliche Mischung von Humor und Weisheit auf besonders ausgeprägte Art
verkörperte. Nicht nur seine Stücke haben es mir sehr angetan,
sondern auch seine sehr fundierte Abhandlung über den Weg der
Frau zum Sozialismus. Ich bewundere die professionelle Großar-
tigkeit, mit der in England Zeitungen gemacht werden. Den Berichten der „Times", des „Manchester Guardian" und des „Daily Tele-
graph" verdanke ich viel. Als ich 1936 wegen Hochverrats vor Gericht stand, haben sie mit Sympathie über unseren Prozeß berichtet
und der Demokratie in Österreich sehr geholfen. Schon nach dem

12. Februar 1934 hatten englische Quäker die finanzielle Unterstützung derjenigen Schutzbund-Frauen übernommen, deren Männer flüchten mußten oder gefallen waren, und es war das Geld der britischen Gewerkschaften, mit dem Beppo Afritsch im September 1938 mein Ticket nach Kopenhagen und Stockholm zahlte. Drei Monate später wurde ich Mitarbeiter der „Tribune" und bekam die Einladung von Alan Sainsbury, nach London zu kommen und mir dort eine Existenz aufzubauen. Im Krieg schließlich habe ich ein Gefühl der Dankbarkeit für den unnachgiebigen Widerstandswillen der Engländer empfunden – mit einem Wort: Alles, was aus England kam, war für mich hilfreich und menschlich wie politisch eindrucksvoll.

Die politische Kultur, so scheint mir, ist in England stärker und weiter entwickelt als anderswo. Nicht weniger eindrucksvoll finde ich, daß Benjamin Disraeli, der spätere Lord Beaconsfield, trotz seiner jüdischen Herkunft die Möglichkeit hatte, seinem Vaterland zu dienen. Im Auftrag Disraelis schrieb Lionel Rothschild dem Khediven von Ägypten für den Verkauf seiner Suezkanalaktien vier Millionen Pfund gut: Damit hatte Disraeli den Schlüssel für den Ausbau des Empire gefunden. Wie mir Callaghan erzählte, blieb Begin bei seinem Besuch in der Downing Street ganz hingerissen vor dem Bild Disraelis stehen; dies ist auch deshalb interessant, weil Disraeli im Alter von 13 Jahren dem religiösen Judentum den Rücken gekehrt hatte. [...]

Bruno Kreisky, Zwischen den Zeiten. Erinnerungen aus fünf Jahrzehnten, Berlin 1986 (Taschenbuch), S. 443–446.

Dokument 3

The President
of the Arab Republic of Egypt

Dear Chancellor Kreisky

Pursuant to the extensive talks we held in your beautiful country and in keeping with the tradition of close consultation and extensive exchange of views among us in the interest of our two people and the cause of peace among nations, I am pleased to put you fully in the picture with respect to the lastest developments of our efforts to bring about a peaceful settlement of the problem of the Middle East.

I trust that you know that Egypt submitted, early this month, new proposals relative to withdrawal from the West Bank and Gaza and security arrangements. The idea behind this move on our part is that Israel should be dissociated from the process of determining the future of the Palestinian people. There only legitimate concern is that related to security. This, we put forward a balanced proposal that deals with the two essential corresponding obligations of the parties, namely: withdrawal from the West Bank and Gaza and security arrangements.

The proposed formula is based on the Israeli withdrawal from the West Bank and Gaza, placing them under the supervision of Jordan and Egypt respectively for a transitional period not to exceed five years. Together with that, certain security arrangements would be agreed upon and guaranteed by the two supervising states beyond the transitional period. Upon agreeing on that general framework, talks shall take to support our just position and sall upon the Israeli Government to heed the vice of reason and moderation.

Best wishes and highest regards.

Truly
Mohamed Anwar El-Sadat

Literatur

a) Bruno Kreisky als Autor

Die Herausforderung. Politik an der Schwelle des Atomzeitalters, Düsseldorf 1963.

Aspekte des demokratischen Sozialismus, München 1974.

Neutralität und Koexistenz, München 1975.

Briefe und Gespräche (mit Willy Brandt und Olof Palme), Frankfurt/M. – Köln 1975.

La Social-démocratie et l'avenir (avec W. Brandt et Olof Palme) [französische Übersetzung der „Briefe"], Paris 1976.

Die Zeit, in der wir leben. Betrachtungen zur internationalen Politik, Wien 1978.

L'Autriche entre l'Est et l'Ouest (Französische Übersetzung von „Die Zeit, in der wir leben …"), Paris 1979.

A Democracia entre o Leste e o Oeste (Portugiesische Übersetzung von „Die Zeit, in der wir leben …"), Lissabon 1979.

Reden, Bd. 1, 2, Wien 1981.

Politik braucht Visionen, Königstein im Taunus 1982.

Das Nahostproblem, Wien 1985.

Zamaneh-e por Aschub-e ma (Persische Übersetzung von „Die Zeit, in der wir leben …"), Teheran 1986.

Der junge Kreisky. Schriften, Reden, Dokumente 1931–1945, hrsg. v. Oliver Rathkolb und Irene Etzersdorfer, Wien 1986.

Zwischen den Zeiten. Erinnerungen aus fünf Jahrzehnten, Berlin 1986.

Im Strom der Politik. Der Memoiren zweiter Teil, Berlin 1988.

Der Mensch im Mittelpunkt. Der Memoiren dritter Teil, hrsg. v. Oliver Rathkolb/Johannes Kunz/Margit Schmidt, Wien 1996.

Skiftande Skeden (Schwedische Übersetzung von „Zwischen den Zeiten"), Kristianstad 1988.

Eurooppalaisen Muistelmat (Finnische Übersetzung von „Erinnerungen", Bd. 1, 2), Helsinki 1990.

Bruno Kreisky. Ansichten des sozialdemokratischen Staatsmannes, hrsg. v. Johannes Kunz, Wien 1993.

b) Bruno Kreisky als Herausgeber

Decolonization & After. The Future of the Third World, (Mithrsg.), London 1987.

20 Millionen suchen Arbeit, Wien 1989.

A Programme for Full Employment in the 1990s (Englische Übersetzung von „20 Millionen suchen Arbeit „), Oxford 1989.

Pour en finir avec le chômage en Europe (Französische Übersetzung
von „20 Millionen suchen Arbeit"), Paris 1989.

c) Biographien bzw. Studien zur Ära Kreisky

Reimann, Viktor, Bruno Kreisky. Porträt eines Staatsmannes, Wien
1972.

Lendvai, Paul/Ritschel, Karl Heinz, Porträt eines Staatsmanns,
Düsseldorf 1974.

Bruno Kreisky, Fotografiert von Konrad R. Müller, Texte von Gerhard Roth und Peter Turrini, Berlin 1981.

Klein-Löw, Stella, Bruno Kreisky: Ein Porträt in Worten, Wien
1983.

Etzersdorfer, Irene, Kreiskys Große Liebe (Foto-Dokumentation),
Wien 1987.

Horvath, Elisabeth, Ära oder Episode. Das Phänomen Bruno Kreisky, Wien 1989.

Nowotny, Thomas, Was bleibt von der Ära Kreisky? Wien o. J.
[1986].

Fischer, Heinz, Die Kreisky Jahre 1967–1983, Wien 1993.

Secher, H. Pierre, Bruno Kreisky: Chancellor of Austria, Pittsburgh
1993.

Müller, Konrad R./Perger, Werner A./Petritsch, Wolfgang, Bruno
Kreisky – Gegen die Zeit, Berlin 1995.

d) Lexikographische Überblicksliteratur

Eder, Hans, Die Politik in der Ära Kreisky, in: Österreich 1945–
1995. Gesellschaft, Politik, Kultur, hrsg. v. Reinhard Sieder, Heinz
Steinert, Emmerich Tálos, Wien 1995, S. 186–199.

Kreissler, Félix und Denise, Bruno Kreisky, in: Les Grands Revolu-
tionnaires, Romorantin 1984, S. 99–188.

Müller, Wolfgang C., Bruno Kreisky, in: Die Politiker, hrsg. v. Herbert Dachs, Peter Gerlich, Wolfgang C. Müller, Wien 1995, S. 353–
365.

Rathkolb, Oliver, Bruno Kreisky (1911–1990): „Seiner Zeit voraus",
in: Lebensbilder Europäischer Sozialdemokraten des 20. Jahrhunderts, hrsg. v. Otfried Dankelmann, Wien 1995, S. 249–272.

e) Sammelwerke über die Ära Kreisky

Kunz, Johannes, (Hrsg.), Die Ära Kreisky: Stimmen zu einem Phänomen, Wien 1975.

Bielka, Erich/Jankowitsch, Peter/Thalberg, Hans (Hrsg.), Die Ära Kreisky. Schwerpunkte der österreichischen Außenpolitik, Wien 1983.

Aktion kritische Wähler (Hrsg.), Brüche und Aufbrüche: Zum Wandel der Werte in der Politik, Wien 1985.

Fröschl, Erich/Zoitl, Helge (Hrsg.), Der österreichische Weg 1970–1985. Fünfzehn Jahre, die Österreich verändert haben, Wien 1985.

Pelinka, Peter/Steger, Gerhard (Hrsg.), Auf dem Weg zur Staatspartei. Zur Geschichte und Politik der SPÖ seit 1945, Wien 1988.

Bischof, Günter/Pelinka, Anton (Hrsg,), The Kreisky Era in Austria (*Contemporary Austrian Studies* 2), New Brunswick 1994.

Austriaca No. 40 (1995), Bruno Kreisky.

f) Kommentierte Bildbände (inklusive Karikaturen)

Etzersdorfer, Irene, Kreiskys Große Liebe (Foto-Dokumentation), Wien 1987.

Bruno Kreisky, Fotografiert von Konrad R. Müller. Texte von Gerhard Roth und Peter Turrini, Berlin 1981.

Fuchs, Doris, Bruno Kreisky in der Karikatur (Beiträge zur neueren Geschichte Österreichs 2), Frankfurt/M. 1995.

g) Audiovisuelle Medien

Videos

Kreuzer, Franz, Bruno Kreisky. Ein Leben zwischen den Zeiten, hrsg. v. Johannes Kunz, ORF/Edition S. 1993.

Der Weg nach oben. Dr. Bruno Kreisky 1911–1990, ORF-Video 1990.

Kassette

Bruno Kreisky, Regierungserklärungen 1970, 1971, 1975. (1970, 1971: nur schriftlich,

1975: 2 Kassetten) (Dokumentation unserer Zeit. Bundeskanzler Dr. Bruno Kreisky. Regierungserklärung 1975), hrsg. v. Dr. Karl Heinz Ritschel.

Platte

Dr. Bruno Kreisky, Weiter auf dem österreichischen Weg (Dokumentation unserer Zeit), Produktion Fritz Salus, Interview: Karl Heinz Ritschel.

h) Zeit- bzw. themenübergreifende Gesamt- bzw. Einzeldarstellungen mit Teilanalysen der Ära Kreisky (Auswahl)

Haerpfer, Christian, Die Sozialstruktur der SPÖ: Gesellschaftliche Einflußfaktoren der Sozialdemokratischen Parteibindung in Österreich 1969–1988, in: *Österreichische Zeitschrift für Politikwissenschaft* 4 (1989), S. 372–394.

Fröschl, Erich/Mesner, Maria/Zoitl, Helge (Hrsg.), Die Bewegung. Hundert Jahre Sozialdemokratie in Österreich, Wien 1990.

Ulram, Peter A., Hegemonie und Erosion. Politische Kultur und politischer Wandel in Österreich, Wien 1990.

Handbuch des politischen Systems, hrsg. v. Herbert Dachs u. a., Wien 1992.

Mantl, Wolfgang (Hrsg.), Politik in Österreich. Die zweite Republik: Bestand und Wandel, Wien 1992.

Ernst Hanisch, Der lange Schatten des Staates. Österreichische Gesellschaftsgeschichte im 20. Jhdt (= Österreichische Geschichte 1890–1990), Wien 1994.

Kriechbaumer, Robert/Schausberger, Franz/Weinberger, Hubert (Hrsg.), Die Transformation der österreichischen Gesellschaft und die Alleinregierung von Bundeskanzler Dr. Josef Klaus, Salzburg 1995.

Sieder, Reinhard/Steinert, Heinz/Tálos, Emmerich (Hrsg.), Österreich 1945–1995. Gesellschaft – Politik – Kultur, Wien 1995, 1996².

Weitere bibliographische Informationen sowie Recherche-Hilfestellung erhalten Sie in der Bibliothek des Bruno Kreisky Forums für Internationalen Dialog
Armbrustergasse 15
A-1190 Wien
Tel. 31 88 26 0
Fax 31 88 26 09

Archivalien aus dem Nachlaß Bruno Kreisky befinden sich in der Stiftung Bruno Kreisky Archiv
A-1050 Wien
Rechte Wienzeile 97
Tel. 545 75 35 DW 31
Fax 545 30 97
e-mail Kawien@ping.at

Fragen

1. Analysieren Sie Gründe und Bedingungen für die Transformation der österreichischen Gesellschaft ab Mitte der sechziger Jahre.

2. Nennen Sie wesentliche demokratiepolitische Ziele und Strategien der SPÖ seit 1967.

3. Welche wesentlichen gesellschaftspolitischen Reformen wurden in den siebziger Jahren durchgeführt?

4. Beschreiben Sie aktive Neutralitätspolitik und die Internationalisierungsbestrebungen Österreichs.

5. Definieren Sie den Begriff „Austrokeynesianismus".

6. Nehmen Sie Stellung zum Themenkomplex: Bruno Kreisky und die Diskussionen um die „nationalsozialistische Vergangenheit".

7. Gehen Sie auf die Rahmenbedingungen für Krisenphänomene während der Regierung Kreisky Ende der siebziger/Anfang der achtziger Jahre ein.

8. Welche internationale Einschätzungen dominierten hinsichtlich der Ära Kreisky (die Sicht von außen)?

Michael Gehler

DIE AFFÄRE WALDHEIM: EINE FALLSTUDIE ZUM UMGANG MIT DER NS-VERGANGENHEIT IN DEN SPÄTEN ACHTZIGER JAHREN

1. Einleitung

In den achtziger Jahren beschäftigte sich die österreichische Öffentlichkeit mit einer Reihe von Affären und Korruptionsfällen. Das Wort von der „Skandalrepublik" ging um. Hierbei spielte die Debatte über den ehemaligen Oberleutnant der Wehrmacht, österreichischen Diplomaten, UNO-Generalsekretär und Kandidaten für die Bundespräsidentschaft Kurt Waldheim eine zentrale Rolle, weil die politische Bedeutung der Affäre weit über die Grenzen Österreichs hinaus- und durch das internationale Echo stark auf das Land zurückwirkte.[1]

2. Die Affäre Reder-Frischenschlager als Vorbote

Eine erste Beeinträchtigung der guten internationalen Reputation des Landes war mit der Affäre Frischenschlager-Reder eingetreten. Der Handschlag des Verteidigungsministers Friedhelm Frischenschlager (FPÖ) mit dem ehemaligen Sturmbannführer der Waffen-SS Walter Reder[2] am 24. Jänner 1985 führte zu einer Regierungskrise, die sich rasch zum „Fall Gratz"[3] entwickelte, der eine Mitverantwortung des Außenministeriums eingestehen mußte. Am 29. Jänner bekannte sich Frischenschlager gegenüber Bundeskanzler Fred Sinowatz (SPÖ) zu seinem Fehler.[4] Vizekanzler Norbert Steger (FPÖ) ließ keinen Zweifel daran, daß Frischenschlager die Lage falsch eingeschätzt habe. Die FPÖ machte aber den Weiterbestand der Kleinen Koalition von seinem Verbleib abhängig. Steger besänftigte damit den „nationalen" Flügel

seiner Partei,[5] während Sinowatz – es lag ein ÖVP-Mißtrau-
ensantrag vor – zur Erhaltung der Koalition den Verteidigungsminister pardonierte. Zur gleichen Zeit tagte auch der
World Jewish Congress (WJC) in Wien[6] und übte Kritik am
Empfang Reders. WJC-Exekutivdirektor Israel Singer erklärte, Österreich lehre „seine Kinder Geschichte schlecht".[7]
Das Verhältnis der Österreicher zu ihrer NS-Vergangenheit
wurde nun auch im Ausland kritisch diskutiert.[8] *New York
Times* und *Washington Post* plazierten den Fall auf die ersten
Seiten. Die Londoner *Times* widmete sich zum zweiten Mal
seit dreißig Jahren wieder ausführlich Österreich und sprach
von einem Fehler, der nicht mit einer Entschuldigung wettgemacht werden könne. Frischenschlagers Verbleib im Amt
lasse Zweifel an der jahrzehntelang vertretenen Auffassung
aufkommen, wonach Österreich erstes Opfer Hitlers gewesen
sei. Die FPÖ geriet mit der Liberalen Internationale in Konflikt, als deren Präsident Giovanni Malagodi Steger auffor-
derte, jeden Verdacht umgehend auszuräumen, daß von der
FPÖ neonazistische Tendenzen ausgehen würden.[9]

Nach kurzer Zeit ebbte die Diskussion über die Rolle der
Österreicher in der Ära des Nationalsozialismus wieder ab.
Die Medien gingen zur Tagesordnung über. Es schien wieder
Ruhe um die „Skandalrepublik" einzukehren. Die Affäre Fri-
schenschlager-Reder sollte aber nur den Auftakt für eine weit-
aus heftiger werdende Debatte im Fall Waldheim[10] bilden.

3. Der Beginn der Affäre Waldheim

Am 2. März 1985 beschloß die ÖVP auf Vorschlag ihres Bun-
desparteiobmanns Alois Mock, Waldheim als Kandidaten der
Volkspartei für den Präsidentschaftswahlkampf aufzustel-
len. Die vorzeitige Nominierung brachte die SPÖ unter Zugzwang. Am 16. April gab sie mit dem damaligen Gesund-
heitsminister Kurt Steyrer ihren Kandidaten bekannt. Schon
gegen Jahresende tauchten Hinweise in den Medien auf, wonach ein schonungsloser Wahlkampf bevorstehen würde.[11]

Die SPÖ-Führung unterlag – hoffend, die Wahlchancen Steyrers zu verbessern – einer folgenschweren Fehleinschätzung, als sie Waldheim vorwarf, seine Rolle in der NS-Zeit und seine Kriegsteilnahme am Balkan zu verhüllen.[12] Tatsächlich hatte Waldheim seine Kriegsvergangenheit nur unvollständig dargestellt und auf diesbezügliche Fragen mißverständlich bzw. irreführend geantwortet.[13] Der Regierung nahestehende Personen,[14] darunter auch SPÖ-Funktionäre,[15] hatten als „Aufdecker" bereits vorgearbeitet. Die Vorgangsweise gegen Waldheim nahm die Form einer gezielten Kampagne an. Die systematische Enthüllung seiner Rolle in der NS-Zeit im Nachrichtenmagazin *profil*, in weiterer Folge auch in der internationalen Presse, die Unablässigkeit der nahezu zwei Jahre lang anhaltenden Berichterstattung wie die ursprünglich auch festzustellende Instrumentalisierung der NS-Vergangenheit zur politischen Vorteilserlangung (in diesem Fall zur Schaffung vermeintlich besserer Chancen für den Gegenkandidaten bei der Wahl zum österreichischen Bundespräsidenten) waren ihre auffallenden Kennzeichen.[16]

Als zentrales Enthüllungsorgan betonte das Magazin *profil* einerseits durchwegs, Waldheim sei kein Kriegsverbrecher und wohl auch kein überzeugter Nationalsozialist gewesen, andererseits wurde aber auch seine mangelnde Glaubwürdigkeit hervorgehoben. Mit einem Artikel vom 3. März 1986 begann die Wochenzeitschrift, Waldheims Biographie der Kriegsjahre im Wochentakt systematisch darzustellen. Der Redakteur Hubertus Czernin hatte – mit Genehmigung Waldheims – in dessen Wehrstammkarte Einsicht genommen und auf seine dort vermerkte Mitgliedschaft in der SA und im NSDStB aufmerksam gemacht.[17] Eine Woche später bezog sich der Journalist bereits auf Waldheims Funktionen als „Ic" im Generalstab und erwähnte dessen Auszeichnung durch Verleihung der kroatischen Zwonimir-Medaille.[18] *Washington Post*[19] und *New York Times*[20] – letztere bekam Dokumente vom WJC zugespielt[21] – veröffentlichten die Mitteilung, daß Waldheim einem SA Reitersturm angehört hatte.

Ferner wurde eine UNO-Kommission angeführt, die sich mit
Kriegsverbrechen befaßt hatte,[22] und eine entsprechende Akte erwähnt, in der Waldheims Name aufschien.[23]
In einem Interview für den ORF hatte Waldheim „alle Behauptungen" über seine verborgene NS-Vergangenheit als
„unwahr" bezeichnet. Es handle sich um eine „großangelegte
Verleumdungskampagne gegen mich, die es in der Geschichte Österreichs nach dem Zweiten Weltkrieg bisher nicht gegeben hat": Sie sei „seit Monaten geplant gewesen, zentral
gesteuert", um Verunsicherung in der Innenpolitik und in der
Bevölkerung auszulösen und sein internationales Ansehen
zu zerstören. In dieser Sendung sprach er auch jenen ominösen Satz, wonach er bei der Deutschen Wehrmacht als Soldat
eingerückt war, „wie hunderttausende Österreicher auch, die
ihre Pflicht erfüllt haben".[24] Ohne zunächst auf den Inhalt
der gegen ihn vorgebrachten Kritik einzugehen, antworteten
Waldheim und die ÖVP mit einer geschickten Gegenstrate-
gie, nämlich der „Kampagne mit der ‚Kampagne'".[25]

Am 24. März 1986 erschien ein Interview mit Israel Singer
und Elan Steinberg vom WJC im *profil*, welches Stellen aufwies, die einer Drohung[26] gegenüber jenen Österreichern
gleichkamen, die Waldheim zu wählen beabsichtigten. Singer
führte aus:

„Die österreichische Bevölkerung sollte sich im klaren sein, daß
falls Waldheim gewählt werden würde, die nächsten Jahre kein
Honiglecken für die Österreicher werden. [...] Bitburg[27] war
schlimm genug, dauerte jedoch nur einen Tag; die Aktionen gegen
Waldheim werden sechs Jahre lang dauern. [...] Es wird der Welt
zeigen, ob es ein neues Österreich gibt, eines, welches sich von der
Vergangenheit gelöst hat. Die Österreicher müssen die Konsequenzen tragen, und ich kann Ihnen verraten, die nächsten sechs Jahre
mit Waldheim werden keine einfachen sein."[28]

Diese Interview-Passage mußte in Österreich als bewußte
Provokation und unzulässiger Einmischungsversuch in die
inneren Angelegenheiten des Landes interpretiert werden.
Am 7. April 1986 schrieb Czernin von der Gefangennahme
und Deportation von 40.000 Juden aus Saloniki im März und

April 1943. Der Journalist nahm dabei auch Bezug auf Waldheims Stellung in Arsakli und jenen Belastungszeugen, der 1947 gegen Waldheim ausgesagt hatte und in dem bereits erwähnten UNO-Akt zitiert war.[29] Zwei Wochen später deutete der Journalist Waldheims Mitwissen über Deportationen von Juden an.[30] Am 25. März hatte der WJC nach einer Reihe von Kundgebungen und Verlautbarungen die Aufnahme Waldheims auf die „Watchlist" des amerikanischen Justizministeriums beantragt.[31] Daneben hielt er unter Mitwirkung von Singer, Steinberg und Herzstein eine Pressekonferenz zum Thema in New York ab. Shlomo Avineri, Professor für politische Wissenschaft an der Hebräischen Universität in Jerusalem und ehemaliger Generaldirektor des israelischen Außenministeriums, hielt später das unprofessionelle und emotionale Verfahren des WJC in dieser Angelegenheit fest, zumal es „offensichtlich" war, „daß noch Akten gesammelt wurden, als bereits die ersten öffentlichen Anschuldigungen ausgesprochen wurden". Die Sprache des WJC war „manchmal zügellos und unnotwendigerweise auf Konfrontation aus". Weil der WJC „rachsüchtig zu sein schien, schlecht vorbereitet und nach Schlagzeilen suchend", sei eine Vielzahl des eventuell vorhandenen Beweismaterials beeinträchtigt worden.[32]

Der für den christlich-jüdischen Dialog aufgeschlossene Wiener ÖVP-Politiker Erhard Busek, der Wahlplakate seiner Partei mit gelbem Untergrund und roter Aufschrift „Wir Österreicher wählen, wen wir wollen" aus Wien entfernen ließ, war bezüglich des WJC „bestürzt über die Leichtigkeit, mit der solche Vorwürfe erhoben werden". Mit der Pressekonferenz habe der WJC „auf den Eindruck in der amerikanischen Öffentlichkeit" abzielen wollen: „Sie wollten offensichtlich nicht mit dem Präsidentschaftskandidaten, sondern mit dem ehemaligen UNO-Generalsekretär eine Rechnung begleichen."[33]

Die Aktivitäten des WJC blieben auf die inneramerikanische Politik nicht ohne Wirkung. Am 10. April stellte der US-Kongreß den Antrag auf Einleitung einer Untersuchung gegen Waldheim.[34] Nach einer Intervention des österreichischen Botschafters in Washington, Thomas Klestil, warf der WJC am 19. April der Österreichischen Botschaft vor, in der Causa Waldheim „parteiisch zu sein und zu versuchen, die Veröffentlichung von Dokumenten zu unterdrücken".[35] Klestil hatte wiederholt darauf hingewiesen, daß eine Plazierung Waldheims auf die Watchlist als Einmischung in den österreichischen Präsidentschaftswahlkampf aufgefaßt werden könne und außenpolitische Rückwirkungen habe.[36]

Die Debatte hatte in Österreich mittlerweile derartige Formen angenommen, daß der amtierende Bundespräsident sich gezwungen sah, eine Stellungnahme abzugeben. Rudolf Kirchschläger ließ in einer „Erklärung an die österreichische Nation" am 22. April 1986 wissen, daß er es – wäre er Staatsanwalt – nicht verantworten könnte, aufgrund der vorgelegten Materialien Anklage gegen Waldheim vor einem ordentlichen Gericht zu erheben. Als Ordonnanzoffizier müßte Waldheim jedoch in seinem militärischen Zuständigkeitsbereich im Bilde gewesen sein.[37] Damit lieferte Kirchschläger politischen Freunden wie Gegnern Waldheims Argumente: Es gebe keine Beweise für eine persönliche, direkte Teilnahme Waldheims an Kriegsverbrechen, wohl aber für seine Verwicklung durch Mitwisserschaft und als Informationsverteiler.

Mit dem herannahenden Wahltermin hielt sich *profil* etwas zurück. Der Einschätzung der Sachlage durch Kirchschläger wurde allgemein Beachtung geschenkt und Anerkennung zuteil. Die Rolle des Skandalisierers spielte dann in weiterer Folge v. a. der WJC,[38] der das Thema verstärkt aufgriff und verbreitete, indem er amerikanische Printmedien gezielt mit „Informationen" versorgte. Die Debatte erhielt dadurch eine internationale Dimension, wobei „Österreich", „die Österreicher", der Nationalsozialismus und der Holocaust sowie Kurt Waldheim undifferenziert zusammengeworfen wurden. Härte und Offenheit der Auseinandersetzungen förderten dabei einen Trend zur Entsakralisierung des Präsidentschaftsamtes.[39]

Waldheims politisch verhängnisvolle und bezüglich des NS-Systems wenig überzeugende Rechtfertigung, er habe damals nur seine „Pflicht" getan, ließ die Auffassung an Glaubwürdigkeit verlieren, wonach Österreich erstes Opfer Hitlers[40] gewesen sei, und stempelte diese Doktrin zu einer wenn auch legitimen, aber doch opportunen Teilwahrheit einer Politikergeneration, die um den Abschluß des Staatsvertrages gerungen hatte. Diese hatte ausgehend von der Moskauer Deklaration von 1943,[41] Österreich als erstes Opfer der Hitlerschen Aggressionspolitik interpretiert und hierbei den Widerstand der Österreicher gegen den Nationalsozialismus betont. Vor diesem Hintergrund wirkte das Diktum von der „Pflichterfüllung" in der deutschen Wehrmacht trotz Eidgebundenheit nicht nur unzeitgemäß, sondern lenkte auch gleichzeitig (in Form einer unbeabsichtigten Nebenfolge) die Aufmerksamkeit der österreichischen wie internationalen Öffentlichkeit auf die Frage der Mitwirkung von Österreichern an den Geschehnissen des Zweiten Weltkrieges. Die als Schlüsselaussage Waldheims bewertete Äußerung war allerdings authentischer als viele andere von ihm abgegebenen Erklärungen, zumal dies von ihm wie von vielen Österreichern, die in der Wehrmacht ihren Dienst taten, subjektiv so empfunden wurde, stand aber in krassem Widerspruch zur Staatsräson und jener Gründungsdoktrin der Zweiten Republik.[42]

Die vom WJC und von Teilen der ausländischen Medien heftig vorgetragenen Attacken auf Waldheim[43] führten umgehend zu einem Mitleids- bzw. Solidarisierungseffekt in großen Teilen der österreichischen Öffentlichkeit[44] und zu verbalen Entgleisungen hochrangiger Politiker. Mit Ausnahme der *Salzburger Nachrichten* und des *profil* überzeichneten die heimischen Printmedien ihrerseits die „Angriffe von außen" gegen Waldheim. Hierbei wurde auch nicht zwischen der nachvollziehbaren wie gerechtfertigten Kritik an Waldheims Glaubwürdigkeit und den fallweise unqualifizierten Kriegsverbrecher-Anschuldigungen unterschieden. Letztere wurden sogar bevorzugt aufgegriffen, um die Unseriosität und Unhaltbarkeit der Argumente der Waldheim-Kritiker herauszustellen. Es wurde nicht mehr vom „WJC" gesprochen, sondern undifferenziert von „den Juden" und der Verdacht der „Weltverschwörung" in der Tradition der Legendenbildung offen artikuliert. ÖVP-Generalsekretär Michael Graff mußte z. B. auf parteiinterne und öffentliche Kritik hin am 18. November 1987 zurücktreten, nachdem er in einem Interview mit dem französischen Nachrichtenmagazin *L'Express* behauptet hatte, eine Schuld des Präsidenten sei nicht gegeben, „solange nicht bewiesen sei, daß Waldheim eigenhändig sechs Juden erwürgt habe".[45] Dies war zweifellos der verbale Höhepunkt an mangelnder Sensibilität und Geschmacklosigkeit.

Im Ausland erschien Österreich nicht mehr als „Insel der Seligen", sondern als „Paria-Staat" und „Brutstätte des Nationalsozialismus". Die Anhänger Waldheims sahen ihr Land zum „internationalen Sündenbock" stilisiert,[46] während im Inland Intellektuelle zur „Trauerarbeit" aufforderten.[47]

Seit 1945 hatte noch nie ein Thema so polarisiert: Die Nation war gespalten.

4. Waldheim wird trotz „Kampagne" gewählt

Im ersten Wahlgang am 4. Mai 1986 konnte keiner der Kandidaten – neben Waldheim und Steyrer waren noch Otto Scrinzi für das deutschnationale und rechtsradikale Spektrum und Freda Meissner-Blau für die Grün-Alternativen angetreten – die absolute Mehrheit erreichen. Im zweiten Wahlgang vom 8. Juni 1986 errang Waldheim bei einer 87,17prozentigen Beteiligung 53,89 Prozent der Stimmen, das beste Ergebnis, welches ein nicht amtierender Bundespräsident bisher erzielt hatte.[48] Gleich am Abend verkündete der Sieger, die Gräben zuschütten zu wollen, die während des Wahlkampfes aufgerissen worden waren. Aus dem Ergebnis der Wahl zog Kanzler Sinowatz, Hauptexponent der SPÖ-Kritik am ÖVP-Präsidentschaftskandidaten, die Konsequenzen und trat am 9. Juni 1986 zurück. Es war unschwer erkennbar, daß

die SPÖ – mit Ausnahme der Wiener Landesorganisation –
nach der Wahl Waldheims kein Interesse mehr an der Kampagne zeigte und sich von diesem Thema zurückzog.

Unmittelbar nach Waldheims Wahl war der Ton der Artikel
im *profil* gemäßigter. Am 15. September verlieh Czernin der
Waldheim-Debatte einen neuen Akzent, als er von der Möglichkeit eines Einreiseverbots in die USA berichtete. Bereits
im April 1986 hatte es in amerikanischen Medien Hinweise
gegeben, wonach eine solche Maßnahme erwogen werde. Der
österreichischen Botschaft in Washington war am 25. April
vom State Department erklärt worden, daß das amerikanische Justizministerium während des Wahlkampfes voraus
sichtlich keine Entscheidung treffen werde. Anfang August
1986 forderte der WJC erneut das Justizministerium auf,
den Namen Waldheims auf die Watchlist zu setzen.[49]

5. Verschärfung der Debatte

Nach dem Rücktritt von Sinowatz folgte im Spätsommer der
zweite innenpolitische Paukenschlag im Zuge des sich verschlechternden politischen Klimas. Von der Koalition mit den
Freiheitlichen trennte sich das effizientes Management repräsentierende neue Bundeskanzler Franz Vranitzky nach
dem FPÖ-Parteitag am 13. September 1986 in Innsbruck,
der in einer Kampfabstimmung den bisherigen Vizekanzler
Steger (39,2 Prozent, 179 Stimmen) durch den populistisch
agierenden 36jährigen Jörg Haider (57,7 Prozent, 263 Stimmen) ersetzte.[50] Der Sieger profitierte auch von der gewandelten politischen Stimmung in Österreich, die im Zuge der
Reder-Frischenschlager-Affäre, aber v. a. durch den Waldheim-Wahlkampf entstanden war und den deutschnationalen
Teil der FPÖ mobilisiert hatte. Verlierer Steger erklärte, daß
mit seiner Niederlage auch die liberale Konzeption in der
Partei abgewählt worden sei.

Die Nationalratswahl vom 23. November 1986 brachte
trotz starker Verluste (minus 4,5 Prozent) eine relative

Mehrheit für die SPÖ (80 Mandate). Die ÖVP konnte zwar ihren Abstand zur SPÖ verringern (77 Mandate), vom erhofften Sog des Waldheim-Sieges aber nicht profitieren und verlor 1,9 Prozent. Die FPÖ verdoppelte ihre Stimmen (von 4,79 auf 9,73 Prozent und 18 Mandate), während die Grünen mit 4,82 Prozent erstmals ins Parlament (8 Sitze) einzogen.[51] Der Wahlausgang stellte die Weichen für eine Große Koalition, die seit dem 28. Jänner 1987 als Sanierungs- und Erneuerungsgemeinschaft – so die Sprachregelung der ÖVP[52] – wieder aktiviert wurde.[53] Außenpolitisch galt es, das angekratzte Image Österreichs wieder zu verbessern und die zunehmende Isolierung zu verhindern. Der Waldheim nahestehende neue Vizekanzler Mock war gleichzeitig zum Außenminister avanciert.[54] Das Tandem Vranitzky-Mock funktionierte in außenpolitischen Fragen aber nur selten konfliktfrei. Lediglich in der Bejahung des Staatsoberhauptes nach seiner Amtsübernahme wurde zunächst der Wunsch zur Aufrechterhaltung des Status quo evident.

Die umfangreicher und belastender werdenden Anschuldigungen gegen Waldheim[55] bewirkten, daß eine fachkundige und differenzierte Entgegnung basierend auf zeitgenössischem Aktenmaterial immer schwieriger wurde. Die Vorwürfe kreisten nicht mehr nur um die Mitgliedschaften im NSDStB und in der SA-Reiterstandarte, sondern zielten primär auf Waldheims Verwendung in der Deutschen Wehrmacht am Balkan ab, wobei er mit Kriegsverbrechen und Verbrechen gegen die Menschlichkeit in Verbindung gebracht wurde. Diese Diskussion schuf eine weitere Emotionalisierung der Öffentlichkeit, v. a. der älteren Generation. Das von der historischen Forschung[56] bereits revidierte Bild von der „sauberen" Wehrmacht, die einen „ehrlichen" Krieg gekämpft habe, wurde im öffentlichen Diskurs wiederholt hervorgehoben. Die spezifische Kriegssituation, d. h. die Art und Weise der Kampfführung im Osten Europas und der Sowjetunion sowie am Balkan (geprägt durch teilweise enge Kooperation mit den SS-Einsatzgruppen[57] und rigorose Maßnahmen gegen Partisanen und die Zivilbevölkerung), blieben dabei von jenen unberücksichtigt, die Waldheim und die soldatische Ehre der Kriegsteilnehmer angegriffen sahen. In der emotionalisierten Atmosphäre konnte es keine sachliche Diskussion dieser Thematik mehr geben, zu stark spielten subjektive Faktoren, v. a. aber auch politische Motive in die Debatte hinein.

6. Radikalisierung durch Watchlist-Entscheidung und Papstbesuch

Die Entscheidung des US-Justizministeriums und State Departments vom 27. April 1987, dem österreichischen Bundespräsidenten als Privatperson die Einreise in die USA zu verwehren, erregte weltweites Aufsehen. Obwohl es sich hierbei „nur" um einen Verwaltungsakt und kein gerichtliches Urteil handelte, war dieser durch die Stellung des Bundespräsidenten von fundamentaler politischer Bedeutung für die bilateralen als auch die Beziehungen Österreichs mit Drittländern.

Der mediale wie öffentliche Diskurs in Österreich nahm deshalb Mitte 1987 Formen eines regelrechten Beschuldigungs- und Entschuldigungsexzesses an, der durch den spektakulären Besuch Waldheims beim Heiligen Stuhl noch verstärkt wurde.

Der Staatsbesuch des international Geächteten bei Papst Johannes Paul II., der dem katholischen Land damit die Solidarität des Vatikans demonstrierte, führte zu einer gewissen Erleichterung in Österreich, belastete aber das österreichisch-israelische Verhältnis weiter.[58] Im Zuge des Ausgangs der Präsidentschaftswahlen hatten die Israelis bereits ihren Botschafter Michael Elizur aus Wien abgezogen.[59] Sowohl der amerikanische Botschafter Frank Shakespeare wie auch sein bundesdeutscher Amtskollege waren beim Besuch Waldheims in Rom demonstrativ ferngeblieben[60]. Die *Frankfurter Allgemeine Zeitung* fragte, ob es eine Weisung aus Bonn gegeben habe, und schlußfolgerte: „Dann stünde die Bundesrepublik Deutschland jetzt ohne Not wie ein Satellit da."[01]

Im Zusammenhang mit Waldheims Papstbesuch erklärte
der israelische Ministerpräsident Izakh Shamir, der Empfang
sei eine Legitimierung „der Verbrechen, die er [Waldheim]
verschiedenen Anschuldigungen zufolge begangen hat". Der
New Yorker Rabbiner Avi Weiss rief unter den Demonstranten
am Petersplatz, an Waldheims Händen klebe Blut. Jegliches
Gerechtigkeitsgefühl – so *Kurier*-Kommentator Hans Rauscher – sträube sich „gegen die Bedenkenlosigkeit, mit der
hier ohne jeden Beweis, ja gegen das vorliegende Material ein
Mann als Verbrecher abgestempelt wird", wobei der Journalist nicht unerwähnt ließ, daß der Linzer Vizebürgermeister
Carl Hödl in einem offenen Brief an den WJC die Angriffe
gegen Waldheim mit der Kreuzigung Christi durch „Ihre
Glaubensgenossen" verglichen hatte. Rauscher urteilte, daß
es sich beim österreichischen Bundespräsidenten um keinen
Kriegsverbrecher handle und bezeichnete die Diskussion als
„eine grotesk überzogene Dämonisierung eines Mannes, der
auf unglücklichste Weise, aber nicht ohne eigene Schuld, zum
‚Symbol' geworden" sei. Als solches bezeichnete ihn auch Shamir, für Rauscher „die Erklärung für die Hartnäckigkeit, mit
der Waldheim ‚verfolgt'" werde: Waldheim sei „zum Symbol
geworden für die Greuel des Nationalsozialismus, die nach
Meinung der Opfer und auch tatsächlich in Gefahr sind, vergessen und verharmlost zu werden". Diesen Tatsachen müsse
Österreich ins Gesicht sehen, erst „dann werden wir innerlich
frei sein". Gleichzeitig gelte es aber zu bedenken, wie nahe
man daran sei, „wieder in zwei Lager zu zerfallen".[62]

7. Entsendung einer Expertengruppe und der Sonderbotschafter

Die Bundesregierung setzte vor dem Hintergrund der Watchlist-Entscheidung mit Beschluß vom 5. Mai 1987 eine Expertengruppe ein, bestehend aus dem Völkerrechtler Univ.-Prof.
Felix Ermacora, Generaldirektor des Österreichischen
Staatsarchivs Kurt Peball und dem Militärhistoriker Man-

fried Rauchensteiner, die den Auftrag erhielt, sich nach Belgrad zu begeben, um dort in den einschlägigen Archiven Materialien zu ermitteln, die Waldheims Tätigkeit während des Zweiten Weltkrieges am Balkan beinhalteten und aufgrund derer amerikanische Justizbehörden zum Schluß gelangt waren, Waldheim auf die Watchlist zu setzen. Ein „eingehendes Studium der Dokumente" nach eineinhalb Tagen (!) ließ

„nichts erkennen, was die Argumentation stützen würde, Dr. Waldheim hätte eine wichtige und mit Befehlsgewalt verbundene militärische Stellung innegehabt und sich in den aufgelisteten Fällen schuldig gemacht".[63]

Dieses rasch erzielte Ergebnis war umso erstaunlicher, als sich das durchgesehene Material auf geschätzte 10.000 Seiten Mikrofilm und 2500 Seiten Originaldokumente belief, so daß sich bei den Arbeiten der Expertengruppe der Eindruck nicht vermeiden ließ, vornehmlich eine staatstragende bzw. offizielle Mission erfüllt zu haben.

In einer Verbalnote der österreichischen Bundesregierung an die Regierung der Vereinigten Staaten wurden die gegen Waldheim im Zusammenhang mit seinem Militärdienst im Zweiten Weltkrieg erhobenen Anschuldigungen als unbewiesen bezeichnet und betont, daß der Bundespräsident vom Volk in demokratischer Weise gewählt worden sei und gemäß der österreichischen Bundesverfassung die Republik nach außen vertrete. Österreich habe angenommen, daß die USA in diesem Zusammenhang außenpolitischen Überlegungen den Vorrang vor anderen politischen Erwägungen einräumen würden. Die Watchlist-Entscheidung sei mit dem Völkerrecht unvereinbar. Diese These stützte sich auf die Auffassung, wonach es anerkannte Norm des Völkergewohnheitsrechts sei, daß Staaten keine Jurisdiktion über ausländische Staatsoberhäupter während deren Amtszeit haben, was auch bisher von den USA praktiziert werde. So dürfe der Bundespräsident auch keiner Verwaltungsentscheidung mit quasi-gerichtlichem Charakter unterworfen werden, indem dessen Name auf die besagte Liste gesetzt werde. Die Unterscheidung zwi-

schen Amts- und Privatperson sei künstlich und spiele keine
Rolle. Die Bundesregierung ersuchte aufgrund dieser Überlegungen die USA, ihre Entscheidung aufzuheben.[64]

Am 29. April überreichte Mock dem amerikanischen Botschafter Ronald Lauder die Erklärung der Bundesregierung
und äußerte seine „tiefe Sorge" über die Belastung, der die
österreichisch-amerikanischen Beziehungen „durch den un-
freundlichen Akt der amerikanischen Regierung ausgesetzt
sind". Mock forderte Lauder auf, „sämtliche Entscheidungs-
grundlagen des amerikanischen Justizministeriums zur Verfügung zu stellen". In seiner Rede vor dem Nationalrat am
14. Mai betonte der Außenminister, daß Waldheim der
Staatsanwaltschaft Wien die Ermächtigung erteilt habe, gegen Edgar Bronfman, den Präsidenten des Jüdischen Weltkongresses, der ihn bezichtigt hatte, „ein wesentlicher Teil
der Tötungsmaschinerie der Nazis"[65] gewesen zu sein, ein
Strafverfahren wegen übler Nachrede einzuleiten. Ferner
habe Waldheim die Bundesregierung ersucht, eine unabhängige, international zusammengesetzte Historikerkommission
einzuberufen, deren Mitglieder in einem Verfahren ausge-
wählt würden, das jeden Zweifel an ihrer Unparteilichkeit
ausschließe, und in einem Weißbuch eine detaillierte Dokumentation seiner Kriegszeit zusammenstellen zu lassen.
Mock betonte ferner, daß Österreichs Geschichte nicht am
13. März 1938 am Heldenplatz beginne und beklagte die undifferenzierte Sicht des Auslandes:

„[...] Wie kann man einer Weltöffentlichkeit, die plakative, skizzen-
hafte Schwarz-Weiß-Bilder sucht, für die eine deutsche Wehr-
machtsuniform von vornherein eine Naziuniform ist und der, der sie
tragen muß, ein Nazi, die Komplexität der Geschichte unseres Raumes nahe bringen? Wie oft ist es uns nach jahrzehntelanger Öffent-
lichkeitsarbeit passiert, daß unsere Neutralität mißverstanden
wurde, daß man Österreich für ein kommunistisches Land hielt."[66]

Altbundeskanzler Kreisky, der Waldheim ursprünglich „für
einen idealen Präsidentschaftskandidaten" gehalten hatte,
verfolgte die Debatte mit großer Sorge: „Ich stehe vor den
Trümmern meines Lebenswerkes", ließ er wissen, v. a. weil

die Affäre um Waldheim Österreich die internationale Reputation raube, „um die wir uns seit dem Jahre 1945 so sehr bemüht haben".[67] Kreisky kannte die Empfindungen der Mehrheit seiner Landsleute gut. Laut einer Umfrage des Gallup-Instituts hatten inzwischen 69 Prozent der Österreicher die Watchlist-Entscheidung für ungerechtfertigt gehalten, bei SPÖ-Wählern sogar 77 Prozent.[68] Der Altkanzler sprach sich dafür aus, den WJC, der „weit davon entfernt" sei, „irgendeine Bedeutung zu haben", „in der richtigen Dimension" zu sehen. Tatsächlich seien es dessen Vertreter aber gewesen, „die den Antisemitismus geweckt haben". Kreisky kritisierte allerdings auch, daß Waldheim „drei Jahre seines Kriegsdienstes vor mir und der Welt verheimlicht" habe, plädierte aber für eine Berufungsmöglichkeit gegen die Watchlist-Entscheidung, ein „fair trial" und empfahl Waldheim, „diese Entscheidung nicht auf sich sitzen zu lassen und um seine Rehabilitierung vor Gericht zu kämpfen". Für das Verhalten der SPÖ-Spitze in bezug auf die Enthüllung der Affäre brachte Kreisky überhaupt kein Verständnis auf.[69]

Die Eskalation der Diskussion in der Causa Waldheim ist auch vor dem Hintergrund der historischen, internationalen wie inneramerikanischen Situation zu begreifen. Maßgebliche Teile der Reagan-Administration waren durch die Debatte um die „Irangate-Affäre" kompromittiert. Justizminister Edwin Meese[70] stand aufgrund verschiedener undurchsichtiger Vermögensangelegenheiten wie auch wegen der Iran-Contra-Affäre unter persönlichem Beschuß. Die ab 1987/88 wachsenden Krisensymptome in der Westbank mit der „Intifada" und ihre Bekämpfung brachten die israelische Politik in internationales Zwielicht, sodaß eine propagandistische Entlastung durch publizistische Ablenkung vorteilhaft erscheinen konnte. Es war aber v. a. Waldheims Rolle als UN-Generalsekretär (1972–1981), die unterschwellig eine der wesentlichen Ursachen für die Kritik an seiner Person darstellte. Die Weltorganisation hatte in seiner Amtszeit ihre prowestliche Dominanz verloren. Nicht zuletzt deshalb kamen – u. a. auch angesichts interner bekannter UNO-Mißwirt-

schaft im Personalbereich – an Waldheims erfolgreicher
Amtsführung und seinem hohen internationalen Ansehen
Zweifel auf, wobei eine gewisse Botmäßigkeit der UNO ge-
genüber den Sowjets auffallend gewesen war.[71]

Mit Kreisky hatte Waldheim ein Tandem in der PLO-
freundlichen Nahostpolitik gebildet. Während Waldheims
Amtsperiode als Generalsekretär konnte Arafat nicht nur am
13. November 1974 seine politischen Anliegen vor der Generalversammlung vorbringen, sondern war auch die UNO-Resolution 3379 vom Jahre 1975 zustandegekommen, mit welcher der Zionismus explizit als rassistisch erklärt wurde.[72]
Waldheim war damit zum „Feindbild der Juden"[73] geworden.

In der Debatte um seine Person wurde später behauptet,
Waldheim habe als Außenminister wie auch als späterer UN-
Generalsekretär eine prosowjetische[74] bzw. jugoslawien-
freundliche Politik betrieben. Diese Thesen erhielten indirekt
dadurch Nahrung, daß während der gesamten Debatte keine
offizielle Kritik aus Moskau oder Belgrad zu vernehmen war.[75]

Die als Sonderbotschafter eingesetzten Vertreter des österreichischen Widerstandes und pensionierten Altdiplomaten
Außenminister Karl Gruber,[76] Botschafter Hans Reichmann[77] sowie der ehemalige Verleger und Publizist Fritz
Molden[78] versuchten außenpolitische Schadensabwicklung –
allerdings mit nur geringem Erfolg. Die Sonderbotschafter
sollten die diplomatische Gegenoffensive zur Entlastung des
Bundespräsidenten führen und die regierungsoffizielle Position in Gesprächen mit ausländischen Spitzendiplomaten
und Publizisten darlegen, d. h. daß auch die USA nicht den
Vorwurf von Kriegsverbrechen gegen Waldheim erheben
könnten, Österreich keine solchen Beweise kenne und die
USA völkerrechtswidrig mit der Watchlist-Entscheidung die
Immunität des Staatsoberhaupts verletzt hätten.[79]

Der im Zweiten Weltkrieg als Hauptmann der französischen Fremdenlegion und Berater des algerischen Befreiungskomitees in österreichischen Angelegenheiten tätige
Reichmann erklärte in Brüssel, daß Waldheim die Folgen der

Nahostpolitik Kreiskys „ausbaden" müsse. In seiner zweimaligen Amtszeit als UN-Generalsekretär habe es viel Gelegenheit gegeben, sich unbeliebt zu machen: Er sei „ein Opfer des herannahenden amerikanischen Präsidentschaftswahlkampfes geworden". Reichmann argumentierte vor dem Hintergrund seiner persönlichen Biographie selbstbewußt:

„Mir kann man nichts vormachen, ich weiß, was etwa in Frankreich während der deutschen Besatzungszeit passiert ist, wie friedliche Bürger zur Regelung von Privatfehden Nachbarn bei der Gestapo als Widerstandskämpfer denunziert haben. Nein, wir haben keinen Anlaß, uns zu schämen. Mit meiner Vergangenheit habe ich das Recht, grob zu werden."

Wissenschaftsminister Heinz Fischer wandte sich gegen diese Aussagen, soweit sie Kreisky betrafen. Es sei eine Illusion zu glauben, man könne Österreichs Ansehen verbessern, indem man die Außenpolitik der vergangenen fünfzehn Jahre schlecht mache.[80]

Die sich im Sommer 1987 radikalisierende Waldheim-Debatte zeigte angesichts der aufgewühlten Öffentlichkeit den leider begrenzten Einfluß jener auf, die seit geraumer Zeit in mühevoller Kleinarbeit für den christlich-jüdischen Dialog eingetreten waren. Der Vorsitzende der Österreichisch-Israelischen Gesellschaft und ÖVP-Nationalratsabgeordnete Walter Schwimmer war – wie die *Jerusalem Post* berichtete – „concerned because a completely false picture has been created". Er meinte den Umstand, daß Israelis glauben würden, „that all Austrians are anti-Semites and Austrians think that all Israelis hate them blindly". Schwimmer versicherte, „that the real Austria is better than its current image reflects" und gab seiner Hoffnung Ausdruck, daß bei einem Besuch junger Israelis in Österreich „they can then learn to put the Waldheim affair into its proper perspective".[81]

Während mit den Sonderbotschaftern wenig erfolgreiche Versuche zur außenpolitischen Schadensbegrenzung unternommen wurden, verschlechterte sich das innenpolitische Klima zusehends. Die Delegierten zum Parteitag der Wiener SPÖ forderten im Juni 1987 mit 268 zu 217 Stimmen Wald-

heim zum Rücktritt auf.[82] Der sich hierbei besonders expo-
nierende Altsozialist Josef Hindels, der Waldheim einen „hin-
terhältigen Lügner" genannt hatte, wurde von ÖVP-Generalsekretär Graff mit dem NS-Volksgerichtshofpräsidenten Roland Freisler verglichen![83]

Die Kritiker an Waldheims Umgang mit seiner Vergangenheit wurden nicht müde, vor den negativen Folgen für das
außenpolitische Image der Republik zu warnen. Der von seinen Anhängern und einem großen Teil der ÖVP gefeierte
Triumph beim zweiten Wahlgang entpuppte sich als Pyrrhus-
sieg für Waldheim. Der Ausgang der Präsidentschaftswahlen
führte das Land in eine mehrjährige außenpolitische Isolation, der ehemalige UN-Generalsekretär wurde zum Symbol
der „österreichischen Lebenslüge",[84] sein Triumph zu einem
Debakel der Amerikapolitik der ÖVP, hatte sie doch die anti-
atlantischen Attitüden der Außenpolitik Kreiskys nicht geteilt und war stets für freundschaftliche Beziehungen zu
Washington eingetreten.

8. Das „Weißbuch" und das Urteil der Historikerkommission

Im Herbst 1987 wurde die Debatte und die damit in Zusammenhang stehende Möglichkeit eines Rücktritts Waldheims
durch die Arbeit einer von der österreichischen Bundesregierung eingesetzten und bezahlten Historikerkommission wie-
derbelebt. Sie wurde nach einer Anregung des Leiters des
Jüdischen Dokumentationszentrums in Wien, Simon Wiesenthal,[85] von der Bundesregierung auf Wunsch Waldheims
beantragt und stand unter Leitung des anerkannten Schweizer Militärhistorikers Rudolf Kurz. Der Angegriffene ließ
noch vor der Bekanntgabe des Historikerberichts wissen, daß
irgendein „Urteil" der Kommission für ihn nicht bindend sei.
Das deutsche Kommissionsmitglied Manfred Messerschmidt
trat der These entgegen, die Historiker hätten lediglich die
Frage eines „persönlich schuldhaften Verhaltens" Waldheims
während seiner Kriegsjahre zu prüfen.

Zur Entlastung des Präsidenten wurde bereits am 27. November 1987 – noch vor Abschluß der Arbeiten der Historikerkommission – von seinen Verteidigern und Freunden ein „Weißbuch" präsentiert, welches die Verteidigungsaussagen Waldheims enthielt, dem Außenministerium schon seit Monaten vorlag und nunmehr als Buch präsentiert wurde. Die Herausgeber des Weißbuches, Karl Gruber, Waldheims Sekretär Ralph Scheide und Ferdinand Trauttmansdorff, gaben ihrer Überzeugung Ausdruck, Waldheim sei weder Mitglied einer NS-Organisation gewesen, noch habe er an Kriegsverbrechen oder der Deportation von Juden mitgewirkt. Die Historikerkommission werde kaum zu anderen Ergebnissen kommen. Gruber glaubte, selbst wenn Waldheim „etwas gewußt" habe, so hätte er als Oberleutnant nichts dagegen tun können.[86]

Am 1. Februar 1988 erschien das bundesdeutsche Nachrichtenmagazin *Der Spiegel* mit einer Aufschrift auf der Titelseite „Der Beweis" und einem faksimilierten Telegramm, welches die Verwicklung Waldheims bei der Deportation von Zivilisten zu belegen schien. Das Dokument stammte von einem jugoslawischen Historiker namens Dusan Plenca, der als „früherer Leiter des Kriegshistorischen Instituts Belgrad" bezeichnet wurde.[87] Das Dokument erwies sich kurze Zeit später als plumpe Fälschung,[88] und der ehemalige Partisanenführer Oberst Plenca „tauchte in unerreichbare Tiefen ab".[89]

Ernst für Waldheim wurde es schließlich am 8. Februar 1988, als die Historikerkommission in ihrem Bericht[90] dessen Rolle bei der Weitergabe und dem Austausch von Nachrichten („Feindlageberichte") aufzeigte, die der Festlegung von Zielen für „Säuberungsaktionen" gedient hatten. Die Kommission nannte dies „konsultative Unterstützung von Unterdrückungsmaßnahmen".[91] Auffallend war, daß die Kommission Waldheims Mitgliedschaft in der SA und im NSDStB bestätigte, was das Staatsoberhaupt bisher vor der Öffentlichkeit stets abgestritten hatte. Ein weiterer belastender Befund lautete:

„Die Kommission hat von keinem Fall Kenntnis erhalten, in welchem Waldheim gegen die Anordnung eines von ihm zweifellos erkannten Unrechts Einspruch erhoben, Protest geführt oder irgendwelche Gegenmaßnahmen getroffen hat, um die Verwirklichung des Unrechts zu verhindern oder zumindest zu erschweren. Er hat im Gegenteil wiederholt im Zusammenhang rechtswidriger Vorgänge mitgewirkt und damit den Vollzug erleichtert."[92]

Abschließend hieß es:

„Waldheims Darstellung seiner militärischen Vergangenheit steht in vielen Punkten nicht im Einklang mit den Ergebnissen der Kommissionsarbeit. Er war bemüht, seine militärische Vergangenheit in Vergessenheit geraten zu lassen und, sobald das nicht mehr möglich war, zu verharmlosen. Dieses Vergessen ist nach Auffassung der Kommission so grundsätzlich, daß sie keine klärenden Hinweise für ihre Arbeit von Waldheim erhalten konnte."[93]

Waldheim, der sich zunächst geweigert haben soll, den Bericht anzunehmen, von der Regierung eine kategorische Zurückweisung verlangt und mit ihrer Entlassung gedroht hatte, zeigte sich nun öffentlich „froh, weil sich bestätigt, was ich immer sage, daß ich in keine Handlungen verwickelt [sic!] war, die als kriegsverbrecherisch bezeichnet werden können". Er betrachtete das Historikerurteil als „umfassende Entlastung". Daß dies nicht ganz zuzutreffen schien, wurde eine Woche später deutlich, als Waldheim in einer Fernsehansprache erklärte, daß er „nicht der Verleumdung weichen" werde. Der Historikerbericht entspreche „in Teilen nicht der Wahrheit".[94]

Im Zusammenhang mit der Kritik an den Arbeiten der Historikerkommission wurde die Frage gestellt, ob diese nicht mit ihrem Bericht die Grenzen ihres Auftrags und der fachlichen Zuständigkeit überschritten habe. Ihr ursprünglicher Auftrag hatte gelautet zu prüfen, „ob ein persönliches schuldhaftes Verhalten von Dr. Kurt Waldheim während seiner Kriegszeit vorliegt". Die stets wiederholte Frage, was Waldheim gewußt haben könnte oder müßte, sei eine Frage ganz außerhalb des der Kommission erteilten Mandats gewesen, soweit das Wissen nicht Voraussetzung für Verhalten war. Mitwissen sei noch weit entfernt von Mitschuld. Tatsächlich rückte diese Frage verstärkt in den Vordergrund, nachdem immer deutlicher wurde, daß Waldheim offensichtlich nicht an Kriegsverbrechen teilgenommen hatte, bzw. ihm solche nicht nachgewiesen werden konnten.[95]

Der britische Außenminister Geoffrey Howe hatte die Kommission auch wissen lassen, daß Waldheim aufgrund eingeleiteter britischer Untersuchungen nicht an Repressalien gegen Geiseln oder Zivilisten oder an rechtswidriger Behandlung alliierter Gefangener beteiligt war.[96] Auch eine eigens konstituierte britisch-amerikanische Untersuchungskommission[97] als eine Art Fernsehtribunal konnte keine Kriegsverbrechen feststellen und sprach den österreichischen Bundespräsidenten frei.

All dies stand offenbar durchaus im Widerspruch zu der von der Historikerkommission festgestellten „konsultativen Unterstützung" Waldheims von Unterdrückungsmaßnahmen. Wenn auch die häufig aufgeworfene Frage nach Waldheims Wissen letztlich nichts Entscheidendes zur Beantwortung eines schuldhaften Verhaltens beisteuern konnte,[98] so war sie dennoch zur Aufhellung der Frage geeignet, ob er im Wahlkampf und in den Diskussionen über seine Vergangenheit glaubwürdig gehandelt hatte.

Nach dem Bericht der Historiker sprachen sich Waldheims Anhänger für einen Verbleib im Amt aus, weil eine demokratisch zustandegekommene Entscheidung zu respektieren sei. Sie argumentierten, daß ein Ausscheiden zu einer prinzipiellen Infragestellung demokratisch legitimierter Institutionen und zu einer politischen Eskalierung in Österreich führen könne.[99]

Eine Beteiligung an Kriegsverbrechen konnten die Historiker zwar nicht nachweisen, wenngleich der Freiburger Militärexperte Messerschmidt im Gespräch mit dem Präsidenten erstaunliche Erinnerungslücken feststellen mußte. Die Kommission konnte kein persönlich schuldhaftes Verhalten erkennen, wenngleich von „konsultativer Mitwirkung an Un-

terdrückungsmaßnahmen" die Rede war, welche für die Erleichterung des Vollzugs von Unrecht stand. Wiesenthal sah
das Urteil der Historikerkommission als Chance für Waldheim, ohne Gesichtsverlust zurückzutreten im Sinne einer
„Entscheidung für Österreich", während sich der Journalist
Otto Schulmeister auf die einwandfrei demokratisch zustandegekommene Wahl berief, von einer „organisierten Medien-
kampagne" und einer „beispiellosen internationalen Einmischung" sprach. Ein Rücktritt würde eine Zweiteilung Österreichs und ein Zerbrechen der Demokratie bewirken.[100]

Während der bundesdeutsche Bundespräsident Richard
von Weizsäcker international vielfach als anerkannte Autorität und innenpolitisch gleichsam als Integrationsfigur erschien, wirkte Österreichs Bundespräsident Waldheim in zunehmendem Maße der Debatte als Desintegrationsfigur, die
die öffentliche Meinung spaltete.

Das Bild eines Österreich, welches seine NS-Vergangenheit
verdrängt habe und verleugne, hatte sich bereits weltweit
festgesetzt. Waldheim trotzte aber kontinuierlich den An-
fechtungen und zeigte dabei kaum Verständnis für seine Kritiker, unter denen Künstler, wie der Kommunist Alfred
Hrdlicka (der ein übergroßes Holzpferd angefertigt und vor
der Hofburg aufgestellt hatte, welches an Waldheims verdrängte Rolle in der SA-Reiterstandarte erinnern sollte),
Schriftsteller und Intellektuelle wie Erika Weinzierl[101] oder
Gerhard Botz[102] öffentlich auftraten. Selbst heftig vorgetragene Forderungen nach Konsequenzen bzw. Rücktritt blieben
erfolglos. Gruber, einer der engagiertesten Verteidiger Waldheims, hatte sich angesichts der massiven Einmischungs-
versuche in die österreichische Innenpolitik der Nachkriegsperiode zurückversetzt gefühlt, als er Außenminister war,
jener Phase der alliierten Besatzung,[103] für welche Österreich von Zeithistorikern als „bevormundete Nation"[104]
charakterisiert wurde. Er erklärte in einem Interview mit
dem italienischen Fernsehen, daß sich die Kommission nicht
aus Freunden Waldheims zusammengesetzt habe: „Das
waren ja praktisch alles seine Gegner. Der Deutsche ist ein

Sozialist, die anderen sind von der jüdischen Abstammung her natürlich auch nicht seine Freunde." Außerdem werde Waldheim angegriffen, weil Österreich nach dem Zweiten Weltkrieg weniger Reparationszahlungen als die Deutschen zu leisten hatte. Die unverblümten Äußerungen Grubers wurden als Eklat empfunden. Vranitzky entschuldigte sich in einem Telegramm an die Historiker für die Erklärungen und versicherte, daß diese mit der Einschätzung des Historikerberichts durch die Bundesregierung „nicht das Geringste zu tun" hätten. SPÖ-Nationalratsabgeordneter Ewald Nowotny warf Gruber vor, nicht nur seine eigene Reputation zerstört, sondern auch Österreich speziell in der wissenschaftlichen Welt schwersten Schaden zugefügt zu haben.[105]

9. Die Folgen der Affäre Waldheim

Durch die Waldheim-Affäre kam zum ersten Mal das System des „stillschweigenden Übereinkommens" und des „Geheimpaktes"[106] zwischen den Großparteien bezüglich Ausklammerung und Tabuisierung der NS-Vergangenheit als koalitionspolitische Konfliktzone kurzzeitig außer Kontrolle. In der Frage der Bundespräsidentschaftswahl kollidierten die parteipolitischen Interessen, wobei es zu einer Entfesselung mental verankerter bzw. bereits vorher teilweise artikulierter antisemitischer und rechtsgerichteter Vorurteilsstrukturen kam. Die Debatte nahm internationale Dimensionen an und bewirkte in Österreich einen verhängnisvollen Emotionalisierungsschub und Solidarisierungseffekt großer Teile der Öffentlichkeit mit Waldheim. Die Vorstellung nicht weniger Intellektueller von einer positiven Auswirkung bezüglich eines Umdenk- und Lernprozesses der österreichischen Bevölkerung mit Blick auf eine kritische Selbstreflexion und entsprechende Aufarbeitung der NS-Vergangenheit sollte sich als trügerisch erweisen. Während in den Jahren von 1986 bis 1988 so heftig wie noch nie über die Rolle von

Österreichern in der NS-Zeit diskutiert wurde, versuchte die kurz nach den Wahlen gebildete Große Koalition Vranitzky-Mock, die in der Debatte zutage getretenen Konfliktlinien wieder zuzudecken. Der Bundeskanzler stand zum Präsidenten, der sich nun krampfhaft um verbale Schadensabwicklung bemühte und an einer leichten Modifizierung der Staatsdoktrin vom „Opferstatus" und von der „Okkupationstheorie" zu orientieren begann. Dies wurde auch als ein „gelockertes Vergessen" bezeichnet, welches aber noch keine „Erinnerung"[107] im eigentlichen Sinne darstellte.

Die Folgen der aufwühlenden und die Bevölkerung polarisierenden Debatte über das Staatsoberhaupt sind in ihrer Gesamtwirkung als äußerst problematisch zu bewerten. Die zunächst positiv eingeschätzten „volkspädagogischen" Effekte (die wenig originelle Erkenntnis, wonach es unter den Österreichern der Jahre von 1938 bis 1945 nicht nur Opfer gegeben hatte, sondern auch Täter und eine Vielzahl von Mitläufern, wäre schon vor der Waldheim-Diskussion aus der einschlägigen wissenschaftlichen Literatur zu gewinnen gewesen, wurde aber erst durch die Affäre für breitere Schichten zugänglich und Allgemeingut) blieben vielfach im Ansatz stecken. Simon Wiesenthal hielt fest, daß durch die undifferenzierten Angriffe „jahrelange Erziehungsarbeit zunichte gemacht" wurde. Heidemarie Uhls präzise Analyse der Berichterstattung in den Medien zum „Gedenkjahr 1988"[108] läßt darauf schließen, daß die große Masse der Bevölkerung kaum geneigt sein wird, die neuen Erkenntnisse der zeitgeschichtlichen Forschung aufzunehmen und zu verinnerlichen. Die langandauernde Debatte erzeugte zwar eine Sensibilisierung der veröffentlichten Meinung und sorgte für die Entmythologisierung der „Opferdoktrin", war aber auch Entstehungsphase für einen Rechtsruck im öffentlichen Diskurs, Initialzündung für die Haider-FPÖ und bedeutete die Freilegung bewältigt geglaubter Ideologiepotentiale.

Von diesem Prozeß gewandelter Stimmungslagen konnte der rechtspopulistisch agitierende Haider in weiterer Folge politisch profitieren, zumal jene den Wählern versprochene

„aktive Politik" des Bundespräsidenten Waldheim – auch aufgrund dessen internationaler Isolation – ausblieb,[109] die ÖVP, deren Kandidat Waldheim gewesen war, sich nicht als Partei der „Wende" präsentierte und aus der Sicht ihrer Kritiker zu viele Konzessionen an den Koalitionspartner machte. Was seit 1945 bis Mitte der achtziger Jahre in Österreich politisch gelungen war, die Neutralisierung des deutschnationalen-rechten „Lagers", sollte immer schwieriger werden.

Der Fall Waldheim bewirkte nicht nur den Rücktritt und die Ablösung der eigentlichen Initiatoren der Affäre, Fred Sinowatz und seiner Mitarbeiter und Zuträger, sondern auch deren moralische Diskreditierung. Ein Verfahren im Zusammenhang mit der Initiierung der Kampagne durch SPÖ-Führungskreise und die Verurteilung brachten den Exkanzler in politisches Zwielicht.[110]

Weder in der Außen- noch in der Innenpolitik konnte Waldheim eine aktive Rolle spielen, wie er es sich ursprünglich zum Ziel gesetzt hatte. Dies führte u. a. zu einer grundsätzlichen Infragestellung der Sinnhaftigkeit des Amtes des österreichischen Bundespräsidenten.[111] Daneben sorgte auch die Frage der Existenz einer österreichischen Nation für leidenschaftliche Debatten. Anlaß hierfür hatte eine aufsehenerregende Äußerung Haiders gegeben, der von Österreich als einer „ideologischen Mißgeburt"[112] sprach, was auf breite Ablehnung stieß.

Die Waldheim-Debatten brandeten noch einmal im Zusammenhang mit dem „Bedenkjahr" 1988 anläßlich des fünfzigsten Jahrestages des „Anschlusses" Österreichs an das Deutsche Reich auf und erlebten damit ihren dramaturgischen Höhepunkt. Während der Veranstaltung wurde auf die gewaltsame Besetzung des Landes und die damalige Passivität des Auslandes[113] hingewiesen. Mit dem lang vorbereiteten hochoffiziellen Gedenkakt schien angesichts der Präsidentschaft Waldheims ein besonders heikles und emotional aufgeladenes Ereignis bevorzustehen, welches entsprechend internationale Beachtung finden sollte. Waldheim hielt am

Vorabend des 50. Jahrestages des „Anschlusses" im ORF eine mit Hochspannung erwartete Rede, die bemerkenswerte Worte enthielt:

„Der Holocaust ist eine der größten Tragödien der Weltgeschichte. Millionen jüdischer Menschen wurden in den KZ's [sic!] vernichtet. Diese Verbrechen sind durch nichts zu erklären und durch nichts zu entschuldigen. Ich verneige mich in tiefem Respekt vor diesen Opfern, die uns stets Mahnung und Auftrag sein müssen. [...] Wir dürfen nicht vergessen, daß viele der ärgsten Schergen des Nationalsozialismus Österreicher waren. Es gab Österreicher, die Opfer, und andere, die Täter waren. Erwecken wir nicht den Eindruck, als hätten wir damit nichts zu tun. Selbstverständlich gibt es keine Kollektivschuld, trotzdem möchte ich mich als Staatsoberhaupt der Republik Österreich für jene Verbrechen entschuldigen, die von Österreichern im Zeichen des Nationalsozialismus begangen wurden."[114]

Das waren eindeutige und klare Worte. Mit keinem noch so offenem Eingeständnis bzw. Bekenntnis konnte Waldheim seine Glaubwürdigkeit jetzt aber noch zurückgewinnen. Weitere Anschuldigungen wurden aufgrund angeblich neuen belastenden Materials aus dem UNO-Kriegsverbrecher-Archiv[115] erhoben, aber stets zurückgewiesen.[116]

Die Skandalisierung der Verhüllung von Waldheims Kriegsvergangenheit verdeckte auch zeitweise die Megaskandale der 80er Jahre, in die vor allem SPÖ-Spitzenpolitiker verwickelt waren. Lange Zeit im Schatten der Waldheim-Debatte standen daher die Affäre Lucona[117] (ein Versicherungsbetrug mit einer versenkten angeblichen Uranerzaufbereitungsanlage seitens des Politikeranimateurs Udo Proksch) und der Noricum-Skandal[118] (illegale Waffenexportgeschäfte einer Linzer Firma in den kriegführenden Iran), in die weite Teile der staatlichen Bürokratie und politische Spitzenvertreter, wie Fred Sinowatz, Karl Blecha und Leopold Gratz involviert waren und infolgedessen politisch untragbar wurden. Vor allem die Fälle Gratz und Blecha standen ganz im Schatten des Medienspektakels über Kurt Waldheim.

10. Zusammenfassung

Bei der Affäre Waldheim handelte es sich zweifelsfrei um eine Kampagne, eine Lawine mit politischen Langzeitfolgen, die von Österreich aus losgetreten wurde, sich in weiterer Folge verhängnisvoll verselbständigte und breite internationale Dimensionen annahm. Aus der Sicht der skandalisierenden SPÖ erlebte die Affäre eine Entwicklung, die ihren ursprünglichen Absichten zuwiderlaufen mußte: Steyrer verlor die Wahl, und Sinowatz mußte zurücktreten. Mit Vranitzky fand die Partei jedoch rasch einen Kanzlerkandidaten, der mit seinem Persönlichkeitsprofil ihre Probleme zu überdecken verstand. Der Kanzlerbonus Vranitzky ermöglichte der SPÖ weiterhin den Status der Mehrheitspartei.

Die gegen Waldheim vorgetragene Kritik bewegte sich im wesentlichen auf zwei Schienen: Einerseits stand sowohl implizit als auch explizit der Vorwurf im Raum, Waldheim habe Kriegsverbrechen begangen; andererseits wurde betont, Waldheim sei als Bundespräsident wegen seines ungeschickten bzw. unglaubwürdigen Verhaltens („Pflichterfüllung") ungeeignet. Beide Argumentationsmuster waren von Anfang der Debatte an vorhanden und führten auch dazu, daß im innerösterreichischen Diskurs Waldheims Anhänger und Gegner oftmals aneinander vorbeiredeten, wobei wiederholt undifferenzierte Schuld-Begriffe verwendet wurden.

Wer sich mit der Waldheim-Debatte und ihren innen- wie außenpolitischen Implikationen beschäftigt, kommt am Gesamteindruck kaum vorbei, daß es sich um eine zu politischer Vorteilsverschaffung mißbrauchte Beschäftigung mit der NS-Vergangenheit handelte. Dieser Befund ändert nichts am problematischen Verhalten des österreichischen Staatsoberhaupts, das nicht imstande war, seine Position zur NS-Vergangenheit klar und deutlich offenzulegen und in weiterer Folge der Auseinandersetzungen einzusehen, daß die Debatte über seine Person für Österreich als Staatsganzes eine schwere politische Belastung darstellte. Nach dem Urteil der Historikerkommission hätte es Waldheim in der Hand gehabt, sich mit relativ geringem Gesichtsverlust zurückzuziehen. Es bleibt zu diskutierten, ob dies ein zweiter Fehler war, nachdem er zunächst über seine Rolle im Krieg nur verschwommen und zweideutig gesprochen und trotz zahlreicher Ankündigungen von Gegenmaßnahmen, wie z. B. Klagen, zu lange damit gezögert hatte.[119]

Bei der Eskalierung der Debatte spielten eine Reihe von in- und ausländischen Medien eine demokratiepolitisch wie medienrechtlich unverantwortliche Rolle, wobei sie gleichsam die Funktion von Tribunalen übernahmen.[120] Die Affäre hielt eine Meinungs- und Nachrichtenindustrie in Schwung. Die sich häufenden Informationen entwickelten eine „ungeheure mediale Eigendynamik"[121] an ständig neuen „Enthüllungen", die mitunter weit über das Ziel hinausschossen.

Es handelte sich bei der Waldheim-Affäre zweifelsohne um eine schwere, wenn nicht um die schwerste Krise für das staatliche Selbstverständnis Österreichs seit 1955. Die USA hatten ein demokratisch gewähltes Staatsoberhaupt in der Weltöffentlichkeit nicht nur politisch brüskiert, sondern auch moralisch geächtet, wobei die Unterscheidung zwischen Privatperson und Würdenträger nicht glaubhaft wirken konnte. Der österreichische Bundespräsident wurde durch die Watchlist-Entscheidung moralisch wie politisch unmöglich gemacht, zumal die Verleumdungen gegen seine Person nun eine gewisse Legitimation erhielten, eine Vorgehensweise, zu der sich der Staat Israel nicht durchringen konnte, der allerdings Waldheims Mitschuld an Kriegsverbrechen konstatierte. Die amerikanische Entscheidung sollte es möglich machen, daß Waldheim während seiner sechsjährigen Präsidentschaft keine Einladung eines westlichen Landes erhielt. Auch dies war eine bemerkenswerte Folge der Debatte.

Die Affäre Waldheim fand ihr eigentliches Ende erst infolge der Entscheidung des Bundespräsidenten, nicht mehr für eine weitere Amtsperiode zur Verfügung zu stehen. Dieser Entschluß kam erst sehr spät zustande und schien Waldheim auch nicht besonders leicht gefallen zu sein, war aber vor dem Hintergrund des fehlenden Rückhalts für eine weitere Kandidatur seitens der ÖVP verständlich.

Kurt Waldheim repräsentierte weder den typischen Täter noch das klassische Opfer – „Der Kandidat ist ein normaler, er ist ein echter Österreicher"[122] –, sondern die „Kultur des Vergessens"[123] in Österreich und jene österreichische Durchschnittlichkeit, jene Generation anpassungsbereiter Mitläufer, die sich nach dem Ende des Dritten Reichs in das menschlich verständliche Verdrängen flüchteten und sich dabei an den dringend erforderlichen Wiederaufbau machten, der von ihnen ja auch verlangt wurde.

1 Für kritische Lektüre und Anregungen danke ich Thomas Angerer, Ingrid Böhler und Hubert Sickinger; vgl. auch die viel umfangreichere Darstellung von Michael Gehler, „... eine grotesk überzogene Dämonisierung eines Mannes ...". Die Waldheim-Affäre 1986–1992, in: ders./Hubert Sickinger (Hrsg.), Politische Affären und Skandale in Österreich. Von Mayerling bis Waldheim, Thaur – Wien – München 1995, 1996², S. 614–665.

2 Reder, dem in den 30er Jahren als Hochverräter die österreichische Staatsbürgerschaft aberkannt worden war (am 31. 8. 1935 wurde er Staatsbürger des Deutschen Reiches), galt als Hauptverantwortlicher für ein Massaker in Marzabotto bei Bologna, bei dem im Oktober 1944 1800 Menschen ermordet worden waren. 1951 wurde er in Italien zu lebenslanger Haft verurteilt und auf der Festung Gaeta inhaftiert. 1980 wurde seine Haft bis 1985 befristet. Reder wurde dann ein halbes Jahr früher mit einer italienischen Militärmaschine nach Graz geflogen. Siehe zum Lebenslauf Reders den Akt „Walter Reder; Haft in Italien" Zl. 514.897-pol/56. Österreichisches Staatsarchiv (ÖStA), Archiv der Republik (AdR), BKA/AA, II-pol, Italien 49; vgl. auch Peter Dusek/Anton Pelinka/Erika Weinzierl, Zeitgeschichte im Aufriß. Österreich seit 1918, Wien 1988³, S. 286.

3 „Affäre Reder – Österreichs Gesichtsverlust: Schlüsselfigur Gratz", in: Wochenpresse, 5. 2. 1985, Nr. 6, S. 12–15; vgl. auch Heidi Trettler, Der umstrittene Handschlag. Die Affäre Frischenschlager – Reder, in: Gehler/Sickinger (Hrsg.), Politische Affären und Skandale in Österreich, S. 592–613.

4 Anton Pelinka, Die Kleine Koalition SPÖ-FPÖ 1983–1986 (Studien zu Politik und Verwaltung 48), Wien – Köln – Graz 1993, S. 46–53, 114.

5 Jörg Haider hatte Frischenschlager zum Rücktritt aufgefordert, weil sich dieser (ohnehin nur halbherzig) für den ominösen Handschlag entschuldigt hatte.

6 Vgl. Simon Wiesenthal, Recht, nicht Rache. Erinnerungen, Frank-

furt/Main – Berlin 1988, S. 382, der bereits für diesen Zeitpunkt (Frühjahr 1985) Kontakte zwischen SPÖ und WJC für „wahrscheinlich" hält.

7 Zit. n. Pelinka, Kleine Koalition, S. 47.

8 Vgl. den Artikel zur Frischenschlager-Affäre „Austria Tries to Come to Terms With a Half-Buried Nazi Past", in: *International Herald Tribune*, 9./10. 3. 1985.

9 *Wochenpresse*, 5. 2. 1985, Nr. 6, S. 14.

10 Vgl. Michael Gehler/Hubert Sickinger, Politische Skandale in der Zweiten Republik, in: Reinhard Sieder/Heinz Steinert/Emmerich Tálos (Hrsg.), Österreich 1945–1995. Gesellschaft-Politik-Kultur (Österreichische Texte zur Gesellschaftskritik 60), Wien 1995, S. 671–683, hier S. 678 ff.; Vgl. auch Michael Gehler, Kontinuität und Wandel. Fakten und Überlegungen zu einer politischen Geschichte Österreichs von den Sechzigern bis zu den Neunzigern (2. Teil), in: *Geschichte und Gegenwart* 15 (1996), Heft 1, S. 3–38, hier S. 7–11.

11 Vgl. Die „Kampagne" und die Kampagne mit der „Kampagne" – Die „Waldheim-Affäre", in: Ruth Wodak/Peter Nowak/Johanna Pelikan/Helmut Gruber/Rudolf de Cillia/Richard Mitten, „Wir sind alle unschuldige Täter!". Diskurshistorische Studien zum Nachkriegsantisemitismus, Frankfurt/Main 1990, S. 59–120, hier S. 61; die Attacken waren nicht überraschend gekommen, vgl. hierzu „Ein Sauerstoffbad. Gerold Christian, von 1985 bis 1989 Pressesprecher Kurt Waldheims, über seine Sicht der einstigen Causa prima", in: 25 Jahre profil, *profil*, 14. 9. 1995, Sondernummer, S. 34–35.

12 Die *New York Times* berief sich am 9. 3. 1986 auf Dokumente des Jüdischen Weltkongresses, wonach Waldheim 1942/43 der Stabsleitung der Heeresgruppe des Generals Löhr angehört hatte, die den Krieg gegen die jugoslawischen Partisanen geführt und an der Deportation griechischer Juden mitgewirkt hatte, vgl. Dusek/Pelinka/Weinzierl, Aufriß, S. 288, vgl. zur Gesamtproblematik, allerdings ohne den konkreten Beweis zu liefern, daß Waldheim persönlich an Kriegsverbrechen beteiligt gewesen war, Robert Edwin Herzstein, Waldheim. The Missing Years, New York 1988 und Richard Mitten, The Politics of Prejudice. The Waldheim Phenomenon in Austria, Boulder – San Francisco – Oxford 1992; zum Verhalten der Sozialisten vgl. Günther Ofner, Die Rolle der SPÖ in der Waldheim-Kampagne, in: Andreas Khol/Theodor Faulhaber/Günther Ofner (Hrsg.), Die Kampagne. Kurt Waldheim – Opfer oder Täter? Hintergründe und Szenen eines Falles von Medienjustiz, München 1987, S. 121–175.

13 Vgl. die Darstellung von Kurt Waldheim, Im Glaspalast der Weltpolitik, Düsseldorf – Wien 1985[2], S. 42, die nur Marginales zu Waldheims Rolle im Zweiten Weltkrieg auf S. 7 festhielt. Zu dieser Problematik vgl. besonders Herzstein, Missing Years, und zur Biographie allgemein auch Ders., Accomodation to the present as prelude to rewriting history: The example of Dr. Kurt Waldheim, 1938–1980, in: *Journal of Preventive Psychiatry and Allied Disciplines* 5 (1990), Nr.1, S. 82 f.; Ders., The Psychology and Politics of Holocaust Denial: Kurt Waldheim and the 'As If' Personality, in: *Journal of Preventive Psychiatry and the Allied Disciplines* 4 (1990), Nr. 2/3, S. 199–218, hier S. 203 ff. und ein dem Verfasser von Herzstein dankenswerter Weise zur Verfügung gestelltes Manuskript; vgl. auch

Shirley Hazzard, Die Maske der Wahrheit. Zur Ohnmacht der Vereinten Nationen, München 1991; Hans-Peter Born, Für die Richtigkeit – Kurt Waldheim, München 1988 und Kurt Waldheim. Biographische Daten, zweiter Versuch, in: *profil*, 21. 4. 1986, Nr. 17, S. 20–21.

14 Vgl. Eli M. Rosenbaum, Betrayal. The untold story of the Kurt Waldheim Investigation and cover-up, New York 1993, S. 10–20, hier S. 14 und 18 f.

15 Vgl. hierzu Wiesenthal, Recht, S. 380 ff., 385; Christoph Kotanko, „Verleumdungszeugnis. Was Sie schon immer über die sog. ‚Verleumdungskampagne' gegen Waldheim wissen wollten", in: *profil*, 21. 4. 1986, Nr. 17, S. 22–24.

16 Hubertus Czernin, Waldheim und die SA, in: *profil*, 3. 3. 1986, Nr. 10, S. 16–20; Erika Wantoch/Christoph Kotanko, „Abgekurtetes Spiel. Die ÖVP legt Material vor, aber – was stichhaltig scheint, ist nicht bewiesen. Und was bewiesen scheint, ist nicht stichhaltig", in: *profil*, 6. 5. 1986, Nr. 19, S. 18–19; *profil*, 24. 8. 1987, Nr. 34, S. 10–13, hier S. 11; Wiesenthal, Recht, S. 382. Wodak et al., „Wir sind alle ...", S. 99 spielen die Rolle der SPÖ als „Anstifter" und die „Lenkung der ‚Kampagne'" durch den WJC herunter. Daß das Vorgehen gegen Waldheim tatsächlich einer Kampagne gleichkam, scheinen die Autoren nicht wahrhaben zu wollen.

17 Hubertus Czernin, Waldheim und die SA, in: *profil*, 3. 3. 1986, Nr. 10, S. 16–20.

18 Vgl. Hubertus Czernin, „SK-Akt 235. Das ‚Tagebuch in dem Verfahren zur Beurteilung des Rechtsanwaltsanwärters Dr. Kurt Waldheim' bestätigt, daß der VP-Präsidentschaftskandidat bei der SA war", und Peter Michael Lingens, „Ein echter Österreicher. Schlecht begründete Vorwürfe aus dem Ausland haben eine vernünftige Diskussion im Inland beinahe unmöglich gemacht", in: *profil*, 10. 3. 1986, Nr. 11, S. 8–9 und S. 10–13.

19 „Waldheim and the uses of Ignorance", in: *Washington Post*, 9. 3. 1986.

20 „Files show Kurt Waldheim Served Under War Criminal", in: *New York Times*, 4. 3. 1986; „Austrian magazine reports new data on Waldheim and Nazis", in: *New York Times*, 9. 3. 1986; zur Rolle der *New York Times* in der Anfangsphase der Debatte, vgl. Wodak et al., „Wir sind alle ...", S. 83–88. Die weitere Berichterstattung der *NYT* wird als „zwar nicht fehlerfrei oder völlig unvoreingenommen, aber ausgewogen und differenziert" bewertet (S. 96). Kann man es noch zweideutiger formulieren?

21 Ebd., S. 83.

22 Die UNO-Dokumentation hatte im Rahmen der United War Crimes Commission ein Kriegsverbrecherarchiv eingerichtet, deren vorrangige Aufgabe es war, Beweismaterial für Kriegsverbrechen zu sammeln. Darunter befand sich auch eine Akte 7744/4/G/557 (Case Nr R/N/684) zu Kurt Waldheim als Oberleutnant, „Abwehroffizier in der I c-Abteilung des Generalstabes der Heeresgruppe E vom April 1944 bis zur Kapitulation Deutschlands". Der Akt wurde von der jugoslawischen Staatskommission der UNWCC übermittelt, die den Fall am 19. 2. 1948 registrierte. Der UN-Kriegsverbrecherakt bezog sich bzw. ging zurück auf einen jugoslawischen Kriegsverbrecher-Akt („Odluka"), vgl. hierzu Felix Ermacora, Zeugnis gegen die Gerechtigkeit, in: Karl Gruber/Robert Krapfenbauer/Walter Lammel (Hrsg.), Wir über Waldheim, Wien – Köln – Weimar 1992, S. 33–41, hier S. 35 ff.; Karl Gruber, Da stand er noch nicht im Rampenlicht, in: ebd., S. 52–56, hier S. 55 f. und Hubertus Czernin,

„Politisch nützlich'. Die von Jugoslawien 1947 gegen Kurt Waldheim vorgebrachten Beschuldigungen waren willkürlich und falsch. *profil* prüfte den kompletten ,Kriegsverbrecher-Akt'", in: *profil*, 24. 11. 1986, Nr. 48, S. 22–24, und Ders., „Nationale Interessen. Wer wußte was 1947 über Kurt Waldheim?", in: *profil*, 13. 7. 1987, Nr. 28, S. 12–14.

23 Vgl. die weitere Entwicklung hierzu „Nichts Neues in UNO-Akte über Waldheim. Ermacora sichtete als erster Österreicher das New Yorker Archiv", in: *Tiroler Tageszeitung*, 23. 12. 1987, S. 2.

24 ORF-Pressestunde, 9. 3. 1986 (Tonbandmitschnitt im Besitz des Verfassers); vgl. *New York Times*, 9. 3. 1986.

25 Richard Mitten, Die Kampagne mit der „Kampagne": Waldheim, der Jüdische Weltkongreß und „das Ausland", in: *Zeitgeschichte* 17 (Jänner 1990), S. 175–195, und Wodak et al., „Wir sind alle ...", S. 105–118, hier S. 103 ff., deren Typisierung der Gegenargumentation zutreffend ist. Dies ändert jedoch nichts am Antwortcharakter der Gegenkampagne und dem faktischen Prius sowie am Bestehen der Kampagne gegen Waldheim selbst.

26 Wodak et al., „Wir sind alle ...", S. 111 ff., setzen „Drohung" in Anführungszeichen und schreiben, daß Passagen des Interviews als Drohung „empfunden werden *könnten* [Herv. M.G.]". Für die Autoren sind lediglich die Reaktionen in Österreich auf das Interview „eklatant", nicht aber die Aussagen Steinbergs und Singers.

27 In Bitburg in der Eifel trafen sich 1985 US-Präsident Ronald Reagan und der deutsche Kanzler Helmut Kohl auf einem Soldatenfriedhof zu einer Gedenkfeier. Auf dem Friedhof waren neben Wehrmachtssoldaten auch Angehörige der Waffen-SS begraben. Die Anwesenheit von Reagan und Kohl löste einen Entrüstungssturm in amerikanischen Medien aus und führte zu heftiger Kritik wegen angeblicher neokonservativer und revisionistischer Tendenzen in der BRD. Vgl. Wolfgang Bergmann, Die Bitburg-Affäre in der deutschen Presse. Rechtskonservative und linksliberale Interpretationen, in: Ders./Rainer Erb/Albert Lichtblau (Hrsg.), Schwieriges Erbe. Der Umgang mit Nationalsozialismus und Antisemitismus in Österreich, der DDR und der Bundesrepublik (Schriftenreihe des Zentrums für Antisemitismusforschung 3), Frankfurt – New York 1995, S. 408–427.

28 „Soll ein ehemaliger Nazi und Lügner Vertreter Österreichs sein?' Peter Sichrovsky sprach mit Israel Singer (Generalsekretär) und Elan Steinberg (Executive Director) vom World Jewish Congress", in: *profil*, 24. 3. 1986, Nr. 14, S. 24–26, hier S. 25 f.

29 Hubertus Czernin/Nikos Chilas, „Im Walzertakt verprügeln'. Von den Deportationen von mehr als 40.000 Juden aus Saloniki will Kurt Waldheim nichts bemerkt haben. Die Berichte über den ,Judenabschub' von den griechischen Inseln hat er nicht gelesen. Obwohl sie an seine Abteilung gerichtet waren", in: *profil*, 7. 4. 1986, Nr. 15, S. 16–19; Ders., „Mayer, nicht Meier. Vor 14 Jahren starb jener Mann, der Kurt Waldheim 1947 fälschlicherweise zum Kriegsverbrecher machte", in: ebd., S. 18–19.

30 Hubertus Czernin, „Der Mitwisser. Was Kurt Waldheim 1943 in Athen machte und wer 1944 jenes Massaker anrichtete, das dem Präsidentschaftskandidaten im Kriegsverbrecherakt angelastet wird", in: *profil*, 21. 4. 1986, Nr. 17, S. 19–21.

31 Vgl. *profil*, 7. 4. 1986; zu den Aktivitäten des WJC bzw. zum Antrag, Waldheim auf die Watchlist zu setzen, vgl. Esther Schollum, Die „Waldheim-Kampagne" in den österreichischen und internationalen Medien, in: Khol/Faulhaber/Ofner, Die Kampagne, S. 15–118, hier S. 26–38 und S. 35 f.

32 Shlomo Avineri, Die Rolle des „World Jewish Congress", in: *Kurier*, 7. 8. 1987.

33 *profil*, 14. 4. 1986, Nr. 16, S. 20–23.

34 Watchlist-Entscheidung des US-Justizministeriums betreffend den Herrn Bundespräsidenten; Chronologie; Tätigkeit der Botschaft Washington (für die Mitglieder des Außenpolitischen Ausschusses des Nationalrats) [Privatbesitz].

35 Ebd.

36 Rosenbaum, Betrayal, S. 294, 468.

37 Vgl. Schollum, Die „Waldheim-Kampagne", S. 56–59, und Fernsehansprache von Bundespräsident Dr. Rudolf Kirchschläger zu den „Waldheim-Dokumenten" (22. April 1986), in: Khol/Faulhaber/Ofner, Die Kampagne, S. 347–353.

38 Wodak et al., „Wir sind alle ...", S. 69.

39 Hans-Georg Heinrich/Manfried Welan, Der Bundespräsident, in: Herbert Dachs/Peter Gerlich/Herbert Gottweis/Franz Horner/Helmut Kramer/Volkmar Lauber/Wolfgang C. Müller/Emmerich Tálos (Hrsg.), Handbuch des politischen Systems Österreichs, Wien 1991, S. 134–139.

40 Vgl. hierzu auch Helmut Rumpler, Ein ehemaliger Österreicher namens Adolf Hitler, in: Othmar Karas (Hrsg.), Die Lehre. Österreich: Schicksalslinien einer europäischen Demokratie (Schriftenreihe Sicherheit & Demokratie), Wien – Graz 1988, S. 75–95.

41 Vgl. den Beitrag von Robert H. Keyserlingk in diesem Band.

42 Vgl. Robert Knight, The Waldheim-context. Austria and Nazism, in: *The Times Literary Supplement*, London, 3. 10. 1986, S. 1083; Ders., Der Waldheim-Kontext: Österreich und der Nationalsozialismus, in: Gerhard Botz/Gerald Sprengnagel (Hrsg.), Kontroversen um Österreichs Zeitgeschichte. Verdrängte Vergangenheit, Österreich-Identität, Waldheim und die Historiker (Studien zur Historischen Sozialwissenschaft 13), Frankfurt – New York 1994, S. 78–88; vgl. auch die kritische Analyse der österreichischen Zeitgeschichtsforschung von Thomas Angerer, An Incomplete Discipline: Austrian Zeitgeschichte and Recent History, in: *Contemporary Austrian Studies*, hrsg. v. Günter Bischof und Anton Pelinka, Vol. 3, New Brunswick – London 1994, S. 207–251; zum Gründungsmythos vgl. auch Günter Bischof, Die Instrumentalisierung der Moskauer Erklärung nach dem 2. Weltkrieg, in: *Zeitgeschichte* 20 (November/Dezember 1993), Heft 11/12, S. 345–366, und die kritischen Anmerkungen von Michael Gehler, „Die Besatzungsmächte sollen schnellstmöglich nach Hause gehen". Zur Interessenpolitik des Außenministers Karl Gruber 1945–1953 und zu weiterführenden Aufgaben eines kontroversen Forschungsprojekts, in: *Christliche Demokratie* 11 (1994), Heft 1, S. 27–78, hier S. 42 f. u. 70 ff.

43 Vgl. hierzu Schollum, Die „Waldheim-Kampagne", in: Khol/Faulhaber/Ofner, Die Kampagne, S. 15–118.

44 Vgl. Alfred Ableitinger, Bundespräsidentenwahl und Historie, in: *Öster-*

reichische Monatshefte (ÖMH) 42 (1986) Nr. 4, S. 11–12, der hierin die These entwickelt, daß sich die Waldheim-Angriffe auch gegen wesentliche Elemente des Grundkonsenses der Zweiten Republik richteten, die „Versöhnung", „Integration", „Ausgleichen", „Verzeihen" etc. hießen.

45 Zit. n. Dusek/Pelinka/Weinzierl, Aufriß, S. 296; vgl. auch Ruth Wodak/Rudolf De Cillia, Sprache und Antisemitismus. Judenfeindlichkeit im öffentlichen Diskurs in Österreich, in: *Mitteilungen des Instituts für Wissenschaft und Kunst* 43 (1988), Nr. 3, S. 2–28; vgl. die Aufsätze von John Bunzl, Zur Geschichte des Antisemitismus in Österreich, und Bernd Marin, Ein historisch neuartiger „Antisemitismus ohne Antisemiten", in: Dies., Antisemitismus in Österreich, Innsbruck 1983, S. 9–88, 171–192; Heinz Kienzl, Antisemitismus in Österreich. Eine Studie der österreichischen demoskopischen Institute, Wien 1987; zum Problemkomplex „Schuld" vgl. allgemein die Studie von Karl Jaspers, Die Schuldfrage. Von der politischen Haftung Deutschlands, München-Zürich 1965, 1987 (Neuausgabe). Vgl. zur Rezeption in Frankreich Gerald Stieg, Im Namen Bernhards und Waldheims. Das Österreichbild der französischen Kulturjournalistik von 1986–1992, in: Friedrich Koja/Otto Pfersmann (Hrsg.) Frankreich-Österreich. Wechselseitige Wahrnehmung und wechselseitiger Einfluß seit 1918 (Studien zu Politik und Verwaltung 58), Wien – Köln – Graz 1994, S. 221–245.

46 So Thomas Chorherr, „Aus der ,Insel der Seligen' wurde ein Paria-Staat", in: *Die Presse*, 4./5. 7. 1987, S. 5.

47 Vgl. hierzu den Sammelband von Anton Pelinka/Erika Weinzierl (Hrsg.), Das große Tabu. Österreichs Umgang mit seiner Vergangenheit, Wien 1987; zur Waldheim-Debatte vgl. Helmut Gruber, Antisemitismus im Mediendiskurs. Die Affäre „Waldheim" in der Tagespresse, Wiesbaden 1991; Bernhard Heindl, „Wir Österreicher sind ein anständiges Volk". Kurt Waldheim, Linz 1991; Pflichterfüllung. Ein Bericht über Kurt Waldheim, hrsg. von der Gruppe „Neues Österreich", Wien 1986; Jack Salzman, Kurt Waldheim. A case to answer?, London 1988.

48 Vgl. hierzu Fritz Plasser/Peter A. Ulram, Das Jahr der Wechselwähler. Wahlen und Neustrukturierung des österreichischen Parteiensystems 1986, in: *Österreichisches Jahrbuch für Politik* 1986, hrsg. v. Andreas Khol/Günther Ofner/Alfred Stirnemann, Wien 1987, S. 31–77; Fritz Plasser/Franz Sommer/Karl Spitzenberger, Analyse der Präsidentschaftswahl vom 4. Mai 1986, in: *ÖMH* 42 (1986), Nr. 3, S. 19–22; Fritz Plasser/Peter A. Ulram, Ein Beben mit Folgen. Die Präsidentschaftswahl 1986, in: *ÖMH* 42 (1986), Nr. 4, S. 6–10; vgl. Dokument 1 im Anhang zum Beitrag.

49 Erklärungen des Vizekanzlers und Bundesministers für Auswärtige Angelegenheiten Dr. Mock vor dem Nationalrat am 14. 5. 1987 (Chronologie wie Anm. 34).

50 Michael Morass/Helmut Reischenböck, Parteien und Populismus in Österreich, in: Anton Pelinka (Hrsg.), Populismus in Österreich, Wien 1987, S. 36–59; Archiv der Austria Presse-Agentur, APA 230 5 II 0252, zu FPÖ/Haider/Hintergrund/Chronologie vom 5. 3. 1992.

51 Vgl. Plasser/Ulram, Das Jahr der Wechselwähler, S. 31–77; Fritz Plasser, Die Nationalratswahl 1986: Analyse und politische Konsequenzen, in: *ÖMH* 42 (1986), Nr. 8, S. 9–26.

52 Vgl. z. B. Hermann Withalm, Quo vadis, ÖVP? in: *ÖMH* 43 (1987), Nr. 2, S. 6–7. Withalm zielte vor allem auf eine Erneuerung der Partei ab und sah in der Großen Koalition „vielleicht sogar eine letztmalige Chance" zur Sanierung.

53 Wolfgang C. Müller, Die neue große Koalition in Österreich, in: *Österreichische Zeitschrift für Politikwissenschaft (ÖZP)* 17 (1988), Nr. 4, S. 321–347; Otmar Lahodynsky, Der Proporz-Pakt. Das Comeback der Großen Koalition, Wien 1987.

54 Helmut Kramer, „Wende" in der österreichischen Außenpolitik? Zur Außenpolitik der SPÖ-ÖVP-Koalition, in: *ÖZP* 17 (1988), Nr. 2, S. 117–131.

55 Vgl. hierzu auch Rainer Stepan, Die Vorwürfe, Daten und Fakten. Eine historische Dokumentation, in: Khol/Faulhaber/Ofner (Hrsg.), Die Kampagne, S. 327–353.

56 Vgl. Walther Hubatsch (Hrsg.), Hitlers Weisungen für die Kriegführung 1939–1945. Dokumente des Oberkommandos der Wehrmacht, Frankfurt 1962; Manfred Messerschmidt, Die Wehrmacht im NS-Staat, in: Karl Dietrich Bracher/Manfred Funke/Hans-Adolf Jacobsen (Hrsg.), Nationalsozialistische Diktatur 1933–1945. Eine Bilanz (Schriften der Bundeszentrale für politische Bildung 192), Bonn 1986, S. 465–479; Walter Manoschek/Hans Safrian, Österreicher in der Wehrmacht, in: Emmerich Tálos/Ernst Hanisch/Wolfgang Neugebauer (Hrsg.), NS-Herrschaft in Österreich 1938–1945 (Österreichische Texte zur Gesellschaftskritik 36), Wien 1988, S. 331–360.

57 Vgl. hierzu Helmut Krausnick/Hans Heinrich Wilhelm, Die Truppe des Weltanschauungskrieges. Die Einsatzgruppen der Sicherheitspolizei und des SD 1938–1942. Eine exemplarische Studie, Stuttgart 1981.

58 „Knesseth über Vatikan-Visite empört. ‚Letztes Wort noch nicht gesprochen‘", in: *Die Presse*, 25. 6. 1987.

59 Vgl. Schollum, Die „Waldheim-Kampagne", in: Khol/Faulhaber/Ofner (Hrsg.), Die Kampagne, S. 116.

60 „US-Botschafter boykottiert Waldheim-Besuch beim Papst", in: *Die Presse*, 24. 6. 1987; „Wie ein Besuch bei alten Freunden. Bundespräsident Waldheim im Vatikan: herzliche Töne, ernste Gespräche", in: *Die Presse*, 27./28. 6. 1987.

61 Zit. n. *Kurier*, 27. 6. 1987.

62 Hans Rauscher, Wieder zwei Lager?, in: *Kurier*, 27. 6. 1987; vgl. auch Peter Michael Lingens, „Vom langen Marsch durch den Antisemitismus. Nicht Waldheim, Carl Hödl müßte zurücktreten", in: *profil*, 6. 7. 1987, Nr. 27, S. 12–13.

63 Bericht der Expertengruppe über das Archivstudium in Belgrad in Sachen Waldheim (8 S.) [Privatbesitz]; vgl. auch Manfried Rauchensteiner, Historiker im Troß des Staatsmanns, in: Gruber u. a. (Hrsg.), Wir über Waldheim, S. 134–141, der auf den kurzen Belgrad-Trip nur sehr kurz eingeht; die Historikerkommission, in: *Österreichisches Jahrbuch für Politik* 1988, hrsg. v. Andreas Khol/Günther Ofner/Alfred Stirnemann, Wien – München 1989, S. 335–367.

64 „Außenamt: Washington verletzte Völkerrecht", in: *Die Presse*, 30./31. 5. 1987; Rauchensteiner, Historiker, in: Gruber u. a. (Hrsg.), Wir über Waldheim, S. 135.

65 So geäußert von Bronfman bei der Exekutivtagung des WJC in Budapest

am 5. 5. 1987, vgl. „Wieder heftiger Angriff des WJC auf Waldheim", in: *Die Presse*, 6. 5. 1987.

66 Vgl. Stenographische Protokolle des Nationalrats, Sitzung vom 14. 5. 1987.

67 *profil*, 11. 5. 1987, Nr. 19, S. 32–37, hier S. 33 ff.

68 *Tiroler Tageszeitung*, 8. 5. 1987.

69 Alle Zitate stammen aus einem Interview mit dem *profil*, 11. 5. 1987.

70 Vgl. den Gastkommentar von Richard Mitten, „Ohne Kurtoisie", in: *profil*, 11. 5. 1987, Nr. 19, S. 26–27, hier S. 27, der „ziemlich sicher innenpolitische Gründe" für die zögernde Watchlist-Entscheidung für gegeben, die Vorgangsweise von Meese aber – „wenn auch nicht aus edlen Motiven" – für „weder rechtlich ungerechtfertigt noch unbelegt" hält; Zur zweifelhaften Integrität von Meese vgl. *Der Spiegel*, 8. 2. 1988, Nr. 6, S. 115–116; vgl. auch Shelly Ross, Präsidenten und Affären. Skandale und Korruption in der amerikanischen Politik. Eine Chronik über die Kehrseite der Macht, Bonn 1989, S. 237–242.

71 Vgl. Hazzard, Die Maske, bes. S. 107–112, 121–127, 143 f., 178 f.

72 Vgl. die Chronologie, in: Peter Opitz/Volker Rittberger (Hrsg.), Forum der Welt. 40 Jahre Vereinte Nationen, München 1986, S. 266.

73 Wiesenthal, Recht, S. 389.

74 Rosenbaum, Betrayal, S. 469 ff.

75 Eli Rosenbaum erwähnte in einem Interview mit CNN am 10. 6. 1993, daß Waldheim mit den Sowjets „very cooperative" gewesen sei. Moskau habe gewußt, daß Waldheim „Nazi" war und habe ihn benutzt. Unter Waldheim als Generalsekretär sei die UNO zu einer Sammelbasis für KGB-Spione in den USA geworden. Neben den Sowjets hätten auch die Jugoslawen von Waldheims Vergangenheit gewußt, aber dieses Geheimnis gehütet; der sowjetische Doppelagent Arkadij Schewtschenko war unter Waldheim Kabinettsmitglied des Generalsekretärs, vgl. Hazzard, Die Maske, S. 102, 127; Andreas Khol, Die Kampagne gegen Waldheim – Internationale und nationale Hintergründe, in: Ders./Faulhaber/Ofner (Hrsg.), Die Kampagne, S. 179–212, hier S. 205 spricht von „abstrusen Behauptungen, er [Waldheim] sei ein kommunistischer Agent in den Vereinten Nationen gewesen und dies erkläre das Abseitsstehen der kommunistischen Länder und Medien von der Kampagne gegen Waldheim" – allerdings ohne stichhaltige Gegenbelege!

76 Vgl. das Buch von Karl Gruber, Zwischen Befreiung und Freiheit. Der Sonderfall Österreich, Wien 1953, welches seinen Sturz im November 1953 provozierte.

77 Hans Reichmann, Österreich das erste Opfer einer Angriffshandlung Hitlers, in: *ÖMH* 43 (1987), Nr. 4, S. 35–36; Interview mit Botschafter Dr. Hans Reichmann (†) am 21. 2. 1992 (Tonbandaufzeichnung im Besitz des Verfassers).

78 Fritz Molden, Fepolinski und Waschlapski auf dem berstenden Stern. Bericht einer unruhigen Jugend, Wien 1976; Ders., Die Feuer in der Nacht. Opfer und Sinn des österreichischen Widerstandes 1938–1945, Wien 1988; Interview mit Fritz Molden am 6. 2. 1991 (Tonbandaufzeichnung im Besitz des Verfassers).

79 Vgl. „Widerstandskämpfer kämpfen für Waldheim. Koordinationsprobleme um Imageaktion", in: *Die Presse*, 12. 6. 1987.

80 Image-Botschafter Reichmann auf Tour. „Waldheim muß Kreiskys Politik ausbaden", in: *Die Presse*, 13./14. 6. 1987.

81 *Jerusalem Post*, 23. 6. 1987.

82 *Kurier*, 30. 6. 1987.

83 „Josef Hindels: Einzelkämpfer und Gralshüter. Er warf den Stein gegen Waldheim ins Wasser", in: *Die Presse*, 30. 6. 1987; vgl. auch „Les socialistes viennois réclament la démission du président Waldheim", in: *Etranger. Gazette de Lausanne*, 29. 6. 1987.

84 *Die Zeit*, Nr. 20/1986, bezeichnete Waldheim als Anlaß und Auslöser der österreichischen Lebenslüge. Als deren Wortführer habe der „Herr Kurt" [Waldheim] die Kabarettfigur des „Herrn Karl" [Helmut Qualtinger] abgelöst. Erika Weinzierl wehrte sich vehement gegen diesen Begriff. Es habe 1945 nicht nur ein unter den Teppichkehren der NS-Vergangenheit, sondern sehr wohl einen pro-österreichischen demokratischen Grundkonsens der „Stunde Null" gegeben.

85 Wiesenthal, Recht, S. 394, nahm in der Waldheim-Debatte eine Mittelstellung ein. Einerseits sah er Waldheim nicht als einen Kriegsverbrecher, andererseits hielt er dessen Angaben über seine Kriegszeit am Balkan für unglaubwürdig und plädierte deshalb auch für seinen Rücktritt nach Bekanntgabe des Urteils der Historikerkommission. Das Faktum, daß Wiesenthal (darunter auch von Antisemiten) entweder als Ent- oder Belastungszeuge instrumentalisiert wurde (worauf Wodak et al., „Wir sind alle ...", S. 108 f., 111 hinweisen), ändert nicht zwingend etwas am Gewicht seiner Aussagen; zu einer äußerst kritischen Darstellung der Rolle Wiesenthals in der Waldheim-Affäre vgl. Rosenbaum, Betrayal, S. 437–464, bes. S. 452 f., 454 ff., 461 f., 472. Rosenbaum offerierte einen umfangreichen Fragenkatalog, der sich wie eine Anklage liest (S. 484–489) und unbeantwortet blieb. Wiesenthal wird in dem Buch als „lebende Legende", unfähiger und untätiger „Nazijäger" bezeichnet sowie als Verbündeter Waldheims gesehen, der die Arbeiten des WJC (die er kritisiert hatte) behindert habe. Durch diese Darstellung scheint eine neue Verschwörungstheorie Nahrung zu erhalten; Rosenbaum wiederholte in einem Fernsehinterview mit CNN am 10. 6. 1993 seine Kritik an Wiesenthal, Waldheim nicht zur Strecke gebracht und den Staat Israel, der angefragt hatte, nicht umfassend informiert zu haben. Wiesenthal replizierte, daß ihn der Brief mit den Fragen an den Großinquisitor vor 500 Jahren erinnerte. Der WJC habe recht gehabt, wenn er von Waldheim als einem Lügner sprach, konnte aber keinen Nachweis bringen, daß er persönlich in Verbrechen involviert war. Die antisemitische Stimmung sei entstanden, „because these people attack Austria, the whole nation".

86 Kurt Waldheims Kriegsjahre. Eine Dokumentation, Wien 1987, „Waldheim-Diskussion wird heftiger. SP-Pläne für den Fall eines Rücktritts", in: *Die Presse*, 28./29. 11. 1987; zur Kritik des WJC am Weißbuch vgl. „Waldheim – die Schlinge zieht sich zu"', in: *Der Spiegel*, 25. 1. 1988, Nr. 4, S. 128–134, hier S. 133 f.; kritisch hierzu: Hubertus Czernin über das „Weißbuch": „Das Buch der Weißen Flecken", in: *profil*, 30. 11. 1987, Nr. 48, S. 23–24.

87 „Waldheim – Gongschlag zur letzten Runde. Erstmals weist ein Dokument den österreichischen Bundespräsidenten Kurt Waldheim als Mittäter bei Kriegsverbrechen aus. Danach gab er im Jahre 1942 bei einer

berüchtigten Aktion im bosnischen Kozara-Gebirge den Befehl zur Deportation von über 4.000 Zivilgefangenen, die später zum Teil in der Haft umkamen", in: *Der Spiegel*, 1. 2. 1988, Nr. 5, S. 116–118; Hubertus Czernin, „Waldheim war in den Gefangenentransport verwickelt'. Der jugoslawische Historiker Dusan Plenca veröffentlicht im Hamburger Magazin ‚Der Spiegel' Dokumente über Kurt Waldheims persönliche Verwicklung in die Deportation Tausender Zivilisten", in: *profil*, 1. 2. 1988, Nr. 5, S. 28–31 – ein journalistischer Schnellschuß folgte dem anderen.

88 *Der Spiegel*, 15. 2. 1988, Nr. 7, S. 3, bedauerte in einer nicht unpolemischen und selbstgerechten „Hausmitteilung", seinen Lesern „dieses seit vierzehn Tagen umstrittene und von den jugoslawischen Behörden zur ‚wahrscheinlichen Fälschung' erklärte Papier als ‚Der Beweis' und nicht mit der gebotenen Distanzierung präsentiert zu haben"; Hubertus Czernin, „Eigentlich spricht alles gegen die Echtheit des ‚Spiegel'-Telegramms, wonach Kurt Waldheim vor 46 Jahren die Deportation von 4224 Zivilisten verlangte. Tatort Belgrad", in: *profil*, 8. 2. 1988, Nr. 6, S. 12–16.

89 Vgl. auch „Wundersame Wandlung", in: ebd., S. 112–116, hier S. 116.

90 Der Bericht der Internationalen Historikerkommission, in: *profil* (profildokumente), 15. 2. 1988, Nr. 7, S. 1–48; vgl. Dokument 2 im Anhang zum Beitrag.

91 Ebd., S. 42; Wodak et al., „Wir sind alle …", S. 80.

92 Bericht der Internationalen Historikerkommission, S. 43.

93 Ebd., S. 43 f.

94 Zu den Reaktionen vgl. auch „Nur noch Waldheim hält zu Waldheim" und „Ich höre davon zum erstenmal", in: *Der Spiegel*, 15. 2. 1988, S. 110–112; vgl. auch „Es trifft ihn der Schlag". Die letzten zwei Arbeitstage der Wissenschaftler, in: *profil*, 15. 2. 1988, Nr. 7, S. 22 f.

95 Vgl. zur Kritik an den Arbeiten der Geschichtsforscher Joseph H. Kaiser, Im Streit um ein Staatsoberhaupt. Zur Causa Bundespräsident Waldheim. Gravierende Grenzüberschreitungen und Fehler der Historiker-Kommission, Berlin 1988, S. 14 f., 28 f., 30 f.; vgl. auch Fritz von Schwind, Historische Fehlleistung?, in: *Die Presse*, 8. 3. 1988.

96 Ebd., S. 42; vgl. auch Ministry of Defense, Review of the results of investigations carried out by the Ministry of Defense in 1986 into the fate of British servicemen captured in Greece and the Greek Islands between October 1943 and October 1944 and the involvement, if any, of the then Lieutenant Waldheim, London 1989.

97 Hubertus Czernin, „Pushy young man'. Neun Tage lang verhandelte ein britisch-amerikanisches TV-Tribunal über die Kriegsvergangenheit Kurt Waldheims", in: *profil*, 30. 5. 1988, Nr. 22, S. 14–20; Joachim Riedl, Tribunal gegen Kurt Waldheim, Suche nach dem „rauchenden Colt", Ein britisches TV-Gericht sprach Österreichs Bundespräsidenten frei, in: *Die Zeit*, 106, 1988, Nr. 24, S. 10; Jack Saltman, Kurt Waldheim. A case to answer, London 1988.

98 Kaiser, Im Streit, S. 38.

99 Zu den vehementen Waldheimbefürwortern auch in der weiteren Folge gehörten der Publizist Otto Schulmeister und Min. a.D. Dr. Karl Gruber, so zuletzt noch in der Sendung „Zeitzeugen" im ORF, FS 2, am 26. 3. 1991 im Gespräch mit Johannes Kunz.

100 So Simon Wiesenthal und Otto Schulmeister in einer ZDF-Dokumenta-

tion über den Fall Waldheim [8. Februar 1988]; vgl. auch Rosenbaum, Betrayal, S. 443.

101 Erika Weinzierl, Es geht um unsere Identität, in: Milo Dor (Hrsg.), Die Leiche im Keller. Dokumente des Widerstands gegen Dr. Kurt Waldheim, Wien 1988, S. 83 f.; Dies., Schuld durch Gleichgültigkeit, in: Anton Pelinka/Erika Weinzierl (Hrsg.), Das große Tabu. Österreichs Umgang mit seiner Vergangenheit, Wien 1987, S. 174–195.

102 Vgl. Gerhard Botz, Die Synthese mit Österreichs NS-Vergangenheit, in: Milo Dor, Die Leiche, S. 22–26 (Rede Botz' bei der Kundgebung auf dem Ballhausplatz 12. 3. 1988); Ders., Österreich und die NS-Vergangenheit. Verdrängung, Pflichterfüllung, Geschichtsklitterung, in: Dan Diner (Hrsg.), Ist der Nationalsozialismus Geschichte? Zu Historisierung und Historikerstreit, Frankfurt/Main 1987, S. 141–152.

103 Karl Gruber, Im Wien der Teppichwickler und des Dritten Manns, in: Die Weltwoche, 5. 2. 1987.

104 Vgl. Günter Bischof/Josef Leidenfrost (Hrsg.), Die bevormundete Nation. Österreich und die Alliierten 1945–1949 (Innsbrucker Forschungen zur Zeitgeschichte 4), Innsbruck 1988; vgl. hierzu kritisch Thomas Angerer, Der ‚bevormundete Vormund' und zweierlei ‚Emanzipation'. Die französische Besatzungsmacht in Österreich und einige Gründe zur Historisierung der Bevormundungsthese, in: Alfred Ableitinger/Siegfried Beer/Eduard G. Staudinger (Hrsg.), Österreich unter alliierter Besatzung 1945–1955 (Studien zu Politik und Verwaltung), Wien – Köln – Graz i. E.

105 „Große Empörung über Waldheim-Freund Gruber", in: NZ, 13. 2. 1988, S. 2; Gruber rechtfertigte seine Aussage vehement in der ORF-Hörfunk-Sendung „Im Gespräch" mit Peter Huemer und Robert Knight am 9. 6. 1988. Der Historikerkommission gehörten James L. Collins, Hans-Rudolf Kurz, Jean Vanwelkenhuyzen, Gerald Fleming, Jehuda Wallach, Hagen Fleischer und Manfred Messerschmidt an; vgl. Gerhard Roth, „Wahrheit ist Lüge, Lüge ist Wahrheit. Das doppelköpfige Österreich", in: profil, 15. 2. 1988, Nr. 7, S. 14–18, hier S. 18. Die Kommission bestand aus „Falken" und „Tauben". Während Wallach, Fleming, Fleischer und Messerschmidt auf der „moralischen Mitschuld" beharrten, waren Collins und Vanwelkenhuyzen dagegen, Kurz hatte als Kommissionsleiter große Bedenken wegen der Unstimmigkeiten. Das deutsche Kommissionsmitglied Messerschmidt war im übrigen parteilos; Zur Thematik siehe auch das Kapitel Die Waldheim-Saga, in: Karl Gruber, Meine Partei ist Österreich. Privates und Diplomatisches, Wien 1988, S. 327–343; im Interview mit Min. a. D. Dr. Karl Gruber (†) am 25. 2. 1992 (Tonbandaufzeichnung im Besitz des Verfassers) hielt dieser an seiner Position von 1988 unverrückbar fest.

106 Meinrad Ziegler/Waltraud Kannonier-Finster, Österreichisches Gedächtnis. Über Erinnern und Vergessen der NS-Vergangenheit, Wien – Köln – Weimar 1993, S. 230–254, hier S. 244.

107 Ziegler/Kannonier-Finster, Österreichisches Gedächtnis, S. 230–254, hier S. 239.

108 Heidemarie Uhl, Zwischen Versöhnung und Verstörung. Eine Kontroverse um Österreichs historische Identität fünfzig Jahre nach dem „Anschluß" (Böhlaus Zeitgeschichtliche Bibliothek 17), Wien – Köln – Weimar 1992.

109 Vgl. auch die diesbezügliche Kritik von Norbert Leser, Bilanz der Ära
    Waldheim, in: Gruber u. a. (Hrsg.), Wir über Waldheim, S. 93–97, hier
    S. 95 ff.
110 Vgl. die Artikel bzw. Berichte in: *Kurier*, 31. 7. 1987, 15. 4. 1991, 22. 4.
    1991.
111 Manfried Welan, Der Bundespräsident. Kein Kaiser in der Republik
    (Studien zur Politik und Verwaltung 40), Wien 1992.
112 Haider in der TV-Sendung *Inlandsreport*, 18. 8. 1988; vgl. auch zur
    Gesamtproblematik Hans-Henning Scharsach, Haiders Kampf, Wien
    1992; vgl. auch Brigitte Bailer, „Ideologische Mißgeburt" und „ordentli-
    che Beschäftigungspolitik". Rechtspopulistische Skandale, in: Geh-
    ler/Sickinger (Hrsg.), Politische Affären, S. 666–678.
113 Überblicksartig hierzu Michael Gehler, Der „Anschluß" von 1938 und
    die internationalen Reaktionen, in: *Aus Politik und Zeitgeschichte*. Bei-
    lage zur Wochenzeitung Das Parlament, B 9/88, 26. 2. 1988, S. 34–46,
    und die einschlägige Monographie von Erwin A. Schmidl, März 38. Der
    deutsche Einmarsch in Österreich, Wien 1988[2], S. 239–251; mit aktuel-
    len Beiträgen und neuer Literatur vgl. Felix Kreissler (Hrsg.) Fünfzig
    Jahre danach, der „Anschluß" von innen und außen gesehen. Beiträge
    zum internationalen Symposion von Rouen, 29. Februar–4. März 1988,
    Wien – Zürich 1989, und Gerald Stourzh/Birgitta Zaar (Hrsg.), Öster-
    reich, Deutschland und die Mächte. Internationale und österreichische
    Aspekte des „Anschlusses" vom März 1938 (Österreichische Akademie
    der Wissenschaften, Veröffentlichungen der Kommission für die Ge-
    schichte Österreichs, Philosophisch-Historische Klasse 16), Wien 1990.
114 Vgl. Othmar Karas (Hrsg.), Die Lehre. Österreich: Schicksalslinien einer
    europäischen Demokratie (Schriftenreihe Sicherheit & Demokratie),
    Wien – Graz 1988, S. 13–17; vgl. Dokument 3 im Anhang zum Beitrag.
115 Vgl. hierzu auch Robert Edwin Herzstein, The Recently Opened United
    Nations War Crimes Archives: A Researcher's Comment, in: *American
    Archivist* 52 (1989), S. 208–213, hier S. 210 f.
116 Vgl. z. B. Ludwig Steiner, Anschuldigungen gegen Waldheim: Es gibt
    kein neues Material, in: *ÖMH* 44 (1988), Nr. 1, S. 33.
117 „Filiale der Mafia", in: *Der Spiegel*, 1. 2. 1988, Nr. 5, S. 118.
118 Hubertus Czernin, Fall Noricum. Die Khol-Papiere. Wer legte wen 1986
    aufs Kreuz? Die Regierung Sinowatz die Volkspartei oder die ÖVP die
    Öffentlichkeit? *profil*, 21. 8. 1989; Sitzungsprotokoll: Blecha beruhigte
    VP „Keine Noricum-Waffen im Iran", in: *Die Presse*, 25. 8. 1989.
119 Khol, Die Kampagne, in: Ders./Faulhaber/Ofner (Hrsg.), Die Kampagne,
    S. 204, meint hierzu: „Eine rechtzeitig eingebrachte Millionenklage ge-
    gen die Drahtzieher der Kampagne, die Hauptverleumder, wäre wahr-
    scheinlich ein wirksamer Schuß vor den Bug gewesen. Da dies aber
    unterblieb, wurde der bereits angesprochene Mordinstinkt der Presse,
    vor allem der amerikanischen, geweckt und am Leben erhalten."
120 Vgl. Schollum, Die „Waldheim-Kampagne", S. 113–118; Rauchensteiner,
    Historiker, in: Gruber u. a. (Hrsg.), Wir über Waldheim, S. 134.
121 Wiesenthal, Recht, S. 384.
122 So Anton Pelinka, Waldheim in uns, in: Milo Dor, Die Leiche, S. 16–18.
123 Vgl. Ziegler/Kannonier-Finster, Gedächtnis, S. 240.

Dokument 1

Peter Michael Lingens, Unzulässige Emotionen am Ende eines unzulässigen Wahlkampfes

DAS RECHT ZU KOTZEN

Man müßte auf dem Stimmzettel eine neue Rubrik mit dem Titel „Keiner von beiden" einführen. Wenn die Mehrheit der Wähler dort ihr Kreuzl macht, sollte die Wahl annulliert und mit neuen Kandidaten wiederholt werden müssen. Ich glaube, daß diese Variante eine gute Chance hätte.

Da es sie leider nicht gibt, wird Kurt Waldheim am kommenden Sonntag zweifellos einen neuerlichen Triumph feiern: Alle Leute, die im ersten Wahlgang für ihn gestimmt haben, werden wieder für ihn stimmen. Die Vorstellung der SPÖ, daß diejenigen darunter, die „nur gegen die SPÖ protestieren wollten", diesmal Steyrer wählen würden, ist naiv. Erstens sind die Gründe zum Protest nicht geringer geworden, und zweitens widerspricht es allen Erfahrungen der Psychologie; daß jemand, der bei einer Persönlichkeitswahl schon einmal „Waldheim" angekreuzt hat, nun „Steyrer" ankreuzen sollte.

Die Scrinzi-Wähler werden, wenn überhaupt, ausschließlich Waldheim wählen. Und die Wähler von Freda Meissner-Blau werden in ihrer Mehrheit gar nicht zur Wahl gehen oder weiß votieren. Zwar gibt es einige unter ihnen, die sich so sehr gegen Kurt Waldheim engagiert haben, daß sie Kurt Steyrer als „kleineres Übel" empfehlen. Aber ihnen stehen die sehr zahlreichen Grün-Anhänger gegenüber, die mitten aus dem bürgerlichen Lager kommen und Waldheim für das kleinere Übel halten.

Bleibt die Hoffnung der SPÖ, sie könnte sämtliche Nichtwähler zugunsten Kurt Steyrers mobilisieren: Was abermals einem Wunder gleichkäme: Denn jene Nichtwähler, die einfach politisch desinteressiert sind, werden desinteressiert bleiben, jene, die aus Protest nicht zur Wahl gegangen sind, werden keinen Grund sehen, von ihrem Protest abzurücken; und schließlich dürften sich unter den Nichtwählern auch eine ganze Menge ÖVP-Sympathisanten finden, die Waldheim nicht wählen wollten, nun aber ganz sicher auch nicht Steyrer wählen werden.

Daß Steyrer ein Underdog-Effekt zugute kommen könnte, wie er etwa in England öfter beobachtet wird, ist gleichfalls auszuschlie-

ßen: Wo es einen Schwächeren gibt, schlagen sich die Österreicher
grundsätzlich zum Stärkeren.

Damit ist, von der Papierform her, das Rennen für Kurt Waldheim
gelaufen. Das einzige, was einen neuerlichen triumphalen Wahlsieg
Waldheims verhindern könnte, ist aller Leute Überzeugung von
einem neuerlichen triumphalen Waldheim Wahlsieg: Wenn das
Wetter schön ist, könnten es manche seiner Anhänger gar nicht
mehr für notwendig halten, ihr Scherflein dazu beizutragen.
Dann wird es ein knapperer Wahlsieg – aber ein Sieg jedenfalls.

Soweit der offizielle Leitartikel: Brav, unparteiisch, emotionslos,
genau so, wie sich profil-Eigentümer und profil-Leser einen ordentlichen Leitartikel vorstellen. Aber dann und wann muß es auch dem
Chefredakteur gestattet sein, aus dem Bauch statt aus dem Kopf zu
schreiben: In jedem ordentlichen Bahnhofsrestaurant darf man kotzen, vorausgesetzt man entrichtet die vorgeschriebenen 200 Schilling Reinigungsgebühr.

Auch ich muß – ein-, zweimal in zehn Jahren – ins Blatt kotzen
dürfen.

Kurt Waldheim kotzt mich an. Dieser „große Österreicher", der der
jämmerlichste Generalsekretär gewesen ist, den die Vereinten Nationen in einer Reihe jämmerlicher Generalsekretäre jemals besessen haben. Dessen Reputation im Ausland lang vor der sogenannten
„Kampagne" ungefähr so gut war wie die des Volksopernballetts.
Der, wie die „Salzburger Nachrichten" so treffend bemerkten, einen
Gummischlauch statt eines Rückgrats eingezogen hat. Nur, daß
selbst dieser Schlauch im Zweifel in die falsche Richtung taumelt:
Gefügig wie keiner vor ihm gegenüber den Russen, feindlich wie
keiner vor ihm gegenüber Israel und den USA. Patschert und erfolglos wie keiner vor ihm, selbst wenn es um unbedeutendste Verhandlungen wie die Befreiung irgendwelcher Geiseln ging.

Die Schließung der Prager Botschaft und das charakteristische Bestreiten der Verantwortung dafür als Markenzeichen. Und zu alle-
dem die jüngsten Gedächtnislücken, gepaart mit der ebenso selbstgerechten wie obszönen Überzeugung, er hätte „nur seine Pflicht
getan", als er am Balkan Kriegsverbrechen registrierte.

Ein Bundespräsident zum Abgewöhnen. Kurt Steyrer kotzt mich
an. Ja, er ist persönlich ein lieber, anständiger Mensch, freundlich
wie übrigens Kurt Waldheim auch. Aber schon als Gesundheitsmi-
nister ein Totalversager. Ein Freund, der in entscheidender Position
mit ihm zu tun hatte, schildert ihn mir als noch eine Klasse unfä-

higer als Ingrid Leodolter – und das will etwas heißen. Denn Kurt Steyrer habe grundsätzlich jeden Konflikt vermieden – und das geht nur, wenn man auch jede Entscheidung vermeidet.

Diesem Prinzip ist er im Wahlkampf treu geblieben: Nirgendwo auch nur der Versuch einer profilierteren und damit kontroversielleren Aussage. Nicht einmal jetzt, da sowieso schon alles verloren ist, der Mut zum Risiko. Statt dessen der durchaus ernst zu nehmende Versuch, Kurt Waldheim an Unglaubwürdigkeit (wenn auch in nicht so wichtigen Bereichen) noch zu übertreffen: Da werden Pensionen garantiert, die niemand angreift; da fordert der ehemalige „Arzt für Atomkraft" atemlos Umdenken nach Tschernobyl, und da fährt der sozialistische Präsidentschaftskandidat nun schon durch Wochen durch einen steirischen Industrieort nach dem anderen, um den Arbeitern all das zu versprechen, was die SPÖ ganz sicher nicht halten kann. (Es sei denn unter neuerlichem und diesmal endgültigem Verzicht auf die wirtschaftspolitische Vernunft.)

Das einzige, was man Kurt Steyrer zugute halten kann: Er biegt und beugt sich aus im SPÖ-Milieu erworbener Schwäche und nicht wie Kurt Waldheim aus Veranlagung.

Die ÖVP kotzt mich an: Was ein geeichter ÖVP-Anhänger ist, der wählte einen Kretin zum Bundespräsidenten, wenn es nur die erste Wahlniederlage der SPÖ bewirkt. Die kältesten Krieger erklären einem plötzlich, warum Kurt Waldheim gar nicht anders konnte, als sich den Russen anzubiedern. Die entschiedensten Nazigegner, die zeitlebens nicht einmal dem NS-Kraftfahrkorps beigetreten sind, erklären einem, warum man gar nicht anders konnte, als mit der SA auszureiten und eine Dissertation zu schreiben, in der man den Zweiten Weltkrieg als die „große Auseinandersetzung des Reiches mit der außereuropäischen Welt" beschreibt, aus der sich ein „großartiges Zusammenwirken aller Völker Europas unter der Führung des Reiches ergeben wird" (siehe Bericht auf Seite 56).

Leute, von denen ich bisher dachte, sie seien dem aufrechten Gang verpflichtet, preisen auf einmal den Vorzug des Gummischlauchs.

Und das sind noch die Anständigen, die wenigstens hinzufugen, der Antisemitismus, der in Waldheims Wahlveranstaltungen mitschwinge, sei ihnen unsympathisch.

Ein Antisemitismus, den die Spitzenfunktionäre dieser Partei zwei Monate lang nach Kräften geschürt haben. Selbst jetzt, da sie wissen, daß sowieso schon alles gewonnen ist, da es eh nur mehr um zehn Prozent oder fünf Prozent Abstand geht, können sie nicht darauf verzichten, bei jeder Gelegenheit die „gewissen Kreise" in den Mund zu nehmen, um dann scheinheilig zu erklären, daß sie die Gefühle nicht haben wollen, auf die sie setzen. Jahrelang waren sie gegenüber einer desolaten Regierungspartei unfähig, auch nur den Schimmer einer Alternative zu formulieren. Aber jetzt, da es um eine reine Schlammschlacht geht, sind sie in ihrem Element. Da wird Alois Mock zum mitreißenden Redner, und Michael Graff spricht allen echten Österreichern mit seinen Worten mitten aus dem Herzen. Man muß Gott danken, daß sie im Augenblick nicht sofort wieder eine Mördergrube daraus machen können.

Die SPÖ kotzt mich an. Als Journalist ist es mir nicht gelungen zu beweisen, daß sie hinter den Angriffen auf Kurt Waldheim steht, und im Gegensatz zu ÖVP-Politikern posaune ich nicht aus, wofür ich keine Belege habe. Aber als Privatmann hege ich so wenig Zweifel an der Urheberschaft der SPÖ wie alle anderen Österreicher. Und jedenfalls hat diese Partei vier Monate lang so getan, als sei sie über Waldheims Vergangenheit entrüstet.

Die Partei, die die ehemaligen Nazis in Österreich überhaupt erst salonfähig gemacht hat, die NSDAP-Mitglieder, SS-Leute und Verdächtige eines Neo-Nazi-Prozesses in ihren Regierungen vereinte. Die Friedhelm Frischenschlager das Vertrauen aussprach, nachdem er einen Kriegsverbrecher wie einen Staatsgast empfing. Vor allem aber die Partei, die sich voll und ganz hinter Friedrich Peter gestellt hat: Friedrich Peter, neben dem Kurt Waldheim ein Heiliger ist, den man nicht in einem Atemzug mit ihm nennen dürfte.

Als ich dann neulich im Radio Heinz Fischer sich über Waldheim empören hörte – jenen Heinz Fischer, der in der Affäre Peter einen parlamentarischen Ausschuß gegen Simon Wiesenthal verlangte –, wurde ich zum erstenmal in meinem Leben braun: Ich konnte die Galle nicht mehr hinunterschlucken.

Nur der Ordnung halber und zum Abschluß: Auch meine Branche kotzt mich an. Was da als Waldheim-Berichterstattung angeboten wurde, war mit wenigen Ausnahmen so unpräzise, so undifferenziert, so parteiisch und einseitig, daß es einem die Schamröte ins Gesicht trieb, sobald man mit einem ausländischen Journalisten zusammentraf.

Daß die Kommentatoren der „New York Times" nicht viel besser sind, mag ein anderer als Trost empfinden.

Ich weiß, daß man einen solchen Leitartikel nicht schreiben soll. Man soll den künftigen Bundespräsidenten nicht abwerten, denn wir müssen mit ihm leben, und sein Amt bedarf des Respekts. Man soll die Parteien nicht abwerten, denn sie sind die wichtigsten Träger unserer Demokratie. Und man soll die Politik nicht abwerten, denn die Politikmüdigkeit ist sowieso schon gefährlich genug. Aber ist das Politik?

Kann man einem das Kotzen verwehren, der seit mehr als vier Monaten mitten in der Kotze steht?

profil, 2. 6. 1986, Nr. 23, S. 14–15.

Dokument 2

Der Bericht der internationalen Historikerkommission

Zusammenfassende Schlußbetrachtungen

1. Die Historikerkommission hat ihren Auftrag als wissenschaftliche Arbeit aufgefaßt.

Die Kommission hat ihren Auftrag wie folgt interpretiert:

„This independent Commission has been established to determine the facts concerning the wartime service of Waldheim and of his participation in National-Socialist organizations. The political content of his doctoral dissertation will also be examined. The Commission may interview witnesses and examine documentary evidence in national and private archives without restraint.

The Austrian Foreign Ministry, while defraying the expenses of the Commission, has no power to alter the final report of the Commission."

Nachdem das von Mitarbeitern von Waldheim herausgegebene Weißbuch inhaltlich über die Kriegszeit hinausgegangen ist, werden auch im Bericht der Kommission Hinweise enthalten sein, welche die Nachkriegsjahre betreffen.

Für die Kommission ging es darum, nach historischen Forschungsmethoden, gestützt auf alle ihr zugänglichen Quellen, insbesondere die noch erfaßbaren Akten, die geschichtlichen Tatbestände möglichst objektiv und umfassend festzuhalten und ohne vorgefaßte Meinung, aber auch ohne bestimmte Zielrichtung abzuklären, welche Rolle Waldheim auf den verschiedenen Kriegsschauplätzen gespielt hat, auf denen er tätig war. Die Kommission betrachtet sich als rein wissenschaftlich feststellende Instanz. Sie hat keine richterliche Funktion. Ihre Aufgabe besteht ausschließlich darin, die Tatsachen und Zusammenhänge so darzustellen, wie sich diese für sie auf Grund der verfügbaren Unterlagen ergeben haben. Es bleibt Sache der Besteller und Empfänger des Berichts, aus diesem die ihnen notwendig scheinenden Folgerungen zu ziehen.

2. Die Presse und andere interessierte Stellen haben eine Anzahl von Fragen zur Arbeit der Kommission aufgeworfen. Diese wurden von der Kommission ernsthaft erwogen, ihre Beurteilung lautet wie folgt:

a) Die Kommissionsmitglieder sind sich der Tatsache bewußt, daß ihre fünfmonatige Arbeitszeit kurz bemessen war. Allerdings konnte die Historikerkommission auf die einschlägigen Erfahrungen verschiedener Forscher und Organisationen zurückgreifen: In manchen Fällen gelang das allerdings nicht, da der Kommission der Zugang zu der „dokumentarischen Basis" einiger untersuchender Stellen bzw. Privatleute verweigert wurde. Dennoch war die Kommission der Ansicht, daß sie weitaus den größten Teil der verfügbaren Dokumente kennt und ausgewertet hat:

Obschon Historiker ihre Forschungsprojekte nicht gerne abschließen, muß jede Forschung einmal zum Abschluß kommen. Der Zeitpunkt für die Beendigung dieser Untersuchung dürfte annehmbar sein.

b) Für ihre Arbeit hat die Kommission von den österreichischen Stellen die nötige Unterstützung erhalten. Keine ihrer Bitten um Information oder Dokumente ist ihr abgeschlagen worden.

c) Der Kommission ist der Vorwurf gemacht worden, sie habe keine Untersuchungsspezialisten (Investigators) unter ihren Mitgliedern gehabt. Dabei wurde übersehen, daß die Kommissionsmitglieder erfahrene Historiker und damit Untersuchungsfachleute sind. Auch hatten alle Kommissionsmitglieder Kontakte zu Bibliothekaren, Archivisten und zu Kollegen, die wesentlich dazu beitrugen, die Vollständigkeit und Reichweite ihrer Forschung zu vergrößern.

d) Auch wurde behauptet, daß der Mangel an Zeugnispflicht, welche die Anwesenheit von Zeugen und die Vorlage von Dokumenten hätte erzwingen können, ein Nachteil war. Eine sich auf Österreich begrenzende Zeugnispflicht – mehr hätte die österreichische Regierung nicht zugestehen können – hätte der Kommission bei der Beschaffung von Dokumenten und der Vorladung von Zeugen aus anderen Ländern kaum helfen können. Was Österreich anbetrifft, so wurden der Kommission alle erwünschten Zeugenaussagen ermöglicht.

e) Da die Kommission kein Tribunal ist, erschien ihr nicht als ein Nachteil, daß nur zwei Kommissionsmitglieder eine juristische Ausbildung besitzen. Die Kommission wollte den Sachverhalt weder gerichtlich beurteilen noch verteidigen. Sie sah ihre Aufgabe darin, die historischen Zusammenhänge ihres Untersuchungsbereichs zu klären. Von Historikern wird erwartet, daß sie feststellen, was in der Vergangenheit geschehen ist. Geschehnisse, die 43 bis 46 Jahre zurückliegen, eignen sich durchaus für eine zeitgeschichtliche Untersuchung. Historiker sind es gewöhnt, in Archiven zu arbeiten, um die Bedeutung der vorliegenden Dokumente im Rahmen des Zeitgeschehens zu bewerten: Wären schwerwiegende juristische Fragen aufgetaucht, hätten Völkerrechtsexperten beigezogen werden können.

3. Die einzelnen Abschnitte des Kommissionsberichtes behandeln Waldheims Tätigkeit in verschiedenen Stabsfunktionen in Jugoslawien und Griechenland. Lediglich während seines Einsatzes in der Sowjetunion bei der Vorausabteilung von A. Pannwitz besaß Waldheim als Schwadronchef Befehlsgewalt über deutsche Soldaten.

In den verschiedenen Stabsstellungen hat er Aufgaben wahrgenommen, die das Schicksal von Gefangenen oder Flüchtlingen betreffen konnten. Die Weitergabe von Vernehmungsprotokollen von Aussagen alliierter Kommandoangehöriger stand in ursächlichem Zusammenhang mit deren weiterem Schicksal, das durch Hitlers Kommandobefehl vom 18. Oktober 1942 generell entschieden worden war. Mitwirkung dieser Art kann als befehlsmäßiges Handeln qualifiziert werden in klarer Kenntnis der Tatsache, daß der Befehl Verbrechen bezweckte. Über den Handlungsspielraum eines O3 in diesem Zusammenhang ist an der gegebenen Stelle des Gutachtens Näheres ausgeführt.

Als O2 in Westbosnien befand sich Waldheim in unmittelbarer Nähe verbrecherischer Aktionen, insbesondere in Banja Luka, wo er Kenntnis von der Arbeitsweise des dortigen Ic gehabt haben muß: Die Befassung mit Transporten von Gefangenen und Flüchtlingen der Ib-Abteilung kann nicht bezweifelt werden, auch wenn nur wenig Unterlagen vorhanden sind. Ein konkreter Hinweis auf die Art der Einschaltung Waldheims in Transportfragen und Lagerprobleme ist bisher nicht bekanntgeworden. Die Kopie eines Schriftstük-

kes mit dem Datum vom 22. 7. 1942, in dem Waldheim erwähnt
wird, eignet sich aus den angeführten Gründen nicht als Grundlage
für eine definitive Aussage der Kommission. Als O1 in Athen wußte
Waldheim von der Praxis des Abtransports italienischer Gefange-
ner/Internierter nach Deutschland im September 1943, also zu einer Zeit, als zwischen dem Deutschen Reich und dem Königreich
Italien kein Kriegszustand herrschte: diese rechtswidrigen Vorgänge sowie zahlreiche Erschießungen sind in den hohen Stäben bekannt gewesen. Als O1 hatte Waldheim wohl nur geringe praktische
Einwirkungsmöglichkeiten auf den Ablauf der Dinge. Ähnlich ist
seine Rolle als O3 in Arsakli im Rahmen seiner Rolle als Feindlage-
Sachbearbeiter zu charakterisieren. Insgesamt ergibt sich das Bild
einer je nach Dienststellung unterschiedlichen Nähe zu kriegsrecht-
lich inkriminierten Maßnahmen und Befehlen.

4. Mit diesen Feststellungen wird die Frage nach Waldheims
schuldhaftem Verhalten im Krieg nicht abschließend beantwortet.

Ganz allgemein kann bereits aus dem bloßen Wissen um Verletzungen der Menschenrechte am Ort des eigenen Einsatzes eine gewisse
Schuld erwachsen, wenn der Betreffende aus Mangel an Kraft oder
Mut – seine menschliche Pflicht verletzt, gegen das Unrecht einzu-
schreiten. Solche Maßnahmen, die in ihrer Unrechtmäßigkeit erkannt werden mußten und wohl auch erkannt wurden, waren insbesondere die große Anzahl übertriebener und unverhältnismäßiger
„Sühnemaßnahmen", die Auslöschung oder Deportation großer Be-
völkerungsteile, insbesondere der gnadenlose Abschub der gesamten jüdischen Volksgruppen sowie schließlich die „Sonderbehand-
lung", d. h. die Exekution alliierter Kommandotrupps wie auch die
Einweisung von Frauen, Kindern und Greisen in Konzentrationslager.

Schwerwiegender als bei der untätigen Hinnahme solcher Verletzungen menschlichen Rechts war die Mitwirkung in jenen Fällen,
in denen verschiedene Abstufungen von Mitbeteiligung festgestellt
werden konnten; eine solche bestand z. B. in der konsultativen
Unterstützung von Unterdrückungsmaßnahmen, etwa in der Form
von Feindlageberichten, die im Zusammenhang mit „Säuberungsaktionen" standen.

5. Bei der Prüfung der Frage, wieweit bei Waldheim von einer
Mitschuld am Kriegsunrecht gesprochen werden muß, ist von der
im Bericht vielfach festgestellten Tatsache auszugehen, daß dieser

in seinen Stabsfunktionen auf dem Balkan, trotz eines niedrigen Ranges, sicher weit mehr als nur ein zweitrangiger „Kanzleioffizier" war. Auch wenn er als Subalternoffizier in Stabsstellungen keine Exekutionsbefugnisse hatte, war er dank seiner Bildung und seinem Wissen sowie infolge der Einblicke, die er als Dolmetscher in die entscheidenden Führungsvorgänge erhielt, besonders aber aus seiner Tätigkeit im zentralen Nachrichtendienst seiner Heeresgruppe und seiner örtlichen Nähe zu den Geschehnissen hervorragend über das Kriegsgeschehen orientiert. Aus einer beträchtlichen Anzahl von Lageberichten und Kriegstagebuch-Eintragungen, die er entweder selbst verfaßt oder die über seinen Schreibtisch liefen, und insbesondere im Zusammenhang mit der Erarbeitung jener Lageberichte, die er mehrfach in den Chefbesprechungen auf Heeresgruppenebene vorgetragen hat, erhielt er einen tiefen und umfassenden Einblick in die Verhältnisse an den Fronten und namentlich auf dem Balkan. Auch wenn sein persönlicher Einfluß auf den Entscheidungsprozeß der obersten Führung (im Südosten) einerseits von seinen Widersachern etwas überbewertet worden ist und andererseits von seinen Verteidigern allzu sehr herabgemindert wurde, war Waldheim doch häufig in diesen Besprechungen zugegen, wirkte an diesen mit und war folglich einer der besonders gut orientierten Stabsangehörigen. Dabei waren seine allgemeinen Einblicke umfassend: sie bezogen sich nicht nur auf die taktischen, strategischen und administrativen Anordnungen, sondern schlossen in einigen Fällen auch die Handlungen und Maßnahmen ein, die im Widerspruch zum Kriegsrecht und den Grundsätzen der Menschlichkeit standen.

Die Kommission hat von keinem Fall Kenntnis erhalten, in welchem Waldheim gegen die Anordnung eines von ihm zweifellos erkannten Unrechts Einspruch erhoben, Protest geführt oder irgendwelche Gegenmaßnahmen getroffen hat, um die Verwirklichung des Unrechts zu verhindern oder zumindest zu erschweren. Er hat im Gegenteil wiederholt im Zusammenhang rechtswidriger Vorgänge mitgewirkt und damit ihren Vollzug erleichtert.

6. Die Kommission war bemüht, dieses Verhalten Waldheims aus den Verhältnissen zu verstehen, unter denen er seinen Militärdienst zu leisten hatte. Waldheims Tätigkeit wurde in die großen Zusammenhänge des Krieges hineingestellt, die seine Haltung entscheidend mitbestimmt haben.

Dabei war eine Reihe maßgebender Faktoren zu berücksichtigen:

a) Bis in die jüngste Zeit hat sich Waldheim immer wieder darauf berufen, daß er während der Militärzeit als Soldat an das Gebot der uneingeschränkten militärischen Pflichterfüllung gebunden gewesen sei. Unabhängig vom Inhalt eines Befehls habe er in der Befehlsausführung ein verpflichtendes Prinzip gesehen, dem er sich habe unterziehen müssen.

Dieser Rechtfertigung vermochte die Kommission in den genannten Fällen nicht zu folgen. Die Rechtsprechung der Nachkriegsjahre über die Kriegszeit, insbesondere in den Nürnberger Folgeprozessen, hat mehrfach mit aller Entschiedenheit festgestellt, daß selbst im Krieg der militärische Befehl keine unbeschränkte Gültigkeit hat. Er besitzt seine Grenzen insbesondere dort, wo er im Widerspruch steht zu den Forderungen des Rechts und der Moral und den Geboten der Menschlichkeit. Die Ablehnung eines blinden „Kadavergehorsams" war verankert in § 47 des damaligen Militärstrafgesetzbuches, in welchem bestimmt wurde, daß sich auch ein auf Befehl handelnder Untergebener strafbar machte, wenn der betreffende Befehl erkennbar die Ausführung eines Verbrechens oder Vergehens bezweckte. Dieses Prinzip der Strafbarkeit der Ausführung von Unrechtsbefehlen, das in Deutschland eine lange Tradition aufweist, hatte zwar in der Zeit der nationalsozialistischen Rechtsprechung kaum mehr seine volle Gültigkeit, als moralischer Grundsatz bestand es jedoch weiter.

Wer rechtswidrige Befehle ausführte oder ihren Vollzug förderte, verstieß auch zur Zeit des zweiten Weltkriegs gegen allgemein gültige Rechtsnormen und machte sich somit mitschuldig am Unrecht. Die Berufung auf einen „Befehlsnotstand" vermag die Befolgung von widerrechtlichen Befehlen nicht zu rechtfertigen. Die Kommission hat in ihren Untersuchungen eine Anzahl von Vorfällen festgestellt, in denen Offiziere die Verantwortung übernommen hatten, rechtswidrige Befehle zu umgehen oder ihnen sogar zuwiderzuhandeln, ohne daß ihnen daraus erhebliche Nachteile erwachsen wären. Die Behauptung, „Widerstand gegen die Befehlsgewalt wäre von vornherein Selbstmord gewesen", kann aufgrund dieser Erfahrungen in einer derart kategorischen Form nicht anerkannt werden – obgleich eingeräumt werden muß, daß niemand eine Gewähr dafür besaß, der Rache des Systems zu entgehen.

b) Waldheim ist zugute zu halten, daß ihm für einen Widerstand gegen das Unrecht nur äußerst bescheidene Möglichkeiten offenstanden. Solche Aktionen hatten, je nach der Stufe, auf der sie unternommen wurden, sehr unterschiedliches Gewicht. Für einen jungen Stabsangehörigen, der auf Heeresgruppenebene keine eigene Befehlsgewalt besaß, waren die praktischen Möglichkeiten des Gegenhandelns sehr gering und hätten mit aller Wahrscheinlichkeit kaum zu einem greifbaren Ergebnis geführt. Sie hätten sich wohl auf einen formellen Protest oder auf die praktische Ablehnung seiner Mitarbeit beschränken müssen, was zwar als mutige Tat erschienen wäre, aber kaum zu einem praktischen Erfolg geführt hätte. Ein derartiges Handeln von Waldheim ist nicht bekannt geworden. Auch das der Kommission längst bekannte und in der Presse zitierte Dokument vom 25. 5. 1944, in dem Waldheim angeblich gegen übertriebene Sühnemaßnahmen protestiert haben soll (es handle sich um ein monatliches „Feindnachrichtenblatt Griechenland"), enthält keinen Protest gegen die Anwendung der Sühnemaßnahmen, sondern lediglich pragmatische Hinweise auf die „Dosierung" dieser Maßnahmen und keine „Kritik an Balkangreueln", wie es in einigen Presseberichten lautete. Ein „Feindnachrichtenblatt" war ohnehin kein Ort für „Proteste". Im übrigen ist die Kritik an exzessiven kontraproduktiven Sühnemaßnahmen schon befehlsmäßig ausgesprochen gewesen (Befehl vom 22. 12. 43) und auch von General Speidel anläßlich des Kalavrita-Massakers im Dezember 1943 ausführlich ausgesprochen worden. Das Dokument beweist übrigens ein weiteres Mal, daß Waldheim über Sühnemaßnahmen im Bilde war.

c) Auch in der Berufung auf Unvollständigkeit und Unklarheit im kodifizierten Kriegsrecht kann keine Entschuldigung im Falle von Mitwirkung bei offensichtlichem Unrecht liegen. Die damals maßgebende kriegsvölkerrechtliche Hauptvorschrift für das Verhalten im Landkrieg, die Haager Landkriegsordnung von 1907, war sich ihrer Unvollständigkeit bewußt und schrieb deshalb in ihrer Eingangsformel (Martens'sche Klausel) vor, daß im Krieg überall dort, wo der Konvention keine konkrete Vorschrift entnommen werden konnte, nach den unter gesitteten Völkern feststehenden Gebräuchen, den Gesetzen der Menschlichkeit und den Forderungen des öffentlichen Gewissens gehandelt werden müsse.

Beispielsweise fehlte im Haager Recht ein ausdrückliches Verbot der Geiselnahme; daraus durfte aber keineswegs das Recht abgeleitet werden, in der Frage der Geiselnahme (oder auch sonstiger Repressalien) unverhältnismäßige und exzessive Maßnahmen anzuwenden, zum Beispiel in der Festlegung übertrieben grausamer

„Quoten" bei „Sühnemaßnahmen". Aus denselben Überlegungen durfte auch der Krieg gegen die Partisanen nicht schrankenlos geführt werden, mit der Begründung, daß diese nach dem damaligen Recht nicht den kriegsrechtlichen Schutz als Kombattanten genossen. Diese Feststellungen gelten trotz der von nationalsozialistischen Verfassungsjuristen und Staatsrechtlern vertretenen Auffassung, daß Hitler Inhaber der obersten Rechtsetzungsbefugnis war. Hitler konnte anerkannte Regeln des Kriegsvölkerrechts nicht außer Kraft setzen.

d) Bei der Beurteilung der Haltung der verantwortlichen Führungsstellen muß auch der besondere Charakter des mit unmenschlicher Härte und Grausamkeit geführten Krieges auf dem Balkan berücksichtigt werden, zumal es sich dabei um einen Volkskrieg gegen die fremden Invasoren und deren Kollaborateure handelte. Zu bedenken ist jedoch, daß die deutschen Okkupanten den besonderen Charakter dieses Krieges mitverursacht hatten, wozu auch die Ausnützung der bestehenden ethnischen und politischen Gegensätze auf dem Balkan gehörte. Die Ic/AO-Gruppen der verschiedenen Stäbe waren hier besonders intensiv tätig.

7. Die Kommission sieht ihren Auftrag im Zusammenhang mit Waldheims Darlegungen zu seiner militärischen Vergangenheit. Sie folgt in ihrem Bericht nicht den vielen bekanntgewordenen kritischen Stellungnahmen, sondern beschränkt sich darauf, vom eingesehenen Material auszugehen.

Waldheims Darstellung seiner militärischen Vergangenheit steht in vielen Punkten nicht im Einklang mit den Ergebnissen der Kommissionsarbeit. Er war bemüht, seine militärische Vergangenheit in Vergessenheit geraten zu lassen, und sobald das nicht mehr möglich war, zu verharmlosen. Dieses Vergessen ist nach Auffassung der Kommission so grundsätzlich, daß sie keine klärenden Hinweise für ihre Arbeit von Waldheim erhalten konnte.[1]

Wien, am 8. Februar 1988, 12.00 Uhr

James L. Collins Jr. m.p.

H. R. Kurz m.p.
Jean Vanwelkenhuyzen m.p.
Gerald Fleming m.p.
Hagen Fleischer m.p.
J. L. Wallach m.p.
M. Messerschmidt m.p.

profil (profil-dokumente), 15. 2. 1988, Nr. 7, S. 42–44.

1 Dies geht aus dem Protokoll der Besprechung der Kommission mit dem Bundespräsidenten hervor (Anlage) [nicht abgedruckt].

Dokument 3

Rede des Bundespräsidenten Dr. Kurt Waldheim am Vorabend des 50. Jahrestages des „Anschlusses" Österreichs an Hitlerdeutschland im Österreichischen Fernsehen.

Wir gedenken der Ereignisse, die uns vor Jahren in die wohl düsterste Epoche unserer jüngeren Geschichte führten. Vor allem junge Menschen fragen mich immer wieder: Was ist damals wirklich geschehen? Was waren die Ursachen dieser Ereignisse? Welche Lehren sind daraus für Gegenwart und Zukunft zu ziehen? Wir Älteren, als Zeitzeugen, müssen Rede und Antwort stehen, um die Vertrauenskrise, die quer durch alle Generationen geht, zu überwinden.

Lassen Sie mich zunächst sagen, wie ich selbst jenen 11. März 1938 erlebt habe. Ich war damals 19 Jahre alt. Ich saß mit meinen Eltern und Geschwistern in unserer Wohnung, und wir hörten die Worte des damaligen Bundeskanzlers aus dem Radio: „Wir weichen der Gewalt – Gott schütze Österreich!" Es war der Untergang unserer österreichischen Heimat. Meiner Mutter rannen die Tränen über die Wangen. Wir spürten zutiefst die auf uns zukommende Tragödie. Schon am nächsten Tag wurde mein Vater – ein aufrechter österreichischer Patriot – von der Gestapo abgeführt, eingesperrt und vom Dienst entlassen. So wie meiner Familie ging es auch unzähligen anderen.

Gleichzeitig gab es Hunderttausende von Österreichern, die den Anschluß begrüßten, Hitler und den Einmarsch bejubelten und Hoffnungen daran knüpften, die sich bald als trügerisch herausstellen sollten. Es war eine Massenpsychose, wie sie nur totalitäre Regimes zustande bringen. Heute wissen wir, daß man bereits den ersten Anfängen der Verhetzung und Intoleranz wehren muß. Heute wissen wir, wohin das Schüren von Fanatismus, Haß und Gewalt führt. Heute wissen wir, daß mit dem 11. März 1938 eine Lawine des Leidens losgetreten wurde.

Es war eine Lawine des Leidens, die politisch Andersdenkende und – in einem grauenhaften Rassenwahn – unsere jüdischen Mitbürger unter sich begrub. Der Holocaust ist eine der größten Tragödien der Weltgeschichte. Millionen jüdischer Menschen wurden in den KZ's vernichtet. Diese Verbrechen sind durch nichts zu erklären und durch nichts zu entschuldigen. Ich verneige mich in tiefem Respekt vor diesen Opfern, die uns stets Mahnung und Auftrag sein müssen.

Die Lawine des Leidens hat aber auch zahllose Männer und Frauen des Widerstandes erfaßt, die ihr Leben für die Freiheit Österreichs lassen mußten.

Vergessen sind auch nicht die vielen Zivilopfer der damaligen Zeit und jene Soldaten, die aus den Schrecken des Krieges nicht mehr heimgekehrt sind. So gab es am Ende kaum eine Familie, die nicht in Schmerz und Trauer den Tod eines der Ihren beklagte. Meine Anteilnahme gilt den vielen Witwen und Waisen.

Ungeteilte Bewunderung verdienen die österreichischen Frauen, die als erste 1945 mit viel Patriotismus und Mut den Wiederaufbau begonnen haben.

Der Blick in den Spiegel unserer Geschichte zeigt uns nicht nur ein einziges Antlitz, denn das Bild eines Volkes ist vielgesichtig. Wir dürfen nicht vergessen, daß viele der ärgsten Schergen des Nationalsozialismus Österreicher waren. Es gab Österreicher, die Opfer, und andere, die Täter waren. Erwecken wir nicht den Eindruck, als hätten wir damit nichts zu tun. Selbstverständlich gibt es keine Kollektivschuld, trotzdem möchte ich mich als Staatsoberhaupt der Republik Österreich für jene Verbrechen entschuldigen, die von Österreichern im Zeichen des Nationalsozialismus begangen wurden.

Als Staat war Österreich das erste Opfer Hitlers. Daran ist nicht zu rütteln. Obwohl es sich wie kein zweites Land durch Jahre hindurch dem politischen und wirtschaftlichen Druck des Dritten Reiches widersetzt hatte, ist es untergegangen. Allerdings hatte uns die internationale Staatengemeinschaft keine Hilfe gegen die Aggression gewährt.

Österreich war dann für sieben Jahre zwar von der Landkarte, nicht aber in den Herzen seiner Bürger ausgelöscht. Im Angesicht von Krieg und Tod, Leiden und Schmerzen reifte die Sehnsucht nach einem neuen, einem friedlichen, einem menschlichen – einem besseren Österreich!

Was der Haß einst entzweite, wollte zueinander finden, was verhängnisvolles Irren leichtfertig aufgab und verspielte, wurde nun in seinem wahren Wert gesehen: der Glaube an ein gemeinsames Österreich, das Hoffen auf eine gemeinsame Zukunft, die Chance für einen gemeinsamen Neubeginn.

Österreich hat diese Chance genutzt, im Bewußtsein seiner Fehler und seiner Stärken, gereift, erfahren und geprüft. Heute wissen wir, wie verhängnisvoll sich die Zerstörung der Demokratie und der Bürgerkrieg von 1934 ausgewirkt hatten. Österreich hat jedoch aus seiner Geschichte gelernt und in den vergangenen vier Jahrzehnten der Welt bewiesen, daß es Frieden und Freiheit, Menschlichkeit und Toleranz unverbrüchlich achtet.

Aber auch die Welt ist sich bewußt geworden, daß ein neutrales und stabiles Österreich in einem geopolitisch so sensiblen Raum im Interesse der Staatengemeinschaft liegt. Denn eines ist sicher: Mit dem Untergang Österreichs wurden der Zweite Weltkrieg und die Zerstörung Europas eingeleitet. Unser Land ist offen gegenüber Kritik. Als Staatsoberhaupt unserer Republik ersuche ich daher die Kritiker um Fairneß und Objektivität. Ich ersuche sie, Österreich nicht nur im Lichte der Schrecknisse der Vergangenheit, sondern auch im Lichte seiner Bewährung in der Gegenwart zu sehen.

Ich bitte Sie, von Pauschalurteilen Abstand zu nehmen, unqualifizierte Vorwürfe zu unterlassen und Österreich so zu betrachten, wie es sich in den späten achtziger Jahren darstellt: Gefestigt und gesprächsbereit, weltoffen und hilfsbereit, selbstbewußt und der Zukunft zugewandt.

Als Ihr gewählter Bundespräsident appelliere ich aber auch an Sie, meine lieben Mitbürgerinnen und Mitbürger, gegen die Schatten der Vergangenheit anzukämpfen. Der Sinn dieser Tage liegt in der Besinnung, nicht im Streit. Der Sinn dieser Tage liegt im Verstehen, nicht im Weghören. Der Sinn dieser Tage kann nur eines bedeuten: Versöhnung.

Es gibt nur einen Weg für Österreich: Das ist der Weg in die Zukunft. Ein Rückblick ohne Ausblick wäre der falsche Weg, wäre entweder eine schale Geste oder der Versuch, vor den Herausforderungen der Gegenwart zu flüchten. Die Tage des Gedenkens sind auch Tage des Nachdenkens über das Österreich von heute. Die Tage des Nachdenkens sind somit die Chance für einen neuen Anfang, für eine Neuordnung des öffentlichen Lebens, für eine Besinnung auf jene politischen Tugenden, die unsere Republik fundieren. Die verbreitete Verdrossenheit und das wachsende Unbehagen zahlreicher Bürger müssen von Parteien und Politikern ernst genommen werden. Die unleugbaren Erfolge und Verdienste beim Aufbau eines geordneten demokratischen Gemeinwesens dürfen nicht als Ausrede für manche Trägheit und Reformscheu verwendet werden.

Das Vertrauen der Bürger ist das kostbarste Kapital einer Demokratie. Es ist ein Kapital, das ständig gehegt und erneuert werden

will. Nicht mit leeren Worten, sondern mit überzeugenden Taten,
nicht mit oberflächlichen Appellen, sondern mit ernstgemeinten Reformen.

Der unschöne Reigen von Skandalen und Affären, mit denen wir in
den letzten Jahren konfrontiert wurden, unterstreicht die Notwendigkeit einer grundlegenden Reform des öffentlichen Lebens, macht
die Verbesserung des moralischen Standards für alle, die im öffentlichen Interesse zu handeln und zu arbeiten haben, unabdingbar.
Ich werde in den kommenden Monaten die Autorität meines Amtes
nützen, um in Gesprächen mit Vertretern aller politischen Institutionen Österreichs die Konturen und Perspektiven einer solchen
Reform auszuloten. Die moralische Erneuerung unserer Republik
ist ein Unterfangen, das nur dann zum erwünschten Erfolg führen
kann, wenn es von allen Verantwortlichen gemeinsam gewollt und
getragen wird.

Ich hoffe dabei vor allem auf das Engagement und die Mitarbeit der
jüngeren Generationen. Es ist gerade unsere Jugend, die manchen
Unzulänglichkeiten des öffentlichen Lebens mit besonderer Kritik
begegnet. Es ist die Jugend Österreichs, die jenen Idealismus und
jenen Reformschwung einbringen könnte, der uns alle mitreißt und
zum Handeln bringt.

Es ist die Jugend Österreichs, die einmal für diese Republik die
Verantwortung übernehmen wird. Übergeben wir ihr ein Erbe, das
sie nicht zu Boden drücken wird. Hinterlassen wir ihr keine Bür-
den, die sie nicht bewältigen kann. Errichten wir keine Barrieren,
die ihr den Weg in die Zukunft verstellen. Übernehmen wir die
Verantwortung für unsere Fehler in einer Form, die geeignet ist,
künftig Fehler zu vermeiden. Lieben wir unser Land ohne falsche
Scham und überheblichen Stolz. Tun wir alles, damit Österreich
weiterhin in den Herzen seiner Jugend Platz findet:

Als ein Land, das mit sich selbst ins reine gekommen ist.

Als ein Land, das aus der Geschichte gelernt hat.

Als ein Land, das trotz mancher Fehler Zuneigung verdient.

Als unser gemeinsames „vielgeprüftes, vielgeliebtes" Österreich!

Othmar Karas (Hrsg.), Die Lehre. Österreich: Schicksalslinien einer europäischen Demokratie, Wien 1988, S. 7–17.

Literatur

Bericht der Internationalen Historikerkommission, in: *profil (profil-dokumente)*, 15. 2. 1988, Nr. 7, S. 1–48.

Bischof, Günter, Die Instrumentalisierung der Moskauer Erklärung nach dem 2. Weltkrieg, in: *Zeitgeschichte* 20 (November/Dezember 1993), Heft 11/12, S. 345–366.

Born, Hans-Peter, Für die Richtigkeit – Kurt Waldheim, München 1988.

Bracher, Karl Dietrich/Funke, Manfred/Jacobsen, Hans-Adolf (Hrsg.), Nationalsozialistische Diktatur 1933–1945. Eine Bilanz (Schriften der Bundeszentrale für politische Bildung 192), Bonn 1986.

Bunzl, John/Hirczy, Wolfgang/Vansant, Jacqueline, The sound of Austria. Österreichpolitik und öffentliche Meinung in den USA (Laxenburger Internationale Studien 7), Wien 1995.

Dachs, Herbert/Gerlich, Peter/Gottweis, Herbert/Horner, Franz/Kramer, Helmut/Lauber, Volkmar/Müller, Wolfgang C./Tálos, Emmerich (Hrsg.), Handbuch des politischen Systems Österreichs, Wien 1991.

Diner, Dan (Hrsg.), Ist der Nationalsozialismus Geschichte? Zu Historisierung und Historikerstreit, Frankfurt/Main 1987.

Dor, Milo (Hrsg.), Die Leiche im Keller. Dokumente des Widerstands gegen Dr. Kurt Waldheim, Wien 1988.

Gehler, Michael/Sickinger, Hubert (Hrsg.), Politische Affären und Skandale in Österreich. Von Mayerling bis Waldheim, Thaur – Wien – München 1995, 1996².

Gruber, Helmut, Antisemitismus im Mediendiskurs. Die Affäre „Waldheim" in der Tagespresse, Wiesbaden 1991.

Gruber, Karl, Meine Partei ist Österreich. Privates und Diplomatisches, Wien 1988.

Gruber, Karl/Krapfenbauer, Robert/Lammel, Walter (Hrsg.), Wir über Waldheim, Wien – Köln – Weimar 1992.

Hazzard, Shirley, Die Maske der Wahrheit. Zur Ohnmacht der Vereinten Nationen, München 1991.

Heindl, Bernhard, „Wir Österreicher sind ein anständiges Volk". Kurt Waldheim, Linz 1991.

Kaiser, Joseph H., Im Streit um ein Staatsoberhaupt. Zur Causa Bundespräsident Waldheim. Gravierende Grenzüberschreitungen und Fehler der Historiker-Kommission, Berlin 1988.

Karas, Othmar (Hrsg.), Die Lehre. Österreich: Schicksalslinien einer europäischen Demokratie (Schriftenreihe Sicherheit & Demokratie), Wien – Graz 1988.

Khol, Andreas/Faulhaber Andreas/Ofner Günther (Hrsg.), Die Kampagne. Kurt Waldheim – Opfer oder Täter? Hintergründe und Szenen eines Falles von Medienjustiz, München 1987.

Kienzl, Heinz, Antisemitismus in Österreich. Eine Studie der österreichischen demoskopischen Institute, Wien 1987.

Krausnick, Helmut/Wilhelm, Hans Heinrich, Die Truppe des Weltanschauungskrieges. Die Einsatzgruppen der Sicherheitspolizei und des SD 1938–1942. Eine exemplarische Studie, Stuttgart 1981.

Kreissler, Felix (Hrsg.) Fünfzig Jahre danach, der „Anschluß" von innen und außen gesehen. Beiträge zum internationalen Symposion von Rouen, 29. Februar–4. März 1988, Wien – Zürich 1989.

Mitten, Richard, The Politics of Prejudice. The Waldheim Phenomenon in Austria, Boulder – San Francisco – Oxford 1992.

Pelinka, Anton (Hrsg.), Populismus in Österreich, Wien 1987.

Ders., Die Kleine Koalition SPÖ-FPÖ 1983–1986 (Studien zu Politik und Verwaltung 48), Wien – Köln – Graz 1993.

Ders./Weinzierl, Erika (Hrsg.), Das große Tabu. Österreichs Umgang mit seiner Vergangenheit, Wien 1987.

Pflichterfüllung. Ein Bericht über Kurt Waldheim, hrsg. von der Gruppe „Neues Österreich", Wien 1986.

Plasser, Fritz/Ulram, Peter A., Das Jahr der Wechselwähler. Wahlen und Neustrukturierung des österreichischen Parteiensystems 1986, in: Österreichisches Jahrbuch für Politik 1986, hrsg. v. Andreas Khol/Günther Ofner/Alfred Stirnemann, Wien 1987, S. 31–77.

Pleinert, Otto, Diplomat und Civil Servant. Erinnerungen eines österreichischen Staatsdieners 1958 bis 1993, Wien – Köln – Weimar 1994.

Rosenbaum, Eli M., Betrayal. The untold story of the Kurt Waldheim Investigation and cover-up, New York 1993.

Ross, Shelly, Präsidenten und Affären. Skandale und Korruption in der amerikanischen Politik. Eine Chronik über die Kehrseite der Macht, Bonn 1989.

Saltman, Jack, Kurt Waldheim. A case to answer?, London 1988.

Scharsach, Hans-Henning, Haiders Kampf, Wien 1992.

Stourzh, Gerald/Zaar, Birgitta (Hrsg.), Österreich, Deutschland und die Mächte. Internationale und österreichische Aspekte des „Anschlusses" vom März 1938 (Österreichische Akademie der Wissen-

schaften, Veröffentlichungen der Kommission für die Geschichte
Österreichs, Philosophisch-Historische Klasse 16), Wien 1990.

Tálos, Emmerich/Hanisch, Ernst/Neugebauer, Wolfgang (Hrsg.),
NS-Herrschaft in Österreich 1938–1945 (Österreichische Texte
zur Gesellschaftskritik 36), Wien 1988.

Uhl, Heidemarie, Zwischen Versöhnung und Verstörung. Eine Kontroverse um Österreichs historische Identität fünfzig Jahre nach
dem „Anschluß" (Böhlaus Zeitgeschichtliche Bibliothek 17), Wien
– Köln – Weimar 1992.

Waldheim, Kurt, Die Antwort, Wien 1996.

Welan, Manfried, Der Bundespräsident. Kein Kaiser in der Republik (Studien zur Politik und Verwaltung 40), Wien 1992.

Wiesenthal, Simon, Recht, nicht Rache. Erinnerungen, Frankfurt/Main – Berlin 1988.

Wodak, Ruth/De Cillia, Rudolf, Sprache und Antisemitismus. Judenfeindlichkeit im öffentlichen Diskurs in Österreich, in: *Mitteilungen des Instituts für Wissenschaft und Kunst* 43 (1988), Nr. 3,
S. 2–28.

Wodak, Ruth/Nowak, Peter/Pelikan, Johanna/Gruber, Helmut/De
Cillia, Rudolf/Mitten Richard, „Wir sind alle unschuldige Täter!".
Diskurshistorische Studien zum Nachkriegsantisemitismus,
Frankfurt/Main 1990.

Ziegler, Meinrad/Kannonier-Finster, Waltraud, Österreichisches
Gedächtnis. Über Erinnern und Vergessen der NS-Vergangenheit,
Wien – Köln – Weimar 1993.

Fragen

1. Welche Rolle spielte die Affäre Reder-Frischenschlager im Zusammenhang mit der Debatte um Waldheim?

2. Ist es gerechtfertigt, bei der Affäre Waldheim von einer „Kampagne" zu sprechen? Welche Rolle spielte dabei die SPÖ?

3. Charakterisieren Sie die Rolle, die das Nachrichtenmagazin *profil* bei der Waldheim-Debatte einnahm.

4. Wie reagierte Waldheim auf seine Kritiker und die ihn als Kandidat aufstellende ÖVP? Wie das offizielle Österreich?

5. Welche Rolle spielte der World Jewish Congress?

6. Welche Problematik lag in Waldheims Stellungnahmen zu seiner Kriegsvergangenheit? Vor welchem historischen Hintergrund ist die Diskussion um den österreichischen Bundespräsidenten zu sehen?

7. Wie ist das Verhalten der österreichischen Printmedien zu beurteilen?

8. Erläutern Sie die Watchlist-Entscheidung und ihren Einfluß auf die Waldheim-Debatte.

9. Wie reagierte die Bundesregierung auf die Watchlist-Entscheidung?

10. Inwiefern ist Waldheims ehemalige Funktion als UNO-Generalsekretär für die Beurteilung der Affäre von Relevanz?

11. Welche Aufgabe hatte die von der Bundesregierung eingesetzte Historikerkommission? Wie beurteilen Sie deren Ergebnisse?

12. Welche politischen Folgen ergaben sich aus der Affäre Waldheim für Österreich?

Franz Mathis

DIE ÖSTERREICHISCHE WIRTSCHAFT GRUNDLAGEN UND ENTWICKLUNGEN

Wie in anderen Ländern Europas war auch in Österreich die sozioökonomische Entwicklung des 20. Jahrhunderts vom Prozeß der Industrialisierung bestimmt. Beginnend im 19. Jahrhundert führte er in gut 100 Jahren zu einer völligen Umgestaltung der Produktions- und Lebensverhältnisse der österreichischen Bevölkerung. An die Stelle einer vorwiegend agrarischen, wenig marktorientierten und wenig arbeitsteiligen Wirtschaftsstruktur mit niedriger Produktivität trat eine ungleich produktivere Wirtschaft, die von nicht-agrarischen, zunächst industriell-gewerblichen und in der Folge immer mehr Dienstleistungen anbietenden Tätigkeiten geprägt und von einem hohen Grad an Arbeitsteilung und Marktintegration gekennzeichnet war. An die Stelle einer meist ländlichen, in hohem Maß in der täglichen Produktion und Reproduktion aufgehenden und sich oft am Existenzminimum bewegenden Lebensweise mit hohen Geburten- und Sterberaten traten ein zusehends städtischer Lebensstil mit kleineren Haushalten, relativ weniger Todesfällen und emotionsbetonteren innerfamilialen Beziehungen sowie eine Gesellschaft, in der sich statt einer kleinen Minderheit die Mehrheit eines wachsenden Lebensstandards mit einem ständig breiter Angebot an Gütern und Dienstleistungen erfreuen kann.

All diese Wandlungen erfolgten jedoch keineswegs gleichmäßig, und zwar weder in zeitlicher noch in regionaler Hinsicht. Auf einen ersten Industrialisierungsschub vor dem Ersten Weltkrieg, an dem nur ein Teil der österreichischen Bevölkerung partizipierte, folgte in der krisengeschüttelten Zwischenkriegszeit eine Stagnation bzw. Verlangsamung des Prozesses, bevor nach 1945 der Übergang von einer Agrar- zu einer Industrie- und schließlich zu einer Dienstleistungsgesellschaft einen Abschluß fand und eine fast flächendeckende

Verbreitung der Modernisierung der österreichischen Gesellschaft erfolgte.[1] Gleichzeitig waren die makroökonomischen Veränderungen stets von einer Vielzahl mikroökonomischer Einzelschicksale begleitet, die nur allzuoft in deutlichem Gegensatz zum insgesamt positiven Grundtrend standen. Die im einzelnen zu beobachtenden, vielfach mit Not und Elend verbundenen Härten, die aus den kontinuierlich auftretenden Umstellungserfordernissen resultierten, stellten gemeinsam mit den in jüngster Zeit vermehrt sichtbar werdenden, ökologischen Schäden den Preis dar, der für die vorhin skizzierten Verbesserungen zu bezahlen war. Es wäre daher im Sinne einer kritischen Geschichtsbetrachtung und in Hinblick auf künftige Entwicklungen zu überlegen, ob der Preis nicht zu hoch war und bei besserem Willen aller Beteiligten vielleicht niedriger ausfallen hätte können.

1. Die Entwicklung bis 1914

Wenn man die säkulare Umgestaltung der österreichischen Wirtschaft und Gesellschaft in ihrem zeitlichen Ablauf nachvollziehen will, bieten sich vorerst zwei, relativ leicht meßbare Kriterien an: zum einen der jeweilige Grad der Verstädterung oder *Urbanisierung,* zum anderen die Struktur der *Erwerbstätigen.* Je geringer der Anteil der am Land lebenden bzw. in der Landwirtschaft erwerbstätigen Menschen war, umso weiter hatten sich Wirtschaft und Gesellschaft von der traditionellen, vorindustriellen Vergangenheit entfernt, umso weiter hatten sie sich in die Richtung einer modernen Industrie- und Dienstleistungsgesellschaft bewegt.

Zu Beginn des 20. Jahrhunderts lebten von den 6 Millionen Menschen, die im Gebiet des heutigen Österreich wohnten, rund 58 Prozent in Gemeinden mit mehr als 2000 Einwohnern, die in der Statistik vielfach als Grenze zwischen ländlicher und städtischer Siedlung angenommen werden.[2] Demnach wäre damals die Mehrheit der österreichischen Bevölkerung bereits nicht mehr – wie noch 30 Jahre zuvor – dem ländlichen, sondern bereits dem städtischen Bereich zuzuordnen gewesen. Allerdings gilt es zu bedenken, daß der allergrößte Teil des relativ hohen Urbanisierungsgrades allein auf die überproportional große Reichshaupt- und Residenzstadt Wien zurückzuführen war, die damals 29 Prozent der österreichischen Bevölkerung auf sich vereinigte;[3] rund die Hälfte aller in statistischer Hinsicht in „städtischen" Gemeinden gezählten Menschen lebten in Wien. In den späteren Bundesländern außerhalb Wiens hingegen überwog noch eindeutig das ländliche Element (vgl. Tab. 1). Lediglich Vorarlberg, Oberösterreich und Salzburg hatten bereits einen Urbanisierungsgrad erreicht, der dem durch Wien atypisch angehobenen, gesamtösterreichischen Durchschnitt nahe kam, während sich die Situation in den übrigen Ländern gegenüber vorindustriellen Verhältnissen nur wenig verändert hatte.

Ein – was die verzerrende Wirkung der Wiener Verhältnisse anlangt – ähnliches Bild bietet ein Vergleich der Erwerbstätigenstruktur. Geht man von den gesamtösterreichischen Werten aus, wäre das damalige Österreich in den heutigen Grenzen – gemessen am Anteil der in der Landwirtschaft Erwerbstätigen – mit nur noch 44 Prozent bereits nicht mehr als Agrarstaat, sondern schon fast als Industriestaat zu bezeichnen gewesen.[4] Ein Blick auf Tabelle 1 zeigt jedoch in unzweideutiger Weise, daß sich auch die Industrialisierung vorerst auf nur wenige Regionen beschränkte, von denen speziell der Wiener Raum dank der überproportionalen Größe der Kaiserstadt den gesamtösterreichischen Durchnitt unverhältnismäßig stark bestimmte. Unter den Ländern war es wiederum vor allem Vorarlberg, das schon zur Jahrhundertwende ähnlich stark industrialisiert war wie Wien samt Umgebung. In allen übrigen Ländern jedoch war die klare Mehrheit der Erwerbstätigen noch immer in der Landwirtschaft beschäftigt. Sie waren – wenn man von Teilregionen wie dem Wiener Becken oder der Obersteiermark absieht – vom Industrialisierungsprozeß erst in Ansätzen erfaßt worden.

Schon allein das auffällige Abweichen Vorarlbergs sowohl im Bereich der Urbanisierung als auch in dem der Industrialisierung läßt vermuten, daß zwischen beiden ein enger Zusammenhang bestand; und es bestätigt, was aus anderen Ländern inzwischen längst bekannt ist, daß die Industrialisierung auch in Österreich einen neuen Urbanisierungsschub auslöste. Auf der anderen Seite zeigt das Beispiel Wien, daß Urbanisierung und Modernisierung keineswegs nur aus der Industrialisierung resultierten, sondern auch die traditionell städtebildenden Mittelpunktfunktionen einem Regierungs- und Verwaltungszentrum wie Wien nach wie vor entscheidende Wachstumsimpulse zu vermitteln vermochten. Zunehmende Urbanisierung und Modernisierung konnten somit auch über andere Wege als allein über die Industrialisierung erfolgen. Die ersten Anzeichen der Umgestaltung von Wirtschaft und Gesellschaft waren daher außer in den ausgesprochenen Industriegebieten gerade auch in den größeren Städten zu beobachten, die – wie etwa Graz, Salzburg, Innsbruck, Linz und Klagenfurt – in Österreich vielfach mit den Landeshauptstädten identisch waren. Es wird daher zu untersuchen sein, ob auch die Verbreiterung des Modernisierungsprozesses im weiteren Verlauf des 20. Jahrhunderts auf mehr als nur einer Säule, nämlich jener der Industrialisierung, beruhte.

Zuvor jedoch gilt es, den zumindest teilweise im 19. Jahrhundert begonnenen und bis zum Beginn des Weltkrieges fortdauernden Wandel in Wirtschaft und Gesellschaft etwas näher zu beleuchten. Er ging zunächst mit einer rascheren Zunahme der *Bevölkerung* einher. War die Einwohnerzahl des heutigen Österreich zwischen der Mitte des 18. und der Mitte des 19. Jahrhunderts um rund die Hälfte – nämlich von 2,7 auf 4,1 Millionen Menschen – angewachsen, so dauerte es nach 1857 nur etwa halb so lang, bis ein in relativer Hinsicht ähnlich starker, in absoluten Zahlen hingegen fast doppelt so rascher Zuwachs auf 6,6 Millionen im Jahre 1910 erfolgte.[5]

Und abermals waren die einzelnen Regionen von der Beschleunigung des Bevölkerungswachstums unterschiedlich stark betroffen, wobei wiederum insbesondere die Stadt Wien aus dem Rahmen fiel. Aufgrund ihrer bereits erwähnten Mittelpunktsfunktion im Großreich der Habsburgermonarchie und dank der im Wiener Raum stattfindenden Industrialisierung übte die Stadt eine besondere Anziehungskraft für potentielle Zuwanderer aus. Und sie waren es in erster Linie, die – neben den Eingemeindungen des Jahres 1890 – die Bevölkerung in Wien um so viel rascher ansteigen ließen als im restlichen Österreich, nämlich von 0,6 (1869) auf 2,1 Millionen (1910).[6] Außerhalb Wiens hingegen resultierte die insgesamt langsamere Bevölkerungszunahme in sehr viel stärkerem Maße aus dem natürlichen Wachstum, d. h. aus einem zunehmenden Überschuß der Geburten über die Sterbefälle. Allerdings konnte sich die Bevölkerungsbewegung auch wesentlich komplexer präsentieren, wie etwa im Fall von Vorarlberg, wo die Auswanderung die natürliche Bevölkerungszunahme fast zur Gänze aufhob und das Wachstum der Bevölkerung zumindest bis zur Jahrhundertwende zu einem Großteil der Zuwanderung zu verdanken war.[7]

Dennoch bleibt als Begleiterscheinung beginnender Industrialisierung und Modernisierung festzuhalten, daß gegen Ende des 19. Jahrhunderts auch in Österreich die sogenannte *demographische Wende* einsetzte. Sie war dadurch gekennzeichnet, daß zunächst die Sterbeziffern sanken, während sich die Geburtenraten vorerst noch auf vorindustriellem Niveau bewegten. Erst nach der Jahrhundertwende begannen auch diese rascher zu fallen, mit der Folge, daß sich die beiden Grundwerte demographischer Entwicklung im Laufe des 20. Jahrhunderts auf einem deutlich niedrigeren Niveau wieder anglichen.

Allerdings läßt Tabelle 2 diesbezüglich abermals deutliche Unterschiede zwischen Niederösterreich einschließlich Wiens auf der einen und dem restlichen Österreich auf der anderen Seite erkennen: Unterschiede, die noch deutlicher zum Ausdruck kommen, wenn man die Werte für Wien allein miteinbezieht. Zum einen begannen die Sterbeziffern in Wien bereits ab der Jahrhundertmitte, außerhalb Wiens dagegen erst etwa 40 Jahre später, nämlich kurz vor der Jahrhundertwende, auf Dauer zu sinken, zum anderen blieb die Geburtenrate im Unterschied zu Wien bis zum Vorabend des

Ersten Weltkrieges noch durchwegs auf vorindustriellem Niveau. Auch diesbezüglich würde daher der durch Wien überproportional mitbestimmte, gesamtösterreichische Durchschnittswert ein verzerrtes und für weite Teile Österreichs falsches Bild ergeben. Andererseits geht aus Tabelle 2 auch hervor, daß anfangs sowohl die Geburten- als auch die Sterbeziffern einschließlich der Säuglingssterblichkeit in Wien deutlich höher lagen als im restlichen Österreich, dann aber – im Laufe fortschreitender Industrialisierung – dort früher und rascher fielen als anderswo.

Weitgehend unbeeinflußt vom Industrialisierungs- und Modernisierungsprozeß blieben dagegen vorerst die Heiratsziffern. Die in Tabelle 3 ausgewiesenen Daten lassen zwar einen leichten Stadt-Land-Unterschied, kaum jedoch eine langfristige zeitliche Veränderung erkennen. Vielmehr dürften die durchaus österreichweiten Schwankungen zwischen den einzelnen Volkszählungsjahren auf konjunkturell bedingte und damit kurzfristige Änderungen in den wirtschaftlichen Rahmenbedingungen zurückzuführen sein: Eine günstigere Wirtschaftslage spiegelte sich in höheren, eine schlechtere dagegen in niedrigeren Trauungsziffern wider.

Einem längerfristigen Wandel war dagegen das Heiratsalter unterworfen. Wenn das relativ hohe durchschnittliche Heiratsalter in einer primär agrarischen Gesellschaft vielfach als ein Mittel angesehen wurde, das prekäre Verhältnis zwischen wachsender Bevölkerung und nur begrenzt ausdehnbarer landwirtschaftlicher Nutzfläche zu steuern, so konnte in einer sich industrialisierenden Gesellschaft, in der sich – wie noch zu zeigen sein wird – auch die Ertragsfähigkeit der Landwirtschaft drastisch veränderte, auf einen derartigen Steuerungsmechanismus in zunehmenden Maße verzichtet werden. Die Folge war ein langfristiges Sinken des durchschnittlichen Heiratsalters, das sich österreichweit etwa ab den 1860er Jahren beobachten läßt. Während zuvor bis zu zwei Drittel der Männer und weit mehr als ein Drittel der Frauen zum Zeitpunkt der Eheschließung über 30 Jahre alt waren, verschob sich der Schwerpunkt in der Folge in die Gruppe der 24- bis 30jährigen bei den

Männern und in noch niedrigere Jahrgänge bei den Frauen.[8] Und abermals war dieser langfristige Prozeß bis zum Vorabend des Ersten Weltkrieges in dem statistisch von der Stadt Wien geprägten Kronland Niederösterreich – 1910 wohnten fast 60 Prozent der Bevölkerung von Niederösterreich in Wien – bereits deutlich weiter fortgeschritten als in den noch stärker agrarisch ausgerichteten Ländern.

Zunehmende Urbanisierung und Industrialisierung setzten jedoch entsprechende Veränderungen in der *Landwirtschaft* voraus: Veränderungen, die eine adäquate Versorgung der städtischen und nicht-landwirtschaftlichen Bevölkerung mit Nahrungsmitteln ermöglichten. Dies wiederum konnte prinzipiell auf zwei Arten erreicht werden: zum einen durch eine Steigerung der Arbeitsproduktivität der in der Landwirtschaft verbleibenden Produzenten, zum anderen durch Nahrungsmittelimporte von außen, im Falle Österreichs vor allem aus Ungarn.

Was die heimische Produktion anlangt, stiegen die jährlichen Erntemengen der wichtigsten Nahrungsmittel Weizen, Roggen, Gerste, Hafer und Kartoffeln zwischen den frühen 70er und den letzten Vorkriegsjahren in den ehemaligen Kronländern des heutigen Österreich von durchschnittlich 1,86 Millionen auf durchschnittlich 3 Millionen Tonnen.[9] Dies entsprach einem Zuwachs von 62 Prozent, also mehr als die 44 Prozent, um die im selben Zeitraum die Bevölkerung wuchs (vgl. auch Tab. 4). Dahinter verbirgt sich ein Anstieg sowohl der Flächen- als auch der Arbeitsproduktivität. Denn mit Ausnahme der für die Kartoffel herangezogenen Felder – bei ihnen handelte es sich vorzugsweise um ehemalige Brachflächen der in zunehmendem Maße von der Fruchtwechselwirtschaft abgelösten Dreifelderwirtschaft – blieb der Umfang der Anbauflächen nahezu konstant.[10] Die somit höheren Hektarerträge wiederum resultierten zum einen aus einer verbesserten Fruchtfolge und zum anderen aus einer verstärkten Düngung der Felder, die ihrerseits durch eine umfangreichere Stallviehhaltung und eine zunehmende Verwendung mineralischer Düngemittel möglich wurde.[11]

Beides hatte einen vermehrten Arbeitsanfall zur Folge, der
zunächst zu einem gesteigerten Arbeitseinsatz der in der Landwirtschaft Erwerbstätigen und schließlich zu zunehmender Mechanisierung der landwirtschaftlichen Arbeit führte. Auf diese
Weise stieg die Arbeitsproduktivität, das heißt die Pro-Kopf-
Produktion der landwirtschaftlich Erwerbstätigen – gemessen
etwa an den oben angeführten Erntemengen an Getreide und
Kartoffeln –, rein rechnerisch um 75 Prozent.[12]

Weniger stark als die pflanzliche Produktion nahm in derselben Zeit der heimische Viehbestand zu: An Rindern wurden 1910 um 9,5 Prozent, an Schweinen um 102 Prozent
mehr gezählt als 1869, dagegen ging die Schafhaltung um 66
Prozent zurück.[13] Gleichzeitig konnte jedoch auch die Milchleistung pro Kuh in einem Maße gesteigert werden, daß die
gesamte Milchproduktion zwischen 1850 und 1910 – immer
unter Berücksichtigung der zum Teil noch ungenauen statistischen Angaben – um ein Drittel angehoben wurde.[14]

Allerdings gab es auch im Bereich der landwirtschaftlichen
Produktion deutliche regionale Unterschiede, wobei das von
den natürlichen Voraussetzungen wie von der Nähe zum
großstädtischen Markt her begünstigte Niederösterreich und
in geringerem Ausmaß auch Oberösterreich und die Steiermark fast durchwegs besser abschnitten als die inneralpinen
Landschaften, die lediglich bei Kartoffeln und in der Schwei-
nezucht Zuwächse zu verzeichnen hatten (vgl. Tab. 4). Darin
kommt die auch regional zunehmende Arbeitsteilung zum
Ausdruck, die durchaus den unterschiedlichen Voraussetzungen in den einzelnen Ländern Rechnung trug, wenn sie auch
mit gewissen Härten für viele in der modernen Marktwirtschaft nicht mehr konkurrenzfähige Bauern verbunden war.

Daß jedoch – von solchen Einzelschicksalen abgesehen –
der landwirtschaftliche Fortschritt österreichweit erfolgte,
zeigen der in den letzten Jahren geradezu spektakulär ange-
stiegene Mineraldüngerverbrauch ebenso wie die in allen
Ländern noch vor der Jahrhundertwende einsetzende Verwendung landwirtschaftlicher Maschinen, die in allen Kron-

ländern zu beobachten waren.[15] Und obwohl sich naturgemäß eher die größeren Betriebe Maschinen leisten konnten, blieb die Mechanisierung keineswegs auf diese beschränkt, sondern dürfte bereits damals – dies läßt sich aus einem Vergleich der Maschinenbetriebe mit der Verteilung der Besitzgrößen schließen – zumindest auch in mittelgroße Betriebe Eingang gefunden haben (vgl. Tab. 4).

Neben der wachsenden eigenen Produktion standen der nicht-landwirtschaflichen Bevölkerung in Österreich auch immer größere Mengen eingeführter Nahrungsmittel zur Verfügung. Im Schnitt der Jahre 1905/13 etwa stammten mehr als zwei Drittel der auf dem Wiener Schlachtviehmarkt aufgetriebenen Rinder und knapp die Hälfte aller Schweine aus Ungarn, dagegen nur 14,5 Prozent bzw. 8 Prozent aus dem heutigen Bundesgebiet. Aber auch von dem in Österreich konsumierten Getreide wurde ein Großteil aus Ungarn importiert.[16] Auf diese Weise konnte die Versorgung auch der rasch wachsenden städtischen Bevölkerung sichergestellt und in manchen Bereichen sogar verbessert werden: Der jährliche Wiener Pro-Kopf-Verbrauch an Fleisch bewegte sich trotz rascher Bevölkerungszunahme seit den 60er Jahren um 70 kg, während sich der Milchverbrauch allein zwischen 1870 und 1910 mehr als verdoppelte.[17]

Damit war eine unerläßliche Voraussetzung für eine erfolgreiche *Industrialisierung* sowie eine Ausweitung der nicht-landwirtschaftlichen Tätigkeiten ganz allgemein gegeben. Im Bereich der gewerblichen Produktion ermöglichten der verstärkte Einsatz von Maschinen und die Ersetzung der menschlichen und tierischen durch leblose Energie, die zunächst aus Wasserkraft und Kohle sowie schließlich aus Erdöl und in Form des elektrischen Stromes gewonnen wurde, vor allem zwei grundlegende Veränderungen: zum einen ungleich größere Produktionsmengen als in vorindustrieller Zeit, zum anderen neue Produktionsbetriebe in Form von Fabriken, in denen weit mehr Menschen beschäftigt waren als in den Werkstätten des traditionellen Handwerks.

Obwohl regional noch ungleich verteilt, hatte sich die österreichische Industrie bis zum Beginn des 20. Jahrhunderts durchaus nach dem Muster anderer west- und mitteleuropäischer Länder entwickelt. Auf eine erste Phase der Mechanisierung vor allem in der Baumwollwarenerzeugung, die auch in Österreich in die Zeit des Vormärz zurückreicht, folgte nach der Jahrhundertmitte – auf der Basis umfangreicher Eisenerzvorkommen am steirischen Erzberg – die Umgestaltung der Eisen- und Stahlproduktion einschließlich der Eisenverarbeitung in Form einer Kleineisen- ebenso wie einer Maschinenindustrie, bevor in der weiteren Folge auch andere Industriezweige, darunter vor allem die Fahrzeug- und die Elektroindustrie, aber auch die Papierindustrie und die chemische Industrie modernisiert wurden bzw. als eigenständige Produktionszweige erst entstanden. Als Ergebnis dieses ersten Industrialisierungsschubes wies Österreich am Vorabend des Ersten Weltkrieges bereits eine relativ ausgewogene Industriestruktur auf.

Die österreichische Industrie belieferte nicht nur das Gebiet der späteren Republik, sondern in hohem Maß auch die restliche Monarchie. Dennoch blieb sie, etwa was den Umfang ihrer Unternehmen betrifft, hinter den Industrieländern vergleichbarer Größe zurück, was nicht zuletzt im weniger kaufkräftigen Binnenmarkt der Habsburgermonarchie begründet gewesen sein dürfte. Bis zum Ersten Weltkrieg beschäftigten lediglich 80 Unternehmen in Industrie und Bergbau mehr als 1000 Beschäftigte und nur 11 mehr als 3000.[18] Sie waren – wie auch die allermeisten der sehr viel zahlreicheren Klein- und Mittelunternehmen – vor allem von selbständigen Handel- und Gewerbetreibenden gegründet worden, während andere Bevölkerungsgruppen wie der Adel und die Bauern, vor allem aber die große Zahl der Unselbständigen und der Frauen ebenso wie der Staat und die Banken nur vereinzelt als Unternehmensgründer in Erscheinung traten. Diese stammten zum Teil aus Österreich selbst, zu einem relativ großen Teil aber auch aus dem Ausland. Nur relativ wenige Unternehmen befanden sich hingegen im Be-

sitz ausländischer Firmen, so daß trotz der relativ hohen
Beteiligung ursprünglich auswärtiger, schon bald jedoch ein-
gebürgerter Unternehmensgründer durchaus von einem eigenständigen österreichischen Industrialisierungsprozeß gesprochen werden kann.

Allerdings war – wie bereits erwähnt – dieser Prozeß noch
sehr ungleich auf das heutige Bundesgebiet verteilt, was sich
außer in der Verteilung der Erwerbstätigen auch in den
Standorten der Großunternehmen in Industrie und Bergbau
widerspiegelt.[19] Allein 32 der insgesamt 80 Großunternehmen des Jahres 1913 entfielen auf Wien und weitere 24 auf
Niederösterreich. In der Steiermark mit ihren reichhaltigen
Rohstoffen – außer Eisenerz auch Holz, Braunkohle und Ma-
gnesit – sowie der zweitgrößten Stadt Graz hatten weitere
11, in Oberösterreich dagegen lediglich 6 Großunternehmen
ihren Sitz. Im Verhältnis zu seiner Größe überdurchschnitt-
lich stark vertreten war dagegen wiederum Vorarlberg mit 5
Großunternehmen, während in Tirol, Salzburg, Kärnten und
dem Burgenland zusammen lediglich 2 Großunternehmen
gezählt wurden. Die österreichische Industrie konzentrierte
sich demnach am Vorabend des Ersten Weltkrieges außer auf
Vorarlberg im äußersten Westen auf ein geographisches
Band, das sich – mit Ausläufern nach Oberösterreich – vom
Wiener Raum über den Semmering in die Obersteiermark
und weiter bis in das Grazer Becken erstreckte.

Parallel zur Industrialisierung und zur Modernisierung
der Landwirtschaft – und zwar sowohl als Voraussetzung wie
auch als Folge – fand eine Umgestaltung des *Verkehrs- und
Transportwesens* statt. Neben den neuen Kommunikations-
techniken des Telegrafen und des Telefons waren es vor allem die Eisenbahn und nach der Jahrhundertwende das Automobil, die auch in Österreich an die Stelle der Kutsche und
der Flußschiffahrt traten und die Effizienz der Transporte
revolutionierten. Der Eisenbahnbau war um die Mitte des
19. Jahrhunderts begonnen und bis zum Ausbruch des Weltkrieges zu einem gewissen Abschluß gebracht worden, während das Automobil erst danach seinen Siegeszug antreten

sollte. Die Eisenbahnen waren schneller und wetterunabhän-
giger als die traditionellen Pferdefuhrwerke und transpor-
tierten ein Vielfaches ihrer Frachtmengen, was sich in einer
Verbilligung der Rohstoffe wie der Endprodukte und somit in
einer Markterweiterung niederschlug.

Neben dem Eisenbahnwesen expandierten als Folge stei-
gender Produktion in Landwirtschaft und Industrie auch andere Bereiche des tertiären Sektors wie etwa der Groß- und
Kleinhandel einschließlich des Kreditwesens oder die öffentliche Verwaltung und das Bildungswesen, die im lokalen wie
im regionalen und gesamtstaatlichen Rahmen erst auf der
Basis einer produktiveren Wirtschaft stärker ausgebaut werden konnten.

Ebenfalls zum tertiären Sektor zählt das Gast- und
Schankgewerbe, das außer vom steigenden Pro-Kopf-Einkommen der örtlichen Bevölkerung auch vom *Fremdenverkehr* profitieren konnte, dessen Anfänge in Österreich in das
späte 19. und frühe 20. Jahrhundert zurückreichen. Zwar
sind die Nächtigungszahlen als inzwischen fast klassischer
Indikator für die Entwicklung des Fremdenverkehrs für diese Zeit nur unzureichend überliefert bzw. aufgearbeitet, doch
erlauben die für die Bevölkerung ohnehin relevanteren Be-
schäftigtenzahlen im Gastgewerbe gewisse Rückschlüsse
(vgl. Tab. 8). Ohne die noch geringfügigen Unterschiede zwischen den einzelnen Ländern überbewerten zu wollen, fällt
doch auf, daß relativ zur Gesamtzahl der Erwerbstätigen am
Vorabend des Ersten Weltkrieges in keinem Land so viele
Menschen im Gastgewerbe arbeiteten wie in Salzburg, einem
der später „klassischen" Fremdenverkehrsländer.

2. Der Erste Weltkrieg und die Zwischenkriegszeit

Im langfristigen Prozeß der sozioökonomischen Entwicklung
stellten sowohl die beiden Weltkriege als auch die *Zwischenkriegszeit* als Ganzes eine längere Unterbrechung dar, so daß

der Prozeß der Industrialisierung und Modernisierung vielfach erst nach 1945 eine Fortsetzung fand. Zunächst gingen die Jahre des Ersten Weltkrieges – abgesehen von den Tausenden von Toten – mit den für Kriege typischen Beeinträchtigungen des Wirtschaftslebens einher. Der Einsatz zahlreicher männlicher Arbeitskräfte in der Armee, der nur unzureichende Ersatz durch Frauen und die zunehmende Ausrichtung der Produktion und der Transportmittel auf die Bedürfnisse des Krieges führten zu starken Einbußen vor allem in der Herstellung ziviler Güter und in der Nahrungsmittelerzeugung, die durch Störungen im Außenhandel noch zusätzlich verschärft und spürbar wurden.

Für die weitere Entwicklung gravierender als die letztlich kurzfristigen Einbrüche während des Krieges sollten sich jedoch die Veränderungen im Zuge der neuen Grenzziehungen nach 1918 erweisen. Insgesamt waren es vor allem fünf Faktoren, die eine positivere Weiterentwicklung der österreichischen Wirtschaft zwischen den Weltkriegen behinderten:[20]

1. Die wirtschaftlichen Erschütterungen der Kriegs- und der unmittelbaren Nachkriegsjahre hatten erhebliche Engpässe in der Lebensmittel-, Energie- und Rohstoffversorgung zur Folge, die zu Produktionseinschränkungen und einer gewaltigen Inflation führten.

2. Die neuen, durch die nationalistische Wirtschafts- und Zollpolitik der Nachfolgestaaten in ihrer Wirkung noch verschärften Grenzen zerrissen traditionelle Handels- und Absatzwege und erschwerten somit eine Rückkehr zum Produktionsniveau der Vorkriegszeit.

3. Die Verkleinerung des Binnenmarktes von 51 auf 6,5 Millionen Einwohner stellte weite Teile der Wirtschaft vor Anpassungsprobleme, die bei stagnierenden Realeinkommen, relativ hoher Arbeitslosigkeit, nur langsamer Bevölkerungszunahme sowie einem wenig aufnahmefähigen Auslandsmarkt nur schwer, wenn überhaupt zu lösen waren.

4. Etwaige Aufschwungstendenzen seit der Währungsstabilisierung des Jahres 1922 wurden durch die Weltwirt-

schaftskrise nach 1929 jäh unterbrochen, da sie gerade die
verstärkt auf Exporte angewiesene Wirtschaft der kleinen
Republik hart treffen mußte und über die rasch steigende
Arbeitslosigkeit und Investitionsunlust auch auf dem Binnenmarkt die Nachfrage nach Konsum- und Investitionsgütern zurückgehen ließ.

5. Die Zeitspanne zwischen dem Ende der Krise 1933/34 und
dem Anschluß 1938 war zu kurz, um die österreichische
Wirtschaft das Produktionsniveau von 1913, das
1928/1929 geringfügig übertroffen worden war, vor 1938
wieder erreichen zu lassen.[21]

Vor dem Hintergrund derart ungünstiger Rahmenbedingungen sollten sich auch die hier als Hauptindikatoren für Modernisierung herangezogenen Aspekte, nämlich der *Urbani-
sierungs-* und der *Industrialisierungsgrad* der österrreichi-
schen Gesellschaft, zwischen den Kriegen nur unwesentlich
verändern. Der Anteil der „städtischen" Bevölkerung – wiederum gemesen an den Gemeinden mit mehr als 2000 Einwohnern – nahm zwischen den Volkszählungen von 1910 und
1934 von insgesamt 62 nur geringfügig auf 63 Prozent zu.
Auch wenn die Verlangsamung des Urbanisierungsprozesses
hauptsächlich auf den Bevölkerungsrückgang in dem seiner
zentralen Stellung und vieler seiner Funktionen beraubten
Wien zurückzuführen war – seine Einwohnerzahl ging bedingt durch Abwanderung und noch viel mehr durch einen
drastischen Rückgang der Geburten auf 1,9 Millionen zurück
–, so fiel die relative Zunahme der „städtischen" Bevölkerung
auch in den Ländern bescheidener aus als vor dem Krieg (vgl.
Tab. 5). Dennoch hatte die ungleiche Entwicklung in Wien
und im restlichen Österreich gleichzeitig zur Folge, daß es in
der Zwischenkriegszeit zwar zu keiner Beschleunigung, statt
dessen aber zu einer Verbreiterung der Urbanisierung kam.[22]

Auch der Strukturwandel unter den österreichischen Erwerbstätigen erfuhr gegenüber der Vorkriegszeit eine deutliche Verlangsamung, die auch hier mit einem allerdings erst
ansatzweisen Ausgleich regionaler Disparitäten einherging.
Einerseits nahm der Anteil der in der Landwirtschaft Er-

werbstätigen, der zwischen 1900 und 1910 österreichweit um 4 Prozentpunkte zurückgegangen war, in den 24 Jahren bis 1934 um lediglich 3 Prozentpunkte ab, andererseits fiel der Rückgang in den Ländern, die davon vorerst weniger stark betroffen gewesen waren, mit Ausnahme des Burgenlandes wesentlich ausgeprägter aus als etwa in Wien, Vorarlberg und Teilen von Niederösterreich und der Steiermark, die sich bereits zuvor zu ausgesprochenen Industrieregionen entwickelt hatten (vgl. Tab. 6). Wenn daher das relative Gewicht der Landwirtschaft als Kriterium für mehr oder weniger Modernisierung angesehen wird, läßt sich somit aus der Verteilung der Erwerbstätigen schließen, daß sich der Modernisierungsprozeß gegenüber den ersten Jahren des 20. Jahrhunderts zwar insgesamt verlangsamte, gleichzeitig aber regional verbreiterte und somit tendenziell eine Annäherung der einzelnen Teile des Bundesgebietes eingeleitet wurde.

Dasselbe Phänomen ist außer bei der Urbanisierung und beim relativen Bedeutungsrückgang der Landwirtschaft auch in anderen Bereichen sozioökonomischer Entwicklung zu beobachten. An die Stelle einer relativ raschen *Bevölkerungs*zunahme, die Österreichs Einwohnerzahl in den späteren Grenzen bis 1913 auf knapp 6,8 Millionen hatte ansteigen lassen, trat zunächst ein kriegsbedingter Rückgang auf weniger als 6,5 Millionen im Jahre 1920, dem dann bis 1937 eine Vermehrung auf 6,75 Millionen, also auf nicht ganz den Vorkriegsstand folgte.[23] Hinter der insgesamt stagnierenden Bevölkerungsentwicklung vollzog sich jedoch ebenfalls eine regionale Verschiebung in Richtung einer weniger einseitigen Verteilung. Vor allem wegen des Bevölkerungsrückganges in Wien nahm die Einwohnerzahl der drei östlichen Bundesländer Wien, Niederösterreich und Burgenland zwischen 1910 und 1934 um etwa 3 Prozent ab, während sie im Süden und Westen um 8 Prozent zunahm.[24] Allerdings war diese Verschiebung erst der Anfang einer Entwicklung, die sich vor allem in den 40er Jahren stark beschleunigen sollte.

Die unterschiedliche Entwicklung des Wiener Raumes und des restlichen Österreichs spiegelte sich auch in den Grund-

daten demographischen Verhaltens wider. Zwar setzte sich
der Rückgang der Sterblichkeitsziffern und insbesondere
auch der Säuglingssterblichkeit – nach einem vorübergehen-
den Anstieg im Krieg – bis 1937 hier wie dort in etwa dem-
selben Tempo fort, und zwar auf 13 Promille, was die allgemeine, und auf 92 bzw. in Wien allein auf 64 (1935) Promille,
was die Säuglingssterblichkeit betrifft.[25] Die Geburtenziffern
hingegen fielen in Wien ungleich stärker als in den übrigen
Bundesländern, nämlich kontinuierlich auf nur noch 5 Promille im Jahre 1937, während sie in ganz Österreich auf
lediglich etwa 13 Promille zurückgingen.[26]

Die relativ niedrigen Sterbe- und Geburtenziffern könnten
den Eindruck erwecken, als ob die demographische Wende
schon damals in ihre letzte Phase, nämlich die Angleichung
beider Werte auf einem deutlich niedrigeren Niveau, eingetreten wäre. Dies traf zwar für die Sterbeziffern, noch nicht
jedoch für die Geburtenziffern zu, die nach 1945 noch einmal
ansteigen sollten. Die niedrigen Werte der 30er Jahre waren
daher weniger das Ergebnis einer hochentwickelten Volkswirtschaft als vielmehr die Folge ausgesprochener Krisenerscheinungen, wie wir sie auch aus früheren Zeiten kennen. In
dieses Bild passen auch die besonders niedrigen und sogar
unter dem für moderne Industrieländer üblichen Niveau lie-
genden Werte in Wien, das von den Krisenerscheinungen der
Zwischenkriegszeit und vor allem vom Verlust vieler Funktionen, die es als Hauptstadt eines 50-Millionen-Reiches erfüllt
hatte, weit stärker betroffen war als das restliche Österreich.
Die ungünstigen wirtschaftlichen Rahmenbedingungen beein-
flußten darüber hinaus vor allem wiederum die Heiratshäu-
figkeit, die nach einer gewissen Aufholphase in den ersten
Nachkriegsjahren im Wien der frühen 30er Jahre auf durchschnittlich nur noch 7,6 und österreichweit bis 1937 auf lediglich 6,9 Trauungen pro 1.000 Einwohner zurückfiel.[27]

Zur Stagnation der österreichischen Bevölkerungsentwicklung in der Zwischenkriegszeit trug neben dem Geburten-
rückgang auch die Umkehr der Wanderungsbewegung bei.
Im Unterschied zum späten 19. und frühen 20. Jahrhundert,

als ein Großteil der Bevölkerungszunahme aus der Zuwanderung speziell nach Wien resultierte, wanderten nach 1918 insgesamt mehr Menschen aus Österreich aus als nach Österreich ein.[28] Auch darin spiegeln sich die ungünstige wirtschaftliche Lage und die stagnierende Entwicklung der 20er und 30er Jahre wider, die es nun im folgenden etwas näher zu beleuchten gilt.

In der Versorgung mit Nahrungsmitteln war Österreich nach dem Zusammenbruch der Monarchie sehr viel stärker auf die eigene *Landwirtschaft* angewiesen als zuvor. Obwohl diese zu Beginn – vor allem in Folge der durch den Krieg bedingten Produktionsrückgänge – nur zum kleineren Teil in der Lage war, den Nahrungsmittelbedarf der österreichischen Bevölkerung zu decken, sollte ihr dies in der Folge immer besser gelingen. Dafür zeichnete nicht etwa eine Ausweitung der landwirtschaftlichen Nutzfläche oder des landwirtschaftlichen Arbeitskräftepotentials, sondern – durchaus in Fortsetzung früherer Veränderungen – die Steigerung der Flächen- und Arbeitsproduktivität verantwortlich. Allerdings waren die Produktionszuwächse zwar gegenüber der Kriegs- und der unmittelbaren Nachkriegszeit beachtlich, im Vergleich mit den letzten Vorkriegsjahren jedoch blieben sie relativ bescheiden. Die Gesamternte an Weizen, Roggen, Gerste und Hafer lag im Durchschnitt der Jahre 1930–37 nur um 4 Prozent über jener von 1910–14. Lediglich die Kartoffel- und die Zuckerrübenernten übertrafen die der Vorkriegsjahre um 87 bzw. 109 Prozent.[29] Eine nur geringfügige Zunahme erfuhr auch der Bestand an Rindern, eine etwas stärkere jener an Schweinen, während die Zahl der Schafe weiter zurückging. Deutlich angehoben wurde hingegen die Zahl der Milchkühe und deren Milchleistung.[30]

Somit hielt sich, da die Zahl der in der Landwirtschaft Erwerbstätigen zwischen 1910 und 1934 nur um 11 Prozent zurückging und das gesamte Produktionsvolumen lediglich um 4 Prozent zunahm, der Zuwachs der Arbeitsproduktivität mit 16 Prozent vorerst noch in engen Grenzen.[31] Auch die Mechanisierung der österreichischen Landwirtschaft setzte

sich zwar fort, allerdings ebenfalls noch relativ langsam. Auf
den ca. 433.000 Höfen des Jahres 1930 zählte man zwar
bereits zahlreiche Futterschneide-, Dresch-, Mäh- und Säma-
schinen, aber erst rund 70.000 Elektro- und Vergasermotoren
sowie lediglich 720 Traktoren.[32]

Stagnation statt Weiterentwicklung kennzeichnete zwischen den Kriegen auch die *industrielle Produktion,* die insbesondere mit Anpassungsschwierigkeiten zu kämpfen hatte,
war sie doch vor 1918 auf einen viel größeren Markt ausgerichtet gewesen als auf den des neuen Österreich. Zwar gelang es im Verlauf der 20er Jahre, die vorhandenen Überka-
pazitäten wieder besser zu nutzen, doch konnte weder bis
1929 und noch viel weniger nach den Produktionseinbußen
im Zuge der Weltwirtschaftskrise das Produktionsvolumen
von 1913 jemals wieder erreicht werden.[33] Um nichts besser
erging es dem Handwerk und besonders schlecht dem Bau-
gewerbe, deren Produktion 1937 bei lediglich drei Vierteln
bzw. der Hälfte des Vorkriegsniveaus hielt. Lediglich die
Stromerzeugung, die in der Zwischenkriegszeit – nach früheren Anfängen und dank der im Vergleich zur Kohle ungleich
günstigeren natürlichen Voraussetzungen in Form ausgiebi-
ger und unerschöpflicher Wasserkraft – eine erste Expan-
sionsphase erlebte, wuchs kontinuierlich auf über das Doppelte des Vorkriegsstandes an.[34]

Von den strukturellen wie konjunkturellen Problemen der
Zwischenkriegszeit waren insbesondere auch die österreichischen Großunternehmen, das heißt die Unternehmen mit
über 1000 Beschäftigten, stark betroffen.[35] Ihre Zahl ging
zwischen 1913 und 1937 von 74 auf nur noch 49 Großunternehmen zurück, und sie beschäftigten insgesamt fast um die
Hälfte weniger Personen als die Großunternehmen des letzten Vorkriegsjahres. Der österreichische Charakter ihrer Ei-
gentümer blieb nach wie vor gewahrt, obwohl der relative
Anteil ausländischer Firmen – nicht jedoch ihre absolute
Zahl – von einem knappen Fünftel auf etwas mehr als ein
Viertel anstieg. Allerdings war dies nicht – wie vielfach angenommen – die Folge einer verstärkten Durchdringung der

österreichischen Industrie mit deutschem Kapital. Sowohl 1913 als auch 1937 waren lediglich fünf der jedesmal 13 ausländischen Großunternehmen in deutscher Hand.[36] Dies sollte sich erst nach dem Anschluß ändern, als neben vielen mittleren und kleineren Unternehmen auch 19 Großunternehmen des Jahres 1937 von deutschen Eigentümern übernommen wurden. Was die regionale Verteilung der österreichischen Großunternehmen betrifft, spiegelt sie die bereits bei der Bevölkerung festgestellte Verschiebung zuungunsten des Wiener Raumes wider, wo der Rückgang etwas stärker ausfiel als im restlichen Österreich.

Dieselbe regionale Verschiebung läßt sich schließlich auch im tertiären Sektor der *Dienstleistungen* beobachten. Die Zahl der darin Erwerbstätigen ging in Wien, Niederösterreich und im Burgenland zwischen 1910 und 1934 um 5 Prozent zurück, während sie in den restlichen Bundesländern um 9 Prozent zunahm.[37] Dahinter verbergen sich nicht nur der Bevölkerungsrückgang in Wien und die Bevölkerungszunahme im restlichen Österreich, sondern zumindest in Ansätzen auch die weitere Entwicklung des Fremdenverkehrs, der unter anderem gerade im Gastgewerbe neue Arbeitsplätze schuf, und zwar in den westlichen Bundesländern mehr als im Osten (vgl. Tab. 8).

Insgesamt stieg die Zahl der noch zum größten Teil in die Sommersaison fallenden Übernachtungen bis 1925 auf knapp 14 und bis 1929/30 auf fast 20 Millionen an, fiel dann infolge der Weltwirtschaftskrise und der von Hitler-Deutschland verhängten 1.000-Mark-Sperre auf 16 Millionen zurück, bevor sie in der Folge neuerlich die 20-Millionen-Grenze erreichte und diese 1936/37 sogar leicht überschritt.[38] Damit war der Fremdenverkehr zwar noch zu keinem zentralen Faktor der österreichischen Wirtschaft geworden, die Anfänge einer weiteren Grundlage für Modernisierung, die vor allem in den weniger industrialisierten Bundesländern Tirol, Salzburg und Kärnten zunehmende Bedeutung erlangen sollte, waren jedoch geschaffen.[39]

Resümierend kann daher für die *Zwischenkriegszeit* festgehalten werden, daß der Prozeß der Industrialisierung zwar weitgehend stagnierte, daß aber gleichzeitig die Basis für eine Modernisierung von Wirtschaft und Gesellschaft um weitere potentielle Wachstumsträger wie die Elektrizitätswirtschaft oder den Fremdenverkehr erweitert wurde. Die Stagnation des älteren und die – wenn auch noch langsame – Entwicklung neuer Modernisierungsträger ging mit einem ansatzweisen Ausgleich regionaler Disparitäten einher, indem bislang höher entwickelte Regionen eher stagnierten, während die vorerst zurückgebliebenen nunmehr etwas stärker in den Modernisierungsprozeß einbezogen wurden. Die Zwischenkriegszeit war daher einerseits von einer Verlangsamung, andererseits aber von einer beginnenden Verbreiterung der sozioökonomischen Entwicklung gekennzeichnet. Die Grundlagen für eine erfolgreiche Modernisierung waren gelegt; was noch fehlte, waren entsprechend günstige wirtschaftliche und politische Rahmenbedingungen, die sich erst nach 1945 einstellen sollten.

3. Der Zweite Weltkrieg und die Nachkriegszeit

Obwohl die österreichische Wirtschaft nach dem Anschluß einen kurzen Aufschwung erlebte[40] und auch die Bevölkerung vorübergehend wieder optimistischer in die Zukunft blickte – sowohl die Heirats- wie die Geburtenziffern schnellten in die Höhe –,[41] folgte schon bald ein jäher Absturz in die Not und das Elend des Zweiten Weltkrieges. Trotz anfänglicher Ausweitung der industriellen Produktionskapazitäten in Form einiger Großbetriebe insbesondere im oberösterreichischen Raum machten die kriegsbedingten Zerstörungen, Produktionseinschränkungen und Demontagen nach 1945 abermals einen Neubeginn notwendig. Im Unterschied zu 1918 herrschte jedoch eine deutlich positivere Grundstimmung vor, und zwar sowohl was den Wiederaufbauwillen im

Inland als auch was die internationale Kooperation und die – wenn auch nicht uneigennützige – Hilfsbereitschaft anderer Länder anlangt. Das sichtbarste und bekannteste Beispiel war die Marshall-Plan-Hilfe, die auch der österreichischen Wirtschaft half, die Engpässe in der Versorgung mit Nahrungsmitteln, Rohstoffen und Investitionsgütern rascher zu überwinden.

Die aufgestaute Nachfrage einer entsprechend motivierten, relativ gut ausgebildeten und daher immer produktiver und kaufkräftiger werdenden Bevölkerung führte in Verbindung mit einer ebenfalls günstigen Konjunktur auf den Exportmärkten zu einer Auslastung sowohl der bisherigen, großteils erneuerten als auch der neu geschaffenen Produktionskapazitäten. Noch vor dem Ende der 40er Jahre wurden in den wesentlichen Bereichen der Industrie, der Energie- und der Bauwirtschaft die Vorkriegswerte des Jahres 1937 übertroffen, an die Stelle einer relativ hohen und in der Weltwirtschaftskrise auf ein Viertel aller unselbständig Erwerbstätigen angestiegenen Arbeitslosigkeit trat in den 60er und 70er Jahren die Vollbeschäftigung.[42]

Hand in Hand mit dem gesamtwirtschaftlichen Aufschwung, der mit gewissen Schwankungen bis in die 70er Jahre anhielt, erfuhr auch der im 19. Jahrhundert begonnene und in der Zwischenkriegszeit verlangsamte Strukturwandel in Wirtschaft und Gesellschaft eine deutliche Beschleunigung. Sowohl die *Urbanisierung* als auch die *Industrialisierung* setzten sich rasch fort und fanden in den 60er und 70er Jahren einen gewissen Abschluß (vgl. Tab. 5 und 6). Und da sich die in der Zwischenkriegszeit begonnene Auseinanderentwicklung von Wien und dem restlichen Österreich infolge der zusätzlichen Randlage, in die Wien nach 1945 geraten war, sogar noch verstärkte, wurden immer weitere Teile des Landes von der Urbanisierung erfaßt, mit der Folge, daß schon 1951 einzelne Bundesländer einen höheren Urbanisierungsgrad aufwiesen als ganz Österreich zusammen. Österreichweit lebten zuletzt gut drei Viertel aller Einwohner in Gemeinden mit über 2000 Einwohnern.[43]

Dafür zeichnete jedoch nicht mehr die Industrialisierung allein verantwortlich. Denn spätestens ab den 70er, zum Teil schon in den 60er Jahren überflügelte der tertiäre den sekundären Sektor, was die in ihnen arbeitenden Erwerbstätigen anlangt. Der *Dienstleistungsbereich* entwickelte sich zu einem weiteren Modernisierungsträger, der sich bis zuletzt ausdehnte, und zwar sowohl als Begleiterscheinung des zunehmenden Produktionsvolumens und der fortschreitenden Arbeitsteilung als auch infolge des expandierenden Fremdenverkehrs.

Urbane und damit moderne Lebensweisen blieben immer weniger auf die Städte selbst beschränkt, sondern fanden – nicht zuletzt dank der modernen Kommunikationstechnik einschließlich der Massenmedien – zusehends auch in ländliche Gebiete Eingang. Obwohl es naturgemäß bis zuletzt Regionen gab, die vom Modernisierungsprozeß kaum oder nur teilweise erfaßt wurden, zeichnet sich Österreich gerade dadurch aus, daß die Modernisierung, die anfangs nur wenige Gebiete erfaßt hatte, inzwischen zu einer fast flächendeckenden Erscheinung wurde.

Zunächst jedoch ließ sich die schon bei der Urbanisierung sichtbare Tendenz zur regionalen Verbreiterung auch beim Prozeß der Industrialisierung beobachten (vgl. Tab. 6). Die Unterschiede zwischen den neun Bundesländern, was den relativen Anteil der im sekundären Sektor Erwerbstätigen anlangt, verminderte sich zwischen 1934 und 1951 sowie abermals bis 1961. Dabei handelte es sich vor allem um ein Aufholen der bislang weniger industrialisierten Länder gegenüber Wien, Niederösterreich und Vorarlberg.

Allerdings lassen die Ergebnisse der späteren Volkszählungen erkennen, daß der industrielle Aufholprozeß in einigen Ländern schon bald von einem anderen Trend abgelöst wurde. Noch bevor speziell Salzburg, Kärnten und Tirol den Industrialisierungsgrad etwa von Wien und Vorarlberg erreichten, begann in ihnen der tertiäre Sektor rascher zu wachsen als der sekundäre. Dies deutet darauf hin, daß in ersteren der Rückgang der

Landwirtschaft weniger durch eine stärkere Industrialisierung als vielmehr durch eine Ausweitung der Dienstleistungen, in diesem Fall vor allem des *Fremdenverkehrs* bedingt war. Im Zuge des allmählichen Überganges zu einer Dienstleistungsgesellschaft, die in der Regel erst nach einer entsprechenden Ausweitung des industriellen Sektors erfolgte, übersprangen sie gewissermaßen die Phase der verstärkten Industrialisierung. Sie näherten sich sogar früher der von Wien zuerst erreichten Dienstleistungsgesellschaft als sowohl die älteren – Niederösterreich und Vorarlberg – als auch die jüngeren Industrieländer Oberösterreich, Steiermark und das Burgenland. Allerdings vereinigten diese einschließlich Wiens den sehr viel größeren Teil der österreichischen Erwerbstätigen auf sich, so daß der von ihnen beschrittene Weg auch in Österreich eher die Norm und die Entwicklung der kleineren Länder Salzburg, Kärnten und Tirol die Ausnahme darstellten.

Fortsetzung, Verbreiterung und gewisser Abschluß des Modernisierungsprozesses kommen außer im Urbanisierungs- und Industrialisierungsgrad sowie später im Anteil des Dienstleistungssektors auch in anderen Veränderungen in Wirtschaft und Gesellschaft zum Ausdruck. Wie vor dem Ersten Weltkrieg und ganz im Gegensatz zur Stagnationsperiode der Zwischenkriegszeit nahm die *Bevölkerung* wieder rascher zu und verteilte sich gleichzeitig gleichmäßiger auf das ganze Land. 1971 zählte man in Österreich um 11 Prozent mehr Einwohner als 1937, dann jedoch folgte bis in die 80er Jahre eine deutliche Abschwächung, die erst durch die jüngsten Umwälzungen in Ostmitteleuropa seit 1989 von einer neuerlichen Beschleunigung des Zuwachses auf 7,8 Millionen im Jahre 1991 abgelöst wurde.[44]

Die Ost-West-Verschiebung, die in Ansätzen bereits nach 1918 eingesetzt hatte, nahm größere Dimensionen an und führte dazu, daß in Salzburg, Tirol und Vorarlberg, wo die Bevölkerung zwischen 1939 und 1991 um 85 Prozent zunahm, 1991 statt einem Neuntel fast ein Fünftel aller Österreicherinnen und Österreicher lebten. Dagegen verzeichneten Wien, Niederösterreich und das Burgenland lange Zeit

einen fast kontinuierlichen Rückgang ihrer Einwohnerzah-
len, die hier erst in der zweiten Hälfte der 80er Jahre wieder
zu steigen begannen. Die Steiermark, Kärnten und Oberösterreich lagen mit Zuwachsraten zwischen 16 und 44 Prozent in der Mitte.[45]

Die regionalen Bevölkerungsverschiebungen resultierten
aus einer insgesamt recht komplexen Kombination von natürlichen und wanderungsbedingten Bewegungen. Dabei
fällt auf, daß die überdurchschnittliche Zunahme in den
westlichen Bundesländern zumindest seit 1951 hauptsächlich auf die vorübergehend wieder angestiegenen Geburtenziffern zurückzuführen waren, die durchaus in der Tradition
des aus früheren Jahrhunderten bekannten und nach vorangegangenen Rückschlägen typischen Nachholbedarfes standen (vgl. Tab. 7). Erst in den 70er Jahren fielen sie wieder
stärker, um in die ihrer fortgeschrittenen Modernisierung
entsprechende, letzte Phase des demographischen Überganges einzumünden. Im östlichen Österreich und insbesondere
in Wien hingegen war diese Phase schon früher erreicht worden, mit der Folge, daß in Wien zwischen 1951 und 1991
mehr Menschen starben als neu geboren wurden. Dennoch
hatte Wien – trotz des Verlustes seiner einstigen Größe und
trotz seiner nunmehrigen Randlage – offenbar noch immer so
viel Anziehungskraft bewahrt, daß mehr Leute zu- als ab-
wanderten und auf diese Weise ein noch stärkerer Bevölkerungsrückgang verhindert wurde.[46]

Wie die Geburten- und vor ihnen schon die Sterbeziffern
paßten sich nunmehr auch die Heiratsziffern österreichweit
der allgemeinen Modernisierung an. Dank der Verbesserung
des allgemeinen Lebensstandards, die ihrerseits eine Folge
der höheren Pro-Kopf-Einkommen war, konnten sich vorerst
mehr Menschen zu einem früherem Zeitpunkt die Gründung
einer Familie leisten. Schon bald jedoch gingen – wie die Zahl
der Geburten – auch die Trauungsziffern zurück, eine Erscheinung, die vielfach als Wohlstandseffekt bezeichnet wird
und ganz im Gegensatz zum demographischen Verhalten der
Menschen in vorindustrieller und vormoderner Zeit steht.

Mindestens ebenso tiefgreifend wie die demographische Wende war der Übergang von einer agrarischen zu einer nicht-agrarischen Gesellschaft, der in den Nachkriegsjahrzehnten ebenfalls zu einem Abschluß gelangte. Die bereits zuvor begonnene Steigerung der Flächen- wie der Arbeitsproduktivität in der *Landwirtschaft* setzte sich nach 1945 beschleunigt fort, mit der Folge, daß immer weniger Bauern notwendig waren, um die österreichische Bevölkerung zu ernähren. Während 1951 eine landwirtschaftliche Arbeitskraft den Nahrungsmittelbedarf von vier Personen deckte, so tat sie dies 1980 bereits für den von 23 Personen.[47]

Die Produktivitätsfortschritte wurden zum einen durch die anhaltende Landflucht und zum anderen durch den Wettbewerbsdruck veranlaßt sowie durch rasch zunehmende Mechanisierung und Verbesserungen in der Bearbeitung des Bodens und in der Viehzucht ermöglicht. Die Landflucht bezog sich – wie auch in früheren Jahrzehnten – vor allem auf die unselbständig Beschäftigten wie die Landarbeiter und die Familienangehörigen der Bauern, während die Zahl der Höfe bis zuletzt deutlich langsamer abnahm. Allerdings änderte sich ihr Charakter insofern, als immer weniger Höfe als Vollerwerbsbetriebe geführt wurden – statt knapp zwei Drittel aller Höfe im Jahre 1950 nur noch etwa ein Drittel um 1980.[48] Gleichzeitig nahm der mittelbetriebliche Charakter der österreichischen Landwirtschaft insofern zu, als der relative Anteil vor allem der Kleinstbetriebe zugunsten insbesondere der Höfe mit zwischen 10 und 50 Hektar Betriebsfläche zurückging.[49] Wohl am spektakulärsten gestaltete sich die Zunahme der Traktoren als vielleicht sichtbarstes Zeichen der Mechanisierung, obwohl auch andere Maschinen, insbesondere die vielseitig verwendbaren Elektromotoren, rasche Verbreitung fanden. Anstelle der gut 7000 Traktoren des Jahres 1939 zählte man 1957 bereits 10mal so viele und 1982 nicht weniger als 326.000, während die Zahl der Pferde im selben Zeitraum auf ein Siebtel des Jahres 1950 zurückfiel. Die Hektarerträge etwa bei Weizen konnten verzweieinhalbfacht, die Milchleistung pro Kuh verdoppelt werden.[50]

Die logische Folge dieser Produktivitätsfortschritte war,
daß immer mehr Menschen im industriell-gewerblichen sowie im Dienstleistungsbereich tätig sein konnten, und da
sich auch ihre Produktivität infolge zunehmender Mechanisierung und Automatisierung kontinuierlich steigerte, nahm
auch der Umfang der nicht-landwirtschaftlichen Güter und
der Dienstleistungen überproportional zu: Allein zwischen
1955 und 1975 sollte sich die Wertschöpfung an nicht-landwirtschaftlichen Gütern fast verdreifachen.

Steigende Produktivität hatte aber – dank der von den
Sozialpartnern jährlich ausgehandelten Verteilung der Zuwächse – auch *höhere Einkommen* und somit eine wachsende
Kaufkraft zur Folge, was sich nicht zuletzt in der Austattung
der österreichischen Bevölkerung mit sog. langlebigen Kon-
sumgütern niederschlug. Stellvertretend sei hier lediglich
auf den PKW-Bestand verwiesen, der von nur 51.000 Stück
im Jahre 1950 kontinuierlich auf über 3 Millionen im Jahre
1991 anstieg.[51]

All dies – fortgesetzte Automatisierung der Produktion, rasche Ausweitung des Produktionsvolumens an materiellen
Gütern und die, wenn auch zuletzt langsamere und unregel-
mäßigere Zunahme der Kaufkraft – bewirkte etwa seit den
60er Jahren den bereits angedeuteten weiteren Strukturwandel, der bis heute anhält und als Übergang von einer
Industrie- zu einer *Dienstleistungsgesellschaft* angesehen
werden kann. Das zunehmende Produktionsvolumen führte
tendenziell zu einer zumindest partiellen Bedarfssättigung
bei materiellen Gütern und damit zu einer Abschwächung
der Nachfrage, wodurch in Verbindung mit der aus Wettbe-
werbs- und Kostengründen weiter vorangetriebenen Automatisierung nun auch im industriellen Bereich Arbeitskräfte
freigesetzt wurden. Da gleichzeitig die nach wie vor vorhandene bzw. zunehmende Kaufkraft in eine stärkere Nachfrage
nach Dienstleistungen statt nach materiellen Gütern drängte, konnte die Zahl der Arbeitsplätze im tertiären Bereich
weiterhin zunehmen, allerdings offenbar nicht schnell genug,
um alle in der Landwirtschaft und in der Industrie freige-

setzten Arbeitskräfte aufzunehmen, weshalb seit den 80er
Jahren auch die Zahl der Arbeitslosen wieder stärker anstieg
und etwa 1992 im Jahresdurchschnitt bei einem allerdings
noch immer relativ niedrigen Wert von 5,9 Prozent hielt.[52]

Daß die Industrialisierung im engeren Sinn um 1960 ihren
Höhepunkt erreicht hatte, spiegelt sich unter anderem auch
in den *Großunternehmen* in Industrie und Bergbau wider.
Ihre Zahl hatte in den Jahren nach dem Krieg auf 94 im
Jahre 1960 zugenommen und reduzierte sich in der Folge bis
1979 auf 86 Großunternehmen. Auffällig war der relativ hohe
Anteil verstaatlichter Unternehmen, die auf das Verstaatli-
chungsgesetz von 1946 zurückzuführen waren, mit dem vor
allem ehemals deutscher Besitz in staatliches Eigentum
übergeführt wurde. Allerdings waren auch die verstaatlichten Unternehmen – im Unterschied zu jenen der zentralen
Planwirtschaften Osteuropas – von vorneherein in die
Marktwirtschaft eingebettet, weshalb sie sich mangels entsprechender Planvorgaben in aller Regel wie Privatunter-
nehmen verhielten. Etwaige Schwierigkeiten waren wie bei
diesen eher durch branchenbedingte Umstände als durch ihre Eigentumsstruktur bedingt. Unter den privaten Eigentümern wiederum kam ausländischen Konzernen zwar eine
wachsende Bedeutung zu, doch blieben sie letztlich lediglich
eine allerdings wertvolle Ergänzung einer im Kern eigenständigen österreichischen Industrialisierung.[53]

Noch eigenständiger war eine weitere, im Zuge des Überganges zur Dienstleistungsgesellschaft besonders wichtige
Säule der österreichischen Wirtschaft, nämlich der *Fremdenverkehr.* Er soll hier deswegen eigens hervorgehoben werden,
weil er im Unterschied zu anderen Teilbereichen des tertiären Sektors mehr als diese dazu beigetragen hat, auch solche
Teile Österreichs in den Modernisierungsprozeß miteinzube-
ziehen, in denen die Industrialisierung allein dazu vielleicht
nicht ausgereicht hätte.

Obwohl Tirol, Salzburg und Kärnten stets weniger als 20
Prozent der österreichischen Bevölkerung stellten, entfielen

auf sie seit den 60er Jahren über 60 Prozent aller Gästenäch-
tigungen: Dies ergab bis zu 10mal so viele Nächtigungen pro
Kopf der Bevölkerung wie in den übrigen Bundesländern
(vgl. Tab. 8). Und in der Struktur der Erwerbstätigen hatte
dies zur Folge, daß im Beherbergungs- und Gaststättenwe-
sen in Tirol, Salzburg und Kärnten mehr als doppelt so viele
Menschen arbeiteten wie im restlichen Österreich (vgl.
Tab.8), ganz abgesehen davon, daß die Kaufkraft der Gäste
auch andere Wirtschaftszweige stimulierte.

Inzwischen jedoch haben sich auch die Zuwächse im Fremdenverkehr deutlich abgeschwächt, die Nächtigungszahlen
pendeln seit den 80er Jahren zwischen 90 und 100 Millionen
pro Jahr (vgl. auch Tab. 8). Außerdem stehen einem weiteren
Wachstum in zunehmendem Maße die damit verbundenen
ökologischen Belastungen im Wege. Wie in der industriellen
Produktion wird daher wohl auch im Fremdenverkehr die
Zukunft weniger in einer weiteren mengenmäßigen Steigerung als vielmehr in einer möglichst umweltverträglichen
und sozial vertretbaren, wertmäßigen Verbesserung liegen.
Mehr Qualität statt Quantität paßt aber durchaus in den
bereits mehrfach erwähnten Übergang zur Dienstleistungsgesellschaft, einen Übergang, in dem sich auch die österreichische Wirtschaft nach dem Abschluß des Industrialisie-
rungsprozesses seit einigen Jahren befindet und von dem
wohl auch die weitere Modernisierung der österreichischen
Gesellschaft bestimmt sein wird.

1 Da eine Diskussion der verschiedenen Modernisierungstheorien den hier
  vorgegebenen Rahmen sprengen würde, soll Modernisierung in unserem
  Zusammenhang als Begleiterscheinung von Industrialisierung und Urbanisierung verstanden werden, wobei die oben genannten Veränderungen lediglich einen, wenn auch wichtigen Teil der Modernisierung ab-
  decken. Zur Modernisierungstheorie vgl. stellvertretend Hans-Ulrich
  Wehler, Modernisierungstheorie und Geschichte (Kleine Vandenhoeck-
  Reihe 1407), Göttingen 1975.
2 Errechnet aus Gemeindeverzeichnis von Österreich, hrsg. v. Österreichischen Statistischen Zentralamt, Wien 1956, passim. Deutlich niedriger
  fällt dieser Anteil aus, wenn man ihn statt auf der Basis von Gemeinden
  auf der von Siedlungen errechnet, wie etwa bei Ernst Bruckmüller, So-

zialgeschichte Österreichs, Wien – München 1985, S. 368 und 371. Wegen der besseren Vergleichbarkeit mit den Daten späterer Volkszählungen, die sich auf Gemeinde- und nicht auf Siedlungsgrößen beziehen, wurde hier jedoch den Gemeinden der Vorzug gegeben.

3 Nämlich 1,77 Millionen. Statistisches Jahrbuch für die Republik Österreich, hrsg. v. Österreichischen Statistischen Zentralamt, N.F. 43, Wien 1992, S. 13.

4 Jörn Peter Hasso Möller, Wandel der Berufsstruktur in Österreich zwischen 1869 und 1961. Versuch einer Darstellung wirtschaftssektoraler Entwicklungstendenzen anhand berufsstatistischer Aufzeichnungen, Wien 1974, S. 275.

5 Statistisches Jahrbuch, S. 13.

6 Bruckmüller, Sozialgeschichte, S. 371.

7 Vgl. Franz Mathis, Vorarlberg als Zuwanderungsland für italienische Migranten: Ursachen und Voraussetzungen, in: Auswanderung aus dem Trentino – Einwanderung nach Vorarlberg, hrsg. v. Karl Heinz Burmeister und Robert Rollinger, Sigmaringen 1995, S. 101–125.

8 Birgit Bolognese-Leuchtenmüller, Bevölkerungsentwicklung und Berufsstruktur. Gesundheits- und Fürsorgewesen in Österreich 1750–1918 (Materialien zur Wirtschafts- und Sozialgeschichte 1), Wien 1978, Teil II, S. 67 ff.

9 Errechnet aus Roman Sandgruber, Österreichische Agrarstatistik 1750–1918 (Materialien zur Wirtschafts- und Sozialgeschichte 2), Wien 1978, S. 163 ff.

10 Ebd., S. 43 und 45.

11 Vgl. dazu grundlegend Roman Sandgruber, Die Agrarrevolution in Österreich, in: Österreich-Ungarn als Agrarstaat. Wirtschaftliches Wachstum und Agrarverhältnisse in Österreich im 19. Jahrhundert, hrsg. v. Alfred Hoffmann (Sozial- und Wirtschaftshistorische Studien 10), Wien 1978, S. 195–269.

12 Errechnet mit Hilfe von Möller, Wandel, S. 79 und 83.

13 Errechnet aus Sandgruber, Agrarstatistik, S. 197, 205 und 207.

14 Errechnet aus ebd., S. 201 und 213.

15 Sandgruber, Agrarstatistik, S. 224 f.

16 Sandgruber, Agrarrevolution, S. 256 f.

17 Ebd., S. 236 f.

18 Franz Mathis, Big Business in Österreich. Österreichische Großunternehmen in Kurzdarstellungen, Wien 1987, S. 380–385. Zum folgenden vgl. Franz Mathis, Big Business in Österreich II. Wachstum und Eigentumsstruktur der österreichischen Großunternehmen im 19. und 20. Jahrhundert. Analyse und Interpretation, Wien 1990.

19 Mathis, Big Business II, S. 71.

20 Vgl. Mathis, Big Business II, S. 108.

21 Felix Butschek, Die österreichische Wirtschaft im 20. Jahrhundert, Wien 1985, S. 35 und 62.

22 Vgl. Statistisches Jahrbuch, S. 13 und Karl Bachinger/Hildegard Hemetsberger-Koller, Österreich von 1918 bis zur Gegenwart, in: Grundriß der österreichischen Sozial- und Wirtschaftsgeschichte von 1848 bis zur Gegenwart, Wien 1987, S. 46 f.

23 Bachinger/Hemetsberger-Koller, Österreich, S. 43.

24 Ebd., S. 46 und Statistisches Jahrbuch, S. 13.

25 Bachinger/Hemetsberger-Koller, Österreich, S. 45 und Josef Ehmer, Familienstruktur und Arbeitsorganisation im frühindustriellen Wien (Sozial- und wirtschaftshistorische Studien 13), Wien 1980, S. 53 und 55.

26 Bachinger/Hemetsberger-Koller, Österreich, S. 43 und Peter Eigner, Mechanismen urbaner Expansion: Am Beispiel der Wiener Stadtentwicklung 1740–1938, in: Wien, Wirtschaftsgeschichte: 1740–1938, Teil 2 (Geschichte der Stadt Wien 5), S. 655.

27 Ehmer, Familienstruktur, S. 40 und Heinz-Jürgen Niedenzu/Max Preglau, Die demographische und sozioökonomische Entwicklung des Bundeslandes Tirol. Von 1918 bis Mitte der achtziger Jahre, in: Handbuch zur neueren Geschichte Tirols, Bd. 2, 2. Teil, hrsg. v. Anton Pelinka und Andreas Maislinger, Innsbruck 1993, S. 7–87, hier S. 16.

28 Bachinger/Hemetsberger-Koller, Österreich, S. 45.

29 Errechnet aus Sandgruber, Agrarstatistik, S. 135.

30 Ebd., S. 137 und Bachinger/Hemetsberger-Koller, Österreich, S. 61 f.

31 Ebd., S. 61.

32 Sandgruber, Agrarstatistik, S. 139 f.

33 Bachinger/Hemetsberger-Koller, Österreich, S. 63.

34 Ebd., S. 65.

35 Zum folgenden vgl. Mathis, Big Business II, S. 18.

36 Vgl. auch Franz Mathis, Deutsches Kapital in Österreich vor 1938, in: Tirol und der Anschluß. Voraussetzungen, Entwicklungen, Rahmenbedingungen 1918–1938, hrsg. v. Thomas Albrich, Klaus Eisterer und Rolf Steininger (Innsbrucker Forschungen zur Zeitgeschichte 3), Innsbruck 1988, S. 435–451.

37 Errechnet aus Möller, Wandel, S. 271 f.

38 Bachinger/Hemetsberger-Koller, Österreich, S. 71.

39 Darauf hat vor allem Ernst Hanisch, Wirtschaftswachstum ohne Industrialisierung: Fremdenverkehr und sozialer Wandel in Salzburg 1918–1938, in: *Mitteilungen der Gesellschaft für Salzburger Landeskunde* 125 (1985), S. 817–835 hingewiesen.

40 Vgl. Butschek, Wirtschaft, S. 60 ff.

41 Vgl. Bachinger/Hemetsberger-Koller, Österreich, S. 44.

42 Vgl. Butschek, Wirtschaft, S. 93 und 223 f. sowie Bachinger/Hemetsberger-Koller, Österreich, S. 91.

43 Statistisches Jahrbuch, S. 13.

44 Statistisches Jahrbuch, S. 13.

45 Errechnet aus ebd., S. 13.

46 Vgl. Bachinger/Hemetsberger-Koller, Österreich, S. 87.

47 Ebd., S. 97.

48 Ebd.

49 Sandgruber, Agrarstatistik, S. 140.

50 Bachinger/Hemetsberger-Koller, Österreich S. 97.

51 Statistisches Jahrbuch, S. 347.

52 Statistisches Jahrbuch für die Republik Österreich, hrsg. v. Österreichischen Statistischen Zentralamt, N.F. 44, Wien 1993, S. 130.

53 Vgl. Mathis, Big Business.

Dokumente

Tabelle 1: Urbanisierung und Industrialisierung in Österreich bis 1900 nach Bundesländern

	W	Nö	Bl	Oö	St	K	Sb	T	Vb
Bevölkerung in Gemeinden mit über 2.000 Ew. in Prozent									
1869		21,6	16,3	44,8	27,6	36,3	34,7	24,1	36,9
1900		34,5	22,5	50,7	40,9	42,2	49,2	36,1	53,8
Erwerbstätige 1900 nach Sektoren in Prozent									
Primär	0,8	53,7	67,5	61,5	61,4	67,4	56,0	61,8	41,1
Sekundär	52,0	29,2	19,1	23,9	23,2	18,7	23,2	20,8	45,1
Tertiär	47,2	17,1	13,4	14,6	15,4	13,9	20,8	17,4	13,8

Zusammengestellt und errechnet nach Jörn Peter Hasso Möller, Wandel der Berufsstruktur in Österreich zwischen 1869 und 1961. Versuch einer Darstellung wirtschaftssektoraler Entwicklungstendenzen anhand berufsstatistischer Aufzeichnungen, Wien 1974, S 275 und Gemeindeverzeichnisse von Österreich, hrsg. v. Österreichischen Statitischen Zentralamt, Wien 1956, 1970 und 1973.

Tabelle 2: Bevölkerungswachstum, Geburten- und Sterbeziffern nach Kronländern

	Nö (ohne Wien)	Oö	St	K	Sb	T	Vb	Wien
Bevölkerungszunahme								
1869–1910 in Prozent	32,6	15,8	26,9	17,3	40,2	20,8	29,8	132,8
Geburtenziffern in Promille	(mit Wien)						T/Vb	
1869	36,5	30,0	31,1	30,5	28,5		29,0	43
1890	32,3	29,5	28,6	30,0	28,2		27,4	34
1900	31,5	31,4	30,3	31,9	31,4		29,5	32
1910	24,1	28,2	29,2	31,3	29,6		30,9	22
Sterbeziffern in Promille								
1869	29,8	26,8	26,5	25,3	26,7		23,6	35,4 (1861/70)
1890	26,7	27,6	25,6	27,9	27,2		25,1	26,6 (1881/90)
1900	21,9	24,8	23,0	25,3	25,6		25,0	22,2 (1891/1900)
1910	17,5	21,6	20,6	22,4	20,5		19,8	18,4 (1900/10)

Zusammengestellt nach: Birgit Bolognese-Leuchtenmüller, Bevölkerungsentwicklung und Berufsstruktur, Gesundheits- und Fürsorgewesen in Österreich 1750–1918 (Materialien zur Wirtschafts- und Sozialgeschichte 1), Wien 1978, Teil II, S. 3 f. und 128 ff.; Josef Ehmer, Familienstruktur und Arbeitsorganisation im frühindustriellen Wien (Sozial- und wirtschaftshistorische Studien 13), Wien 1980, S. 55; Peter Eigner, Mechanismen urbaner Expansion; Am Beispiel der Wiener Stadtentwicklung 1740–1938, in: Wien, Wirtschaftsgeschichte: 1740–1938, Teil 2 (Geschichte der Stadt Wien 5), S. 656.

Tabelle 3: Trauungsziffern nach Kronländern in Promille

	Nö (mit W)	Oö	St	K	Sb	T/Vb	Wien allein
1850/51	8,6	6,1	6,7	5,4	4,8	6,1	9,4 (1851/60)
1857	7,5	6,2	6,2	4,3	4,6		6,1
1869	10,5	9,3	9,0	5,1	6,8	6,9	9,6 (1861/70)
1880	7,5	7,2	6,5	4,9	5,7	5,4	9,6 (1871/80)
1890	7,7	7,1	6,7	5,1	7,7	5,7	8,7 (1881/90)
1900	8,6	7,6	7,3	6,1	8,5	7,1	9,6 (1891/1900)
1910	8,0	6,8	6,9	5,9	8,0	6,7	9,4 (1900/10)

Errechnet aus Bolognese-Leuchtenmüller (wie Tab. 2), S. 3 f. und 46 ff.

Tabelle 4: Indikatoren landwirtschaftlicher Entwicklung nach Kronländern

	Nö	Oö	St	K	Sb	T/Vb
Durchschn. Ernte:						
Getreide in 1.000 t						
1869/75	510,1	275,1	278,4	114,7	34,7	102,6
1904/13	755,3	340,8	293,4	101,7	34,7	98,3
Weizen in 1.000 t						
1869/75	87,1	52,2	56,6	17,4	9,7	18,7
1904/13	122,7	68,4	71,9	16,8	10,0	17,8
Roggen in 1.000 t						
1869/75	175,8	95,0	63,3	40,2	13,5	33,5
1904/13	314,3	121,5	73,6	36,9	17,0	36,6
Kartoffeln in 1.000 t						
1869/75	304,4	118,1	131,9	46,1	6,1	720
1904/13	617,4	365,1	221,5	67,2	8,1	187,0

	Nö	Oö	St	K	Sb	T/Vb
Rinder in 1000 Stück						
1869	504,4	475,5	595,9	232,8	167,4	461,4
1910	609,5	552,9	683,4	222,4	128,6	471,3
Schweine in 1000 Stück						
1869	261,2	182,5	485,0	99,2	15,4	58,9
1910	709,5	355,2	719,7	164,2	22,3	99,5
Kaliverbrauch in t						
1903	154,2	40,1	62,9	44,8	92,8	60,4
1913	1.250,2	371,7	575,1	135,6	241,7	841,1
Betriebe mit Maschinen						
in Prozent 1902	40,1	40,0	29,7	33,4	43,0	20,5
Betriebe nach Betriebsfläche in Prozent 1902						
bis 2 ha	38,5	31,5	23,3	21,9	22,5	50,2
2–20 ha	48,9	49,1	54,3	49,6	50,3	41,8
über 20 ha	12,5	19,3	12,6	28,5	27,2	8,0

Zusammengestellt nach: Roman Sandgruber, Österreichische Agrarstatistik 1750–1918 (Materialien zur Wirtschafts- und Sozialgeschichte 2), Wien 1978, S. 162 ff., 197 ff., 213, 224 f. und 230.

Tabelle 5: Urbanisierung nach 1900 nach Bundesländern

	Nö	Bl	Oö	St	K	Sb	T	Vb
Bevölkerung in Gemeinden mit über 2000 Ew. in Prozent								
1910	39,0	24,8	53,2	44,3	46,9	53,9	43,7	57,3
1923	40,2	25,4	54,3	46,4	45,9	57,4	44,9	54,5
1934	42,3	31,3	57,9	47,8	50,8	62,8	47,8	61,5
1951	43,3	29,5	68,3	53,3	58,2	73,4	54,4	66,6
1961	50,5	34,2	69,9	61,4	68,5	74,0	57,4	71,4
1971	68,2	50,4	72,2	62,9	84,8	81,7	65,0	77,5
1981	69,4	47,8	74,6	63,4	85,5	85,2	67,2	82,9
1991	70,8	47,5	76,5	64,0	85,8	88,5	70,0	85,7

Errechnet nach: Gemeindeverzeichnisse (wie Tab. 1); Volkszählung 1981 Textband (Beiträge zur Österreichischen Statistik 630/28), Wien 1990, S. 28; Volkszählung 1991. Wohnbevölkerung nach Gemeinden (Beiträge zur Österreichischen Statistik 1.030/0), Wien 1992.

Tabelle 6: Verteilung der Erwerbstätigen nach Ländern in Prozent

Sektoren	W	Nö	Bl	Oö	St	K	Sb	T	Vb
1910									
Primär	0,9	52,0	63,8	59,5	57,3	61,8	51,1	53,8	36,2
Sekundär	48,2	29,1	25,8	22,8	24,0	20,3	22,5	22,1	45,8
Tertiär	50,9	18,9	10,4	17,7	18,7	17,9	26,4	24,1	18,0
1934									
Primär	1,1	47,9	69,4	53,1	53,7	53,3	45,4	46,8	36,2
Sekundär	47,2	32,7	19,2	27,2	25,1	25,5	24,7	25,0	40,1
Tertiär	51,7	19,4	11,4	19,7	21,2	21,2	29,9	28,2	23,7
1951									
Primär	2,7	47,5	63,8	39,6	43,5	38,4	32,0	36,9	26,4
Sekundär	50,9	34,2	23,7	37,7	34,0	35,0	34,1	33,3	48,5
Tertiär	46,4	18,3	12,5	22,7	22,5	26,6	33,9	29,8	25,1
1961									
Primär	1,1	33,1	48,8	28,9	32,2	25,6	22,3	25,3	14,6
Sekundär	51,5	41,8	33,0	43,6	39,7	40,2	36,1	36,3	56,7
Tertiär	47,4	25,1	18,2	27,5	28,1	34,2	41,6	38,4	28,7
1971									
Primär	0,8	21,4	26,6	18,0	20,1	13,4	12,2	11,4	6,0
Sekundär	38,6	43,1	44,9	46,1	41,3	40,4	35,8	37,1	57,8
Tertiär	60,6	35,5	28,5	35,9	38,6	46,2	52,0	51,5	36,2
1981									
Primär	0,7	13,3	14,3	11,0	12,4	8,1	7,2	6,3	3,3
Sekundär	34,8	41,9	46,5	47,2	42,2	39,7	34,7	36,0	54,4
Tertiär	64,5	44,8	39,2	41,8	45,4	52,2	58,1	57,7	42,3

Zusammengestellt nach: Möller (wie Tab. 1), S. 275 und Statistisches Handbuch für die Republik Österreich, hrsg. v. Österreichischen Statistischen Zentralamt, N.F. 26, Wien 1975 und N.F. 36, Wien 1985, S. 134.

Tabelle 7: Bevölkerungsbewegung in den Bundesländern
in Prozent

	W	Nö	Bl	Oö	St	K	Sb	T	Vb
Veränderung in Prozent									
1910–1939	−15,0	2,1	−1,4	8,7	6,0	12,1	19,8	19,4	8,9
1939–1991	−13,0	1,3	−5,9	43,7	16,7	31,6	87,5	73,5	48,3
Geborenenziffern in Promille									
1951	7,8	14,3	18,7	17,6	16,9	20,2	18,1	17,6	19,3
1971	10,6	13,9	14,7	15,8	15,1	15,9	16,8	17,5	19,1
1991	11,2	11,8	10,0	12,9	11,5	12,0	13,1	13,5	13,9
Sterbeziffern in Promille									
1951	16,0	11,9	13,3	11,8	12,2	10,9	10,8	10,9	10,5
1971	17,6	14,0	12,7	11,2	12,1	10,5	10,0	9,4	8,6
1991	13,6	11,6	11,9	9,3	10,5	10,2	8,3	7,9	7,5
Trauungsziffern in Promille									
1951	10,1	7,8	8,3	9,5	9,4	9,5	9,8	7,9	8,7
1961	9,2	8,2	7,1	8,4	8,4	7,9	8,7	8,4	9,2
1971	7,0	6,0	6,4	6,3	6,3	5,9	6,6	6,6	6,8
1981	6,9	6,9	6,4	6,1	6,1	5,4	5,8	5,7	6,2
1991	6,7	5,7	5,0	5,2	5,0	5,0	5,6	5,6	6,0

Zusammengestellt nach und errechnet aus: Statistisches Handbuch für die
Republik Österreich, hrsg. v. Österreichischen Statistischen Zentralamt,
N.F. 43, Wien 1992, S. 13 und 40.

Tabelle 8: Entwicklung des Fremdenverkehrs in den Bundesländern

	W	Nö	Bl	Oö	St	K	Sb	T	Vb
Erwerbstätige im Gastgewerbe in Prozent									
1890	2,9	1,6	–	1,8	2,0	1,4	2,6	1,7	1,6
1910	3,9	2,5	–	2,6	3,2	2,4	4,3	3,4	2,8
1934	3,4	1,7	1,0	2,1	2,1	2,5	3,7	3,7	2,5
1961	3,2	2,5	2,2	2,6	3,1	5,2	7,1	7,2	4,4
1971	3,2	3,0	3,0	3,1	4,0	7,5	8,2	8,9	4,8
1981	3,6	3,6	3,8	3,5	5,3	8,3	8,6	10,7	5,9
Nächtigungen in gewerbl. Betrieben u. Privatquartieren pro 100.000 Ew. in 1000									
1951/52	0,6	2,1	0,3	2,4	2,4	3,0	10,5	6,7	7,1
1961/62	1,4	3,5	1,4	4,6	3,9	13,8	22,9	29,1	15,9
1971	2,1	3,7	3,3	6,0	6,3	27,0	38,8	52,0	20,8
1981	2,8	3,3	4,8	4,8	6,4	25,8	40,3	62,9	22,9
1991	4,0	3,5	5,2	4,2	6,3	22,4	37,9	60,2	19,2

Zusammengestellt nach und errechnet aus: Berufsstatistik nach den Ergebnissen der Volkszählung vom 31. Dezember 1890 (Österreichische Statistik 33), Wien 1894, 2. Heft, S. 42 und 100, 3. Heft, S. 42 und 102, 4. Heft, S. 294, 5. Heft, S. 42 und 7. Heft, S. 78 und 318; Berufsstatistik nach den Ergebnissen der Volkszählung vom 31. Dezember 1910 in Österreich (Österreichische Statistik, N.F. 3), Wien 1916, 1. Heft, Tabellen, S. 131 ff.; Die Ergebnisse der Österreichischen Volkszählung vom 22. März 1934 (Statistik des Bundesstaates Österreich), Wien 1935, 1. Heft, S. 291–294; Statistisches Handbuch für die Republik Österreich, N.F. 3, Wien 1952, S. 139, N.F. 13, Wien 1962, S. 147, N.F. 24, Wien 1973, S. 249, N.F. 26, Wien 1975, S. 28, N.F. 33, Wien 1982, S. 381, N.F. 36, Wien 1985, S. 134, N.F. 43, Wien 1992, S. 335; Ergebnisse der Volkszählung vom 21. März 1961, Heft 2–10, Wien 1963 und 1964; Möller (wie Tab. 1), S. 269 und 271 ff.

Literatur

Bachinger, Karl/Hemetsberger-Koller, Hildegard/Matis, Herbert, Grundriß der österreichischen Sozial- und Wirtschaftsgeschichte von 1848 bis zur Gegenwart, Wien 1987.

Bruckmüller, Ernst, Sozialgeschichte Österreichs, Wien – München 1985.

Brusatti, Alois (Hrsg.), Die Habsburgermonarchie 1848–1918, Bd.1, Wien 1973.

Butschek, Felix, Die österreichische Wirtschaft im 20. Jahrhundert, Wien – Stuttgart 1985.

Hoffmann, Alfred (Hrsg.), Österreich-Ungarn als Agrarstaat. Wirtschaftliches Wachstum und Agrarverhältnisse in Österreich im 19. Jahrhundert (Sozial- und wirtschaftshistorische Studien 10), Wien 1978.

Mathis, Franz, Big Business in Österreich. Österreichische Großunternehmen in Kurzdarstellungen, Wien 1987.

Ders., Big Business in Österreich II. Wachstum und Eigentumsstruktur der österreichischen Großunternehmen im 19. und 20. Jahrhundert. Analyse und Interpretation, Wien 1991.

Otruba, Gustav, Österreichs Wirtschaft im 20. Jahrhundert, Wien 1968.

Sandgruber, Roman, Ökonomie und Politik. Österreichische Wirtschaftsgeschichte vom Mittelalter bis zur Gegenwart, Wien 1995.

Weber, Wilhelm (Hrsg.), Österreichs Wirtschaftsstruktur gestern – heute – morgen. Strukturwandlungen der österreichischen Volkswirtschaft in der Vergangenheit und ihre Bedeutung für Strukturprobleme der Gegenwart und der Zukunft, 2 Bde, Berlin 1961.

Die österreichische Wirtschaft – Grundlagen und Entwicklungen   453

Fragen

1. Was bedeutet der Industrialisierungs- und Modernisierungsprozeß des 20. Jahrhunderts für die österreichische Bevölkerung?

2. Was gilt es zu bedenken, wenn sich aus der Statistik für 1910 für ganz Österreich bereits ein Anteil der in der Landwirtschaft Erwerbstätigen von nur noch 44 Prozent errechnen läßt?

3. Was haben die beiden Weltkriege und die Verkleinerung des österreichischen Staatsgebietes nach 1918 in der langfristigen wirtschaftlichen Entwicklung bewirkt?

4. Ist der Übergang von der Agrar- zur Dienstleistungsgesellschaft überall in Österreich in derselben Weise erfolgt?

5. Welche regionalen Besonderheiten lassen sich im österreichischen Industrialisierungsprozeß unterscheiden?

6. Was kennzeichnet den Urbanisierungsprozeß im Österreich des 20. Jahrhunderts?

7. Inwiefern überlagerten sich in Österreich lange Zeit kurzfristige und langfristige demographische Trends?

8. Stimmt es, daß die österreichische Wirtschaft in den Jahren vor dem Anschluß von deutschem Kapital durchdrungen war?

9. Läßt sich die Meinung aufrechterhalten, daß die verstaatlichte Industrie in Österreich nach 1945 schlechter wirtschaftete als die private?

10. Kann man das heutige Österreich insgesamt als Fremdenverkehrsland bezeichnen?

Rolf Steininger

DIE SÜDTIROLFRAGE 1945–1992

1. Das Gruber-De Gasperi-Abkommen 1946[1]

Am 30. Oktober 1943 verabschiedeten die Außenminister Großbritanniens, der USA und der Sowjetunion bei ihrem Treffen in Moskau die „Moskauer Deklaration", in der als Ziel alliierter Politik die Wiedererrichtung eines freien, unabhängigen Österreich nach Kriegsende formuliert wurde. Das Foreign Office in London beschäftigte sich daraufhin in den folgenden Wochen mit den künftigen Grenzen dieses neuen Österreich und erstellte am 18. Februar 1944 ein umfangreiches Memorandum, in dem auch die Problematik „Südtirol" erörtert wurde. Vor- und Nachteile von vier möglichen Lösungen wurden ausführlich diskutiert:

1. Beibehaltung der Brennergrenze;
2. Verschiebung der Grenze bis Trient;
3. Verschiebung der Grenze bis nördlich von Bozen;
4. Abhaltung eines Plebiszites.

Der Staatsminister im Foreign Office, Richard Law, legte dieses Memorandum dem für die Nachkriegsplanung zuständigen Ministerausschuß am 8. Mai 1944 vor. In einem zweiten Memorandum sprach er die Empfehlung aus, bei der weiteren Behandlung des Themas „Österreich" von dem Österreich in den Grenzen des Jahres 1937 auszugehen; eine spätere Angliederung Südtirols sollte aber nicht ausgeschlossen sein. Der Ministerausschuß akzeptierte diese Empfehlung am 18. Mai. In den folgenden Monaten wurde diese Frage dann nicht weiter verfolgt. Sie wurde erst im April 1945 wieder aufgegriffen, als im Foreign Office die Vorarbeiten für den mit Italien abzuschließenden Friedensvertrag begannen. Im ersten Entwurf dieses Vertrages vom 20. April war die Rückgabe Südtirols an Österreich vorgesehen. In einem zweiten Entwurf vom 9. Mai wurde diese Rückgabe noch nicht ausgeschlossen. Noch hieß es: „Italien verzichtet

zugunsten der Vier Mächte auf alle Rechte im Hinblick auf die Provinz Bozen". Und weiter: „Italien erkennt die Entscheidung der Grenzkommission an, die die Vier Mächte zur Festlegung der Grenze zwischen Italien und Österreich in diesem Gebiet einrichten werden."
Von dieser Position ging man in der Folgezeit aber ab. Außenminister Anthony Eden legte dem Kabinett am 5. Juli ein Memorandum vor, in dem die entscheidende Passage zum Thema „Rückgabe Südtirols" jetzt folgendermaßen lautete:

„Es geht bei dieser Entscheidung in der Tat um eine hochpolitische Angelegenheit, nämlich: Haben wir langfristig mehr zu gewinnen, wenn wir Italien weitere Demütigungen ersparen oder wenn wir die österreichischen Ansprüche befriedigen?"

Er selbst gab die Antwort:

„Ich neige der ersten Alternative zu. Man kann nicht sagen, daß der Gewinn Bozens absolut notwendig ist für ein ‚freies und unabhängiges Österreich' – auf das wir uns festgelegt haben –, es könnte andererseits aber zu einem Gefahrenherd werden, falls Österreich völlig unter russischen Einfluß gerät."

Von daher sollte in dem Friedensvertragsentwurf nichts über Südtirol gesagt werden.
Die übrigen Mächte hatten wohl ähnliche Vorstellungen mit Blick auf die Brennergrenze. Auf der Außenministerkonferenz im September in London wurde von keiner Seite eine Änderung dieser Grenze vorgeschlagen. Lediglich der amerikanische Außenminister James Byrnes legte eine Zusatzformel im Hinblick auf territoriale Regelungen vor, die ohne Diskussion angenommen wurde. Sie lautete:

„Die Grenze mit Österreich wird unverändert bleiben, mit der Ausnahme, jeden Fall zu hören, den Österreich für kleinere Grenzberichtigungen zu seinen Gunsten vorbringt."

Damit war eine Grundsatzentscheidung getroffen worden, an der in der Folgezeit nicht mehr gerüttelt werden sollte. Daran änderten auch die zahlreichen Demonstrationen und Manifestationen in Südtirol und in Österreich für eine Rückkehr

Südtirols zu Österreich nichts. Nach den Nationalratswahlen am 25. November 1945 und dem vernichtenden Ergebnis für die Kommunisten wurde zwar in London und Washington noch einmal über dieses Thema nachgedacht, im Foreign Office von einer Arbeitsgruppe sogar die Rückgabe Südtirols an Österreich empfohlen, aber diese Überlegungen fanden am 4. März 1946 ein Ende. An diesem Tag beendete Außenminister Bevin persönlich die interne Diskussion über Südtirol. Er entschied für Italien und gegen Österreich. Unterm Strich, so betonte er in einer Sitzung im Foreign Office, hätten die Österreicher zwar die besseren Argumente, wenn man ihnen aber die Kraftwerke in Südtirol überantwortete, dann „könnte man damit tatsächlich den Russen einen bedeutenden Hebel in die Hände spielen, mit dem sie Italien unliebsam unter Druck setzen können"; man würde auf diese Weise die Ambitionen der Sowjets in Mitteleuropa unterstützen und gegen die eigenen Interessen in Italien handeln. Der britische Verhandlungsführer in Paris, Gladwyn Jebb, wurde angewiesen, in den Verhandlungen beim Thema Südtirol „nicht die Initiative zu übernehmen". Südtirol geriet damit frühzeitig in die Mühlsteine des Kalten Krieges. Am 1. Mai bekräftigten die vier Außenminister in Paris dann ihren Beschluß vom September. Am 24. Juni 1946 lehnten sie auch einen Antrag Österreichs auf „Grenzkorrekturen" – nämlich die Rückgabe des Pustertales – ab.

In Wien stand man mit der Südtirolpolitik zwar vor einem Scherbenhaufen, die Entscheidung von Paris bedeutete aber noch keinesfalls das Ende der Problematik. Das Gegenteil war der Fall – und wieder liefen alle Fäden im Foreign Office zusammen.

Ausgangspunkt neuer Überlegungen im Foreign Office war ein erster Bericht des britischen Vertreters in Wien, William Mack, über die Reaktion von Außenminister Gruber und Bundeskanzler Leopold Figl nach Bekanntwerden der Pariser Entscheidung, die in Wien wie eine Bombe eingeschlagen hatte. Gruber fühlte sich von den westlichen Außenministern

hintergangen und verraten und fiel in einen Zustand „tiefer
Depression", wie Mack nach London berichtete. Mack versuchte zwar, ihn einigermaßen wiederaufzurichten; aber, so
berichtete er weiter „ich fürchte, ohne großen Erfolg". Figl
sah die Dinge realistischer. Er teilte Mack mit, er habe bereits Kontakt mit der Tiroler Landesregierung aufgenommen
und darauf hingewiesen, daß jetzt alles darauf ankomme,
„Ruhe und Ordnung" zu bewahren. Die Bundesregierung
werde vor dem Nationalrat eine Regierungserklärung abgeben, eine ausgedehnte Debatte erwarte er aber nicht. Und
was Südtirol betraf, so war Figl nach wie vor der festen
Überzeugung, daß es eines Tages nach Österreich zurückkehren werde. „Zwanzig Jahre sind nichts im Leben einer
Nation, die Franzosen haben 50 Jahre gebraucht, um Elsaß-
Lothringen zurückzubekommen, in der Zwischenzeit wird die
Bundesregierung die Mitbürger in Südtirol wissen lassen,
daß sie sie nach wie vor als Österreicher betrachtet", wie er
Mack anvertraute. Seiner Meinung nach waren zwei Dinge
jetzt notwendig: Zum einen mußten die Großmächte Italien
zwingen, die österreichische Mehrheit in Südtirol anständig
zu behandeln, d. h. es mußten eigene Schulen und eigene
kulturelle Einrichtungen zugestanden und entsprechende
Garantien gegeben werden, daß sie nicht so schikaniert würden wie unter den Faschisten. Zum anderen mußten die
Österreicher die Eisenbahnverbindung zwischen Innsbruck
und Lienz ohne Kontrolle durch die Italiener benutzen dürfen. Dies könne in bilateralen Verhandlungen zwischen Wien
und Rom geklärt werden.

Der Ausweg sollte nun, aus britischer Sicht, in direkten
Gesprächen zwischen Rom und Wien liegen. Wieder ging die
Initiative direkt vom Foreign Office aus, vom höchsten Beamten dort, Sir Orme Sargent. Und in diesem Sinne – direkte Kontaktaufnahme zwischen Rom und Wien – wurde Mack
am 27. Juni bei Gruber vorstellig, allerdings ohne Erfolg.
Gruber zeigte sich nach wie vor „nicht nur tief enttäuscht,
sondern auch ziemlich verbittert"; er hatte „wenig Hoffnung,
daß direkte Verhandlungen irgendein Ergebnis bringen".

Nach dem Beschluß der Außenminister stehe man mit leeren
Händen da, und die Italiener hätten keinen Grund mehr,
Österreich entgegenzukommen. Nach der Aussage Grubers,
so Mack abschließend, „ist die innenpolitische Lage in Österreich fast hoffnungslos. Die Entscheidung von Paris hat die
Position der Regierung geschwächt, die Kommunisten werden täglich stärker, die Russen haben jetzt 150 Fabriken
übernommen, und Gruber sieht keine Möglichkeit, sie zurückzubekommen." Und wenige Tage später:

„Die Österreicher halten es im gegenwärtigen Stadium, wo sie ohne
das Pustertal nichts in Händen und die Italiener keinerlei Veranlassung zu einer vernünftigen Regelung haben, für sinnlos, den
direkten Kontakt mit der italienischen Regierung zu suchen. Es ist
im Moment unmöglich, sie von dieser Haltung abzubringen."

Nun begann eine Phase, in der die Briten stärksten Druck
sowohl auf Italiener als auch Österreicher ausübten. Sargent
war davon überzeugt, daß, solange man Italiener und Österreicher sich selbst überlasse,

„nichts geschehen wird. Die Österreicher sind zu schwach, um die
Dinge voranzutreiben, und für die Italiener als beati possidentes
besteht eigentlich keinerlei Veranlassung, sich in einem Abkommen
eindeutig festzulegen, sosehr sie auch ihren guten Willen bekunden
und vage Versprechungen hinsichtlich guter Absichten machen."

Zunächst wurde Druck auf die Italiener ausgeübt. Der italienische Botschafter in London, Carandini, wurde am 2. August vor seiner Abreise nach Paris ins Foreign Office gebeten,
wo Hoyer-Millar mit Nachdruck auf das Interesse der britischen Regierung an einer einvernehmlichen Lösung der Südtirolfrage zwischen Italien und Österreich verwies, einer Lösung, die möglicherweise in den Friedensvertrag mit Italien
übernommen werden konnte. Ein freundlich gesinntes Österreich müsse im Interesse Italiens liegen, Italien könne nichts
dabei gewinnen, wenn „Österreich in die Arme der Russen
getrieben wird". Wenn sich dagegen Österreicher und Italiener auf ein Autonomiestatut einigen könnten, das unter anderem freien Personenverkehr zwischen Südtirol und Öster-

reich ermögliche, dann habe man schon eine ganze Menge
erreicht. Carandini hatte offensichtlich verstanden, worum
es ging, zumindest hat er es so formuliert. Mit allem, was der
Brite gesagt hatte, stimmte er überein, er war sicher, daß
dies auch für De Gasperi zutraf. In jedem Fall wollte er
seinen Ministerpräsidenten dazu drängen, Kontakt mit den
Österreichern aufzunehmen.

Am nächsten Tag, dem 3. August, wandte sich Sir Orme
Sargent direkt an Bevin und an die Vertreter der britischen
Delegation in Paris. Er nahm Bezug auf dieses Gespräch
Carandini – Hoyer-Millar, in dem der italienische Botschafter auch gesagt hatte, er sei sicher, daß seine Regierung auf
jeden entsprechenden Schritt der österreichischen Regierung
positiv reagieren werde, und verwies dann gleichzeitig auf
die sich verschlechternde Lage in Österreich, und daß einzig
die Kommunisten aus der schwierigen Situation Kapital
schlagen würden, um dann kategorisch festzustellen:

„Es geht jetzt darum, die Angelegenheit zufriedenstellend zu regeln.
Die Zeit ist jetzt gekommen, Schritte zu unternehmen, um Italiener
und Österreicher unter der Ägide der vier Mächte zusammenzu-
bringen, so daß sie Vorschläge vorlegen, die die berechtigten Ansprüche beider Seiten befriedigen."

Es liege im britischen Interesse, das Abgleiten eines oder
beider Länder ins kommunistische Lager zu verhindern, daher gelte es jetzt, die Sache schnell zu regeln. Der erste
Schritt sollte demnach eine Einladung an beide Regierungen
sein, Vertreter nach Paris zu schicken, wo dann beide Seiten
Vorschläge für die Regelung der ethnischen, wirtschaftlichen
und strategischen Fragen vorlegen sollten. Wichtig sei dabei,
so hieß es, daß in der Grenzfrage noch keine endgültige, von
allen Staaten unterschriebene Regelung mit Italien getroffen
werden sollte, da, so Sargent, nur während eines Zustandes
der Unsicherheit mit einer gewissen italienischen Kompro-
mißbereitschaft zu rechnen sei. Sargent stellte sich die Lösung folgendermaßen vor: lokale Selbstverwaltung und weitreichende Autonomie im deutschsprachigen Raum bis zur
Salurner Klause; durch Gesetz festgelegte Garantien im Be-

reich Sprache, Kultur, Religion usw.; Sonderregelungen für
Handel und Verkehr zwischen diesem Gebiet und Nordtirol.
Durchführung und Einhaltung aller Bestimmungen sollten
von einer neutralen Kommission überwacht werden.

„Es ist wichtig", so Sargent abschließend, „daß wir die Initiative
ergreifen und diese beiden, im Grunde genommen westlichen Länder an einen Tisch bringen und etwas nachhelfen, daß sie in ihrem
und unserem Interesse so schnell wie möglich eine vernünftige Lösung für dieses unselige Problem finden. Denn, wenn man die Sache
langfristig und vom europäischen Blickwinkel aus betrachtet, dann
ist es unerläßlich, daß beide Länder, die nun einmal beide so dicht
am Eisernen Vorhang liegen, zusammenstehen. Dies haben kluge
Leute in Italien und Österreich zwar bereits erkannt, aber die beiden Länder als Ganzes sind aus psychologischen Gründen unfähig,
aufeinander zuzugehen, es sei denn, sie werden von den Großmächten gezwungen, ihre gegenseitige Antipathie zu überwinden und die
Streitereien zu begraben, die sonst die gegenseitigen Beziehungen
auf Dauer vergiften und ihnen selbst und uns nur Schaden zufügen
werden."

Aufgrund dieser letzten britischen Initiative kam es dann
innerhalb der nächsten Wochen zur italienisch-österreichischen Übereinkunft. Das, was Italiener und Österreicher in
Paris vorlegten, die taktischen Varianten, wie am besten vorzugehen war, um dies dann auch – und das war eben wichtig
– im Friedensvertrag zu verankern, all dies wurde sehr intensiv mit den Engländern in Paris besprochen, auch wenn
ihnen De Gasperi und Gruber dann die letzte Fassung des
Abkommens vor der Unterzeichnung nicht mehr vorlegten.

Als Gruber sich auf den Weg nach Paris machte, erhielt er
einen Brief von der Südtiroler Volkspartei (SVP), unterschrieben von deren Vorsitzenden, Amonn und Raffeiner. Darin hieß es, im Friedensvertrag mit Italien solle, wenn möglich, eine Autonomie festgelegt und garantiert werden. Die
Aufnahme eines Abkommens in den Friedensvertrag für Italien würde

„eine weitaus bessere Garantie bieten, als wenn die Autonomie bloß
Gegenstand eines zwischenstaatlichen Vertrages bildet, und daß die

Aufnahme der Autonomie in den Friedensvertrag nicht nur im Interesse Südtirols selbst, sondern auch in jenem Österreichs liege, weil dieses, auch im Falle, als es auf direkte Verhandlungen mit Italien verwiesen würde, eine wesentlich stärkere Position hätte, wenn es sich auf den Friedensvertrag berufen könnte".

Nach mühsamen Verhandlungen unterzeichneten Gruber und De Gasperi am 5. September 1946 in Paris das nach ihnen benannte Abkommen. Südtirol war damit eine internationale Angelegenheit und Österreich „Schutzmacht" der Südtiroler geworden.

2. Die Entwicklung von 1947 bis zur Forderung „Los von Trient!" im Jahre 1957

De Gasperis Unterschrift offenbarte ein Stück europäischer Gesinnung – zumindest schien es damals so. Die Realität sah dann allerdings anders aus: Die Italiener entzogen sich in der Folgezeit zur Enttäuschung der Südtiroler und Österreicher der damit übernommenen Verpflichtung. Sie legten das Abkommen äußerst restriktiv aus; und das begann mit der Bildung der Autonomie.

Der österreichische Außenminister Karl Gruber wandte sich deshalb am 25. Juni 1947 an De Gasperi und machte ihn auf den Artikel 2 des Pariser Abkommens aufmerksam: Beratung mit lokalen deutschsprachigen Vertretern. De Gasperi antwortete am 14. Juli 1947, daß Rom Forderungen der Südtiroler akzeptiere, und er ergänzte, daß die italienische Verfassung in diesem Zusammenhang zweifellos auch bei einer eventuellen weiteren territorialen Ausdehnung Südtirol eine ausschließliche Gesetzgebungs- und Verwaltungshoheit einräumen werde.[2] Allerdings hatte bereits zwei Tage nach Grubers Brief die Verfassunggebende Versammlung in Rom am 27. Juni 1947 die Schaffung einer Region Trentino-Alto Adige definitiv beschlossen, ohne daß hierzu Vertreter Südtirols konsultiert worden wären.[3] Das Ergebnis hieß: Autonomie für diese Region, nicht für die Provinz Südtirol (die seit den Faschisten Alto Adige hieß). Am 1. Januar 1948 trat die italienische Verfassung in Kraft, in der die Region Trentino-Alto Adige festgeschrieben wurde. SVP-Vertreter wurden nur mehr zu Diskussionen über die Ausgestaltung dieses Autonomiestatuts nach Rom geladen, nicht aber zu Beratungen über die Art der Autonomie selbst. Dabei waren sie in dem entsprechenden Gremium der Verfassunggebenden Versammlung nicht einmal vertreten (die Provinz Bozen war zur Wahl der Costituente am 6. Juli 1946 nicht zugelassen worden; im 18köpfigen Verfassungsausschuß für die Region mit Sonderstatut hatte sie ebenfalls weder Sitz noch Stimme). In einem Brief Grubers an De Gasperi vom 10. Januar 1948 teilte dieser dem italienischen Regierungschef mit, daß er der SVP geraten habe, die Region Trentino-Alto Adige unter der Voraussetzung der Annahme der Mindestforderung zu akzeptieren, verhehlte aber nicht seine Enttäuschung darüber, daß nach Wiener Sicht die getroffene Entscheidung nicht dem Geist des Pariser Abkommens entspreche. Immerhin kam es am 18. Januar 1948 zu einer Aussprache zwischen den Südtiroler SVP-Abgeordneten und dem italienischen Vertreter Silvio Innocenti. In den folgenden Tagen erreichten die Südtiroler einige wichtige Verbesserungen am Autonomiestatut: Das Unterland kehrte zur Provinz Bozen zurück, die Provinz erhielt legislative Befugnisse auf kulturellem Gebiet, wurde zum eigenen Wahlkreis und erhielt Verwaltungsautonomie. Dabei handelte es sich aber nur, wie Claus Gatterer es formulierte, um „Retuschen an der Fassade und nicht um Veränderungen am Bau".[4] Wegen der erhaltenen Zugeständnisse schrieben die Südtiroler Abgeordneten am 28. Januar 1948 den inzwischen berüchtigten Brief an den Kommissionsvorsitzenden Tommaso Perassi, wonach sie in der Errichtung der Einheitsregion die Verwirklichung des Gruber-De Gasperi-Abkommens sahen.[5] Der Brief wurde seitdem von der italienischen Regierung propagandistisch ausgewertet und als Zustimmungserklärung der Südtiroler zum Autonomiestatut von 1948 betrachtet. Er war allerdings keine „freie, von Druckmitteln unbeeinflußte Zustimmung".

Druckmittel waren die italienische Verfassung mit dem Artikel 116 (Region Trentino-Alto Adige) und Drohungen von italienischer Seite. So wird die Äußerung von De Gasperi überliefert: „Entweder Ihr unterschreibt, oder die Costituente geht vorbei und dann weiß Gott, wann man wieder einmal von der Sache reden wird." Oder von Innocenti:

„Wir (SVP-Abgeordnete) müssen aber bereit sein, an On. Perassi einen Brief zu schreiben, in dem wir zum Ausdruck brächten, über die gestellten Forderungen hinaus nichts zu verlangen und den Pariser Vertrag als erfüllt zu betrachten. Wenn wir dies täten, dann würden wir bald zu einem für uns vorteilhaften Ergebnis kommen, ansonsten sollten wir lieber [...] unsere Koffer packen [...]."[6]

Es verwundert nicht, daß das ganze Vorgehen in Fragen der Autonomie in Südtirol Zweifel an der Aufrichtigkeit der italienischen Politik weckte. Dieses Mißtrauen war nur allzu berechtigt. Rom setzte sich auch über den Artikel 1 des Pariser Abkommens hinweg. 1950 wurden von einer nicht-paritätischen Kommission Schulbestimmungen ausgearbeitet, „die an die frühesten faschistischen Maßnahmen der zwanziger Jahre erinnern (Einschränkung des Elternrechts bei der Schulwahl)." Es folgte ein Gutachten, „wonach Deutsch in Südtirol – im Gegensatz zur Bestimmung des Pariser Vertrages – nur als Hilfssprache zu betrachten sei".[7] Ab 1952 mußte der gesamte innere Amtsverkehr in italienischer Sprache geführt werden.

Hinzu kam die Fortdauer der Zuwanderung von Italienern nach Südtirol: In den größeren Südtiroler Städten schien es mehr Italiener als Deutsche zu geben, und der Staat förderte mit seiner Wohnbaupolitik die italienische Zuwanderung. Damals stand Kanonikus Gamper auf und veröffentlichte in den *Dolomiten* am 28. Oktober 1953 jenen inzwischen berühmten Artikel, in dem er vom „Todesmarsch" der Südtiroler sprach. Er versuchte die Zuwanderung mit Zahlen zu belegen: Von 1946 bis 1952 waren 60.000 Italiener nach Südtirol eingewandert; im Artikel hieß es dann: „Es ist ein Todesmarsch, auf dem wir Südtiroler uns seit 1945 befinden, wenn nicht noch in letzter Stunde Rettung kommt." Seiner Mei-

nung nach werde Rom die Autonomie „erst geben, wenn die
Italiener die Mehrheit hätten, und dann werde man machtlos
sein".[8] In der italienischen Presse hieß es, die Einwanderung
sei auf wirtschaftliche Gründe zurückzuführen, deren Wirkung zu verhindern widersinnig wäre; darüber hinaus dürfe
es in einem demokratischen Land keine Behinderung des
freien Verkehrs geben.[9] Diese Begründung schien auf den ersten Blick berechtigt.
Beim Vergleich Bozen – Trient sieht es allerdings schon an-
ders aus: Während in Bozen zwischen 1945 und 1956 7788
Wohnungen gebaut wurden, erhielt Trient im gleichen Zeitraum nur 1466 Wohnungen.[10] Und nur etwa 10% der neuen
Wohnungen entfielen auf die deutsche Volksgruppe, obwohl
die Deutschen in der Mehrzahl waren.[11]

1954 kam Triest zu Italien zurück; in Südtirol setzte daraufhin eine „Atmosphäre der Repression" ein.[12] Es folgte
Schikane auf Schikane, wobei Politik, Exekutive und Justiz
engstens zusammenarbeiteten. Im Frühjahr 1955 stellte die
italienische Regierung fast 2 Mrd. Lire für den Volkswohnbau in Bozen zur Verfügung, im selben Jahr erhielt die aus
der faschistischen Ära stammende Nationale Körperschaft
für die Drei Venetien, die für die Italianisierung des Bodens
in Südtirol geschaffen worden war, 5 Mrd. Lire zugespro-
chen.[13] 1957 wurden 2,5 Mrd. Lire vom Ministerium für öffentliche Arbeiten für den Volkswohnbau im südlichen Stadt-
teil Bozens, der vorwiegend von Italienern bewohnt war, be-
reitgestellt. Die Südtiroler Landesregierung aber war von
diesem Wohnbauprogramm vorher nicht unterrichtet worden, obwohl das Autonomiestatut (Artikel 11/11) die primäre
Zuständigkeit für diesen Sektor der Provinz Bozen über-
trug.[14] Die Südtiroler verglichen diesen Plan mit dem „seinerzeit von den Faschisten verkündeten Industrialisierungs-
programm zum Zwecke der Italianisierung Südtirols".[15]

Bei der Industrialisierung kam es nicht nur auf dem Gebiet
des Wohnbaues zu Ungerechtigkeiten, sondern auch im Bereich des Arbeitswesens. Der sozialistische Tiroler Abgeord-

nete Rupert Zechtl äußerte sich wie folgt darüber: „Die Arbeitsmöglichkeiten, welche die öffentliche Hand schafft, werden fast ausschließlich den Italienern vorbehalten, den Südtirolern sind sie zum größten Teil verschlossen. Über 4.000 Südtiroler haben, der Not gehorchend, ihre Heimat verlassen müssen, um im Ausland Arbeit zu finden."[16] Die Antwort der italienischen Presse darauf lautete: Deutschsprachige Beamte könnte es geben, wenn die Südtiroler mehr Interesse für den öffentlichen Dienst zeigten.[17] Doch das Interesse allein war nicht entscheidend. Die Bestimmung, wonach der gesamte innere Amtsverkehr in italienischer Sprache geführt werden mußte, verhinderte die Aufnahme deutschsprachiger Südtiroler in den öffentlichen Dienst. Daß die italienische Politik auch bei der Rehabilitierung der Optanten nicht allzu großzügig war, sei nur am Rande vermerkt. Es bleibt festzuhalten, daß in Südtirol im Laufe der fünfziger Jahre Hoffnung und Vertrauen auf die italienische Regierung geschwunden waren.

Unter diesen Umständen verwundert nicht, daß auch innerhalb der SVP die Frage gestellt wurde, ob die bisher betriebene Politik der Parteiführung richtig war. Die Antwort war eindeutig: Im Mai 1957 kam es zur Wachablösung innerhalb der SVP, Silvius Magnago[18] wurde neuer Parteiobmann.[19] Dies bedeutete für die Partei und für die gesamte Südtirolfrage einen bedeutenden Einschnitt. Die neue SVP-Führungsspitze war zu einem inneritalienischen Dialog nicht mehr bereit. Die Kriegsgeneration, die ohne demokratische Vergangenheit war, glaubte nunmehr, mit Kompromißlosigkeit und direkter Sprache gegenüber Trient und Rom eine bessere Lösung für die eigene Volksgruppe zu finden, dies aber durchaus mit demokratiepolitisch begründeten Argumenten. Das erwähnte Mammutwohnprojekt der italienischen Regierung für die Stadt Bozen im Herbst 1957 wurde zum auslösenden Moment für die am 17. November 1957 abgehaltene Massenkundgebung mit 35.000 Teilnehmern auf Schloß Sigmundskron bei Bozen, bei der die Südtiroler unter der Führung von Magnago mit aller Entschiedenheit ihr „Los von Trient" und „Schutz vor 48 Millionen" forderten. Am 4. Februar 1958 legten die Südtiroler Vertreter im römischen Parlament einen neuen Entwurf für eine Landesautonomie vor. Der Entwurf wurde jedoch nicht behandelt. Als dann am 16. Januar 1959 die Durchführungsverordnungen zum Volkswohnbau von der römischen Regierung erlassen und dem Land damit praktisch alle noch verbliebenen Kompetenzen auf diesem Gebiet genommen wurden, obwohl der Artikel 11 des Autonomiestatutes ausdrücklich vorsah, daß das Wohnbauprogramm primär in die Zuständigkeit der Provinz falle, trat die SVP aus der Regionalregierung in Trient aus. Mit ein Grund für diesen Schritt war, daß die seit Februar 1958 laufenden Gespräche zwischen Österreich und Italien über Südtirol keine Fortschritte gebracht hatten und Wien entschlossen war, die Südtirolfrage vor die UNO zu bringen.

3. Österreich bringt die Südtirolfrage vor die UNO

Für Österreich war die Südtirolfrage nach 1945 eine „Herzenssache [...], ein Gebet jedes Österreichers", wie Bundeskanzler Leopold Figl dies am 21. Dezember 1945 stellvertretend für viele seiner Landsleute in seiner Regierungserklärung vor dem Nationalrat unter lang anhaltendem Beifall im Hause und auf den Galerien erklärte. Die Forderung nach Selbstbestimmung für die Südtiroler, nach Rückkehr zu Österreich, war offizielle Politik der Wiener Regierung. Wohl niemals wieder hat ein Thema die Österreicher so bewegt – vielleicht mit Ausnahme des Staatsvertrages. Es war eine Forderung, mit der sich alle Österreicher identifizieren konnten und die gleichzeitig dazu diente, Österreich ein Stück Identität zurückzugeben. Am Ende jener ersten, schwierigen Phase der diplomatischen Verhandlungen stand nicht die Selbstbestimmung, nicht die Rückkehr Südtirols, sondern jenes Abkommen, das Südtirol die Autonomie bringen sollte, das Gruber-De Gasperi-Abkommen. Das Abkommen war

nicht ideal, konnte es nach Lage der Dinge auch nicht sein.[20]
Das Engagement Österreichs ließ dann sehr schnell nach. In
Südtirol war die Enttäuschung groß, vor allen Dingen deshalb, weil jene „Kampagne", die Gruber den Südtirolern in
Paris 1946 und dann noch einmal wenig später in Innsbruck
zugesichert hatte, ausblieb. Es gibt viele Gründe dafür: Hun-
gerzeit, Währungsreform, Kalter Krieg und das Warten auf
den Staatsvertrag. Und wenn Gruber den Südtirolern empfahl, die Regionalautonomie zu akzeptieren, so stand er dabei
unter enormem Druck: Die für die Südtiroler lebenswichti-
gen Optantenverhandlungen zwischen Italien und Österreich standen kurz vor ihrem Abschluß. Tatsächlich wurde
damals das Optionsdekret vom 22. November 1947 von Rom
auf Eis gelegt und erst nach Annahme des Autonomiestatuts
am 2. Februar 1948 erlassen.

In der Folgezeit wurde Italien für die Westmächte immer
wichtiger (1948 Mitglied der OEEC, 1949 Mitglied der
NATO), während Österreich immer noch ein besetztes Land
war. 1951 richtete Gruber eine Verbalnote an die italienische
Regierung, in der er die Errichtung einer gemischten österreichisch-italienischen Kommission zur Prüfung der Artikel 1
und 2 des Pariser Abkommens vorschlug. Die italienische Antwort überraschte nicht: Dies sei eine inneritalienische Angelegenheit; eine Einmischung Österreichs verbitte man sich.
Es verwundert auch nicht, daß Wien das ganz anders sah.

Es folgten weitere österreichische Noten am 14. Januar
und 24. April 1952. Am 10. November 1952 bat Gruber
Staatssekretär Paolo Taviani, die Schulfrage und andere an-
stehende Probleme im Sinne der Südtiroler zu regeln. Wie
schwierig für Wien das Thema Selbstbestimmung für Südtirol war, zeigen die Ereignisse in Triest im Jahre 1953. Auf
Vorschlag von Ministerpräsident Giuseppe Pella stimmte das
italienische Parlament der Forderung nach einer Volksabstimmung dort zu. Aber was für Triest recht war, war für
Südtirol noch lange nicht billig: Entsprechende Forderungen
aus Innsbruck und Bozen wurden von Rom nicht akzeptiert,
Noten der Wiener Regierung – von Wien allerdings wohl

mehr aus „Alibigründen" nicht öffentlich, sondern „streng geheim" deponiert – von den Westmächten nicht behandelt.

Mit dem Staatsvertrag erhielt Österreich 1955 endlich seine Unabhängigkeit und damit auch seine außenpolitische Handlungsfreiheit zurück. Erstmals seit 1945/46 wurde Südtirol wieder zu einem zentralen Thema der österreichischen Außenpolitik. Der sozialistische Staatssekretär des Äußeren, Bruno Kreisky, machte am 21. Juni 1955 klar, worum es gehen würde, daß nämlich „Österreich als freier und souveräner Staat noch bessere Möglichkeiten habe, seine im Pariser Vertrag festgelegten Schutzpflichten gegenüber den Südtirolern bei der Regierung in Rom wahrzunehmen". In der österreichischen Südtirolpolitik zeichnete sich eine Wende ab. Bundeskanzler Julius Raab verschärfte ein Jahr später die Gangart. Im Juli 1956 beschuldigte er Italien, wesentliche Punkte des Pariser Abkommens nicht erfüllt zu haben. Daraufhin kam es zwischen den beiden Ländern zu einem Austausch von Memoranden und im Anschluß daran zu Gesprächen auf diplomatischer Ebene.

Dieser Austausch begann mit dem österreichischen Memorandum vom 8. Oktober 1956, das alle offenen Punkte des Pariser Abkommens (z. B. Doppelsprachigkeit in öffentlichen Ämtern, Schulwesen, Stellenbesetzung etc.) behandelte. Es wurde die Bildung einer gemischten italienisch-österreichischen Kommission zur Prüfung dieser Punkte vorgeschlagen. Im italienischen Memorandum vom 30. Januar 1957 wurde dieser Vorschlag zurückgewiesen; die italienische Seite erklärte erneut, daß aus ihrer Sicht das Pariser Abkommen erfüllt sei. Ein Jahr später (22. Februar 1958) kam es dann zu ersten Sondierungsgesprächen zwischen Wien und Rom. Die italienische Regierung lehnte das Wort „Verhandlungen" ausdrücklich ab, da sie Österreich das Recht absprach, über das aus ihrer Sicht bereits erfüllte Pariser Abkommen zu verhandeln.

In den folgenden Monaten blieben diese Gespräche erfolglos; gleichzeitig verschärfte die italienische Regierung ihre Politik in Südtirol, wo sich die Stimmung gegenüber Rom

verschlechterte. Die ergebnislosen bilateralen Gespräche
führten in Wien zu der Überzeugung, daß man nur auf anderem Wege zum Erfolg kommen könne. Und dieser Weg hieß:
Internationalisierung des Südtirolproblems.

Zunächst war es Außenminister Figl, der das Thema vor
der Beratenden Versammlung des Europarates am 20. April
1959 anschneiden wollte. Nach Interventionen des italienischen Abgeordneten Roberto Lucifero und des belgischen
Vorsitzenden überging er dann jedoch in seiner Rede den
Passus über Südtirol.

Die österreichische Regierung beschloß dann, den entscheidenden Schritt zu tun und das Thema erstmals vor die UNO
zu bringen. Damit erhielt die gesamte Problematik eine neue
Qualität; die Südtirolfrage war definitiv eine internationale
Frage geworden – entsprechend international waren die Aktivitäten, die zur Entscheidung der UNO-Vollversammlung führten. Das Thema war jetzt nicht nur für die betroffenen Regierungen in Rom und Wien von überragender Bedeutung, sondern auch für die übrigen Mächte, insbesondere
Großbritannien. Und dies nicht nur aus den bekannten historischen Gründen – das Gruber-De Gasperi-Abkommen war
durch maßgebliche Mithilfe Großbritanniens zustandegekommen –, sondern auch, weil die Briten damals die führende
Macht innerhalb der EFTA waren, in der auch Österreich Mitglied war. Es ging damals um die Mitgliedschaft bzw. Assoziierung der EFTA-Länder mit der EWG. Gleichzeitig war Großbritannien aber auch Mitglied der NATO, von dem der Bündnispartner Italien Solidarität „einklagte". Dies war ein
Dilemma, aus dem es nur schwer einen Ausweg gab. Es ist
damals auf Kreisky massiv Druck ausgeübt worden – etwa von
seinem britischen Kollegen –, das Thema nicht vor die UNO zu
bringen. Noch drei Tage vor der Entscheidung der Bundesregierung am 28. Juni 1960 hat der britische Außenminister
„persönlich und als Freund" in Wien auf Kreisky eingewirkt, da
doch in dieser Sache für Kreisky und auch für die Südtiroler
„nichts zu holen" sei; es sei eine „außerordentlich gefährliche
Aktion", die London beunruhige.[21] Die österreichische Regie-

rung traf dennoch ihre Entscheidung. Danach ging es für London – die Regierung in Washington schlug sich auf die Seite Italiens – nur noch darum, die aus ihrer Sicht notwendige „Schadensbegrenzung" zu organisieren. Ein Memorandum – von vielen – des britischen Botschafters in Rom, Ashley Clarke, vom 28. Februar 1959 an Außenminister Selwyn Lloyd sei hier erwähnt. Das Memorandum beginnt mit dem Satz:

„In einer Zeit, wo die Welt mit der Gefahr der atomaren Vernichtung lebt und Sie selbst schwierige Verhandlungen mit Chruschtschow führen, sieht es möglicherweise wie ein Anachronismus aus, wenn ich Sie mit einem Minderheitenproblem belästigen muß, das in der Zwischenkriegszeit von so großer Bedeutung war. Unglucklicherweise hat sich das Verhältnis zwischen den Volksgruppen in Südtirol in den letzten fünf Jahren beständig verschlechtert; eine Krise folgte der anderen."

Und dann gab er eine Analyse über die Entwicklung in Südtirol und Italien und über die italienische Position und stellte klar, daß die italienische Regierung auf keinen Fall bereit sei, Südtirol eine Autonomie zu gewähren. Für ihn wäre eine solche Autonomie nicht das Ende des Problems, sondern würde die Forderung nach Änderung der Brennergrenze nach sich ziehen. Und da die Südtirol-Extremisten sowieso mehr nach München als nach Innsbruck blickten, hätte dies alles außerordentlich gravierende Auswirkungen auf das Verhältnis Italiens sowohl mit Deutschland wie auch mit Österreich. Eine solche Entwicklung, so der Botschafter, „wird mit Sicherheit schwerwiegende Konsequenzen für die Zukunft der NATO haben".[22]

Die Briten versuchten sehr früh, in Rom ihren Einfluß geltend zu machen, da, wie es an anderer Stelle einmal heißt, ihrer Meinung nach die österreichische Regierung unter dem Druck der Südtiroler und deren Verbündeten in Innsbruck stand, die Frage zu internationalisieren. Dies aber wollte man verhindern, da man befürchtete, daß auf diese Weise die Sowjets mit ins Spiel kämen, sei es als Signatarstaat des Friedensvertrages mit Italien oder als Mitglied der Vereinten Nationen. Im allgemeinen Interesse des Westens sei es daher, eine solche Entwicklung zu verhindern.

Der Druck auf Wien blieb erfolglos, und von daher ist es
verständlich, daß Kreisky am 21. September 1959 das Südtirolproblem erstmals vor der UNO erläuterte – gegen den
Wunsch der Briten und der USA. Zurück in Wien teilte er
dem britischen Botschafter mit, daß „82 Nationen jetzt wissen, daß das Südtirolproblem ein echtes Problem ist".[23]

Es gab anschließend hektische Betriebsamkeit in Wien und
Rom, und wie in alten Tagen lief hier so manches über London. Aber anders als 1945/46 gelang es den Briten diesmal
nicht, Österreicher und Italiener davon zu überzeugen, daß
der beste Weg eine bilaterale Lösung unterhalb der internationalen Ebene war. Die Italiener hofften auf den NATO-
Bündnispartner Großbritannien (der einen Antrag auf EWG-
Mitgliedschaft gestellt hatte und die Hilfe Italiens dafür
brauchte) und die übrigen NATO-Partner, Österreich auf das
Noch-EFTA-Mitglied Großbritannien. Wien war mehr denn
je davon überzeugt, daß das Thema Südtirol nur im internationalen Rahmen gelöst werden konnte. Von daher die Risi-
ko-Entscheidung vom 28. Juni 1960. Am 21. September 1960
sprach der italienische Vertreter das Thema Südtirol im
NATO-Ministerrat an. Er bat die NATO-Mitglieder um Unterstützung Italiens vor den Vereinten Nationen.

Nach verschiedenen Resolutionsentwürfen beschloß die
UNO-Vollversammlung dann am 31. Oktober 1960 einstimmig die sog. VII Res. 1497/XV.[24] Die Resolution bestätigte
den Artikel 1 des Pariser Abkommens als zweckbestimmend
für den gesamten Vertrag, das hieß, daß auch der Artikel 2,
der den geographischen Rahmen der Autonomie abstecken
sollte, „unter dem Gesichtspunkt des Schutzes des Volkscharakters und der kulturellen und wirtschaftlichen Entwicklung der Südtiroler zu behandeln" sei.[25] Die Resolution forderte in diesem Sinne beide Staaten zu Verhandlungen auf,
um alle Meinungsverschiedenheiten über das Pariser Abkommen zu bereinigen und den Streit darüber beizulegen.
Sollten die Verhandlungen aber in angemessener Zeit kein
Ergebnis bringen, wurde in der Resolution den beiden Ver-
tragspartnern empfohlen, sich eines in der UN-Charta vorge-

sehenen friedlichen Mittels zu bedienen.[26] Wie aus der Resolution deutlich hervorging, bekräftigte die UNO demnach in aller Form die von Italien bezweifelte Berechtigung Österreichs zur Befassung mit Südtirol.

Die Entscheidung der UNO-Vollversammlung wurde von der österreichischen Regierung als großer Erfolg betrachtet; nach Meinung des österreichischen Botschafters in London würde Kreisky als triumphaler Sieger nach Wien zurückkehren – wobei er gegenüber einem britischen Kollegen im Foreign Office als seine private Meinung gleichzeitig mitteilte, ihm selbst sei einigermaßen unklar, warum seine Regierung über die Entscheidung in New York so begeistert sei.[27] Daß die Sache nicht ohne Risiko gewesen war, hatte der *Corriere della Sera* am 20. September 1960 deutlich gemacht: Man sei sich nicht sicher, „ob angesichts der bevorstehenden Rede Chruschtschows im Rahmen der UNO-Vollversammlung die Erörterung der Lage in Südtirol mehr zum Lachen oder zur Entrüstung reize", und ob es verantwortbar sei, „daß die hysterischen Klagen einer zu sehr verzärtelten Minderheit auf die Tagesordnung einer Versammlung gelangen könnten, die kaum die Zeit aufbringt, sich mit weltweiten und schrecklichen Problemen zu befassen".[28]

Gemäß UNO-Auftrag trafen sich die Außenminister beider Staaten im Januar, Mai und Juni 1961 in Mailand, Klagenfurt und Zürich. Die Verhandlungen brachten keinen Erfolg. Italien erklärte sich lediglich zu einer besseren Durchführung des vorliegenden Autonomiestatuts bereit, widersetzte sich ansonsten aber jeder Abänderung der statutarischen Bestimmungen. Die italienischen Medien bekräftigten diese Haltung; so betonte u. a. der Minderheitenspezialist der Tageszeitung *Alto Adige,* Renato Cajoli, in seinen Artikeln, daß das Pariser Abkommen „erfüllt sei und nur wenige Durchführungsbestimmungen fehlten, für deren Verzögerung aber wesentlich die Intransigenz der Südtiroler verantwortlich sei".[29] Angesichts der kompromißlosen Haltung Italiens verwundert es nicht, daß sich im Laufe des Jahres 1961 die Lage erheblich zuspitzte. Bereits im Januar, Februar und April

war es in Südtirol zu einzelnen Sprengstoffanschlägen gekommen, die nicht nur eine Reaktion auf die schleppende
Verhandlungsweise Italiens waren, sondern auch eine Reaktion auf die Rede des italienischen UN-Delegationsleiters
Gaetano Martino, in der er erklärt hatte, daß Italien niemals
einer eigenen Autonomie für Südtirol zustimmen werde.[30]

4. Die Attentate[31]

Die für unser Thema „interessanten" Attentate erstrecken
sich über den Zeitraum von 1956 bis 1967, wobei man sehr
genau unterscheiden muß, was wann wie geschehen ist. Die
Geschichte dieser Attentate läßt sich grob in zwei Phasen
einteilen: Die erste Phase geht bis etwa 1961, die zweite bis
1967. In der ersten Phase galt der Grundsatz, keine Menschenleben zu gefährden. Insgesamt gab es 346 Anschläge,
die 19 Tote, zahlreiche Verwundete und großen Sachschaden
forderten. Im September 1956 ereigneten sich die ersten Anschläge auf die Otto-Huber-Kaserne in Bozen und die Bahn-
oberleitung bei Siebeneich, ausgeführt von Südtirolern, die
von der Politik der SVP-Führung enttäuscht waren und sich
im „Befreiungsausschuß Südtirol" (BAS) organisiert hatten.
Zu weiteren Anschlägen kam es im Januar 1957; 17 Südtiroler wurden damals festgenommen, unter ihnen auch Friedl
Volgger, der nach zehn Wochen Haft „wegen Fehlens hinreichender Beweisgründe" wieder freigelassen werden mußte.[32]
Während der Demonstration auf Schloß Sigmundskron ver-
teilten BAS-Leute unerkannt Flugblätter, den Text hatte
Sepp Kerschbaumer verfaßt:

„Deutsch wollen wir bleiben und keine Sklaven eines Volkes werden, welches durch Verrat und Betrug unser Land kampflos besetzt
hat und seit 40 Jahren ein Ausbeutungs- und Kolonisationssystem
betreibt, welches schlimmer ist als die einstigen Kolonialmethoden
in Zentralafrika."[33]

Schon sehr bald wurden die Südtiroler von Sympathisanten
in Österreich finanziell und organisatorisch unterstützt. Zu

nennen sind hier in erster Linie der Nordtiroler Journalist Wolfgang Pfaundler, der Chefredakteur des Wiener *Express* und spätere Generaldirektor des ORF, Gerd Bacher, und Fritz Molden, damals Besitzer des größten Presseimperiums in Österreich (*Die Presse, Die Abendpresse, Express, Wochenpresse*). Anfang 1959 hatte Pfaundler in Innsbruck eine BAS-Zelle aufgebaut. Als das Außenministertreffen in Mailand am 27. und 28. Januar 1961 ergebnislos blieb, kam es zur demonstrativen Sprengung von Symbolen der faschistischen Unterdrückung. Das vor dem Montecatini-Werk in Waidbruck stehende Reiterstandbild, der „Aluminiumduce", wurde durch eine Explosion vom Sockel und in tausend Stücke gerissen. Der zweite Anschlag galt dem Haus von Ettore Tolomei in Glen bei Montan. Die von Josef Fontana angebrachte Sprengladung zerfetzte den Balkon, riß ein zwei Meter großes Loch in die Mauer des Hauses und deckte das halbe Dach ab.[34] Die Zeichen waren eindeutig: Die Südtiroler Bevölkerung würde eine weitere Mißachtung ihrer Rechte nicht ohne weiteres hinnehmen.

Die Serie der Attentate erreichte ihren Höhepunkt in der Nacht des Herz-Jesu-Festes vom 11. auf den 12. Juni 1961. Diese Nacht ist als die „Feuernacht" in die Geschichte Südtirols eingegangen und löste damals eine neue Welle von Attentaten aus. Die Sprengungen der „Feuernacht" richteten beträchtlichen Sachschaden an. Im ganzen Land wurden 37 Hochspannungsmasten umgelegt, im Raum Bozen allein 19. Zu den oberitalienischen Industrien war die Stromlieferung genauso unterbrochen wie für die Bozner Industriezone. Die Hochöfen in Bozen konnten jedoch nicht zum Erkalten gebracht werden – womit wohl der entscheidende Schlag mißlungen war. Immerhin wurden die großen Elektrozentralen in Lana bei Meran, in St. Anton und im Sarntal lahmgelegt, weitere Elektrowerke beschädigt.[35] Im Zuge dieser Anschläge tauchten wieder Flugzettel auf, in denen das Selbstbestimmungsrecht gefordert wurde. Um Selbstbestimmung ging es auch in einem Brief der Attentäter vom 12. Juni 1961 an Außenminister Kreisky. Dort hieß es u. a.:

„Heute nacht und weiterhin werden Italien und die Welt es zu hören bekommen, daß wir die Selbstbestimmung wollen. Wir wollen über uns selbst bestimmen und über unser politisches Geschick. Auch wenn sich eine Rückkehr zu Österreich zunächst nicht verwirklichen läßt, nur weg von Italien! Ein eigenes Gemeinwesen sein, frei von fremder Unterdrückung und Furcht – schon damit wäre viel gewonnen."[36]

Mit diesen Gewaltaktionen wurde die Weltöffentlichkeit mit einem Schlag auf das Problem Südtirol aufmerksam gemacht. Obwohl sich die SVP nach den Attentaten sofort von den Gewaltaktionen distanzierte, sie verurteilte und den Verfolgten in weiterer Folge wenig Unterstützung zuteil werden ließ, wurden die Anschläge später als Anstoß für die Änderung der italienischen Südtirolpolitik gesehen. Auf Vorschlag von Innenminister Scelba wurde jedenfalls eine parlamentarische Kommission eingesetzt, in der elf Italiener und acht Südtiroler saßen – und die deshalb als 19er-Kommission in die Geschichte einging –, die das Problem unter allen Gesichtspunkten prüfen und der Regierung Lösungsvorschläge unterbreiten sollte. Landeshauptmann Magnago meinte im Oktober 1976 auf der SVP-Landesversammlung zu den Anschlägen des Jahres 1961, daß sie „einen bedeutenden Beitrag zur Erreichung einer besseren Autonomie für Südtirol darstellten".[37] Friedl Volgger schrieb dazu: „Kerschbaumer, der 1964 im Gefängnis starb, und seine Kameraden haben einen wesentlichen Beitrag zur Erreichung einer neuen Autonomie geleistet."[38] Man muß an dieser Stelle fragen, warum diese Stellungnahmen so spät gekommen sind und ob sie tatsächlich die Sachlage treffen. Michael Gehler stellt eine vorläufige Gegenthese auf, daß durch die Attentate „konstruktive Verhandlungsmöglichkeiten eher verbaut als geschaffen wurden, die Wirkung eher kontraproduktiv war". Erst die italienischen Akten werden hier eine Klärung bringen.[39]

Zunächst jedoch wurde Südtirol von der römischen Regierung in ein Heerlager verwandelt; es sah aus, als ob der Bürgerkrieg unmittelbar bevorstünde. Sofort nach der

Feuernacht wurden mehrere Hotels und Gasthäuser beschlagnahmt, um Militär und Polizei unterzubringen.[40] Hausdurchsuchungen waren an der Tagesordnung, und schon nach wenigen Tagen waren mehr als 150 BAS-Männer verhaftet worden. Klagen über unmenschliche Verhörmethoden, brutale Folterungen von seiten der italienischen Polizei waren allenthalben zu hören. Franz Höfler, der wie Anton Gostner im Gefängnis starb, gab zu Protokoll:

„Ich mußte von Samstag bis Dienstag früh ununterbrochen in Habtachtstellung stehen, ohne Essen und Trinken [...] Sie haben mir dann noch das linke Ohr losgerissen, wo ich sehr blutete [...]. Bin dann noch drei bis vier Stunden unter einer Lampe gestanden."[41]

Viele Häftlinge verloren während der Folterungen das Bewußtsein. Der Staatsanwalt, der die Verhöre leitete, wollte von den Mißhandlungen nichts bemerkt haben.[42] Die ausländische Presse berichtete über diese Vorgänge, Silvius Magnago forderte eine strenge Untersuchung und Bestrafung der schuldigen Polizeibeamten. Nach dem Tod von Franz Höfler und Anton Gostner wurde im Jahre 1963 von den Südtirolabgeordneten eine Untersuchungskommission gefordert, die jedoch nicht bewilligt wurde.

Am 20. August 1963 wurde dann in Trient der Prozeß gegen zehn Carabinieri eröffnet. Sie wurden beschuldigt, Südtiroler Häftlinge mißhandelt zu haben. Doch obwohl die Beweise eindeutig waren, wurden acht „wegen erwiesener Unschuld" freigesprochen; zwei wurden zwar schuldig gesprochen, fielen jedoch unter eine inzwischen erlassene Amnestie. Das Urteil rief weltweit Empörung hervor; erneute Forderungen der Südtiroler nach einer Untersuchungskommission blieben wieder ergebnislos.

Am 9. Dezember 1963 begann in Mailand der erste Südtiroler Sprengstoffprozeß gegen 91 Angeklagte (84 aus Südtirol, 6 aus Österreich, einer aus der BRD), von denen sich 68 in Haft befanden. Die Anklagepunkte lauteten: 92 Anschläge auf Leitungsmasten, 8 auf Wohnhäuser im Rohbau, Attentate auf militärische Einrichtungen, weiters die Kollektivanklage wegen Mordes (der italienische Straßenwärter Giovanni Postal war beim Hantieren an einer Sprengladung getötet worden), und schließlich Anklage wegen Hochverrats. Am 16. Juli 1964 wurden die Urteile gesprochen: jeweils über 20 Jahre Gefängnis erhielten vier flüchtige Angeklagte, acht erhielten Strafen zwischen zehn und zwanzig Jahren, 35 Angeklagte zwischen vier und zehn Jahren, 27 wurden freigesprochen oder amnestiert. 46 Südtiroler kamen frei, 22 mußten weiter im Gefängnis bleiben. Ein halbes Jahr später starb im Gefängnis in Verona Sepp Kerschbaumer. 15.000 Südtiroler folgten seinem Sarg.

Ab 1962/63 radikalisierte sich der Südtirolterrorismus. Der Grundsatz, keine Menschenleben zu gefährden, wurde nicht mehr eingehalten. Auch waren jetzt zunehmend österreichische und deutsche Staatsbürger an den Gewaltaktionen beteiligt. Der italienischen Polizei gelang es im übrigen, Agenten in die Widerstandsgruppen einzuschleusen, an deren Spitze nun Georg Klotz und Luis Amplatz standen. Am 7. September 1964 wurde Luis Amplatz in einer Heuhütte oberhalb von Saltaus im Passeiertal vermutlich von einem Spitzel des italienischen Geheimdienstes erschossen, Georg Klotz schwer verwundet; beide waren in Abwesenheit beim Mailänder Sprengstoffprozeß verurteilt worden.

Südtirol wurde jetzt zu einem Exerzierfeld von inländischen und ausländischen Geheimdiensten, neonazistischen und pangermanischen Kreisen. Es begann eine Phase (1965–1967), in der die Anschläge „ein Höchstmaß an Brutalität und Skrupellosigkeit"[43] erreichten und insgesamt 14 Todesopfer forderten. Im zweiten Mailänder Sprengstoffprozeß 1966 wurden wiederum hohe Haftstrafen gegen mehrere abwesende Angeklagte ausgesprochen.

An dieser Stelle auch ein Wort zu den österreichischen Südtirol-Prozessen, die zwischen 1965 und 1967 durchgeführt wurden. Insgesamt gab es drei, die „vollends zur Farce gerieten".[44] Verurteilt wurde niemand.

5. Auf dem Weg zum „Paket"

Nach den ergebnislosen Gesprächen in Mailand, Klagenfurt und Zürich (Januar, Mai und Juni 1961) brachte Österreich die Südtirolfrage erneut auf die Tagesordnung der UNO-Vollversammlung. Diese erneuerte am 18. November 1961 die Resolution vom Vorjahr. Nun endlich lenkte die italienische Seite ein. Der italienische Historiker Bartoli bewertete die Situation nach der UNO-Resolution folgendermaßen:

„Italien mußte sich um eine Lösung des Streitfalles bemühen, um nicht Gefahr zu laufen, sich in einer Position der Schwäche vor der UNO zu befinden und so den Erfolg aufs Spiel zu setzen. Die Bedingungen, die nötig waren, um zu einem Kompromiß zu kommen, waren zwei: Die italienische Regierung mußte zur Überzeugung gelangen, daß sie der Forderung, über Revision und Erweiterung der Provinzautonomie zu diskutieren, nicht ausweichen konnte, und die österreichische Regierung mußte sich dem dominierenden Einfluß der Tiroler Extremisten entziehen."[45]

Bereits am 1. September 1961 hatte der römische Ministerrat die sog. 19er-Kommission eingesetzt: Sie erhielt ihren Namen von der Anzahl ihrer Mitglieder und sollte den Zweck haben, das Südtirolproblem unter allen Gesichtspunkten zu prüfen und der Regierung Lösungsvorschläge zu unterbreiten. Innenminister Mario Scelba hatte ursprünglich versprochen, die Kommission paritätisch zu besetzen, um der Südtiroler Minderheit genügend Mitspracherecht einzuräumen. Im Endeffekt wurde diese Parität aber nicht eingehalten, da sich in der Kommission elf Italiener, sieben deutschsprachige Südtiroler und ein Ladiner gegenübersaßen. Die 19er-Kommission hielt ihre erste Sitzung am 21. September 1961 ab und beendete ihre Arbeit mit der Überreichung ihres Abschlußberichtes an Ministerpräsident Aldo Moro am 10. April 1964; drei Monate Arbeit waren geplant gewesen; tatsächlich hatten die Beratungen fast drei Jahre gedauert. Ihre Arbeit wurde unterschiedlich beurteilt. Während Felix Ermacora die Kommission hauptsächlich als Mittel zur Ausgrenzung des österreichischen Staates sah[46], bewertete etwa Altsenator Friedl Volgger deren Arbeit weitaus positiver.[47] Eine Zusammenfassung der Arbeitsergebnisse lieferte Karl Heinz Ritschel in einem Kommentar für die *Salzburger Nachrichten* vom 25. September 1965:

„Den Wünschen der Südtiroler wird voll Rechnung getragen: Der bisher verpönte Name Trentino-Südtirol soll offiziell Geltung haben, die Region den Namen Trentino-Südtirol statt der derzeit gültigen Formel Trentino-Tiroler Etschland führen. Ebenso soll eine eigene Landesfahne und ein eigenes Landeswappen für Südtirol gewährt werden. Der gerade in Südtirol so hart angewandte Paragraph des italienischen Strafgesetzbuches – Schmähung der italienischen Nation – gehört ergänzt durch einen strafrechtlichen Schutz der Minderheit vor Beleidigung ihrer Traditionen, Sprache und Kultur. Der Provinz Bozen könnte in folgenden Punkten die primäre Kompetenz eingeräumt werden, die derzeit bei der übergeordneten Region – die eine italienische Mehrheit besitzt – bestehen: Teile des Gesundheitswesens, Krankenhausdienst, öffentliche Fürsorge und Unterstützungswesen, Jagd und Fischerei, Handel, Bergwerksangelegenheiten, Fremdenverkehr und Gastgewerbe, Almwirtschaft, Pflanzen- und Tierschutz, Bodenverbesserung. Die Bestimmungen über den Volkswohnbau sollen so verbessert werden, daß die Provinz die Zuständigkeit für den gesamten aus öffentlichen Mitteln finanzierten Wohnbau besitzt (eine sehr wesentliche Forderung, weil italienischerseits mit Hilfe dieses Wohnbaues die Zuwanderung gelenkt wurde). Kontrolle über die Gesetzmäßigkeit der Verwaltungsakte und das bisher nur der Region zugestandene Recht des Anrufens des Verfassungsgerichtshofes werden der Provinz zugeschlagen. Der Südtiroler Landeshauptmann wird ermächtigt, an den Sitzungen des Ministerrates in Rom teilzunehmen, wenn Fragen behandelt werden, die Südtirol betreffen. Schließlich soll je ein Regierungskommissär für Trient und Bozen ernannt werden, statt der bisherigen Übung des Kommissärs für Trient und eines Stellvertreters in Bozen.

Nun jene Forderungen, die nur zum Teil anerkannt wurden:

Die deutsche Sprache wird der italienischen gleichgestellt, Italienisch bleibt offizielle Staatssprache. Diese Regelung wurde nicht voll für das Gerichts- und Polizeiwesen und bei Staatsangestellten akzeptiert. Die Besetzung der Staatsstellen in der Provinz Bozen hat nach dem Bevölkerungsproporz im Gesamtstaat zu erfolgen; dieser Schlüssel lautet ungefähr 99,5 : 0,5%! In der Praxis bedeutet er, da der Großteil der Südtiroler Staatsbediensteten in der Provinz beschäftigt wird, daß etwa 30 Prozent der Stellen an Südtiroler fallen würden, was nicht dem tatsächlichen Mehrheitsverhältnis entspricht. Wahlberechtigt soll sein, wer vier Jahre – bisher drei – im Lande seßhaft ist; diese Bestimmung hat auch Geltung für Gemeinderatswahlen. Bei der Arbeitsvermittlung soll Südtirol nur eine sehr beschränkte Kontrolle erhalten, damit bleibt Italien die wirksamste Waffe der Unterwanderung erhalten. Die primäre Gesetzgebung im Schulwesen gilt nur für Kindergärten, Berufsausbildung, Schulbauten, Schulfürsorge und dergleichen, bei Volks-, Mittel- und Hochschulen wird nur sekundäre Kompetenz, also die Staatsgesetze ergänzende Gesetzgebung gewährt. Die Stelle der Studienintendanten (Schulamtsleiter, A. d. V.) bleibt Staatsstelle, wobei turnusmäßiger Wechsel in zweijähriger Folge zwischen einem Italiener und einem Südtiroler erfolgen soll. Der Wunsch der Südtiroler, daß die Lehrer von der Provinz übernommen werden sollen, wird abgelehnt. Die Kulturautonomie bleibt beschränkt auf Gesetzgebung für den ‚Schutz des geschichtlichen und künstlerischen Kulturgutes von örtlichem Charakter‘. Die Zuständigkeiten für Rundfunk, Fernsehen und Film können erweitert werden. Militärische Anlagen und öffentliche Gewässer sind von der Übernahme öffentlichen Vermögens durch die Provinz ausgeschlossen.

Primäre Gesetzgebung soll die Provinz bei Straßenwesen, Wasserleitungen, Wasserbauten, öffentlichen Arbeiten, Verkehrs- und Transitwesen erhalten, jedoch eingeschränkt durch die Region, der die Regelung von Kompetenzen für Angelegenheiten regionalen Charakters obliegt; eine ähnliche Regelung gilt für die Land- und Forstwirtschaft, wo die Koordinierung der Agrarpolitik mit der des Staates und mit der EWG der Region übergeben wird. Die Feuerwehr bleibt Sache der Region, Kompetenzerweiterungen sollen auf dem örtlichen Finanz-, örtlichen Sicherheitswesen und bei Diensten, die vorwiegend provinzielle Interessen betreffen, erfolgen. Schließlich empfahl die Kommission die Rückgabe der enteigneten Schutzhütten des Südtiroler Alpenvereins und Zugeständnisse in der Optantenfrage, um die Wiedererlangung der Staatsbürgerschaft einem weiteren Personenkreis zu ermöglichen.

Abgelehnt wurden von der Kommissionsmehrheit die wesentlichsten Forderungen, vor allem die nach einer eigenen Region Südtirol. Abgelehnt wurde auch die Übertragung wirtschaftlicher Kompetenzen, beispielsweise für Industrie- und Handelskammer- und Kreditangelegenheiten. Ebenso negativ würde die Forderung nach der vollen Zuständigkeit über das örtliche Polizeiweisen in Angelegenheiten provinzialen Charakters behandelt. Die Region bleibt für die Gemeindeordnung verantwortlich, doch sollen die Gemeindesekretäre in die Abhängigkeit der Gemeinden übergehen."

Am 25. Mai 1964 trafen sich in Genf die Außenminister und sozialistischen Parteikollegen Kreisky und Saragat. Sie einigten sich auf die Einsetzung einer österreichisch-italienischen Expertenkommission zur Durchführung des Pariser Abkommens. Als Grundlage der Verhandlungen sollten die Ergebnisse der 19er-Kommission, vor allem die noch offen gebliebenen Punkte genommen werden.

Am 16. Dezember 1964 wurde auf einer Geheimkonferenz der beiden Außenminister in Paris eine Annäherung in grundlegenden Fragen erzielt: Sich auf die Expertengespräche stützend (es hatte vier solcher Besprechungen in Genf gegeben), legte Rom eine neue Fassung für „Entwürfe der Dokumente, betreffend die Beendigung der österreichisch-italienischen Streitfrage über die Anwendung des Pariser Abkommens" vor, die nun schon, wenn auch nur in groben Zügen, die Grundzüge des späteren „Pakets" trug.[48] Am 8. Januar 1965 erstattete Kreisky den Vertretern von Tirol und Südtirol in Innsbruck Bericht über das erzielte Verhandlungsergebnis und empfahl die Annahme. Diese wurde verweigert, weil die SVP auf weiteren Zugeständnissen in den Bereichen Wirtschaft, Industrie, Finanz- und Arbeitswesen bestand. Weiters sah das Projekt eine befristete Internationalisierung vor, die allerdings den Nachteil hatte, daß die Durchführung des „Pakets" nach der österreichischen Anerkennung zu einer inneritalienischen Angelegenheit geworden wäre.[49] Die Verhandlungen wurden wieder aufgenommen; der neue österreichische Außenminister Lujo Toncic-Sorinj nahm 1966 direkte Gespräche mit dem italienischen Außenminister Amintore Fanfani auf: Italien begann nun, ein „Gesamtangebot" zu machen.[50] Das „Paket" lag erstmals Ende August 1966 vor. Am 29. August wurden dann die Verhandlungsergebnisse vom Parteiausschuß der SVP gutgeheißen und der Landesversammlung zur Annahme empfohlen.

Was noch offen blieb, war das Problem der internationalen Verankerung des „Pakets". Die Verhandlungen darüber zogen sich drei Jahre hin und wurden geheim geführt. Sie müssen gesehen werden im Zeichen der unruhigen politischen Lage von 1967 und 1968: Sprengstoffanschläge von Extremisten in Italien und Österreich, italienisches Veto gegen Verhandlungen der EWG mit Wien in Brüssel, Mai 1968 – italienische Parlamentswahlen, November 1968 – italienische Regierungskrise, Juli 1969 – erneute Regierungskrise, Streikwellen und Spannungen als Folge der Attentate.

Was die internationale Verankerung betraf, hatte Italien 1966 ein Schiedsgericht vorgeschlagen. Nun zog es plötzlich diesen Vorschlag wieder zurück. In der Folge sprach der neue österreichische Außenminister Kurt Waldheim vom „Operationskalender": Dieser sollte ein Zeitplan mit Terminen sein, innerhalb welcher Maßnahmen der italienischen Regierung zur Durchführung des Pakets und Schritte Österreichs Hand in Hand gehen sollten.[51] Italiens Außenminister Pietro Nenni und Waldheim einigten sich über diesen Operationskalender anläßlich einer Sitzung des Ministerkomitees der Mitgliedstaaten des Europarates am 13. Mai 1969. In der Folge zog Italien sein Veto gegen Verhandlungen der EWG mit Österreich zurück.

Eine letzte Hürde bereitete die Zustimmung der SVP, ohne die die österreichische Regierung nicht bereit war zu handeln. Im Oktober 1969 hatte der Parteiausschuß der SVP mit 41 gegen 23 Stimmen beschlossen, Paket und Operationskalender zu empfehlen. Am 22. November 1969 begann um 9.30 Uhr im großen Kursaal des Meraner Kurhauses die außerordentliche Landesversammlung der SVP 1111 Delegierte aus den sieben Wahlbezirken Bozen, Brixen, Meran, Pustertal, Sterzing, Unterland und Vinschgau fanden sich zusammen. Im wesentlichen standen sich bei den Verhandlungen zwei gegensätzliche Resolutionen gegenüber: Paketbefürworter Silvius Magnago, Senator Friedl Volgger und die Parlamentsabgeordneten Roland Riz und Karl Mitterdorfer sprachen sich gegen die Paketgegner Senator Peter Brugger, den

stellvertretenden Landeshauptmann Alfons Benedikter und
Landesrat Joachim Dalsass aus.

Die Paketgegner brachten im wesentlichen vier Gegenar-
gumente vor:

1. Das Paket beinhalte den Verzicht auf eine eigene Region,
   außerdem bilde es keinen Schutz gegen italienische Einwanderung.
2. Der ethnische Proporz werde auf verschiedene höhere Posten für Inneres und Verteidigung, für Polizei, Rundfunk
   und Fernsehen (RAI), die Nationale Elektrizitätsgesell-
   schaft (ENEL), die Zentralnotenbank (B.I.), das Rote
   Kreuz (C.R.I.) und den Italienischen Alpenverein (CAI)
   nicht angewendet.
3. Im Paket gebe es auch Garantien für Italiener, wie z. B.
   die Möglichkeit, das Budget anzufechten und somit Druck
   auszuüben.
4. Die Empfehlung zum „Schutz der örtlichen Sprachminder-
   heit" könne auch auf die Italiener bezogen werden.

Während Senator Brugger den Standpunkt vertrat, daß Südtirol nichts von dem verliere, was es bereits habe, wenn es
nicht Ja zum Paket sage, meinte Landeshauptmann Magnago:

„Mit dem Paket ist das ‚Los von Trient' zu 80% erreicht.
Wenn wir Nein sagen, käme das Problem wahrscheinlich vor
den IGH, aber ohne Paket." (s. Dokumente)

Mit einer knappen Mehrheit von 583 (52,8%) gegen 492
(44,6%) Stimmen wurde das Paket angenommen. Die endgültige Zustimmung zum Paket durch die Parlamente in Rom
und Wien erfolgte im Dezember 1969.

6. Das „Paket"

Dieses „Paket" stellte eigentlich nichts anderes dar als die
Summe der Zugeständnisse Italiens zur Erweiterung der
durch das Autonomiestatut von 1948 nicht ausreichend ge-

währten Autonomie für Südtirol. Die „Maßnahmen" für die Bevölkerung Südtirols gliedern sich in 137 Punkte, wobei sich die meisten auf die Abänderung bzw. Ergänzungen (letztere in den Artikeln 98 bis 105: Maßnahmen, die mit Durchführungsbestimmungen zum Sonderstatut zu treffen sind) des alten Autonomiestatuts von 1948 beziehen (105 der 137 Maßnahmen). Der kleinere Teil betrifft weitere für die Autonomie notwendige Bereiche, die einerseits mit gesetzlichen Bestimmungen bzw. Verwaltungsverfügungen (106-129) zu treffen sind und andererseits Gegenstand der Prüfung seitens der Regierung sein werden (130-136). Artikel 137 beinhaltet die Einrichtung einer ständigen Kommission für die Probleme der Provinz Bozen. Für den Fall der Erfüllung des Pakets verpflichtete sich Österreich, eine Streitbeilegungserklärung vor der UNO abzugeben (Art. 13-18 des Operationskalenders).[52]

Was waren die wichtigsten Unterschiede zwischen dem alten und dem neuen Autonomiestatut? Bereits in der Überschrift zum ersten Abschnitt des Sonderstatuts ist nicht mehr die Rede vom „Tiroler Etschland", sondern es heißt nunmehr „Südtirol". Im ersten Kapitel ist der Artikel 3 ergänzt: „Den Provinzen Trient und Bozen ist gemäß diesem Statut eine nach Art und Inhalt besondere Autonomie zuerkannt." Dieser kurze Satz drückt aus, was im neuen Autonomiestatut verwirklicht werden sollte. Ganz Italien ist in Regionen gegliedert, und diese wiederum sind in Provinzen unterteilt, deren Kompetenzen im Zuge der verfassungsrechtlich festgelegten Dezentralisierung genau abgegrenzt sind. Viele Befugnisse liegen aber bei der Region, und im Falle Trentino-Südtirol bedeutet dies: in Händen der italienischen Mehrheit. Zum Schutze der deutschsprachigen Minderheit, die aber eine Mehrheit in der Provinz Bozen darstellt, wurde nun ein für Italien einzigartiges Statut ausgearbeitet. Darin blieb zwar die Region bestehen, wie sie schon vorher festgelegt worden war, allerdings fallen die meisten regionalen Kompetenzen in die Vollmacht der beiden Provinzen. Im Falle der Provinz Bozen bedeutet dies: In die Hände der dortigen deutschsprachigen Mehrheit „zum Schutze und zur Erhaltung ihrer völkischen und kulturellen Eigenart" als Minderheit im italienischen Staat. Im zweiten und dritten Kapitel wurden die Befugnisse der Region und der beiden Provinzen aufgelistet; dabei wurde deutlich, daß im neuen Autonomiestatut zahlreiche Zuständigkeiten von der Region auf die zwei autonomen Provinzen übergehen sollten. Deren wichtigste waren: der geförderte Wohnungsbau, Jagd- und Fischerei, Pflanzen- und Tierschutzparks, Straßenwesen, Wasserleitungen und öffentliche Arbeiten, Kommunikations- und Transportwesen, Übernahme öffentlicher Dienste, Fremdenverkehr und Gastgewerbe; Land- und Forstwirtschaft, Wasserbauten, öffentliche Fürsorge und Wohlfahrt, Kindergärten und Schulbau.

Es werden auch die Ladiner, die im Autonomiestatut von 1948 fast überhaupt nicht berücksichtigt worden waren, ausführlich erwähnt, besonders im Artikel 19, der sich mit dem Problem der Schulen befaßt. Im Artikel 102 wurden diese Rechte auch auf die Ladiner in der Provinz Trient ausgedehnt.

Erwähnenswert ist auch, daß die Italiener erstmals zum Unterricht der deutschen Sprache verpflichtet wurden, eine außerordentlich wichtige Voraussetzung für die angestrebte Zweisprachigkeit der gesamten Bevölkerung Südtirols (Artikel 19). Weiters wurden den eigens dafür vorgesehenen Organen der Provinzen größere Befugnisse bei der „Genehmigung und Beurkundung und Kundmachung von Gesetzen und Verordnungen" eingeräumt. Diese Vollmachten waren in primäre und sekundäre Zugeständnisse aufgeteilt (Artikel 4 und 5). „Primär" bedeutet, daß das Land Gesetze und Normen erlassen kann, ohne aber die Verfassung und die Grundsätze der italienischen Rechtsordnung, internationale Verpflichtungen und grundlegende Richtlinien der wirtschaftlich-sozialen Reformen des italienischen Staates zu verletzen. Bei sekundären Zugeständnissen sind die Einschränkungen noch um die in den Staatsgesetzen festgelegten Grundsätze erweitert. Diese Linie – mehr Befugnisse der Provinzen zu Lasten der Region – setzte sich im gesamten

Autonomiestatut fort. Angestrebt wurden die Gleichstellung der deutschen und der italienischen Sprache in Südtirol für die deutschsprachigen Bürger, etwa bei der Vergabe von öffentlichen Stellen, und die Gewährleistung des Fortbestandes von Südtiroler Traditionen. Das Autonomiestatut stellte gesetzlich verankerte Richtlinien dar, die aufgrund von Durchführungsbestimmungen, die im „Paket" vereinbart worden waren, rechtliche Gültigkeit erlangen und Anwendung finden sollten.

Zunächst sah es so aus, als ob die italienische Regierung das Paket zügig realisieren würde. Am 10. November 1971 wurde das Verfassungsgesetz, durch das das alte Autonomiestatut in Verfolgung der Richtlinien der ersten 97 Punkte des Pakets abgehandelt werden sollte, unterzeichnet und trat am 20. Januar 1972 in Kraft. Am 31. August 1972 wurde schließlich per Dekret des Präsidenten der Republik der vereinheitlichte Text der Gesetze über das Sonderstatut für Trentino-Südtirol veröffentlicht.[53]

Bis Ende der siebziger Jahre war ein Großteil der 137 Artikel des „Pakets" umgesetzt worden. So gesehen konnte man sicherlich von einem Erfolg der Südtiroler Bemühungen um die Durchführung der Paketmaßnahmen sprechen. Doch dieses Ergebnis täuschte insofern, als gerade die wenigen noch nicht durchgeführten Maßnahmen besonders wichtige Bereiche der für Südtirol angestrebten Autonomie betrafen und deren Erfüllung wohl auch deswegen die meisten Schwierigkeiten bereitete. Die Verhandlungen darüber verzögerten sich und kamen in den achtziger Jahren endgültig zum Stillstand.

Als weiteres Problem und zusätzliche Erschwernis für eine Einigung kam in dieser Zeit die sog. Ausrichtungs- und Koordinierungsbefugnis (AKB) der römischen Regierung hinzu. Diese Befugnis erlaubt zur Wahrung der Einheitlichkeit des Staates bzw. nationaler Interessen eine Einflußnahme der römischen Zentralregierung auf die Kompetenzen der einzelnen Regionen und wurde für Regionen mit Normalstatut be-

reits 1970 und 1975 per Staatsgesetz verankert. Im Sinne
dieser Ausrichtungs- und Koordinierungsbefugnis wurden
nun auch Gesetze und Regelungen für Südtirol getroffen, die
zum Teil über die durch das Autonomiestatut festgelegte Einflußnahme hinausgingen, die dem Staat auch bei den Sach-
bereichen, deren Gesetzgebung Angelegenheit der Provinz
ist, zugesichert ist (sowohl bei der primären und in größerem
Ausmaß auch bei der sekundären Gesetzgebung sind Südtirol durch Durchführungsbestimmungen näher präzisierte
Richtlinien von seiten des Staates vorgegeben). So ist Südtirol z. B. aufgrund eines Dekretes des Ministerpräsidenten
aus dem Jahre 1980 trotz der primären Gesetzgebung des
Landes im Bereich Fremdenverkehr und obwohl die Durchführungsbestimmungen keine derartige Verpflichtung vorse-
hen, verpflichtet, die eigene Fremdenverkehrswerbung mit
dem Staat abzustimmen.[54] Von seiten der SVP wird die Aus-
richtungs- und Koordinierungsbefugnis der Zentralregierung
daher als „Aushöhlung der primären und sekundären Ge-
setzgebungsgewalt" angesehen, die „mit der völkerrechtlich
anerkannten Autonomie Südtirols unvereinbar" ist.[55]

Erst 1987 wurden über dieses Problem sowie über die noch
ausstehenden Paketmaßnahmen wieder ernsthafte Gespräche zwischen der Regierung Goria und den Südtiroler Vertretern unter Landeshauptmann Magnago aufgenommen.[56] In
zähen Verhandlungen wurden die wichtigsten Streitpunkte
Schritt für Schritt aus dem Weg geräumt. Dies waren in
erster Linie: die Gleichstellung der deutschen Sprache vor
Gericht und den Behörden, die Regelung der Finanzautono-
mie, die Neueinteilung der Senatswahlkreise, Verlagerung
eines letztinstanzlichen Oberlandesgerichts von Trient nach
Bozen. Im September 1991 stellte die SVP Rom ein Ultimatum: Sollten die noch ausstehenden Punkte nicht bis zum
23. November erfüllt sein, werde man „das Scheitern den
Vereinten Nationen mitteilen". Der neue Verhandlungsführer auf Südtiroler Seite war der neue SVP-Obmann Roland
Riz. Von der öffentlichen Meinung unter Zugzwang gesetzt,
nahm sich der christdemokratische Ministerpräsident – und

ehemalige Sekretär De Gasperis – Giulio Andreotti der Südtiroler Sache an. Er brachte im Parlament vier der verbleibenden unerfüllten Autonomiebestimmungen durch und mußte dabei – einmalig in der italienischen Verfassungsgeschichte – gleich dreimal hintereinander die Vertrauensfrage stellen. Besonders schwierig war dabei die umstrittene Ausrichtungs- und Koordinierungsbefugnis, deren Beseitigung die SVP verlangt hatte – und als wichtigste Forderung der SVP die „internationale Paket-Verankerung", die Obmann Roland Riz seit dem SVP-Parteitag vom April 1991 unnachgiebig vorgetragen hatte. Diese Forderung entsprang dem Mißtrauen hinsichtlich der gewohnten römischen Politik gegenüber Bozen: Die SVP-Führung beharrte darauf, die italienische Regierung müsse in einer gegenüber dem Internationalen Gerichtshof justitiablen Form darlegen, daß das zweite Autonomiestatut auf dem Pariser Abkommen von 1946 beruhe, seine Verwirklichung somit Erfüllung sei. Dahinter stand die Sorge, künftige Verletzungen des Pakets von seiten Roms nicht vor dem Internationalen Gerichtshof einklagen, folglich auch nicht mit Hilfe der Schutzmacht Österreich vor die UNO tragen zu können.

Die umstrittene Ausrichtungs- und Koordinierungsbefugnis blieb erhalten; eine Parlamentskommission, in der auch Südtiroler vertreten sind, einigte sich allerdings darauf, diese staatliche Weisungsbefugnis gegenüber Südtirol einzuschränken. Die Kritiker der Autonomiepolitik sehen hierin noch eine besondere Gefahr für die Autonomie. Was die internationale Absicherung des „Pakets" betraf, so erklärte Andreotti am 30. Januar 1992 vor dem italienischen Parlament das Paket zwar für erfüllt, verlor sich aber in vagen Andeutungen mit Blick auf diese Verankerung – zur Enttäuschung der Südtiroler Führung. Erst in der förmlichen Note an Wien, die dem österreichischen Botschafter in Rom am 22. April, dem Tag des Rücktritts des Ministerpräsidenten, zusammen mit der Erfüllungserklärung übergeben wurde, war sie enthalten. Der entsprechende Passus, über den man sich sowohl in Bozen als auch Wien zufrieden zeigte, lautete: „[...] die

höchstmögliche Verwirklichung der Autonomie und der Zielsetzung des Schutzes der deutschen Minderheit, wie sie im
Pariser Vertrag enthalten ist, sicherzustellen, in welchem u.
a. die Gewährung der Ausübung der autonomen Gesetzge-
bungs- und Exekutivgewalt vorgesehen ist." Die diplomatische Begleitnote Italiens an Österreich enthielt eine zusätzliche Aussage, nämlich:

„Die italienische Regierung sieht das Ergebnis, das bei der Verwirklichung der Autonomie der Provinz Bozen erzielt wurde, als einen
wichtigen Bezugspunkt für den Minderheitenschutz an, wie er sich
auch im KSZE-Rahmen herausbildet. Auch dessen spezifische Ver-
ifikationsmechanismen können Anwendung finden, um die Konfor-
mität der Behandlung dieser Minderheit mit den Prinzipien herzustellen, welche man zum Zwecke eines friedlichen und harmoni-
schen Zusammenlebens im neuen Europa kodifizieren wird."

Daß alles dennoch nicht ganz so klar und eindeutig war,
wurde am nächsten Tag deutlich. Am 23. April 1992 übermittelte die italienische Presseagentur ANSA eine offizielle Stellungnahme des italienischen Außenamtes zur Note vom Vor-
tag. Darin hieß es, daß die Österreich übermittelte Note einen Hinweis auf den Pariser Vertrag enthalte, der „in einigen
Fällen eine Anrufung des Internationalen Gerichtshofes erlaubt" (gemeint war also nicht der gesamte Paketinhalt).
Weiter hieß es da, daß nach Auffassung Roms die das „Paket"
begleitende Note „in verschiedener Weise" ausgelegt werden
könne, jedoch kein Zweifel bestehe, daß die Bezugnahme auf
das Pariser Abkommen „einen Schutz im großen Maßstab
erlauben kann". Nur bei „schweren Verletzungen" könne der
Internationale Gerichtshof angerufen werden. Es sei darum
gegangen, die Gefahr von „Mikrokonflikten" genauso zu vermeiden wie die Anrufung des Gerichtes wegen „jeder einzelnen spezifischen Norm".

Am 23. November 1991 hatte die SVP auf ihrer 39. Landesversammlung – an diesem Tag verstrich auch das Riz-Ulti-
matum an die römische Regierung – nach einer langen
Debatte zwischen Vertretern des realpolitischen und des
„Einheit jetzt"-Flügels für das weitere Vorgehen einen Kom-

promiß gefunden: In der Schlußresolution forderte die SVP
eine volle Autonomie, die in einem föderalistischen Europa,
nach dem Beitritt Österreichs zur EG, in eine „mitteleuropäische Region Tirol" münden sollte. Fünf Monate später kam
es auf einer außerordentlichen Landesversammlung am
30. Mai 1992 in Meran noch einmal zu einer leidenschaftlichen, vor allem aus historischer Erfahrung gespeisten Debatte. Am Ende folgte die Mehrheit den Realpolitikern innerhalb
der SVP. Drei Wochen später, am 19. Juni 1992, teilten die
Regierungen in Wien und Rom dem Generalsekretär der Vereinten Nationen in gleichlautenden Noten mit, daß der vor
der UNO anhängig gewesene Streit über Südtirol nunmehr
beendet sei.

Die Realisten in Südtirol waren in der Mehrheit; sie wollten die jahrzehntelangen Verhandlungen mit Rom um die
Autonomie beenden. Zu ihnen gehörten der ehemalige Obmann der SVP, Roland Riz, und sein Vorgänger, Alt-Landeshauptmann Silvius Magnago. Unterstützt wurden und werden sie von einer breiten Front von Wirtschaftstreibenden,
Hoteliers und Intellektuellen, die sich längst mit den Umständen angefreundet haben; u. a. auch mit der italienischen
Steuerpraxis, dem großen Markt und einem geistigen Klima,
das mediterrane Offenheit ermöglicht. Den Standpunkt der
Südtiroler Realisten teilen in Österreich fast alle Vertreter
der Regierungsparteien im Wiener Parlament sowie im Tiroler Landtag.

Dem stehen in Südtirol die Anhänger des „Heimatbundes"
bzw. der „Union für Südtirol" um die kämpferische Landtagsabgeordnete Eva Klotz gegenüber (deren Vater ein führender
Attentäter der sechziger Jahre war); überdies eine wechselnde Opposition in der SVP selbst und Teile der einflußreichen
Schützen. Diese Tirol-Patrioten erhalten Unterstützung von
einem Teil der FPÖ und deren Südtiroler Ableger, den „Südtiroler Freiheitlichen" (seit 1992) sowie – laut *Kurier*[57] –
„rechtsstehenden Verbänden" und – bis zu seinem Tod – dem
bekannten Völkerrechtler und (bis 1990) ÖVP-Abgeordneten
Felix Ermacora (der bei fast allen Verhandlungen mit den

Italienern und Südtirolern dabei war!). Dieser warf Österreich eine beschämende Verzichtspolitik vor, den Südtirolern, daß sie zu satt seien, den Italienern, daß sie sich nicht scheuten, notfalls „die Armee und die Karabinieri einzusetzen".[58]

7. Schlußbemerkung

Was bleibt als Fazit, was bringt die Zukunft? Als der Generalsekretär der Vereinten Nationen, Butros Ghali, die Notifizierungsurkunde Österreichs zur Beilegung des Südtirolstreits entgegennahm, unterstrich er die Bedeutung dieses Schrittes und nannte die Art, wie ein Minderheitenkonflikt zwischen zwei Staaten gelöst wurde, vorbildlich. Auch der italienische Außenminister Vincenzo Scotti wies bei der KSZE-Nachfolgekonferenz in Helsinki im Juli 1992 voller Stolz auf die Lösung dieses Konflikts zwischen Österreich und Italien hin, eine Lösung, die auch für den Minderheitenschutz im Rahmen der KSZE als Modell dienen könnte. Auch wenn das sicherlich richtig ist, sollte man dabei eines nicht vergessen: Wenn auch beim Abschluß des Gruber-De Gasperi-Abkommens in Paris im September 1946 der italienische Botschafter in London davon gesprochen hatte, daß zur Abwechslung einmal „Männer guten Glaubens" zusammengearbeitet hätten, so muß man schlicht konstatieren, daß in der Umsetzung des Abkommens auf italienischer Seite dieser gute Glaube wohl nicht mehr vorhanden war. Die italienische Südtirolpolitik in diesen Jahren war wahrlich kein Ruhmesblatt, eines demokratischen Staates, und das war und ist Italien, eher unwürdig. Von daher war – und ist wohl auch – Mißtrauen begründet, wenn nunmehr die Entwicklung in hohen Tönen gelobt wird. Die großzügige Geste, die man sich eigentlich von Rom hätte erwarten können, ist immer noch ausgeblieben; was die Südtiroler erlebten, war ein ständiges Wechselbad der Gefühle. Mißtrauen mit Blick auf Rom bleibt auch weiter der ständige Begleiter der Südtiroler; ob berechtigt oder nicht, wird die Zukunft erst zeigen.

Österreich und Italien haben jedenfalls angekündigt, nach fast 60 Jahren wieder einen Nachbarschaftsvertrag schließen zu wollen. Als symbolischen Ausdruck der bereinigten Beziehungen nach der Streitbeilegung vor der UNO stattete der neue italienische Staatspräsident Oscar Luigi Scalfaro Österreich vom 27. bis 29. Januar 1993 einen offiziellen Besuch ab und traf dort Bundespräsident Thomas Klestil, jenen Mann, der als Generalsekretär für auswärtige Angelegenheiten seit Jahren die Arbeitsgespräche im Rahmen der österreichisch-italienischen gemischten Kommission geführt hatte. Als Staatsoberhaupt war das letztemal Italiens König Umberto I. 1882 in Wien gewesen. Erst 1971 erwiderte Bundespräsident Franz Jonas den Besuch in Rom. Dieser Besuch, der nach Annahme des Südtirol-Pakets von 1969 erfolgte, sollte die neue Entspannung zwischen den beiden Nachbarn vor Augen führen. Der Staatsbesuch nach der Erfüllung des Südtirol-Paketes sollte die jetzt ungetrübte Nachbarschaft der ehemaligen „Erbfeinde" dokumentieren. Als ersten Schritt dazu unterzeichneten Scalfaro und Klestil in Wien ein Abkommen über die Aufnahme jährlicher Treffen auf der Ebene der Regierungsschefs und der Außenminister sowie ein Rahmenabkommen über die grenzüberschreitende Zusammenarbeit. Nachdem es wegen verschiedener Meinungsunterschiede nicht zur Unterzeichnung des Nachbarschaftsvertrages kam, da sich besonders ein Reihe von Südtiroler Wünschen so kurzfristig nicht einbauen ließ, scheinen die weiteren Verhandlungen auf Eis gelegt worden zu sein. Italien war u. a. nicht bereit, die sog. „Schwarzen Listen" zu beseitigen und die internationale Verankerung des Südtirol-Pakets in den Vertrag aufzunehmen. Auch hier fehlte die großzügige Geste Italiens. Das alles spielt sich vor einem völlig veränderten Hintergrund ab: Italien steckt in der tiefsten Krise seit Kriegsende (Austritt aus dem europäischen Währungssystem, Abwertung der Lira, Megaskandalenthüllungen, Mafia-Verstrickungen des politischen Apparats, regionalistisch-autonomistische Trends in Oberitalien, z. B. die Lega-Nord), in Brüssel wurden die Verhandlungen über den

Beitritt Österreichs zur EG geführt, in der Italien schon seit ihrer Gründung Mitglied ist. Seit 1995 ist Österreich Mitglied der Europäischen Union und in der Diskussion über die Neugestaltung dieser Union im großen Rahmen Europa scheint das Wort „Region" mehr und mehr an Gewicht zu gewinnen. Es bleibt abzuwarten, ob darin die Zukunft Tirols liegt, in der vielzitierten „Europaregion Tirol".

Bei allen Zweifeln, die bei so manchem immer noch vorhanden sein mögen, läßt sich doch abschließend folgendes sagen: Es hat nach 1945 auf italienischer und österreichischer Seite immer wieder Politiker gegeben, die aus der großen kulturellen und politischen Tradition ihrer Länder heraus das Südtirolproblem im europäischen Sinne gelöst sehen wollten. De Gasperi und Gruber waren wohl zwei von ihnen. Sie legten im metternichschen Sinne die Grundlage für diese Entwicklung. Bemerkenswert ist, daß selbst die schärfsten Kritiker des Gruber-De Gasperi-Abkommens nach der sog. Streitbeilegungserklärung ebenfalls davon überzeugt waren, daß dieses Abkommen in der Tat die Magna Charta Südtirols ist und die Grundlage für eine Autonomie gelegt hat. Hätte es für alle Minderheiten in Europa nach 1945 ähnliche Vereinbarungen gegeben wie jene, die die beiden Politiker damals in Paris unterschrieben – Europa könnte sich glücklich preisen. Und vor dem Hintergrund eines neu aufbrechenden Nationalismus in Europa (Jugoslawien) erhält die Lösung der Südtirolfrage noch eine besondere Bedeutung. Sie könnte und sollte Modellfall für die Lösung anderer Minderheitenprobleme sein.

1 Ausführlich hierzu – mit Quellenangaben: Rolf Steininger, Los von Rom? Die Südtirolfrage 1945/46 und das Gruber-De Gasperi-Abkommen (Innsbrucker Forschungen zur Zeitgeschichte 2), Innsbruck 1987; vgl. auch die Beiträge betr. „Projekt zur Südtirolfrage 1945–1969" von Michael Gehler/Leopold Steurer/Rolf Steininger/Oliver Rathkolb/Günther Pallaver im Kapitel Südtirol – verhinderte Selbstbestimmung? In: Ingrid Böhler/Rolf Steininger (Hrsg.), Österreichischer Zeitgeschichtetag 1993. 24. bis 27. Mai 1993 in Innsbruck, Innsbruck – Wien 1995, S. 107–156.
2 So Mario Toscano, Storia diplomatica della questione dell'Alto Adige, Bari 1967, S. 89.
3 Claus Gatterer, Die italienisch-österreichischen Beziehungen vom Gruber-De Gasperi-Abkommen bis zum Südtirol-Paket (1946–1969), in: Inns-

bruck-Venedig. Österreichisch-italienisches Historikertreffen 1971 und 1972, hrsg. v. Adam Wandruszka/Ludwig Jedlicka, Wien 1975, S. 530.

4 Claus Gatterer, Im Kampf gegen Rom, Wien – Frankfurt – Zürich 1969, S. 1008 ff.

5 Karl Heinz Ritschel, Diplomatie um Südtirol, Stuttgart 1966, S. 271 f.

6 Gatterer, Im Kampf, S. 1014; Viktoria Stadlmayer, Die Südtirolpolitik Österreichs seit Abschluß des Pariser Abkommens, in: Franz Huter (Hrsg.), Südtirol. Eine Frage des europäischen Gewissens, München 1965, S. 474–536, hier S. 493.

7 Ebd., S. 480.

8 Franz Tumler, Das Land Südtirol, München 1984, S. 452.

9 Susanne Pieringer, Die Südtirolfrage im Licht italienischer Literatur und Publizistik des 20. Jhdt., Diss. phil. Wien 1982, S. 177.

10 Karl Mittermaier, Das politische System Südtirols, Brixen 1987, S. 27.

11 Stadlmayer, in: Huter, Südtirol, S. 493, nennt folgende Zahlen: Von etwa 1117 erbauten Wohnungen wurden nur 128 an Südtiroler vergeben.

12 Gatterer, Im Kampf, S. 1017.

13 Stadlmayer, in: Huter, Südtirol, S. 492 f.

14 Mittermaier, Südtirol, S. 26.

15 Oskar Peterlini, Ist das Südtirolproblem gelöst? Bozen 1979, S. 4.

16 Ritschel, Diplomatie, S. 285.

17 Pieringer, Südtirolfrage, S. 176.

18 Gottfried Solderer (Hrsg.), Silvius Magnago, Eine Biographie Südtirols, Bozen 1996.

19 Zur Geschichte der SVP insgesamt vgl. die Arbeit von Anton Holzer, Die Südtiroler Volkspartei, Thaur 1991.

20 Vgl. zu den Einzelheiten Steininger, Los von Rom?

21 „Speaking personally and as a friend I must say just this. I thought that there was nothing for him personally in this action. [...] and there was nothing in it for the South Tyroleans. It was a thoroughly dangerous operation which disturbed me." Record of conversation between the Secretary of State and Dr. Kreisky in Vienna on Saturday, June 25. Public Record Office (PRO), London, FO 371/153329/RT 1081/49.

22 Confidential; britischer Botschafter Ashley-Clarke, Rom, an Selwyn Lloyd, FO (8 Seiten), 28. 2. 1959. Ebd., FO 371/145031/RT 1081/8.

23 Bericht britische Botschaft Wien an Foreign Office, 5. 10. 1959. Ebd., FO 371/145033/RT 1081/29.

24 Die Resolution in deutscher Übersetzung bei Alberto Donà, Pariser Abkommen – Südtirol-Paket, Diplomarbeit Wien 1977, S. 42 f.

25 Friedrich Volgger, Südtirolhandbuch, Bozen 1980, S. 32 f.

26 Solche friedlichen Mittel wären z. B. der Internationale Gerichtshof, ein internationales Schiedsgericht u. a.

27 „Austrian Ambassador's Call on Mr. Sarell on November 3, 1960." Aufzeichnung R.F.G. Sarell, 3. 11. 1960. PRO, FO 371/153334/RT 1081/89.

28 Pieringer, Südtirolfrage, S. 203.

29 Ebd., S. 183.

30 Donà, Pariser Abkommen, S. 45. Die Rede wurde am 3. 2. 1961 im römischen Parlament gehalten.

31 Zu diesem Thema insgesamt vgl. Elisabeth Baumgartner/Gerhard Mumelter/Hans Mayr, Feuernacht. Südtirols Bombenjahre. Ein zeitgeschichtli-

ches Lesebuch, Bozen 1992; Hans K. Peterlini, Bomben aus zweiter Hand. Zwischen Gladio und Stasi. Südtirols mißbrauchter Terrorismus, Bozen 1992; Walter Klier, Aufrührer, Wien 1991; sowie die Serie von Christoph Franceschini in: *profil* und *FF Südtiroler Illustrierte* 1991 u. Ders., Die Welle der Sprengstoffanschläge in Südtirol, in: Handbuch zur Neueren Geschichte Tirols, Bd. 2, 1. Teil, Innsbruck 1993, S. 467–507.

32 „Dr. Friedl Volgger und sechs Angeklagte frei", in: *Dolomiten*, 18. 4. 1957. Vgl. auch Volgger, Südtirol, S. 197–210.

33 Zit. n. Franceschini, Welle, S. 471.

34 *Dolomiten*, 2. 2. 1961, S. 3, u. Franceschini, Welle, S. 482.

35 Volgger, Südtirol, S. 245.

36 Mitterer, Südtirol, S. 78.

37 Zit. n. Michael Forcher, Tirols Geschichte in Wort und Bild, Innsbruck 1984, S. 253 f.

38 Volgger, Südtirol, S. 250.

39 Michael Gehler, Die österreichische Außenpolitik unter der Alleinregierung Josef Klaus 1966–1970, in: Die Transformation der österreichischen Gesellschaft und die Alleinregierung von Bundeskanzler Dr. Josef Klaus, hrsg. v. Robert Kriechbaumer/Franz Schausberger/Hubert Weinberger, Salzburg 1995, S. 251–271, hier S. 259.

40 Franceschini, Welle, S. 489, u. „Wie 1809", in: *Der Spiegel* (1961), Nr. 27, S. 33.

41 Zit. n. Pieringer, Südtirolfrage, S. 208.

42 Vgl. Franceschini, Welle, S. 491.

43 Ebd., S. 506.

44 Ebd., S. 497.

45 Zit. n. Pieringer, Südtirolfrage, S. 208.

46 Felix Ermacora, Südtirol und das Vaterland Österreich, Wien – München 1984, S. 210.

47 Volgger, Südtirol, S. 263.

48 Donà, Pariser Abkommen, S. 55.

49 So Felix Ermacora, Südtirol"lösung" noch im Frühjahr?, in: Schriftenreihe des Südtirol-Informations-Zentrums, Folge 6, Wien 1969, S. 6.

50 Donà, Pariser Abkommen, S. 56.

51 Ebd., S. 58.

52 Zum Wortlaut von Paket und Operationskalender s. Anthony E. Alcock, Geschichte der Südtirolfrage. Südtirol seit dem Paket 1970–1980, Wien 1982, S. 209–237.

53 Zum genauen Wortlaut des Textes vgl. Südtiroler Landesausschuß Bozen (Hrsg.), Das neue Autonomiestatut. Bozen 1989[6], S. 61–102.

54 Vgl. Silvius Magnago in: Bericht des Parteiobmannes Dr. S. Magnago anläßlich der 36. ordentlichen Landesversammlung der SVP am 10. 11. 1988 in Meran, S. 27.

55 Resolution Nr. 1 der 36. Landesversammlung der SVP am 10. 12. 1988, S. 7.

56 Ebd., S. 1.

57 *Kurier*, 30. 5. 1992, S. 5.

58 Felix Ermacora, Südtirol. Die verhinderte Selbstbestimmung, Wien – München 1991, S. 75; vgl. dazu meine Rezension in der *Frankfurter Allgemeinen Zeitung*, 23. 4. 1992, S. 10.

Dokument 1

Das Gruber-De Gasperi-Abkommen vom 5. 9. 1946

1. Den deutschsprachigen Einwohnern der Provinz Bozen und der benachbarten zweisprachigen Ortschaften der Provinz Trient wird volle Gleichberechtigung mit den italienischsprachigen Einwohnern im Rahmen besonderer Maßnahmen zum Schutze des Volkscharakters und der kulturellen und wirtschaftlichen Entwicklung des deutschsprachigen Bevölkerungsteiles zugesichert werden.

In Übereinstimmung mit schon getroffenen oder in Vorbereitung befindlichen gesetzgeberischen Maßnahmen wird den Staatsbürgern deutscher Sprache insbesondere folgendes gewährt werden:

a) Volks- und Mittelschulunterricht in der Muttersprache;

b) Gleichstellung der deutschen und italienischen Sprache in den öffentlichen Ämtern und amtlichen Urkunden sowie bei den zweisprachigen Ortsbezeichnungen;

c) das Recht, die in den letzten Jahren italianisierten Familiennamen wiederherzustellen;

d) Gleichberechtigung hinsichtlich der Einstellung in öffentliche Ämter, um ein angemesseneres Verhältnis der Stellenverteilung zwischen den beiden Volksgruppen zu erzielen.

2. Der Bevölkerung der oben erwähnten Gebiete wird die Ausübung einer autonomen regionalen Gesetzgebungs- und Vollzugsgewalt gewährt werden. Der Rahmen für die Anwendung dieser Autonomiemaßnahmen wird in Beratung auch mit einheimischen deutschsprachigen Repräsentanten festgelegt werden.

3. In der Absicht, gutnachbarliche Beziehungen zwischen Österreich und Italien herzustellen, verpflichtet sich die italienische Regierung, in Beratung mit der österreichischen Regierung binnen einem Jahr nach Unterzeichnung dieses Vertrages:

a) in einem Geist der Billigkeit und Weitherzigkeit die Frage der Staatsbürgerschaftsoptionen, die sich aus dem Hitler-Mussolini-Abkommen von 1939 ergeben, zu revidieren;

b) zu einem Abkommen zur wechselseitigen Anerkennung der Gültigkeit gewisser akademischer Grade und Universitätsdiplome zu gelangen;

c) ein Abkommen für den freien Personen- und Güterdurchgangsverkehr zwischen Nord- und Osttirol auf dem Schienenwege und in möglichst weitgehendem Umfange auch auf dem Straßenwege auszuarbeiten;

d) besondere Vereinbarungen zur Erleichterung eines erweiterten Grenzverkehrs und eines örtlichen Austausches gewisser Mengen charakteristischer Erzeugnisse und Güter zwischen Österreich und Italien zu schließen.

Dokument 2

Auszug aus der 18-Stunden-Debatte der SVP-Landesversammlung am 22./23. November 1969 in Meran

Oswald Ellecosta (Ortsobmann Haslach):

Es gibt in Südtirol ein Problem, an dem Rom den guten Willen zuallererst hätte beweisen können, und zwar das Problem des Anschlusses an ein ausländisches deutsches Fernsehen. Es ist keine Kleinigkeit, denn viele Südtiroler Lehrer können bestätigen, daß immer wieder Kinder in der Schule fragen: „Herr Lehrer, was heißt dies und jenes auf deutsch?" Wenn der Lehrer fragt: „Wieso weißt du das nicht, wo hast du das her?" heißt es: „Das hab ich aus der Televisione." Folglich ist es ein Zeichen, daß der Ausschluß des deutschen Fernsehens gezielt ist und indirekt einer Assimilierung sehr entgegenkommt [...]

Heinrich Lona (Ortsobmann Auer):

Nun ergibt sich aber die Frage: was tun? Aus der Welt schaffen können wir es nicht, so sind wir gezwungen, uns zu entscheiden. Meine rein persönliche Meinung wäre nun, die Abstimmung soll so ausgehen, daß das Paket zwar angenommen, aber nur mit einer ganz geringen Mehrheit angenommen werden soll, so daß man in italienischen Kreisen sehen soll, daß ein starker Block von Südtirolern den Versprechungen des Paketes mißtraut. Die Resolution der Landesversammlung müßte dann diesem Umstand Rechnung tragen, indem immer wieder auf das völlig gleiche Kräfteverhältnis von Annehmern und Ablehnern hingewiesen wird.

Joachim Schwingshackl (Ortsobmann Pichl/Gsies):

Wenn ich vielleicht nicht ein passendes Beispiel vorbringe, man hat uns eine gut melkende Kuh versprochen, und jetzt bekommen wir eine halbe Kuh, eine alte nicht melkende, die wir noch teuer bezahlen müssen. Ich weiß nicht, es sind hier Geschäftsleute, Bauern, Handwerker und Arbeiter. Wenn der einzelne Private einen solchen Handel macht, sagt man, er geht vor die Hunde.

Kürzlich hat mich ein Doktor, der mich kennt, mit dem ich immer ein bißchen politisiert habe, gefragt, was ich von der Sache sage. Ich habe ihm geantwortet: „Das Paket ist nicht so schlecht, aber der Geber des Paketes ist ein ..." Mehr sage ich nicht. [...]

Ein Beispiel möchte ich noch bringen, warum soll man es immer ernst nehmen, wenn es anders auch geht: Der Tiroler war verheiratet mit der Frau Austria, es sind natürlich viele Kinder gewesen, 1918 wurde er getrennt, oder sie ist gestorben, da wurde er zu einer neuen Ehe mit der Frau Italia gezwungen. Die hat ein paar ledige Kinder mitgebracht, die sind jetzt da, jetzt heißt es Testament machen, und das Testament schaut so aus: die rechtlichen Kinder des Tirolers und der Frau Austria müssen mit den ledigen Kindern, die die Italia mitgebracht hat und die der Tiroler erhalten mußte, bei der Erbschaft gleichberechtigt sein. Wenn wir das Paket annehmen, sind der Herr Mitolo, Berloffa und wie sie alle heißen, unser Bruder. [...] Man sagt allgemein, auch die Jasager, man könnte schon nein sagen, aber was kommt dann? Wir Tiroler sind noch nicht gefressen worden und werden auch in den nächsten Jahren nicht gefressen werden, wenn wir auch nein sagen. [...] Österreich ist zu müde. Wird sein. Wenn die Österreicher müde sind, sollen sie müde bleiben und sollen schauen, daß sie zu ihrer EWG kommen und so die ewige Glückseligkeit erlangen. Wenn kein vereintes Europa kommt, gehen wir vor die Hunde, mit und auch ohne Paket [...].

Karl Mitterdorfer (Parteiausschußmitglied):

Eine Lösung eines Minderheitenproblems ist erst dann möglich, wenn die Minderheitensituation nicht mehr vorhanden ist; solange aber diese Minderheitensituation bleibt, wird das Problem bleiben. Wir können es entkräften, wir können es versachlichen und auf eine Ebene bringen, wo es möglich sein wird, Gespräche wirklich zu führen, aber eines ist meine volle Überzeugung, daß man das Problem Südtirol und das Problem nationaler Minderheiten in Europa erst dann wirklich einer Lösung zuführen kann, wenn durch einen übernationalen Zusammenschluß im europäischen Raum die Voraussetzungen geschaffen sind, die Nationalismen endgültig zu begraben. [...] Ich bin der Überzeugung, daß wir auf diesem Wege

tatsächlich zur Lösung dieser nationalen Probleme beitragen können, jedenfalls, daß wir hier einen Weg beschreiten, der wie kein
anderer in die Zukunft weist und der also für unsere künftige Entwicklung von allergrößter Bedeutung sein kann [...].

Silvius Magnago (Parteiobmann):

Heute ist gesagt worden, wir müssen schauen, daß das Paket mit
geringer Mehrheit genehmigt wird, weil sonst die Italiener den
Eindruck bekommen könnten, daß zuviel Begeisterung für dieses
Paket da ist. Ich möchte Sie darauf aufmerksam machen, meine
Herren, daß diese Gefahr nicht besteht. Wenn das Paket genehmigt
wird – was ich hoffe –, wird es sicher nur mit geringer Mehrheit
genehmigt. Wenn aber einer aus Angst, es könnte mit zu großer
Mehrheit genehmigt werden, nicht dafür stimmt, dann muß ich
Ihnen sagen, dann wird es nicht genehmigt werden. [...]
Warum so viel Eile, ist heute noch gesagt worden. Ich bin mit Ihnen
sehr offen, warum so viel Eile. [...] Wir halten es in der Partei nicht
mehr durch! Wenn das so weitergeht – und deswegen bin ich froh,
und es ist notwendig, rasch und bald zu entscheiden, dann reißen
wir die ganze Partei auseinander! Je früher diese Spannung aufhört, desto besser ist es für uns alle. Es ist nicht mehr auszuhalten
zwischen „Paketlern" und „Antipaketlern", jeder schaut den anderen schief an!

Es ist eine Last und ein Druck auf der Partei, und wenn wir noch
länger warten und weitere Bezirksversammlungen und weitere Be-
einflussung bei den Ortsobmännern machen, dann geht die Partei
auseinander. Im Interesse der Partei liegt es, daß wir schnell entscheiden und diese Dinge nicht länger hinausschieben, denn sonst
geht uns die Partei vor die Hunde. Es ist gesagt worden, ich soll
versuchen, die Verhandlungen weiterzutreiben. Ich habe gemolken
und gemolken, was gegangen ist. Sie können sicher sein, daß alles,
was herauszupressen war, herausgepreßt worden ist. Weiterverhan-
deln hat keinen Sinn [...].

Anton Steiner (Ortsobmann Uttenheim):

Heute haben wir zwei Strömungen, die eine für ja und die andere für
nein zum Paket, und in diese Strömung reißt es entweder die einen
oder die anderen mit in die Strömung hinein. Die Mehrzahl von
diesem Ja oder Nein trägt den Sieg davon, und die anderen reißt es

automatisch mit, wollen sie oder wollen sie nicht. Die heutige Entscheidung, ich weiß schon, wie ich entscheide, ist doch ein zweischneidiges Schwert, was wir in die Hand bekommen, eine blutige Hand, wenn man hineingreift, kommt man nicht mehr davon. Meines Erachtens wird zugunsten Italiens und für die Großkapitalisten die Stimme abgegeben, meinetwegen auch für die Juristen, die nur für sich und für den Geldbeutel arbeiten [...] Ich will nicht unsere Kinder und Kindeskinder den Italienern ausliefern. Ich möchte mir nicht im Grabe nachsagen lassen müssen, ihr Väter habt unsere Zukunft den Italienern in die Hand gespielt. Das ist meine Meinung und meine Anschauung. [...] Wenn auch ein gewisser Amonn gestern in der Zeitung einen Leserbrief hatte, besser ist der Spatz in der Hand als die Taube auf dem Dach, kann ich doch nur sagen, ja, das stimmt, den Spatzen haben wir in der Hand, aber meines Erachtens, wenn wir den Vogel auffliegen lassen, gehen wir kein Risiko ein, wenn wir Federn rupfen und ihn in der Pfanne braten, noch Zutaten hinzugeben, dann spürt man nicht, daß man etwas gehabt hat, und vielleicht geht uns die Taube doch einmal ins Netz. Das ist meine Meinung, ich sage nicht, daß ich im Recht bin, es kann auch falsch sein.

Franz Spögler (Parteiausschußmitglied Meran):

Es ist heute schon deutlich gesagt worden, daß leider in dieser politischen Phase der Streit in die SVP hineingetragen worden ist, und ich möchte auch hier die Gelegenheit benützen, um meine Besorgnis zum Ausdruck zu bringen, daß die SVP nicht mehr so geschlossen wie vorgestern dastehen wird. Ich würde sagen, sollte es wirklich kommen, hätten die Italiener den Sieg davongetragen. Dann haben wir als die dümmsten Kälber uns den Metzger selbst gesucht. [...] Ich sage nicht, daß dann wirtschaftlich, sozial und kulturell eine Katastrophe in Südtirol eintreten würde. Ich sage das durchaus nicht, denn es würde nicht der Wahrheit entsprechen, aber ich sage, daß eine Ablehnung einer Bankrotterklärung der Südtirolpolitik gleichkäme. [...]

Friedl Volgger (Parteiausschußmitglied Bozen):

Gestatten Sie mir, daß ich mich in dieser heutigen Situation an das Jahr 1946 erinnere. Ich war ja in Paris, wie der Vertrag geschlossen wurde. Gruber, der österreichische Außenminister, hatte die Wahl, entweder einen nicht perfekten Vertrag abzuschließen oder unter

Protest nach Hause zu gehen, nein zu sagen. Die haben uns gefragt, wir waren zu zweit. Wenn wir so viele gewesen wären, hätten wir nie einen Pariser Vertrag bekommen. Wir haben dann beschlossen, ja zu sagen; auch zu einem nicht ganz perfekten Vertrag. Nachdem der Vertrag geschlossen war, hat man von Verkauf, Verrat und dergleichen gesprochen, wie man auch heute manchmal gehört hat. Wenn wir den Pariser Vertrag nicht hätten, liebe Ortsobmänner, bräuchten wir heute nicht über Paket und Verankerung zu streiten, dann hätten wir weder ein Paket noch eine Verankerung, dann wären wir darauf angewiesen, nach Rom zu pilgern und zu bitten. Das wäre die Lage, wenn wir den nicht vollkommenen Pariser Vertrag nicht geschlossen hätten. Deswegen erschüttern mich Briefe, die zu mir kommen, in denen ich Verzichtspolitiker genannt werde, nicht. Denn damals ist die gleiche Situation gewesen. Man hat von Verrat und Verkauf Südtirols gesprochen, und heute sind wir um den Pariser Vertrag alle heilfroh. [...] Man kann im Leben eben nicht von der Straße in den 2. Stock springen, man kann zwar vom 2. Stock auf die Straße springen; aber nicht von der Straße in den 2. Stock. Deswegen muß man eben schrittweise vorgehen; Schritt für Schritt die Stiege hinauf. [...]

Man spricht so viel von Europa, europäische Lösung, daß uns Europa helfen wird. Meine Herren Ortsobmänner, wenn wir auf die europäischen Staaten angewiesen gewesen wären 1960 vor den Vereinten Nationen, wären wir schon längst beim IGH, denn sämtliche europäische Staaten haben bei den Vereinten Nationen erklärt, nicht wahr, Dr. Benedikter, daß diese Frage keine politische, sondern eine rechtliche sei, und man solle den Streitfall zwischen Österreich und Italien sofort an den Gerichtshof verweisen. Das haben die Franzosen, Engländer, Holländer, Belgier, Norweger, Schweden und Griechen gesagt. Nur ein einziger europäischer Staat ist uns zu Hilfe gekommen: Irland. Mit irischer Hilfe haben wir diese Entschließung erreicht, auf die man heuer stolz ist. Die UNO-Resolution haben wir mit Hilfe der Afro-Asiaten erreicht, nicht mit Hilfe der europäischen Staaten. Das sind Tatsachen, die nicht bestritten werden können, und heute glaube ich, würden wir bei den Vereinten Nationen überhaupt keine Entschließung mehr erreichen. [...] Nun hat uns keiner der Paketgegner, nicht ein einziger von Euch, auch nur irgendeine Zusicherung geben können, daß wir in Rom noch einmal das gleiche, geschweige denn etwas Besseres bekommen. Das sind vage Hoffnungen. „Könnte, müßte, sollte" heißt es drinnen aber mit „könnte, müßte, sollte" kann man keine Politik machen. Die Politik ist eine sehr

nüchterne Sache, wenn auch die Leute sagen „wir haben recht, uns
muß Gerechtigkeit werden". [...] Ich war 1946 mit dem Kollegen
Guggenberg beim südafrikanischen Ministerpräsidenten, der uns
1946 sehr viel geholfen hat. Wir haben natürlich auch gesagt, „Gerechtigkeit für Südtirol muß werden", und der alte weise Marschall
hat uns lächelnd angeschaut und gesagt: Ihr glaubt noch an Gerechtigkeit? Er hat uns mitleidig angeschaut. Natürlich ist das schön.
„Recht und Gerechtigkeit", aber schauen wir uns ein bißchen um in
der Welt. Die Macht ist ausschlaggebend, und die Macht haben wir
nicht [...]

Abschließend folgendes: Ich bin mit dem Parteiobmann einer Meinung, das wird er mir bestätigen, ich bin manchmal ganz anderer
Meinung, ich kritisiere ihn auch, aber eines glaube ich, daß niemand mehr in Rom ein solches Paket erreichen wird, wie es Dr.
Magnago erreicht hat [...].

Erich Spittaler (Parteiausschußmitglied, Kaltern):

Ich stelle fest, daß dieser Streit um das Los von Trient seit nunmehr
12 Jahren besteht. Das Südtiroler Volk ist also seit 12 Jahren in
einer Verteidigungsstellung gegenüber Italien. Wir sind in dieser
Defensive in unserer Aktion lahmgelegt, ja wir laufen ständig Gefahr, unsere politische Ausnahmesituation zu einer allgemein gültigen Ausnahmesituation zu machen und hemmen dadurch den Fortschritt unseres Volkes. Ich bin der Meinung, daß wir aber den
Kampf um unser Südtirol in weiteren 12 Jahren Verteidigung, in
weiteren 12 Jahren Passivität, nicht gewinnen können. Ich habe
Angst, daß wir dann den Anfang gemacht haben, einen großen
Kampf zu verlieren. Nicht etwa, weil ich an die Lebenskraft unseres
Volkes nicht glauben würde, sondern weil wir unseren Volkstums-
kampf, wie es der heutige ist und erst recht, wie es der morgige ist,
nicht in der Verteidigung, sondern im Angriff gewinnen können. Wir
müssen also unsere Strategie grundlegend ändern, und wir müssen
dazu die Kraft aufbringen. Wir dürfen nicht oben am Berg verharren und alles abwehren, was da auf uns zukommt, wir dürfen nicht
ständig jammern, wir sind eine arme Minderheit, welcher immer
Unrecht widerfährt. Wir könnten dabei nicht mehr ernst genommen
werden von unseren Freunden und vielleicht sogar von unserem
Volk. [...] Wir müssen aus diesen Schutzgräben heraus, hinunter
ins Tal und an die Front. Dort wird der Lebenskampf, der Überle-
benskampf geführt. Hier müssen wir unseren Mann stellen und

Politik machen, wirklich Politik machen, nicht nur solche des Strei-
tens und Ringens um ein paar Schutzparagraphen [...].

Roland Riz (Parteiausschußmitglied Bozen):

Ich bin ein Unabhängiger der Partei, der hier spricht, und wenn ich
zu dem Paket ja gesagt habe, war es aus drei Gründen, heute sind
es vier geworden, denn heute bin ich noch bestärkter in meiner
Meinung, daß man zum Paket ja sagen muß. Ganz rein als Jurist
gehe ich von der Voraussetzung aus, daß wir in dieser ganzen Sachlage unsere Situation international durch ein Jasagen wesentlich
verbessern. [...] In den Jahren zwischen 1948 und 1951 ist immer
wieder erklärt worden, daß der Pariser Vertrag erfüllt ist, und ihr
könnt Euch erinnern, mit welchen Schwierigkeiten wir heute noch
damit zu kämpfen haben; denn während wir auf dem Standpunkt
stehen, daß diese Erklärung erzwungen worden ist, sind die Italiener immer noch auf dem Standpunkt, daß der Pariser Vertrag erfüllt ist, weil sie die diesbezüglichen Erklärungen in Händen haben.

Nun schauen wir uns die heutige politische Realität an, die politische Realität ist die, daß wir heute mit der Annahme des Paketes
von all dem wegkommen. Schauen wir uns die Resolution an, es
kommt darauf an, was wir sagen, nicht auf das, was sie uns geben,
sie halten uns auch heute nicht vor, das, was sie uns gegeben haben,
z. B. den Fremdenverkehr, vorhalten tun sie uns das, was wir erklärt haben. [...] Wir erklären, daß die LV die angekündigten Maßnahmen nur als Akte in Durchführung des Pariser Abkommens
betrachtet, das weiterhin eine der Grundlagen für die Sicherung
unseres Volkes bildet. Dann steht drinnen, die LV bekräftigt den
Standpunkt, daß durch die Durchführung der einzelnen Maßnahmen auf allen Gebieten nur eine Besserung der heutigen tatsächlichen und rechtlichen Lage der Südtiroler Volksgruppe eintreten
darf. [...] Wir sagen, daß wir auch in Zukunft fordern werden, und
dieses Recht, Südtiroler, lassen wir uns nicht nehmen, auch in Zukunft unsere Rechte geltend zu machen. Dann steht drinnen: „Die
LV spricht außerdem die Erwartung aus, daß nach Durchführung
des Paketes in einem Klima des friedlichen Zusammenlebens und
eines neuen Vertrauensverhältnisses zwischen dem Staat und der
Volksgruppe es möglich werde, daß Italien auch den bisher unerfüllten Forderungen der Südtiroler Vertreter als weitere Akte der
Durchführung des Pariser Vertrages in einem europäischen Geiste
gebührend Rechnung trägt." Daher bekräftigen wir noch einmal,

daß für uns der Pariser Vertrag nicht erfüllt ist, daß wir auch in Zukunft das Recht haben, Forderungen zu stellen. Dann schließen wir mit einem Satz, wo ihr sagen könnt, was Ihr wollt, aber der seine Bedeutung hat, daß es für uns selbstverständlich ist, daß Österreich die Streitbeendigungserklärung nur dann abgeben wird, wenn auch nach dem Gutachten der Südtiroler Vertreter das Paket mit all seinen Maßnahmen durchgeführt ist und daß dabei in klarer Weise feststehen muß, daß damit keinerlei Verzicht auf das im Pariser Vertrag verbriefte Recht geleistet wird. Das sagen wir, und ich glaube, daß man dem gegenüber nicht sagen kann, wie heute vormittag vom Spitzenredner Benedikter „Eure Resolution bedeutet ja nichts". Benedikter, dann frage Ich Dich etwas: Meinst Du, daß dann Eure Resolution mehr bedeutet? Warum soll unsere nichts bedeuten und nur Eure eine Wirksamkeit haben? Es ist doch ganz evident und logisch für jeden Menschen, der hier sitzt. Da sind alles Ortsobmänner, die gescheite Leute sind, die mit eigenem Verstand denken können. [...]

Es genügt nicht, daß ich die Abwanderung unserer Leute feststelle und darüber jammere, es genügt nicht, daß ich nur die Zuwanderung feststelle und darüber klage, ich muß sehen, mit welchen Maßnahmen ich mich dagegen zur Wehr setzen kann als Südtiroler. Da muß ich eben eines sagen, da müssen wir nehmen, was wir nehmen können, weil leider sind wir eine Minderheit, die im Jahre 1918 aus ihrem Mutterschiff Austria – wie heute einer gesagt hat – ins Meer geworfen wurde, und wenn man im Meer ist, muß man mit allen Mitteln versuchen, über Wasser zu bleiben. [...] Das Weinen und Feststellen, daß es uns schlecht geht, führt uns nur nach unten, mit einer absolut negativen Politik locken wir keinen Hund hinter der Ofenbank heraus. Ganz etwas anderes will unser Volk von uns, von uns Parteiführern, von uns Vertretern der Volkspartei, es will eine moderne, eine positive, eine aktive Politik, es will, daß wir mit dem Aufbruch aller unserer Kräfte zusehen, daß es anders wird und nicht nur darüber jammern, daß es uns schlecht geht. [...]

„Riz hat Angst vor Kreisky". Jawohl, ich sage es ehrlich, ich habe Angst vor Neuwahlen in Österreich. Ich bin ganz objektiv und sage, ich habe eine gewisse Besorgnis, nicht aus einer Feigheit heraus, sondern aus einer Überlegung heraus. Ich denke mir eine einzige Sache. Sind wir sicher, und seid Ihr sicher, daß, wenn morgen die Regierung Kreisky kommt, die mehr machen kann? Das ist die große Frage. Dann komme ich zur Situation Italiens, und da ist heute das Wort gefallen, „die italienische Regierung ist eine schwache Regierung". Auf was warten wir denn eigentlich, warten wir auf die starke Regierung, auf Fanfani, der kommen wird? Es ist Euch doch allen klar, daß Fanfani ante portas ist, das weiß jeder Südtiroler, daß er entweder Staatspräsident wird oder Ministerpräsident. Wir hatten schon einmal den Fanfani als Außenminister, dann hat er Österreich über 12 Monate auf seine Antwort warten lassen. Ich glaube, daß wir dann fast kein Gehör mehr in Rom finden könnten, und das ist auch eine Sorge, die jeden von uns beseelt. [...]

Wenn der einzige Grund der Ablehnung der wäre, daß man unbedingt die Bilanzgarantie heraußen haben will, daß man nur deshalb den Weg der totalen Finsternis geht – für mich ist eine Ablehnung ein Weg der totalen Finsternis, weil Ihr mir bis heute nicht sagen konntet, welcher Euer Vorschlag ist und was Ihr uns garantiert und welchen Weg Ihr uns aufzeigt, das habt Ihr bis heute nicht sagen können. Ihr müßtet uns sagen, welchen Weg Ihr dem Südtiroler Volk vorschlagt, nicht nur, daß Ihr nein zum Paket sagt. Ich habe ihn Euch gesagt, vielleicht in einer Interpretation, die Euch nicht paßt – wenn ich Euch frage, ob es wirklich der Mühe wert ist, das alles, was in 14 Jahren gemeinsamer Arbeit – denn bis 1967 haben wir gemeinsam gearbeitet, das meiste stammt entweder aus der Feder der 19er Kommission, von Ass. Benedikter, Dr. Magnago oder von einem von uns von der Parteileitung oder vom Parteiausschuß, wenn wir diese ganzen Opfer gebracht haben, können wir das wirklich wegen der Bilanzgarantie fallen lassen? [...]

Hugo Gamper (Ortsausschußmitglied Gries):

Eines ist sicher, wir haben bei der Arbeitsvermittlung kein effektives Mitspracherecht und Bestimmungsrecht, wir haben nicht einmal mehr in Zukunft die Möglichkeit, ohne Einverständnis des Staates deutsche Industrie hier anzusiedeln, und was heißt das? Das heißt, daß wir kulturell und wirtschaftlich abgewürgt werden, und dann will ich Sie fragen, wie wollen wir überleben aus eigener Kraft? Ich werde auch darauf eine Antwort geben, aber es ist sicher, und das müßte jedem klar sein, vor allem einem Juristen klar sein, daß alles das, was in einer Verhandlung gefordert wird und nicht im Vertrag aufgenommen wird, daß darauf verzichtet ist, und wenn auf diese wesentlichen Punkte verzichtet worden ist, haben wir freiwillig verzichtet, und was heißt das? Dann haben wir unser Einverständnis gegeben zur weiteren Überfremdung unserer Heimat und

---

morgen können sie sagen: „Ihr wart einverstanden. Ihr habt in Meran das angenommen." Dann, liebe Landsleute, wenn dem so ist, möchte ich Sie wirklich fragen, wenn Sie darauf verzichten, wenn Sie Ihr Einverständnis geben wollen zur Überfremdung unserer Heimat, wie wollen Sie heute abend dem greisen Vater, der vielleicht noch an der Dolomitenfront war, Ihren eigenen Kindern in die Augen schauen, wenn Sie sich sagen müssen, wir haben aufgegeben, wir haben verzichtet? [...] Es ist bezeichnend, wenn im „Alto Adige" vom 25. 10. kurz nach der Genehmigung dieses Paketes von seiten des Parteiausschusses, zu lesen war, Bozen wird eine Stadt mit 200- bis 400.000 Einwohnern werden, dann ist das Problem gelöst. Und in Bozen haben wir keine Möglichkeit, uns zu verteidigen, wenn wir nicht hinter uns die Mehrheit des Landes haben. Der Landeshauptmann hat selbst in Bozen, in Gries, einmal erklärt, nur die 2/3-Mehrheit des Landes kann die deutsche kleine Minderheit in Bozen schützen, aber wenn die gleichen Italiener von Bozen auch den Griff auf den Landesausschuß erhalten, dann werden wir in Bozen an die Wand gepreßt, aber nicht genug, das ganze Land wird von der Stadt Bozen abhängig, von der erdrückenden, von der überwältigenden Mehrheit der italienischen Einwohner, der zugereisten Italiener in Bozen, denn durch die Bilanzgarantie bestimmen sie wesentlich und entscheidend mit über die Verwaltung, nicht nur, sie werden gleichgestellt mit uns Einheimischen. Und man hat gesagt, ja, aber für Bozen wirkt sich das positiv aus, denn in Bozen sind die meisten Staatsstellen. Meine lieben Landsleute, ich nehme an, daß in 20 Jahren 5.000 Stellen in Bozen von Deutschen besetzt werden, aber rechnen Sie sich aus, wie viele Arbeiter durch die Industrie inzwischen nach Bozen kommen, und dann werden diese 5.000 Arbeiter einen ganz kleinen Prozentsatz zu der überwältigenden Mehrheit der Zugewanderten ausmachen. Da muß ich sagen, wenn man heute dieses Paket akzeptiert, so bedeutet dies im Endeffekt nichts anderes als die Sanktionierung des Faschistenunrechts. [...]

Im Glauben an diese Alternative (Vollautonomie, Selbstbestimmung) sind Hunderte von Südtirolern ins Gefängnis gewandert. Wir wollen hier nicht das unsagbare Leid beschreiben, nicht die Tränen der Häftlinge, der Mütter und der Kinder, die wir alle erlebt haben, aber in diesem Glauben haben sie ihr Opfer gebracht, und heute noch wurde hier ein Brief verlesen, und in Bologna hat es derselbe Angeklagte, der zu 27 Jahren Gefängnis verurteilt worden ist, gesagt: „Wir glauben an unser Recht, und weil wir an unser Recht glauben und an dem guten Glauben Italiens verzweifelt sind, haben wir zu jenen Mitteln gegriffen".[...] Wenn man schon in einem Rundschreiben den göttlichen Bundesbruder angerufen hat, möchte ich hier an das Vermächtnis des Kanonikus erinnern, der 1956 noch vom Krankenlager von München aus an die Landesversammlung telegrafiert hat: „Ein Volk, das um nichts anderes kämpft als um sein natürliches und verbrieftes Recht, wird den Herrgott zum Bundesgenossen haben." Aber ich möchte, daß seine Stimme sich hier erheben könnte, daß wir sie alle hören würden, aber ich möchte noch mehr, daß Sie alle Opfer, alle Leiden, die wir in 50 Jahren gebracht haben, gegenwärtig haben, wenn Sie Ihren Stimmzettel abgeben. [...] Sicher, es werden uns einige Kompetenzen eingeräumt, aber [...] die Tiroler galten immer als Vorbild, als Vorkämpfer der Freiheit – erinnern wir uns an 1809: Wer hatte damals den Mut, gegen den übermächtigen Korsen sich zu erheben? Die Tiroler allein. Nur wer bereit ist, unsere tausendjährige Geschichte zu vergessen, nur wer bereit ist, alle Opfer der letzten 50 Jahre, die treuen Bekenntnisse von 1959 zu vergessen, dem es gleichgültig ist, welche Sprache seine Kinder morgen sprechen, ob wir endgültig majorisiert werden oder nicht, nur der kann zu diesem Paket ja sagen.

Liebe Landsleute, nie und nimmer soll es heißen, soll man in der Geschichte schreiben oder lesen, wir Südtiroler haben selbst um ein paar Konzessionen auf unser Recht, auf unsere Eigenheit, auf unsere Freiheit freiwillig verzichtet. Und nachdem Rechte und Gerechtigkeit, ohne welche es keine Freiheit und keine Ordnung und demzufolge keinen echten Frieden gibt, in diesem Paket nicht gewährleistet werden, können wir, ja müssen wir nein sagen. Denn dieses Nein ist gleichzeitig unser feierliches Bekenntnis zur Freiheit unseres Landes, der Beweis dafür, den Italien und die ganze Welt zur Kenntnis nehmen werden müssen, daß wir überleben wollen und daß dieses Land, das unser ist, durch den Schweiß und Fleiß unserer Ahnen, unser bleibt auch in Zukunft, daß dieses Land an der Etsch, auch in Zukunft unsere deutsche Heimat bleibe auch für unsere Kinder. [...]

Silvius Magnago (Parteiobmann):

Was passiert, wenn wir nein sagen? Auf diese Frage hat eigentlich niemand eine Antwort geben können. Ich kann es Ihnen gleich sagen. Es tritt die Resolution der Vereinten Nationen in Kraft, der 2. Absatz, das heißt: „Sucht Euch ein friedliches Mittel", da ist der IGH extra genannt. Dann werden wir wahrscheinlich vor dem IGH enden, aber wie schon gesagt worden ist, ohne Paket; weil wir nein gesagt haben. Wie lange wird es brauchen, bis wir wieder ein Angebot haben? Im Jänner 1965 haben wir nein zum Kreisky-Saragat-Paket gesagt, 5 Jahre sind verstrichen, bis wir wieder ein Angebot bekommen haben. Sicher, das Paket ist besser geworden, aber nach Ansicht vieler ist die Verankerung schlechter geworden. Sagen wir wieder nein, in 5 Jahren wird wieder etwas Besseres kommen, glauben Sie nicht, daß einmal der Strick reißt? Glauben Sie wirklich, das Spiel geht ewig? Geben wir uns doch keinen Illusionen hin. Das ist ja gar nicht möglich. Jetzt ist der Strick beim Reißen, jetzt heißt es schon: Vogel friß oder stirb! Aber wenn der Vogel frißt, dann lebt er, und sonst stirbt er, das ist der Unterschied!

Wenn wir nein sagen, was geschieht danach? Keine Antwort, vage Hoffnungen, kein Programm. Man sagt, in diesem Fall müssen wir uns auf unsere Kraft verlassen, wir sind doch so stark, daß wir noch jahrelang durchhalten. Dann frage ich mich, für was haben wir dann etwas verlangt, wenn wir uns auf unsere Kraft auch ohne dem verlassen können? Aber ich antworte dir, lieber Peter [Brugger], mit ganz was anderem. Wenn du sagst, wir müssen uns auf unsere Kraft verlassen, ich verlasse mich auch auf unsere Kraft, ich bin auch nicht pessimistisch, aber es wird doch jedem klar sein, daß wir unsere Kraft viel besser einsetzen können, wenn wir die Mittel bekommen, die uns das Paket gibt. [...]

Das ist keine verantwortungsvolle Politik, zu schauen, wie die Zuwanderung weitergeht; weinen, jammern und weinend und jammernd zu Grunde gehen. Jetzt bin ich bei der Zuwanderung, von der heute immer gesprochen wurde. Ja, welche Logik liegt darin? Von der Zuwanderung reden, über die Zuwanderung jammern und zugleich zum Paket nein sagen. Was ist das für eine Logik? Im Paket steht allerdings keine Maßnahme drin, mit der wir morgen eine Grenze ziehen können in Salurn und einen Schlagbaum ziehen können in Salurn, aber in den Paketmaßnahmen sind so viele Dinge drin, mit denen wir, wenn wir davon Gebrauch machen, mit einer gewissen Wirksamkeit, nicht mit einer absoluten Sicherheit, aber mit einer relativen Sicherheit gegen die Zuwanderung antreten können: Sind die ganzen Wirtschaftskompetenzen, die wir bekommen, nicht auch ein Mittel gegen die Zuwanderung, wenn wir selbst Gesetze erlassen können? Ist vielleicht der Passus im Paket, der zum Gesetz erhoben wird, daß der Staat keine Staatsindustrien mehr in Südtirol gründen kann ohne unser Einvernehmen, nicht vielleicht ein Mittel gegen die Zuwanderung? [...] Und der ethnische Proporz, ist der auch kein Mittel gegen die Zuwanderung? „Es geht so langsam, uns stehen wohl Tausende von Stellen bei den Staatsämtern zu", heißt es. Dr. Benedikter sagt 4.300, ich sage 5.000, streiten wir uns nicht um die Zahl; aber meine Herren, wenn das auch 20 oder 30 Jahre dauert, bis wir diese ganzen Stellen in den Staatsämtern besetzt haben, die uns zur Verfügung stehen, was heißt das? Dort, wo wir drinnen sitzen, kann kein anderer mehr drin sitzen. Je mehr Stellen wir in den Staatsämtern besetzen, und wir können im Laufe der Zeit 1000e besetzen, desto weniger Italiener kommen von unten herauf, und desto mehr wird die Zuwanderung gebremst. 5.000 Stellen bedeuten 20.000 Personen, wenn ich die Familien dazurechne. Es dauert eine Zeitlang, es geht sukzessiv, ist das kein Mittel gegen die Zuwanderung? [...]

Ich möchte noch zwei Gedanken bringen. Glauben Sie wirklich, sehr verehrte Landesversammlung, daß ich Ihnen raten würde und Sie ersuchen würde, zum Paket und zum Operationskalender ja zu sagen, wenn ich irgendeine Hoffnung hätte, daß wir in absehbarer Zeit etwas Besseres bekommen, und zwar soviel Besseres bekommen, als daß der Schaden dadurch aufgewogen werden könnte, den wir inzwischen erleiden, weil wir die Paketmaßnahmen nicht haben. Ich würde mich nicht getrauen, den Rat zu geben, wenn ich nicht voll dieser Überzeugung wäre. [...]

Ich glaube, daß ein Nein verderblich wäre. Wenn wir einmal ja gesagt haben werden, ist ein besseres Klima da. Dann erreichen wir leichter neue Dinge, die heute nicht erfüllt worden sind. Ein Nein, auch wenn es im guten Glauben gegeben wird, ist für mich ein verhängnisvoller Fehler zum Schaden unserer Heimat, davon bin ich felsenfest überzeugt, und von dieser großen und echten Überzeugung werde ich heute getragen, und deswegen ersuche ich Sie, insofern Sie nicht schon gewählt und abgestimmt haben, Ihre Zustimmung zu geben, und ich würde dann weiterhin mit dem Vertrauen des Volkes getragen und mit der Achtung und mit dem Respekt, den ich mir in Rom und in Wien erworben habe, weiter mit Eurer Hilfe, zusammen mit Eurer wertvollen Mitarbeit, die unersetzlich ist, arbeiten können zum Wohle unseres Volkes. Das ist mein heißester Wunsch.

Die Schlacht ums Paket, in: *FF Dokument,* 19. 11. 94, 25 Jahre Paket, S. 39–52.

Literatur

Alcock, Anthony Evelyn, The History of the South Tyrol Question, Genf – London 1970.

Ders., Geschichte der Südtirolfrage. Südtirol seit dem Paket 1970–1980, Wien 1982.

Autonome Provinz Bozen-Südtirol (Hrsg.), Das neue Autonomiestatut. Sonderdruck zur Informationsschrift des Landtages und der Landesregierung, Bozen 1979.

Baumgartner, Elisabeth/Mumelter, Gerhard/Mayr, Hans, Feuernacht. Südtirols Bombenjahre. Ein zeitgeschichtliches Lesebuch, Bozen 1992.

Benedikter, Rudolf/Dall'O, Norbert/Kupfmüller, A./Mezzalira, Giorgio/Pircher, Erika, Nationalismus und Neofaschismus in Südtirol, Wien 1987.

Di Nolfo, Ennio, Ein bestimmter Abschnitt der Vorarbeiten für eine amerikanische Südtirolpolitik (1943), in: Region Trentino-Südtirol (Hrsg.), Der Pariser Vertrag. 5. September 1946. Zum dreißigsten Jahrestag der Unterzeichnung des De Gasperi-Gruber-Abkommens, Trient 1976, S. 75–96.

Drechsler, Robert H., Georg Klotz. Der Schicksalsweg des Südtiroler Schützenmajors 1919–1976, Wien 1976.

Ders., Sepp Kerschbaumer. Ein Leben für Südtirol (Südtirol-Dokumentation 10), Wien 1965.

Ermacora, Felix, Südtirol und das Vaterland Österreich, Wien – München 1984.

Ders., Südtirol. Die verhinderte Selbstbestimmung, – München 1991.

Franceschini, Christoph, Bomben um Südtirol. Eine Geschichte des Südtirol-Terrorismus (1955–1968), Dipl. Arbeit. Innsbruck 1991.

Gatterer, Claus, Im Kampf gegen Rom, Wien – Frankfurt – Zürich 1969.

Ders., Die italienisch-österreichischen Beziehungen vom Gruber-De Gasperi-Abkommen bis zum Südtirol-Paket (1946–1969), in: Innsbruck-Venedig. Österreichisch-italienisches Historikertreffen 1971 und 1972, hrsg. v. Adam Wandruszka/Ludwig Jedlicka, Wien 1975, S. 521–553.

Holzer, Anton, Die Südtiroler Volkspartei, Thaur 1991.

Klier, Walter, Aufrührer, Wien 1991.

Peterlini, Hans K., Bomben aus zweiter Hand. Zwischen Gladio und Stasi. Südtirols mißbrauchter Terrorismus, Bozen 1992.

Ritschel, Karl Heinz, Diplomatie um Südtirol. Politische Hintergründe eines europäischen Versagens, Stuttgart 1966.

Staffler, Reinhold/v. Hartungen, Christoph, Geschichte Südtirols, hrsg. v. Jugendkollektiv Lana, Lana 1985.

Steininger, Rolf, Los von Rom? Die Südtirolfrage 1945/46 und das Gruber-De Gasperi-Abkommen (Innsbrucker Forschungen zur Zeitgeschichte 2), Innsbruck 1987.

Ders., Back to Austria? The Problem of South Tyrol in 1945/46, in: European Studies Journal 7 (1990), S. 51–83.

Ders., Die Südtirolfrage 1945/46, in: Bundesländerhaus Tirol/Tiroler Landesinstitut (Hrsg.), Südtirol und der Pariser Vertrag. Geschichte und Perspektiven, Innsbruck 1988, S. 35–61.

Ders., 75 Years After: The South Tyrol Conflict Resolved. A Contribution to European Stability and a Model for Solving Minority Conflicts, in: Austria in the Nineteen Fifties (Contemporary Austrian Studies 3), New Brunswick – London 1995, S. 189–206.

Toscano, Mario, Storia diplomatica della questione dell'Alto Adige, Bari 1967.

Ders., Alto Adige – South Tyrol, Baltimore – London 1975.

Volgger, Friedl, Mit Südtirol am Scheideweg. Erlebte Geschichte, Innsbruck 1984.

Wolf, Werner, Südtirol in Österreich. Die Südtirolfrage in der österreichischen Diskussion von 1945 bis 1969, Würzburg 1972.

Fragen

1. Warum wollten die Südtiroler und die Wiener Regierung
    1945/46 die Rückkehr Südtirols nach Österreich?

2. Südtirol wurde 1945/46 das erste Opfer im Kalten Krieg.
    Nennen Sie Gründe dafür.

3. Nach dem Abschluß des Abkommens in Paris im Septem-
    ber 1946 wurde Karl Gruber vorgeworfen, er habe Südti-
    rol „für ein Linsengericht" verkauft, in Paris „kapitu-
    liert". Bruno Kreisky hat das Abkommen einmal als ein
    „einmaliges Dokument österreichischer Schwäche" be-
    zeichnet. Andere haben schon damals gesagt, das Abkom-
    men sei die Magna Charta Südtirols. Wie beurteilen Sie
    diese historische Kontroverse?

4. Welche „Schwachstellen" gibt es im Gruber-De Gasperi-
    Abkommen? Haben sich diese Schwachstellen später
    nicht als Stärke herausgestellt? Wie beurteilen Sie diese
    Problematik?

5. Was hat Italien nach dem UNO-Beschluß zum Einlenken
    veranlaßt? Welche Rolle haben die Attentate in diesem
    Zusammenhang gespielt?

6. 1969 hat die SVP-Landesversammlung für das „Paket"
    gestimmt. Nennen Sie die Gründe, die für bzw. gegen das
    Paket vorgebracht wurden.

7. Kann die Südtirol-Lösung Modellcharakter für andere
    Minderheitenkonflikte in Europa haben?

8. Es wird immer wieder darauf verwiesen, daß den Südtirolern das Recht auf Selbstbestimmung verweigert worden sei. Nehmen wir einmal an, die Regierung in Rom
   würde den Südtirolern dieses Recht zugestehen und es
   könnte über folgende Fragen abgestimmt werden:
   1. Es bleibt alles so, wie es ist.
   2. Rückkehr Südtirols nach Österreich.
   3. Freistaat Südtirol.
   4. Europaregion Tirol.
   Wie würden Sie abstimmen? Mit welcher Begründung?

Michael Gehler

17. JULI 1989:
DER EG-BEITRITTSANTRAG

Österreich und die europäische Integration 1945–1995[1]

Am 17. Juli 1989 stellte Österreich in Brüssel laut Artikel 237 (EWG-Vertrag) den Antrag um Aufnahme in die Europäische Gemeinschaft (EG).[2] Was bewog die Bundesregierung zu dieser Entscheidung und wie ist diese im Lichte der Vorgeschichte zu beurteilen? Was war ausschlaggebend für das positive Votum der Bevölkerung am 12. Juni 1994 für den Beitritt zum Gemeinsamen Markt? Diese Fragen sollen beantwortet, d. h. auf eine integrationspolitische Entwicklung eingegangen werden, die im Falle Österreichs nicht geradlinig, reibungslos und konfliktfrei verlaufen ist.[3] In sieben Kapiteln werden daher die Zielsetzungen der österreichischen Integrationspolitik seit 1945, ihre Stellung im Spannungsfeld der internationalen Beziehungen, die Rolle der politischen Parteien und Aspekte der Wirtschafts-, Sicherheits- und Neutralitätspolitik bis zum Beitritt Österreichs zur EU 1995 aufgezeigt.

Was ist eigentlich unter österreichischer „Integrationspolitik" zu verstehen? Mit Blick auf die politische Sonderstellung des Landes, den langen Untersuchungszeitraum (1945–1995) wie auch den wechselvollen Gehalt der europäischen Integration als solcher ist dieser Begriff nicht leicht aufzulösen. Ausgehend von einer historischen Betrachtung handelte es sich summarisch gesehen um

a) eine Politik der Fühlung- und Kontaktaufnahme mit den verschiedenen Repräsentanten bzw. Institutionen der europapolitischen Initiativen seit 1947/48 und

b) eine Politik der fortgesetzten Bemühungen um Intensivierung der Wirtschafts- und Handelsbeziehungen zum Gemeinsamen Markt (EGKS/EWG) seit den fünfziger Jahren. Diese Interessenlage machte

c) eine Politik der schrittweisen Kooperation mit den europäischen Institutionen erforderlich – sei es durch

– Entsendung von Beobachtern bzw. Akkreditierung von Gesandten und Botschaftern (OEEC, Europarat, EGKS, EWG, WEU)

– angestrebte und realisierte Assoziierung (EGKS/EWG, EWR) und

– Mitgliedschaft Österreichs (OEEC, Europarat, EG = EU, PfP).

Diese unterschiedlichen Spielarten der österreichischen Integrationspolitik seit 1955 waren jeweils begleitet von

d) einer Politik der Betonung und Aufrechterhaltung austrospezifischer neutralitätspolitischer Interessen und

e) einer Politik der Wahrung von zwischenstaatlichen Vereinbarungen.

Die letzten beiden Politikbereiche zwangen zu

f) einer Politik der permanenten Überprüfung der Vereinbarkeit von Integrationszielen mit der staats- bzw. verfassungs- und völkerrechtlichen Ausgangssituation.

Da die Bundesregierung nicht nur an Vorstufen der Integration (Handelsliberalisierung) interessiert war, sondern auch von den „klassischen" Formen der Integration (Binnenmarktverhältnisse) profitieren und daran partizipieren wollte – ein Ausschluß Österreichs vom ökonomischen Integrationsprozeß mithin verhindert werden sollte –, erscheint die Bezeichnung „Integrationspolitik" vertretbar, während der Begriff „Europapolitik" als zu unbestimmt und allgemein vermieden werden sollte. Der Versuch einer möglichst exakten Begriffsbestimmung stößt auf die Grenzen der politischen Wirklichkeit: Änderungen der österreichischen Haltung ergaben sich vielfach aus den Aporien der globalen Konflikte und der internationalen Situation sowie der innenpolitischen Interessenlage.

1. Westorientierung und Neutralität 1945–1955

Seit 1945 war Österreich primär bestrebt, seine territoriale Integrität zu wahren und weitgehende Souveränität zu erlangen. Die österreichische Integrationspolitik stand zu Beginn der westeuropäischen Einigungsbestrebungen[4] aufgrund der Präsenz von Besatzungstruppen im Land vor einem Dilemma. Spätestens seit Annahme der Marshallplanhilfe[5] hatte sie zwischen dem Zielkonflikt einer Teilnahme am Integrationsprozeß und dem Abzug aller Truppen bzw. der Erlangung voller staatlicher Souveränität zu vermitteln.

Noch im Juni 1947 genehmigte der österreichische Ministerrat den Antrag von Außenminister Karl Gruber, das „große Interesse Österreichs am Marshallplan" zu bekunden, und am 8. Juli 1947 wurde dann die einstimmige Entscheidung getroffen, die Einladung zur Marshallplan-Konferenz nach Paris anzunehmen und sich am European Recovery Program (ERP) zu beteiligen.[6]

Fast gleichzeitig liefen seit Anfang des Jahres die Verhandlungen über den österreichischen Staatsvertrag, die allerdings ab Herbst 1949 nicht mehr vorankamen. Die frühen fünfziger Jahre brachten sodann die stärkste Westorientierung Österreichs,[7] während spätestens seit 1953 die Frage einer zukünftigen Politik der Allianzfreiheit zunehmend die Priorität erlangen sollte.

Im Unterschied zu den deutschen Westzonen, so hatte Gruber bereits 1947 festgehalten, gebe es für Österreich „keine Alternativpolitik der getrennten Organisation der westlichen Zone", weil die Sowjetunion die Industrie des Landes besitze und die Westmächte nur die „Szenerie". Die Alternative hierzu sei „Desintegration" und „das Ende Österreichs". Es wünsche keineswegs einen Staatsvertrag „um jeden Preis", aber einen, „in dem seine vitalen Interessen sichergestellt" seien.[8] In diesem Sinne war eine allzu rasche politische Integrationsdynamik nicht wünschenswert, zumal Österreich sich gar nicht voll daran beteiligen konnte. Auf das amerikanische Verlangen nach verstärkter Zusammenarbeit und Handelsliberalisierung unter den ERP-Ländern reagierte Wien daher abwartend. Vor Abschluß des Staatsvertrages wollte man keine bindenden Erklärungen über eine Teilnahme an Zollunionen abgeben.[9]

In einer streng geheimen Lagebeurteilung des Außenministers „Zur Entwicklung der westlichen Union"[10] für den zwar proeuropäisch eingestellten, sich aber jeglicher aktiven Integrationspolitik enthaltenden Bundeskanzler Leopold Figl[11] kam zum Ausdruck, daß Österreich lebhaftes Interesse an einer Konkretisierung der europäischen Zusammenarbeit habe. Probleme würden aber entstehen, „wenn dies im Rahmen einer militärischen Kombination erfolgt, der sich Österreich nicht anschließen kann". Dadurch würde es sowohl für den Osten als auch für den Westen „zu einem reinen Objekt politischer Entscheidungen". Für Österreich wie für Staaten ähnlicher Lage (angeführt wurden Schweden und die Schweiz) sei es zweckmäßiger, wenn ein Teil der politischen Zusammenarbeit im Rahmen des Marshallplans durchgeführt werde, wo sie gewissermaßen als „natürliche Ergänzung der wirtschaftlichen Zusammenarbeit" angesehen werden könne. Die „sogenannte Neutralitätspolitik" als solche brauche deswegen nicht aufgegeben zu werden.[12]

Ausgehend von der erwähnten Prioritätensetzung beanspruchte und behauptete Wien durch seine Mitgliedschaft[13] in der für die Verteilung der Marshallplanmittel zuständigen Organization for European Economic Cooperation (OEEC) zwischen 1948 und 1952 erfolgreich einen Status als „special case". Gruber beschrieb die Problematik seinem Regierungschef folgendermaßen:

„Österreich befindet sich als Teilnehmer der Marshallgruppe [sic!] in einer **einzigartigen Situation** [Herv. M.G.], dadurch, daß es das einzige Land ist, das von der russischen Besatzungsmacht besetzt ist, eine Lage, die dem Auswärtigen Dienst sehr viel Kopfzerbrechen verursacht hat und die auch heute noch für das Gesamtschicksal Österreichs von ausschlaggebender Bedeutung ist. Das allge-

meine Interesse der Sowjetunion ist es, den Marshallplan zu sabo-
tieren, wodurch dauernd das Damoklesschwert der wirtschaftlichen
Abtrennung der Ostzone über uns hängt, eine Wirkung, die zu vermeiden selbstverständlich zu den wichtigsten Aufgaben der Außenpolitik gehört [...]. Ein Maximum an Dollarhilfe zu erreichen, ohne
gleichzeitig die Zerreißung des österreichischen Staatsgebietes zu
fördern, setzt ein hohes Maß an Kenntnis der internen Vorgänge
und der möglichen Rückwirkungen bei den verschiedenen Regierungen und Besatzungsmächten voraus. Je mehr der Marshallplan
wegen der russischen Opposition politische Bedeutung erlangt, was
besonders bei Rüstungstendenzen im Westen zu erwarten ist, um-
somehr werden diese Gesichtspunkte besonders zu beachten
sein."[14]

Die Teilnahme am ERP war für Wien tatsächlich ein innen-
wie außenpolitischer Balanceakt, dies umso mehr, als die
UdSSR eine Mitwirkung Polens und der ČSR frühzeitig zu
unterbinden verstand.

Anstatt Wiederaufbau und Modernisierung („recovery" und
„rehabilitation") zu leisten, war der Marshallplan für Österreich in seiner ersten Phase (1948–1950) nur ein Fürsorge-
programm („relief").[15]

Österreich profitierte in der OEEC nicht nur von den Vor-
teilen der Handelsliberalisierung beim Export, sondern konnte auch quantitative Restriktionen für den gesamten Waren-
import aus den ERP-Teilnehmerländern aufrechterhalten.
Das Land war von Anfang an Netto-Schuldner unter den
ERP-Ländern, während die Westzonen Deutschlands als Net-
to-Gläubiger für die übrigen europäischen Staaten agierten.[16]

Als OEEC-Schuldnerland genoß Österreich dennoch eine
Ausnahmestellung, weil die Defizite gegenüber der European
Payments Union (EPU) von 1950 bis 1952 von den USA mit
„initial positions" und „special resources" übernommen wurden. Durch diese Aspekte erfährt die These vom „Sonderfall"[17] (Manfried Rauchensteiner) auch eine ökonomische,
d. h. außenwirtschaftliche und integrationspolitische Bestätigung. „Nicht sich in den Vordergrund stellen" oder „Auf
sanften Pfoten gehen" lauteten die Instruktionen des Ball-

hausplatzes für die Diplomaten.[18] Die staatspolitische Doktrin der Rückgewinnung von Handlungsfreiheit behielt jedoch trotz Partizipation am ERP weiter Vorrang vor einer Teilnahme am westeuropäischen Integrationsprozeß, der seit dem Dünkirchener- (1947) und Brüsseler Pakt (1948)[19] bereits militärische Dimensionen angenommen hatte.

Ob die Teilnahme am Marshallplan ein „Tanz nach einer ausländischen Pfeife" war, ist in der Historiographie als wenig zielführende Frage bisher offengelassen worden[20]: Das ERP erscheint vielmehr als ein „deal" zwischen zwei, wenn auch ungleichen Partnern, aus dem jeder seinen spezifischen Nutzen zog.

Solange sich die OEEC auch nicht zum Instrument der im April 1949 gegründeten NATO entwickelte, konnte ihr Vizepräsident Gruber (1949–1954) unbesorgt sein und das vorerst noch als Nettoschuldner geltende Österreich in der OEEC-Unterorganisation EPU assoziieren (die Aufnahme als Vollmitglied erfolgte erst am 1. Juli 1953), um vom multilateralen Clearing zu profitieren. Im Oktober 1951 trat Österreich auch dem GATT-Abkommen bei (Artikel 17 bestimmte die Herabsetzung von Zöllen und teilweise Beseitigung von anderweitigen Handelshemmnissen, insbesondere der sogenannten Vorzugszölle). Aufgrund einer Einladung vom November 1951 entsandte Wien im folgenden Jahr eine Beobachterdelegation zum Europarat nach Straßburg, die wenigstens ein Rederecht in der Vollversammlung genießen konnte.[21]

Militärische Kombinationen wurden von Österreich offiziell nicht angestrebt. Diesbezügliche Sondierungen oder Verlautbarungen blieben Ausnahmen, die die Regel des militärpolitisch abstinenten, von den vier Besatzungsmächten kontrollierten, „quasi-neutralisierten" und bündnisfreien Österreichs bestätigten. Im Juni 1949 erklärte Gruber, der vorher noch nach militärischen Westoptionen Ausschau gehalten hatte, daß Österreich nicht der NATO beitreten werde.[22]

Westliche Integrationsbestrebungen gingen mit europäischen Desintegrationserscheinungen[23] Hand in Hand: Öko-

nomisch ergaben sich durch die Teilnahme am ERP nicht nur
Vorteile: Eine Reduzierung des Handels mit Osteuropa war in
Kauf zu nehmen und die Teilnahme an der US-Embargopoli-
tik gegen die Sowjetunion und ihre Satelliten mitzutragen,
was Österreichs Wirtschaft traf, zumal diese immerhin den
höchsten Handelsanteil der OEEC-Länder mit den unter sowjetischem Einfluß stehenden osteuropäischen Staaten und
der UdSSR selbst hatte, aber 15 Prozent nie überschritt.[24]

Im Kalten Krieg wurde Österreichs Außenhandel[25] mit den
sowjetischen Satelliten beträchtlich reduziert. Ostimporte
sanken auf 8 Prozent im Jahr 1955 (32 Prozent 1937). Trotz
der Exporte der USIA-Betriebe (sowjetisch verwaltete Betriebe aus vormalig deutschem Eigentum in der sowjetischen
Besatzungszone) ging der österreichische Ost-Außenhandel
auf 8 Prozent 1955 zurück (28 Prozent 1937). Die Importe aus
OEEC-Ländern stiegen dagegen von 40 auf 75 Prozent, die
Exporte dorthin von 53 auf 71 Prozent.[26] Diese Umlenkung
der österreichischen Handelsströme war bereits durch außen-,
volkswirtschaftliche und sozioökonomische Prozesse in der
Zwischenkriegszeit und der NS-Ära eingeleitet worden.

Die ERP-Mittel, die auch in die sowjetische Besatzungszone flossen (mit allerdings geringerem Anteil im Vergleich zu
den Westzonen, so 1953 etwa 18 Prozent),[27] beseitigten die
schwere Ernährungskrise und damit verbundene soziale Probleme. Daneben leisteten sie wertvolle wirtschaftliche Auf-
bauhilfe. Österreich erhielt bis 1951 insgesamt Zahlungen in
Höhe von über einer Milliarde Dollar von den USA,[28] nach
Auslaufen des ERP 1953 noch Zuwendungen durch die Mu-
tual Security Agency (MSA) bzw. vorher schon durch das
Military Assistance Program (MAP), wobei diese Mittel gezielt für militärische Zwecke – u. a. zur Remilitarisierung der
Westzonen[29] – zum Einsatz kamen. Das Land erhielt vom
Marshallplan die zweithöchste Pro-Kopf-Rate von allen ERP-
Empfängerstaaten. Die Güter bekam es zur Gänze ge-
schenkt. Österreich mußte allerdings zwischen 1945 und
1960 gleichsam Reparationen, z. B. Demontagen, Entnah-
men aus laufender Produktion und Ablöse für das „deutsche

Eigentum" im Wert von schätzungsweise einer bzw. zwei Milliarden Dollar an die Sowjets zahlen,[30] sodaß der Empfang der ERP-Mittel als eine Art Kompensation interpretiert werden kann.

Trotz der starken ökonomischen und partiell auch sicherheitspolitischen Westorientierung galt es für Wien, die Balancepolitik zwischen integrations- und integritätspolitischen Zielen aufrechtzuerhalten. Diese Politik kam durch politische Zurückhaltung gegenüber der Bundesrepublik Deutschland zum Ausdruck. Österreichs Verhältnis zu dem sich konsolidierenden deutschen Weststaat stand im Zeichen eines sich enger gestaltenden wirtschaftlichen Austausches und einer Politik der beginnenden Normalisierung wie guten Nachbarschaft.[31] Hatte der Westkurs Bonns die österreichischen Staatsvertragsverhandlungen lange mitverzögert, was 1952 mit der Abwehr der Stalin-Noten und der Unterzeichnung des EVG- und Generalvertrages deutlich wurde,[32] so zeigte die weitere Entwicklung mit Abschluß der Pariser Verträge ab 1954/55,[33] daß Österreichs Integrität und Souveränität mit der sich vollziehenden Westbindung der Bundesrepublik und der Teilung Deutschlands eng zusammenhing. Die von Bonn hartnäckig betriebene Politik der Westintegration wirkte zurück und half indirekt, Österreichs Integrität zu bewahren, welche die Voraussetzung für die Neutralitätspolitik des Landes wurde. Infolge der sich abzeichnenden NATO-Mitgliedschaft der BRD verlagerte sich die sowjetische Mitteleuropapolitik auf die „Österreichlösung".[34]

Nur ein ausreichend bewaffnetes Westösterreich war – nach Abschluß des Staatsvertrages und dem Abzug der Besatzungstruppen – für das Pentagon akzeptabel, das im strategisch entscheidenden Raum der „Alpenfestung" kein militärisches Vakuum entstehen lassen wollte. Strategische und sicherheitspolitische Kalküle hatten wirtschafts-, integrations- und gesellschaftspolitische Konzeptionen mitunter überlagert. Die (west-)österreichische Wiederbewaffnung und die westorientierte Ausrichtung der Wirtschaftsstruktur des Landes bildeten wesentliche Voraussetzungen für die Zustimmung zum Abschluß des Staatsvertrages und die Akzeptanz der österreichischen Neutralität seitens der USA.[35]

Während Wien im politischen Bereich mit Verzicht auf Teilnahme an Militärbündnissen und Befolgung des „Anschlußverbots" offiziell keinen Zweifel an der Verläßlichkeit seiner zukünftigen Außenpolitik aufkommen lassen wollte, mußte die Außenhandelspolitik andere Wege einschlagen, weil erst Anfang 1953 infolge ausgeglichener Zahlungsbilanz die Liberalisierung des Warenverkehrs nach OEEC-Vorschriften möglich war, wodurch Österreich vom bisherigen Schuldner zum Gläubiger der EPU avancierte. Durch den Abzug der Besatzungstruppen und die Wiedererlangung der außenpolitischen Handlungsfreiheit wurde der Liberalisierungsprozeß noch verstärkt.[36]

Waren bis 1948 die Schweiz (13,3 Prozent), Italien (17 Prozent) und die Tschechoslowakei (7,5 Prozent) die wichtigsten Handelspartner, so entwickelte sich einige Jahre später die außenwirtschaftliche Orientierung des Landes v. a. in Richtung Bundesrepublik Deutschland (26,8 Prozent im Jahre 1960).[37]

Wie sahen die österreichischen Parteien die europäischen Einigungsbestrebungen? Der durch internationale wie staatliche Rahmenbedingungen erzwungene Verzicht auf aktive Integrationspolitik wurde seitens der Österreichischen Volkspartei (ÖVP) durch Propagierung einer starken christdemokratischen Internationale kompensiert. Diesen Bestrebungen war allerdings nur wenig Erfolg beschieden. Im informellen „Genfer Kreis", wo sich Persönlichkeiten wie Robert Bichet, Georges Bidault, Jakob Kaiser, Konrad Adenauer oder Paul-Henri Teitgen trafen, wirkten ÖVP-Politiker mehr als Beobachter denn als aktive Mitgestalter. Abgesehen von ihrer generellen Zustimmung zum Verlauf der westeuropäischen Einigung fehlten konkrete Vorschläge und entsprechende Integrationskonzepte. Während Unterrichtsminister und ÖVP-Generalsekretär Felix Hurdes als Programmatiker der europäischen Christdemokratie auftrat, sprach sich Nationalrat Franz Grubhofer für eine „minimali-

stische", d. h. aber auch für die realistische Variante, nämlich
eine europäische Konföderation, aus: „Politisch" sei Österreich „unabhängig", „wirtschaftlich" wolle man sich „nach
allen Seiten ausdehnen", „ideologisch" sei man aber „eindeutig proeuropäisch", lautete dessen typisch-österreichische
Version, die im wesentlichen als Richtschnur der ÖVP-Inte-
grationspolitik im ersten Nachkriegsjahrzehnt bezeichnet
werden kann.[38]

Die Neutralität der Schweiz galt bereits in den frühen fünfziger Jahren als Orientierungspunkt und für manche sogar
als Vorbild. ÖVP-Politiker wie Julius Raab, Karl Gruber und
Alfred Maleta waren für diesen Gedanken durchaus emp-
fänglich bzw. sahen hierin ein mögliches politisches Mittel,
Österreich aus seiner prekären Lage zwischen Ost und West
zu befreien. Im Unterschied zu ihren deutschen Kollegen von
der CDU/CSU hatten für sie territoriale Integrität und staatliche Souveränität Vorrang vor der westeuropäischen Integration.[39] Die entscheidende Frage lautete: Wie konnte eine
gleichberechtigte Teilnahme an den – nur ansatzweise vorhandenen – supranationalen europäischen Institutionen und
Organisationen erfolgen, wenn die nationale Souveränität
noch gar nicht erreicht bzw. gesichert war? Wien setzte zunächst auf die souveränitätspolitische Karte.

Der Abschluß des Staatsvertrages hatte auch für die Sozialistische Partei Österreichs (SPÖ) Vorrang vor Europapolitik,[40] die allerdings bei ihr nicht zu niedrig angesiedelt war:
Mit der Absage an den Klassenkampfgedanken fiel das Bekenntnis der Sozialisten für den Marshallplan leichter, der ja
auf der weitgehend uneingeschränkten Akzeptanz des Pri-
vateigentums basierte. Die „österreichische Lösung" bestand
darin, daß die ÖVP dafür die von den Sozialisten gewünschte
Verstaatlichung von großen Teilen der Industrie mittrug. Be-
fürwortete die SPÖ den Europarat, so herrschte Skepsis bezüglich einer Teilnahme am Schuman-Plan (Montanunion)
wie erst recht an westeuropäischen militärischen Vereinbarungen, wenngleich Wien die sich hieraus verbessernde sicherheitspolitische Situation für Österreich nutzte, eine Ent-

wicklung, die hingegen von der SPD in Gestalt der EVG
bekämpft wurde und die später mit den von Bonn unterzeichneten Pariser Verträgen den Eintritt der Bundesrepublik in
die NATO besiegeln und bis heute festschreiben sollte.[41] Die
SPÖ fühlte sich ähnlich wie die ÖVP über den ökonomischen
Sektor hinausgehend mit dem europäischen Westen verbunden, sodaß die sich verfestigende Achse zwischen Bonn und
Paris[42] auch in Wien wünschenswert war.

Die freiheitlichen Parteien (WdU, VdU, FPÖ)[43] traten von
Anfang an für den Integrationsgedanken ein. Dabei stand
deren allzu prononciertes Europabekenntnis stets unter dem
Verdacht pangermanischer Absichten, d. h. einen Anschluß
mit (West-) Deutschland verwirklichen zu wollen. Die Kritiker übersahen allerdings, daß sich Integrationspolitik und
schrittweise Annäherung an Deutschland nicht ausschließen
konnten, ja notwendigerweise ergänzen mußten. Die anti-
marxistische Stoßrichtung der Freiheitlichen konnte an der
Idee von der „Festung Europa" anknüpfen, wobei ihre Politik
im Zeichen des Kalten Krieges und des antikommunistischen
Engagements den USA nicht unwillkommen war.[44]

Österreichs Westorientierung trat seit Beginn der fünfziger
Jahre ganz im Unterschied zur Bundesrepublik bedingt
durch die beabsichtigte Block- und Allianzfreiheit stärker in
den Hintergrund. Diese Ausrichtung nach dem Westen hatte
auch grundsätzlich bedeutend weniger Integrationssubstanz
als die Westdeutschlands, das institutionell völlig eingebunden wurde. Österreich partizipierte zwar am ERP und an der
EPU, nicht aber an der EGKS und der EWG, wie es auch der
WEU und NATO fernblieb. In diesem Sinne kann für die
fünfziger Jahre von einer österreichischen Regierungspolitik
gesprochen werden, die eine v. a. geistig-ökonomisch gepräg-
te Westorientierung vornahm und dennoch im Rahmen der
Viermächtekontrolle die Verbindung mit den Sowjets auf-
rechterhielt, wirtschaftliche − wenn auch im Vergleich zum
Westen begrenztere − Austauschbeziehungen mit ihnen
pflegte und deren Sicherheitsinteressen zu berücksichtigen
versuchte.[45]

Der Vergleich der österreichischen mit der bundesdeutschen Europapolitik zeigt für die Phase vom Marshallplan bis zur EWG einen wesentlichen Unterschied: Während Wien unter Wahrung souveränitäts- und integritätsspezifischer Überlegungen eine informelle, d. h. ökonomische Teilintegration ohne militärische oder politische Bündnisse anstrebte („Westorientierung"), zielte das Bemühen Bonns unter Zurückstellung von gesamtdeutschen Konzeptionen auf eine formelle, institutionell eingebettete, d. h. vollständige Eingliederung der Bundesrepublik in das westliche System ab („Westintegration").[46]

Die Westorientierung Österreichs war im Unterschied zur teilstaatlichen Westintegration der Bundesrepublik nicht Selbstzweck, sondern Mittel zum Zweck der *gesamt*staatlichen Konsolidierung.[47] In Anlehnung an die These von Alan S. Milward,[48] wonach die europäische Integration als Mittel zur „Rettung des Nationalstaates" fungierte, ließe sich sagen, daß die Politik der Westorientierung für Wien die erforderliche Hilfestellung zur Neuschöpfung des österreichischen Nationalstaats[49] („new creation of the nation state") leistete.

Während für Bundeskanzler Konrad Adenauer von Anfang an feststand, daß die Wiedererlangung von „Souveränität" für die Bundesrepublik nur in Kooperation mit den Westmächten zu realisieren war, was Aussöhnung mit Frankreich und engste Anlehnung an die US-Politik implizierte, hielten die österreichischen Regierungschefs Leopold Figl und Julius Raab gemeinsam mit ihrem Koalitionspartner Adolf Schärf an der Zusammenarbeit der vier Besatzungsmächte fest. Diese bildete die Voraussetzung für die friedliche Lösung der Österreichfrage im Sinne nationaler Einheit *und* politischer Freiheit, die nicht erst wie im Falle Deutschlands die politische Niederringung der Sowjets erforderlich machte.[50]

Die „immerwährende Neutralität" Österreichs war letztlich der Preis für den sowjetischen Truppenabzug. Dafür widersetzte sich Moskau weder der Aufnahme Österreichs in die UNO (Dezember 1955) noch dem Beitritt zum Europarat

(April 1956) – beides erfolgte wohlgemerkt im Unterschied zum „Schweizer Vorbild": Bezogen auf den westeuropäischen Einigungsprozeß wird die Mitgliedschaft in Straßburg auch als integrationspolitischer „Nachholbedarf"[51] interpretiert, ein Schritt, der nach erreichtem Truppenabzug und errungener staatlicher Freiheit leichter nachzuvollziehen war.

Mit der erfolgreichen Option „Neutralität" löste sich 1955 das eingangs erwähnte Dilemma österreichischer Außen- und „Europapolitik" vorläufig auf, wobei integrationspolitische Zurückhaltung in den Jahren 1953/54 als Vorleistung gegenüber der sowjetischen Staatsvertragspolitik verstanden werden konnte. Als im Oktober 1954 die Zolltarif-Verhandlungen mit der EGKS scheiterten, stoppte Österreich seine Versuche, mit der Hohen Behörde in Luxemburg ein Sonderarrangement zu erzielen.[52]

Die existentielle Frage, wie Österreich nach 1945 pro-westlich sein und gleichzeitig quasi neutral werden konnte, wurde damit beantwortet, daß Wien ganz im Unterschied zu Bonn keine Politik des „entweder – oder",[53] sondern eine des „sowohl als auch"[54] verfolgte: Der Staat wurde trotz westlicher Ausrichtung neutral, wobei in erster Linie an „militärische Neutralität" unter Fortsetzung der ökonomischen Westorientierung gedacht war. Die Sowjetunion akzeptierte diese Einschränkung.[55]

Die österreichische Delegation hatte für die Verhandlungen in Moskau im April 1955 auf „Bündnislosigkeit" als Form des zukünftigen außenpolitischen Status gesetzt bzw. auf eine von den Großen Vier zu erlangende Territorialgarantie nach dem Vorbild der Schweizer Neutralitätsakte von 1815 gehofft, während eine selbstgewählte, freiwillig zu erklärende und immerwährende Neutralität nach „Schweizer Vorbild" nicht beabsichtigt war. Erst während der Verhandlungen stimmten sie mit den sowjetischen Vertretern in dieser Entscheidung für sofortige Unterzeichnung des Staatsvertrages, Rückzug der Truppen und „wirtschaftliche und politische Unabhängigkeit" überein.[56]

Diese „Unabhängigkeit" implizierte (nur) eine fortgesetzte ökonomische Westorientierung des Landes, d. h. es handelte sich um „einen teils erzwungenen, teils freiwilligen Verzicht auf Westintegration".[57] Österreich blieb damit ein „Sonderfall", wobei Artikel 4 des Staatsvertrages jede Form der politischen oder wirtschaftlichen Vereinigung mit Deutschland untersagte.[58] Doch lag es in der Logik der Dinge, daß Österreich für die Aufrechterhaltung seiner ökonomischen Unabhängigkeit OEEC-Mitglied bleiben und seinen Beobachterstatus beim Europarat und bei der EGKS beibehalten konnte.[59]

Mit der Montanunion strebte Wien weiterhin eine Regelung an, die Mitte 1956 in Form eines Zollabkommens erreicht werden konnte.[60] Dies schien das Maximum an Integration im Kohle- und Stahlbereich für Österreich zu sein, mahnte doch in weiterer Folge die *Prawda* Wien zur Wahrung der Neutralität, während die *Iswestija* eindringlich vor einem Beitritt zur Montanunion warnte.[61]

Die im Oktober 1955 „freiwillig" erklärte „immerwährende Neutralität" war eigentlich gar keine ursprünglich selbst gewählte, sondern eine sowjetisch gewünschte Lösung und der Preis für die erhaltene Integrität und fortgesetzte wirtschaftliche Westorientierung (mit „explizitem" Anschluß-Verbot) gewesen. Diesen Preis konnte Wien aufgrund seiner erfolgreichen, vor allem inneren Balancepolitik vor 1955 relativ mühelos zahlen. Daß Österreich seine Neutralität dann später anders als die Schweiz handhaben sollte, stand dabei wiederum auf einem anderen Blatt.

2. Zwischen Großer und Kleiner Freihandelslösung (1956–1960)

Trotz zeitweiliger wirtschaftspolitischer Erwägungen, der EGKS sogar als Vollmitglied beizutreten (z. B. im Oktober 1956),[62] wahrte Wien gegenüber der Sechsergemeinschaft die Kontinuität einer Politik, die Lösungen anstrebte, welche zwi-

schen klein- und großeuropäischen Integrationsmodellen ver-
mittelten,[63] wobei keine supranationalen Verpflichtungen eingegangen werden konnten. Mit Blick auf die Interessen der
Sowjetunion, die eine zu enge Verbindung Österreichs mit der
Bundesrepublik ablehnte und auf die Einhaltung des Staatsvertrages bedacht war, schien für Wien ein zu starkes Naheverhältnis zur EGKS und zu dem in Entstehung begriffenen
Gemeinsamen Markt nicht ratsam. Die ÖVP-SPÖ-Regierung
unter Raab und Schärf schloß sich in dieser Konsequenz dem
vom britischen Premier Harold Macmillan vorgeschlagenen,
lose gehaltenen, großen Freihandelsprojekt der OEEC an,[64]
welches auf keine Einwände Moskaus zu stoßen schien. Am
29. Januar 1957 sprach sich der Ministerrat in Wien für die
Teilnahme an einer multilateralen Assoziation der ehemaligen ERP-Mittel-Empfängerstaaten zu einer Großen Freihandelszone aus. Außenminister Figl unterbreitete am
12. Februar dem OEEC-Ministerrat die österreichischen Vorschläge.[65]

Das Scheitern des Projekts der Großen Freihandelszone,
welches im Maudling-Komitee – benannt nach dem britischen Politiker und Verhandlungsleiter Reginald Maudling[66]
– diskutiert worden war, zeichnete sich aber bereits durch
die kerneuropäische Lösung in Form der Römischen Verträge
und der damit verbundenen Bildung der Europäischen Wirtschaftsgemeinschaft (EWG) und Atomgemeinschaft (EUR-
ATOM) ab.[67] Ausschlaggebend war u. a. Stagnation in den
Verhandlungen und Mangel an Initiative unter jenen OEEC-
Staaten, die den agierenden Staaten der „six" (wie auch den
verhandlungswilligen der „non-six") 1955/56 zunächst taten-
los zusahen. Österreich und Schweden hatten zwar informelle Gespräche mit der Schweiz, Norwegen und Dänemark vorgeschlagen, aber Bern reagierte abwartend. Daneben fehlte
es auch an der Bereitschaft zu einer grundsätzlichen Einigung unter den OEEC-Staaten. In der Zwischenzeit konnten
die „Sechs" in ihren Verhandlungen so viele Fortschritte erzielen, daß sie 1957/58 von den restlichen OEEC-Staaten
nicht mehr „einzuholen" waren.[68]

Die Ungarn-Krise im Herbst 1956 mit der sowjetischen Intervention hatte es Österreich nicht leichter gemacht, das Projekt der Großen Freihandelszone weiter zu verfolgen. Ein entscheidender Durchbruch des Maudling-Komitees[69] blieb aber v. a. aufgrund der Einwände Adenauers (der die kerneuropäische Lösung bevorzugte und sich gegen den „Freihändler" und Wirtschaftsminister Ludwig Erhard durchsetzte) und des französisch-britischen Gegensatzes[70] aus: London wollte nicht Verpflichtungen eingehen, die seine wirtschaftspolitische Handlungsfreiheit innerhalb des Commonwealth durch seine Vorzugszölle („preferential tariffs") allzu stark eingeengt hätten.[71]

Auf der anderen Seite befürchteten die EWG-Staaten durch ein zu weites Entgegenkommen in Richtung nationalstaatlicher Interessen, die Substanz und Zielsetzung der eben ins Leben gerufenen Gemeinschaft zu gefährden. So blieb nur mehr die Teilnahme an einer kleinen Freihandelszone als ultima ratio für Österreich.

Im Dezember 1958 fand in Genf zwischen Großbritannien, Dänemark, Norwegen, Österreich, Schweden, der Schweiz und Portugal eine Konferenz statt, auf der über die Sicherung der gemeinsamen Wirtschaftsinteressen beraten wurde. Sollte sich eine multilaterale Assoziierung mit der EWG nicht erreichen lassen, sei man „zu einer wirksamen Politik der Selbstverteidigung" entschlossen.[72]

Eine weitere Konferenz der betreffenden Staaten im Juli 1959 in Saltsjöbaden bei Stockholm führte zur Ankündigung der Bildung einer kleinen Freihandelszone.[73] Diese rief zwar keine Begeisterung unter den österreichischen Parteien hervor, dennoch entschieden sich die beiden Koalitionspartner einhellig, daß Österreich Mitglied der EFTA werden sollte. Im November 1959 gab der Nationalrat seine Zustimmung. Bundeskanzler Raab, der die große Freihandelszone im OEEC-Verbund favorisiert hatte, erklärte, die EFTA sei „in erster Linie dazu bestimmt, den beteiligten Sieben eine geeignete Verhandlungsbasis für eine multilaterale Zusammenarbeit mit der EWG zu schaffen".[74]

Der Umstand, daß sich der Kreml in den frühen sechziger Jahren offen gegen eine EWG-Assoziierung oder gar einen Beitritt Österreichs aussprach,[75] schien diesen aus der Sicht der Betreiber nicht weniger attraktiv zu machen. Die Bundesregierung plädierte zunächst jedoch nicht nur aus pragmatisch-rationalen Gründen[76] für die EFTA-Lösung. Hinzu kamen auch ideologische, d. h. neutralitätspolitische Erwägungen von Kanzler Raab und Außenminister Kreisky. Letzterer hielt forcierte Integrationspolitik mit Neutralitätspolitik für unvereinbar.[77] Österreichs EFTA-Mitgliedschaft wurde als einzige Möglichkeit gesehen, sowohl den Status der „immerwährenden Neutralität" aufrechtzuerhalten als auch die „treaty making power" beizubehalten. Eine Reihe von weiteren Zusammenkünften, zu denen auch Portugal hinzugezogen wurde, führte zur Gründung der Europäischen Freihandelsassoziation (European Free Trade Association, EFTA).[78]

Ihr gehörten zunächst Norwegen, Schweden, Dänemark, Österreich, die Schweiz, Portugal, Großbritannien und später Island sowie Finnland in Form einer Assoziation (FINEFTA) an. Die von der Ministerkonferenz in Stockholm beschlossene und anschließend ausgearbeitete Konvention wurde am 20. November 1959 paraphiert,[79] am 4. Januar 1960 signiert[80] und trat am 3. Mai 1960 in Kraft.[81]

Kreisky versuchte, der EFTA ihr „negatives" Image zu nehmen: Sie sei weder aus Zufall entstanden noch eine Vereinigung der Benachteiligten (a „club of the discriminated").[82] Für Österreich handle es sich dabei um mehr als eine ad hoc geschaffene Gruppierung zur Interessenvertretung der zu Unrecht so genannten „Äußeren Sieben".[83]

Die EFTA-Gründung diente tatsächlich primär der Beseitigung der Handelsschranken zwischen den einzelnen Mitgliedsstaaten in Form einer Freihandelszone und war unter den meisten von ihnen in der Absicht angelegt, einen „Brückenschlag" zur EWG herzustellen, d. h. „die baldige Organisation einer multilateralen Assoziation zur Beseitigung der Handelsschranken sowie zur Entwicklung einer engeren wirtschaftlichen Zusammenarbeit zwischen den Mitgliedern der OEEC"[84] zu schaffen. Auf österreichischen Vorschlag hin wurde in der EFTA-Präambel der Übergangscharakter der Organisation festgehalten und der Gedanke verankert, daß eine engere Beziehung zur EWG hergestellt werden sollte.[85]

3. Zwischen Assoziierungsplänen, „Alleingang" und den Freihandelsabkommen mit der EWG und der EGKS (1960–1972)

Die Phase von 1960 bis 1972 umfaßt das schwierige Kapitel der Integrationsbestrebungen vom EFTA-Beitritt bis zu den Abkommen mit den Europäischen Gemeinschaften (EWG und EGKS), welche Zoll- und Handelsverträge (laut Artikel 113 EWG-Vertrag) darstellten. Österreichs EWG/EG-Politik bewegte sich im Schatten des französisch-britischen Gegensatzes in der Frage einer Teilnahme Londons am Gemeinsamen Markt und im Zeichen des Ost-West-Konfliktes einer gegenüber allen österreichischen EWG-Annäherungsversuchen empfindlich reagierenden Sowjetunion.[86]

Die außenpolitische Konstellation war ausschlaggebend für die gescheiterten Bemühungen Wiens, ein Arrangement mit Brüssel zu erzielen, hemmend wirkte aber auch die innergemeinschaftliche Krise: Als Beispiele seien nur die Problematik der Finanzierung des gemeinsamen Agrarmarkts, die Politik des „leeren Stuhls" von General Charles de Gaulle (ab 30. Juni 1965) und der darauf folgende sogenannte „Luxemburger Kompromiß" vom 28./29. Januar 1966 genannt.

Außenminister Kreisky vertrat 1960 eine Integrationspolitik „wohlabgewogener Vorsicht, gepaart mit einer Politik fester Entschlossenheit". Bündnisse könne man zwar keine schließen, „aber wir können uns mit anderen zur Erreichung limitierter Ziele verbinden".[87] Er handelte auch behutsam, als er im Mai 1961 dem Kommissär für Auswärtige Beziehungen der EWG, Jean Rey, keine Vollmitgliedschaft, aber eine „Assoziation" Österreichs (basierend auf Artikel 238 EWG-Vertrag) schmackhaft zu machen versuchte, um v. a. das Prinzip der „immerwährenden Neutralität" zu wahren.[88] Die übrigen europäischen Neutralen reagierten weit vorsichtiger. Sie lehnten z. B. zunächst einen Beschluß ab, wonach Großbritannien auf Basis der Römischen Verträge mit der EWG verhandeln und die anderen (verhinderten) EFTA-Mitglieder eine Assoziierung mit Brüssel anstreben sollten. Die von London und Kopenhagen am 28. Juli 1961 im EFTA-Ministerrat abgegebene Erklärung, Beitrittsansuchen zur EWG zu stellen, bedeutete das vorläufige Ende des multilateralen Brückenschlages zwischen EFTA und EWG zur Beseitigung der ökonomischen Spaltung in Europa.[89] Der dänische und britische Antrag[90] brachten Schweden, die Schweiz und Österreich unter Zugzwang: Am 15. Dezember 1961 deponierten sie „Assoziationsansuchen" bei der EWG.[91]

Wie gestaltete sich die innen- und parteipolitische Integrationsdebatte in Österreich? Mit der Zugehörigkeit zur EFTA war für die Mehrheit der SPÖ-Spitzenvertreter ein vorläufiges Maximum an Integrationspolitik erreicht, wenngleich der „Europaflügel" innerhalb der Partei noch mehr gefordert hatte. Während die ÖVP nach 1955 in ihrer Integrationspolitik offensiver wurde und die EFTA nur mehr als Übergangslösung auf dem Weg zu einem Arrangement mit der EWG betrachtete,[92] ging die SPÖ mit einem sorgsameren Umgang in der Neutralitäts- und Beitrittsfrage in die Defensive.

Im bürgerlichen Parteienspektrum sah es anders aus. Mit dem Rücktritt Raabs im April 1961 und dem Vormarsch der „Reformer" hatten sich in der ÖVP die Befürworter einer forcierten Integration durchgesetzt.[93] Die FPÖ propagierte „keine Lösung ohne oder gegen die EWG", sprach sich von Anfang an gegen die Freihandelszone aus und plädierte 1961 sogar für einen EFTA-Austritt. Die europapolitischen Konzeptionen der Freiheitlichen hatten aber die Grenzen der Integrationspolitik der sechziger Jahre zur Kenntnis zu neh-

men. De Gaulles Ablehnung eines britischen EWG-Beitritts
am 14. Januar 1963[94] ließ die FPÖ enttäuscht reagieren,
waren doch damit auf indirekte Weise der österreichischen
EWG-Politik große Hindernisse in den Weg gelegt worden.[95]
Die Bundesrepublik unterstützte kontinuierlich Österreichs Annäherungsversuche an den Gemeinsamen Markt:
Neben der zunehmenden ökonomischen Verflechtung sorgten
v. a. sicherheitspolitische Überlegungen für eine fortgesetzte
Verkoppelung Österreichs mit der deutschen Frage. Aus dem
Abhängigkeitsverhältnis hatte sich im Unterschied zur Zeit
vor 1955[96] eine Interessensgemeinschaft entwickelt. Hierbei
spielte der Umstand mit, daß die befreundete Bundesrepublik „für die österreichische Grundlinie – außenpolitische
Neutralität mit innerer Zugehörigkeit zum Westen – eine der
wichtigsten Stützen"[97] darstellte. Blieb der militärische
Schutzschirm der NATO für Österreichs Sicherheit essen-
tiell, so waren die Respektierung der deutschlandpolitischen
Vorstellungen Bonns[98] sowie die integrationspolitischen Ambitionen Wiens, als einziges EFTA-Mitglied nach 1963 eine
stärkere wirtschaftliche Verbindung mit der EWG herzustellen, im bundesdeutschen Interesse gelegen.[99]

Als Schweden und die Schweiz nach De Gaulles Veto gegen
eine Aufnahme Großbritanniens ihre Assoziationsanträge
auf sich beruhen ließen, entschied sich Österreich im Februar 1963 für den „Alleingang".[100] Wien hatte bereits vorher
Versuche unternommen, bilaterale Lösungen mit Brüssel
herbeizuführen, die wenig Beifall bei den Neutralen fanden,
zumal auch ein EFTA-Austritt zu befürchten war. Handelsminister Fritz Bock war der profilierteste Vertreter dieser
Linie, zumal Österreichs Wirtschaft von den EWG-Export-
diskriminierungen am stärksten von allen EFTA-Staaten betroffen war. Der als „Maximalist" geltende ÖVP-Integrations-
politiker[101] verfocht den sogenannten „Alleingang" am stärksten. Dabei vertrat er die Ansicht, die österreichischen
Interessen könnten gegenüber der EWG auch isoliert von
den anderen Neutralen, also ohne entsprechende multilaterale Vorgangsweise, durchgesetzt werden. Im Zusammen-

hang damit vollzog sich auch ein bemerkenswerter Wandel in der „inneren" Außenpolitik: Die Sozialisten kritisierten den integrationspolitischen Kurs der Bundesregierung, v. a. in der Phase unter Bock, und dessen angebliche Tendenzen, die EFTA-Mitgliedschaft sogar *vor* einem möglichen EWG-Arrangement aufkündigen zu wollen.[102]

Die vorzeitige Aufgabe der EFTA-Zugehörigkeit, so argumentierte die SPÖ-Spitze unter Kreisky, sollte nicht erfolgen, ohne vorher die Sicherheit eines Abschlusses von Vereinbarungen mit Brüssel zu haben. Bock ignorierte nicht die Neutralitätsverpflichtungen, legte sie allerdings dergestalt aus, daß in der angestrebten Teilnahme Österreichs am Gemeinsamen Markt keine großen Pflichtkollisionen mit der rein militärisch definierten Neutralität zu erblicken seien.[103]

Außenminister Lujo Toncic-Sorinj (ÖVP), der aufgrund einer engeren Interpretation der Neutralitätsverpflichtungen zum Mißfallen vieler seiner Parteifreunde zurückhaltender gegenüber den Wünschen nach einem Arrangement mit der EWG agierte, dachte an eine Abstimmung der Europapolitik mit den übrigen Neutralen, um den Verpflichtungen aus Österreichs völkerrechtlichem Status durch einen Neutralitätsvorbehalt Rechnung zu tragen und damit à la longue ein Sonderarrangement mit Brüssel zu erzielen, das zu einer Großen Freihandelszone führen sollte – ähnlich jenem Projekt des Maudling-Komitees.[104] Diese Idee sollte zwar wieder aufleben,[105] realpolitisch aber keine Rolle mehr spielen.

Bundeskanzler Josef Klaus forcierte die angestrebte Teilnahme an der europäischen Integration, und zwar nicht nur aus wirtschaftspolitischen Erwägungen im Sinne der Beseitigung von Zollschranken und der Steigerung des Exports, sondern auch weil er mit der Integration die Möglichkeit zur Schaffung einer politischen Einheit Europas verknüpfte.[106] Berater war sein Kabinettschef (1964–1966), der spätere Generalsekretär des Europarats (1979–1984), Franz Karasek, der vor Bildung der Alleinregierung auch auf außenpolitische Überlegungen des Kanzlers Einfluß nehmen konnte.[107] Es ist bemerkenswert, daß Klaus in seiner Integrationspolitik auf die Einhaltung der Neutralitätspflichten bedacht war und wiederholt verdeutlichte, daß man „notfalls arm, aber neutral" bleiben werde.[108]

Außenminister Kurt Waldheim sah dagegen die Teilnahme Österreichs an der europäischen politischen Zusammenarbeit aus grundsätzlichen Erwägungen als Teil eines außenpolitischen Gesamtkonzepts, welches Österreichs Sicherheit erhöhen sollte.[109] Da die österreichischen Integrationsbemühungen wegen der ungelösten Erweiterungsproblematik der Gemeinschaft wie auch des Verhandlungsvetos Italiens (infolge der Bombenattentate in Südtirol,[110] v. a. des Anschlags auf der Porzescharte) vollkommen auf Eis gelegt waren,[111] blieb Waldheim nur mehr eine Politik „der kleinen Schritte".[112] Vor diesem Hintergrund wurde das multilaterale Engagement intensiviert. Durch verstärkte Pflege der Nachbarschaftsbeziehungen wie gesteigerte weltweite Zusammenarbeit mit den Vereinten Nationen erfuhr Österreichs Außenpolitik eine „Globalisierung", die nicht erst in der Ära Kreisky,[113] sondern bereits unter Klaus vorhanden war.[114]

Die Politik zur Schaffung eines Arrangements mit der EWG/EG führte nur zu Teilerfolgen, d. h. acht Verhandlungsrunden (vom März 1965 bis Februar 1966 und vom Dezember 1966 bis Februar 1967), nicht aber zu einem definitiven Abschluß, obwohl die Bundesregierung gegen Ende der Ära Klaus auf eine Übergangslösung („Interimsabkommen") mit den beiden europäischen Gemeinschaften gedrängt hatte.[115]

Österreich spielte in seiner Integrationspolitik der sechziger Jahre die Rolle eines Vorreiters für die übrigen neutralen Staaten. Selbst nach dem Innehalten Schwedens und der Schweiz hielt es an seinem Ziel fest, ein Arrangement mit Brüssel zu erzielen. Damit manifestierte sich Österreichs Rolle als „Sonderfall", wenngleich dessen Alleingang in der Schweiz wenig euphorisch aufgenommen wurde. Bern begnügte sich mit der EFTA-Mitgliedschaft und bilateral-sektorialen Verhandlungen mit der EG, wobei es eine Politik der Ausschließlichkeit vermied und eine „mittlere Lösung" anstrebte.[116]

Österreichs Spitzenpolitiker widersetzten sich den fallweise scharfen Vorhaltungen, Warnungen und Drohungen des
Kreml. Widerstände gegen eine allzu formelle Verbindung
Österreichs mit den Brüsseler Institutionen kamen jedoch
nicht nur aus Moskau, sondern auch aus Paris und Rom.
Österreichs Außenhandel mit der EWG lag schwerpunktmä-
ßig in der Bundesrepublik Deutschland (zwischen durchschnittlich 30 und über 40 Prozent der österreichischen Importe und 25 bis 30 Prozent der Exporte zwischen 1951 und
1968). Die Parallelität der Entwicklung des österreichisch-
deutschen Außenhandels mit dem Österreichs und der EWG
machte dies deutlich.[117] Dies schreckte vor allem die französische Diplomatie und ließ sie wiederholt an das Trauma des
Anschlusses erinnern.[118]

Der verhältnismäßig hohe Anteil am Handel mit osteuropäischen Ländern (etwas über 10% zwischen 1947 und
1962)[119] war ein weiteres Element, welches Österreichs Position in Integrationsfragen bestimmte und eine pragmatische
Haltung erforderlich machte.[120] Hierbei galt es besonders auf
Interessen der Sowjetunion bzw. ihrer Satellitenstaaten
Rücksicht zu nehmen.

Exkurs zur Assoziationsproblematik

Laut Artikel 238 des EWG-Vertrags war die „Assoziation" so
unbestimmt gehalten, daß alle Interpretationen möglich
schienen. Die EWG-Staaten wollten den Status eines Assoziierten tendenziell nur den wirtschaftlich schwächeren Ländern zubilligen. Die Neutralen neigten eher dazu, mit anderen Rechten und Pflichten an der EWG teilzunehmen als die
Vollmitglieder. War bis Anfang der sechziger Jahre von einer
„Assoziierung" bzw. „Assoziation"[121] mit der EWG die Rede,
so verschwanden diese Begriffe allmählich aus dem offiziellen Vokabular, und man sprach z. B. 1964 nur mehr von
einem „Vertrag besonderer Art" bzw. von einem „Arrangement" mit der EWG.[122]

Es gab zwei Theorien, die es angezeigt erscheinen ließen, vom Begriff der „Assoziierung" Abstand zu nehmen, die „Rosinen-" und die „Satellisierungstheorie". Erstere implizierte das Argument der EWG bzw. einzelner Staaten der Gemeinschaft, Österreich wolle sich im Grunde ja nur die Rosinen aus dem Kuchen des Gemeinsamen Marktes herausholen und habe mit einer Assoziierung keine Pflichten zu übernehmen. Abgesehen davon sah Brüssel Artikel 238 eher für Länder der Dritten und Vierten Welt (wie die Türkei oder Staaten Afrikas), nicht aber für hochentwickelte Industrienationen des Westens vor.[123] Die „Satellisierungstheorie" besagte, Österreich würde mit einer Assoziierung, d. h. in selbständigen Assoziationsorganen nicht vollberechtigt sein, habe nur konsultative Möglichkeiten und könne EG-Politik daher nicht aktiv mitbestimmen.[124] (Ende des Exkurses)

Der französische Staatspräsident de Gaulle konnte 1966/67 einer bilateralen Assoziation Österreichs mit der EG nur wenig Positives abgewinnen, zumal er keine Konflikte mit der Sowjetunion wollte.[125] Die Belastungen der diplomatischen Beziehungen zwischen Österreich und Italien aufgrund der Verschleppung der Autonomieversprechen in Südtirol und der dort einsetzenden Bombenanschläge wirkten sich auch hemmend auf die Integrationspolitik aus. Infolge des Südtirol-Junktims (d. h. des Einspruchs gegen jegliche EG-Verhandlungen mit Österreich seitens der römischen Regierung), der Aufrechterhaltung des Vetos de Gaulles gegen einen britischen EG-Beitritt 1967 sowie der Ereignisse in Prag 1968 war Österreich gezwungen, seine ambitionierten Integrationsbemühungen zurückzustellen und von der Politik des „Alleingangs" Abstand zu nehmen.[126]

Wien mußte nach 1963 nun 1967 das Scheitern auch des zweiten Versuchs zu einem Brückenschlag mit der EG zur Kenntnis nehmen. Drei Aspekte förderten dann die von der ÖVP-Alleinregierung forcierte Integrationspolitik:

- der Abschluß des Südtirolpakets und die Rücknahme des italienischen Vetos (1969),

- der Abgang de Gaulles und

– der sich abzeichnende Beitritt Großbritanniens zur EG.

Diese günstigen Vorgänge konnte Josef Klaus nicht mehr für
seine Regierung nutzen, leistete aber mit seiner Integrationspolitik der sechziger Jahre eine nicht zu unterschätzende Vorarbeit für das spätere Arrangement mit Brüssel, welches von Bruno Kreisky, Rudolf Kirchschläger und Josef Sta-
ribacher 1972 auf dem Verhandlungswege in Form von
Freihandelsabkommen verwirklicht werden konnte, wobei
sich jedoch die ursprünglichen Assoziierungsabsichten, gedacht als „Brückenschlag" im Sinne einer vollständigen Freihandelszone für alle Wirtschaftssektoren, nicht verwirklichen ließen. Nach zehnjährigen Bemühungen, die informelle
Mitwirkung an der europäischen Integration konkreter zu
gestalten, stellte sich schließlich doch noch ein Erfolg für die
Bundesregierung ein. Die Zoll- und Handelsverträge von
1972 mit der EG und den übrigen EFTA-Staaten führten
auch die Schweiz und Österreich zwischenzeitlich wieder auf
eine gemeinsame integrationspolitische Linie.

Kanzler Kreisky konnte am 22. Juli 1972 in Brüssel insofern einen „Brückenschlag"[127] vornehmen, als jeweils ein
Freihandels- und ein Interimsabkommen mit den zwei der
drei Teilgemeinschaften der EG, der EWG und der EGKS,
signiert wurde, die Österreich bei seiner Mitwirkung am
westeuropäischen Integrationsprozeß die Wahrung seiner
Neutralitätsverpflichtungen zubilligten. Die Abkommen, die
Anfang 1973 in Kraft traten, implizierten einen völligen Ab-
bau der Zölle und Handelsschranken zwischen Österreich und
der Wirtschaftsgemeinschaft für gewerbliche und industrielle
Waren bis zum 1. Juli 1977 und Handelsliberalisierung auf
dem Agrarsektor. Österreich wurde volle Handlungsfreiheit
gegenüber dritten Staaten, besonders jenen Osteuropas und
im Neutralitätsfall gewährt. Gleichzeitig wurde Wien „jeder-
zeitiges Kündigungsrecht", Freiheit von politischen Bindungen „jeder Art" und genaue Berücksichtigung der Verpflichtungen, die dem Land aus dem Staatsvertrag erwachsen würden, zugesichert. Österreich hatte mit diesen Bestimmungen
jenen schon früher angestrebten Status als „Sonderfall" er-

reicht, der ihm die Option einer weiteren wirtschaftlichen
Westorientierung, aber vor allem die Möglichkeit zur politischen Unabhängigkeit offenhielt.[128] Die Sowjetunion erhob
keinen grundsätzlichen Einspruch gegen dieses Abkommen,
weil es supranationale Bindungen, v. a. aber Verletzungen der
Neutralitätspflichten ausschloß. Die Bundesregierung unter
dem neuen Bundeskanzler Kreisky hatte es geschickt verstanden, Neutralitäts- und Integrationspolitik auf einen Nen-
ner zu bringen. Nachdem die österreichische Europapolitik
1972/73 mit den Handelsverträgen formell einen gewissen
Abschluß gefunden hatte, war der Weg frei für eine an globalen Fragestellungen orientierte Außenpolitik.

4. Von den Freihandelsabkommen zum EG-Beitrittsantrag (1972–1989)

Die im Zeitraum zwischen 1972 bis 1985/86[129] – auch aus
österreichischer Sicht – integrationspolitisch wenig spekta-
kuläre Phase wurde durch eine diesbezüglich weitaus aktive-
re Politik seit Mitte der achtziger Jahre abgelöst.

Von volkswirtschaftlicher Seite wurde argumentiert, daß
Österreich durch das Fernbleiben von der EG (1960–1972)
beträchtliche Wohlfahrts- und Wachstumseinbußen in Kauf
nehmen mußte, die erst nach 1973 wettgemacht werden
konnten:[130] Durch die Freihandelsabkommen wurden die alten Wettbewerbspositionen zwischen EG und EFTA wiederhergestellt. Österreichs Marktanteile stiegen durch eine
diskriminierungsfreie Behandlung seitens der EG: Es holte
handelspolitisch wieder auf und baute seinen eigenen Wachs-
tumsvorsprung Jahr für Jahr aus. Die Freihandelsabkommen erbrachten handelspolitisch eine deutliche Milderung
der wirtschaftlichen Spaltung (EWG-EFTA) in Europa.
Österreichs Handelsströme, die 1960–1972 zu den EFTA-
Staaten verlagert worden waren, gingen wieder tendenziell
zurück zu den Nachbarstaaten, was eine Steigerung der
Wohlfahrtseffekte für das Land bewirkte.[131]

Österreichs Politik der „aktiven Neutralität"[132], die unter Kreisky eine an globalen Fragestellungen orientierte Politik der nationalen Interessen war, behielt jedoch weiter Vorrang vor der Frage der vollen Mitwirkung an der europäischen Integration. Im Unterschied zu Deutschland hatte Österreich auch nur ein „kleines Wirtschaftswunder" vorzuweisen, wobei ihm aber eine Teilung des Landes erspart blieb.

Während der Kleinen Koalition unter Fred Sinowatz und Norbert Steger (1983–1986) bewegte sich europapolitisch nur wenig. Der Trend in bezug auf Beibehaltung des integrationspolitischen Status quo der Ära Kreisky setzte sich fort. Die SPÖ-ÖVP-Koalitionsregierung (1986) begann jedoch alsbald, auf EG-Beitrittskurs zu steuern. Sie verfolgte diesen seit 1987/88 mit Zielstrebigkeit, während sich eine solche Meinungsbildung in den Verbänden und der Bevölkerung weniger rasch vollzog. Einer der massivsten Integrationsverfechter, der noch Mitte der achtziger Jahre bei Vertretern der eigenen Partei Vorbehalte beseitigen und Widerstände überwinden mußte (darunter befanden sich dann später die prominentesten EG-Beitrittsbefürworter),[133] war der außenpolitische Sprecher der ÖVP, Andreas Khol,[134] der gemeinsam mit dem europhilen Außenminister Peter Jankowitsch (SPÖ) bereits im November 1985 die Integrationsdebatte in Österreich eröffnet hatte.[135]

In der Phase von der Bildung der Großen Koalition bis zum österreichischen Beitrittsantrag sprach sich der Großteil der Spitzenpolitiker für eine EG-Mitgliedschaft aus, darunter die Führung der Großparteien – von leichten Nuancen abgesehen – relativ einhellig, während die Grün-Alternativen und die KPÖ ablehnend reagierten. Die FPÖ hatte sich als erste Partei eindeutig integrationsfreudig und EG-beitrittswillig präsentiert,[136] ein Umstand, der nicht allein mit dem Wechsel ihrer Führung (seit 1986 stand der rechtsgerichtete und aktive Oppositionspolitiker Jörg Haider an der Spitze), sondern auch aus einer traditionell proeuropäischen Haltung des „dritten Lagers" zu erklären ist.

Keiner der vier Sozialpartner (Gewerbliche Wirtschafts-, Landwirtschafts-, Arbeiterkammer und Gewerkschaftsbund) nahm in diesem Zeitraum dezidiert gegen die EG Stellung, wie auch in den Medien eine mehr oder weniger gut begründete positive Haltung zur EG festzustellen war.[137]

Der auffallend rasche Wandel von einer zurückhaltenden Regierungsposition vor 1986 hin zu einer forcierten EG-Beitrittspolitik seit 1987/88 schien u. a. in der Erkenntnis der politischen Eliten des Landes begründet, daß notwendige innere Strukturreformen (Budgetsanierung, Steuer-, Gesundheits-, Pensionsreform, der Problemkomplex „Verstaatlichte Industrie" und Österreichische Bundesbahnen) aus eigener Kraft nicht mehr bewerkstelligt werden konnten und der Integrationshebel von außen zur Strukturreform geradezu erfunden werden müßte, würde es ihn nicht geben.[138] Die Delegierung der Problemlösung innerer Konflikte an eine höhere Instanz nach außen schien ein geeignetes Mittel, eine Art „Verantwortungsumverteilung" vorzunehmen. Hinzu kam auch der Integrationsdruck von außen. Unter EG-Kommissionspräsident Jacques Delors erfolgte im Zeichen der Festigung der Achse Paris-Bonn eine Dynamisierung des Integrationsprozesses. Das Binnenmarktkonzept „EG 92", die am 1. Juli 1987 in Kraft getretene Einheitliche Europäische Akte (EEA), der 1988 vorgelegte Cecchini-Bericht („The Cost of Non-Europe"), das „Delors-Paket" (Reform des Finanzierungssystems, der Gemeinsamen Agrarpolitik und die Aufstockung des Strukturfonds der EG) sowie der „Delors-Plan" zur Schaffung einer Wirtschafts- und Währungsunion (WWU) in drei Stufen[139] demonstrierten den ernsthaften Willen zur Vertiefung der europäischen Integration, was entsprechenden Handlungsbedarf in Österreich schuf. Eine bloße Zuschauerrolle wurde infolge des mit der Integration bewirkten technologisch-ökonomischen Modernisierungsschubs in den EG-Ländern immer mehr als Nachteil für Österreichs Wirtschaft interpretiert. Bestand unter den Koalitionspartnern in der Frage einer weiteren Partizipation Österreichs am europäischen Integrationsprozeß Konsens, so löste die Frage des Neutralitätsvorbehalts im Zusammenhang mit dem EG-Beitrittsbegehren 1989 noch koalitionsinterne Konflikte aus. Außenminister Alois Mock (ÖVP) wollte den Antrag ohne Neutralitätsvorbehalt nach Brüssel schicken, Bundeskanzler Franz Vranitzky (SPÖ) bestand auf einer entsprechenden Klausel. Das erst zwei Jahre später von der EG-Kommission erteilte Verhandlungsavis machte deutlich, daß die zur Sprache gebrachten neutralitätspolitischen Reserven zum entscheidenden Problem des Beitritts werden könnten, zumal darin sogar eine „Neudefinierung des Neutralitätsstatus durch Österreich" als Voraussetzung für einen EG-Beitritt des Landes angesprochen wurde.[140] Der EG-Beitrittsantrag vom 17. Juli 1989 hatte seine Wurzeln in einer tiefgreifenden Veränderung der österreichischen Europapolitik nach Bildung der Großen Koalition. Diese weitreichende Entscheidung,[141] getragen von den verantwortlichen politischen Kräften des Landes, könnte als Zäsur in der Geschichte Österreichs nach 1955 erblickt werden. Wie immer reagierte die österreichische Europapolitik auf den europäischen Integrationsprozeß. Innere wie äußere Notwendigkeiten erzeugten dabei Problembewußtsein und einen Entscheidungsdruck. Daraus resultierte Handlungsbedarf. Das Verhalten glich einer regelrechten „Flucht nach vorn", einerseits, um der „Gefahr des Zurückbleibens" im Zuge eines dynamischer werdenden Integrationsprozesses außerhalb des Landes (Furcht vor Wettbewerbsnachteilen seitens des „exponierten" Sektors) zu entgehen, andererseits, um gegen eine gewisse „Austrosklerose" (Hebel für innere Struktur-Reformen des weniger exponierten, „geschützten" Sektors der österreichischen Volkswirtschaft) anzukämpfen.[142]

Hand in Hand mit dem Bedürfnis des expandierenden, ökonomisch-„aktiven" Sektors nach einer verstärkten Verbindung mit dem Gemeinsamen Markt ging eine Relativierung des Neutralitätspostulats.[143]

Die wiederholte Forcierung der Integrationspolitik kann als langfristiger, in verschiedenen Nuancen in Erscheinung getretener Versuch von privat- und staatskapitalistischer Seite, besonders von Teilen der österreichischen Industrie[144] interpretiert werden, sinkenden ökonomischen Einfluß und gerin-

ger werdenden politischen Handlungsspielraum durch neue
Möglichkeiten der Partizipation an entsprechenden Großräu-
men zu kompensieren bzw. langfristig auszuweiten.[145]

Vor dem Hintergrund des zu Ende gehenden Kalten Krieges wurde die Neutralität bei der beabsichtigten Annäherung
an die EG seitens der politischen und diplomatischen Eliten
als immer hinderlicher empfunden,[146] jene Neutralität, die
bis vor dem Umbruch 1989 in Osteuropa[147] gerade zur politischen Abgrenzung vom Osten („Schutzschild"-Funktion) als
selbstverständlich gehandhabt worden war. Ein im Auftrag
der Vereinigung Österreichischer Industrieller erstelltes und
in seiner Wirkung auf die Integrationsdiskussion nicht zu
unterschätzendes Gutachten der Völkerrechtler Waldemar
Hummer und Michael Schweitzer erklärte einen EG-Vollbeitritt unter Neutralitätsvorbehalt als rechtlich möglich, womit ein spektakulärer Bruch mit der herrschenden österreichischen Völkerrechtslehre (Alfred Verdross, Karl Zemanek,
Stephan Verosta, Ignaz Seidl-Hohenveldern) erfolgte, die
Österreichs Neutralität mit einem EG-Vollbeitritt für unvereinbar erklärt hatte. Das Gutachten, welches keine wesentlichen neutralitätspolitischen Hindernisse mehr sah, blieb
umstritten, zumal sich Rechtsexperten über die Möglichkeit
der Teilnahme Österreichs an der Europäischen Politischen
Zusammenarbeit (EPZ) bzw. der Gemeinsamen Außen- und
Sicherheitspolitik (GASP) nicht einigen konnten. Die Kritiker sahen v. a. Schwierigkeiten bei Ausfuhrbeschränkungen
bzw. -verboten bezüglich Kriegsmaterial im Falle der Kon-
fliktinvolvierung eines anderen EU-Staates, was mit dem
Prinzip des freien Warenverkehrs in Widerspruch geraten
könnte, sowie bei einseitigen Ausfuhrembargos gegen eine
Nicht-EU-Kriegspartei.[148]

Zweifelsohne hatte mit Ende des Ost-West-Konflikts
(1989/90) und der Auflösung der Sowjetunion (1991) der Fragenkomplex Neutralität an politischer Brisanz verloren.[149]
Wien argumentierte, daß es den Neutralitätsvorbehalt für
EWG-vertragskonform halte und die bestehenden Sonder-
klauseln im Konfliktfall in Anspruch nehmen wolle. Ob die

bei Berührung und Wahrung solcher Sicherheitsinteressen im EWG-Vertrag vorhandenen Notstandsklauseln anwendbar sind, blieb aber ungewiß. Die Überprüfung dieser Problematik durch den Europäischen Gerichtshof schien außerdem eine Beschneidung der österreichischen Neutralitätsauslegung und – handhabung zu bedeuten.[150]

Mit der Bereitschaft zur schrittweisen Einschränkung von Handlungsspielräumen (d. h. auch freiwilliges Abrücken von nationalen Souveränitätsrechten) zugunsten einer Mitwirkung am westeuropäischen Integrationsprozeß hatte sich Österreich schon früh als Vorreiter der europäischen Neutralen für eine Intensivierung der Beziehungen zur EG profiliert. Insofern stellte das EG-Beitrittsansuchen vom Sommer 1989 als solches nichts revolutionär Neues dar (wenngleich der geplante Beitritt langfristig betrachtet eine neue Qualität an Integration beinhalten wird), sondern war Konsequenz einer teils behutsamen, teils verdeckten, langfristig angelegten, sukzessive erfolgten und quer durch die beiden größten politischen Lager gehenden, wenn auch nicht immer konfliktfreien Politik.

5. Vom Beitrittsantrag zum EWR- und Transitvertrag (1989–1992)

Die Beziehungen zwischen EG und EFTA erfuhren bereits durch das erste gemeinsame EG-EFTA-Ministertreffen und die „Luxemburger Erklärung" vom 9. April 1984 eine Dynamisierung. Mit Blick auf den 1. Januar 1993 und die weitgehende Vollendung des EG-Binnenmarktes[151] griff der Präsident der EG-Kommission, Jacques Delors, am 17. Januar 1989 die Idee eines Europäischen Wirtschaftsraums (EWR) auf, wobei die EFTA-Staaten das Binnenmarktrecht adaptieren und gemeinsame Entscheidungs- und Durchführungsorgane, d. h. eine Assoziation, bilden sollten.[152]

Gab es zunächst noch Probleme mit dem Europäischen Gerichtshof in der Frage des Nachvollzugs von EG-Rechtsbestimmungen, konnte infolge längerer Nachverhandlungen am 2. Mai 1992 in Porto das EWR-Abkommen (Assoziierung von EFTA-Ländern nach Artikel 238 EWG-Vertrag) unterzeichnet werden.[153] Der EWR-Vertrag passierte dann auch am 22. September 1992 das Parlament.[154] Mit dem als gesetzesändernden, -ergänzenden und politischen Staatsvertrag zu beurteilenden EWR-Abkommen wurde die Mitgliedschaft in der EG auf rechtlicher Basis bereits weitgehend antizipiert, wobei Gleichberechtigung zwischen EG- und EFTA-Bürgern durch schrittweise Übernahme von EG-Rechtsakten erzielt werden sollte. Die Heranführung der EFTA an den EG-internen Willensprozeß war allerdings nicht mit der Möglichkeit einer Mitentscheidung in den EG-Organen verbunden. Dies wies den EWR auch als Übergangsstadium zur EG-Mitgliedschaft aus. Konsultation statt Mitbestimmung war auch der Preis, den die EFTA-Staaten für die EWR-Zugehörigkeit zahlen mußten. Ein „autonomer Nachvollzug" von EG-Recht schien auch aufgrund der isolierten Vorgangsweise in vielen Fällen keine tatsächliche Gleichberechtigung bewirken zu können, wobei der „Vor-EWR-Zustand" als „eigentliche ‚Satellisierung'" empfunden wurde. Nur durch einen EG-Beitritt könne Österreich bei der Entstehung neuer EG-Rechtsakte auf Dauer mitentscheiden und dabei seine Souveränität stärken, zumal diese bei einem Fernbleiben von EWR und EG nur formal gewahrt bliebe.[155]

Der EWR-Vertrag, ein multilaterales Assoziationsverhältnis von zunächst fünf EFTA-Staaten (Österreich, Norwegen, Schweden, Finnland und Island) mit der EGKS und der EWG in Form einer verbesserten Freihandelszone, trat mit Verspätung von einem Jahr am 1. Januar 1994 in Kraft. Insgesamt 372 Millionen sollten dadurch in den Genuß der Vorteile eines freien Waren-, Dienstleistungs-, Kapital- und Personenverkehrs kommen. Seit diesem Zeitpunkt konnten sich österreichische Firmen auch bei Ausschreibungen in EG-Ländern bewerben. Für Direktinvestitionen innerhalb der 17 beteiligten Länder wurden devisenrechtliche Beschränkungen aufgehoben, EWR-Bürger konnten in jedem Staat des Wirtschaftsraums Arbeit suchen, ohne eine Arbeitsbewilligung beantragen zu müssen.[156]

Aufgrund der Problematik, inwieweit durch den EWR-Vertrag eine mögliche Gesamtänderung der Verfassung vorläge, tauchte wiederholt die Frage auf, ob Abkommen mit der EG volksabstimmungspflichtig sind oder nicht. In dieser Frage kamen der Präsident des Österreichischen Verfassungsgerichtshofs, Ludwig Adamovich, und der Verfassungsdienst im Bundeskanzleramt – wie kaum anders zu erwarten war – zu dem Ergebnis, daß die Aufnahme Österreichs in den EWR nicht den Charakter einer Gesamtveränderung der Bundesverfassung[157] annehmen würde und somit eine Volksabstimmung nicht erforderlich sei. Damit befanden sie sich im Einklang mit der Mehrheit der österreichischen Verfassungsjuristen.

Der im Mai mit Österreich signierte Transitvertrag war am 9. Juli 1992 ebenfalls als gesetzesändernder und ergänzender Staatsvertrag genehmigt worden (in Kraft getreten am 1. Januar 1993). Diese Vereinbarung brachte u. a. ein Ökopunktesystem und wurde auf eine Dauer von 12 Jahren geschlossen. Der Erfolg der Bestimmungen hing aber von den noch offenen Umsetzungen ab, wobei vorgesehen war, das Transitabkommen als festen Bestandteil des zukünftigen EG-Beitrittsvertrages zu verankern, was zum Leidwesen der rührigen Tiroler Bürgerinitiativen immer unsicherer wurde[158] und letztlich nicht zustandekam. Die Skeptiker sollten Recht behalten.

Nicht allein deshalb hielt sich die österreichische EG-Euphorie in Grenzen: Zwischen 1990 und 1993 hatte sich die politische, v. a. aber die ökonomische Struktur in Europa und die Situation innerhalb der EG verändert. Die ökonomischen Folgen der deutschen Einheit[159] wirkten sich nachteilig auf die wirtschaftliche Dynamik der europäischen Integration aus. Zusammen mit den übrigen Staaten Osteuropas[160] stand Österreich Schlange um Aufnahme als Vollmitglied, während die EG-Staaten von der Rezession voll betroffen waren, das Fehlen einer europäischen Sicherheitspolitik angesichts der Jugoslawien-Krise 1991/92 deutlich wurde und das Europäische Währungssystem (EWS) im Sommer 1993 aus allen Fugen geriet.

Vor diesem Hintergrund erschienen die Zielsetzungen von Maastricht[161] als ein letzter Versuch zur gemeinsamen Anstrengung, die zentripetalen und europhilen Kräfte noch einmal zu konzentrieren. Am 9. und 10. Dezember 1991 hatten die Staats- und Regierungschefs auf einer Gipfelkonferenz dem Vertrag zur Schaffung einer Wirtschafts-, Währungs- und politischen Union mit Aufwertung der WEU im Rahmen der Gemeinsamen Außen- und Sicherheitspolitik zugestimmt, der im Februar 1992 unterzeichnet werden konnte.[162]

Für Österreich stellte sich einmal mehr die Frage nach der grundsätzlichen Vereinbarkeit der WEU mit der „immerwährenden Neutralität" und ihrer Beibehaltung in einer zukünftig geplanten Europäischen Union.[163] Von besonderer Tragweite für die weitere Entwicklung sollte hierbei die Entschließung des Nationalrats vom 12. November 1992 werden, in der sich die Volksvertretung „vollinhaltlich mit den Zielsetzungen der Gemeinsamen Außen- und Sicherheitspolitik (GASP) der Europäischen Union identifiziert" hat und die Bundesregierung aufgefordert wurde, „sicherzustellen, daß Österreich an der Entwicklung eines Systems der kollektiven Sicherheit in Europa teilnehmen kann".[164]

Die unsichere Lage in Europa und die nachlassende EG-Euphorie blieben auch der Opposition nicht verborgen: Im Sommer 1992 schwenkte die von Jörg Haider seit 1986 zunehmend monokratischer geführte FPÖ auf stark betonten Anti-EG-Beitrittskurs ein. Diese Kehrtwendung war – angesichts der geteilten Stimmung in der Bevölkerung – primär aus wahltaktischem bzw. machtpolitischem Kalkül erfolgt. Im Frühjahr 1993 deutete sich wieder ein Rückzug der in diesem Punkt zu weit vorgepreschten FPÖ-Führung an.[165] Haider behielt aber im wesentlichen den Kurs bei.

6. Von den Beitrittsverhandlungen bis zur Volksabstimmung 1994

Seit Beginn der neunziger Jahre versuchte die Bundesregierung die Bevölkerung von der Notwendigkeit einer EG-Mitgliedschaft des Landes zu überzeugen, zumal diese auch eine
Volksabstimmung erforderlich machte und das österreichische Rechts- und Gesetzessystem einschneidend verändern
sollte. Im Februar 1993 begannen die Verhandlungen zwischen
Österreich und der EG.[166] Vranitzky erklärte, daß sein Land
ihr ohne Vorbehalte folgen und in Solidarität im dynami-
schen Prozeß des gemeinsamen europäischen Projekts mitar-
beiten werde.[167] Die öffentliche Meinung war aber noch gespalten. Im September 1993 plädierten nur 40 Prozent der
Österreicher für eine Mitgliedschaft, während sich 33 Prozent dagegen aussprachen. Der Rest blieb unentschieden.[168]

Angesichts eines noch nicht bestehenden europäischen Si-
cherheitssystems und der ökonomischen Krise in der EU
schien einerseits vorzeitiger Verzicht auf Neutralität und eine Beitrittspolitik des „alles oder nichts" problematisch, zumal klar war, daß Österreich als „Nettozahler" auch in die
EU viel einzubringen haben würde (man prognostizierte ca.
29 Milliarden öS pro Jahr Mehrwertsteuer-, EU-Eigenmittel-
anteile und Zollabfuhren, im Vergleich zu Rückflüssen von
rund 17 Milliarden öS – überwiegend für den Agrarbereich).[169] Andererseits konnte eine auf politische Finalisie-
rung angelegte Staatengemeinschaft von einem nicht nur
ökonomisch, sondern auch politisch und militärisch anpas-
sungsbereiten (wenn auch neutralen) Beitrittskandidaten
Bereitschaft zu bestimmten Vorleistungen bzw. zur Akzeptanz von Prinzipien erwarten, deren Realisierung sich diese
Gemeinschaft als Ziele gesetzt hatte.

Die österreichische Regierung drängte – trotz Vorbehalten
von EU-Staaten, die eine Vertiefung der Gemeinschaft einer
Erweiterung vorzogen – mit aller Macht auf eine rasche Ei-

nigung mit Brüssel. Im Februar 1994 fehlte noch der Abschluß von zehn der 29 Kapitel, darunter v. a. die großen
„Verhandlungsbrocken". Lediglich Machtworte der Spitzenpolitiker auf beiden Seiten schienen die Verhandlungen mit
der EU – für die notwendige Wahrung des Aufnahmetermins
1. Januar 1995 – noch im März zum Abschluß zu bringen.

Der bundesdeutsche Außenminister Klaus Kinkel (FDP)
avancierte – bestärkt durch Bundeskanzler Helmut Kohl
(CDU) – „zum Makler zwischen Aspiranten und Alteingeses-
senen"[170] und warnte eindringlich vor den negativen Folgen
eines Scheiterns. So wurden den Beitrittskandidaten Konzessionen gemacht, die in der EU-Runde gegen die massive Kritik
Frankreichs und Spaniens durchgesetzt werden konnten. Neben Schweden und Finnland (bei Norwegen gab es noch Probleme mit den Fischereirechten) einigte sich auch Österreich
am 2. März mit der EU. Für Außenminister Mock – dem laut
Umfragen (bis zu 70 Prozent) in erster Linie das Verhandlungsergebnis zugeschrieben wurde[171] – war dies ein „historischer Tag". Mit einer Delegation von Spitzenpolitikern hatte
er ein insgesamt respektables Resultat erzielt,[172] obgleich die
Neutralität kein Verhandlungsgegenstand mehr war.[173]

Zum Ergebnis[174] im einzelnen: Die Beibehaltung der österreichischen Umweltstandards wurde durch die Verhandlungen garantiert. Im Bereich des Transitverkehrs schien zunächst die österreichische Position gewahrt: Das 1992 zwischen Wien und Brüssel geschlossene Abkommen sollte die
LKW aus der EU durch ein „Ökopunktesystem" zwingen, bis
2004 die Schadstoffbelastungen auf den Alpenstraßen ausgehend von 1991 um 60 Prozent zu vermindern. Gleichzeitig
enthielt es Bestimmungen zum Ausbau der Eisenbahninfra-
struktur und der Förderung des kombinierten Verkehrs. Obwohl der Transitvertrag im Widerspruch zum Binnenmarkt
stand, sollte er ursprünglich in Kraft bleiben. Würde das Ziel
der Umweltentlastung schon 2001 erreicht sein, so konnte
der Vertrag vorzeitig auslaufen.[175] Österreich sollte aber Vetorecht mit automatischer dreijähriger Verlängerung haben.
Die Entwicklung nach dem Beitritt ließ bald erkennen, daß

die Vereinbarungen hinfällig wurden. Die Kernpunkte konnten von Österreich nicht durchgesetzt werden, der Transitvertrag blieb de facto außer Kraft, und der Schwerverkehr
v. a. durch Tirol nahm weiter zu.

Beim Fragenkomplex Landwirtschaft einigte man sich auf
ein „Kompromißmodell". Die Bauern waren zwar mit der
sofortigen Marktöffnung und Senkung der Agrarpreise konfrontiert, sollten aber vier Jahre Preisausgleichsprämien
(„degressive Ausgleichszahlungen" im Ausmaß von 13,6 Milliarden öS) erhalten, die sich jährlich verringern würden.
Entgegen der ursprünglichen Position sollte es angeblich
auch eine Kostenbeteiligung der EU geben. Die Ausgleichszahlungen ließen aber noch geraume Zeit nach dem Beitritt
auf sich warten.

In der Frage des Grundverkehrs sollten bei den Zweit-
wohnsitzen Tirol und Salzburg ihre landesgesetzlich getroffenen und explizit ausländerdiskriminierenden Regelungen
(Kauf einer Wohnung nur bei fünfjährigem Hauptwohnsitz in
Österreich) bis zum Jahr 2000 beibehalten können.[176]

Das – gemessen an der österreichischen Verhandlungsposi-
tion (gemeinsam mit drei anderen Beitrittswerbern) und der
entsprechenden Verhandlungstaktik – insgesamt noch als
positiv erscheinende Verhandlungsergebnis von Brüssel und
der Jubel um die heimkehrende Delegation hatten – ganz im
Unterschied zur massiven Opposition der Grünen und Freiheitlichen – in der Öffentlichkeit zu einem deutlichen Stim-
mungsumschwung für den EU-Beitritt geführt.[177]

Ob dieser Trend bis zu der für den Juni geplanten Volksab-
stimmung anhalten sollte, war aber noch ungewiß. Nach der
EU-internen Einigung über die Frage der Erhöhung der
Sperrminorität im Ministerrat war auch der Weg für die
EU-Abstimmung frei.[178]

Am 30. März 1994 unterzeichneten Schweden, Finnland,
Norwegen und Österreich die Verhandlungspakete der Beitrittsverträge. Das Europaparlament ließ diesen am 4. Mai
breite Zustimmung zuteil werden. Mit 374 „Ja"- bei 24

„Nein"-Stimmen und 61 Enthaltungen – es wären an sich nur 259 Ja-Stimmen von den insgesamt 516 Abgeordneten erforderlich gewesen – entschied es positiv.[179] Bei der Abstimmung über das Beitritts-Bundesverfassungsgesetz am 5. Mai im Nationalrat wurde die erforderliche 2/3-Mehrheit mühelos erreicht. 140 Abgeordnete stimmten für den Vertrag mit der EU, darunter jene der ÖVP, SPÖ und des Liberalen Forums geschlossen. Bis auf eine Ausnahme sprachen sich die Grünen und alle FPÖ-Mandatare (35) dagegen aus.[180]

Die entscheidende Frage, die der Bevölkerung am 12. Juni gestellt wurde, lautete:

„Soll der Gesetzesbeschluß des Nationalrats vom 5. Mai 1994 über das Bundesverfassungsgesetz über den Beitritt Österreichs zur Europäischen Union Gesetzeskraft erhalten?"[181]

Die Befragten reagierten eindeutig. Die EU-Abstimmung brachte ein überraschend klares Votum. Fast 2/3 der Österreicher sprachen sich für den EU-Beitritt aus! 66,6 Prozent stimmten mit Ja, 33,4 mit Nein. In allen Bundesländern überwogen die Ja-Stimmen (bei 5.790.578 Stimmberechtigten). Die meisten EU-Befürworter gab es im „Ziel 1-Gebiet" Burgenland (fast 75 Prozent), im Transitland Tirol mit 56,6 Prozent die wenigsten. Die Wahlbeteiligung lag österreichweit bei 82 Prozent.[182] In keinem einzigen politischen Bezirk gab es einen Überhang an Nein-Stimmen.

Mit Ausnahme Irlands (68,7-%-Votum für die EU im Juni 1992) hatte sich noch kein Land Europas so eindeutig für das Maastricht-Europa entschieden. Bei den übrigen Plebisziten der vergangenen Jahre lag die Mehrheit prozentuell deutlich darunter (Frankreich mit 51,05% im September 1992, Dänemark im zweiten Anlauf mit 56,8% im Mai 1993, zwischenzeitlich hatte die Schweiz die Mitgliedschaft im EWR mit 50,3% der Stimmen abgelehnt).

Eine Zwei-Drittel-Mehrheit in einer Entscheidung, deren Ergebnis so lange ungewiß war und für die bis zuletzt eine „ans Unerträgliche grenzende Propagandaschlacht tobte",[183] war nicht zu erwarten. Wie ist dieses erstaunlich hohe Votum in Österreich zu erklären?

1. Die Hoffnung, daß die EU nicht nur Sicherheit, sondern auch wirtschaftlichen Wohlstand und Wachstum bringen würde (39 Prozent) sowie die Sorge vor einer Isolation bei einem „Nein" (19 Prozent) und die allgemein positive Einstellung zur europäischen Einheit (17 Prozent) waren ausschlaggebende Motive.[184]

2. Die Große Koalition gab sich in dieser historisch wichtigen Entscheidungsfrage nach außen geschlossen und staatstragend. Das Zusammenwirken der Großparteien und die Appelle an das Wahlvolk waren laut Meinungsforschern mitentscheidend: Rund drei Viertel der SPÖ-Anhänger sind der Pro-EU-Linie ihrer Partei, bei der ÖVP rund zwei Drittel der Parteiführung gefolgt.[185]

3. Das konzertierte Auftreten von Bundespräsident, Regierung, Kirche (Kardinal König, Bischofskonferenz), Interessenvertretungen (Industriellenvereinigung, Bundeswirtschaftskammer und ÖGB) und der wichtigsten Medien, die sich alle einhellig für die EU aussprachen, schufen einen „Überzeugungsdruck", dem man sich nur schwer entziehen konnte.[186]

4. Der Obrigkeits- und Autoritätsglaube spielte eine nicht unwichtige Rolle. Die Loyalitätsappelle der Spitzenpolitiker waren v. a. bei den älteren Wählern erfolgreich. Die 60jährigen und Älteren stimmten mit ca. 70 Prozent, von den unter 30jährigen aber nur 55 Prozent für den EU-Beitritt.[187]

5. In der Woche vor dem Referendum wurde seitens der Regierung eine nahezu perfekte Beitrittspolitik via Medien inszeniert (die Werbekampagne kostete laut Falkner 130 Millionen öS[188] – was zu niedrig angesetzt erscheint), der die EU-Gegner – die nicht geschlossen auftraten, ihre Argumente nicht zu konzentrieren verstanden und teilweise mit diffusen Behauptungen operierten – nichts Wirksames mehr entgegenzusetzen hatten. In dieser Phase kippte die Stimmung zu dem überragend positiven Resultat.

Mitentscheidend aber sollte sein, daß die EU-Gegner kein
klares Konzept als Alternative für einen Nicht-Beitritt pa-
rat hatten bzw. entsprechend publikumswirksam zu formulieren vermochten und teilweise maßlos überzogen.

Das Ja zur EU stand für die Meinungsforscher seit dem
dramatischen Verhandlungsmarathon in Brüssel nicht
mehr ernsthaft in Frage. Die Gruppe der Unentschiede-
nen bereitete vor der Abstimmung noch die größten Sorgen für die Regierung. 30 Prozent aller Stimmberechtigten wechselten im Laufe der Stimmenwerbung vom EU-
Nein zum EU-Ja, während 17 Prozent von
EU-Befürwortern zu EU-Gegnern wurden. Der Netto-Sal-
do von 13 Prozent zugunsten der „Ja-Sager", eine bemerkenswerte Fluktuation, gab letztlich den Ausschlag für
das triumphale Beitrittsvotum.[189]

6. Mitentscheidend für das klare Ja war auch der Schulter-
schluß zwischen Regierung und dem auflagenstärksten
Blatt des Landes, der *Neuen Kronenzeitung,* zu Jahresbeginn 1994. Insofern dürfte dem Urteil zuzustimmen sein,
daß Österreich „eher überredet als überzeugt" nach Brüssel zog.[190]

7. Das für die öffentliche Meinung sensible Thema Neutralität, der für das nationale Selbstverständnis der Österreicher nicht unwesentliche „Faktor Deutschland" und die
zukünftigen sicherheitspolitischen Konsequenzen bei einem österreichischen EU-Beitritt (WEU, GASP)[191] wurden von Regierungsseite in der EU-Kampagne vor der
Abstimmung bewußt und geschickt ausgeklammert.

8. Ein mentalitätsgeschichtlicher Aspekt dürfte auch von Bedeutung gewesen sein: Das klare Votum für die EU kann
auch als Fluchtverhalten aus der verkrusteten und
reformunfähigen „Skandalrepublik" der achtziger Jahre
(vgl. z. B. die Affäre Waldheim) interpretiert werden, um
mit der Zugehörigkeit zur EU eine Art Ersatz-Identität
und den Weg zurück zu historischer Größe einzutau-
schen.[192]

7. Die Entwicklung vom Referendum bis Anfang 1995

Die jüngste Entwicklung läßt sich im folgenden chronologisch skizzieren. Der Ausgang des Referendums machte das Bundesverfassungsgesetz über den Beitritt Österreichs zur EU vom 5. Mai rechtsgültig. Die EU-Spitzenvertreter tagten am 24. Juni auf Korfu. Dort wurde der Beitrittsvertrag zwischen Österreich und der Union unterschrieben.[193] Bis zuletzt war aber unklar, wer von österreichischer Seite unterschreiben sollte. Außenminister Mock, Bundeskanzler Vranitzky oder Bundespräsident Thomas Klestil kamen in Frage. Neun Tage vor Unterzeichnung hatte Klestil – gestützt auf ein Gutachten des Verfassungsjuristen Friedrich Koja – seinen Vertretungsanspruch nach außen deponiert.[194]

Nach längerem, in der Öffentlichkeit ausgetragenen Tauziehen stand fest, daß Vranitzky, Mock, EU-Chefverhandler und Botschafter Manfred Scheich sowie der Sektionsleiter im Bundeskanzleramt Ulrich Stacher den Vertrag unterzeichnen würden.[195] Österreich standen fortan 21 Mandate im Europaparlament zu. Es konnte auch im Rat der ständigen Vertreter aktiv mitwirken und dort den Vorsitz übernehmen. Im EU-Ministerrat hat Wien vier Stimmen (Deutschland im Vergleich nur 10).[196]

Daß von den Problemen, die Österreich aus dem bevorstehenden EU-Beitritt erwachsen würden, v. a. die FPÖ profitieren könnte (worauf Haider von Anfang an spekulierte), sollte sich ansatzweise bereits am 9. Oktober bei der Nationalratswahl zeigen. Die FPÖ verbesserte sich von 16,6 auf 22,6 Prozent, während ÖVP und SPÖ starke Verluste hinnehmen mußten, wobei der Wahlausgang primär innenpolitisch motiviert war.[197]

Das für die Große Koalition äußerst negative Ergebnis mit dem Verlust der Zweidrittel-Mehrheit hing auch damit zusammen, daß die günstige Stimmung um das Referendum vom 12. Juni im weiteren Gefolge durch kleinliches Gezänk um Kompetenzen, Außenvertretung und Umsetzung der EU-Beschlüsse rasch wieder verspielt wurde. Die Qualifikation für die bevorstehenden Aufgaben in der Gemeinschaft geriet in Zweifel,[198] der „Geist von Brüssel" war großkoalitionären Zwistigkeiten gewichen. Dafür hatte der „böse Geist von Korfu" Platz gegriffen.[199]

Am 1. Juli übernahm Deutschland von Griechenland den EU-Vorsitz, um die Erweiterung der EU möglichst bis Jahresende zu erreichen: Die drei skandinavischen Länder mußten noch über ihren Beitritt abstimmen, so Finnland am 16. Oktober, Schweden am 13. und Norwegen am 28. November. Während sich die politischen Führungen der skandinavischen Länder für einen EU-Beitritt stark machten, verhielt sich ein großer Teil ihrer Bevölkerungen skeptisch bis ablehnend.[200]

Die Finnen stimmten dann allerdings mit einer Mehrheit von 57 Prozent dem Beitritt ihres Landes zu,[201] die Schweden mit bereits weniger, nämlich 52,2 Prozent,[202] während die Norweger eine EU-Mitgliedschaft mit 52,2 Prozent ablehnten.[203]

Diese Ergebnisse hatten zur Folge, daß der EFTA nur mehr Norwegen, die Schweiz und Island angehörten, der Gemeinsame Markt sich hingegen um 20 Millionen Konsumenten erweiterte. Die Parlamente der übrigen 12 EU-Staaten mußten allerdings der EU-Erweiterung noch zustimmen.

Am 29. Oktober wurde der Tiroler Bauernbündler und ehemalige Kammeramtsdirektor, Landwirtschaftsminister Franz Fischler, als Österreichs erster EU-Kommissar bestellt und mit dem prestigeträchtigen wie schwierig zu leitenden Agrarressort betraut, welches allein mehr als die Hälfte des gesamten EU-Budgets verwaltet.[204]

Am 11. November 1994 wurde der EU-Vertrag vom Nationalrat ratifiziert. Am 22. November konnten auch Klestil und Vranitzky den EU-Beitritt Österreichs mit ihren Unterschriften besiegeln.[205]

In einer Vier-Parteien-Einigung über die Begleitgesetze zum Beitritt zur Europäischen Union vom 5. Dezember er-

zwangen Grüne und Liberales Forum mehr Mitsprache des
Nationalrats bei der österreichischen Politik in Brüssel. Weiters sollten Regierungsmitglieder, d. h. der Bundeskanzler
bzw. der Außenminister, nicht aber der Bundespräsident
Österreich im EU-Rat vertreten.[206]

Am 22. Dezember wurden 21 Parlamentarier gewählt, die
Österreich mit Jahresbeginn im Europa-Parlament bis zu
den Europawahlen vertreten sollten. 14 Nationalrats- und 7
Bundesratsabgeordnete wurden nach Straßburg entsandt.[207]

Am 30. Dezember hinterlegte Spanien als letztes EU-Mitglied die Ratifikationsurkunde für die Beitrittsverträge
Österreichs, Schwedens und Finnlands in Rom. Damit wurde
der Beitrittstermin 1. Januar definitiv gesichert. Die Beitrittsverträge konnten somit auch zum Jahreswechsel in
Kraft treten. Vranitzky stellte das „historische Datum" des
EU-Beitritts auf eine Stufe mit der Gründung der Republik
im Jahre 1918 und dem Abschluß des Staatsvertrages 1955.
Österreich werde jetzt gleichberechtigt am Binnenmarkt,
aber auch an der Dynamik der europäischen Integration teilnehmen können. Mock sprach vom „Beginn eines neuen Kapitels der österreichischen Geschichte". Das Datum stelle
„den Zielpunkt eines politischen Weges dar, der seit bald
vierzig Jahren auf die Einbindung Österreichs in die europäische Integration ausgerichtet gewesen sei".[208]

Diese offiziellen Verlautbarungen werfen die noch zu disku-
tierende Frage nach der historischen Kontinuität der österreichischen Integrationspolitik von 1945 bis zum EU-Beitritt von
1995 auf, der wirtschaftshistorisch als „eine konsequente Folge
vorangegangener Westorientierungen"[209] interpretiert wird.

Mit Januar 1995 gehörte Österreich nicht nur der Europäischen Union, sondern auch dem Europäischen Währungssystem (EWS) an. Seit Jahresbeginn nahm Wien auch an den
Sitzungen der WEU teil, die als Ergänzung zur NATO zum
sicherheitspolitischen Instrument der EU ausgebaut werden
sollte. Zehn EU-Staaten sind WEU-Mitglieder, die europäischen Neutralen haben Beobachterstatus.[210]

Am 3. Februar trat Österreich als 25. Land dem NATO-Abkommen „Partnerschaft für den Frieden" (Partnership for Peace = PfP) bei. Mock betonte nach dem Ministerrat am 31. Januar, der ein Rahmenabkommen mit dem Atlantischen Bündnis beschlossen hatte, daß man vorerst auf gemeinsame Manöver (u. a. aus Kostengründen) verzichten werde. Die Grenze des Einsatzes sei das Neutralitätsgesetz. Dieser Fragenkomplex war in der Koalition bis zuletzt umstritten gewesen. Mit Ausnahme Irlands, der Schweiz und Ex-Jugoslawiens war damit das gesamte Europa am Dialog zwischen 16 NATO-Staaten und 25 Friedenspartnern beteiligt.[211] Am 10. Februar unterzeichnete Mock das entsprechende Dokument in Brüssel. Das PfP enthält keine Beistandsverpflichtung, schafft aber entsprechende individuelle Kooperationsmöglichkeiten mit der NATO.[212]

Im Januar 1995 nahmen erstmals auch die Vertreter der drei neuen EU-Mitglieder an der Vollversammlung des EU-Parlaments teil. Neben den 21 Abgeordneten von fünf Parlamentsfraktionen aus Österreich wurde das Europaparlament noch durch 22 schwedische und 16 finnische von insgesamt 567 auf 626 Abgeordnete erweitert.[213]

8. Zusammenfassung und Gesamtinterpretation

Die geostrategisch und sicherheitspolitisch heikle Lage, die Größe und spezifische Ressourcenlage des Staates sowie die Abhängigkeit seiner ökonomischen und sozialen Lebenschancen von den Handels- und Wirtschaftsbeziehungen zum westlichen Ausland zwangen die Bundesregierung *kontinuierlich* zu einer schrittweisen und gewissermaßen langfristig angelegten Integrationspolitik, die sich während außenpolitischer Krisen und international spannungsreicher Phasen weder einseitig festlegte, noch das Band abreißen ließ und sich somit bezüglich des europäischen Einigungswerks weitere zukünftige Partizipationsmöglichkeiten offenhielt.

Im Rückblick erweist sich die 1955 gewählte Neutralitäts-
option als Mittel zum Zweck, d. h. zum Abzug der russischen
Truppen und zur Fortsetzung der geistig-kulturellen, ökonomischen und partiell auch militärischen Westorientierung des
Landes, die mit einer mehr oder weniger starken Annäherung
an den europäischen Einigungsprozeß verbunden war. Daneben diente die „immerwährende Neutralität" mit Blick auf die
Sowjetunion zur „Abschirmung" Österreichs von „NATO-
Deutschland" und dem Westen gegenüber zur Abgrenzung des
Landes vom kommunistischen Osten. Zusätzlich bot diese fle-
xible Politik die Möglichkeit, Souveränität zu erlangen und zu
bewahren und im Staatsinnern einen nicht unwesentlichen
Beitrag zur nationalen Identitätsbildung zu leisten. Die österreichische Neutralität hatte die verschiedenen Regierungen
auch nicht gehindert, aktive Außenpolitik mit unterschiedlichen Schwerpunktsetzungen zu betreiben.

Österreichs Integrationspolitik wies in den fünf Jahrzehnten nach 1945 wiederholt unterschiedliches Tempo auf – was
mit der jeweiligen Dynamik und Stagnation des europäischen Integrationsprozesses eng zusammenhing und weitgehend parallel verlief. Drängen und Bremsen in bezug auf
Teilnahme an der Integration war aber nicht nur durch au-
ßen-, sondern auch durch innenpolitische Faktoren bedingt:
War in den vierziger und fünfziger Jahren aufgrund des alliierten Besatzungsregimes und des Kalten Krieges keine aktive Integrationspolitik möglich und daher eine behutsame
Vorgehensweise festzustellen, so dominierte in den sechziger
Jahren eine forcierte Integrationspolitik, der „Alleingang
nach Brüssel", der jedoch an zahlreichen, v. a. außenpolitischen Widerständen scheiterte. In der Ära Kreisky (1970–
1983) trat Integrationspolitik im Zeichen der „Eurosklerose"
(Stagnation der Entwicklung der EG) zugunsten einer österreichischen Außenpolitik der Internationalisierung und Globalisierung (OECD-, KSZE- und Nahostpolitik, Engagement
im Nord- und Südkonflikt) wieder in den Hintergrund. Unter
der Kleinen Koalition Sinowatz-Steger (1983–1986) wurde
diese Tendenz bestätigt. Erst nach Regierungsantritt der

Großen Koalition (1986) verschob sich unter dem Eindruck der äußeren Veränderungen (angesichts der verabschiedeten Einheitlichen Europäischen Akte, des angestrebten Binnenmarkts und des ausklingenden Kalten Krieges) sowie innerer Zwangslagen (eskalierende Krise um die Verstaatlichte Industrie, großer Reformbedarf im institutionellen wie gesellschaftspolitischen Bereich) das Schwergewicht wieder in Richtung forcierter Integrationspolitik.

Zieht man Bilanz, so ist festzuhalten, daß Österreichs Interesse am europäischen Integrationsprozeß überwiegend wirtschafts- und außenhandelspolitisch bestimmt war. Hierbei spielte die offiziell betonte Wahrung der aus dem Jahre 1955 eingegangenen Verpflichtungen eine bemerkenswert starke Rolle. Noch 1989 brachte die Bundesregierung in ihrem Beitrittsantrag, der primär aus der ökonomischen Interessenlage des Landes zu verstehen war, einen expliziten Neutralitätsvorbehalt ein. Wieder sollte das mit dem angestrebten Ziel (Integration) im Grunde Unvereinbare (Neutralität) vereinbart werden: So gesehen agierte Österreich *kontinuierlich* bis zuletzt als ein „integrationspolitischer Anachronismus".[214] Österreich brachte damit zum Ausdruck, daß es nicht eine Mitgliedschaft „um jeden Preis" anstreben würde und daraus auch „keine substantiellen Nachteile für sein Wirtschafts- und Sozialgefüge erleiden möchte". Die Beibehaltung der Neutralität sollte durch die EG-Zugehörigkeit nicht behindert werden.[215]

Diese Haltung hatte ihre spezifisch historischen Gründe: Die kritisch-sensibel auf Einhaltung der Verpflichtungen aus Staatsvertrag und Neutralitätsgesetz reagierende Sowjetunion erschwerte die österreichische Integrationspolitik bis Ende der achtziger Jahre. Erst unter Michail Gorbatschows Reformkurs in der UdSSR erhielt der Ballhausplatz jenen integrationspolitischen Handlungsspielraum seitens des Kreml zugestanden, der umgehend für eine EG-Beitrittspolitik, d. h. für die wirtschaftliche Vollintegration genutzt wurde. Dieser „Durchbruch" wäre ohne die sukzessive und somit wegbereitende Wiener Politik vergangener Dekaden nicht möglich gewesen.

Die Haltung der Bundesrepublik Deutschland war dabei
überwiegend von Wohlwollen und Unterstützung getragen
(woraus aber auch neue politische und wirtschaftliche Ab-
hängigkeiten entstanden), während in den westlichen
Hauptstädten (Paris, Rom und London) den Integrationsbestrebungen Wiens nicht immer jene Unterstützung zuteil
wurde, die man sich am Ballhausplatz erhofft hatte.

Vollzog sich bereits mit dem EU-Beitrittsantrag oder erst
mit dem EU-Beitritt eine „stille Revolution"[216] in Österreich?
Gerhard Kunnert sieht im Beitrittsansuchen „eine grundlegende Neuorientierung der österreichischen Außenpolitik in
der Zweiten Republik [...], eine Weichenstellung für Österreich, die in ihrer Tragweite vielleicht noch am ehesten mit
der Unterzeichnung des Staatsvertrages [...] vergleichbar
ist", ohne dabei die Vorgeschichte auszublenden und die integrationspolitische Rolle Österreichs als „Eisbrecher" für die
übrigen europäischen Neutralen außer acht zu lassen.[217]

Beide Aspekte sind durchaus in einem Zusammenhang zu
sehen und schließen sich auch nicht aus, zumal der 17. Juli
1989 im Lichte des bereits aufgezeigten sukzessiven Strebens nach einem möglichst weitgehenden Arrangement mit
dem Gemeinsamen Markt viel mehr als Ausdruck einer Kontinuität der bisherigen österreichischen Integrationspolitik
denn als ein Bruch mit derselben zu verstehen ist. Der Antrag bedeutete *integrationshistorisch* nicht grundsätzlich,
aber hinsichtlich der *zukünftigen integrationspolitischen* Implikationen qualitativ etwas Neuartiges.[218] Bemerkenswer-
terweise ging es den EG-Beitrittsbefürwortern in ihrer Argumentation um Souveränitätsgewinn,[219] wobei es sich hier um
ein neues, aber noch visionäres Souveränitätsverständnis
handelt: um eine gemeinsam auszuübende „supranationale
Souveränität".[220]

In dieser Konsequenz vertritt Thomas Angerer die Auffassung, „daß der Bruch in der österreichischen Integrationspolitik größer und entscheidender war als die Kontinuität".[221]
Dieser wird im Sinne eines mentalen Wandels, d. h. vom

Schritt von der Integration im weiteren Sinn (institutionalisierter, internationaler Kooperation) zur Integration im engeren Sinn (Teilnahme an supranationaler Ausübung vormals nationaler Souveränität) gesehen. In der zwar noch nicht vollzogenen, aber durch den Beitrittsantrag der EG bereits provozierten Bereitschaft zur Aufgabe jener Form „nationaler Souveränität", wie sie Österreich in der von 1955 bestimmten Form bis 1994 behalten habe, wird die Diskontinuität zur bisherigen Haltung gesehen.[222]

Bei der Analyse dieses mentalitätsgeschichtlichen Bruchs, jenem Versuch zu einer Neuinterpretation österreichischer Souveränitätsinteressen, ist jedoch beim historischen Rückblick vor der Verabsolutierung *eines* spezifischen Souveränitätsbegriffs zu warnen. Die Unterscheidung zwischen Formal- und Realsouveränität kann dabei gute Dienste leisten. In diesem Sinne wäre zu klären, inwiefern durch Österreichs OEEC-Zugehörigkeit und den daraus erwachsenden Verpflichtungen (Assoziierung mit dem Coordinating Committee, d. h. Teilnahme an der Ostembargo-Politik der USA), durch das militärische Naheverhältnis zum Westen (strategische Einbindung in die NATO, Kooperation mit westlichen Militärstellen, Duldung von Überflügen etc.) und über den engeren europäischen Integrationsrahmen hinausgehend durch die UNO-Mitgliedschaft (Teilnahme an friedenserhaltenden Maßnahmen, Assistenz bei Polizeiaktionen) nicht schon vor 1994/95 beträchtliche Verluste an „nationaler Souveränität" – zur Erlangung von Integrationsvorteilen möglicherweise ganz bewußt – in Kauf genommen wurden.

War die Beibehaltung der „nationalen Souveränität" also wirklich so entscheidend für Österreich? Vor 1955 war deren Wiedererlangung sicher zentrales Anliegen. Für qualitativ mehr an Integration wurde diese jedoch mit dem Beitrittsantrag von 1989 relativ rasch, ja quasi „vorauseilend" zur Disposition gestellt. Dafür gibt es Gründe, die in der Geschichte der österreichischen Integrationspolitik angesiedelt sind: Für Wien ging es immer darum, möglichst viel Nutzen aus dem europäischen Integrationsprozeß für das Land zu ziehen. Der integrationspolitische Vorreiter der europäischen Neutralen war wiederholt an der Erweiterung und Intensivierung seiner Partizipationsmöglichkeiten interessiert. In bezug auf diese Zielsetzungen überwiegen demnach die Kontinuitäten, während in der Wahl der Mittel und der Argumentationen durchaus Diskontinuitäten vorhanden waren. An der utilitaristischen Mentalität einer rigorosen staatlichen Interessenpolitik hatte sich aber nicht viel geändert. Sie war wichtiger und entscheidender als die souveränitätspolitische Mentalität. Das Plädoyer für europäische Institutionen mit mehr „Supranationalität" kann nicht erstaunen, gibt sie doch dem Kleinstaat mehr Chancen, in einer Gemeinschaft mit größeren Staaten seine (nationalen) Ansprüche geltend zu machen und Rechte zu wahren.

Wie steht es mit der „immerwährenden Neutralität"?[223] Diese war schon vor dem Beitrittsantrag unterschiedlich interpretiert und als „Mehrzweckinstrument" verwendet worden, also einem vielschichtigen Wandlungsprozeß[224] unterworfen. Insofern war nur ein scheinbarer Bruch mit der öffentlichen Entsakralisierung der Neutralität in den neunziger Jahren gegeben, die weite Teile der Bevölkerung in teilweise völliger Verkennung bzw. Überschätzung ihrer Funktion als conditio sine qua non unverändert positiv ansahen: Der zum Prinzip erhobene „ständige ‚Etikettenschwindel'",[225] der seit 1955 mit Erfolg betrieben wurde, ging also auch über 1989 *kontinuierlich* weiter.

Eine Mitgliedschaft Österreichs in einem Militärbündnis wie der NATO oder der WEU wie die Genehmigung von militärischen Stützpunkten auf seinem Territorium würden das definitive Ende des seit 1955 proklamierten außenpolitischen Status des Landes bedeuten. Dies könnte nur nach Aufhebung des Bundesverfassungsgesetzes über die Neutralität von 1955 geschehen.

Die österreichische Integrationspolitik war bis 1989 ständig begleitet von der offiziellen Betonung des Wunsches nach Vereinbarkeit mit der Neutralität. Mit Blick auf frühere Phasen (1947–1956, 1961–1972) überwogen diesbezüglich auch Kontinuitäten. Seit 1989/90 bot sich dann mit Wegfall des Ost-West-Konflikts und nachdem Gorbatschow quasi „grünes Licht" für Österreichs EG-Beitrittsambitionen gegeben hatte, erstmals die reelle Chance zum Vollbeitritt, ohne außenpolitisch Rücksicht nehmen zu müssen. Was früher nicht möglich, aber durchaus schon gewünscht war, wurde nun zielstrebig und konsequent realisiert: mit dem EWR als Übergangslösung in Form einer vollen Assoziierung und dem bald darauf folgenden EU-Beitritt.

1 Der Beitrag stellt eine modifizierte und ausgefeiltere Fassung der Version dar von Michael Gehler, Vom ERP-, EFTA- und EWR- zum EU-Mitglied: Österreichs sukzessive europäische Integrationspolitik 1945–1995, in: *Christliche Demokratie* 11/12 (1994/95), Heft 4/1, S. 27–82.

2 Österreichs EG-Beitrittsantrag: Wortlaut der Anträge und Erklärung von Bundesminister Mock anläßlich der Überreichung der Beitrittsansuchen am 17. Juli 1989, in: Gerhard Kunnert, Spurensicherung auf dem österreichischen Weg nach Brüssel (Schriftenreihe Europa des Bundeskanzleramtes, Sonderband), Wien 1992, S. 64 f.; vgl. auch das Dokument 4 am Ende des Beitrags.

3 Vgl. hierzu Heinrich Schneider, Alleingang nach Brüssel. Österreichs EG-Politik (Europäische Schriften des Instituts für Europäische Politik 66), Bonn 1989, S. 91–136; Oliver Rathkolb, Austria and European Integration after World War II, in: Austria in the New Europe, *Contemporary Austrian Studies (CAS)*, Vol. 1, New Brunswick – London 1993, S. 42–61; Michael Gehler/Rolf Steininger (Hrsg.), Österreich und die europäische Integration 1945–1993. Aspekte einer wechselvollen Entwicklung (Institut für Zeitgeschichte der Universität Innsbruck, Arbeitskreis Europäische Integration, Historische Forschungen, Veröffentlichungen 1), Wien – Köln – Weimar 1993; Heinrich Neisser, Das politische System der EG, Wien 1993, S. 215–246; Michael Gehler, Zwischen Neutralität und Europäischer Union. Österreich und die Einigungsbestrebungen in Westeuropa 1955–1994, in: *Geschichte in Wissenschaft und Unterricht* 45 (Juli 1994), Heft 7, S. 413–433; Peter Gerlich/Heinrich Neisser (Hrsg.), Europa als Herausforderung. Wandlungsimpulse für das politische System Österreichs (Schriftenreihe des Zentrums für angewandte Politikforschung 5), Wien 1994.

4 Unter „europäischer Integrationsprozeß" wird in diesem Kontext streng genommen nur die westeuropäische Entwicklung verstanden, vgl. Urs Leimbacher, Westeuropäische Integration und gesamteuropäische Kooperation, in: *Aus Politik und Zeitgeschichte* B 45/91, 1. 11. 1991, S. 3–12.

5 Grundlegend hierzu: Wilfried Mähr, Der Marshallplan in Österreich, Graz – Wien – Köln 1989; vgl. auch Hannes Hofbauer, Westwärts. Österreichs Wirtschaft im Wiederaufbau (Österreichische Texte zur Gesellschaftskritik 54), Wien 1992; Günter Bischof, Der Marshallplan und Österreich, in: Zeitgeschichte 17 (1990), Heft 11/12, S. 463–474.
6 Vgl. Antrag Grubers an den Ministerrat, 24. [sic!] 6. 1947. Österreichisches Staatsarchiv (ÖStA), Archiv der Republik (AdR), Bundeskanzleramt/Auswärtige Angelegenheiten (BKA/AA), MR-Material 1947, 73. Sitzung, Zl. 107.768-pol/47 als Dokument 1 am Ende des Beitrags; vgl. auch Mähr, Der Marshallplan, S. 83 ff. und Florian Weiß, Die schwierige Balance. Österreich und die Anfänge der westeuropäischen Integration 1947–1957, in: Vierteljahrshefte für Zeitgeschichte 42 (1994), Heft 1, S. 71–94; vgl. auch Ders., „Gesamtverhalten: Nicht sich in den Vordergrund stellen". Die österreichische Bundesregierung und die westeuropäische Integration, in: Gehler/Steininger (Hrsg.), Österreich und die europäische Integration, S. 21–54, hier S. 23–26 und S. 25, Anm. 17; Ein redigierter Antrag Grubers trägt das Datum 27. 6. mit der Paraphe Wildners und wurde auf dem Zirkulationsweg beschlossen, freundliche Auskunft Univ.-Prof. Gerald Stourzh, 11. 10. 1996; Die Endausfertigung des Antrags, der offenbar rückdatiert wurde, enthält den 24. 6.!
7 Gerald Stourzh, Geschichte des Staatsvertrages 1945–1955. Österreichs Weg zur Neutralität, Graz – Wien – Köln 1985³, S. 79.
8 Streng vertrauliche Aufzeichnung Außenminister Karl Grubers „Die Lage in Mitteleuropa", undatiert [Frühjahr 1947]. Karl Gruber Archiv am Institut für Zeitgeschichte der Universität Innsbruck (KGA), Karton 14, Mappe Diverse Vertrauliche Informationen.
9 Undatierte Aufzeichnung bezüglich vorliegender Informationen über amerikanisches Verlangen nach stärkerer Zusammenarbeit in Europa [1948]. KGA, Karton 22.
10 Vgl. für das folgende Michael Gehler (Hrsg.), Karl Gruber. Reden und Dokumente 1945–1953. Eine Auswahl (Institut für Zeitgeschichte der Universität Innsbruck, Arbeitskreis Europäische Integration, Historische Forschungen, Veröffentlichungen 2), Wien – Köln – Weimar 1994, S. 270–272.
11 Senta G. Steiner, Österreich und die europäische Integration zwischen Moskauer Deklaration und Europakongreß in den Haag (1943–1948), phil. Diss. Salzburg 1971, S. 86 f.; Josef Kocensky (Hrsg.), Dokumentation zur österreichischen Zeitgeschichte 1945–1955, Wien – München 1970, 1984⁴, S. 144 f.
12 Vgl. Gehler (Hrsg.), Gruber, Reden und Dokumente, S. 272.
13 Vortrag Grubers an den Ministerrat, 6. 4. 1948. ÖStA, AdR, BKA/AA, Ministerratsmaterial 1948, 106. Sitzung, Zl. 145.726-Wpol/48, vgl. auch Dokument 2 am Ende des Beitrags.
14 Schreiben Zl. 188.147-ERP/48, Karl Gruber an Bundeskanzler Leopold Figl, 2. 11. 1948. Archiv des Karl-von-Vogelsang-Instituts (AKVI), Konvolut Gruber-Akten, Ordner 211.
15 Vgl. Bischof, Der Marshallplan und Österreich, S. 466.
16 Vgl. Alan S. Milward, The Reconstruction of Western Europe 1945–51, London 1984, Berkeley – Los Angeles 1986², S. 18, 103 (Tabelle), 177, 205 f., 332, 354 (Tabelle), 360 f. und 422; Werner Abelshauser, Wirtschaft in Westdeutschland 1945–1948, Stuttgart 1975; Ders., Hilfe und Selbsthil-

fe. Zur Funktion des Marshallplans beim westdeutschen Wiederaufbau, in: *Vierteljahrshefte für Zeitgeschichte (VfZ)* 37 (1989), Heft 1, S. 85–113.

17 Vgl. das Standardwerk mit gleichnamigen Titel von Manfried Rauchensteiner, Der Sonderfall. Die Besatzungszeit in Österreich 1945 bis 1955, Graz – Wien – Köln 1979.

18 Amtsvermerk, Besprechung Gruber und Vollgruber, 8. 7. 1947. ÖStA, AdR, BKA/AA, Amerika 2, Zl.107.651-pol/47. Vgl. auch Florian Weiß, „Auf sanften Pfoten gehen": Die österreichische Bundesregierung und die Anfänge der westeuropäischen Integration 1947–1957, Phil. Diplomarbeit. Universität München 1989.

19 Vgl. hierzu Wilfried Loth, Der Weg nach Europa. Geschichte der europäischen Integration 1939–1957, Göttingen 1990, S. 40 f., 60–68.

20 Vgl. Mähr, Der Marshallplan in Österreich; sowie die Beiträge von Wilfried Mähr und Michael Wala, in: *Zeitgeschichte* 15 (Dezember 1987), Heft 3 mit dem Schwerpunktthema Marshall-Plan sowie Wilfried Mähr, Der Marshallplan in Österreich: Tanz nach einer ausländischen Pfeife?, in: Günter Bischof/Josef Leidenfrost (Hrsg.), Die bevormundete Nation. Österreich und die Alliierten 1945–1949 (Innsbrucker Forschungen zur Zeitgeschichte 4), Innsbruck 1988, S. 245–272, hier S. 268 f.

21 Vgl. hierzu Wolfgang Burtscher, Österreichs Annäherung an den Europarat von 1949 bis zur Vollmitgliedschaft im Jahre 1956, in: Waldemar Hummer/Georg Wagner (Hrsg.), Österreich im Europarat 1956–1986. Bilanz einer 30jährigen Mitgliedschaft, Wien 1988, S. 40–46; Thomas Angerer, Integrität vor Integration. Österreich und „Europa" aus französischer Sicht 1949–1960, in: Gehler/Steininger (Hrsg.), Österreich und die europäische Integration, S. 178–200, hier S. 179–181 und 190.

22 Staatssekretär Ferdinand Grafs Plädoyer für einen NATO-Beitritt vom 16. 7. 1949 war eine singuläre Erscheinung, vgl. Stourzh, Geschichte des Staatsvertrages, S. 108; Ders., The Origins of Austrian Neutrality, in: Alan T. Leonhard (Hrsg.), Neutrality. Changing Concepts and Practices, Lanham – New York – London 1988, S. 35–57, hier S. 38; Robert Knight, British Policy Towards Occupied Austria, 1945–1950, ph. Th. London 1986, S. 213 f., 229; Günter Bischof, Between Responsibility and Rehabilitation: Austria in International Politics (1940–1950), ph. Th. Harvard University 1989, S. 681.

23 Vgl. hierzu auch Franz Urlesberger, Die Europäische Desintegration (Veröffentlichungen der österreichischen Sektion des CIFE 8), Wien 1985, S. 73–149.

24 Vgl. Felix Butschek, EC Membership and the 'Velvet' Revolution: The Impact of Recent Political Changes on Austria's Economic Position in Europe, in: Austria in the New Europe, *CAS*, Vol. 1, New Brunswick – London 1993, S. 62–106, hier S. 65.

25 Vgl. hierzu die grundlegende Studie von Fritz Breuss, Österreichs Außenwirtschaft 1945–1982, Wien 1983, S. 1 f., 17–26.

26 Vgl. Franz Nemschak, Die österreichische Wirtschaft von 1945 bis 1955, Wien 1956, S. 26; Arno Einwitschläger, Amerikanische Wirtschaftspolitik in Österreich 1945–1949, Graz – Wien 1986, S. 31.

27 Rathkolb, Austria, in: *CAS*, S. 45.

28 Schreiben (streng vertraulich) Botschafter Kleinwächter 13. 4. 1951 an HBM Dr. Karl Gruber. KGA, Karton 22, Mappe Ausw. Politik.

29 Top secret, Subject: 1951 Military Assistance Program for Austria. National Archives (NA), Washington, RG 59, Lot File 55 D 258, Box 3; vgl. hierzu auch Christian H. Stifter, Das westalliierte Interesse an der Wiederaufrüstung Österreichs 1945–1955, Diplomarbeit. Wien 1990 und Günter Bischof, Österreich – ein geheimer „Verbündeter" des Westens? Wirtschafts- und sicherheitspolitische Fragen der Integration aus der Sicht der USA, in: Gehler/Steininger (Hrsg.), Österreich und die europäische Integration, S. 425–450, hier S. 437 ff.

30 Roman Sandgruber, Ökonomie und Politik. Österreichische Wirtschaftsgeschichte vom Mittelalter bis zur Gegenwart, Wien 1995, S. 452; Die Angaben über die „Reparationen" schwanken beträchtlich, vgl. Bischof, Responsibility, S. 317–319, der von 2 Milliarden spricht; dagegen nennt Jörg Fisch, Reparation nach dem Zweiten Weltkrieg, München 1992, S. 226–233, S. 319 (Tabelle 25 für Pro-Kopf-Leistungen) 1 Milliarde. Beide beziehen sich allerdings auf verschiedene Quellenangaben.

31 Vgl. die Rede von Außenminister Gruber in Salzburg am 2. 10. 1952, in: Gehler (Hrsg.), Gruber, Reden und Dokumente, S. 393; vgl. auch Ders., Österreich, die Bundesrepublik und die deutsche Frage 1945/49–1955. Zur Geschichte der gegenseitigen Wahrnehmungen zwischen Abhängigkeit und gemeinsamen Interessen, in: Ders./Rainer F. Schmidt/Harm-Hinrich Brandt/Rolf Steininger (Hrsg.), Ungleiche Partner? Österreich und Deutschland in ihrer gegenseitigen Wahrnehmung. Historische Analysen und Vergleiche aus dem 19. und 20. Jahrhundert (Beiheft 15 der Leopold-von-Ranke-Gesellschaft), Stuttgart 1996, S. 535–580, hier S. 554 ff.

32 Vgl. zur Interdependenz zwischen deutscher und österreichischer Frage Michael Gehler, Kurzvertrag für Österreich? Die westliche Staatsvertrags-Diplomatie und die Stalin-Noten von 1952, in: Vierteljahrshefte für Zeitgeschichte 42 (1994), Heft 2, S. 243–278.

33 Vgl. Günter Bischof, Österreichische Neutralität, die deutsche Frage und europäische Sicherheit 1953–1955, in: Rolf Steininger/Jürgen Weber/Günter Bischof/Thomas Albrich/Klaus Eisterer (Hrsg.), Die doppelte Eindämmung. Europäische Sicherheit und deutsche Frage in den Fünfzigern (Tutzinger Schriften zur Politik 2), München 1993, S. 133–176, hier S. 154 ff., 160 ff.; Michael Gehler, Österreich und die deutsche Frage 1954/55: Zur „Modellfall"-Debatte in der internationalen Diplomatie und der bundesdeutschen Öffentlichkeit aus französischer Sicht, in: Bericht über den zwanzigsten österreichischen Historikertag in Bregenz in der Zeit vom 5. bis 9. September 1994, hrsg. vom Verband Österreichischer Geschichtsvereine, i.E.

34 Vgl. Michael Gehler, „L'unique objectif des Soviétiques est de viser l'Allemagne." Österreichs Staatsvertrag und Neutralität als Modell für Deutschland?, in: Thomas Albrich/Klaus Eisterer/Michael Gehler/Rolf Steininger (Hrsg.), Österreich in den Fünfzigern. Zwischen Bevormundung und Emanzipation, Innsbruck – Wien 1995, S. 259–297.

35 Bischof, Österreich – ein geheimer „Verbündeter" des Westens?, S. 449 f.; Oliver Rathkolb, Historische Bewährungsproben des Neutralitätsgesetzes. Am Beispiel der US-Amerikanischen Österreich-Politik 1955 bis 1959, in: Nikolaus Dimmel/Alfred-Johannes Noll (Hrsg.), Verfassung. Juristisch-politische und sozialwissenschaftliche Beiträge anläßlich des

70. Jahr-Jubiläums des Bundesverfassungsgesetzes (Juristische Schriftenreihe 22), Wien 1990, S. 122–141; vgl. auch den Beitrag von Günter Bischof in diesem Band.

36 Weiß, „Nicht sich in den Vordergrund stellen", S. 31 ff., 36 ff., 39 ff., 47 f.

37 Vgl. Jürgen Nautz, Wirtschaft und Politik. Die Bundesrepublik Deutschland, Österreich und die Westintegration 1945–1961, in: Gehler/Steininger (Hrsg.), Österreich und die europäische Integration, S. 149–177, hier S. 161–165; Butschek, EC Membership, S. 62–75, hier S. 65 f.

38 Bericht über die Besprechung des Informationszirkels der NEI in Genf am 19. 10. 1953, erstattet von Franz Grubhofer, Dornbirn, 26. 10. 1953. AKVI, Karton NEI c) e); ÖStA, AdR, BKA/AA, Kabinett des Ministers (KdM), Zl. 300.648-K/53 (300.164 K/53), Karton 17.

39 Vgl. Michael Gehler, „Politisch unabhängig", aber „ideologisch eindeutig europäisch". Die ÖVP, die Vereinigung christlicher Volksparteien (NEI) und die Anfänge der europäischen Integration 1947–1960, in: Ders./Steininger (Hrsg.), Österreich und die europäische Integration, S. 291–326, hier S. 302 f., 308 f., 315 f., 320 f.

40 Vgl. hierzu Martin Hehemann, „Daß einzelne Genossen darüber erschreckt sind, daß wir kategorisch jedwede Teilnahme an der EWG ablehnten". Die SPÖ und die Anfänge der europäischen Integration 1945–1959, in: Gehler/Steininger (Hrsg.), Österreich und die europäische Integration, S. 327–345; Stephan Verosta, Die österreichische Sozialdemokratie und die Außenpolitik. Versuch einer Übersicht 1889–1955, in: Erich Bielka/Peter Jankowitsch/Hans Thalberg (Hrsg.), Die Ära Kreisky. Schwerpunkte der österreichischen Außenpolitik, Wien – München – Zürich 1983, S. 15–60; Arno Einwitschläger, The Austrian Socialist Party and the question of European Integration, European University Institute Florence, (unver. Ms. 20 S.).

41 In der Sozialistischen Internationale argumentierte Schärf in diesen Fragen vielfach gegen die SPD-Position, vgl. Klaus Misgeld, Sozialdemokratie und Außenpolitik in Schweden. Sozialistische Internationale, Europapolitik und die Deutschlandfrage 1945–1955 (Campus Forschung 392), Frankfurt – New York 1984, S. 442, 453 f., 456 f., 459, 473, 479; vgl. auch Oliver Rathkolb, Die SPÖ und der außenpolitische Entscheidungsprozeß 1945–1955. Mit einem Ausblick auf die Neutralitätspolitik bis 1965, in: Wolfgang Maderthaner (Hrsg.), Auf dem Weg zur Macht. Integration in den Staat, Sozialpartnerschaft und Regierungspartei, Wien 1992, S. 51–72; Ders., La politique européenne du Parti Socialiste. Theorie et pratique, in: *Austriaca. Cahiers Universitaires d'Information sur l'Autriche* (1992), Nr. 32, S. 107–119.

42 Vgl. Richard T. Griffiths, Die deutsch-französische Achse und der Ursprung der europäischen Integration, in: *historicum. Zeitschrift für Geschichte*, Frühling 1994, S. 19–23; sowie Stephen A. Kocs, Autonomy or Power? The Franco-German Relationship and Europe's Strategic Choices, 1955–1995, Westport, Connecticut – London 1995, S. 15–35, 69–91, 123–156.

43 Vgl. Max E. Riedlsperger, The Lingering Shadow of Nazism: The Austrian Independent Party Movement since 1945, New York 1978.

44 Vgl. Lothar Höbelt, „Daß der nationale Gedanke eine Ausweitung auf das europäische erfahren hat". Die europäische Integration in den fünfziger

und sechziger Jahren aus der Sicht von WdU/VdU und FPÖ, in: Gehler/Steininger (Hrsg.), Österreich und die europäische Integration, S. 346–364; Interview mit Willfried Gredler [+], 26. 1. 1991 [Aufzeichnung im Besitz des Verfassers].

45 Vgl. Michael Gehler, Klein- und Großeuropäer: Integrationspolitische Konzeptionen und Wege der Bundesrepublik Deutschland und Österreichs 1947/49–1960 im Vergleich, in: Ders./Schmidt/Brandt/Steininger (Hrsg.), Ungleiche Partner?, S. 581–642.

46 Zur „Totalität der Westintegration" der Bundesrepublik als Preis für ihre Emanzipation in Unterscheidung von politisch-ideologischer Westorientierung vgl. Hans-Peter Schwarz, Die Eingliederung der Bundesrepublik in die westliche Welt, in: Ludolf Herbst/Werner Bührer/Hanno Sowade (Hrsg.), Vom Marshallplan zur EWG. Die Eingliederung der Bundesrepublik in die westliche Welt (Quellen und Darstellungen zur Zeitgeschichte 30), München 1990, S. 593–612, hier S. 607.

47 Vgl. Michael Gehler, Westorientierung oder Westintegration? Überlegungen zur politikgeschichtlichen Entwicklung Österreichs 1945 bis 1960 im wissenschaftlichen Diskurs, in: Tagungsband des Zeitgeschichtetags in Linz 1995, i.E.

48 Vgl. Alan S. Milward, The European Rescue of the Nation State, London 1992[2].

49 Daß Österreich – so Milward, ebd., S. 24 – „tatsächlich zu einer separaten nationalen Existenz gezwungen [Herv. M. G.] wurde, welche die Mehrheit seiner Bevölkerung niemals gewollt hatte", dürfte (so formuliert für die Zeit nach 1945) zweifelhaft sein.

50 Vgl. Gehler, Klein- und Großeuropäer, S. 581–642, hier S. 640 ff.

51 Weiß, „Gesamtverhalten: Nicht sich in den Vordergrund stellen", S. 21–54, hier S. 48 f.

52 Vgl. ebd., S. 45 ff.

53 Vgl. Ludolf Herbst, Option für den Westen. Vom Marshallplan bis zum deutsch-französischen Vertrag, München 1989, S. 117–126, hier S. 122.

54 Gehler, Zwischen Neutralität und Europäischer Union, S. 413–433, hier S. 414 ff.

55 Roger Lalouette, Haut-Commissaire adjoint de la République française an Antoine Pinay, Ministère des Affaires Étrangères, Vienne, 18. 4. 1955, in: Documents Diplomatiques Français (DDF), 1955, Tome I (1er janvier–30 juin), Paris 1987, Doc. 199, S. 461–464, hier S. 462.

56 Le Roy an MAE, 15 4. 1955. Ministère des Affaires Etrangères (MAE), Série Europe 1944–1960, EU 6-8-7, Sous-Série Autriche 1955, Vol. 271, Fol. 084-88; vgl. auch Hanspeter Neuhold, The Neutral States of Europe: Similarities and Differences, in: Leonhard, Neutrality, S. 97–144, hier S. 109 ff., der von einem „Austrian Deal" spricht; vgl. hierzu neuerdings und umfassend: Christian Jenny, Konsensformel oder Vorbild? Die Entstehung der österreichischen Neutralität und ihr Schweizer Muster (Schriftenreihe der schweizerischen Gesellschaft für Außenpolitik 12), Bern – Stuttgart – Wien 1995, S. 161–200.

57 Gehler, Westorientierung oder Westintegration?

58 Stourzh, Staatsvertrag, S. 246.

59 Roger Lalouette an Pinay, 29 4. 1955, in: DDF, 1955, Tome I (1er janvier–30 juin), Paris 1987, Doc. 234, S. 533–536, hier S. 534.

60 Weiß, „Nicht sich in den Vordergrund stellen", S. 50 f.
61 *Archiv der Gegenwart*, 12. 2. 1957, S. 6256 f.
62 Weiß, „Nicht sich in den Vordergrund stellen", S. 51 f.
63 Ebd.
64 Vgl. Wolfram Kaiser, Wie nach Austerlitz? London-Bonn-Paris und die britische EWG-Politik bis 1961, in: *integration*. *Vierteljahreszeitschrift des Instituts für Europäische Politik in Zusammenarbeit mit dem Arbeitskreis Europäische Integration* 16 (1993), Nr. 1, S. 19–32, hier S. 21 f.
65 *Archiv der Gegenwart*, 29. 1. 1957, S. 6235; Chronologie bei Ders./Steininger (Hrsg.), Österreich und die europäische Integration, S. 504.
66 Vgl. hierzu die zusammenfassende Analyse von Richard T. Griffiths, Das Scheitern der großen europäischen Freihandelszone, in: *EFTA-Bulletin* 32 (1991), 3–4, S. 15–20, bei der die Rolle Österreichs – abgesehen von einer kurzen Erwähnung im Zusammenhang mit den Ursprungsregeln (S. 19) – allerdings unterbelichtet bleibt.
67 Schreiben Zl. 2/pol/57 „Strömungen um die europäischen Einigungsprojekte", Österreichische Delegation bei der Hohen Behörde der EGKS, Luxemburg, Fritz Kolb an Außenminister Figl, 19. 2. 1957. ÖStA, AdR, BKA/AA, II-pol, International 2 c, Zl. 217.301-pol/57 (GZl. 215.155-pol/57); vgl. auch Schreiben Zl. 17/pol/57 „Europäische Integration GATT-Freihandelszone", Bobleter an Figl, 1. 10. 1957. ÖStA, AdR, BKA/AA, II-pol, International 2 c, Zl. 224.977-pol/57 (GZl. 215.155-pol/57); zur österreichischen Europapolitik der fünfziger Jahre mit aktuellen Bezügen vgl. Thomas Angerer, L'Autriche précurseur ou „Geisterfahrer" de l'Europe integrée? Réflexions dans la perspective des années 1950, in: *revue d'Allemagne et des pays de langue allemande* Tome XXIV (Octobre-décembre 1992), Nr. 4, S. 553–561.
68 Vgl. Hans Schaffner, Die Europäischen Integrationsbestrebungen und die Schweiz, in: Albert Hunold (Hrsg.), Europa – Besinnung und Hoffnung, Erlenbach – Zürich – Stuttgart 1957, S. 185–201, hier S. 196 ff. und Annette Enz, Die Schweiz und die große Freihandelszone. Le moindre risque ne consiste pas toujours à ne rien faire. Versuch einer Verifikation, (Studien und Quellen/Schweizerisches Bundesarchiv 16/1990; 17/1991), Bern 1991, S. 157–258, hier S. 186, 188, 227 ff.
69 Schreiben Zl. 1000-A/58 „Direktverhandlungen Österreich – EWG sind keine Alternative zur Freihandelszone", Kolb an Gesandten Haymerle, 12. 11. 1958. ÖStA, AdR, BKA/AA, II-pol, International 2 c, Zl. 556.640-pol/58 (GZl. 544.198-pol/58); Streng vertrauliches Schreiben Zl. 53-pol/58 „Mr. Maudling zum Echec des Freihandelszonenprojekts", Schwarzenberg, London, an Außenminister Figl, 19. 11. 1958. ÖStA, AdR, BKA/AA, II-pol, International 2 c, Zl. 556.924-pol/58 (GZl. 544.198-pol/58).
70 Schreiben „Vertraulich" Zl. 5/pol/58 „Kleineuropa – eine französische politische Konstruktion", Fritz Kolb an Außenminister Figl, 13. 3. 1958. ÖStA, AdR, BKA/AA, II-pol, International 2 c, Zl. 546.780-pol/58 (GZl. 544.198-pol/58); Schreiben „Mr. Maudling zum Echec des Freihandelszonenprojektes". Ebd.
71 Vgl. Nautz, Wirtschaft und Politik, S. 150, hält basierend auf Ableitinger fest, daß das Scheitern der FHZ „von der bundesdeutschen wie österreichischen Regierung gleichermaßen als nachteilig empfunden wurde". Hierzu ist jedoch zu bemerken, daß Adenauer klare Vorbehalte gegen

eine Große Freihandelszone – gedacht als rein wirtschaftliche Lösung – hatte, vgl. hierzu Gabriele Brenke, Europakonzeptionen im Widerstreit. Die Freihandelszonen-Verhandlungen 1956–1958, in: *Vierteljahrshefte für Zeitgeschichte* 42 (Oktober 1994), Heft 4, S. 595–633.

72 *Archiv der Gegenwart*, 5. 12. 1958, S. 7431.

73 Ebd., 21. 7. 1959, S. 7848.

74 Ebd., 26. 11. 1959, S. 8076.

75 Übersicht über die bisher in den wichtigsten Vorhaltungen von sowjetischer Seite verwendeten Formulierungen betreffend das von Österreich angestrebte Verhältnis zur EWG, Zl.79.034-6 (Pol) 64; Bericht Botschafter Heinrich Haymerle „Vertraulich" an Kreisky, 20. 5. 1964, „Gespräche mit dem Stellvertretenden Außenminister Semjonow", Zl. 53-Pol/64. Stiftung Bruno Kreisky Archiv (SBKA), Integration-Box 1267, vgl. auch das Dokument 3 am Ende des Beitrags.

76 Vgl. Butschek, EC-Membership, S. 66, 68.

77 Rathkolb, Austria, S. 49 f., 54 f.

78 Vgl. Richard T. Griffiths, Die Schaffung der Europäischen Freihandelsassoziation, in: *EFTA- Bulletin* 33 (1992), 1, S. 34–40.

79 *Archiv der Gegenwart*, 23. 11. 1959, S. 8072.

80 Ebd., 5. 1. 1960, S. 8141.

81 Ebd., 2./3. 5. 1960, S. 8368; Rudolf Kirchschläger, Testimonies, in: L'AELE d'hier à demain, Genève 1988, S. 149–153.

82 Bruno Kreisky, The Austrian Position, EFTA and the neutral countries, in: *EFTA Bulletin* 1 (Oktober 1960), No. 1, S. 7.

83 Bruno Kreisky, Eine neue Etappe auf dem Weg zur Integration, in: *EFTA Bulletin* 2 (Juli 1961), No. 7, S. 3.

84 Bericht von Außenminister Dr. Kreisky, Vorsitzender des EFTA-Rates, in: *EFTA Bulletin* 2 (Oktober 1961), Nr. 10, S. 4.

85 L'AELE d'hier à demain, S. 149 f., 153; Übereinkommen zur Errichtung der Europäischen Freihandelsassoziation (EFTA) vom 4. 1. 1960, in: *Europa-Archiv* 1960, D 41 ff.; vgl. auch Curt Gasteyger, Europa zwischen Spaltung und Einigung 1945–1990, Bonn 1991[2], S. 184–193; Jean Komaromi, Allgemeine Fragen der Europäischen Freihandelsassoziation (EFTA). Geschichte – Wesen – Ziele, in: Hans Mayrzedt/Hans Christoph Binswanger (Hrsg.), Die Neutralen in der Europäischen Integration. Kontroversen-Konfrontationen-Alternativen, Wien – Stuttgart 1970, S. 109–138, hier S. 131; Interview mit dem damaligen Handelsminister Fritz Bock [†] am 3. 3. 1992 (Aufzeichnung im Besitz des Verfassers).

86 Vgl. hierzu auch Stephan Hamel, „Eine solche Sache würde der Neutralitätspolitik ein Ende machen." Die österreichischen Integrationsbestrebungen 1961–1972, in: Gehler/Steininger (Hrsg.), Österreich und die europäische Integration, S. 55–86.

87 So Bundesminister Dr. Bruno Kreisky in einer Rede „Österreich, England und die europäische Integration" beim Forum Alpbach am 31. 8. 1960, Manuskript (16 S.), S. 2, 14. ÖStA, AdR, BKA/AA, II-pol, International 2 C.

88 Amtsvermerk Österreichische Botschaft Brüssel vom 19. 5. 1961 über das Gespräch zwischen Bundesaußenminister Dr. Bruno Kreisky und dem Präsidenten für Auswärtige Beziehungen der EWG, Minister Jean Rey. SBKA, Karton 1266.

Michael Gehler

Vgl. auch Paul Luif, Der Weg zum 12. Juni: 1955, 1957, 1962, 1972/73, in: Anton Pelinka (Hrsg.), EU-Referendum. Zur Praxis direkter Demokratie in Österreich (Schriftenreihe des Zentrums für angewandte Politikforschung 6), Wien 1994, S. 23–48, hier S. 31.

90 Vgl. Kaiser, Wie nach Austerlitz?, S. 22 ff.; Ders., To join, or not to join: the 'Appeasement' policy of Britain's first EEC application, in: Brian Brivati/Harriet Jones (Hrsg.), From Reconstruction to Integration: Britain and Europe since 1945, Leicester – London – New York 1993, S. 144–156; Rolf Steininger, 1961: „Europe at Sixes and Sevens. Die EFTA und Großbritanniens Entscheidung für die EWG, in: *Vierteljahrsschrift für Sozial- und Wirtschaftsgeschichte* 80 (1993), Heft 1, S. 4–29, hier S. 27 ff.

91 Rolf Steininger, „Ich bin ermächtigt, Ihnen zu diesem Zweck die Aufnahme von Verhandlungen vorzuschlagen." Österreichs Antrag auf Assoziierung mit der EWG vom 15. Dezember 1961, in: Albrich/Eisterer/Gehler/Steininger (Hrsg.), Österreich in den Fünfzigern, S. 357–387.

92 Vgl. Gehler, NEI, S. 321 ff.; Kirchschläger, Testimonies, S. 153.

93 Vgl. Paul Luif, Neutrale in die EG? Die westeuropäische Integration und die neutralen Staaten, Wien 1988, S. 99; Ders., Der Weg, S. 29.

94 Vgl. Wilfried Loth/Robert Picht (Hrsg.), De Gaulle, Deutschland und Europa, Opladen 1991; und jüngst: Rolf Steininger, Großbritannien und De Gaulle. Das Scheitern des britischen EWG-Beitritts im Januar 1963, in: *Vierteljahrshefte für Zeitgeschichte* 44 (1996), Heft 1, S. 87–118.

95 Vgl. Höbelt, „Daß der nationale Gedanke...", S. 359 f.

96 Vgl. Gehler, Österreich, die Bundesrepublik und die deutsche Frage 1945/49–1955, S. 536–542, 542–552; Ders., „kein Anschluß, aber auch keine chinesische Mauer". Österreichs außenpolitische Emanzipation und die deutsche Frage 1945–1955, in: Alfred Ableitinger/Siegfried Beer/Eduard G. Staudinger (Hrsg.), Österreich unter alliierter Besatzung (Studien zu Politik und Verwaltung), Wien – Köln – Graz 1996 i. E.

97 So lautete eine Aufzeichnung vom 19. 11. 1963, Referat I A4-82.20–94.19, zur Information des HBM Krone, betr. Besuch des HBM Krone in Wien vom 26. bis 28. 11. 1963. Archiv für Christlich-Demokratische Politik (ACDP) in St. Augustin/Bonn, Nachlaß Heinrich Krone, I-028-041/3.

98 Vgl. auch Engelbert Washietl, Österreich und die Deutschen, Wien 1987, S. 76 f., 87 f.

99 Aufzeichnung vom 19. 11. 1963. ACDP, St. Augustin, Nachlaß Heinrich Krone, I-028-041/3.

100 Gerhard Kunnert, Österreichs Weg in die Europäische Union. Ein Kleinstaat ringt um eine aktive Rolle im europäischen Integrationsprozeß, Wien 1993, S. 31; vgl. auch die kritische Stellungnahme Stephan Verostas zum „Alleingang", Österreich und die EWG. Das Salzburger Expertengespräch, Wien o. J., S. 121.

101 Interview mit Bock [†] am 3. 3. 1992 in Wien [Tonbandaufzeichnung im Besitze des Verfassers].

102 Bock, ebd., betonte dem Verfasser gegenüber, daß er seinerzeit nicht beabsichtigt habe, mit dem „Assoziations"-Vertrag (mit der EWG) aus

der EFTA auszutreten. Dies wäre „nie seine Absicht" gewesen. Die EFTA-Mitgliedschaft Österreichs hätte – solange keine Vereinbarung mit Brüssel zu erzielen war – erhalten bleiben sollen; vgl. auch Fritz Bock, Integrationspolitik von österreichischer Warte, Wien 1970 und die zeitgenössischen Reden und Stellungnahmen, in: Ders., Der Anschluß an Europa. Gedanken, Versuche, Ergebnisse, St. Pölten 1978, S. 40–58, hier S. 42, 47 f., 55 f.

103 Reinhard Meier-Walser, Die Außenpolitik der monocoloren Regierung Klaus in Österreich 1966–1970 (tuduv-Studien, Reihe Politikwissenschaften 27), München 1988, S. 197–242.

104 Ebd., S. 454 f.

105 Ebd., S. 162–174, hier S. 169 f.

106 Ebd., S. 455; vgl. auch Michael Gehler, Die österreichische Außenpolitik unter der Alleinregierung Josef Klaus 1966–1970, in: Robert Kriechbaumer/Franz Schausberger/Hubert Weinberger (Hrsg.), Die Transformation der österreichischen Gesellschaft und die Alleinregierung Klaus (Veröffentlichung der Dr.-Wilfried Haslauer-Bibliothek, Forschungsinstitut für politisch-historische Studien 1), Salzburg 1995, S. 251–271.

107 Vgl. Ludwig Reichhold, Geschichte der ÖVP, Graz – Wien – Köln 1975, S. 419 f. und Helmut Wohnout, „Auf ‚gleicher Höhe marschieren'". Franz Karasek, Österreich und der Europarat. Zum Integrationsverständnis eines österreichischen Europapolitikers in den siebziger und frühen achtziger Jahren, in: Gehler/Steininger (Hrsg.), Österreich und die europäische Integration, S. 405–422, hier S. 405.

108 Zit. n. Meier-Walser, Außenpolitik, S. 455.

109 Ebd., S. 175–184 u. 455.

110 Archiv der Gegenwart, 5. 7. 1967, S. 13277 f.; vgl. auch Claus Gatterer, Südtirol und der Rechtsextremismus, in: Ders., Aufsätze und Reden, Bozen 1991, S. 285–309 und den Beitrag zu Südtirol von Steininger in diesem Band.

111 Archiv der Gegenwart, 5. 7. 1967, S. 13278 f.; vgl. hierzu nun Elisabeth Baumgartner/Hans Mayr/Gerhard Mumelter, Feuernacht: Südtirols Bombenjahre, Bozen 1992; Günther Pallaver, L'erba del vicino, Italien-Österreich. Nachbarn in Europa, in: Gehler/Steininger (Hrsg.), Österreich und die europäische Integration, S. 226–266, hier S. 238; Hamel, „Eine solche Sache", S. 78 f.

112 Meier-Walser, Außenpolitik, S. 237–242.

113 Vgl. hierzu Paul Luif, Österreich zwischen den Blöcken. Bemerkungen zur Außenpolitik des neutralen Österreich, in: ÖZP 11 (1982), Nr. 2, S. 209–220, hier S. 216.

114 Vgl. Helmut Kramer, Strukturentwicklung der Außenpolitik (1945–1990), in: Herbert Dachs/Peter Gerlich/Herbert Gottweis/Franz Horner/Helmut Kramer/Volkmar Lauber/Wolfgang C. Müller/Emmerich Tálos (Hrsg.), Handbuch des politischen Systems Österreichs, Wien 1991, S. 637–657, hier S. 646 ff.

115 Luif, Der Weg, S. 40 f.

116 Thomas Schwendimann, Wien drängt, Bern wartet ab. Unterschiedliche Integrationskonzepte Österreichs und der Schweiz zwischen 1985 und 1989, in: Gehler/Steininger (Hrsg.), Österreich und die europäische Integration, S. 267–290; vgl. auch Hanspeter Neuhold/Hans Thalberg

574 Michael Gehler

(Hrsg.), The European Neutrals in International Affairs, Wien 1984 und
Paul Luif, Neutrale und europäische Integration. Neue Aspekte einer
alten Problematik, in: ÖZP 16 (1987), Nr. 2, S. 117–131.
117 Nautz, Wirtschaft und Politik, S. 149–178, hier S. 163 ff.
118 Angerer, Besatzung, S. 85 ff., 91 ff.
119 Nautz, Wirtschaft und Politik, Grafiken 1 und 2, S. 174 f.
120 Fritz Bock, in: L'AELE d'hier à demain, Genève 1988, S. 103–109, hier
S. 108 f.
121 Am 14. Juni 1962 hatte es noch „Assoziation mit der EWG lebensnot-
wendig" gelautet, vgl. Das Kleine Volksblatt, 14. 6. 1962 bzw. auch Karl
Czernetz' (SPÖ) Position, in: Österreichische Neue Tageszeitung, 14. 6.
1962; vgl. hierzu Hamel, „Eine solche Sache", S. 63 mit Verweis auf
Paul Luif, Neutrale in die EG?, S. 97.
122 Vgl. die Rede Bocks vor dem Bundesrat, 3. 7. 1964, in: Bock, Anschluß,
S. 40–44, hier S. 41; Birgitt Haller/Anton Pelinka, Charles de Gaulle
und die österreichische Europapolitik, in: De Gaulles europäische Größe: Analysen aus Österreich, Jahrbuch für Zeitgeschichte 1990/91, Wien
– Salzburg, S. 77–84, hier S. 80; Waldemar Hummer/Theo Öhlinger,
Institutionelle Aspekte einer Beteiligung dauernd neutraler Staaten an
der EWG, in: Mayrzedt/Binswanger (Hrsg.), Die Neutralen in der Europäischen Integration, S. 149–161, hier S. 158.
123 Willy Zeller, Die bisherige Haltung der EWG gegenüber den Neutralen,
in: ebd., S. 202–219, hier S. 206 ff., 207 und 208, 214 f.
124 Ebd.
125 Luif, Der Weg, S. 37.
126 Hamel, „Eine solche Sache", S. 78 ff.
127 Bruno Kreisky, Im Strom der Politik. Der Memoiren zweiter Teil, Berlin
– Wien 1988, S. 160–181, hier S. 167 f.; Rudolf Kirchschläger, Integration und Neutralität, in: Bielka/Jankowitsch/Thalberg (Hrsg.), Die Ära
Kreisky, S. 61–95.
128 Vgl. die Texte der Global- und Interimsabkommen sowie begleitende
Dokumente in: Hans Mayrzedt/Waldemar Hummer, 20 Jahre österreichische Neutralitäts- und Europapolitik (1955–1975), Dokumentation,
Teilband I (Schriftenreihe der Österreichischen Gesellschaft für Außenpolitik und Internationale Beziehungen Band 9/I), Wien 1976, S. 499–
630; Archiv der Gegenwart, 22. 7. 1972, S. 17221 ff.
129 Luif, Der Weg, S. 42 ff.
130 Butschek, EC-Membership, S. 66 f.
131 So argumentiert am Beispiel von Modellen Fritz Breuss, Österreichs
Wirtschaft und die europäische Integration 1945–1990, in: Gehler/Stei-
ninger (Hrsg.), Österreich und die europäische Integration, S. 451–476,
hier S. 458, 472.
132 Vgl. hierzu auch Paul Luif, Österreich zwischen den Blöcken. Bemerkungen zur Außenpolitik des neutralen Österreich, in: ÖZP 11 (1982),
Nr. 2, S. 209–220, hier S. 213 ff.
133 Interviews mit Univ.-Prof. Andreas Khol 14. 6. und 21. 6. 1993 [Auf-
zeichnung im Besitz des Verfassers].
134 Vgl. auch Andreas Khol, Die innerösterreichische Vorbereitung für die
EG-Mitgliedschaft, in: Ders. (Hrsg.), Den besten Weg für Österreich
gehen. Aktionsplan für den EG-Beitritt. Die Ergebnisse des Europakon-

gresses der ÖVP 1991 vom 16. 5. 1991 (Schriftenreihe Standpunkte Politische Akademie), Wien 1991, S. 36–39, hier S. 36 f.

135 Luif, Der Weg, S. 45; vgl. hierzu auch Christian Schaller, Die innenpolitische EG-Diskussion seit den 80er Jahren, in: Anton Pelinka/Christian Schaller/Paul Luif (Hrsg.), Ausweg EG? Innenpolitische Motive einer außenpolitischen Umorientierung, Wien 1994, S. 227–269, hier S. 237 ff. und S. 239 ff.

136 Ebd., S. 240.

137 Vgl. Gregor Leitner, Der Weg nach Brüssel. Zur Geschichte des österreichischen EG-Beitrittsantrages vom 17. Juli 1989, in: Gehler/Steininger (Hrsg.), Österreich und die europäische Integration, S. 87–108, hier S. 100 ff.; Elgar Schnegg, Österreich und der Europäische Binnenmarkt im Spiegel der Publizistik, Diplomarbeit. Innsbruck 1989.

138 Schneider, Alleingang, S. 97–101.

139 Vgl. Martin Schulz, Zeittafel der europäischen Integration, in: Werner Weidenfeld/Wolfgang Wessels (Hrsg.), Europa von A-Z. Taschenbuch der europäischen Integration, Bonn 1992², S. 400.

140 Kunnert, Österreichs Weg, S. 182–185; vgl. Paul Luif, Austrian Neutrality and the Europe of 1992, in: CAS, Vol. 1, New Brunswick – London 1993, S. 19–41, hier S. 33 f.

141 Vgl. Paul Luif, Austria's Application for EC Membership: Historical Background, Reasons and Possible Results, in: Finn Laursen (Hrsg.), EFTA and the EC: Implications of 1992, Maastricht 1990, S. 177–206; vgl. auch Ders., Neutrale und europäische Integration, S. 117–131; Manfred Rotter, Mitgliedschaft, Assoziation, EFTA-Verbund. Die Optionen der österreichischen EG-Politik, in: ÖZP 18 (1989), Nr. 3, S. 197–208; Gregor Leitner, Österreich als 13. Mitglied? Der Weg zum österreichischen EG-Beitrittsantrag, Magisterarbeit. Erlangen – Nürnberg 1990; vgl. hierzu auch Kunnert, Österreichs Weg, S. 186 f.

142 Schneider, Alleingang, S. 97–113, hier S. 98 ff.

143 Besonders profiliert bei der „Modifizierung" des Neutralitätsinhalts bzw. bei der Propagierung der Vereinbarkeit und Verträglichkeit von Neutralität und EG-Beitritt haben sich Michael Schweitzer, Dauernde Neutralität und europäische Integration, Wien 1977 und Waldemar Hummer/Michael Schweitzer, Österreich und die EWG. Neutralitätsrechtliche Beurteilung der Möglichkeit der Dynamisierung des Verhältnisses zur EWG, Wien 1987.

144 Europa – unsere Zukunft. Eine Stellungnahme der Vereinigung Österreichischer Industrieller zur Europäischen Integration, Wien [14. Mai] 1987; Inge Morawetz, Die verborgene Macht. Personelle Verflechtungen zwischen Großbanken, Industrie und Unternehmerverbänden in Österreich, Frankfurt/Main – New York 1986, vgl. auch Helmut Kramer, Österreichs Industrie im internationalen Wettbewerb, Wien 1985.

145 Helmut Kramer/Otmar Höll, Österreich in der internationalen Entwicklung, in: Herbert Dachs u. a. (Hrsg.), Handbuch des politischen Systems Österreichs, Wien 1991, S. 50–69, hier S. 64 f.

146 Vgl. hierzu den Sammelband von Herbert Krejci/Erich Reiter/Heinrich Schneider (Hrsg.), Neutralität. Mythos und Wirklichkeit, Wien 1992.

147 Günter Bischof/Emil Brix, The Central European perspective, in: Robert S. Jordan (Hrsg.), Europe and the Superpowers. Essays on

European International Politics, London 1991, S. 217–234, hier S. 228–231.
148 Vgl. Kunnert, Österreichs Weg, S. 168–171, 318–328.
149 Ebd., S. 212–215.
150 Ebd., S. 168–171, hier S. 170.
151 Kunnert, Österreichs Weg, S. 38–43.
152 Ebd., S. 259 f.
153 Ebd., S. 277–287.
154 *Archiv der Gegenwart*, 22. 9. 1992, S. 37178 f.
155 Wolfgang Mederer, Österreich und die europäische Integration aus staatsrechtlicher Perspektive 1945–1992 – unter Berücksichtigung des EWR-Abkommens, in: Gehler/Steininger (Hrsg.), Österreich und die europäische Integration, S. 109–146, hier S. 137 f.
156 *Die Presse*, 11. 6. 1994; Gerda Falkner, Österreich und die europäische Einigung, in: Reinhard Sieder/Heinz Steinert/Emmerich Tálos (Hrsg.), Österreich 1945–1995. Gesellschaft – Politik – Kultur, (Österreichische Texte zur Gesellschaftskritik 60), Wien 1995, S. 331–340, S. 334 ff.
157 Michael Gehler/Oliver Rathkolb/Rolf Steininger, Österreich und die europäische Integration 1957 bis 1992, in: *Medien Impulse* 1 (Juni 1993), Heft 4, S. 6–17; Mederer, Österreich, S. 136 ff.
158 Vgl. hierzu auch Marie-Elisabeth Pösel/Gerhard Stadler, Verkehr – in Österreich und Europa, in: *Medien Impulse*, S. 17–29, hier S. 23–28; Hubert Sickinger/Richard Hussl, Transit-Saga. Bürgerwiderstand am Auspuff Europas, Thaur – Wien – München 1993.
159 Vgl. hierzu Renata Fritsch-Bournazel, Europa und die deutsche Einheit, Bonn – Stuttgart – München – Landsberg 1993², S. 14–38, 50–96; Henry Ashby Turner, Germany from Partition to Reunification, New Haven – London 1992, S. 225–255; allgemein: Walter Laqueur, Europa auf dem Weg zur Weltmacht 1945–1992, München 1992, S. 667–672, 681–691, 701–705; mit einem wenig aussagekräftigen Teil über Österreich und die Schweiz: S. 493 f.
160 Christian Deubner/Heinz Kramer, Die Erweiterung der Europäischen Union nach Mittel- und Osteuropa: Wende oder Ende der Gemeinschaftsbildung?, in: *Aus Politik und Zeitgeschichte* B 18–19/94, 6. 5. 1994, S. 12–19.
161 Kunnert, Österreichs Weg, S. 309–316; vgl. auch Gilbert Scharsach, Die neue EG. Die neue Gestalt der Europäischen Gemeinschaft nach Maastricht, Innsbruck 1994 [unveröffentlichtes gebundenes Manuskript].
162 Vgl. Rainer Scholle, Der Vertrag über die Europäische Union. Die Beschlüsse der EG-Ratskonferenz von Maastricht im Dezember 1991. Mit kurzer Einführung, München 1993³, S. 7–20, Vertragstext auf S. 21–92.
163 Vgl. Kunnert, Österreichs Weg, S. 326.
164 Vgl. 724 dB zu den *Stenographischen Protokollen des Nationalrats*, XVIII. GP.
165 Vgl. *Freie Argumente. Freiheitliche Zeitschrift für Politik* 19 (1992), Folge 3, S. 46.
166 Vgl. hierzu Kunnert, Österreichs Weg, S. 328–335; Neisser, Das politische System der EG, S. 227–232.
167 *WirtschaftsWoche*, 27. 5. 1993, Nr. 22, S. 18–20, hier S. 19.
168 *Der Standard*, 5./6. 9. 1993.

169 Johannes Ditz, Österreich als Nettozahler. Was steckt dahinter?, in: *Tiroler Perspektiven* 7 (1994), Nr. 1, S. 32.

170 *Welt am Sonntag*, 6. 3. 1994.

171 *Der Standard*, 9. 5. 1994.

172 Vgl. dagegen die negative Einschätzung von Gerhard Jagschitz, Die EU ist nicht Europa, in: *WirtschaftsWoche*, 24. 3. 1993, S. 31 und das pro und contra, in: *Europa Kurier* (April 1994), Nr. 3, S. 8; für Alois Mock, Heimat Europa. Der Countdown von Wien nach Brüssel (Redaktion Herbert Vytiska), Wien 1994, S. 191 ff., war das Verhandlungsergebnis „noch besser als erwartet" – im Lichte der weiteren Entwicklung nach dem EU-Beitritt erscheint dieses Urteil allerdings sehr übertrieben.

173 Michael Gehler, Österreich zwischen Neutralität und EU-Beitritt. Drahtseilakte sind nicht mehr opportun, in: *Das Parlament*, 11. 2. 1994; Paul Luif, Neutralität und Integration. Die politischen Aspekte der EU-Mitgliedschaft, in: Günther Bächler (Hrsg.), Beitreten oder Trittbrettfahren? Die Zukunft der Neutralität in Europa, Chur – Zürich 1994, S. 167–194.

174 Vgl. hierzu und für das folgende: Manfred Scheich, Das Ergebnis der Beitrittsverhandlungen, in: *Tiroler Perspektiven* 7 (1994), Nr. 1, S. 26–29.

175 *Welt am Sonntag*, 6. 3. 1994.

176 „Das wurde in Brüssel erreicht", in: *Kurier*, 3. 3. 1994; Falkner, Österreich und die europäische Integration, S. 336 f.; vgl. auch Herbert Dachs, EU-Beitritt und die Bundesländer, in: Gerlich/Neisser (Hrsg.), Europa als Herausforderung, S. 185–207.

177 *Kurier*, 4. 3. 1994; *Der Standard*, 21. 3. 1994.

178 *Der Standard*, 30. 3. 1994.

179 *Tiroler Tageszeitung*, 5. 5. 1994; *Die Presse*, 5. 5. 1994.

180 *Salzburger Nachrichten*, 7. 5. 1994.

181 *Kurier*, 12. 6. 1994.

182 *Wiener Zeitung*, 13. 6. 1994, 24. 6. 1994.

183 Vgl. Hubertus Czernin, „Ein historischer Tag", in: *profil*, 14. 6. 1994, Nr. 24, S. 15; vgl. für das folgende auch Fritz Plasser/Peter A. Ulram, Meinungstrends, Mobilisierung und Motivlagen bei der Volksabstimmung über den EU-Beitritt, in: Pelinka, EU-Referendum, S. 87–119.

184 *Der Standard*, 14. 6. 1994; vgl. für das folgende auch Michael Gehler, Verfrühter Jubel? Vor zwei Jahren stimmte eine überwältigende Mehrheit für den EU-Beitritt Österreichs, in: *Extra. Wiener Zeitung*, 14. 6. 1996.

185 Ebd.; für das folgende vgl. auch Falkner, Österreich und die europäische Einigung, S. 338 f.

186 Peter Meier-Bergfeld, Österreich nach der Volksabstimmung. Tunnel zur „Insel der Seligen", in: *Das Parlament*, 17. 6. 1994.

187 *Kurier*, 14. 6. 1994.

188 Falkner, Österreich und die europäische Einigung, S. 338 f.

189 Andy Kaltenbrunner/Herbert Lackner/Josef Votzi/Andreas Weber, Nach dem EU-Triumph rüsten die Koalitionsparteien zum Wahlkampf: jeder für sich, aber alle gegen Haider, in: *profil*, 14. 6. 1994, Nr. 24, S. 16–22, hier S. 16 f.

190 Ebd., S. 21.

578 Michael Gehler

191 Vgl. hierzu auch Wolfram Kaiser, The Silent Revolution: Austria's Accession to the European Union, in: *CAS*, Vol. 4, New Brunswick – New Jersey 1996 i.E.

192 Vgl. Hubertus Czernin/Andreas Weber/Christa Zöchling, Brüssel, nicht Berlin. Erstmals wendet sich Österreich dem Westen zu und nimmt Abschied von alten Träumen, in: *profil*, 14. 6. 1994, Nr. 24, S. 24. (Der Untertitel des Beitrags zeigt die unhistorische Herangehensweise der drei Journalisten: natürlich war Österreich bereits seit 1945 westorientiert!); zur Frage der österreichischen Identität vgl. auch Ernst Bruckmüller, Nation Österreich, Sozialhistorische Aspekte ihrer Entwicklung, Wien 1984; Ders., Österreichbewußtsein im Wandel. Identität und Selbstverständnis in den 90er Jahren, Wien 1994 und Gerald Stourzh, Erschütterung und Konsolidierung des Österreichbewußtseins – Vom Zusammenbruch der Monarchie zur Zweiten Republik, in: Richard G. Plaschka/Gerald Stourzh/Jan Paul Niederkorn (Hrsg.), Was heißt Österreich? Inhalt und Umfang des Österreichbegriffs vom 10. Jahrhundert bis heute (Österreichische Akademie der Wissenschaften, Philosophisch-Historische Klasse, Historische Kommission), Wien 1995, S. 289–311.

193 EU-Beitrittsvertrag (11 der Beilagen zu den Stenographischen Protokollen des Nationalrates XIX. GP), [Wien] 1994; *Salzburger Nachrichten*, 25. 6. 1994.

194 Vgl. auch Chronologie des Konflikts, in: *Der Standard*, 19. 12. 1994.

195 *Der Standard*, 14. 6. 1994 und 24. 6. 1994.

196 Vgl. Artikel 2, Kapitel 12 zu Artikel 12, in: EU-Beitrittsvertrag, S. 13 und 386; Europa in Zahlen (eurostat), Brüssel – Luxemburg 1995[4], S. 41 f.

197 Vgl. die Analyse von Peter Meier-Bergfeld, Der Sieger heißt Jörg Haider, in: *Das Parlament*, 21. 10. 1994, Nr. 42.

198 Vgl. *Die Presse*, 8. 7. 1994.

199 Vgl. *Der Standard*, 22. 6. 1994; *Tiroler Tageszeitung*, 31. 12. 1994/1. 1. 1995.

200 Godrun Gaarder, Domino: Kippt Helsinki auch die Steine in Oslo und Stockholm?, in: *Das Parlament*, 16. 9. 1994, Nr. 37.

201 Godrun Gaarder, Die Finnen sagten „Kyllä"-Ja, in: *Das Parlament*, 21. 10. 1994, Nr. 42, S. 13; vgl. u. a. auch zum Ausgang der skandinavischen Beitrittsreferenden Wolfram Kaiser/Pekka Visuri/Cecilia Malmström/Arve Hjelseth, Die EU-Volksabstimmungen in Österreich, Finnland, Schweden und Norwegen: Folgen für die Europäische Union, in: *integration* 18 (1995), Nr. 2, S. 76–87.

202 Godrun Gaarder, Ein Ja mit Zweifeln, in: *Das Parlament*, 25. 11. 1994, Nr. 47, S. 13.

203 Godrun Gaarder, Freude und Katerstimmung, in: *Das Parlament*, 9. 12. 1994, Nr. 49, S. 15.

204 *Tiroler Tageszeitung*, 31. 10./1. 11. 1994.; vgl. Europa in Zahlen, S. 62.

205 *Der Standard*, 23. 11. 1994.

206 Ebd., 6. 12. 1994.

207 Ebd., 22. 12. 1994.

208 Vgl. „Ein neues Kapitel für Österreich. EU-Beitritt zum Jahreswechsel – Spanien beseitigte die letzte Hürde", in: *Tiroler Tageszeitung*, 31. 12. 1994/1. 1. 1995.

209 Vgl. Andrea Komlosy, Die wirtschaftlichen Auswirkungen der Westintegration auf die österreichischen Ostgrenzgebiete, in: Tagungsband des Zeitgeschichtetags in Linz 1995, i.E.

210 *Der Standard*, 12. 1. 1995; für die jüngste Entwicklung vgl. auch Wolfram Kaiser, Austria in the European Union, in: *Journal of Common Market Studies* Vol. 33 (1995), Nr. 3, S. 411–425, hier S. 422.

211 *Der Standard*, 1. 2. 1995.

212 Hans-Heinz Schlenker, Neuer Schritt in der Sicherheitspolitik, in: *Salzburger Nachrichten*, 11. 2. 1995.

213 *Der Standard*, 17. 1. 1995.

214 Vgl. Thomas Angerer, Österreichische Souveränitätsvorstellungen und Europäische Integration: Mentalitätsgeschichtliche Grenzen der österreichischen Integrationspolitik, in: Tagungsband des Zeitgeschichtetags in Linz 1995, i.E.

215 Vgl. Manfred Rotter, Optionen österreichischer EG-Politik: Mitgliedschaft, Assoziation, EFTA-Verbund, in: *ÖZP* 18 (1993), Nr. 3, S. 197–208, hier S. 207.

216 Für letzteres plädiert – vor dem Hintergrund des Scheiterns der Großen Koalition im Oktober 1995 – Wolfram Kaiser, The Silent Revolution: Austria's Accession to the European Union, in: Austrian Historical Memory and National Identity, *CAS*, Vol. 5, 1996, S. 135–162.

217 Vgl. die Vorbemerkung bei Kunnert, Österreichs Weg, S. 3.

218 Gehler, Zwischen Neutralität und Europäischer Union, S. 426.

219 Vgl. Angerer, L'Autriche précurseur ou „Geisterfahrer" de l'Europe integrée?, S. 559 f.

220 Vgl. trotz aller supranationaler Euphorie: Michael Kreile, Politische Dimensionen des europäischen Binnenmarktes, in: *Aus Politik und Zeitgeschichte*, B 24–25/89, S. 25–35, hier S. 32 ff.; Tilman Mayer, Die nationalstaatliche Herausforderung in Europa, in: ebd., B 14/93, 2. 4. 1993, S. 11–20; Karlheinz Weißmann, Wiederkehr eines Totgesagten: Der Nationalstaat am Ende des 20. Jahrhunderts, in: ebd., S. 3–10; Norbert Berthold, Europa nach Maastricht – Die Skepsis bleibt, in: ebd., B 28/93, 9. 7. 1993, S. 29–38.

221 Vgl. Angerer, Österreichische Souveränitätsvorstellungen.

222 Ebd.

223 Vgl. den Beitrag des derzeitigen Leiters des Völkerrechtsbüros Franz Cede, Österreichs Neutralität und Sicherheitspolitik nach dem Beitritt zur Europäischen Union, in: *Zeitschrift für Rechtsvergleichung* 36 (1995), Heft 4, S. 142–148 und für das folgende auch S. 145 ff.

224 Thomas Angerer, Für eine Geschichte der österreichischen Neutralität. Ein Kommentar, in: Michael Gehler/Rolf Steininger (Hrsg.), Die Neutralen und die europäische Integration 1945–1995 (Arbeitskreis Europäische Integration, Historische Forschungen, Veröffentlichungen 3) i.V.

225 Ebd.

Dokument 1

Antrag an den Ministerrat

Staatssekretär M a r s h a l l hat in einer am 5. ds. in Cambridge
Mass., gehaltenen Rede ein Programm für die Haltung entwickelt,
die die Vereinigten Staaten zur Wiederherstellung des neuen Europa einnehmen sollen. In einer am selben Tage erfolgten Aussendung
ist dieses Programm mit folgenden Punkten wiedergegeben worden.

1. Der Bedarf Europas in den nächsten drei oder vier Jahren an
   ausländischen Lebensmitteln und anderen wichtigen Produkten
   – besonders aus Amerika – ist wesentlich grösser als seine Zah-
   lungsmöglichkeiten, so dass eine zusätzliche Hilfeleistung benö-
   tigt wird, oder es muss ein wirtschaftlicher, sozialer Zusammenbruch ernstester Art erfolgen.

2. Es ist natürlich, dass die Vereinigten Staaten alles tun müssen,
   was in ihren Kräften steht, um zu einer Wiederkehr normaler
   Wirtschaftsverhältnisse in der Welt beizutragen.

3. Unsere Politik ist nicht gegen ein bestimmtes Land oder gegen
   bestimmte Doktrinen gerichtet, sondern gegen Hunger, Armut,
   Verzweiflung und gegen das Chaos. Ihr Ziel ist die Wiederherstellung der Wirtschaft in der ganzen Welt und muss solche
   politische und soziale Bedingungen schaffen, dass freiheitliche
   Institutionen bestehen können.

4. Jede Regierung, die bereit ist, an dem Aufbauwerk mitzuarbeiten, wird von Seiten der Regierung der Vereinigten Staaten
   volle Unterstützung finden. Regierungen, die den Wiederaufbau
   anderer Länder verhindern, können von uns keine Hilfe erwarten.

5. Die Initiative (zum Wiederaufbau der europäischen Wirtschaft)
   muss aus Europa selbst kommen. Das Programm soll ein gemeinsames sein, dem die meisten, wenn nicht alle europäischen
   Staaten, zustimmen.

Diese Erklärung besagt nicht, wie eine solche Initiative zustandekommen soll. Inzwischen hat aber bereits der britische Aussenminister B e v i n sich mit seinem französischen Kollegen in Verbindung
gesetzt und beide Herren haben M o l o t o w zu einer gemeinsamen
Beratung eingeladen, die am 27. ds. in Paris begonnen hat. Verschiedene europäische Staaten haben bereits zu dem Plane Stellung
genommen. Unter anderem haben wir erfahren, dass Belgien, die

Niederlande und Luxemburg die von ihnen so gut wie schon geschaffene Zollunion als einen der ersten Schritte für eine wirtschaftliche Wiederaufbauarbeit im Sinne der Vorschläge Marshalls erklärten.

Für Österreich können wir wohl ohne weiteres sagen, dass es an einem solchen Wiederaufbau im höchsten Grade interessiert ist und bereit sein würde, daran mitzuarbeiten, wie es auch in der Lage wäre, durch die ihm zur Verfügung stehenden Produktionsverfahren [einen] zweckdienlichen Beitrag zu leisten.

Wir sind mit unserem eigenen Wiederaufbauwerk beschäftigt, dem andere Mächte verständnisvolle Mithilfe angedeihen lassen und wir wissen, dass diese unsere Arbeit nur gefördert werden kann, wenn auch in anderen Ländern eine gleiche Tätigkeit mit Erfolg von statten gehen kann und wenn dabei schon nach dem allgemeinen wirtschaftlichen Grundsatz der internationalen Arbeitsteilung eine zusammenfassende Kooperation der in Betracht kommenden Staaten erfolgt. Hierbei wird es von höchster Bedeutung sein, dass hierfür bei uns möglichst rasch vorbereitende Studien und Vorarbeiten geleistet werden, die sich sowohl auf den finanziellen Teil (Errechnung des finanziellen Bedarfes) wie auf den rein wirtschaftspolitischen Teil erstrecken müssten. Wenngleich bei uns in beiderlei Hinsicht umfangreiche Vorarbeiten eingeleitet und hergestellt worden sind, wird es doch am Platze sein, hierfür eine noch mehr systematische und weitgehende Vorbereitung und eventuell noch weitere organisatorische Einrichtungen zu treffen. Jedenfalls sollen wir aber nicht versäumen, unser Interesse an der Teilnahme der Aktion zum Ausdruck zu bringen.

Ich stelle daher den

Antrag,

mich zu ermächtigen, durch unseren Pariser Gesandten dem französischen Aussenminister unser grosses Interesse an dem in Rede stehenden Plan zum Ausdruck zu bringen und gleichzeitig auch die Aussenminister in Washington, London und Moskau über diesen Schritt zu informieren.

Wien, am 24. [sic!] Juni 1947.

Gruber m.p.

ÖStA, AdR, BKA/AA, Ministerratsmaterial 1947, 73. Sitzung, Zl. 107.768-pol/47.

Dokument 2

Vortrag an den Ministerrat

Die am Marshall-Plan beteiligten europäischen Staaten haben im
Sommer 1947 ein Komitee für wirtschaftliche Zusammenarbeit in
Europa gegründet. Auf Einladung der französischen und britischen
Regierung fand am 15. und 16. März 1948 in Paris eine Konferenz
der an diesem Komitee teilnehmenden europäischen Staaten statt,
bei der die Regierungen von Österreich, Belgien, Dänemark, Frankreich, Griechenland, Irland, Italien, Luxemburg, Niederlande, Norwegen, Portugal, Schweden, Türkei und des Vereinigten Königreiches durch ihre Außenminister und die Regierungen von Island und
der Schweiz durch ihre Gesandten in Paris vertreten waren. Bei
dieser Tagung wurde zunächst einstimmig der Beschluß gefaßt, daß
die Bi-Zone und die französische Besatzungszone Deutschlands in
dieses Komitee aufgenommen werden sollen. Gleichzeitig wurde eine
Arbeitsgruppe bestellt, deren Aufgabe die Ausarbeitung eines Entwurfes der Satzung einer zu schaffenden neuen Organisation für die
wirtschaftliche Zusammenarbeit in Europa und eines multilateralen
Vertrages war. Die Arbeitsgruppe, die sich aus Vertretern der 16
angeführten Regierungen und der 2 Besatzungszonen Deutschlands
zusammensetzte, hat vom 17. bis 26. März 1948 in Paris getagt und
den Entwurf eines Vertrages über eine europäische Organisation für
wirtschaftliche Zusammenarbeit fertiggestellt.

Der Entwurf des Vertrages bestimmt, daß sich die beteiligten Staaten verpflichten, ihre Produktion zu steigern, sowie den Warenaus-
tausch untereinander zu fördern. Zu diesem Zwecke werden sie sich
bemühen, ein Regime von multilateralen Zahlungen zu errichten
und zusammenzuarbeiten, um die Beschränkungen in ihrem Wa-
ren- und Zahlungsverkehr abzubauen sowie die Schaffung von Zollunionen zu studieren. Ferner soll jeder Vertragspartner die notwendigen finanziellen und monetären Maßnahmen ergreifen, um eine
Stabilität seiner Währung und seiner Finanzen herbeizuführen. Die
an dem Abkommen beteiligten Länder werden auch den besten
Gebrauch von den zur Verfügung stehenden Arbeitskräften machen.

Eine der Aufgaben der neuen Organisation soll darin bestehen, der
amerikanischen Regierung Unterstützung bei der Durchführung
des Programms für den europäischen Wiederaufbau zu gewähren.

Alle Beschlüsse der Organisation sollen einstimmig gefaßt werden.
Der Vertragsentwurf sieht sodann die Schaffung eines Rates vor, in

dem jeder Vertragspartner vertreten ist und der das Organ darstellt, von dem alle Entscheidungen ausgehen. Der Rat wird von einem Exekutiv-Komitee und einem Generalsekretariat unterstützt, die dem Rat verantwortlich sind. Der Rat kann ferner technische Ausschüsse einsetzen. Die Mitglieder des Exekutiv-Komitees werden jährlich durch den Rat gewählt. Ihre Zahl ist noch nicht festgelegt. Zur Sicherung der Interessen von Staaten, die nicht im Exekutiv-Komitee vertreten sind, ist vorgesehen, daß diese das Recht haben, an allen Beratungen und Entscheidungen des Exekutiv-Komitees teilzunehmen, die direkt ihre Interessen berühren. Alle Mitglieder der Organisation sind auch über die Beratungen des Exekutiv-Komitees zeitgerecht zu informieren.

Die Satzung sicht sodann vor, daß jedes Mitglied aus der Organisation ausscheiden kann. Der Austritt wird ein Jahr nach seiner Bekanntgabe rechtskräftig. Der Eintritt neuer Mitglieder kann mit Zustimmung des Rates erfolgen. Wenn ein Mitglied aufhört, seine aus dem Vertrage herrührenden Verpflichtungen zu erfüllen, so endet seine Mitgliedschaft mit dem Tage, an dem die anderen Mitglieder in diesem Sinne entscheiden.

Dem Vertragsentwurf sind 3 Anlagen beigefügt, die gleichzeitig mit dem Vertrag in Kraft treten sollen. Dic erste dieser Anlagen befaßt sich mit den Privilegien und Immunitäten, die der Organisation, den Vertretern der Teilnehmerstaaten und den Angestellten der Organisation eingeräumt werden sollen. Die zweite Anlage befaßt sich mit dem Personal des Generalsekretariats der Organisation. Die dritte Anlage befaßt sich mit der Aufstellung eines Budgets. Der Entwurf sieht vor, daß der Generalsekretär jedes Jahr dem Rat einen Haushaltungsvorschlag zur Genehmigung unterbreitet. Die Ausgaben der Organisation sind durch die Beiträge der einzelnen Mitglieder zu decken. Für die Höhe der Beiträge der einzelnen Mitglieder wurde ein Entwurf ausgearbeitet, der die Beiträge der einzelnen Staaten bei den Vereinten Nationen und anderen internationalen Organisationen zur Grundlage hat und vom Rat genehmigt werden muß. In diesem Entwurf war ursprünglich vorgesehen, daß Österreich $2^{1}/2$% der Kosten der Organisation zu tragen hat. Auf Wunsch der österreichischen Delegation wurde der Anteil Österreichs auf 1,75% herabgesetzt. Die Beiträge zur Organisation sollen entweder in der Währung des Landes geleistet werden, in dem die Organisation ihren ständigen Sitz hat oder in einer frei konvertierbaren anderen Währung. Über den ständigen Sitz der Organisation

wurde bisher noch kein Beschluß gefaßt, doch ist anzunehmen, daß
hiefür voraussichtlich Paris in Frage kommt. Die österreichische Delegation hat an sämtlichen Besprechungen
aktiv teilgenommen.

Die Arbeitsgruppe hat ihre Tätigkeit vom 27. März 1948 bis 5. April
1948 unterbrochen, um den Delegationen die Möglichkeit zur Berichterstattung an ihre Regierungen zu geben.

Der Text des Entwurfes, dessen endgültige Fassung noch nicht vorliegt, liegt zur Einsicht im Bundeskanzleramt, Auswärtige Angelegenheiten, auf.

Der Vertrag hat im allgemeinen weder gesetzesändernden noch politischen Inhalt. Insoweit jedoch die Bestimmungen über die Zuer-
kennung von Immunitäten an die Organisation gesetzesändernden
Charakter haben, könnte diese Frage durch ein allgemeines Gesetz,
daß [sic!] diese Materie behandelt, geregelt werden.

Die Unterzeichnung des Vertrages durch die Außenminister der
angeführten Staaten ist vorläufig für den 12. April 1948 in Aussicht
genommen.

Ich stelle den Antrag, der Ministerrat wolle mich ermächtigen, eine
Vollmacht des Herrn Bundespräsidenten zur Unterzeichnung des
Vertrages einzuholen.

6. 4. 1948

Gruber

ÖStA, AdR, MR-Material 1948, 106. Sitzung, Zl. 145.726-Wpol/48

Dokument 3

Schreiben von Botschafter Haymerle an das Außenministerium

Österreichische Botschaft
in der UDSSR
Zl. 53 – Pol/64

Gespräche mit dem stellvertretenden Außenminister Semjonow
Verfolg Drahtbericht 25055
vom 19. Mai 1964

Moskau, am 20. Mai 1964
Vertraulich!

Herr Bundesminister!

Gestern empfing mich der Stellvertretende Außenminister Semjonow, in dessen Wirkungsbereich auch Österreich fällt, über seinen Wunsch, um mir mitzuteilen, daß seine Regierung der Erteilung des Agréments für Botschafter Wodak zugestimmt habe. Auf den diesbezüglichen Drahtbericht darf verwiesen werden.

Auf meine im darauffolgenden Gespräch fallengelassene Bemerkung, daß ich überzeugt sei, daß sich die Beziehungen zwischen dem Außenministerium und der Botschaft unter meinem Nachfolger in der gleichen herzlichen und freundschaftlichen Art weiterentwickeln werden, replizierte mein Gesprächspartner, daß es nicht so sehr auf die Botschaft, sondern in erster Linie auf Wien ankommen werde, ob das österreichisch-sowjetische Verhältnis sich weiterhin günstig entwickeln werde. Es sei dies zwar nicht Gegenstand der heutigen Aussprache; nachdem ich aber nun in wenigen Wochen nach Wien zurückkehren werde, halte ich es für angezeigt, auch mir gegenüber nochmals den sowjetischen Standpunkt in aller Klarheit darzulegen, wie dies auch die Stellvertretenden Ministerpräsidenten Kossygin und Mikojan anläßlich meiner Abschiedsbesuche getan hätten.

Es gebe ein Problem, das seine Schatten auf unsere Beziehungen werfen könnte, nämlich die Bemühungen Österreichs um den Gemeinsamen Markt. Über dieses Problem hätten wir ja bereits öfters Gelegenheit gehabt, uns zu unterhalten.

Ich erläuterte Herrn Semjonow neuerlich den österreichischen Standpunkt, wies in diesem Zusammenhang auf die Darlegungen Altbundeskanzlers Dr. Gorbach und auf Ihre Ausführungen, Herr Bundesminister, anläßlich des Besuches der österreichischen Regierungsdelegation im Jahr 1962 hin und betonte unter Zitierung der einschlägigen Stellen der jüngsten beiden Erklärungen des Herrn Bundeskanzlers, daß sich an dieser österreichischen außenpolitischen Linie nichts geändert habe.

Herr Semjonow erwiderte darauf, daß er die Regierungserklärung und die außenpolitische Erklärung des neuen Bundeskanzlers gelesen habe. Zwischen diesen Worten und der zur Schau getragenen Absicht der Österreichischen Bundesregierung bestehe jedoch offensichtlich ein Widerspruch. Die Sowjetunion betrachte in ihren Beziehungen zu dem neutralen Österreich jeden Versuch einer Annäherung unseres Landes an die NATO, in welcher Form dies auch immer geschehen möge, mit größtem Ernst. Hierüber hätten auch Kossygin und Mikojan in den vorerwähnten Unterredungen keinen

Zweifel gelassen. Für Österreich werde es darauf ankommen, ob es
eine langfristige Politik betreiben oder die Vorteile des vom Bundeskanzler Raab auf weite Sicht eingeschlagenen Kurses um kurzfristiger wirtschaftlicher Ziele willen preisgeben wolle. Die österreichische Neutralitätspolitik habe nicht nur Bedeutung für Österreich,
sondern für die gesamte internationale Lage. Man möge hier nur an
die Schweiz denken. Die Schweiz sei ein kleines Land, das aber in
der Weltpolitik eine große Rolle spiele. In ihren Beziehungen zu
dem Gemeinsamen Markt lege sie sich aus Gründen, die sich klar
aus ihrer Neutralitätspolitik ergeben, große Zurückhaltung auf. Die
strikte Beachtung der Neutralität erweise sich als ein Element der
Stabilität in der Welt.

Es liege ihm, Semjonow, ferne, sich in die inneren Angelegenheiten
Österreichs einmischen zu wollen. Aber als Freund unseres Landes
und als ein Funktionär, der an der Vorbereitung des Staatsvertrages
aktiv teilgenommen habe und daher wisse, um was es dabei gegangen sei, halte er es für notwendig, mir seine Warnungen auf dem Weg
nach Wien mitgeben zu müssen. Die Neutralität Österreichs bestehe
erst neun Jahre, die der Schweiz 150 Jahre. Auch die Schweiz habe
zu Beginn Schwierigkeiten gehabt, eine richtige neutrale Linie zu
finden. Diese Problematik sei jedoch längst überwunden. Der Weg,
den sie einschlage, erfordere Mut und Hartnäckigkeit.

Die Nachkriegszeit sei durch den „Revanchismus" und „Militaris-
mus" der Bundesrepublik gekennzeichnet, deren Ziel es sei, eine
Änderung des status quo herbeizuführen. Dies sei ein Faktum, ob
man es in Österreich gerne hören wolle oder nicht. Die Bundesrepublik habe einen ausschlaggebenden Einfluß auf den Gemeinsamen Markt. Der Gemeinsame Markt wiederum sei ein wirtschaftliches Instrument in den Händen der NATO. Im Hinblick auf diese
Umstände sei es nicht zu verwundern, daß die Sowjetunion sich
angesichts der Bemühungen unseres Landes, an der EWG in irgendeiner Form teilzunehmen, Sorgen um die Entwicklung Österreichs machen müsse. Der alte Weg des Anschlusses, der im Jahre
1938 zu einer Katastrophe geführt habe, werde, soweit man hier in
Moskau informiert sei, von der überwiegenden Mehrheit der österreichischen Bevölkerung abgelehnt. Es wäre traurig, wenn sich die
Geschichte nunmehr unter anderen Vorzeichen wiederholen würde.
Deswegen habe ja auch der Stellvertretende Ministerpräsident Mikojan mir gegenüber zum Ausdruck gebracht, daß die Sowjetunion
die Politik, die Bundeskanzler Raab initiiert habe, voll und ganz

unterstützen werde. Was die sowjetische Seite anbelangte, so sei sie jedenfalls sehr interessiert daran, daß sich die freundschaftlichen und wirtschaftlichen Beziehungen mit dem neutralen Österreich in der bisherigen erfreulichen Weise weiterentwickeln.

Herr Semjonow beendete seine Darlegungen mit den Worten: „Habe ich Ihnen die Laune verdorben?"

Die gegenständliche Unterredung mit Minister Semjonow war die im Ton freundlichste, inhaltlich aber weitaus ernsteste, die ich während meines vierjährigen Aufenthaltes in der Sowjetunion mit sowjetischen Gesprächspartnern zu führen Gelegenheit hatte.

Es war zu erwarten, daß meine sowjetischen Gesprächspartner meine Abschiedsbesuche zum Anlaß nehmen würden, um nochmals mit aller Klarheit und Deutlichkeit den sowjetischen Standpunkt in der Frage des Arrangements Österreichs mit der EWG darzulegen. Es lag auch auf der Hand, daß sie es eindringlicher und drastischer tun würden, als dies sonst der Fall gewesen wäre. Nichtsdestoweniger muß den Worten Semjonows nach hiesiger Auffassung deswegen besondere Bedeutung beigemessen werden, weil ihm kraft seiner Stellung und seines Wirkungsbereiches ein maßgebender Einfluß auf die Formulierung der zukünftigen sowjetischen politischen Linie Österreich gegenüber zukommen wird.

Genehmigen Sie, Herr Bundesminister, den Ausdruck meiner vollkommenen Ergebenheit.

Haymerle m. p.

Stiftung Bruno Kreisky-Archiv, Wien, Aktenbestand Integration.

Dokument 4

Wortlaut der österreichischen Anträge um Aufnahme in die Europäischen Gemeinschaften vom 17. 7. 1989 [Schreiben Mock an Dumas]

Herr Präsident!

Im Namen der Republik Österreich habe ich die Ehre, unter Bezugnahme auf Artikel 237 des Vertrages zur Gründung der Europäischen Wirtschaftsgemeinschaft den Antrag auf Mitgliedschaft Österreichs in der Europäischen Wirtschaftsgemeinschaft zu stellen.

Österreich geht bei der Stellung dieses Antrages von der Wahrung seines international anerkannten Status der immerwährenden

Neutralität, die auf dem Bundesverfassungsgesetz vom 26. Oktober 1955 beruht, sowie davon aus, daß es auch als Mitglied der Europäischen Gemeinschaften aufgrund des Beitrittsvertrages in der Lage sein wird, die ihm aus seinem Status als immerwährend neutraler Staat erfließenden rechtlichen Verpflichtungen zu erfüllen und seine Neutralitätspolitik als spezifischen Beitrag zur Aufrechterhaltung von Frieden und Sicherheit in Europa fortzusetzen.

Genehmigen Sie, Herr Präsident, den Ausdruck meiner vorzüglichen Hochachtung.

S.E. Herrn Roland DUMAS
Präsident des Rates
der Europäischen Gemeinschaften
B r ü s s e l

Erklärung von BMA Dr. Alois Mock anläßlich der Überreichung der österreichischen Beitrittsansuchen am 17. 7. 1989

1. Österreich nimmt als europäischer, demokratischer, pluralistischer Staat mit freier Marktwirtschaft das in den EG-Verträgen verankerte Recht in Anspruch, einen Antrag auf Mitgliedschaft zu stellen.

2. In der Präambel des EWG-Vertrages bringen die Mitgliedstaaten der Europäischen Gemeinschaften ihre Entschlossenheit zum Ausdruck, durch den Zusammenschluß ihrer Wirtschaftskräfte Frieden und Sicherheit zu wahren und zu festigen und richten die Aufforderung an die anderen Völker Europas, die sich zu dem gleichen hohen Ziel bekennen, sich diesen Bestrebungen anzuschließen.

3. Mit dem Beitrittsantrag bringt Österreich seinen Wunsch zum Ausdruck, vollberechtigtes Mitglied der Europäischen Gemeinschaften zu werden und alle Rechte und Pflichten aus den Verträgen zu übernehmen. [. . .]

6. Das österreichische Interesse an einem Beitritt zu den Europäischen Gemeinschaften beruht nicht nur auf ökonomischen Überlegungen. Es ist insbesondere Ausdruck seines europäischen Selbstverständnisses und der Überzeugung, daß die wachsende Einheit Europas am besten und konkretesten den Frieden auf diesem Kontinent sichert.

7. Einige spezifische Punkte verdeutlichen den österreichischen Beitrittsantrag:

- die geopolitische Lage Österreichs im Herzen Europas,
- die tiefe Verbundenheit des österreichischen Volkes mit den Idealen und Motiven des europäischen Einigungswerkes,
- die Tatsache, daß 70 Prozent des Wirtschaftsverkehrs (Handel und Dienstleistungen) auf die EG entfallen,
- ein spezifisches Interesse im ökologischen Bereich – hier sind die Sachzwänge zumindest ebenso groß wie im wirtschaftlichen Bereich; eine wirksame Umweltpolitik ist nur grenzüberschreitend vorstellbar,
- eine zukunftsorientierte europäische Verkehrspolitik, die in Anbetracht der geographischen Lage unseres Landes nur in enger Zusammenarbeit mit Österreich zu verwirklichen ist.

8. Dieser Beitrittsantrag ordnet sich auch in die Kontinuität der österreichischen Integrationspolitik ein. Österreich hat sein Engagement, maximal am europäischen Integrationsprozeß in seinen verschiedenen Entwicklungsphasen teilzunehmen, wiederholt bekundet: so bei der Gründung der OEEC (Europäische Organisation für wirtschaftliche Zusammenarbeit), dann im Europarat und in der EFTA (Europäische Freihandelsassoziation); und vor allem durch den Abschluß der Freihandelsabkommen mit den Europäischen Gemeinschaften. Österreich hat dabei das Ziel vor Augen, nicht vom Integrationsprozeß der Gemeinschaft ausgeschlossen zu werden, sondern an ihm in weitestmöglicher Form teilzunehmen.

9. Österreich erwartet sich von der Gemeinschaft eine offene, konstruktive Haltung. Es geht davon aus, daß die normalen, üblichen Prozeduren auch für die österreichischen Beitrittsanträge eingeleitet werden. Österreich hofft daher, daß die EG-Kommission ohne Verzögerung mit der Ausarbeitung der Stellungnahme an den EG-Ministerrat beauftragt wird.

10. Bis zum Beitritt wird Österreich ein loyales und aktives EFTA-Mitglied bleiben. Es liegt im österreichischen Interesse, möglichst rasch sektorielle Lösungen zwischen der Gemeinschaft und den EFTA-Staaten verwirklichen zu können. Dieser „acquis" aus der EFTA-EG-Zusammenarbeit wird später auch von Österreich als EG-Mitglied automatisch übernommen werden.

In diesem Zusammenhang wird Österreich auch gemeinsam mit seinen EFTA-Partnern, alle Möglichkeiten für eine verbesserte Zusammenarbeit mit der Gemeinschaft prüfen, die sich aus den von Präsident Delors am 17. Jänner 1989 geäußerten Vorstellungen ergeben könnten.

Gerhard Kunnert, Spurensicherung auf dem österreichischen Weg nach Brüssel (Schriftenreihe Europa des Bundeskanzleramts), Wien 1992, S. 64 f.

590

Michael Gehler

Literatur

Ambrosius, Gerold/Hubbard, William H., Sozial- und Wirtschaftsgeschichte Europas im 20. Jahrhundert, München 1986.

Austria in the New Europe, *Contemporary Austrian Studies (CAS)*, Vol. 1, New Brunswick – London 1993.

Bächler, Günther (Hrsg.), Beitreten oder Trittbrettfahren? Die Zukunft der Neutralität in Europa, Chur – Zürich 1994.

Bielka, Erich/Jankowitsch, Peter/Thalberg, Hans (Hrsg.), Die Ära Kreisky. Schwerpunkte der österreichischen Außenpolitik, Wien – München – Zürich 1983.

Bracher, Karl Dietrich, Die Krise Europas seit 1917, Berlin 1993.

Cipolla, Carlo M. (Hrsg.), Europäische Wirtschaftsgeschichte, Bd. 5: Die europäischen Volkswirtschaften im zwanzigsten Jahrhundert (UTB 1369), Stuttgart – New York 1986.

Dachs, Herbert/Gerlich, Peter/Gottweis, Herbert/Horner, Franz/Kramer, Helmut/Lauber, Volkmar/Müller, Wolfgang C./Tálos, Emmerich (Hrsg.), Handbuch des politischen Systems Österreichs, Wien 1991

Ecker, Gerold/Neugebauer, Christian (Hrsg.), Neutralität oder Euromilitarismus. Das Exempel Österreich, Wien 1993.

EG-Europa. Fakten, Hintergründe, Zusammenhänge, *Informationen zur Politischen Bildung* 1992, Nr. 4, Wien 1992.

Emmerich, Klaus, Anders als die anderen. Österreichs neue Rolle in Europa, Düsseldorf – Wien 1992.

Gasteyger, Curt, Europa zwischen Spaltung und Einigung 1945 bis 1993, Darstellung und Dokumentation (Schriftenreihe der Bundeszentrale für politische Bildung 321), 1994.

Gehler, Michael/Steininger, Rolf (Hrsg.), Die Neutralen und die europäische Integration 1945–1995 (Arbeitskreis Europäische Integration, Historische Forschungen, Veröffentlichungen 3), in Vorbereitung.

Gehler, Michael/Steininger, Rolf (Hrsg.), Österreich und die europäische Integration 1945–1993. Aspekte einer wechselvollen Entwicklung (Institut für Zeitgeschichte der Universität Innsbruck, Arbeitskreis Europäische Integration, Historische Forschungen, Veröffentlichungen 1), Wien – Köln – Weimar 1993.

Gerlich, Peter/Neisser, Heinrich (Hrsg.), Europa als Herausforderung. Wandlungsimpulse für das politische System Österreichs (Schriftenreihe des Zentrums für angewandte Politikforschung 5), Wien 1994.

Glatz, Hans u. a. (Hrsg.), Herausforderung Binnenmarkt. Kopfüber in die EG?, Wien 1989.

Griller, Stefan u. a. (Hrsg.), Europäische Integration aus österreichischer Sicht. Wirtschafts-, sozial- und rechtswissenschaftliche Aspekte, Wien 1991.

Herbst, Ludolf, Option für den Westen. Vom Marshallplan bis zum deutsch-französischen Vertrag, München 1989.

Herbst, Ludolf/Bührer, Werner/Sowade, Hanno (Hrsg.), Vom Marshallplan zur EWG. Die Eingliederung der Bundesrepublik in die westliche Welt (Quellen und Darstellungen zur Zeitgeschichte 30), München 1990.

Hummer, Waldemar (Hrsg.), Österreichs Integration in Europa 1948–1989. Von der OEEC zur EG, Wien 1990.

Ders., Annäherung zwischen EG und EFTA. Außen-, neutralitäts- und wirtschaftspolitische Problemfelder, Wien 1991.

Ders./Mayrzedt, Hans, 20 Jahre österreichische Neutralitäts- und Europapolitik, Dokumentation, 2 Bde, Wien 1976.

Hummer, Waldemar/Schweitzer, Michael, Europarecht. Das Recht der Europäischen Gemeinschaften (EGKS, EWG, EAG) – mit Schwerpunkt EWG, Neuwied – Frankfurt 1990[3].

Hummer, Waldemar/Schweizer, Michael, Österreich und die EWG. Neutralitätsrechtliche Beurteilung der Möglichkeiten der Dynamisierung des Verhältnisses zur EWG, Wien 1987.

Hummer, Waldemar/Wagner, Georg (Hrsg.), Österreich im Europarat 1956–1986. Bilanz einer 30jährigen Mitgliedschaft (= Veröffentlichungen der Kommission für Europarecht, internationales und ausländisches Privatrecht Nr.7), Wien 1988.

Iraschko, Josef/Truger, Arno, EG und Neutralität. Österreich und die westeuropäische Herausforderung, Wien 1989.

Jachtenfuchs, Markus/Kohler-Koch, Beate (Hrsg.), Europäische Integration (UTB 1853), Opladen 1996.

Jordan, Robert S. (Hrsg.), Europe and the Superpowers. Essays on European International Politics, London 1991.

Kramer, Helmut, Die europäische Integration. Perspektiven für Österreich (= Schriftenreihe Club Niederösterreich 2), Wien 1990.

Krejci, Herbert/Reiter, Erich/Schneider, Heinrich (Hrsg.), Neutralität. Mythos und Wirklichkeit, Wien 1992.

Kriechbaumer, Robert/Schausberger, Franz/Weinberger, Hubert (Hrsg.), Die Transformation der österreichischen Gesellschaft und die Alleinregierung Klaus (Veröffentlichung der Dr.-Wilfried Haslauer-Bibliothek, Forschungsinstitut für politisch-historische Studien 1), Salzburg 1995.

Kunnert, Gerhard, Österreichs Weg in die Europäische Union. Ein Kleinstaat ringt um eine aktive Rolle im europäischen Integrationsprozeß, Wien 1993.

Ders., Spurensicherung auf dem österreichischen Weg nach Brüssel (Schriftenreihe Europa des Bundeskanzleramtes, Sonderband), Wien 1992.

L'Autriche et l'intégration européenne, in: *Austriaca. Cahiers universitaires d'information sur l'Autriche* (1994), Nr. 34 (Sonderheft).

Laursen, Finn (Hrsg.), EFTA and the EC: Implications of 1992, Maastricht 1990.

Leonhard, Alan T. (Hrsg.), Neutrality. Changing Concepts and Practices, Lanham – New York – London 1988.

Loth, Wilfried, Der Weg nach Europa. Geschichte der europäischen Integration 1939–1957, Göttingen 1990.

Luif, Paul, Neutrale in die EG? Die westeuropäische Integration und die neutralen Staaten, Wien 1988.

Mähr, Wilfried, Der Marshallplan in Österreich, Graz – Wien – Köln 1989.

Mayrzedt, Hans/Binswanger, Hans Christoph (Hrsg.), Die Neutralen in der Europäischen Integration. Kontroversen-Konfrontationen-Alternativen, Wien – Stuttgart 1970.

Meier-Walser, Reinhard, Die Außenpolitik der monocoloren Regierung Klaus in Österreich 1966–1970 (tuduv-Studien, Reihe Politikwissenschaften 27), München 1988.

Milward, Alan S., The European Rescue of the Nation State, London 1992.

Ders., The Reconstruction of Western Europe 1945–51, London 1984, Berkeley – Los Angeles 1986².

Neisser, Heinrich, Das politische System der EG, Wien 1993.

Neuhold, Hanspeter/Thalberg, Hans (Hrsg.), The European Neutrals in International Affairs, Wien 1984.

Nonhoff, Stephan, In der Neutralität verhungern? Österreich und die Schweiz vor der europäischen Integration, Münster 1995.

Pelinka, Anton (Hrsg.), EU-Referendum. Zur Praxis direkter Demokratie in Österreich (Schriftenreihe des Zentrums für angewandte Politikforschung 6), Wien 1994.

Ders./Schaller, Christian/Luif, Paul (Hrsg.), Ausweg EG? Innenpolitische Motive einer außenpolitischen Umorientierung, Wien 1994.

Rauchenberger, Josef, Entscheidung für Europa. Österreichs parlamentarischer Weg in die EU, Wien 1995.

Sandgruber, Roman, Ökonomie und Politik. Österreichische Wirtschaftsgeschichte vom Mittelalter bis zur Gegenwart, Wien 1995.

Scharsach, Gilbert, EU-Handbuch. Das große Nachschlagwerk der österreichischen EU-Diskussion, Wien 1996.

Schneider, Heinrich, Alleingang nach Brüssel. Österreichs EG-Politik (Europäische Schriften des Instituts für Europäische Politik 66), Bonn 1989.

Schweitzer, Michael, Dauernde Neutralität und europäische Integration, Wien 1977.

Schwendimann, Thomas, Herausforderung Europa. Integrationspolitische Debatten in Österreich und der Schweiz 1985–1989 (Europäische Hochschulschriften, Reihe XXXI, 236), Bern – Berlin – Frankfurt/Main – New York – Paris – Wien 1993.

Sieder, Reinhard/Steinert, Heinz/Tálos, Emmerich (Hrsg.), Österreich 1945–1995. Gesellschaft – Politik – Kultur (Österreichische Texte zur Gesellschaftskritik 60), Wien 1995, 1996².

Steiner, Senta G., Österreich und die europäische Integration zwischen Moskauer Deklaration und Europakongreß in den Haag (1943–1948), phil. Diss. Salzburg 1971.

Weiß, Florian, „Auf sanften Pfoten gehen": Die österreichische Bundesregierung und die Anfänge der westeuropäischen Integration 1947–1957, Phil. Diplomarbeit. Universität München 1989.

Wurm, Clemens (Ed.), Western Europe and Germany. The Beginnings of European Integration 1945–1960, Oxford – Washington 1995.

Fragen

1. Worin bestand die Rolle Österreichs als „Sonderfall" im Rahmen des ERP und der OEEC?

2. War der Marshallplan für Österreich ein „Tanz nach einer ausländischen Pfeife"?

3. Welche Desintegrationserscheinungen gingen mit Österreichs Integrationsbestrebungen von 1945 bis 1955 Hand in Hand?

4. Beschreiben Sie die Position der politischen Parteien in Österreich zur europäischen Integration im historischen Überblick!

5. In welchem Zusammenhang stehen die Unterzeichnung des Staatsvertrags bzw. die Erklärung der „immerwährenden" Neutralität von 1955 mit der österreichischen Integrationspolitik?

6. Erläutern Sie Österreichs Interesse am Zustandekommen der Großen Freihandelszone 1956–1958 und nennen Sie Gründe für ihr Scheitern.

7. Warum wurde die EFTA gegründet?

8. Welche Funktion hatte sie für Österreich?

9. Analysieren Sie das Scheitern des „Alleingangs" 1963–1967.

10. Was beinhaltete das 1972 mit der EWG und der EGKS vereinbarte Arrangement?

11. Wie ist der Wandel von der status quo-orientierten Integrationspolitik der Ära Kreisky zur aktiven Beitrittspolitik unter Vranitzky/Mock Ende der achtziger Jahren zu erklären?

12. Stellte der Beitrittsantrag vom 17. Juli 1989 einen Bruch mit der bisherigen österreichischen Integrationspolitik dar, oder ist er im Sinne einer kontinuierlich verlaufenden Entwicklung zu interpretieren?

13. Interpretieren Sie den Ausgang des EU-Referendums vom 12. Juni 1994 und analysieren Sie die Gründe für das hohe Ergebnis.

14. Periodisieren Sie die österreichische Integrationspolitik. Wie sind ihre Abweichungen und Ähnlichkeiten im Überblick zu beurteilen?

15. Interpretieren Sie im Lichte des österreichischen EU-Beitritts und mit Blick auf geplante supranationale Strukturen in Europa die Frage nach der österreichischen Neutralität und der nationalen Souveränität.

CHRONOLOGIE

1945

31. 3. Truppen der sowjetischen Armee überschreiten bei Güns, südöstlich von Wien, die ungarisch-österreichische Grenze

9. 4. Wien ist von sowjetischen Truppen eingekreist

14. 4. Die „Schlacht um Wien" ist beendet

21. 4. Karl Renner, der sich in Gloggnitz aufgehalten hatte, trifft in Wien ein, wo er erste Besprechungen mit Vertrauensmännern der ÖVP, der SPÖ und der KPÖ aufnimmt

27. 4. Unter Staatskanzler Renner konstituiert sich in Wien die „Provisorische Österreichische Staatsregierung". Sie proklamiert die Wiederherstellung der Republik Österreich. Ihr gehören Sozialisten (u. a. Adolf Schärf), Christdemokraten (Leopold Kunschak) und Kommunisten (Johann Koplenig) an; sie steht unter sowjetischer Kontrolle

28. 4. US-Truppen überschreiten die österreichische Grenze in Tirol

13. 5. Die provisorische Staatsregierung beschließt ein Verfassungsgesetz über das neuerliche Wirksamwerden der österreichischen Bundesverfassung vom 1. Oktober 1920 und in der Fassung vom 7. Dezember 1929

3. 5. Einheiten der 103. US-Infanterie-Division (der 7. Armee) erreichen zwischen 19 und 20 Uhr die bereits befreite Stadt Innsbruck; gegen 14 Uhr hatten Karl Gruber, Anton Hradetzky, Eduard Reut-Nicolussi, Friedrich Würthle, Franz Hüttenberger, Karl Höflinger, Eduard Grünewald, Hans Gamper, Stephan Zechner und Anton Schuler das von den Nationalsozialisten geräumte Landhaus besetzt; die einrückenden

US-Truppen werden von Reut-Nicolussi, der eine kurze Absprache hält, begrüßt

8. 5. Die bedingungslose Kapitulation der deutschen Wehrmacht tritt in Kraft

23. 5. Karl Gruber wird nach Aufgabe seiner Agenden als Chef der Widerstandsbewegung von der US-Besatzungsmacht als Landeshauptmann von Tirol bestätigt und offiziell anerkannt

26. 6. Die Charta der Vereinten Nationen (UNO) wird unterzeichnet

4. 7. Erstes Alliiertes Kontrollabkommen für Österreich

9. 7. Abkommen über die Besatzungszonen Österreichs, unterzeichnet von der European Advisory Commission (EAC) in London

17. 7.–2. 8. Potsdamer Konferenz: Harry S. Truman, Josef W. Stalin und Winston S. Churchill bzw. Clement Attlee fassen die Potsdamer Beschlüsse; darunter Verzicht auf österreichische Reparationen, aber Anspruch der Besatzungsmächte auf „deutsches Eigentum" als Kriegsbeute; es erfolgt keine genaue Definition des „deutschen Eigentums", was bei den späteren Staatsvertragsverhandlungen große Komplikationen bewirkt

9. 8. Deklaration der vier Besatzungsmächte über die Zukunft Österreichs: Aufteilung in 4 Besatzungszonen; Wien wird in vier Zonen geteilt und der 1. Bezirk zum gemeinsamen Verwaltungsgebiet aller vier Besatzungsmächte erklärt

20. 8. Konferenz der westlichen Bundesländer in Salzburg

22. 8. Mit einstimmigem Beschluß des UNRRA-Rates wird Österreich in die Hilfsaktion der UNO miteinbezogen

29. 8.	Durch Verfassungsgesetz wird die Aufteilung des Burgenlandes durch das Dritte Reich aufgehoben und das Gebiet wieder zu einem selbständigen Bundesland erklärt
1. 9.	Die Truppen der alliierten Besatzungsmächte übernehmen die vier Besatzungszonen in Wien; bis zum 1. September war ganz Wien nur von Truppen der Sowjetarmee besetzt
11. 9.	Der Alliierte Rat für Österreich tritt zum ersten Mal zusammen: Anerkennung der Grundsätze der Moskauer Deklaration und der drei politischen Parteien (ÖVP, SPÖ, KPÖ)
14. 9.	Auf der Außenministerkonferenz der Großmächte in London wird die Brennergrenze bestätigt, lediglich kleinere Grenzberichtigungen („minor rectifications") zugunsten Österreichs werden als zulässig bezeichnet
24. 9.	Die Regierung beschließt ein Verfassungsgesetz über das Verfahren vor dem Volksgericht und den Verfall des Vermögens von durch dieses Gericht Verurteilten (Volksgerichte wurden zur Aburteilung von Kriegsverbrechern eingerichtet)
24.–26. 9.	Im niederösterreichischen Landhaus findet die erste Länderkonferenz statt, die provisorische Staatsregierung Renner wird durch Mitglieder aus den westlichen Bundesländern erweitert; Gruber wird demzufolge in der provisorischen Regierung Unterstaatssekretär für Auswärtige Angelegenheiten
1. 10.	Der Postverkehr in ganz Österreich wird wieder aufgenommen; der Alliierte Rat beschließt die Wiederherstellung der Pressefreiheit

6. 10.   Wiedereröffnung der Wiener Staatsoper

8. 10.   Eine viersprachige Identitätskarte wird für alle Österreicher eingeführt

9.–10. 10.   Zweite Länderkonferenz in Wien: Alle ehemaligen Angehörigen der NSDAP, der SA und der SS sind vom Wahlrecht ausgeschlossen

11. 10.   Wiedererrichtung des österreichischen Verwaltungs- und Verfassungsgerichtshofs und des Staatsrechnungshofes

20. 10.   Anerkennung der Provisorischen Österreichischen Staatsregierung durch alle vier Besatzungsmächte

25. 10.   Dritte Länderkonferenz in Wien: Sicherung der Volksernährung, Behandlung der Flüchtlingsfrage und Novellierung des Verbotsgesetzes vom 8. Mai 1945 stehen im Mittelpunkt

25. 11.   Durchführung der ersten Nationalratswahlen: Die ÖVP erhält 85, die SPÖ 76, die KPÖ 4 Mandate

13.–20. 12.   Durchführung der ersten Währungsreform in der Zweiten Republik: Reichsmarknoten und Alliierte Militärschillinge werden pro Kopf der Bevölkerung bis zu 150 Reichsmark in Schillingnoten im Verhältnis 1:1 umgetauscht, das übrige Bargeld wird gesperrt, alle bis April 1945 vorhandenen Konten (Aktivsalden) unterliegen einer 60%igen Sperre bis 30. November

18. 12.   Die aufgrund der Nationalratswahlen vom 25. November gebildete Regierung unter Kanzler Leopold Figl wird vom Alliierten Rat anerkannt

20. 12.   Karl Renner wird einstimmig von der Nationalversammlung zum Bundespräsidenten gewählt

1946

9. 1. Übergabe der Kronjuwelen und Reichskleino-
        dien (aus der Nähe von Nürnberg in die Ob-
        hut Österreichs) durch den US-Hochkom-
        missar Mark W. Clark an Figl

10. 1. Gründung der „Österreichischen Liga für die
        Vereinten Nationen"

2. 2. Übermittlung eines „Vorentwurfs" für einen
        Vertrag „zur Wiederherstellung" der Rechts-
        stellung Österreichs von Karl Gruber an Wil-
        liam Mack (UK) und John G. Erhardt (USA)

6. 2. Memorandum von Karl Renner an die Regie-
        rungschefs der vier Großmächte wegen Südti-
        rol

14. 2. Theodor Körner wird Bürgermeister von
        Wien

5. 3. Der Nationalrat beschließt eine „Befreiungs-
        amnestie"

8. 3. Ankunft der ersten Lebensmittelsendung der
        UNRRA

18. 3. Infolge Verzögerungen der UNRRA-Hilfsliefe-
        rungen müssen die Lebensmittelrationen für
        die Normalverbraucher von 1550 auf 1200
        Tageskalorien reduziert werden

5. 4. Feierliche Unterzeichnung des UNRRA-Ver-
        trages von Außenminister Gruber und Gene-
        ral Parminter im Bundeskanzleramt

30. 4. Memorandum der österreichischen Bundes-
        regierung betreffend die Südtirolfrage zu Be-
        ginn der Pariser Außenministerkonferenz
        (Forderung nach Volksabstimmung); zu die-
        sem Zeitpunkt wird in Österreich erst be-
        kannt, daß die Großmächte bereits im Sep-
        tember 1945 für einen Verbleib Südtirols bei
        Italien votiert haben

1. 5. Die Außenminister lehnen die Rückgabe Südti-
        rols ab

24. 6.   Die Außenminister lehnen auch die Rückgabe
          des Pustertales ab
28. 6.   Zweites Kontrollabkommen für Österreich
          (Rechte und Pflichten des Alliierten Rates
          und der Bundesregierung, garantiert deren
          Unabhängigkeit und Gebietshoheit; Verfas-
          sungsgesetze bedürfen der einstimmigen Ge-
          nehmigung des Alliierten Rates, während die
          übrigen Gesetze bei mangelnder Stimmenein-
          heit nach 31 Tagen in Kraft gesetzt werden
          können; Ermächtigung, mit allen Regierun-
          gen der Vereinten Nationen diplomatische
          und konsularische Beziehungen einzugehen
6. 7.   Der sowjetische Oberbefehlshaber in Öster-
          reich Generaloberst Kurassow befiehlt die
          Übergabe des gesamten „deutschen Eigen-
          tums" in der Sowjetzone an die Sowjetunion
          („Befehl Nr. 17")
10. 7.   Die USA kündigen den Verzicht auf das
          „deutsche Eigentum" in ihrer Zone an
24. 7.   Der Nationalrat beschließt ein neues Natio-
          nalsozialistengesetz
25. 7.   Gegen die Stimmen der KPÖ beschließt der
          Nationalrat ein Verstaatlichungsgesetz
5. 9.   „Gruber-De Gasperi-Abkommen". Alcide De
          Gasperi und Karl Gruber unterzeichnen in
          Paris ein Abkommen, das den deutschspra-
          chigen Südtirolern Gleichberechtigung mit
          den Italienern und ein bestimmtes Maß an
          Autonomie zuspricht; es wird Bestandteil des
          italienischen Friedensvertrages
6. 10.   Die Alliierten heben die Zensur über die In-
          landspost auf
3. 11.–12. 12. Die vier Außenminister beschließen in New
          York, auf ihrer nächsten Konferenz in Mos-
          kau über den Staatsvertrag zu beraten
3. 12.   Der Alliierte Rat setzt die Besatzungskosten

von bisher 30 Prozent des österreichischen
Staatsbudgets auf 15 Prozent herab

1947

25. 2.   Der Ministerrat beschließt eine neue Bun-
deshymne: die Mozarthymne mit dem Text
der Dichterin Paula von Preradović

10. 3.–24. 4.   Außenministerkonferenz in Moskau (George
C. Marshall, Wjatscheslaw Molotow, Ernest
Bevin, Georges Bidault); unter den österr.
Teilnehmern sind Gruber und Minister Krauland vertreten; von 53 Artikeln wird außer
der Präambel über 34 eine endgültige Einigung erzielt (z. B. das „Anschlußverbot", die
Aufstellung eines Bundesheeres mit 53.000
Mann und 5000 Mann Luftwaffenpersonal sowie 90 Flugzeuge; Befreiung von Repara-
tionslasten), offen bleiben die Grenzen von
vor 1938 und die Regelung der Frage des
„deutschen Eigentums".

12. 3.   Verkündung der Truman-Doktrin: „Contain-
ment-policy": Eindämmung des Kommunismus

11. 4.   Der Alliierte Rat gestattet den freien Waren-
verkehr zwischen den Besatzungszonen

5. 5.   Demonstrationen vor dem Bundeskanzleramt
und dem Sitz der Arbeiterkammer; die De-
monstrierenden fordern Verhandlungen mit
den Oststaaten und versuchen das Bundeskanzleramt zu stürmen

5. 6.   US-Außenminister George C. Marshall
spricht an der Harvard University und kündigt amerikanische Hilfe für den Wiederaufbau Europas an. Zur gleichen Zeit trifft Bundeskanzler Figl den KPÖ-Politiker Fischer in
der Wohnung des ÖVP-Abgeordneten Kristo-

fics-Binder; die SPÖ ist von diesen Unterredungen nicht informiert

9. 6.   Der *Wiener Kurier*, das Blatt der amerikanischen Besatzungsmacht, enthüllt aufgrund
von Informationen Grubers, der gleichermaßen als „Aufdecker" fungiert, die vertraulichen Gespräche „Figl-Fischer"

21. 6. Die USA verzichten auf weitere Bezahlung
von Besatzungskosten durch Österreich

24. 6. Der Ministerrat genehmigt Grubers Antrag,
durch die Gesandtschaften bei den vier Außenministern das große Interesse Österreichs
am Marshallplan zu bekunden

25. 6. Unterzeichnung eines Hilfsabkommens zwischen den USA und Österreich; die am
8. März 1946 angelaufene Hilfsaktion der
UNRRA geht Mitte 1947 zu Ende; Österreich
hat aus dieser Aktion Lieferungen im Wert
von 137 Millionen Dollar erhalten; die USA
erklärten sich bereit, Österreich lebenswich-
tige Güter zur Verfügung zu stellen, deren
Verkaufswert die Bundesregierung für Wie-
deraufbauzwecke verwenden durfte, die sowjetische Besatzungsmacht protestiert gegen
dieses Abkommen als im Widerspruch zur
Moskauer Deklaration stehend

2. 7.   Österreich stellt einen Antrag um Aufnahme
in die UNO (laut Ministerratsbeschluß vom
24. 6.)

8. 7.   Der Ministerrat in Wien beschließt einstimmig, daß Österreich an der Bildung der europäischen Marshallplan-Organisation teilnimmt

10. 7. Der sowjetische Hochkommissar General Kurassow greift im Alliierten Rat im Zusam-

menhang mit Österreichs Zusage am Marshallplan das „Relief-Abkommen" an; Protestnote an Figl

12. 7.–22. 9. Konferenz von 16 europäischen Staaten, darunter Österreich, zur Ingangsetzung des Marshallplanes; die Konferenz tagt, weil eine vom 27. Juni bis 2. Juli 1947 abgehaltene Konferenz der Außenminister in der Frage des Marshallplanes infolge Ablehnung der Sowjetunion (Molotow) ergebnislos abgebrochen worden war

15. 7. Antwortnote Figls an Kurassow; Eine britische Hilfs- und Kreditaktion für Österreich im Umfang von 10 Millionen Pfund Sterling wird aktiviert

16. 7. Konstituierung des Committee of European Economic Cooperation (CEEC); Österreich meldet einen Bedarf von 660 Millionen Dollar für 1948 an

1. 8. 1. Lohn- und Preisabkommen tritt in Kraft (Verhandlungen der Kammern der gewerblichen Wirtschaft, der Landwirtschaft und der Arbeiter und Angestellten)

19. 10. Vorarlberg wird durch ein Verfassungsgesetz wieder ein eigenes Bundesland

30. 10. Unterzeichnung des GATT-Abkommens von 23 Staaten in Genf (Beseitigung von „Vorzugszöllen"; Zollsenkung für gewerbliche Waren 19%)

8. 11. Einstimmige Aufnahme Österreichs in die UNESCO

20. 11. Infolge Ablehnung des Währungsschutzgesetzes durch die KPÖ tritt Minister Karl Altmann (KPÖ) aus der Bundesregierung aus, an seine Stelle tritt Alfred Migsch (SPÖ); damit beginnt die Zweiparteienregierung zwischen ÖVP und SPÖ

25. 11.–15. 12.   Die Außenministerkonferenz in London berät
                  über den Staatsvertrag

1948

1. 1.   Scheinautonomie für Südtirol
2. 1.   Abkommen Österreichs über die Interimshil-
          fe mit den USA: Österreich erhält kostenlose
          Lieferungen von Lebensmitteln, Kleidern,
          Kohle und anderen Waren, die bis zum Anlau-
          fen des Marshallplans andauern sollen
16. 4.   Gründung der OEEC (Vorläufer war das im
          Juli 1947 gegründete Komitee für die wirt-
          schaftliche Zusammenarbeit Europas) durch
          16 europäische Länder (darunter auch Öster-
          reich) mit Sitz in Paris: Koordinierung des
          ERP sowie Abbau der Handelsschranken und
          der Devisenkontrollen sind die Ziele; das Ab-
          kommen trägt freilich 18 Unterschriften:
          Österreich, Belgien, Dänemark, Frankreich,
          Griechenland, Irland, Island, Italien, Luxem-
          burg, Norwegen, Niederlande, Portugal,
          Großbritannien, Schweden, Schweiz, Türkei
          und die Vertreter der französischen und bri-
          tisch-amerikanischen Besatzungsmacht in
          Deutschland)
21. 4.   Der Nationalrat beschließt eine Amnestie für
          minderbelastete Nationalsozialisten
12. 5.   Die Geltungsdauer des Gesetzes über die An-
          wendung der Todesstrafe wird bis zum
          30. Juli 1950 verlängert
18. 5.   Die Bundesregierung protestiert in einer No-
          te an den Alliierten Rat gegen die Weiterbe-
          zahlung von Besatzungskosten
2. 7.   Österreich unterzeichnet das ERP-Abkom-
          men mit den USA (Geltungsdauer bis 30. Ju-
          ni 1953)

10. 7.		Unterzeichnung des OEEC-Vertrages von Österreich
27. 8.		Österreich wird Mitglied des International Monetary Fund und der International Bank for Reconstruction and Development
14.–16. 9.		2. Preis- und Lohnabkommen

1949

8. 4. Die drei westlichen Besatzungsmächte/Sonderbeauftragten erklären, daß die Westmächte das „deutsche Eigentum" in ihren Zonen, für welches bereits österreichische Treuhänder bestimmt waren, nicht als deutsche Reparationsleistungen im Sinne der Potsdamer Konferenzbeschlüsse ansehen und diese Werte Österreich ohne Ablöse überlassen

28. 5. Verhandlungen auf Schloß Oberweis bei Gmunden von ÖVP-Vertretern mit ehemaligen Nationalsozialisten; Raab wurde von der ÖVP-Bundesparteileitung beauftragt, Besprechungen mit einem Kreis ehemals nationalsozialistisch gesinnter Intellektueller zu führen, darunter Univ.-Doz. Taras Borodajkewycz, der ein Forderungsprogramm präsentiert

23. 5. – 20. 6. Die Außenministerkonferenz (Dean Acheson, Robert Schuman, Ernest Bevin, Andrej Wyschinski) in Paris kommt am 19. Juni zu wesentlichen Vereinbarungen: Wyschinski unterstützt die jugoslawischen Gebietsforderungen nicht mehr; festgelegt werden die territoriale Integrität Österreichs in den Grenzen von 1937, Minderheitenrechtsschutz für Slowenen und Kroaten in Österreich, keine Reparationszahlungen; über österr. Eigentum auf jugoslawischem Boden kann Jugoslawien frei verfügen; Ablöse für „deutsches Ei-

gentum" an die Sowjets 150.000.000 Dollar innerhalb von 6 Jahren in frei übertragbarer Währung; die Westmächte akzeptieren unbefristetes Verstaatlichungsverbot für in sowjetisches Eigentum übergegangener Werte in Österreich; Frist den Vertrag bis zum 1. September unterschriftsreif vorzulegen; das State Department drängt auf einen Abschluß, das War-Department (Johnson) spricht sich allerdings dagegen aus

7. 7.   Der Nationalrat beschließt einstimmig die Streichung aller minderbelasteten Nationalsozialisten aus den Registrierungslisten

9. 9.   Der Alliierte Rat beschließt, den Verband der Unabhängigen (VdU), die Demokratische Union (DU) und die „Ergokratische Partei" als wahlwerbende Gruppen bei den Nationalratswahlen anzuerkennen

9. 10.   Nationalrats- und Landtagswahlen in ganz Österreich sowie Gemeinderatswahlen in Wien, Linz, Salzburg, Graz und Klagenfurt; NR-Wahlergebnisse: ÖVP 77, SPÖ 67, VdU 16 und „Linksblock" 5 Mandate

1950

21. 6.   Die Todesstrafe wird abgeschafft; der Nationalrat lehnt einen Antrag auf Verlängerung bereits am 24. Mai ab

25. 6.   Beginn des Koreakrieges; die Staatsvertragsverhandlungen bewegen sich bis März 1953 nicht mehr weiter

19. 9.   Gründung der Europäischen Zahlungsunion (EZU) als Unterorganisation der OEEC, rückwirkend mit 1. 7. 1950, die unter den OEEC-Staaten einen multilateralen Zahlungsausgleich („Clearing", langfristiges Ziel: „Konver-

	tibilität") herbeiführt; Österreich ist von Anfang an assoziiertes Mitglied
21. 9.	In einer Note nimmt die UdSSR die Ersetzung der militärischen Oberbefehlshaber durch zivile Hochkommissäre in Österreich zur Kenntnis
22. 9.	Amtliche Verlautbarung, wonach die Verhandlungen zwischen der Regierung und Vertretern der Kammern und Gewerkschaften über Lohn-Preisfragen zu einer weitgehenden Annäherung der Standpunkte geführt haben
26. 9.	Der Ministerrat genehmigt die in den Preis- und Lohnfragen erfolgten Vereinbarungen. Am gleichen Tag stimmt auch eine Vorständekonferenz des Gewerkschaftsbundes gegen die Stimmen der kommunistischen Fraktion den Vereinbarungen zu; kommunistische Agitatoren versuchen das Lohn- und Preisabkommen zu nutzen, um Arbeitsniederlegungen in Industriegebieten herbeizuführen; es folgen Demonstrationen und Auseinandersetzungen mit den Sicherheitskräften; die Streikbewegung betrifft Wien, Industriegebiete Niederösterreichs, der Steiermark und besonders Linz und Oberösterreich; es bilden sich illegale Gewerkschaftskomitees und es folgen Sabotageakte gegen Verkehrsmittel; die Aktionen werden von der Regierung und ihr nahestehenden Kräften als politischer Umsturzversuch der Kommunisten interpretiert, während Vertreter der westlichen Besatzungsmächte darin eher „disturbances" erblicken
27. 9.	Kanzler Figl empfängt im Beisein von Vizekanzler Schärf eine Delegation von Streikenden und sagt die Weiterleitung der Resolution an Ministerrat und Gewerkschaftsbund zu; in

einer öffentlichen Erklärung betont Figl die
Notwendigkeit des Abbaus der Subventionen,
verurteilt aber zugleich die kommunistischen
Versuche, die Bevölkerung aufzuwiegeln

29. 9. Neuerliche Unruhen, gewaltsame Verhinde-
rung des Straßenverkehrs; Versuch der Besetzung des Gewerkschaftshauses durch
Kommunisten, die auf Lastwagen mit sowjetischen Kennzeichen anfahren; die Polizei
verhindert die Besetzung; die westlichen Besatzungsmächte protestieren im Alliierten
Rat gegen die „Unterstützung" der Kommunisten durch die sowjetische Besatzungsmacht

30. 9. Eine aus kommunistischen Betriebsräten gebildete „Gesamtösterreichische Betriebsräte-
konferenz" beschließt ein bis 3. Oktober befri-
stetes Ultimatum an die österreichische Regierung (Forderung nach Rücknahme der
Preiserhöhungen oder eine Verdoppelung der
im Preis- und Lohnabkommen vorgesehenen
Erhöhung der Löhne und Gehälter, weiters
gesetzlicher Preisstopp und keine weitere
Schillingabwertung): bei Nichterfüllung erfolge Streik in ganz Österreich am 4. Oktober

1. 10. Das 4. Lohn- und Preis-Abkommen tritt in
Kraft; erweiterter Landesbauernrat von Tirol
wird abgesagt in Rücksichtnahme auf einen
Autounfall Grubers

3. 10. Die Bundesregierung ruft auf, sich durch ter-
roristische Aktionen nicht einschüchtern zu
lassen und die Freiheit des Landes zu verteidigen; im Ministerrat wird festgehalten, daß
ein Eingehen auf die kommunistischen Forderungen nicht in Frage komme

4. 10. Die kommunistische Streikparole wird nur in
einzelnen Betrieben befolgt, z. B. in den
Steyr-Werken in Oberösterreich; verschiede-

	ne Aktionen erfolgen in Wien und Niederösterreich, v. a. in Wiener Neustadt, wo eine gewaltsame Besetzung des Postamtes erfolgt
5. 10.	Diverse Stör- und Sabotageversuche in Wien, vor allem gegen den Straßenbahnverkehr und auf den Zufahrtsstraßen nach Wien; die kommunistische Betriebsrätekonferenz beschließt am Abend des 5. Oktober mit 400 gegen 3 Stimmen den Beschluß, die Streiks zu beenden und die Arbeit am 6. Oktober wieder aufzunehmen; die Streikbewegung ist damit gescheitert; die Bundesregierung erläßt einen Aufruf, in dem auf das „eigentliche Ziel" der Terroraktionen, „Österreich in die Arme des Kommunismus zu treiben", hingewiesen und dem österreichischen Volk, allen voran der Exekutive, für den geleisteten Widerstand gedankt wird
12. 10.	Nationalratsdebatte über den „kommunistischen Putschversuch"

1951

15. 4.	In Imst (Tirol) wird das erste SOS-Kinderdorf eröffnet
27. 5.	Theodor Körner (SPÖ) wird zum Bundespräsidenten gewählt
4. 12.	Frankreich, Großbritannien und die Sowjetunion erhöhen die Besatzungskosten

1952

13. 3.	Die Westmächte schlagen der Sowjetunion den Entwurf eines Räumungsprotokolles („Kurzvertrag") vor; die Sowjetunion lehnt am 14. 8. ab
23. 10.	Infolge Unstimmigkeiten über die Aufstellung des Budgets 1953 kommt es zu einer Gesamtdemission der Regierung Figl

30. 10. Der Nationalrat beschließt seine vorzeitige Auflösung; mit Zustimmung des Hauptausschusses wurde der 22. Februar 1953 als Tag für die Neuwahlen des Nationalrats bestimmt

1953

22. 2. Durchführung der 3. Nationalratswahlen: Bei einer Wahlbeteiligung von 96% erhält die ÖVP 74, die SPÖ 73, der WdU 14 und die KPÖ 4 Mandate

2. 4. Regierung Raab; Kreisky wird Staatssekretär im Bundeskanzleramt/Auswärtige Angelegenheiten

1. 7. Der Marshallplan läuft aus; Hilfe insgesamt $ 960 Mio. (nicht eingeschlossen zusätzliche Hilfsleistungen)

7. 11. Erste Exemplare von Grubers Buch „Zwischen Befreiung und Freiheit. Der Sonderfall Österreich" erscheinen im Ullstein-Verlag, welches durch die vorzeitige Kundmachung in der Tageszeitung *Die Presse* eine Affäre auslöst

12. 11. Wien und Belgrad tauschen Botschafter aus

14. 11. Rücktritt Grubers nach heftigen Debatten über sein Buch „Zwischen Befreiung und Freiheit", welches führende Persönlichkeiten der ÖVP betrifft

1954

25. 1.–18. 2. Berliner Außenministerkonferenz mit einer österreichischen Delegation (Bruno Kreisky, Leopold Figl, Norbert Bischoff, Josef Schöner): Österreich nimmt – im Unterschied zur Bundesrepublik – zum ersten Mal als gleichberechtigter Partner an den Staatsvertragsverhandlungen teil; Figl betont die österrei-

chische Politik der Allianzfreiheit und keine militärischen Stützpunkte auf seinem Territorium zuzulassen; John Foster Dulles spricht sich für eine frei gewählte Neutralität, aber gegen eine gewaltsam durch andere Staaten auferlegte aus; Molotow hält aber weiter an der Junktimierung der Österreich-Frage mit der deutschen Friedensvertragsregelung fest; die Verhandlungen kommen zu keinem Abschluß

1955

1. 2.   Der Ministerrat beschließt die Bildung eines Komitees zur weiteren Behandlung der von den jüdischen Organisationen gegenüber Österreich geltend gemachten Forderungen; die Wiedergutmachungsverhandlungen entwickeln sich in weiterer Folge aber sehr schleppend und werden erst 1961 abgeschlossen (Bericht in der *Wiener Zeitung* am 8. Februar)

8. 2.   Rede Molotows vor dem Obersten Sowjet: erstmals wird die Bereitschaft zur Lösung des Junktims zwischen Österreich und deutscher Frage deutlich

28. 3.   Österreichische Botschafterkonferenz (Raab, Schärf, Figl, Kreisky, Wildner, Schöner, Bischoff, Gruber, Schwarzenberg, Vollgruber) in Wien

11.–15. 4.   Moskauer Verhandlungen und gleichnamiges Memorandum (militärische Bündnis- und Basenfreiheit, Neutralität, territoriale Integrität, Truppenabzug, Korrektur des Staatsvertragsentwurfs von 1949, Ablöselieferungen, Erdöl, Donauschiffahrt, österreichischer-sowjetischer Handel werden festgelegt)

10. 5.   „Wiener Memorandum" (Verhandlungen

Österreich-USA-Großbritannien über Eigen-
tumsfragen und Erdölgesellschaften)

2.–13. 5.   Die Wiener Botschafterkonferenz (Überarbei-
tung des Staatsvertragsentwurfs von 1949,
offene Fragen: Repatriierung versetzter Personen, Beschränkung österreichischer Streitkräfte, Truppenabzug, deutsches Eigentum)
bringt den Durchbruch

14. 5.   Abschluß des Warschauer Paktes

15. 5.   Unterzeichnung des österreichischen Staatsvertrages (Figl/Ö, Dulles/USA, Molotow/SU,
Macmillan/GB, Pinay/F); tritt am 27. Juli
1955 in Kraft

9. 9.   Regelung der Pensionsgesetzgebung
(ASVG)

26. 10.   Bundesverfassungsgesetz über die immerwährend Neutralität Österreichs im Parlament verabschiedet

15. 12.   Österreich wird Mitglied der Vereinten Nationen

1956

16. 4.   Österreich wird Mitglied im Europarat

28. 10.   Ministerrat berät über Folgen des Ungarn-
aufstandes (Aufnahme von Flüchtlingen)

26.–28. 11. Kreisky wird vom SPÖ-Parteitag in einer
Kampfabstimmung in den Parteivorstand gewählt, obwohl er nicht auf der Kandidatenli-
ste steht!

1959

16. 7.   Kreisky wird Außenminister im Kabinett
Raab III und setzt die Errichtung des Außenministeriums als eigenes Ressort durch

1960

4. 1.   Österreich wird Mitglied der EFTA

29. 9.   Kreiskys Rede über die Südtirolfrage vor der
             UNO

31. 10.   Die UNO-Generalversammlung appelliert in
             einer einstimmig verabschiedeten Resolution
             an Italien und Österreich, den eskalierenden
             Streit auf dem Verhandlungswege beizulegen

1961

3./4. 6.   Treffen Kennedy-Chruschtschow in Wien

12./13. 6.   „Feuernacht" in Südtirol: Nach einer Serie
             von Sprengstoffanschlägen gegen Leitungs-
             masten wird Südtirol Thema der internatio-
             nalen Öffentlichkeit

15. 12.   Österreich stellt mit Schweden und der
             Schweiz gemeinsam einen Antrag auf „Asso-
             ziierung" mit der EWG

1962

18. 11.   Ergebnis vorgezogener Nationalratswahlen:
             ÖVP 81, SPÖ 76, FPÖ 8 Mandate

1963

29. 3.   Nach dem Wahlsieg der ÖVP im November
             1962 sollte Kreisky auf Wunsch der ÖVP aus
             der Regierung ausscheiden; nach langen Re-
             gierungsverhandlungen, in der sich Franz
             Olah für ihn einsetzt, wird Kreisky wiederum
             Außenminister

5. 6.   Der Ministerrat kommt zu keiner überein-
             stimmenden Auffassung in der Causa Otto
             Habsburg

1964

29. 1.   Eröffnung der IX. Olympischen Winterspiele
             in Innsbruck

17./18. 7.   Urteile im Mailänder Südtirolprozeß; die mei-
             sten Angeklagten erhalten mehrjährige Ker-
             kerstrafen
21. 11.   Die Fußach-Affäre infolge einer umstrittenen
             Schiffstaufe eines Bodenseeschiffs läßt die
             emotionalen Wogen in Vorarlberg gegen Wien
             hochschlagen

1965
23. 3.   Univ.-Prof. Taras Borodajkewycz spricht auf
             Einladung der ÖH an der Hochschule für
             Welthandel in Wien bei einer im Fernsehen
             übertragenen Hörerversammlung, um zu den
             Vorwürfen Stellung zu beziehen, in seiner
             Vorlesungen und Publikationen neonazistisch
             und antisemitisch zu argumentieren – die
             Vorwürfe konnte er bei diesem Auftritt jedoch
             nicht entkräften
31. 3.   Deutschnationale   und   antifaschistische
             Demonstranten stoßen aufeinander: Bei den
             Tumulten wird der 67jährige Antifaschist
             Ernst Kirchweger verletzt; er stirbt am 2. 4.
24. 6.   Wien wird Hauptquartier der OPEC
14. 7.   Das neue Bodenseeschiff erhält nun doch den
             Namen „Vorarlberg" (s. 21. 11. 1964)
26. 10.   Dieser Tag wird zum Nationalfeiertag er-
             nannt

1966
23. 2.   *Kronen-Zeitung* Affäre
6. 3.   Absolute Mehrheit der ÖVP mit 85 Mandaten
             (SPÖ 74, FPÖ 6) bei den Nationalratswahlen
             und Alleinregierung unter Josef Klaus (bis
             April 1970)

1967
1. 2.   Mit 32 von 54 Stimmen empfiehlt der neuge-
             wählte Parteivorstand der SPÖ, Kreisky zum

Parteivorsitzenden zu wählen; der Parteitag bestätigt mit 347 von 497 Stimmen die Wahl Kreiskys zum Nachfolger Bruno Pittermanns als Vorsitzenden der SPÖ

1969

1. 1. Erstes Farbfernsehprogramm des ORF

22./23. 11. Annahme von „Paket" und Operationskalender durch die SVP im Meraner Kursaal

30. 11. Die Außenminister Waldheim und Medici, gem. m. mit Ministerpräsident Aldo Moro, einigen sich über die Regelung der Südtirolfrage

1970

21. 4. Nach dem Sieg der SPÖ (relative Mehrheit mit 81 Mandaten, ÖVP 78, FPÖ 6) bei der österreichischen Nationalratswahl vom 1. März 1970 wird eine SPÖ-Minderheitsregierung unter Bundeskanzler Kreisky angelobt

30. 10. Die Regierung Kreisky beginnt die Reform des Familienrechts mit dem Gesetz über die Rechtsstellung des unehelichen Kindes

1971

8. 7. Die „Kleine Strafrechtsreform" bringt eine Liberalisierung u. a. bei den Delikten der Ehestörung, der Homosexualität und der Amtsehrenbeleidigung

1. 9. Die Regierung Kreisky führt die Schülerfreifahrten ein

10. 10. Bei den Nationalratswahlen erreicht die SPÖ mit 50,04% der Stimmen und 93 Mandaten die absolute Mehrheit

21. 10. Zweite Regierung Kreisky

2. 12. Gesetz über die Heiratsbehilfen zur Hausstandsgründung für Erstverheiratete

22. 12.   Kurt Waldheim wird zum UNO-Generalse-
               kretär gewählt

                           1972
April   Die Kärntner Slowenen fordern die Erfüllung
               des Staatsvertrages: Zweisprachigkeit der
               Ortstafeln in Bezirken mit gemischter slowe-
               nisch-deutschsprachiger) Bevölkerung, in den
               folgenden Monaten eskaliert der Konflikt im
               Ortstafelstreit
14. 5.   Kreisky spricht anläßlich des 50jährigen Ju-
               biläums der Paneuropa-Union in Wien; es
               kommt zur Begegnung mit Otto Habsburg
               und dem historischen Händedruck mit Kreis-
               ky
22. 7.   Unterzeichnung eines Zoll- und Handelsver-
               trags mit der EWG und der EGKS, der 1973
               in Kraft tritt
1. 9.   Einführung der Gratis-Schulbücher

                           1973
15. 2.   Das Gesetz über die „Stahlfusion", welches
               zur Strukturverbesserung der Verstaatlich-
               ten Industrie beitragen soll
28.–29. 9.   Die Geiselaffäre von Marchegg und Schwe-
               chat in Niederösterreich geht unblutig zu En-
               de; palästinensische Aktivisten hatten jüdi-
               sche Auswanderer aus der Sowjetunion in ih-
               re Gewalt gebracht
29. 11.   Mit der neuen Gewerbeordnung führt die Re-
               gierung Kreisky weitere Reformen durch
14. 12.   Gesetz über die Einführung des „Mutter-
               Kind-Passes" und einer Geburtenbeihilfe von
               S 16.000,–

1974

6. 2. Das Schulunterrichtsgesetz demokratisiert das Schulwesen durch Einführung von Berufungsmöglichkeiten gegen schulische Entscheidungen und Konstituierung eines partnerschaftlichen Verhältnisses zwischen Lehrern, Eltern und Schülern

9.–16. 3. Fact Finding Mission Kreiskys in den Nahen Osten, um dort Vorbedingungen für eine Beilegung des arabisch-israelischen Konflikts zu prüfen

1975

1. 1. Novellierung des Strafrechts, ein neues Strafrecht tritt in Kraft; weitere umfangreiche Gesetzesänderungen und Reformen folgen

5. 10. Bei der Nationalratswahl erringt die SPÖ 93, die ÖVP 80 und die FPÖ 10 Mandate; Kreisky kann die absolute Mehrheit mühelos halten

1976

4. 2. Die XII. Olympischen Winterspiele werden in Innsbruck eröffnet

7. 12. Kurt Waldheim wird als UNO-Generalsekretär wiedergewählt

1978

5. 11. Die Bevölkerung entscheidet sich in einer Volksabstimmung gegen die Inbetriebnahme des Atomkraftwerks Zwentendorf, welches bereits gebaut worden war

1979

6. 5. Die SPÖ erringt erneut die absolute Mehrheit bei den Nationalratswahlen mit 95 Mandaten (dagegen ÖVP nur 77, FPÖ 11)

6.–8. 7. PLO-Chef Yassir Arafat in Wien (Gespräche mit Kreisky und Brandt)

1980

3. 9.   Kreisky propagiert angesichts des AKH-
          Skandals „10 Punkte" zur „Sauberkeit und
          Kontrolle im öffentlichen Leben"

11. 12.   Finanzminister Hannes Androsch kündigt
          seinen Rücktritt für Januar 1981 an

1983

24. 4.   Bei den Nationalratswahlen verliert die SPÖ
          fünf Mandate und die absolute Mehrheit
          (SPÖ 90 Mandate, ÖVP 81, FPÖ 12)

1984

19. 12.   Die Versuche der Exekutive, die Stopfenreuther
          Au bei Hainburg von Demonstranten zu räu-
          men, um flächenmäßige Rodungen für die Er-
          richtung eines Donaukraftwerks durchzufüh-
          ren, führen zu einer schweren innenpolitischen
          Krise; aufgrund massiven Drucks der Öffent-
          lichkeit muß das Projekt eingestellt werden

1985

24. 1.   Verteidigungsminister Friedhelm Frischen-
          schlager (FPÖ) empfängt den ehemaligen SS-
          Sturmbannführer der Waffen-SS Walter Re-
          der am Flughafen in Graz-Thalerhof, nach-
          dem dieser aus jahrzehntelanger Haft in
          Gaeta von Italien freigelassen wurde; die Af-
          färe löst eine innenpolitische Krise aus

1986

4. 5.   Die Bundespräsidentschaftswahl erbringt im
          ersten Wahlgang für keinen Kandidaten die
          absolute Mehrheit

8. 6.   Im zweiten Wahlgang erringt Kurt Waldheim
          mit 53,89% die absolute Mehrheit; beiden
          Wahlgängen waren heftige Auseinanderset-

zungen um die Kriegsvergangenheit Waldheims vorausgegangen, die sich weiter fort-
setzen und noch steigern sollten

9. 6.   Bundeskanzler Fred Sinowatz, Hauptexponent der Kritiker am ÖVP-Präsidentschaftskandidaten Waldheim, tritt zurück

13. 9.   Am FPÖ-Parteitag in Innsbruck erhält Jörg
Haider in einer Kampfabstimmung 57,7% der
Stimmen der Delegierten und wird neuer
Parteiobmann

23. 11.   Trotz Verluste erringt die SPÖ mit ihrem
neuen Kanzlerkandidaten Franz Vranitzky
die relative Mehrheit bei den Nationalratswahlen: SPÖ 80, ÖVP 77, FPÖ 18 und Grüne
8 Mandate

1989

17. 7.   Österreich stellt in Brüssel den Antrag um
Aufnahme in die Europäische Gemeinschaft,
Außenminister Mock überreicht den Brief mit
einem expliziten Neutralitätsvorbehalt an
Roland Dumas

1990

7. 10.   Bei den Nationalratswahlen hält die SPÖ ihren Mandatsstand (80), während die ÖVP unter Vizekanzler Josef Riegler mit einem Rückgang von 77 auf 66 Sitze eine ihrer schwersten Niederlagen einstecken muß; die FPÖ
errang mit 16,6% der Stimmen 33 Mandate

1992

2. 5.   Unterzeichnung des EWR-Vertrages in Porto

19. 6.   In gleichlautenden Noten vom 11. Juni teilen
Außenminister Mock und Gianni De Michelis
dem Generalsekretär der UNO Butros Butros
Ghali die Streitbeilegung in der Südtirolfrage
mit

1993

3.–6. 12.   Eine erste Briefbombenwelle erschüttert die
            Öffentlichkeit, prominente Vertreter wie En-
            gagierte im Bereich der Ausländer- und
            Flüchtlingsbetreuung fallen den Anschlägen
            mit teilweise schweren Verletzungen zum Op-
            fer, weitere Anschläge folgen

1994

1. 1.   Österreich ist Mitglied des EWR

12. 6.   Das EU-Referendum in Österreich erbringt
            66,6% der Stimmen für den EU-Beitritt
            Österreichs

24. 6.   Unterzeichnung des EU-Beitrittsvertrages
            auf Korfu

9. 10.   Bei den Nationalratswahlen verliert die Gro-
            ße Koalition die Zweidrittel-Mehrheit: Die
            Verluste der SPÖ sind deutlich, während die
            FPÖ von 16,6% auf 22,6% weiter zulegt

1995

1. 1.   Österreich ist Mitglied der Europäischen
            Union

3. 2.   Österreich tritt aufgrund Ministerratsbe-
            schluß vom 31. Januar dem NATO-Pro-
            gramm Partnership for Peace (PfP) bei

4. 2.   Im burgenländischen Oberwart kommt es
            zum folgenschwersten Attentat in der Zwei-
            ten Republik: Vier Roma sterben nach Explo-
            sion einer Rohrbombe

12. 10.   Durch das Scheitern der Budgetverhandlun-
            gen werden Neuwahlen notwendig

17. 12.   Die vorgezogenen Nationalratswahlen erbrin-
            gen Stimmengewinne für die SPÖ und ÖVP,
            während die „Freiheitlichen", das Liberale
            Forum und die Grünen Verluste hinnehmen
            müssen; der von den Meinungsforschern pro-

gnostizierte „machtvolle Bürgerblock" war
nicht entstanden, die Zweidrittelmehrheit
der Großen Koalition wiederhergestellt; die
Regierungsverhandlungen führen erneut zur
Bildung einer Großen Koalition SPÖ – ÖVP
im Frühjahr 1996

MITARBEITERVERZEICHNIS

Thomas Albrich, Mag., Dr. phil., geb. 1956, seit 1994 Assistenzprofessor am Institut für Zeitgeschichte der Universität Innsbruck. Bücher: Exodus durch Österreich (1987); Tirol und der Anschluß, hrsg. m. K. Eisterer/R. Steininger (1988); Im Bombenkrieg. Tirol und Vorarlberg 1943–1945, m. A. Gisinger (1992); Österreich in den Fünfzigern, hrsg. m. K. Eisterer/M. Gehler/R. Steininger (1995).

Günter Bischof, Mag., M.A., Ph.D., geb. 1953, Associate Professor and Associate Director des Eisenhower Centers der University of New Orleans; Gastprofessuren in München und Innsbruck, Mitherausgeber der Buchreihen „Eisenhower Center Studies of War and Peace", m. St. Ambrose und der „Contemporary Austrian Studies", m. A. Pelinka. Bücher u. a.: Die bevormundete Nation. Österreich und die Alliierten 1945–1949, hrsg. m. J. Leidenfrost (1988); The Marshall Plan and Germany, m. Ch. S. Maier (1991) (deutsche Ausgabe 1992); Facts Against Falsehood: Eisenhower and the German POWs, hrsg. m. Ambrose (1992); Eisenhower: A Centenary Assessment, hrsg. m. Ambrose (1995); The Pacific War Revisited, hrsg. m. R. Dupont (1996).

Klaus Eisterer, Mag., Dr. phil., geb. 1956, Assistenzprofessor am Institut für Zeitgeschichte der Universität Innsbruck. Bücher u. a.: Die Option. Südtirol zwischen Faschismus und Nationalsozialismus, hrsg. m. R. Steininger (1989); Französische Besatzungspolitik. Tirol und Vorarlberg 1945/46 (1992), frz. Ausgabe 1996; Die Schweiz als Partner: Zum eigenständigen Außenhandel der Bundesländer Vorarlberg und Tirol mit der Eidgenossenschaft 1945–1947 (1995); Österreich in den Fünfzigern, hrsg. m. T. Albrich/M. Gehler/R. Steininger (1995); Tirol und der Erste Weltkrieg, hrsg. m. R. Steininger (1995).

Michael Gehler, Mag., Dr. phil., geb. 1962, Universitäts-Assistent am Institut für Zeitgeschichte der Universität Innsbruck. Bücher u. a.: Studenten und Politik. Der Kampf um

die Vorherrschaft an der Universität Innsbruck 1918–1938
(1990); Österreich und die europäische Integration 1945–
1993, hrsg. m. R. Steininger (1993); Karl Gruber. Reden und
Dokumente 1945–1953 (1994); Österreich in den Fünfzigern,
hrsg. m. T. Albrich/K. Eisterer/R. Steininger (1995); Politi-
sche Affären und Skandale in Österreich. Von Mayerling bis
Waldheim, hrsg. m. H. Sickinger (1995, 1996[2]); Ungleiche
Partner? Österreich und Deutschland in ihrer gegenseitigen
Wahrnehmung. Historische Analysen und Vergleiche aus
dem 19. und 20. Jh., hrsg. m. R. F. Schmidt/H.-H. Brandt/R.
Steininger (1996); Blut und Paukboden. Eine Geschichte der
Burschenschaften, gem. m. D. Heither/A. Kurth/G. Schäfer,
Fischer TB (1997).

Robert H. Keyserlingk, Full Professor (retired), geb. 1933,
B.A. University of Montreal, M.A. University of Toronto, PhD
London University, England; Foreign Service Officer, Government of Canada 1958–61; History Professor at the University of Ottawa 1964–1994. Veröffentlichungen u. a.: Aus-
tro-Hungary's Revival During World War Two: Anglo-American Planning for the Danube Region (Etudes danubiennes
1987); Invisible Austria: Canada's View of Austria 1938–59,
in: Austrian History Yearbook (1982/83); Austria in World
War II. An Anglo-American Dilemma (1988).

Franz Mathis, Mag., Dr. phil., geb. 1946, seit 1993 o. Univ.-
Prof. für Wirtschafts- und Sozialgeschichte, Vorsitzender der
Studienkommission für Geschichte an der Universität Inns-
bruck; Forschungsaufenthalte in England und den USA;
Gastprofessuren in Salzburg und New Orleans. Zahlreiche
Veröffentlichungen zur allgemeinen Wirtschaftsgeschichte,
vergleichenden Stadtgeschichte und Unternehmensgeschich-
te. Bücher u. a.: Die Auswirkungen des bayerisch-französi-
schen Einfalls von 1703 auf Wirtschaft und Bevölkerung
Nordtirols (1975); Die Bevölkerungsstruktur österreichischer
Städte im 17. Jahrhundert (1977); Big Business in Österreich. Österreichische Großunternehmen in Kurzdarstellun-

gen (1987); Big Business in Österreich II. Wachstum und Eigentumstruktur der österreichische Großunternehmen im 19. und 20. Jahrhundert. Analyse und Interpretation (1990); Die deutsche Wirtschaft im 16. Jahrhundert, Enzyklopädie Deutscher Geschichte 11 (1992).

Oliver Rathkolb, Dr. iur., Dr. phil, geb. 1955, Univ.-Doz., wissenschaftlicher Leiter des Bruno Kreisky-Archivs (1985) und Wissenschafskoordinator des Bruno Kreisky-Forums für Internationalen Dialog (1992), Koleiter des Ludwig Boltzmann Instituts für Geschichte und Gesellschaft (1994); Bücher u. a.: Wien ruft Washington, Großmachtpolitik gegenüber Österreich im US-Entscheidungsprozeß 1952–1962 (1996); Herausgeber einer Aktenedition: Gesellschaft und Politik am Beginn der Zweiten Republik. Vertrauliche Berichte der US-Militäradministration aus Österreich 1945 in englischer Originalfassung (1985); Mitherausgeber von fünf Sammelbänden.

Manfried Rauchensteiner, Dr. phil., geb. 1942, Hofrat, tit. a. o. Univ.-Prof., einjährig Freiwilliger (Reserveoffizier), 1966 bis 1988 in der Militärwissenschaftlichen Abteilung des Heeresgeschichtlichen Museums, 1975 Habilitation für Österreichische Geschichte an der Universität Wien, 1988 bis 1992 Leiter des Militärhistorischen Dienstes im Bundesministerium für Landesverteidigung, seit 1992 Direktor des Heeresgeschichtlichen Museums/Militärhistorisches Institut. Bücher u. a.: Der Krieg in Österreich 1945 (1970, 1995[5]); 1945. Entscheidung für Österreich (1975, 1995[2]); Feldmarschall Heinrich Freiherr von Hess (1975); Der Sonderfall. Die Besatzungszeit in Österreich 1945–1955 (1979, 1995[3]); Spätherbst 1956. Die Neutralität auf dem Prüfstand (1981); Die Zwei. Die Große Koalition in Österreich 1945–1966 (1987); Der Tod des Doppeladlers. Österreich-Ungarn und der Erste Weltkrieg 1914–1918 (1992, 1993[2]).

Rolf Steininger, Dr. phil., geb. 1942, o. Prof., Vorstand des Instituts für Zeitgeschichte der Universität Innsbruck und Fellow des Eisenhower Centers der University of New Orleans; bis 1983 Prof. a. d. Universität Hannover; Gastprofessuren in den USA, Israel und Australien. Zahlreiche Veröffentlichungen sowie preisgekrönte Fernseh-, Film- und Hörfunkdokumentationen zur Zeitgeschichte. Bücher u. a.: Deutschland und die Sozialistische Internationale nach dem Zweiten Weltkrieg (1979); Die Stalin-Note vom 10. März 1952 (1985, 1986³, amerik. Ausg. 1990); Los von Rom? Die Südtirolfrage 1945/46 und das Gruber-DeGasperi-Abkommen (1987); Die Ruhrfrage 1945/46 und die Entstehung Nordrhein-Westfalens (1988, 1990); Tirol und der Anschluß, hrsg. m. T. Albrich/K. Eisterer (1988); Wiederbewaffnung! Die Entscheidung für einen westdeutschen Verteidigungsbeitrag: Adenauer und die Westmächte 1950 (1989); Die Option. Südtirol zwischen Faschismus und Nationalsozialismus, hrsg. m. K. Eisterer (1989); Die doppelte Eindämmung. Deutsche Frage und europäische Sicherheit in den Fünfzigern, hrsg. m. J. Weber/G. Bischof u. a. (1993); Der Umgang mit dem Holocaust. Europa-USA-Israel (1994); Österreich in den Fünfzigern, hrsg. m. T. Albrich/K. Eisterer/M. Gehler (1995); Deutsche Geschichte seit 1945, vier Bde, Fischer TB (1996).

Abkürzungsverzeichnis

ABGB	:	Allgemeines Bürgerliches Gesetzbuch
ACDP	:	Archiv für Christlich-Demokratische Politik
AdG	:	*(Keesings) Archiv der Gegenwart*
AdR	:	Archiv der Republik
AHS	:	Allgemeinbildende Höhere Schulen
AJC	:	American Jewish Committee
AKH	:	Allgemeines Krankenhaus
AKVI	:	Archiv des Karl von Vogelsang-Instituts
ALÖ	:	Alternative Liste Österreich
APA	:	Austria Presse Agentur
ASVG	:	Allgemeines Sozialversicherungsgesetz
AVA	:	Allgemeines Verwaltungsarchiv (Wien)
B-VG	:	Bundes-Verfassungsgesetz
BGBl.	:	Bundesgesetzblatt
BKA	:	Bundeskanzleramt
BKA/AA	:	Bundeskanzleramt/Auswärtige Angelegenheiten
BMA	:	Bundesminister/ium für Äußeres
BMF	:	Bundesministerium für Finanzen
BMfAA	:	Bundesministerium für Auswärtige Angelegenheiten
BRD	:	Bundesrepublik Deutschland
CA	:	Credit-Anstalt
CAB	:	Cabinet Papers (im Public Record Office)
CAS	:	*Contemporary Austrian Studies*
CCS	:	Combined Chiefs of Staff
CDU	:	Christlich-Demokratische Union
CEEC	:	Committee of European Economic Cooperation
CIA	:	Central Intelligence Agency
CIC	:	Counter Intelligence Corps
COCOM	:	Coordinating Committee
COMECON	:	Communist Economy/Council for Mutual Economic Assistance = Rat für Gegenseitige Wirtschaftshilfe
ČSR	:	Tschechoslowakische Republik

630 Abkürzungsverzeichnis

CSU	:	Christlich-Soziale Union
CV	:	Cartellverband farbentragender katholischer Korporierter
DDF	:	Documents Diplomatiques Français
DDR	:	Deutsche Demokratische Republik
DDSG	:	Donaudampfschiffahrtsgesellschaft
DFP	:	Demokratische Fortschrittliche Partei
DP	:	Displaced Persons
EAC	:	European Advisory Commission
EAG	:	Europäische Atomgemeinschaft (auch EURATOM)
ECA	:	Economic Cooperation Administration
EEA	:	Einheitliche Europäische Akte
EEC	:	European Economic Community
EFTA	:	European Free Trade Association
EG	:	Europäische Gemeinschaft
EGKS	:	Europäische Gemeinschaft für Kohle und Stahl/Montanunion
EPU	:	European Payments Union (= EZU)
EPZ	:	Europäische Politische Zusammenarbeit
ERP	:	European Recovery Program
EU	:	Europäische Union
EURATOM	:	Europäische Atomgemeinschaft (auch EAG)
EVG	:	Europäische Verteidigungsgemeinschaft
EWG	:	Europäische Wirtschaftsgemeinschaft
EWR	:	Europäischer Wirtschaftsraum
EWS	:	Europäisches Währungssystem
EZU	:	Europäische Zahlungsunion (= EPU)
Fasz.	:	Faszikel
FDP	:	Freie Demokratische Partei
FDR	:	Franklin Delano Roosevelt Library, Hyde Park
FINEFTA	:	Assoziierung Finnland-EFTA
FO	:	Foreign Office
FRUS	:	*Foreign Relations of the United States*
GASP	:	Gemeinsame Außen- und Sicherheitspolitik
GATT	:	General Agreement on Tariffs and Trade
Gestapo	:	Geheime Staatspolizei

GI	:	Gouvernmental Issue (Bezeichnung für einen US-Soldaten)
HQ	:	Headquarter
ID	:	Infanterie Division
IGH	:	Internationaler Gerichtshof
IKG	:	Israelische Kultusgemeinde Innsbruck
K	:	Karton (Archivschachtel)
KGA	:	Karl Gruber Archiv (Institut für Zeitgeschichte)
KPÖ	:	Kommunistische Partei Österreichs
KSZE	:	Konferenz für Sicherheit und Zusammenarbeit in Europa
KZ	:	Konzentrationslager
LGBL	:	Landesgesetzblatt
MAE	:	Ministère des Affaires Etrangères (Paris)
MAP	:	Military Assistance Program
MÖSTA	:	*Mitteilungen des Österreichischen Staatsarchivs*
MSA	:	Mutual Security Agency
NA	:	National Archives (Washington)
NATO	:	North Atlantic Treaty Organization
NEI	:	Nouvelles Equipes Internationales
NKWD	:	Narodny Komissariat Wnutrennich Del
NÖLA	:	Niederösterreichisches Landesarchiv (Wien)
NR	:	Nationalrat bzw. Nationalratsabgeordneter
NS	:	Nationalsozialismus/Nationalsozialistisch
NSC	:	National Security Council
NSDAP	:	Nationalsozialistische Deutsche Arbeiterpartei
NSDStB	:	Nationalsozialistischer Deutscher Studentenbund
NSFK	:	Nationalsozialistisches Fliegerkorps
NSKK	:	Nationalsozialistisches Kraftfahrerkorps
ÖAAB	:	Österreichischer Arbeiter- und Angestelltenbund
ÖBB	:	Österreichische Bundesbahnen
ÖCI	:	Österreichisches Credit Institut

OECD	:	Organization for Economic Cooperation and Development
OEEC	:	Organization of European Economic Cooperation
OeNB	:	Österreichische Nationalbank
ÖGB	:	Österreichischer Gewerkschaftsbund
OGH	:	Oberster Gerichtshof
ÖH	:	Österreichische Hochschülerschaft
ÖIFZG	:	Österreichisches Institut für Zeitgeschichte (Wien)
ÖMH	:	*Österreichische Monatshefte*
OPEC	:	Organisation erdölexportierender Länder
ORF	:	Österreichischer Rundfunk
OSS	:	Office of Strategic Services
ÖStA	:	Österreichisches Staatsarchiv (Wien)
ÖVP	:	Österreichische Volkspartei
ÖZP	:	*Österreichische Zeitschrift für Politikwissenschaft*
PA AA	:	Politisches Archiv des Auswärtigen Amts (Bonn)
PfP	:	Partnership for Peace
PLO	:	Palestine Liberation Organization
PREM	:	Prime Ministers Office, Correspondence (PRO, London)
PRO	:	Public Record Office (London)
PWE	:	Political Warfare Executive (UK)
RG	:	Record Group
SA	:	Sturmabteilung
SALT	:	Strategic Arms Limitation Talks
SBKA	:	Stiftung Bruno Kreisky Archiv (Wien)
SD	:	Sicherheitsdienst
SED	:	Sozialistische Einheitspartei Deutschlands
SOS	:	„Save our Ship" oder „Save our Souls"
SPÖ	:	Sozialistische/Sozialdemokratische Partei Österreichs
SS	:	Schutzstaffel
StGB	:	Strafgesetzbuch

StGBl.	:	Staatsgesetzblatt für die Republik Österreich
UdSSR	:	Union der Sozialistischen Sowjetrepubliken
UN	:	United Nations
UNO	:	United Nations Organizations
UNRRA	:	United Nations Relief and Rehabilitation Administration
UNWCC	:	United Nations War Crime Commission
UOG	:	Universitätsorganisationsgesetz
USA	:	United States of America
USFA	:	United States Forces in Austria
USIA	:	Uprawlenje Sowjetskim Imuschestom w Awstrii (Sowjetisch verwaltete Betriebe in Österreich)
VdU	:	Verband der Unabhängigen
VfGH	:	Verfassungsgerichtshof
VfZ	:	*Vierteljahrshefte für Zeitgeschichte*
VG	:	Verbotsgesetz
VGA	:	Verein zur Geschichte der Arbeiterbewegung (Wien)
VGÖ	:	Vereinte Grüne Österreichs
VLA	:	Vorarlberger Landesarchiv
VN	:	Vereinte Nationen (= UNO)
VÖEST	:	Vereinigte Österreichische Stahlwerke
VÖI	:	Vereinigung Österreichischer Industrieller Volkskommissariat für Innere Angelegenheiten
VSStÖ	:	Verband Sozialistischer Studenten Österreichs
WdU	:	Wahlpartei der Unabhängigen (Listenbezeichnis des VdU bei der NR-Wahl 1949)
WEU	:	Westeuropäische Union
WJC	:	World Jewish Congress
WWU	:	Wirtschafts- und Währungsunion

Bildnachweis

Personenregister

böhlau Wien neu

Grenzenloses Österreich

Traude Horvath/Gerda Neyer (Hg.)
Auswanderungen aus Österreich
Von der Mitte 19. Jahrhunderts bis heute
Mit einer umfassenden Bibliographie zur
Österreichischen Migrationsgeschichte
1996. 680 S. Geb.
ISBN 3-205-98565-6

Norbert Ortmayr
Die Familie im Spannungsfeld von Religion,
Ökonomie und Politik: Trinidad 1938–1990
1997. Ca. 384 S. m. ca. 13 SW-Abb.,
zahlr. Farbabb. u. Karten
ISBN 3-205-98632-6

Michael Rössner (Hg.)
Das Literarische Kaffeehaus in Europa
und Lateinamerika 1890–1950
1997. Ca. 300 S. m. ca. 150 SW-Abb. Geb.
ISBN 3-205-98630-X

böhlauWien

Erhältlich in Ihrer Buchhandlung!